Cœur d'encre

CORNELIA FUNKE

CŒUR D'ENCRE

Traduit de l'allemand
par Marie-Claude Auger

ILLUSTRATIONS
INTÉRIEURES DE L'AUTEUR

GALLIMARD JEUNESSE

Cet ouvrage
a précédemment été publié en 2004
par Hachette Livre
sous le titre *Cœur d'encre*.

Ce livre a paru en allemand
chez Cecilia Dressler Verlag, Hambourg, 2003,
sous le titre :

TINTENHERZ

Pour Anna, qui a interrompu la lecture du *Seigneur des Anneaux* pour lire ce livre. (Peut-on demander plus à sa fille ?)

Et pour Elinor, qui m'a prêté son nom, bien qu'il ne soit pas destiné ici à une reine des Elfes.

Vint, vint.
Vint une parole, vint,
Vint à travers la nuit,
Voulut luire, voulut luire.

Cendre.
Cendres, cendres.
Nuit.

Paul Celan, *Strette*

1

UN INCONNU DANS LA NUIT

La nuit brillait dans l'œil du cheval à bascule et aussi dans celui de la souris que Tolly sortit de sous l'oreiller pour la regarder. Outre le tic-tac du réveil, il crut entendre dans le silence des petits pieds nus courir sur le sol, puis des rires étouffés, des murmures et un bruit, comme si l'on feuilletait les pages d'un gros livre.

Lucy M. Boston, *Les Enfants de Green Knowe*

Il pleuvait cette nuit-là une petite pluie fine, tout en murmures. Des années plus tard, il suffisait que Meggie ferme les yeux pour l'entendre, comme des doigts minuscules qui cognaient contre la vitre.

Quelque part dans la nuit, un chien aboyait et Meggie avait beau se retourner dans son lit, elle n'arrivait pas à dormir.

Le livre qu'elle avait glissé sous son oreiller avant d'éteindre se pressait contre son oreille comme s'il voulait l'attirer de nouveau entre ses pages imprimées. «Oh, ce doit être très confortable de dormir avec un objet dur et anguleux sous la tête! s'était exclamé son père la première fois qu'il avait découvert un livre sous son oreiller. Avoue ! Il te chuchote la nuit son histoire à l'oreille. » « Ça arrive ! avait répondu Meggie. Mais ça ne marche qu'avec les enfants. »

Alors, Mo lui avait pincé le bout du nez. Mo. Meggie n'avait jamais appelé son père autrement.

Cette nuit-là — où tout commença et où tant de choses changèrent pour toujours —, Meggie avait glissé un de ses livres préférés sous son oreiller et comme la pluie l'empêchait de dormir, elle se redressa, se frotta les yeux pour en chasser la fatigue et attrapa le livre. Quand elle l'ouvrit, le froissement des pages fut comme une promesse. Meggie trouvait que ce premier murmure était différent pour chaque livre, selon qu'elle en connût déjà l'histoire ou non. Maintenant, il lui fallait de la lumière. Elle avait caché une boîte d'allumettes dans le tiroir de sa table de nuit. Mo lui avait défendu d'allumer des bougies la nuit. Il n'aimait pas le feu.

« Le feu dévore les livres », disait-il, mais enfin, Meggie avait douze ans et elle était en âge de faire attention. Meggie adorait lire à la lueur de la bougie. Sur le rebord de sa fenêtre, elle avait trois photophores et trois chandeliers. Elle était justement en train de maintenir son allumette au-dessus d'une des mèches noires lorsqu'elle entendit les pas dehors. Inquiète, elle souffla l'allumette — des années plus tard, elle s'en souviendrait parfaitement ! — et regarda dehors. C'est alors qu'elle le vit.

La nuit pâlissait sous la pluie et l'inconnu n'était guère plus qu'une ombre. Seul son visage, tourné vers la maison, était éclairé. Ses cheveux étaient collés sur son front trempé. La pluie ruisselait sur lui, mais il n'y prenait pas garde. Il était immobile, les bras serrés contre la poitrine comme s'il voulait se réchauffer, au moins un peu. Il regardait fixement la maison.

«Il faut que je réveille Mo!» songea Meggie. Mais elle resta assise, le cœur battant, scrutant la nuit comme si l'inconnu lui avait communiqué son immobilité. Soudain, il tourna la tête et Meggie eut l'impression qu'il la regardait droit dans les yeux. Elle sauta de son lit, si vite que le livre ouvert tomba par terre. Pieds nus, elle se précipita dans le couloir sombre. Il faisait frais dans la vieille maison, bien que l'on soit déjà fin mai.

Dans la chambre de Mo, la lumière était allumée. Il restait souvent éveillé très tard et lisait. Meggie avait hérité de lui sa passion des livres. Quand elle avait fait un cauchemar et qu'elle venait se réfugier près de lui, rien ne l'aidait mieux à s'endormir que la respiration régulière de Mo et le bruit des pages qu'il tournait. Rien ne chassait mieux les mauvais rêves que le froissement du papier imprimé.

Mais la silhouette devant la maison n'était pas un rêve.

Le livre que Mo lisait cette nuit-là avait une couverture en lin bleu pâle. De cela aussi, Meggie se souviendrait plus tard. Tant de choses sans importance restent fixées dans la mémoire!

– Mo, il y a quelqu'un dans la cour!

Son père leva la tête et la regarda, l'air absent, comme toujours quand elle l'interrompait au milieu de sa lecture. Il lui fallait un petit moment avant de revenir de l'autre monde, de ce labyrinthe de lettres.

– Il y a quelqu'un? Tu es sûre?

– Oui. Il regarde notre maison.

Mo posa son livre.

— Qu'est-ce que tu as lu avant de t'endormir ? *Dr Jekyll et M. Hyde* ?

Meggie fronça les sourcils.

— S'il te plaît, Mo ! Viens avec moi.

Il ne la croyait pas mais il la suivit. Meggie le tirait derrière elle avec tant d'impatience qu'il trébucha contre une pile de livres.

Contre quoi d'autre aurait-il pu trébucher ? Dans cette maison, les livres s'amoncelaient partout. Il n'y en avait pas seulement sur les étagères comme chez les autres gens, non, ils s'entassaient sous les tables, sur les chaises, dans les coins. Il y en avait dans la cuisine et dans les toilettes, sur le téléviseur et dans la penderie, de petits tas, de grands tas, des livres volumineux, des minces, des vieux, des neufs... Ils accueillaient Meggie avec leurs pages grandes ouvertes sur la table du petit déjeuner, ils chassaient l'ennui des jours gris... et parfois, ils vous faisaient trébucher.

— Il est planté là, sans bouger ! chuchota Meggie en entraînant Mo dans sa chambre.

— Il a des poils sur la figure ? C'est peut-être un loup-garou.

— Arrête !

Meggie lui lança un regard sévère, bien que ses plaisanteries lui fassent oublier sa peur. Elle commençait à douter elle-même de la présence de l'homme sous la pluie... jusqu'à ce qu'elle s'agenouille devant sa fenêtre.

— Regarde ! Tu le vois ? murmura-t-elle.

Mo regarda dehors, à travers la pluie battante, et resta silencieux.

– Tu n'avais pas juré qu'il ne viendrait pas de cambrioleur chez nous parce qu'il n'y a rien à voler ? demanda Meggie à voix basse.

– Ce n'est pas un cambrioleur, répondit Mo, mais lorsqu'il se détourna de la fenêtre, il avait l'air si grave que le cœur de Meggie se mit à battre encore plus vite. Retourne au lit, Meggie, c'est une visite pour moi.

Et il sortit de la chambre, avant que Meggie ait pu lui demander quelle pouvait bien être cette visite, au milieu de la nuit. Inquiète, elle le suivit. Dans le couloir, elle l'entendit enlever la chaîne de la porte d'entrée et, quand elle arriva dans le vestibule, elle vit son père debout dans l'embrasure de la porte.

La nuit s'engouffra dans la maison sombre et humide, et le ruissellement de la pluie prit une sonorité menaçante.

– Doigt de Poussière ! cria Mo dans la nuit. C'est toi ?

Doigt de Poussière ? Que pouvait bien signifier ce nom ? Meggie ne se souvenait pas de l'avoir entendu et pourtant il lui était familier, comme un lointain souvenir qui ne voulait pas vraiment prendre forme.

D'abord, personne ne répondit. On n'entendait que le murmure de la pluie comme si, soudain, la nuit avait une voix. Puis des pas s'approchèrent de la maison et l'homme que Meggie avait vu dans la cour surgit de la pénombre. Il portait un long manteau que la pluie plaquait contre ses jambes et, quand il s'avança dans la lumière qui s'échappait de la maison, Meggie crut apercevoir, l'espace d'un instant, une petite tête poilue sur son épaule, qui émergeait furtivement de son sac à dos avant d'y disparaître à nouveau.

L'inconnu passa sa manche sur son visage mouillé et tendit la main à Mo.

— Comment vas-tu, Langue Magique ? demanda-t-il. Depuis le temps !

Mo hésita, puis serra la main que l'autre lui tendait.

— Oui, cela fait bien longtemps, dit-il en regardant derrière le visiteur comme s'il s'attendait à voir surgir une autre silhouette dans la nuit. Viens, tu vas attraper la mort. Meggie m'a dit que tu étais dehors depuis un moment déjà.

— Meggie ? Ah oui, bien sûr !

Doigt de Poussière suivit Mo dans la maison. Il observa Meggie avec tant d'insistance qu'elle en fut gênée et ne sut où poser les yeux. Finalement, elle le dévisagea à son tour.

— Elle a grandi.

— Tu te souviens d'elle ?

— Bien sûr.

Meggie remarqua que Mo fermait la porte à double tour.

— Quel âge a-t-elle ?

Doigt de Poussière lui sourit d'un étrange sourire. Meggie n'aurait pas su dire s'il était moqueur, hautain ou tout simplement gêné. Elle ne lui rendit pas son sourire.

— Douze ans, répondit Mo.

— Douze ans ! Mon Dieu !

Doigt de Poussière écarta de son front ses cheveux dégoulinants. Ils lui tombaient jusqu'aux épaules. Meggie se demanda de quelle couleur ils pouvaient bien être quand ils étaient secs. Les poils de sa barbe autour de la bouche aux lèvres fines étaient roux, comme la fourrure du chat errant auquel Meggie mettait parfois une soucoupe de lait devant la porte. Les poils poussaient aussi sur ses joues, comme la barbe naissante d'un jeune homme. Mais ils ne pouvaient cacher les balafres, trois grandes balafres pâles qui donnaient l'impression que le visage de Doigt de Poussière avait été cassé puis recollé.

— Douze ans! répéta-t-il. Bien sûr. À l'époque, elle avait… trois ans, n'est-ce pas?

Mo hocha la tête.

— Allez, viens, je vais te donner de quoi te changer.

Et il s'empressa d'entraîner son visiteur à sa suite, comme s'il avait soudain hâte de l'éloigner de Meggie.

— Et toi, Meggie, lui lança-t-il, va dormir.

Sans rien ajouter, il referma la porte de son atelier derrière lui. Meggie se retrouva dans le couloir, frottant l'un contre l'autre ses pieds gelés. Va dormir. Parfois, quand une fois de plus elle avait veillé trop longtemps, Mo la jetait sur son lit comme un sac de noix. D'autres fois, après dîner, il la poursuivait dans la maison jusqu'à ce qu'elle se réfugie dans sa chambre, pliée de rire et à bout de souffle. Il lui arrivait aussi d'être si fatigué qu'il s'étirait sur le canapé pendant qu'elle lui préparait un café avant d'aller au lit. Mais jamais, jamais encore, il ne l'avait envoyée se coucher de la sorte.

Un pressentiment mêlé d'angoisse l'envahit : avec cet inconnu au nom à la fois étrange et familier, quelque chose de menaçant était entré dans sa vie. Et elle regretta de toutes ses forces — si fort que cela lui fit peur — d'être allée chercher Mo au lieu de laisser Doigt de Poussière dehors, jusqu'à ce que la pluie l'emporte.

Lorsque la porte de l'atelier s'ouvrit de nouveau, elle sursauta.

— Tu es toujours là ! dit Mo. Va au lit, Meggie, allez !

Il avait cette petite ride au-dessus du nez, qui n'apparaissait que lorsqu'une chose l'inquiétait vraiment, et il la regardait sans la voir, comme s'il était complètement ailleurs. Le pressentiment de Meggie grandit, déployant au-dessus d'elle des ailes noires.

— Mets-le dehors, Mo ! dit-elle tandis qu'il l'entraînait vers sa chambre. S'il te plaît ! Mets-le dehors ! Je ne peux pas le voir !

Mo s'appuya contre le chambranle de sa porte.

— Quand tu te réveilleras demain, il sera parti. Promis.

— Promis ? Sans croiser les doigts ?

Meggie le regarda droit dans les yeux. Elle remarquait toujours quand Mo lui mentait, même s'il se donnait beaucoup de mal pour le lui cacher.

— Sans croiser les doigts ! dit-il et, pour le prouver, il leva les deux mains.

Puis il referma la porte derrière lui, tout en sachant qu'elle n'aimait pas cela. Meggie appuya son oreille contre la porte et écouta. Elle entendit des bruits de vaisselle. Tiens, Mo devait offrir un thé au renard à la moustache rousse pour le réchauffer.

« J'espère qu'il attrapera une pneumonie », songea Meggie. Il n'était pas obligé d'en mourir, comme la mère de son professeur d'anglais. Meggie entendit la bouilloire siffler dans la cuisine et Mo revenir dans l'atelier avec un plateau plein de vaisselle brinquebalante.

Quand il eut refermé la porte, elle se força à attendre quelques secondes, par prudence. Puis elle se faufila de nouveau dans le couloir.

À la porte de l'atelier de Mo était accrochée une plaque, une petite plaque en tôle. Meggie connaissait par cœur ce qui était écrit dessus. Dès l'âge de cinq ans, elle s'était entraînée à lire les lettres gothiques démodées :

> *Il y a des livres que l'on déguste,*
> *D'autres que l'on dévore,*
> *Et quelques-uns, rares, que l'on mâche,*
> *et que l'on digère, entièrement.*

À l'époque, alors qu'elle devait grimper sur une caisse pour déchiffrer le texte, elle croyait que le mot « mâcher » était à prendre au pied de la lettre, et elle s'était demandé, dégoûtée, pourquoi Mo avait accroché à sa porte les paroles d'un mangeur de livres.

Depuis, elle avait compris ce que cela signifiait, mais cette nuit-là, ces mots-là ne l'intéressaient pas. Ceux qu'elle voulait comprendre, c'étaient les mots prononcés, chuchotés à voix si basse, les mots presque incompréhensibles que les deux hommes échangeaient derrière la porte.

— Ne le sous-estime pas ! disait Doigt de Poussière.

Il avait une voix très différente de celle de Mo. Aucune voix ne ressemblait à celle de son père. Avec sa voix, Mo pouvait faire naître des images à partir de rien.

— Il ferait tout pour l'obtenir ! (C'était encore la voix de Doigt de Poussière.) Et tout, crois-moi, ça veut dire tout.

— Je ne le lui donnerai jamais.

Là, c'était celle de Mo.

— Il l'obtiendra, d'une manière ou d'une autre ! Je te le répète : ils sont sur ta piste !

— Ce ne serait pas la première fois. J'ai toujours réussi à les semer.

— Ah bon ? Et combien de temps crois-tu que cela va durer ? Et ta fille ? Tu ne vas pas me dire que cela lui plaît de déménager constamment ? Crois-moi, je sais de quoi je parle.

Derrière la porte, tout redevint si silencieux que Meggie retint son souffle, de peur que les deux hommes l'entendent.

Puis son père se remit à parler, d'une voix hésitante, comme si sa langue avait du mal à former les mots :

— Et... que... que dois-je faire à ton avis ?

— Viens avec moi ! Je vais te conduire jusqu'à lui !

Il y eut un bruit de tasse. De cuillère contre la porcelaine. Comme les bruits étaient amplifiés dans le silence !

— Tu sais que Capricorne apprécie beaucoup tes talents, il serait certainement ravi que tu le lui apportes toi-même, de ton plein gré ! Le nouveau, celui qu'il a trouvé pour te remplacer, est un bon à rien.

Capricorne. Encore un drôle de nom. Doigt de Poussière l'avait prononcé comme s'il lui brûlait les lèvres. Meggie remua ses doigts de pied glacés. Le froid lui remontait jusque dans le nez et elle ne comprenait pas grand-chose de ce que se disaient les deux hommes, mais elle essayait cependant de retenir chaque mot.

Dans l'atelier, le silence était revenu.

— Je ne sais pas..., dit enfin Mo. (Il avait une voix si lasse que Meggie en eut le cœur serré.) Il faut que je réfléchisse. Quand penses-tu que ses hommes seront ici ?

— Bientôt !

Le mot tomba comme une pierre dans le silence.

— Bientôt, répéta Mo. Bon, j'ai jusqu'à demain pour me décider. Tu as un endroit pour dormir ?

— Oh, ça se trouve toujours, répondit Doigt de Poussière. Avec le temps, j'ai appris à me débrouiller, même si tout va toujours trop vite pour moi.

Il eut un rire sans joie.

— Mais j'aimerais bien savoir ce que tu as décidé. Tu es d'accord pour que je revienne demain ? Vers midi ?

— Bien sûr. Je vais chercher Meggie à une heure et demie à l'école. Viens après.

Meggie entendit le bruit d'une chaise. Elle s'empressa de regagner sa chambre. Quand la porte de l'atelier s'ouvrit, elle refermait tout juste la sienne derrière elle. La couette remontée jusqu'au menton, elle resta allongée et écouta son père dire au revoir à Doigt de Poussière. « Merci de m'avoir prévenu ! » ajouta-t-il. Puis elle entendit le visiteur s'éloigner à pas lents et incertains, comme s'il hésitait à partir, comme s'il avait encore quelque chose à dire.

Et bientôt, plus rien que la pluie qui tambourinait comme autant de petits doigts mouillés contre la fenêtre de Meggie.

Quand Mo ouvrit la porte de sa chambre, elle ferma vite les yeux et s'efforça de respirer le plus lentement possible, comme on le fait dans un sommeil profond et innocent.

Mais Mo n'était pas bête. Il était même parfois terriblement intelligent.

— Meggie, sors un pied de ton lit, dit-il.

À contrecœur, elle sortit de sous la couette ses orteils encore froids et les glissa dans la main chaude de Mo.

— Je le savais ! s'exclama-t-il, tu m'as espionné. Tu ne peux pas faire au moins une fois ce que je te demande ?

En soupirant, il remit son pied sous la couette délicieusement chaude. Puis il s'assit sur le bord de son lit, passa la main sur son visage fatigué et regarda par la fenêtre. Il avait des cheveux bruns comme une fourrure de marmotte. Ceux de Meggie étaient blonds comme ceux de sa mère qu'elle n'avait jamais vue que sur quelques vieilles photos fanées. « Tu peux être contente de lui ressembler plus qu'à moi, avait coutume de dire Mo. Ma tête ne ferait pas bien du tout sur un cou de jeune fille. » Mais Meggie aurait bien aimé lui ressembler plus. Il n'était aucun visage au monde qu'elle aimât autant que le sien.

— De toute manière, je n'ai rien compris de ce que vous avez raconté, murmura-t-elle.

— Bon.

Mo ne pouvait détacher les yeux de la fenêtre, comme si Doigt de Poussière était encore dans la cour. Puis il se leva et se dirigea vers la porte.

— Essaie de dormir, fit-il.

Mais Meggie ne voulait plus dormir.

— Doigt de Poussière ! C'est quoi ce nom ? Et pourquoi t'appelle-t-il Langue Magique ? demanda-t-elle.

Mo ne répondit pas.

— Et celui qui te cherche… J'ai entendu Doigt de Poussière parler de lui. Capricorne. C'est qui ?

— Quelqu'un dont je n'aimerais pas que tu fasses la connaissance, répondit son père sans se retourner. Mais je croyais que tu n'avais rien réussi à comprendre ! À demain, Meggie.

Cette fois, il laissa la porte ouverte. La lumière du couloir éclaira son lit, se mêlant à l'obscurité de la nuit qui entrait par la fenêtre, et Meggie resta ainsi allongée, à attendre que la nuit s'en aille enfin, en emportant le sentiment de menace et de malheur qui venait de s'abattre sur elle.

2

MYSTÈRES

— Mais comment font les enfants qui ne peuvent pas s'acheter de livres ? demanda Naftali.

Reb Zebulon répondit :

— Eh bien, ils s'en passent. Les livres, ce n'est pas comme le pain, on peut s'en passer.

— Pas moi. Je ne pourrais pas vivre sans livres, dit Naftali.

Isaac B. Singer,
Naftali le conteur et son cheval Sus

Quand Meggie émergea de son sommeil, le jour se levait. Au-dessus des champs, la nuit pâlissait, telle une robe dont la pluie aurait délavé l'ourlet. Le réveil affichait cinq heures moins quelque chose et Meggie allait se retourner pour se rendormir quand elle eut soudain la sensation d'une présence dans sa chambre.

Effrayée, elle se redressa et aperçut Mo debout devant son armoire ouverte.

— Bonjour ! lança-t-il tout en déposant son pull-over préféré dans une valise. Désolé, je sais qu'il est très tôt mais nous partons en voyage. Que dirais-tu d'un chocolat pour le petit déjeuner ?

Meggie hocha la tête, ivre de sommeil. Dehors, les oiseaux gazouillaient à tue-tête, à croire qu'ils étaient réveillés depuis des heures.

Mo mit encore deux de ses pantalons dans la valise, la referma et la poussa jusqu'à la porte.

— Habille-toi chaudement, dit-il, il fait frais.

— Où allons-nous ? demanda Meggie.

Mais il avait déjà disparu.

Désemparée, elle regarda dehors. Elle s'attendait presque à voir Doigt de Poussière dans la cour mais, au lieu de ça, elle vit un merle qui sautillait entre les cailloux encore luisants de pluie. Meggie enfila son pantalon et trottina en direction de la cuisine. Dans le couloir, il y avait deux valises, un sac de voyage et la caisse à outils de Mo.

Son père était assis à la table de la cuisine et préparait des sandwichs. Des provisions pour le voyage. Quand elle entra, il leva furtivement les yeux et lui sourit, mais Meggie vit tout de suite qu'il était soucieux.

— Nous ne pouvons pas partir, Mo, dit-elle, j'ai encore une semaine d'école avant les vacances !

— Et alors ? Ce ne sera pas la première fois que je dois partir à cause d'une commande quand il y a école.

Il avait raison. Cela arrivait même souvent : chaque fois qu'un antiquaire, un collectionneur de livres ou une bibliothèque avait besoin d'un relieur et chargeait Mo de débarrasser de vieux livres précieux de leurs couches de moisi et de poussière ou de leur confectionner une nouvelle couverture. Meggie trouvait que la qualification de « relieur » ne correspondait pas très bien au travail de Mo, c'est pourquoi elle avait fabriqué, quelques années plus tôt, une plaque pour son atelier sur laquelle était inscrit *Mortimer Folchart, docteur pour livres*. Et pour aller voir ses patients, ce docteur ne se déplaçait jamais sans sa fille. Il l'avait toujours fait et il continuerait, quel que soit l'avis des professeurs de Meggie sur la question.

— Qu'est-ce que tu penses de la varicelle ? Ai-je déjà utilisé cette excuse ?

— Quand nous sommes allés voir ce type affreux, avec les bibles.

Meggie regarda Mo droit dans les yeux.

— Mo ? Nous devons partir… à cause d'hier soir ?

Elle songea un moment qu'il allait tout lui expliquer. Mais il secoua la tête.

— Mais non ! dit-il en mettant les sandwichs dans un sac plastique. Ta mère avait une tante. Tante Elinor. Nous sommes allés la voir quand tu étais toute petite. Il y a longtemps qu'elle veut que je m'occupe de ses livres. Elle habite près d'un lac dans le nord de l'Italie, j'oublie toujours lequel, mais c'est très beau là-bas, et il n'y a que six ou sept heures de voyage.

Il parlait sans la regarder.

« Pourquoi justement maintenant ? » eut envie de demander Meggie. Mais elle se retint. Elle ne lui demanda pas non plus s'il avait oublié son rendez-vous de l'après-midi. Elle avait trop peur de ce qu'il répondrait, et peur aussi qu'il lui mente.

— Est-ce qu'elle est aussi drôle que les autres ? demanda-t-elle à la place.

Mo l'avait déjà emmenée voir un certain nombre de cousins.

Comme la mère de Meggie, Mo avait une grande famille et Meggie avait l'impression qu'elle était répartie sur une bonne moitié de l'Europe.

Mo sourit.

— Elle est un peu bizarre, mais tu t'entendras bien avec elle. Elle a des livres merveilleux.

— Combien de temps allons-nous rester ?

— Peut-être un certain temps.

Meggie but une gorgée de chocolat. Il était si chaud qu'elle se brûla les lèvres. À la hâte, elle pressa le couteau froid sur sa bouche.

Mo repoussa sa chaise.

— Je dois aller emballer quelques affaires à l'atelier, dit-il. Je n'en ai pas pour longtemps. Tu dois être morte de fatigue, tu pourras dormir dans la camionnette.

Meggie hocha la tête et regarda par la fenêtre. Il faisait gris. Au-dessus des champs qui s'étendaient jusqu'aux collines, il y avait des nappes de brouillard et Meggie eut l'impression que les ombres de la nuit s'étaient cachées entre les arbres.

— Prends des provisions pour la route et emporte de quoi lire ! lui cria Mo du couloir.

Comme si elle ne l'avait pas toujours fait. Il y a des années, Mo lui avait fabriqué une caisse pour ses livres préférés, pour toute sorte de voyages, les petits et les grands, les lointains et les proches. « Ça fait du bien d'avoir ses livres quand on est dans des lieux inconnus », disait-il. Il en emportait toujours au moins une douzaine avec lui.

Mo avait peint la caisse en rouge, rouge comme un coquelicot, la fleur préférée de Meggie. On pouvait facilement faire sécher les fleurs entre les pages d'un livre et les pistils s'imprimaient dans la main comme une étoile. Sur le couvercle, Mo avait inscrit *Caisse aux trésors de Meggie* en superbes lettres entrelacées et il avait tapissé l'intérieur d'une doublure d'un noir brillant. Il n'en restait pas grand-chose, car Meggie avait beaucoup de livres préférés. Il arrivait toujours qu'un ouvrage vienne s'ajouter aux autres, quand ils étaient en voyage, ailleurs. « Quand tu emportes un livre, lui avait dit Mo en mettant le premier dans sa caisse, il se passe quelque chose d'étrange : il se met à rassembler tes souvenirs et, plus tard, il suffit que tu l'ouvres pour te retrouver à l'endroit même où tu l'avais lu. Dès les premiers mots, tout revient : les images, les odeurs, la glace que tu mangeais alors... Crois-moi, les livres sont comme le papier dont on se sert pour attraper les mouches. Les souvenirs ne s'accrochent nulle part aussi bien que sur des feuilles de papier imprimé. »

Il devait être dans le vrai. Mais Meggie avait une autre raison d'emporter ses livres. Quand elle était dans un lieu inconnu, en leur compagnie, elle se sentait chez elle. C'étaient des voix familières, des amis qui ne se disputaient jamais avec elle, des amis malins et puissants, qui avaient tout vu, tout connu, avaient voyagé loin, vécu des aventures. Quand elle était triste, ses livres lui remontaient le moral, ils chassaient l'ennui tandis que Mo découpait le cuir et le tissu, et recousait les vieilles pages qui s'étaient effritées au fil du temps sous les innombrables doigts qui les avaient feuilletées.

Certains livres l'accompagnaient toujours, d'autres restaient à la maison parce qu'ils n'étaient pas adaptés à la destination du voyage ou devaient céder la place à une nouvelle histoire encore inconnue.

Meggie effleura du doigt les couvertures arrondies. Quelles histoires allait-elle emporter cette fois ? Quelles histoires l'aideraient à surmonter la peur qui s'était introduite dans la maison la nuit dernière ? « Et si j'emportais une histoire de mensonges ? » se dit Meggie. Mo lui mentait. Il mentait tout en sachant qu'elle lisait toujours les mensonges sur son visage.

« *Pinocchio* », pensa Meggie. Non. Trop inquiétant. Et trop triste. Il lui fallait quelque chose de plus captivant, quelque chose qui chasse toutes les pensées, même les plus sombres. Les sorcières, oui.

Elle emporterait *Sacrées Sorcières*, avec les sorcières au crâne chauve, qui transforment les enfants en souris – et l'*Odyssée* avec le cyclope et la magicienne qui métamorphose les guerriers en cochons. Leur voyage ne pouvait quand même pas être plus dangereux que celui-là !

Sur la gauche, il y avait deux albums avec lesquels Meggie avait appris à lire – à l'époque elle avait cinq ans, et il y avait encore sur les pages la trace de son minuscule index qui suivait les lettres – et tout en bas, cachés au milieu de tous les autres, il y avait les livres que Meggie avait fabriqués elle-même. Des journées entières, elle avait collé, découpé, fait de nouveaux dessins sous lesquels Mo devait écrire ce que cela représentait : *Un ange au visage heureux, de Meggi pour Mo.* Là, elle avait écrit son nom toute seule, à l'époque elle oubliait toujours le *e* à la fin. Meggie contempla les lettres maladroites et reposa le petit livre dans la caisse. Bien entendu, Mo l'avait aidée à le relier. Les livres qu'elle avait confectionnés, Mo les avait reliés avec des couvertures en papier aux motifs multicolores et, pour les autres, il lui avait offert un tampon avec son nom et une tête de licorne, qu'elle apposait sur la première page, avec de l'encre noire ou rouge, comme elle voulait. Mais Mo ne lui avait jamais lu une histoire. Pas une seule fois.

Il avait lancé Meggie en l'air, l'avait portée sur ses épaules à travers la maison ou lui avait montré comment faire un marque-page avec une plume de merle. Mais jamais il ne lui avait fait la lecture. Elle avait eu beau lui mettre des livres sur les genoux, pas une seule fois, pas un seul mot. Meggie avait donc dû apprendre à déchiffrer elle-même les signes noirs, à ouvrir la caisse aux trésors…

Elle se redressa. Il restait de la place dans la caisse. Peut-être que Mo avait un nouveau livre qu'elle pourrait emporter, particulièrement épais, et fascinant…

La porte de son atelier était fermée.
– Mo ?
Meggie abaissa la poignée. La grande table de travail était vide. Plus un tampon, plus un couteau, Mo avait vraiment tout emballé. Il n'avait donc pas menti ?

Meggie entra dans l'atelier et regarda autour d'elle. La porte de la chambre d'or était ouverte. En fait, c'était juste un débarras, mais Meggie avait appelé ainsi la petite pièce parce que son père y rangeait ses matériaux les plus précieux : le cuir le plus fin, les beaux tissus, les papiers marbrés, les tampons avec lesquels on imprimait des motifs dorés dans le cuir souple… Meggie passa la tête par la porte ouverte… et vit Mo en train d'empaqueter un livre dans du papier. Le livre n'était ni très grand ni très épais. La couverture en lin vert passé avait l'air usée, mais c'est tout ce que Meggie put voir car, en l'apercevant, Mo s'empressa de cacher le livre derrière son dos.

— Que fais-tu là ? gronda-t-il.

— Je… (Devant l'air sombre de son père, Meggie resta un moment sans voix.) Je voulais seulement te demander si tu avais encore un livre pour moi… Ceux qui sont dans ma chambre, je les ai tous lus et…

Mo passa la main sur son visage.

— Bien sûr. Je vais te trouver quelque chose, répondit-il. Mais ses yeux disaient : « Va-t'en. Va-t'en, Meggie. » Et dans son dos, elle entendait le froissement du papier d'emballage.

— Je te rejoins, reprit-il, j'ai encore quelque chose à emballer et j'arrive !

Peu après, il lui apporta trois livres. Mais celui qu'il avait enveloppé ne faisait pas partie du lot.

Une heure plus tard, ils portèrent tous leurs bagages dans la cour.

Dehors, Meggie frissonna. C'était un matin frais, frais comme la pluie de la nuit passée, dans le ciel, le soleil était pâle, comme une pièce de monnaie que quelqu'un aurait perdue là.

Ils habitaient dans la vieille ferme depuis tout juste un an. Meggie aimait la vue sur les collines environnantes, les nids d'hirondelle sous le toit, le puits à sec qui bâillait, tout noir, comme s'il plongeait dans les entrailles de la terre. La maison avait toujours été trop grande, exposée aux courants d'air, avec toutes les pièces vides dans lesquelles s'étaient réfugiées de grosses araignées, mais le loyer n'était pas cher et Mo avait assez de place pour ses livres et son atelier. Il y avait aussi un poulailler près de la maison, et la grange, qui n'abritait plus que leur vieille camionnette, aurait été idéale pour des vaches ou un cheval.

— Les vaches, il faut les traire, Meggie ! avait objecté Mo quand elle avait proposé d'essayer pour commencer avec au moins une ou deux bêtes. Très tôt le matin, et tous les jours.

— Et que dirais-tu d'un cheval ? avait-elle demandé. Fifi Brindacier a un cheval et elle n'a même pas d'écurie.

Elle se serait même contentée de quelques poules ou d'une chèvre, mais il fallait aussi leur donner à manger tous les jours, or ils voyageaient trop souvent. Meggie dut donc se contenter du chat orange qui venait les voir de temps en temps, quand il en avait assez de se disputer avec les chiens de la ferme d'à côté. Le vieux paysan grincheux qui y habitait était leur seul voisin. Parfois, les chiens gémissaient si fort que Meggie se bouchait les oreilles pour ne pas les entendre. La localité la plus proche, où Meggie allait à l'école et où habitaient ses deux amies, se trouvait à vingt minutes à bicyclette mais, généralement, Mo la conduisait en voiture parce que c'était une route étroite et déserte bordée d'arbres sombres et de champs.

— Mon Dieu ! Qu'est-ce que tu as bien pu mettre là-dedans ? Des pierres ? demanda Mo en soulevant sa caisse de livres.

— Toi-même, tu dis toujours que les livres doivent être lourds, parce qu'ils contiennent le monde entier, répondit Meggie et, pour la première fois de la matinée, elle le fit rire.

La camionnette qui attendait dans la grange vide, comme un gros animal multicolore, était plus familière à Meggie que toutes les maisons dans lesquelles elle avait vécu avec Mo. Elle ne dormait nulle part aussi bien, aussi profondément que dans le lit qu'il lui avait aménagé dans ce véhicule. Il y avait aussi une table, bien sûr, un coin cuisine et une banquette sous laquelle se trouvaient des guides de voyage, des cartes routières et de vieux livres de poche.

Oui, Meggie adorait cette camionnette. Mais ce matin-là, elle hésita avant de grimper à l'intérieur. Quand elle vit Mo se diriger vers la maison pour fermer la porte à clé, elle eut soudain le sentiment qu'ils n'y reviendraient jamais, que ce voyage-là serait différent de tous les autres, qu'ils allaient rouler et rouler toujours, pour fuir ce qui n'avait pas de nom. Ou, du moins, pas de nom que Mo veuille bien lui révéler.

— En route ! Direction le sud, se contenta-t-il de dire en s'installant au volant.

Et c'est ainsi qu'ils partirent, sans dire au revoir à personne, à une heure bien trop matinale, par une journée qui sentait la pluie. Mais, devant le portail, Doigt de Poussière les attendait.

3

VERS LE SUD

— Derrière la forêt sauvage, il y a le vaste monde, dit le rat. Et il ne nous regarde pas, ni toi, ni moi non plus. Je n'y suis jamais allé, et je n'irai pas, et toi non plus, si tu as un peu de raison.

Kenneth Grahame, *Le Vent dans les saules*

Doigt de Poussière avait dû attendre derrière le mur, sur la route. Des centaines de fois, Meggie avait marché comme une funambule d'une extrémité du mur à l'autre, jusqu'au portail aux gonds rouillés, les yeux fermés, pour mieux voir le tigre tapi dans les bambous au pied du mur, ses yeux jaune d'ambre, ou les rapides de la rivière qui bouillonnaient de chaque côté.

Maintenant, il n'y avait plus que Doigt de Poussière. Mais rien n'aurait pu faire battre le cœur de Meggie plus fort que cette vision. Il avait surgi si soudainement que Mo avait failli l'écraser. Il était en pull-over, les bras serrés frileusement contre lui. Son manteau devait être encore mouillé, mais ses cheveux blond-roux étaient secs. Ils se dressaient au-dessus de son visage balafré.

Mo réprima un juron, éteignit le moteur et descendit du véhicule. Doigt de Poussière arbora son drôle de sourire et s'appuya contre le mur.

— Où t'en vas-tu comme ça, Langue Magique ? demanda-t-il. Tu as oublié notre rendez-vous ? Ce ne serait pas la première fois, tu te souviens ?

— Tu sais pourquoi je suis pressé, répondit Mo. C'est la même raison qu'à l'époque.

Il resta debout près de la portière ouverte, tendu, comme s'il avait hâte que Doigt de Poussière le laisse passer.

Mais celui-ci fit mine de ne pas remarquer l'impatience de Mo.

— Puis-je savoir où tu vas ? insista-t-il. La dernière fois, j'ai dû te chercher pendant quatre ans ; avec un peu de malchance, les hommes de Capricorne t'auraient trouvé avant moi.

Il fixa Meggie qui lui lança un regard hostile.

Mo resta un moment sans répondre.

— Capricorne est dans le Nord, dit-il enfin. Nous allons donc vers le sud. À moins que, entre-temps, il n'ait planté ses tentes ailleurs ?

Doigt de Poussière regarda la route. La pluie de la nuit étincelait dans les nids-de-poule.

— Non, non ! s'exclama-t-il. Non, il est toujours dans le Nord. C'est ce qu'on dit, et comme apparemment tu n'es pas prêt à lui donner ce qu'il cherche, je vais partir moi aussi au plus vite vers le sud. Je ne veux en aucun cas être celui par lequel les hommes de Capricorne apprendront la nouvelle. Si vous voulez bien que je fasse un bout de chemin avec vous… je suis prêt à partir !

Les deux sacs qu'il avait mis contre le mur semblaient avoir fait dix fois le tour du monde. Comme bagages, Doigt de Poussière avait aussi un sac à dos. C'était tout.

Meggie serra les lèvres.

« Non, Mo ! pensa-t-elle. Non, ne le prends pas avec nous ! » Mais il lui suffit de regarder son père pour savoir que sa réponse serait différente.

— Allez, vas-y ! s'exclama Doigt de Poussière, que voudrais-tu que je raconte aux hommes de Capricorne si je tombe entre leurs mains ?

Il avait l'air d'un chien abandonné. Meggie eut beau se forcer à déceler en lui quelque chose d'inquiétant, dans la lumière pâle du matin, elle ne trouva rien. Et cependant, elle n'avait pas envie qu'il les accompagne. Cela devait se lire sur son visage, mais aucun des deux hommes ne faisait attention à elle.

— Crois-moi, je ne pourrais pas leur cacher longtemps que je t'ai vu, poursuivit Doigt de Poussière. Et puis... — il hésita avant d'achever sa phrase — tu as encore une dette envers moi, n'est-ce pas ?

Mo baissa la tête. Meggie vit sa main se crisper sur le bord de la portière.

— Si tu le vois comme ça, dit-il, oui, je pense que j'ai une dette envers toi.

Une lueur de soulagement apparut sur le visage balafré de Doigt de Poussière. Il lança son sac à dos sur son épaule et porta les deux autres jusqu'à la camionnette.

— Attendez ! s'écria Meggie quand Mo se dirigea vers lui pour l'aider. S'il vient avec nous, je veux savoir pourquoi nous partons. Qui est ce Capricorne ?

Mo se retourna vers elle.

— Meggie, commença-t-il sur un ton qu'elle ne connaissait que trop bien, ne fais pas l'idiote, Meggie, reste tranquille.

Elle ouvrit la portière et sauta dehors.

— Meggie ! Remonte immédiatement ! Nous devons partir !

— Je ne remonterai que quand tu me l'auras expliqué !

Mo vint au-devant d'elle, mais elle lui échappa et courut sur la route.

— Pourquoi est-ce que tu ne veux pas me le dire ? lui cria-t-elle.

La route était complètement déserte, comme s'ils étaient seuls sur terre. Un vent léger s'était levé, qui caressa le visage de Meggie et fit frémir les feuilles des tilleuls qui bordaient la route. Le ciel était encore pâle et gris, comme s'il ne voulait pas s'éclairer.

— Je veux savoir ce qui se passe ! s'écria Meggie, je veux savoir pourquoi nous devons nous lever à cinq heures du matin et pourquoi je ne vais pas à l'école. Je veux savoir si nous reviendrons et qui est ce Capricorne !

Lorsqu'elle prononça ce nom, Mo regarda autour de lui comme si cet inconnu, dont les deux hommes avaient visiblement tellement peur, pouvait surgir de la grange vide aussi soudainement que Doigt de Poussière avait surgi de derrière le mur. Mais la cour était vide et Meggie était trop furieuse pour avoir peur de quelqu'un dont elle ne connaissait que le nom.

— Tu ne m'as jamais rien caché, lança-t-elle à son père, jamais !

Mais Mo gardait le silence.

— Tout le monde a ses secrets, Meggie, lâcha-t-il enfin. Et maintenant, remonte. Nous devons partir.

Doigt de Poussière regarda Mo, puis Meggie, l'air incrédule.

— Tu ne lui as rien raconté ? demanda-t-il à Mo d'une voix feutrée.

Mo secoua la tête.

— Mais il faut que tu le lui dises ! C'est dangereux qu'elle ne sache rien. Ce n'est plus une enfant !

— C'est dangereux aussi si elle le sait ! répondit Mo. Et ça ne changerait rien.

Meggie était toujours sur la route.

— J'ai entendu tout ce que vous vous êtes raconté ! s'écria-t-elle. Qu'est-ce qui est dangereux ? Je ne monterai pas avant de le savoir.

Mo restait toujours silencieux. Doigt de Poussière le regarda un moment, hésitant, puis il reposa ses sacs.

— Bon, dit-il, je vais lui parler de Capricorne.

Il se dirigea lentement vers Meggie. Machinalement, elle fit un pas en arrière.

— Tu l'as déjà rencontré, continua Doigt de Poussière. Il y a très longtemps, tu ne peux pas t'en souvenir, tu n'étais pas plus haute que ça.

Il mit sa main à la hauteur de son genou.

— Comment te le décrire ? Si tu voyais un chat manger un petit oiseau, tu aurais envie de pleurer, n'est-ce pas ? Ou envie d'aider l'oiseau. Eh bien Capricorne, lui, donnerait l'oiseau à manger au chat rien que pour le voir le déchiqueter avec ses griffes, et les cris et les soubresauts de la petite bête seraient aussi doux à ses oreilles qu'une musique.

Meggie fit un pas en arrière mais Doigt de Poussière continua d'avancer.

— Je pense que cela ne t'amuse pas de faire peur aux gens, qu'ils en aient les genoux qui tremblent à ne plus pouvoir tenir debout ? demanda-t-il. Mais Capricorne, c'est son plus grand plaisir. Quand tu veux quelque chose, tu n'irais pas non plus le prendre n'importe comment, n'importe où. Eh bien, Capricorne, lui, le fait. Et, malheureusement, ton père possède quelque chose qu'il veut absolument.

Meggie regarda en direction de Mo, mais celui-ci gardait le silence.

— Capricorne ne sait pas relier les livres comme ton père, continua Doigt de Poussière, il ne sait que faire peur. Il est expert en la matière. Il en vit. Même s'il ignore lui-même ce que c'est que d'avoir les membres paralysés de peur, il sait parfaitement la faire surgir, la peur, dans les maisons et dans les lits, dans les cœurs et dans les têtes. Ses hommes distribuent la peur comme des faire-part de mort, ils la glissent sous les portes et dans les boîtes aux lettres, ils la peignent sur les murs et sur les portes des écuries jusqu'à ce qu'elle se répande d'elle-même, sans bruit, nauséabonde comme la peste.

Doigt de Poussière était arrivé tout près de Meggie.

— Capricorne a beaucoup d'hommes, reprit-il à voix basse. La plupart d'entre eux sont avec lui depuis leur enfance, et si Capricorne ordonnait à l'un d'entre eux de te couper une oreille ou le nez, il le ferait sans sourciller. Ils aiment s'habiller en noir, comme des corbeaux, leur chef est le seul à porter une chemise blanche sous sa veste noire et, si jamais tu devais un jour rencontrer l'un d'entre eux, fais-toi toute petite, dans l'espoir qu'ils t'oublient. Tu comprends ?

Meggie hocha la tête. Son cœur battait si fort qu'elle en eut le souffle coupé.

— Je comprends que ton père ne t'ait jamais parlé de Capricorne, ajouta Doigt de Poussière en regardant en direction de Mo. Moi aussi, j'aimerais mieux parler à mes enfants de gens gentils.

— Je sais qu'il n'y a pas que des gens gentils !

Meggie ne pouvait empêcher sa voix de trembler de colère. Peut-être aussi un peu de peur.

— Qu'en sais-tu, toi ? demanda-t-il.

Il avait de nouveau ce sourire énigmatique, triste et arrogant à la fois.

— Tu as déjà eu affaire à de vrais méchants ?

— J'ai lu des histoires où il y en avait.

Doigt de Poussière se mit à rire.

— C'est vrai, c'est presque pareil, dit-il.

Son ton moqueur piqua Meggie, comme des orties. Il se pencha vers elle et la regarda dans les yeux.

— Quand même, je te souhaite d'en rester au stade de la lecture, conclut-il à voix basse.

Mo rangea les sacs de Doigt de Poussière à l'arrière de la camionnette.

— J'espère que tu n'as rien de fragile dedans, dit-il tandis que Doigt de Poussière s'installait derrière le siège de Meggie. Avec ton métier, ça m'étonnerait.

Avant que Meggie ait pu demander de quel métier il s'agissait, Doigt de Poussière ouvrit son sac à dos et en sortit avec précaution un petit animal endormi qui cligna des yeux.

— Comme, apparemment, nous avons un long voyage devant nous, fit-il à Mo, je voudrais présenter quelqu'un à ta fille.

L'animal était presque aussi grand qu'un lapin mais beaucoup plus mince, avec une queue touffue qu'il pressait contre la poitrine de Doigt de Poussière. Il enfonçait ses petites griffes dans ses manches tout en regardant Meggie de ses yeux fendus noirs et brillants et, quand il bâilla, il montra ses petites dents pointues comme des aiguilles.

— Je te présente Gwin, déclara Doigt de Poussière, si tu veux, tu peux lui caresser les oreilles. Elle dort encore à moitié, elle ne te mordra pas.

— Parce que sinon elle mord ? voulut savoir Meggie.

— Tu peux le dire ! s'exclama Mo en s'installant derrière le volant. À ta place je ne la toucherais pas !

Mais Meggie ne pouvait pas voir un animal sans avoir envie de le toucher, même s'il avait des dents très pointues.

— C'est une martre ou quelque chose de ce genre, non ? demanda-t-elle en caressant doucement une des oreilles rondes.

— Quelque chose de ce genre.

Doigt de Poussière mit la main dans sa poche de pantalon et en sortit un morceau de pain sec qu'il glissa entre les dents de Gwin. Meggie caressa la petite tête tandis qu'elle grignotait et tomba soudain sur quelque chose de dur dans la fourrure soyeuse : des cornes minuscules, tout près des oreilles. Surprise, elle retira sa main.

— Les martres ont des cornes ?

Doigt de Poussière fit un clin d'œil et remit Gwin dans son sac à dos.

— Celle-ci en a, dit-il.

Troublée, Meggie le regarda resserrer les courroies du sac. Elle avait l'impression de sentir encore les petites cornes de Gwin sous ses doigts.

— Mo, tu savais que les martres avaient des cornes ? s'étonna-t-elle.

— Penses-tu, c'est Doigt de Poussière qui a dû en coller sur ce petit monstre. Pour ses représentations.

— Quelles représentations ?

Meggie regarda Mo, puis Doigt de Poussière dans l'attente d'une réponse, mais Mo se contenta de mettre le moteur en marche. Doigt de Poussière enleva ses bottes, qui semblaient avoir beaucoup voyagé, et s'allongea sur le lit de Mo en poussant un profond soupir.

— Ne lui raconte rien, Langue Magique, dit-il avant de fermer les yeux. Je ne révèle pas tes secrets, en échange garde les miens pour toi. D'ailleurs, pour celui-là, il faut qu'il fasse nuit.

Meggie passa bien une heure à se demander ce que cette réponse pouvait vouloir dire. Mais une autre question la tracassait davantage.

— Mo, demanda-t-elle quand Doigt de Poussière commença à ronfler dans son dos, ce Capricorne... qu'est-ce qu'il te veut ?

Elle baissa le ton avant de prononcer son nom, comme si elle le rendait ainsi moins menaçant.

— Il s'agit d'un livre, répondit Mo sans quitter la route des yeux.

— Un livre ? Pourquoi ne le lui donnes-tu pas ?

— Ce n'est pas possible. Je t'expliquerai pourquoi, mais pas maintenant. D'accord ?

Meggie regarda par la fenêtre. Le monde qui défilait devant ses yeux lui était déjà étranger — les maisons, les routes, les champs, même les arbres et le ciel lui étaient étrangers —, mais Meggie avait l'habitude. Jamais encore elle ne s'était sentie chez elle nulle part. Son chez-elle, c'était Mo. Mo et ses livres et peut-être aussi cette camionnette qui les transportait d'un endroit à un autre.

— Cette tante, chez qui nous allons, elle a des enfants ? demanda-t-elle alors qu'ils roulaient dans un tunnel interminable.

— Non, répondit Mo, et je crains qu'elle ne les aime pas particulièrement. Mais, comme je te l'ai déjà dit, je pense que tu t'entendras bien avec elle.

Meggie soupira. Elle avait le souvenir de plusieurs tantes avec lesquelles elle ne s'était pas très bien entendue.

Entre-temps, les collines étaient devenues des montagnes. De chaque côté de la route, les versants étaient toujours plus abrupts et bientôt les maisons ne furent pas seulement étrangères mais différentes. Meggie essayait de passer le temps en comptant les tunnels mais, quand elle fut happée par le neuvième, l'obscurité n'en finissant plus, elle s'endormit. Elle rêva de martres dans des vestes noires et d'un livre dans un papier d'emballage marron.

4

UNE MAISON PLEINE DE LIVRES

— Mon jardin à moi est mon jardin à moi, dit le Géant, tout le monde peut comprendre cela, et je ne laisserai personne d'autre que moi y jouer.

Oscar Wilde, *Le Géant égoïste*

Le silence tira Meggie de son sommeil.

Le ronronnement régulier du moteur qui l'avait endormie avait cessé et le siège du chauffeur à côté d'elle était vide. Meggie mit un certain temps à se rappeler pourquoi elle n'était pas dans son lit. Une multitude d'insectes étaient collés sur le pare-brise et la camionnette était arrêtée devant un portail en fer, un portail impressionnant avec des pointes brillant d'un éclat mat. Avec ses piques, on avait l'impression qu'il attendait que quelqu'un essaie de sauter par-dessus et vienne s'y empaler. Cette vision rappelait à Meggie une de ses histoires préférées, celle du Géant égoïste qui ne voulait voir aucun enfant entrer dans son jardin. En lisant cette histoire, elle s'était imaginé un portail exactement comme celui-ci.

Mo était sur la route avec Doigt de Poussière. Meggie descendit et courut les rejoindre. À droite, la route longeait un versant couvert de végétation, qui tombait à pic sur la rive d'un grand lac. Les collines de l'autre côté émergeaient de l'eau comme si des montagnes s'y étaient noyées. L'eau était presque noire, le soir tombait, projetant ses reflets sombres sur les vagues. Dans les maisons qui longeaient la rive, les premières lumières s'allumaient, comme des vers luisants ou des étoiles tombées du ciel.

— C'est beau, hein? dit Mo en passant son bras autour des épaules de Meggie. Toi qui adores les histoires de brigands, tu vois ce château en ruine, là-haut? Une bande de brigands à la terrible réputation y a habité. Il faut que je demande à Elinor. Elle connaît toutes les histoires sur le lac.

Meggie acquiesça en appuyant sa tête contre l'épaule de Mo. Elle était si fatiguée qu'elle en avait le vertige mais, pour la première fois depuis leur départ, le visage de Mo avait perdu un peu de son air soucieux.

— Où habite-t-elle? demanda-t-elle en réprimant un bâillement. Quand même pas derrière le portail avec les piques?

— Mais si! C'est l'entrée de son domaine. Pas franchement accueillant, hein?

Mo se mit à rire et fit traverser Meggie.

— Elinor est très fière de ce portail. Elle l'a fait fabriquer sur mesure, d'après l'illustration d'un livre.

— Une illustration du jardin du Géant égoïste? murmura Meggie tout en observant les barreaux de fer harmonieusement entrelacés.

— Le Géant égoïste?

Mo se mit à rire de nouveau.

— Non, je crois que c'était une autre histoire. Même si celle-ci irait bien avec Elinor.

De chaque côté du portail, il y avait de hautes haies avec des ronces qui empêchaient de voir ce qui se trouvait derrière. Même à travers les barreaux en fer, Meggie ne put rien découvrir de prometteur, hormis de grands massifs de rhododendrons qui dissimulaient une allée de gravier.

— On dirait que c'est une tante plutôt riche, non ? lui chuchota Doigt de Poussière à l'oreille.

— Oui, Elinor est assez riche, dit Mo en éloignant Meggie du portail, mais elle finira sûrement ruinée car elle dépense tout son argent pour des livres. Je crois que si le diable lui proposait en échange le livre qu'elle cherche, elle lui vendrait son âme sans hésiter.

Et, d'une secousse, il ouvrit le lourd portail.

— Qu'est-ce que tu fais ? demanda Meggie, affolée. Nous ne pouvons pas entrer comme ça.

Il y avait en effet une pancarte sur laquelle on pouvait lire :

PROPRIÉTÉ PRIVÉE
DÉFENSE D'ENTRER

Pour Meggie, cela n'était pas très engageant. Mais Mo se mit à rire.

— Ne t'inquiète pas, répondit-il en continuant d'ouvrir. Seule la bibliothèque est protégée par une alarme. Les gens qui franchissent le portail, elle s'en moque. On ne peut pas dire que ce soit une femme peureuse. Et, de toute manière, elle n'a pas beaucoup de visites.

— Et les chiens ? demanda Doigt de Poussière en regardant le jardin inconnu d'un air inquiet.

Un portail pareil faisait penser à des chiens méchants, gros comme des veaux. Mo secoua la tête.

— Elinor a horreur des chiens, expliqua-t-il en se dirigeant de nouveau vers la camionnette, et maintenant, montez !

La propriété d'Elinor ressemblait plus à une forêt qu'à un jardin. Derrière le portail, le chemin faisait un virage comme s'il voulait prendre son élan avant de grimper la pente, puis il se perdait au milieu des sapins sombres et des marronniers qui le longeaient de si près que leurs branches formaient un tunnel. Meggie se disait qu'il n'en finirait jamais quand, soudain, les arbres s'écartèrent. Le chemin déboucha sur une place couverte de graviers entourée de parterres de roses bien entretenus.

Un break gris était stationné sur le gravier devant une maison qui était plus grande que l'école que Meggie avait fréquentée pendant l'année. Elle commença à compter les fenêtres mais ne tarda pas à y renoncer. C'était une très belle maison, cependant elle était aussi peu accueillante que le portail à l'entrée de la propriété. Peut-être le crépi ocre paraissait-il sale à cause du crépuscule. Et peut-être les volets verts étaient-ils déjà fermés à cause de la nuit qui s'annonçait derrière les montagnes environnantes. Peut-être. Mais Meggie aurait parié que même dans la journée on ne les ouvrait que rarement. La porte d'entrée en bois sombre n'était guère engageante et, presque involontairement, Meggie mit sa main dans celle de Mo.

Doigt de Poussière les suivit, hésitant, son vieux sac à dos sur l'épaule, dans lequel Gwin devait encore dormir. Mo s'avança vers la porte avec Meggie, et Doigt de Poussière resta quelques pas en arrière, observant d'un air inquiet les volets fermés, comme s'il soupçonnait la maîtresse de maison de les épier derrière l'une des fenêtres.

Près de la porte d'entrée, il y avait une petite fenêtre grillagée, la seule qui ne se cachât pas derrière des volets verts. Dessous était accrochée une pancarte avec cette inscription :

SI VOUS AVEZ L'INTENTION DE
ME FAIRE PERDRE MON TEMPS
POUR RIEN,
PASSEZ VOTRE CHEMIN !

Meggie jeta à Mo un regard inquiet, mais il lui fit une grimace pour l'encourager et sonna.

Meggie entendit la cloche retentir dans toute la maison. Pendant un moment, il ne se passa rien. Seule une pie surgit des massifs de rhododendrons qui poussaient autour de la maison, et quelques moineaux grassouillets se dépêchèrent de picorer dans le gravier des insectes invisibles. Meggie était en train de leur lancer quelques miettes de pain qu'elle avait dans la poche de sa veste quand, tout d'un coup, la porte s'ouvrit.

La femme qui apparut sur le seuil était plus vieille que Mo, nettement plus vieille, bien que Meggie ne soit jamais sûre quand il s'agissait de deviner l'âge des adultes. Son visage lui fit penser à un bouledogue, mais cela tenait plus à l'expression qu'au visage lui-même. Elle portait un pull gris souris sur une jupe gris cendre, un collier de perles autour d'un cou qui lui rentrait presque dans les épaules et, aux pieds, des pantoufles comme celles que Mo et Meggie avaient dû enfiler dans un château qu'ils étaient allés visiter.

Elinor avait des cheveux gris qu'elle avait remontés en chignon, mais des épingles dépassaient un peu partout, comme si elle l'avait fait à la hâte. Elinor ne devait pas être du genre à passer des heures devant la glace.

— Sapristi, Mortimer ! Pour une surprise, c'est une surprise ! s'exclama-t-elle sans se répandre en **grand**s bonjours. D'où viens-tu comme ça ?

Elle avait une voix bourrue mais, à l'expression de son visage, on voyait qu'elle était contente de voir Mo.

— Bonjour, Elinor, dit Mo en posant sa main sur l'épaule de Meggie, tu te souviens de Meggie ? Elle a bien grandi, comme tu peux voir.

Elinor lança à Meggie une regard furtif et agacé.

— Oui, je vois, mais c'est le propre des enfants de grandir, non ? Et si je me souviens, je ne vous ai pas revus, toi et ta fille, au cours des dernières années. Que me vaut l'honneur inattendu de votre visite ? As-tu décidé d'avoir enfin pitié de mes pauvres livres ?

— Exactement, répondit Mo en hochant la tête, une de mes commandes a été repoussée, une commande pour une bibliothèque, tu sais que les bibliothèques manquent toujours d'argent.

Meggie le regarda, troublée. Elle ne le savait pas capable de si bien mentir.

— Cela s'est fait si vite que je n'ai pas eu le temps de confier Meggie à quelqu'un, c'est pourquoi je l'ai amenée. Je sais que tu n'aimes pas les enfants, mais Meggie ne laisse pas de traces de confiture dans les livres et n'arrache pas non plus de pages pour y envelopper des grenouilles mortes.

Elinor émit un grognement de désapprobation et dévisagea

Meggie comme si, quoi qu'en dise son père, elle était capable des pires méfaits.

— La dernière fois que tu l'as amenée, nous pouvions au moins l'enfermer dans son parc, fit-elle remarquer froidement, ce qui ne doit plus être le cas.

Elle examina Meggie de la tête aux pieds, comme un animal dangereux qu'elle allait devoir garder chez elle.

Furieuse, Meggie sentit le sang affluer à son visage. Elle voulait rentrer chez elle ou retourner dans la camionnette, n'importe où, mais pas dans la maison de cette horrible femme dont le regard glacial la transperçait comme une flèche empoisonnée.

Elinor détourna les yeux et avisa Doigt de Poussière qui se tenait toujours en retrait, gêné.

— Et ça ? demanda-t-elle en regardant Mo, je le connais aussi ?

— C'est Doigt de Poussière, un… ami à moi. Il veut descendre plus au sud, mais peut-être pourrais-tu l'héberger pour une nuit dans une de tes innombrables chambres ?

Elinor croisa les bras.

— À une condition, c'est que son nom n'ait aucun rapport avec la manière dont il traite les livres, dit-elle. Et il devra se contenter d'une petite mansarde sous les toits car ces dernières années, ma bibliothèque s'est considérablement agrandie et a envahi presque toutes les chambres d'amis.

— Combien de livres avez-vous ? demanda Meggie.

Elle avait pourtant grandi au milieu de piles de livres, mais elle ne pouvait imaginer qu'il s'en cache derrière toutes les fenêtres de l'immense maison.

Elinor la dévisagea de nouveau, avec un air de mépris non dissimulé.

— Combien ? répéta-t-elle. Parce que tu crois que je les compte comme des boutons ou des haricots ? Il y en a beaucoup, beaucoup. Sans doute y a-t-il dans chaque pièce de cette maison plus de livres que tu n'en liras jamais — et certains d'entre eux ont tellement de valeur que je n'hésiterais pas à te faire sauter la cervelle si tu t'avisais de les toucher. Mais puisque tu es une petite fille intelligente, comme l'affirme ton père, tu t'en garderas bien, n'est-ce pas ?

Meggie ne répondit pas. Au lieu de ça, elle s'imagina qu'elle se mettait sur la pointe des pieds et crachait trois fois sur la tête de cette vieille sorcière.

Mo se mit à rire.

— Tu n'as pas changé, Elinor, constata-t-il. Toujours la langue aussi acérée qu'un coupe-papier, mais je te préviens, si tu fais sauter la cervelle de Meggie, je ne donne pas cher de tes livres chéris.

Les lèvres d'Elinor s'arrondirent en un minuscule sourire.

— Bien répondu, dit-elle en s'écartant du passage. Apparemment, tu n'as pas changé non plus. Entrez. Je vais te montrer les livres qui ont besoin de tes services. Et quelques autres.

Meggie avait toujours pensé que Mo possédait beaucoup de livres. Quand elle entra dans la maison d'Elinor, elle comprit qu'il n'en était rien.

Il n'y avait pas des piles de livres un peu partout, comme chez Meggie. Visiblement, chaque livre avait sa place. Mais là où les autres gens avaient des tapisseries, des tableaux ou même rien du tout, Elinor avait des étagères de livres. Dans le vestibule où elle les fit d'abord entrer, c'étaient des étagères blanches qui allaient jusqu'au plafond, dans la pièce qu'ils traversèrent ensuite elles étaient noires comme le carrelage au sol, de même que dans le couloir qui suivit.

— Ceux-ci se sont accumulés au cours des années, déclara Elinor d'un geste dédaigneux en passant devant les dos des livres serrés les uns contre les autres. Ils n'ont pas de valeur particulière, la plupart sont de médiocre qualité, rien d'extra-ordinaire. Si un jour, certains petits doigts ne pouvaient s'em-pêcher d'en prendre un, cela n'aurait pas de conséquences sérieuses, ajouta-t-elle en lançant à Meggie un regard furtif. À condition que ces mêmes doigts, une fois leur curiosité satis-faite, remettent chaque livre à sa place sans y laisser de mar-que-page dégoûtant.

À ces mots, elle se tourna vers Mo en disant :

— Tu me croiras si tu veux, mais dans un des derniers livres que j'ai achetés, une édition originale du XIXe siècle, j'ai trouvé une tranche de salami séchée qui avait servi de marque-page.

Meggie ne put s'empêcher de rire, ce qui lui valut naturelle-ment aussitôt un regard peu bienveillant.

— Ce n'est pas drôle, mademoiselle, lança Elinor. Il est arrivé que des livres parmi les plus magnifiques qui aient jamais été imprimés disparaissent, tout ça parce qu'un idiot de marchand de poisson en avait déchiré des pages pour envelopper ses pois-sons nauséabonds. Au Moyen Âge, des milliers de livres ont été détruits parce qu'on fabriquait des semelles de chaussures avec leur cuir ou que l'on faisait chauffer des bains de vapeur avec leur papier.

Ces incroyables infamies avaient beau avoir été commises il y a des siècles, en les évoquant Elinor suffoquait.

— Bon, laissons cela, dit-elle, sinon, je m'énerve et ma tension est déjà beaucoup trop forte.

Elle s'arrêta devant une porte. Sur le bois blanc était peinte une ancre autour de laquelle s'enroulait un dauphin.

— C'est l'enseigne d'un célèbre imprimeur, leur expliqua Elinor en caressant du doigt le bout du nez du dauphin. Idéal pour l'entrée d'une bibliothèque, n'est-ce pas ?

— Je sais, dit Meggie, Aldus Manutius. Il vivait à Venise. Il a imprimé des livres qui étaient juste assez grands pour entrer dans les sacoches de ses clients.

— Ah bon ? (Elinor fronça les sourcils, visiblement agacée.) Je ne savais pas. En tout cas, je suis l'heureuse propriétaire d'un livre qu'il a imprimé lui-même. En 1503.

— Vous voulez dire qui vient de son atelier, corrigea Meggie.

— Bien sûr, c'est ce que je veux dire.

Elinor toussota et regarda Mo d'un air réprobateur, à croire que c'était sa faute si sa fille connaissait des choses aussi extravagantes. Puis elle posa la main sur la poignée de la porte et la baissa quasi religieusement.

— Jamais encore un enfant n'a franchi le seuil de cette pièce, mais comme ton père a dû t'inculquer un certain respect des livres, je vais faire une exception. À une condition toutefois : que tu restes au moins à trois pas des étagères. Acceptes-tu cette condition ?

Un instant, Meggie fut tentée de refuser. Elle aurait été si contente d'épater Elinor en traitant ses précieux livres par le mépris. Mais elle ne pouvait pas. Sa curiosité était trop grande. Elle avait l'impression d'entendre les livres chuchoter à travers la porte à demi ouverte. Ils lui promettaient mille histoires inconnues, mille portes qui s'ouvraient sur des mondes jamais vus. La tentation était plus grande que son amour-propre.

– J'accepte! murmura-t-elle en croisant les mains derrière son dos. Trois pas.

Sa curiosité était piquée au vif.

– Pas bête, cette petite! dit Elinor d'un air si hautain que Meggie regretta presque sa décision.

Et ils entrèrent dans le sanctuaire d'Elinor.

– Tu l'as fait rénover! fit observer Mo.

Il ajouta quelque chose mais Meggie ne l'écoutait plus. Elle regardait les livres, fascinée. Les étagères sur lesquelles ils se trouvaient sentaient le bois fraîchement coupé. Elles allaient jusqu'au plafond bleu ciel, où étaient accrochées de minuscules lampes qui ressemblaient à des étoiles. Devant les étagères, il y avait d'étroits escaliers en bois munis de roulettes, prêts à conduire le lecteur vers les niveaux supérieurs. Il y avait des pupitres supportant des livres ouverts, attachés à de petites chaînes en laiton, des vitrines dans lesquelles des livres aux pages salies par le temps montraient à qui s'en approchait de magnifiques images. Meggie ne put se retenir. Un pas, un regard furtif en direction d'Elinor qui, par chance, lui tournait le dos, et elle se retrouva devant la vitrine. Elle se pencha, de plus en plus près, jusqu'à ce qu'elle ait le nez dessus.

Des feuilles pointues s'agrippaient aux lettres marron passé. Une minuscule tête de dragon rouge crachait des fleurs sur le papier taché. Des cavaliers montés sur des chevaux blancs regardaient Meggie comme si quelqu'un les avait peints la veille avec de minuscules pinceaux en poil de martre. À côté d'eux, il y avait un couple, peut-être un couple de jeunes mariés. Un homme avec un chapeau rouge sang les regardait d'un air hostile.

— C'est ça que tu appelles trois pas ?

Meggie sursauta, mais Elinor n'avait pas l'air vraiment fâchée.

— L'art de l'enluminure, dit-elle. Jadis, seuls les riches savaient lire. C'est pourquoi on donnait aux pauvres des images pour accompagner les lettres, afin qu'ils comprennent les histoires. Bien entendu, on ne pensait pas à leur plaisir, les pauvres étaient là pour travailler, pas pour être heureux ou pour regarder de belles images. Ceci était réservé aux riches. Non, on voulait ainsi les éduquer. C'étaient généralement des épisodes de la Bible que tout le monde connaissait. Les livres se trouvaient dans les églises, et l'on tournait une page chaque jour pour montrer une autre image.

— Et ce livre-ci ? demanda Meggie.

— Oh, je pense qu'il n'a jamais été dans une église, répondit Elinor. Il était plutôt là pour le bon plaisir d'un homme très riche, mais il a presque six cents ans.

Elle ne cherchait pas à dissimuler sa fierté.

— Pour un livre comme celui-ci, des gens se sont étripés. Heureusement, moi, il m'a suffi de l'acheter.

Sur ces mots, elle se tourna brusquement et regarda Doigt de Poussière qui les avait suivis, silencieux comme un chat aux aguets. Un instant, Meggie pensa qu'elle allait le renvoyer dans le couloir, mais il regardait les livres avec tant de respect, les mains croisées dans le dos, qu'elle n'aurait pas eu de raison de le faire. Aussi se contenta-t-elle de lui lancer un regard soupçonneux avant de rejoindre Mo.

Celui-ci était devant un pupitre et avait à la main un livre dont le dos ne tenait plus que par quelques fils. Il le tenait avec beaucoup de précautions comme il eût fait d'un oiseau qui se serait cassé une aile.

— Alors, demanda Elinor, soucieuse, tu vas pouvoir le sauver ? Je sais qu'il est en très mauvais état et les autres, je le crains, ne valent guère mieux, mais…

— On devrait pouvoir les sauver.

Mo reposa le livre et en examina un autre.

— Mais je pense qu'il va me falloir au moins deux bonnes semaines. Sauf si j'ai besoin de matériel supplémentaire, ce qui demanderait plus longtemps encore. Supporteras-tu notre présence si longtemps ?

— Bien sûr.

Elinor hocha la tête mais Meggie remarqua le regard qu'elle lança en direction de Doigt de Poussière. Il était toujours debout devant les étagères près de la porte et semblait être complètement plongé dans la contemplation des livres. Mais Meggie avait l'impression que rien ne lui échappait de ce qu'on disait dans son dos.

Dans la cuisine d'Elinor, il n'y avait pas de livres, pas un seul, mais ils eurent droit à un excellent dîner, installés autour d'une table en bois qui, au dire d'Elinor, provenait de la salle des écritures d'un cloître italien. Meggie en doutait. À sa connaissance, les moines travaillaient dans les scriptoriums des monastères sur des pupitres, mais elle décida de garder cela pour elle. Elle prit un autre morceau de pain et elle était justement en train de se demander si le fromage qui se trouvait sur la fameuse table aux écritures était mangeable, quand elle vit Mo glisser quelque chose à l'oreille d'Elinor. Celle-ci ouvrit de grands yeux et Meggie en conclut qu'il ne pouvait s'agir que d'un livre. Elle ne put s'empêcher de penser au papier d'emballage, au livre à la couverture en lin vert passé et à la colère dans la voix de Mo.

Doigt de Poussière, qui était assis à côté d'elle, fit discrètement tomber un morceau de jambon dans son sac à dos : le dîner de Gwin. Meggie vit un petit nez rond émerger du sac en reniflant, dans l'attente d'un autre morceau. Quand il croisa son regard, Doigt de Poussière sourit à Meggie et fit passer un autre bout de jambon à Gwin. Il ne semblait pas prêter d'importance aux messes basses de Mo et Elinor, mais Meggie était certaine qu'ils complotaient quelque chose tous les deux.

Au bout d'un moment, Mo se leva et sortit. Meggie demanda à Elinor où étaient les toilettes — et le suivit.

Elle éprouvait un drôle de sentiment à l'idée d'espionner Mo. Elle ne se souvenait pas de l'avoir jamais fait — sauf la nuit où Doigt de Poussière était apparu. Et à l'époque où elle essayait de savoir si Mo était le Père Noël. Elle avait honte de l'épier ainsi, mais c'était sa faute à lui. Pourquoi lui cachait-il ce livre ? Et maintenant, il allait peut-être le donner à cette Elinor — un livre qu'elle, elle n'avait pas même pas le droit de voir ! Depuis que Mo s'était empressé de le cacher derrière son dos, le livre ne lui sortait plus de la tête. Elle l'avait même cherché dans le sac qui contenait les affaires de Mo avant qu'il ne charge la camionnette, mais elle n'avait rien trouvé.

Il fallait absolument qu'elle le voie avant qu'il ne disparaisse derrière une des vitrines d'Elinor ! Elle devait savoir ce qu'il avait de si précieux pour que Mo l'apporte jusqu'ici…

Dans le vestibule, il se retourna avant de sortir de la maison mais Meggie eut le temps de se cacher derrière un coffre qui sentait la naphtaline et la lavande. Elle décida de rester dans sa cachette jusqu'à ce que Mo revienne. Dehors, dans la cour, il la verrait à coup sûr. Le temps passa, désespérément lentement, comme toujours quand on attend quelque chose le cœur battant. Meggie eut l'impression que les livres sur les étagères blanches la regardaient mais ils étaient muets, comme s'ils sentaient que, pour le moment, Meggie n'avait qu'un livre en tête.

Mo finit par revenir, avec un petit paquet enveloppé dans du papier marron. «Peut-être veut-il seulement le cacher ici! songea Meggie. Où peut-on mieux cacher un livre qu'au milieu de dix mille autres?» Oui, Mo allait le laisser ici et ils rentreraient chez eux. «Mais je voudrais le voir une fois, se dit Meggie, juste une fois avant qu'on ne le range sur une étagère dont je dois rester éloignée de trois pas.»

Mo passa si près d'elle qu'elle aurait pu le toucher, mais il ne remarqua rien. Il avait l'air soucieux, comme s'il n'était pas certain que ce qu'il allait faire fût la bonne solution. Meggie compta lentement jusqu'à trois avant de le suivre, mais Mo s'arrêta plusieurs fois si brusquement que Meggie faillit lui rentrer dedans. Il ne repassa pas par la cuisine. Il alla directement dans la bibliothèque. Sans se retourner, il ouvrit la porte avec l'enseigne de l'imprimeur vénitien et la referma doucement derrière lui.

Au milieu de tous ces livres silencieux, Meggie se demanda si elle devait le suivre… si elle devait lui demander de lui montrer le livre. Serait-il fâché? Elle allait rassembler tout son courage et continuer sa filature quand elle entendit des pas — des pas rapides et décidés, des pas impatients. Ce ne pouvait être qu'Elinor! Et maintenant?

Meggie ouvrit la porte suivante et entra dans la pièce. Un lit à baldaquin, une armoire, des photos dans des cadres en argent, une pile de livres sur la table de nuit, sur le tapis un catalogue ouvert dont les pages étaient couvertes d'illustrations d'ouvrages anciens. Elle était dans la chambre d'Elinor. Le cœur battant, elle tendit l'oreille. Elle entendit de nouveau les pas énergiques et le bruit de la porte de la bibliothèque que l'on refermait. Sans bruit, elle sortit dans le couloir et resta un moment indécise devant la porte close, quand une main se posa soudain sur son épaule.

Une deuxième main l'empêcha de crier.

— C'est moi! lui glissa Doigt de Poussière à l'oreille, tiens-toi tranquille, sinon nous allons avoir tous les deux des problèmes, tu comprends?

Meggie hocha la tête et il enleva doucement la main de sa bouche.

— Ton père a l'intention de donner le livre à cette sorcière, n'est-ce pas? chuchota-t-il. Il est allé le chercher dans la camionnette? Dis-moi, il l'avait emporté avec lui, hein?

Meggie le repoussa.

— Je ne sais pas, siffla-t-elle entre ses dents, et d'ailleurs en quoi est-ce que ça vous regarde?

— En quoi ça me regarde? (Doigt de Poussière eut un petit rire étouffé.) Je te raconterai peut-être un jour. Mais pour le moment, je veux juste savoir si tu l'as vu.

Meggie secoua la tête. Elle ne savait pas elle-même pourquoi elle lui mentait. Peut-être parce qu'il lui avait appuyé la main un peu trop fort sur la bouche.

— Meggie! Écoute-moi!

Doigt de Poussière la regardait avec insistance. Ses balafres étaient comme des traits blancs qu'on aurait dessinés sur sa joue, deux traits sur la joue gauche, un troisième sur la droite, plus long, qui allait de l'oreille à la narine.

— S'il n'obtient pas ce livre, Capricorne tuera ton père ! chuchota Doigt de Poussière. Il le tuera, tu comprends ? Ne t'ai-je pas expliqué comment il était ? Il veut ce livre et il obtient toujours ce qu'il veut. Il est ridicule de penser qu'ici il est à l'abri.

— Mo ne le pense pas !

Doigt de Poussière se redressa et regarda la porte de la bibliothèque.

— Oui, je sais, murmura-t-il, c'est bien le problème. Et c'est pourquoi tu vas entrer dans cette pièce, l'air de rien, et voir ce qu'ils ont l'intention de faire avec. D'accord ?

Meggie voulut protester. Mais, avant qu'elle ait réalisé ce qui se passait, Doigt de Poussière ouvrit la porte et la poussa dans la bibliothèque.

5

JUSTE UNE ILLUSTRATION

Si quelqu'un vole des livres ou ne rend pas des livres emprun-
tés, que dans sa main le livre se métamorphose en un serpent
féroce. Que la foudre le frappe et paralyse ses membres. Qu'il
demande grâce en criant et en gémissant et que rien ne vienne
apaiser ses souffrances avant qu'il ne tombe en putréfaction.
Que les vers des livres rongent ses viscères comme le ver des
morts qui jamais ne meurt. Et à l'heure du Jugement dernier,
qu'il se consume à jamais dans le feu de l'enfer.

Inscription dans la bibliothèque du cloître
de San Pedro à Barcelone, citée par Alberto Manguel

Ils avaient déballé le livre, Meggie vit le papier brun posé sur
une chaise. Personne n'avait remarqué son entrée. Elinor était
penchée sur un des pupitres et Mo était debout à côté d'elle. Ils
tournaient tous deux le dos à la porte.

— C'est incroyable. Je pensais qu'il n'en existait plus aucun
exemplaire, dit Elinor. On entend de drôles d'histoires à propos de cet ouvrage. Un marchand de livres anciens chez qui je
vais souvent m'a raconté qu'il y a quelques années, on lui en
avait volé trois exemplaires, le même jour, en plus ! Deux autres
libraires m'ont raconté à peu près la même histoire.

— Vraiment ? C'est curieux ! s'exclama Mo. (Mais Meggie connaissait assez bien sa voix pour savoir que son étonnement était feint.) Bon, quoi qu'il en soit, même si ce n'était pas un livre rare, pour moi il est très précieux et je voudrais être sûr qu'il est en de bonnes mains, jusqu'à ce que je revienne le chercher.

— Chez moi, tous les livres sont en de bonnes mains, répondit Elinor sèchement, tu le sais bien. Ce sont mes enfants, mes enfants noirs comme l'encre, et je les soigne avec amour. Je les mets à l'abri de la lumière du soleil, de la poussière et je les protège contre les rats de bibliothèque et les doigts sales des hommes. Celui-ci aura une place de choix et personne ne pourra le voir avant que tu ne le récupères. Dans ma bibliothèque, de toute manière, les visiteurs sont indésirables. Ils ne font que laisser des empreintes de doigts et des croûtes de fromage dans mes pauvres livres. Tu n'es pas sans savoir que je dispose d'une alarme très sophistiquée.

— Oui, c'est très rassurant ! (Mo semblait soulagé.) Je te remercie, Elinor ! Je te remercie vraiment beaucoup. Et si dans les jours à venir, quelqu'un devait venir sonner chez toi et te poser des questions sur lui, sois gentille de faire comme si tu n'en avais jamais entendu parler, d'accord ?

— Bien entendu. Que ne ferait-on pas pour un bon relieur ? Et en plus, tu es le mari de ma nièce. Sais-tu qu'elle me manque parfois ? Mais je pense qu'il en est de même pour toi. Ta fille semble se débrouiller plutôt bien sans elle, non ?

— Elle s'en souvient à peine, dit Mo à voix basse.

— C'est une chance, n'est-ce pas ? Parfois, c'est quand même pratique que notre mémoire soit loin d'être aussi bonne que celle des livres. Sans eux, nous ne saurions sans doute plus rien.

Tout serait oublié : la guerre de Troie, Christophe Colomb, Marco Polo, Shakespeare, tous ces rois et ces dieux fous…

Elinor se retourna et s'interrompit, pétrifiée.

— Je ne t'ai pas entendue frapper ? lança-t-elle en regardant Meggie avec hostilité.

— Depuis combien de temps es-tu là, Meggie ? demanda Mo.

Meggie leva le menton.

— Elle, elle a le droit de le voir mais devant moi, tu le caches ! dit-elle.

L'attaque était toujours la meilleure défense.

— Tu ne m'as encore jamais caché un livre ! Qu'est-ce qu'il a donc de si extraordinaire, celui-là ? Est-ce que je vais devenir aveugle si je le lis ? Est-ce qu'il va m'arracher les doigts avec ses dents ? Quels secrets affreux s'y cachent, que je ne dois pas apprendre ?

— J'ai mes raisons de ne pas te le montrer, répondit Mo.

Il était très pâle. Sans ajouter un mot, il se dirigea vers elle et essaya de l'entraîner vers la porte mais Meggie se dégagea.

— Oh, elle est têtue ! fit remarquer Elinor. Ça me la rendrait presque sympathique. Je me souviens qu'autrefois sa mère était exactement comme ça. Viens ici, toi. (Elle fit signe à Meggie de la rejoindre.) Tu vas voir, ce livre n'a rien de particulièrement excitant, du moins pas pour toi. Mais viens le constater par toi-même. On croit toujours plus facilement ce qu'on voit. À moins que ton père ne soit d'un autre avis ?

Elle lança à Mo un regard interrogatif. Mo hésita, puis il secoua la tête d'un air résigné.

Le livre était ouvert sur le pupitre. Il n'avait pas l'air particulièrement vieux. Meggie savait à quoi ressemblait un livre vraiment ancien. Elle en avait déjà vu dans l'atelier de Mo dont les pages jaunies étaient tachées comme une peau de léopard. Elle se souvenait d'un ouvrage dont la couverture avait été mangée par des vers à bois. Les traces des parasites ressemblaient à de minuscules impacts de balle. Mo avait détaché soigneusement le corps du livre, avait relié les pages entre elles, puis leur avait taillé une nouvelle robe, comme il disait. Ce genre de robe pouvait être en cuir ou en lin, toute simple ou avec un gaufrage que Mo y imprimait avec de minuscules tampons et que parfois il dorait.

Celui-ci avait une couverture en lin, vert argenté comme les feuilles d'un saule. Les bords étaient légèrement abîmés et le papier était encore si blanc que chaque lettre imprimée en noir se détachait parfaitement. L'endroit auquel le livre était ouvert était marqué par un petit ruban rouge. Sur la page de droite, il y avait une illustration. On y voyait des femmes aux tenues somptueuses, un cracheur de feu, des acrobates et une sorte de roi. Meggie tourna les pages. Il n'y avait pas beaucoup d'illustrations, mais chaque lettrine en début de chapitre était déjà une petite illustration en soi. Sur certaines lettres, il y avait des animaux, autour d'autres lettres venaient s'enrouler des plantes ; un *B* était en flammes. Les flammes semblaient si vraies que Meggie passa le doigt dessus pour s'assurer qu'elles ne brûlaient pas. Le chapitre suivant commençait par un *N*. Sur son jambage droit, il y avait un animal avec une queue en fourrure. *Nul ne le vit quitter furtivement la ville*, lut Meggie, mais avant que d'autres mots puissent se former devant ses yeux, Elinor referma le livre sous son nez.

— Je crois que cela suffit, dit-elle en le mettant sous son bras.

Ton père m'a priée de mettre ce livre en lieu sûr, c'est ce que je vais faire maintenant.

Mo attrapa la main de Meggie et, cette fois, elle le suivit.

— Meggie, je t'en prie, oublie ce livre, lui chuchota-t-il. Il porte malheur, je t'en donnerai des centaines d'autres.

Meggie se contenta de hocher la tête. Avant que Mo referme la porte derrière eux, elle lança un dernier regard en direction d'Elinor. Celle-ci contemplait le livre aussi tendrement que Mo la regardait parfois en lui remontant le soir sa couette jusqu'au menton.

Et il referma la porte.

— Où va-t-elle le mettre? demanda Meggie en suivant Mo dans le couloir.

— Oh, elle a plusieurs cachettes idéales pour ce genre de situations, répondit Mo en éludant la question. Mais elles sont secrètes, ce qui est normal pour une cachette. Et, maintenant, si je te montrais ta chambre?

Il s'efforçait de prendre un air insouciant mais il n'y parvenait pas vraiment.

— Elle ressemble à celle d'un hôtel de luxe. En mieux.

— Intéressant, murmura Meggie en regardant autour d'elle, mais Doigt de Poussière avait disparu.

Où était-il? Elle devait lui demander quelque chose. Tout de suite. Elle ne put penser à autre chose tandis que Mo lui montrait sa chambre en lui racontant que tout était réglé désormais, il allait finir son travail et, ensuite, ils rentreraient à la maison.

Meggie acquiesça distraitement. En réalité elle était obsédée par la question qu'elle voulait poser à Doigt de Poussière. Une question qui lui brûlait les lèvres, au point qu'elle s'étonnait que Mo ne la voie pas. Au beau milieu de sa bouche.

Quand il la laissa seule pour aller chercher les bagages dans la camionnette, Meggie courut dans la cuisine, mais Doigt de Poussière n'y était pas. Elle alla même voir dans la chambre d'Elinor. Elle eut beau ouvrir presque toutes les portes de l'immense maison, elle ne le trouva nulle part. Elle finit par être trop fatiguée pour continuer à chercher. Mo était couché depuis longtemps et Elinor s'était aussi retirée dans sa chambre. Meggie rentra donc dans la sienne et s'allongea sur le lit imposant. Elle s'y sentit toute perdue, elle avait l'impression d'être une naine, d'avoir rétréci.

« Comme dans *Alice au pays des merveilles*, songea-t-elle en caressant le drap à fleurs. À part ça, la chambre lui plaisait. Elle était pleine de livres et de tableaux. Il y avait même une cheminée, mais elle donnait l'impression de ne pas avoir servi depuis plus d'un siècle.

Meggie sauta du lit et alla à la fenêtre. Il faisait nuit depuis longtemps et, quand elle ouvrit les volets, un vent frais lui fouetta le visage. La seule chose qu'elle put distinguer dans l'obscurité, c'était la place couverte de gravier devant la maison. Un réverbère éclairait de sa lumière blafarde les pierres d'un blanc-gris. La camionnette rayée de Mo était garée à côté du break d'Elinor, comme un zèbre qui se serait égaré dans une écurie. Mo avait peint les rayures sur la peinture blanche après avoir offert à Meggie *Le Livre de la jungle*. Elle pensa à la maison qu'ils avaient quittée si hâtivement, à sa chambre et à l'école dans laquelle, aujourd'hui, sa place était restée vide. Elle n'était pas sûre de le regretter.

Quand elle alla se coucher, elle laissa les volets ouverts. Mo lui avait mis sa caisse de livres à côté de son lit. Fatiguée, elle en prit un et essaya de se construire un nid dans les mots familiers, mais en vain. Le souvenir de l'autre livre venait constamment s'intercaler entre les lignes. Meggie revoyait les lettrines, de grandes lettres multicolores, entourées de figures dont elle ne connaissait pas l'histoire parce que le livre n'avait pas eu le temps de la lui raconter.

« Il faut que je trouve Doigt de Poussière, songea-t-elle, à moitié endormie. Il doit être là ! » Mais, bientôt, le livre lui tomba des mains et elle s'endormit.

Le lendemain matin, elle fut réveillée par le soleil. L'air était encore frais mais il n'y avait pas un nuage dans le ciel et, en se penchant par la fenêtre, Meggie put voir au loin, entre les branches des arbres, le lac qui scintillait. La chambre qu'Elinor lui avait attribuée était au premier étage. Mo dormait deux portes plus loin mais Doigt de Poussière avait dû se contenter d'une mansarde sous les toits. La veille, en le cherchant, Meggie avait vu la mansarde. Le mobilier se composait d'un lit étroit, entouré de caisses de livres qui s'amoncelaient jusqu'au plafond.

Lorsque Meggie descendit dans la cuisine pour prendre son petit déjeuner, Mo était déjà attablé en compagnie d'Elinor, mais Doigt de Poussière n'était pas là.

— Oh, il a déjà pris son petit déjeuner, répondit Elinor sèchement à la question de Meggie. En compagnie d'un animal aux dents acérées qui était assis sur la table et s'est mis à feuler quand je suis entrée dans la cuisine. J'ai fait comprendre à votre ami que les mouches étaient les seuls animaux que je tolérais sur ma table de cuisine et, sur ce, il est sorti avec sa bestiole à fourrure.

— Que lui veux-tu ? demanda Mo.

— Oh, rien de spécial, je… je voulais juste lui poser une question, dit Meggie.

Elle se dépêcha d'avaler une tartine, but quelques gorgées du chocolat affreusement amer qu'Elinor avait préparé et elle sortit.

Elle trouva Doigt de Poussière derrière la maison, sur une pelouse fraîchement tondue sur laquelle se trouvait, à côté d'un ange en plâtre, une chaise longue solitaire. Pas de Gwin en vue. Quelques oiseaux se chamaillaient dans le rhododendron aux fleurs rouges et Doigt de Poussière jonglait, l'air absent. Meggie essaya de compter les balles, il y en avait quatre, six, huit. Il les rattrapait si vite qu'elle en eut le vertige. Il jonglait sur un pied, nonchalant, comme s'il n'avait même pas besoin de regarder les balles. Mais quand il remarqua la présence de Meggie, il en rata une qui vint atterrir devant ses pieds.

Meggie la ramassa et la lui lança.

— Où avez-vous appris à jongler comme ça ? demanda-t-elle. C'était… magnifique.

Doigt de Poussière s'inclina, l'air moqueur. Il avait de nouveau son drôle de sourire.

— C'est comme ça que je gagne ma vie, dit-il. Comme ça et avec d'autres petites choses.

— Comment peut-on gagner sa vie comme ça ?

— Sur les marchés. Dans les fêtes. À des anniversaires d'enfants. Tu es déjà allée sur un de ces marchés où les gens font comme s'ils étaient au Moyen Âge ?

Meggie hocha la tête. Mo l'avait déjà emmenée voir ça. Elle avait découvert des choses merveilleuses, inconnues, qui semblaient tout droit sorties, non pas d'une autre époque, mais d'un autre monde. Mo lui avait acheté une boîte ornée de petites pierres et d'un petit poisson en métal vert et or, avec la bouche grande ouverte. Une bille dans son ventre creux tintait comme une clochette quand on remuait la boîte. Il y avait dans l'air une odeur de pain frais, de fumée et de vêtements mouillés et Meggie avait vu comment on forgeait une épée et s'était cachée dans le dos de Mo à la vue d'une sorcière déguisée.

Doigt de Poussière rassembla ses balles et les mit dans son sac qui était ouvert derrière lui dans l'herbe. Meggie se dirigea négligemment vers le sac et regarda à l'intérieur. Elle aperçut des bouteilles et de la ouate blanche, un pack de lait mais, avant qu'elle pût en voir plus, il referma le sac.

— Désolé ! Secret professionnel, déclara-t-il. Alors, ton père a donné le livre à Elinor, n'est-ce pas ?

Meggie haussa les épaules.

— Tu peux me le dire, de toute façon, je le sais. J'ai écouté à la porte. Il est fou de le laisser ici, mais bon…

Il s'assit dans la chaise longue, son sac près de lui. Une queue ébouriffée en sortit.

— J'ai vu Gwin, lâcha Meggie.

— Ah bon ?

Doigt de Poussière s'allongea et ferma les yeux. Dans le soleil, ses cheveux paraissaient plus clairs.

— Moi aussi, ajouta-t-il. Elle est dans le sac à dos. C'est l'heure où elle dort.

— Je l'ai vue dans le livre.

Meggie prononça ces paroles sans quitter Doigt de Poussière des yeux mais il ne sourcilla pas. On ne lisait pas ses pensées sur son visage comme sur celui de Mo. Le sien était comme un livre fermé et Meggie avait le sentiment qu'il taperait sur les doigts de quiconque essaierait de lire ce qui était dedans.

— Elle était assise sur une lettre, poursuivit-elle, sur un *N*. J'ai vu ses cornes.

— Vraiment?

Doigt de Poussière n'ouvrit même pas les yeux.

— Sais-tu sur laquelle de ses milliers d'étagères cette folle des livres l'a rangé?

Meggie fit semblant de ne pas entendre sa question.

— Pourquoi Gwin est-elle exactement comme l'animal du livre? demanda-t-elle. Vous lui avez vraiment collé les cornes?

Il ouvrit les yeux à moitié, à cause du soleil.

— Hum, ai-je fait cela? fit-il en contemplant le ciel.

Des nuages passaient au-dessus de la maison d'Elinor. Le soleil disparut derrière l'un d'eux et son ombre se dessina sur l'herbe verte, comme une vilaine tache.

— Est-ce que ton père te lit souvent des histoires, Meggie? l'interrogea Doigt de Poussière.

Meggie le regarda d'un air méfiant. Puis elle s'agenouilla à côté du sac à dos et caressa la queue soyeuse de Gwin.

— Non, dit-elle, mais il m'a appris à lire quand j'avais cinq ans.

— Demande-lui pourquoi il ne te lit pas d'histoires, reprit Doigt de Poussière, et ne te laisse pas avoir avec de faux arguments.

— Pourquoi? demanda Meggie en se relevant, agacée. Il n'aime pas ça, c'est tout.

Doigt de Poussière sourit. Il se redressa et glissa la main dans le sac à dos.

— Tiens, tiens, on dirait qu'on a le ventre bien plein, constata-t-il. Je crois que la chasse nocturne de Gwin a été bonne. Pourvu qu'elle n'ait pas encore pillé un nid. À moins que ce ne soit tout simplement les petits pains et les œufs d'Elinor ?

La queue de Gwin remuait de droite à gauche, un peu comme celle d'un chat.

Meggie observait le sac à dos avec un certain malaise. Elle était contente de ne pas voir le museau de Gwin. Peut-être qu'il y avait encore du sang dessus.

Doigt de Poussière se renversa dans la chaise longue d'Elinor.

— Tu veux que je te montre ce soir à quoi servent les bouteilles, la ouate et toutes ces mystérieuses choses qui sont dans mon sac ? demanda-t-il sans la regarder. Mais il faudra attendre qu'il fasse nuit noire. Tu oserais sortir de la maison en pleine nuit ?

— Bien sûr ! répondit Meggie, vexée, bien qu'elle n'aimât pas spécialement être dehors la nuit. Mais d'abord, il faut que vous me disiez pourquoi…

— *Vous ?* répéta Doigt de Poussière en riant. Non mais, tu vas finir par m'appeler monsieur Doigt de Poussière si tu continues. J'ai horreur de ce vouvoiement, alors dis-moi tu, d'accord ?

Meggie se mordit la lèvre et acquiesça. Il avait raison — le vous ne lui allait pas.

— Bon, alors pourquoi as-tu collé des cornes à Gwin ? reprit-elle. Et que sais-tu à propos du livre ?

Il croisa les mains derrière sa tête.

— Je sais beaucoup de choses et peut-être que je t'en parlerai

un jour, dit-il, mais maintenant, convenons d'un rendez-vous :
ce soir, vers onze heures, ici même. D'accord ?

Meggie leva les yeux vers le merle qui chantait à tue-tête sur
le toit.

— D'accord, répondit-elle, onze heures.

Et elle partit en courant vers la maison.

Elinor avait proposé à Mo d'installer son atelier juste à côté
de la bibliothèque. Il y avait là une petite pièce dans laquelle
elle mettait sa collection de vieux livres sur les animaux et sur
les plantes — apparemment, il n'y avait aucun genre de livres
qu'Elinor ne collectionnât pas. Les livres étaient rangés sur des
étagères en bois clair. Sur certaines d'entre elles, ils s'appuyaient
contre des vitrines qui contenaient des insectes épinglés, ce qui
rendit Elinor encore plus antipathique à Meggie. Devant l'unique fenêtre, il y avait une table, une belle table avec des pieds
galbés, mais moitié moins grande que celle que Mo avait dans
son atelier à la maison. Sans doute était-ce pour cela qu'il pestait
à voix basse, quand Meggie passa la tête par la porte.

— Regarde-moi cette table ! s'exclama-t-il. Elle est bonne pour
trier une collection de timbres mais pas pour relier des livres.
Toute la pièce est trop petite. Je n'ai pas de place pour ma presse,
mes outils… Avant, je travaillais là-haut, sous les toits, mais
maintenant il y a des caisses de livres entassées partout.

Meggie passa la main sur le dos des livres serrés les uns contre
les autres.

— Tu n'as qu'à lui dire qu'il te faut une table plus grande.

Elle prit avec précaution un livre sur l'étagère et l'ouvrit. Les
insectes les plus étranges y étaient reproduits, des insectes avec

des cornes, d'autres avec des trompes, l'un d'eux avait même un vrai nez. Meggie passa son index sur les illustrations aux couleurs fanées.

— Mo, pourquoi ne m'as-tu jamais lu d'histoires ?

Son père se retourna si brutalement qu'elle faillit lâcher le livre qu'elle avait dans la main.

— Pourquoi me demandes-tu cela ? Tu as parlé avec Doigt de Poussière, n'est-ce pas ? Qu'est-ce qu'il t'a raconté ?

— Rien. Rien du tout !

Meggie ne savait pas elle-même pourquoi elle mentait. Elle remit le livre sur les insectes à sa place. Elle avait l'impression que quelqu'un tissait autour d'eux un filet très fin, un filet fait de mensonges, qui devenait de plus en plus épais.

— Je trouve que c'est une bonne question, se reprit-elle en attrapant un autre livre.

Il était intitulé *Maîtres du camouflage*. Dans celui-ci, les insectes ressemblaient à des branches vivantes ou à des feuilles séchées. Mo lui tourna le dos de nouveau. Il commença à étaler ses outils sur la table beaucoup trop petite : sur la gauche la plieuse, puis le marteau à tête ronde avec lequel il frappait le dos des livres pour leur donner leur forme, le couteau à papier aiguisé…

D'habitude il sifflait, mais là, il resta silencieux. Meggie sentait qu'il était ailleurs. Mais où ? Au bout d'un moment, il s'assit sur le bord de la table et la regarda.

— Je n'aime pas lire des histoires, finit-il par dire comme si c'était la chose la plus banale du monde. Tu le sais. C'est comme ça.

— Pourquoi ? Tu me racontes bien des histoires. Tu sais raconter des histoires mieux que personne. Tu sais imiter toutes les voix, tu peux y mettre du suspense, ou faire rire…

Mo croisa ses bras sur sa poitrine comme s'il voulait se cacher derrière.

— Tu pourrais me lire *Tom Sawyer*, suggéra Meggie, ou bien *Le Rhinocéros et sa peau*.

C'étaient ses histoires préférées. Quand elle était encore petite, il leur arrivait de jouer à prétendre qu'ils avaient plein de miettes dans leurs vêtements, comme dans la peau du rhinocéros.

— Oui, c'est une histoire magnifique.

Une fois de plus, Mo lui tourna le dos. Il attrapa le carton dans lequel il rangeait ses feuilles pour les pages de garde et se mit à les feuilleter distraitement.

«Tous les livres devraient s'ouvrir sur du papier comme celui-ci, avait-il dit un jour à Meggie. L'idéal, c'est du papier foncé : rouge foncé, bleu foncé, cela dépend de la couverture du livre. Comme ça, quand tu ouvres le livre, c'est comme au théâtre : d'abord le rideau. Tu le tires et la représentation commence.»

— Meggie, maintenant, il faut vraiment que je travaille! ajouta-t-il sans se retourner. Dès que j'en aurai fini avec les livres d'Elinor, nous pourrons rentrer à la maison.

Meggie remit le livre sur les insectes camouflés à sa place.

— Et s'il n'avait pas collé les cornes?

— Quoi?

— Les cornes de Gwin. Si Doigt de Poussière ne les avait pas collées?

— Il les a collées. Au fait, Elinor est partie faire des courses. Si tu meurs de faim avant son retour, tu peux faire des crêpes, d'accord?

— D'accord, répondit Meggie.

Un instant, elle songea à lui parler de son rendez-vous nocturne avec Doigt de Poussière mais elle se ravisa. À la place, elle demanda :

— Tu penses que je peux prendre quelques livres d'ici et les emporter dans ma chambre ?

— Bien sûr. Dans la mesure où tu ne les fais pas disparaître dans ta caisse.

— Comme ce voleur de livres dont tu m'avais parlé ? dit Meggie en glissant trois livres sous son bras gauche et quatre sous le droit. Combien en avait-il volé déjà ? Trente mille ?

— Quarante mille, répondit Mo, mais lui, il n'a pas tué les propriétaires, c'est déjà ça.

— Non, ça, c'était ce moine espagnol dont j'ai oublié le nom.

Meggie se dirigea vers la porte et la poussa avec la pointe de sa chaussure.

— Doigt de Poussière prétend que Capricorne irait jusqu'à te tuer pour avoir le livre.

Elle s'efforçait de garder un ton le plus neutre possible.

— C'est vrai, Mo ?

— Meggie !

Mo se retourna et dirigea son couteau à papier vers elle, l'air menaçant.

— Va t'allonger au soleil ou plonge ton mignon petit nez dans tes livres mais, maintenant, laisse-moi travailler. Et dis de ma part à Doigt de Poussière que s'il continue à te raconter des âneries pareilles, je vais le découper en tranches très fines avec ce couteau.

— Tu ne m'as toujours pas répondu ! fit remarquer Meggie en sortant avec ses piles de livres.

Une fois dans sa chambre, elle étala les livres sur son immense

lit et commença à lire. Des histoires sur les insectes qui se reti-
raient dans des coquilles d'escargot, comme des hommes dans
une maison vide, sur les grenouilles en forme de feuilles et les
chenilles aux épines multicolores, sur les singes à la barbe blanche, sur les fourmiliers rayés et les chats qui creusaient la terre
pour trouver des patates douces. Il semblait y avoir de tout, tous
les êtres que Meggie pouvait s'imaginer, et bien plus encore.

Mais dans aucun des livres très savants d'Elinor elle ne trouva
un mot, un seul mot, sur des martres à cornes.

6

FEU ET ÉTOILES

Et ils apparurent avec des ours qui dansaient, des chiens et des chèvres, des singes et des marmottes, ils marchaient sur un fil, faisaient des pirouettes en avant et en arrière, lançaient des épées et des couteaux et se précipitaient sur des pointes et des lames, ils avalaient du feu et croquaient des pierres, s'exerçaient à des tours de prestidigitation sous le manteau et le chapeau, avec des gobelets magiques et des chaînes, ils faisaient combattre des marionnettes, ils chantaient comme des rossignols, criaient comme les paons, sifflaient comme le chevreuil, luttaient et dansaient au son de la flûte double.

Wilhelm Hertz, *Spielmannsbuch*

La journée passa lentement. Meggie ne revit Mo qu'en fin d'après-midi, quand Elinor revint des courses et leur servit, une demi-heure plus tard, des spaghettis avec une sauce toute faite.

— Je regrette, mais j'ai horreur de cuisiner, déclara-t-elle en posant les plats sur la table. Notre ami avec l'animal en fourrure saurait-il faire la cuisine par hasard ?

Doigt de Poussière secoua la tête.

— Non, désolé, je n'y connais rien.

— Mo cuisine très bien, fit Meggie tout en mélangeant la sauce trop liquide avec les pâtes.

— Il est là pour restaurer mes livres, pas pour faire la cuisine, répondit Elinor sèchement. Qu'en est-il de toi?

Meggie haussa les épaules.

— Je sais faire des crêpes, dit-elle. Mais pourquoi n'achetez-vous pas de livres de cuisine? Vous qui avez toutes sortes de livres. Cela pourrait servir.

Elinor ignora la question.

— Au fait, j'ai encore une consigne pour la nuit, reprit-elle après un silence général. Je n'autorise aucun éclairage à la bougie chez moi. Le feu me rend nerveuse. Il se nourrit trop volontiers de papier.

Meggie tressaillit. Elle se sentait visée. Car naturellement, elle avait apporté des bougies qu'elle avait laissées en haut, sur sa table de nuit. Elinor avait dû les voir.

Mais Elinor ne s'adressait pas à elle, elle s'adressait à Doigt de Poussière qui jouait avec une allumette.

— J'espère que vous respecterez cette consigne car, apparemment, nous serons encore en votre compagnie cette nuit.

— Si cela ne contrarie pas trop votre sens de l'hospitalité. Je pars demain matin, c'est promis.

Il avait toujours l'allumette dans la main. Le regard de désapprobation d'Elinor ne semblait pas le gêner outre mesure.

— Je crois qu'ici, il y a quelqu'un qui a une idée tout à fait fausse du feu, dit-il. J'admets qu'il peut être comme un petit animal sauvage, mais il est également possible de l'apprivoiser.

Et il tira une allumette de la boîte, l'alluma et mit la flamme dans sa bouche ouverte.

Meggie retint son souffle quand ses lèvres se refermèrent sur le petit morceau de bois qui brûlait. Doigt de Poussière ouvrit la bouche, en ressortit l'allumette éteinte et la posa en souriant sur son assiette vide.

— Vous voyez, Elinor ? ajouta-t-il. Il ne m'a pas mordu. Il se laisse apprivoiser plus facilement qu'un chaton.

Elinor fit une grimace, mais Meggie, muette d'admiration, ne pouvait détacher ses yeux de Doigt de Poussière.

Mo ne semblait pas surpris de cette petite performance. Il lui lança un regard désapprobateur et Doigt de Poussière fit disparaître les allumettes dans la poche de son pantalon.

— Je respecterai évidemment la consigne à propos de la bougie, promit-il. Aucun problème. Ne vous inquiétez pas.

Elinor hocha la tête.

— Bien, dit-elle, mais il y a encore une chose : si jamais vous vous avisiez de sortir à la nuit tombée, comme vous l'avez fait hier soir, tâchez de ne pas revenir trop tard. Car, à neuf heures et demie précises, je branche mon système d'alarme.

— Eh bien, j'ai eu de la chance hier soir, s'exclama Doigt de Poussière en faisant disparaître quelques pâtes dans son sac (ce qui échappa à Elinor mais pas à Meggie). J'avoue que j'aime bien me promener la nuit. Le monde y est plus à mon goût, presque désert et beaucoup plus mystérieux. Mais ce soir, je n'ai pas l'intention d'aller me promener. Cependant, je voudrais vous demander d'activer ce fameux système un peu plus tard.

— Tiens ? Et pourquoi donc, si je puis me permettre ?

Doigt de Poussière fit un clin d'œil à Meggie.

— J'ai promis à cette demoiselle une petite représentation qui commencera environ une heure avant minuit.

— Aha ! s'exclama Elinor en s'essuyant la bouche avec sa serviette. Une représentation ! Et si vous la faisiez dans la journée plutôt que la nuit ? Car enfin, cette demoiselle n'a que douze ans et devrait être au lit à huit heures.

Meggie se mordit les lèvres. Depuis son cinquième anniversaire, elle n'allait plus se coucher à huit heures, mais elle renonça à l'expliquer à Elinor. Au lieu de ça, elle admira la désinvolture avec laquelle Doigt de Poussière réagissait aux regards hostiles d'Elinor.

— Eh bien ! Dans la journée, les tours que je veux montrer à Meggie ne produiraient pas l'effet souhaité, expliqua-t-il en se renversant sur sa chaise, il leur faut le manteau noir de la nuit. Mais pourquoi ne viendriez-vous pas assister au spectacle ? Vous comprendriez alors pourquoi cela doit avoir lieu dans l'obscurité.

— Accepte, Elinor, dit Mo. Son spectacle te plaira. Peut-être qu'après ça, tu auras moins peur du feu.

— Il ne me fait pas peur. Je ne l'aime pas, c'est tout ! répliqua Elinor, impassible.

— Il sait aussi jongler, poursuivit Meggie, avec huit balles !

— Onze, corrigea Doigt de Poussière. Mais le jonglage, c'est dans la journée.

Elinor récupéra une pâte sur la nappe et regarda Meggie et Doigt de Poussière d'un air morose.

— Bon. Je ne veux pas jouer les trouble-fête, annonça-t-elle. Je vais aller me coucher comme tous les soirs à neuf heures et demie avec un livre et brancher l'alarme avant, et quand Meggie me préviendra qu'elle sort pour aller à sa représentation privée, je la débrancherai pendant une heure. Ça suffira?

— Tout à fait, répondit Doigt de Poussière en s'inclinant devant elle, si bas qu'il se cogna le bout du nez contre le bord de son assiette.

Meggie se retint de rire.

Lorsqu'elle vint frapper à la porte d'Elinor, il était onze heures moins cinq.

— Entrez! cria Elinor.

Meggie passa la tête dans la chambre et la vit assise dans son lit, penchée sur un catalogue de la taille d'un annuaire téléphonique.

— Trop cher, trop cher! marmonnait-elle. Écoute-moi bien, ne te laisse jamais aller à une passion pour laquelle tu n'as pas assez d'argent. C'est quelque chose qui vous ronge le cœur comme un ver. Regarde ce livre, par exemple!

Elinor tapa du doigt sur la page gauche du catalogue, si fort que Meggie pensa qu'elle allait y faire un trou.

— Cette édition, cela fait quinze ans que j'ai envie de l'acheter mais elle est trop chère, beaucoup trop chère.

Elinor referma le catalogue en soupirant, le lança sur le tapis et descendit de son lit. À la grande surprise de Meggie, elle portait une longue chemise de nuit à fleurs. Cela la faisait paraître plus jeune, presque comme une jeune fille qui se serait réveillée un matin avec des rides.

— Bon, mais tu ne deviendras probablement pas aussi folle que moi, marmonna-t-elle en enfilant des chaussettes. Ton père est plutôt raisonnable et ta mère l'était aussi. En fait, je n'ai jamais connu quelqu'un d'aussi raisonnable. Mon père, en revanche, était aussi fou que moi, sinon plus. J'ai hérité de lui plus de la moitié de mes livres et tu peux me dire à quoi ça lui a servi ? Ils ne l'ont pas empêché de mourir. Au contraire. Il a eu une attaque pendant une vente aux enchères de livres. N'est-ce pas ridicule ?

Meggie ne savait vraiment pas quoi répondre.

— Ma mère, demanda-t-elle alors, vous l'avez bien connue ?

Elinor soupira comme si elle avait posé une question idiote.

— Évidemment que je l'ai bien connue. C'est même ici que ton père a fait sa connaissance. Il ne te l'a jamais raconté ?

— Il ne parle pas beaucoup d'elle, expliqua Meggie en secouant la tête.

— C'est sans doute mieux comme ça. Pourquoi réveiller les vieilles blessures ? Et tu ne te souviens plus d'elle de toute manière. Le signe sur la porte de la bibliothèque, c'est elle qui l'a peint. Mais viens maintenant. Sinon, tu vas rater ta représentation.

Meggie suivit Elinor dans le couloir sombre. Une seconde, elle eut la sensation que sa mère pourrait surgir de derrière une de ces portes et lui sourire. Dans cette immense maison, il n'y avait presque pas de lumière allumée et Meggie se cogna plusieurs fois le genou contre des chaises ou une petite table qu'elle n'avait pas vues dans l'obscurité.

— Pourquoi fait-il si noir ici ? demanda-t-elle tandis qu'Elinor cherchait à tâtons l'interrupteur de l'entrée.

— Parce que je préfère dépenser mon argent pour des livres que pour de l'électricité dont on peut se passer ! répondit Elinor en jetant à la lampe qui venait de s'allumer un regard irrité, comme si la pauvre avait pu consommer moins.

Puis elle se dirigea vers un boîtier en métal qui était accroché au mur derrière un rideau épais et poussiéreux.

— J'espère que tu as éteint ta lumière avant de venir me voir ? demanda-t-elle en ouvrant le boîtier.

— Bien sûr ! affirma Meggie sans se démonter.

— Tourne-toi, lui ordonna Elinor avant de se mettre à tripoter l'installation en fronçant les sourcils. Mon Dieu, tous ces boutons ! J'espère que je ne me suis pas encore trompée. Préviens-moi dès que la représentation sera terminée. Et n'en profite pas pour te glisser dans la bibliothèque et aller prendre un livre. N'oublie pas que je suis juste à côté et que j'ai l'ouïe plus fine qu'une chauve-souris.

Meggie se mordit les lèvres pour ne pas répondre. Elinor ouvrit la porte. Sans un mot, elle poussa Meggie dehors. La nuit était douce, pleine d'odeurs inconnues et de chants de grillons.

— Est-ce que tu étais aussi gentille avec ma mère qu'avec moi ? demanda-t-elle au moment où Elinor allait refermer la porte derrière elle.

Elinor la regarda un moment, clouée sur place.

— Je crois, répondit-elle. Oui, sûrement. Et elle était aussi insolente que toi. Amuse-toi bien avec le mangeur d'allumettes.

Et elle referma la porte.

Alors qu'elle traversait en courant le jardin plongé dans l'obscurité, Meggie entendit soudain une musique qui emplit la nuit, comme si elle avait attendu les pas de Meggie : une musique aux sons étranges, un mélange de grelots, de sifflets et de tambours, à la fois gaie et triste. Meggie n'aurait pas été surprise si, sur la pelouse derrière la maison d'Elinor, toute une troupe de saltimbanques l'avait attendue, mais Doigt de Poussière était seul.

Il attendait à l'endroit même où Meggie l'avait rencontré le matin. La musique venait d'un magnétophone posé près de la chaise longue, dans l'herbe. Il avait installé un banc de jardin sur le bord de la pelouse à l'intention de sa spectatrice. À droite et à gauche du banc, il avait planté dans la terre des torches allumées, et deux autres sur la pelouse.

Elles dessinaient dans la nuit des ombres qui dansaient comme des serviteurs que Doigt de Poussière aurait fait surgir d'un monde obscur.

Il était torse nu, sa peau était blanche comme la lune qui semblait être venue elle aussi spécialement pour la représentation. Quand Meggie sortit de l'ombre, Doigt de Poussière s'inclina devant elle.

– Prenez place, belle demoiselle ! lança-t-il au milieu de la musique. Tout ici n'attend plus que vous.

Gênée, Meggie s'assit sur le banc et regarda autour d'elle. Sur la chaise longue, Meggie reconnut les deux bouteilles de verre foncé qu'elle avait remarquées dans le sac de Doigt de Poussière. Dans la bouteille de gauche brillait un liquide blanc, comme si on l'avait remplie de lumière de lune. Entre les barreaux en bois de la chaise longue étaient plantées une douzaine de torches avec des têtes en ouate blanche et, près du magnétophone, il y avait un seau et un gros vase ventru qui venait, si Meggie se souvenait bien, de l'entrée d'Elinor.

Elle leva furtivement les yeux vers les fenêtres de la maison. Il n'y avait pas de lumière dans la chambre de Mo mais, un étage plus bas, Meggie aperçut Elinor debout derrière une fenêtre éclairée.

Dès que Meggie regarda dans sa direction, elle tira le rideau comme si elle avait remarqué son regard, mais son ombre continuait de se dessiner derrière le tissu jaune pâle.

— Tu entends comme c'est calme ?

Doigt de Poussière éteignit le magnétophone. Le silence de la nuit descendit comme de la ouate dans les oreilles de Meggie. Pas une feuille ne bougeait, on n'entendait que le crépitement des flambeaux et le chant des grillons. Il remit la musique en marche.

— J'ai parlé personnellement avec le vent, dit-il, car il y a une chose qu'il faut que tu saches : quand le vent se met dans la tête de jouer avec le feu, même moi, je ne peux plus le maîtriser. Mais il m'a promis de se tenir tranquille ce soir pour ne pas nous gâcher le plaisir.

Et il saisit une des torches plantées dans la chaise longue. Il prit une gorgée à la bouteille dans laquelle était enfermée la lumière de la lune et cracha quelque chose de blanc dans le gros vase. Puis il trempa la torche qu'il avait à la main dans le seau, l'en retira et frotta la ouate imbibée contre une des torches allumées. La flamme jaillit si soudainement que Meggie sursauta.

Mais Doigt de Poussière porta la deuxième bouteille à sa bouche et en prit une grosse gorgée qui fit gonfler ses joues balafrées.

Puis il respira profondément, tendit son corps comme un arc et cracha ce qu'il avait dans la bouche au-dessus de la torche, vers le ciel.

Une boule de feu s'éleva au-dessus de la pelouse, une boule de feu aveuglante qui dévorait l'obscurité comme un être vivant.

Elle était si grosse que Meggie pensa que tout, autour d'elle, allait s'enflammer d'une minute à l'autre. Doigt de Poussière tourna sur lui-même, aussi désinvolte qu'un enfant qui danse, et cracha une fois encore du feu. Il laissa la flamme s'élever haut dans le ciel comme pour embraser les étoiles. Puis il alluma une deuxième torche et passa la flamme sur son bras. Il avait l'air heureux comme un enfant qui joue avec son animal favori. Le feu léchait sa peau comme un être vivant, un être de flammes qu'il aurait amadoué et qui le caressait et dansait pour lui. Il lança la torche en l'air, très haut, puis il la rattrapa, en alluma une autre, et se mit à jongler avec trois, quatre, cinq torches. Le feu tournoyait autour de lui, dansait avec lui sans le mordre, lui, Doigt de Poussière, le dompteur de flammes, le cracheur d'étincelles, l'ami du feu. Puis il fit disparaître les torches comme si la nuit les avait avalées et il s'inclina devant Meggie en souriant.

Fascinée, elle ne bougeait plus. Et quand il reporta la bouteille à ses lèvres et cracha de nouveau du feu dans le visage noir de la nuit, elle ne put détacher les yeux du spectacle.

Plus tard, Meggie fut incapable de dire ce qui avait détourné son regard du ballet de torches et des gerbes d'étincelles pour le diriger vers la maison et ses fenêtres. Peut-être que l'on sent la présence du mal sur la peau, comme un froid ou une chaleur soudaine... À moins que ce ne soit la lumière qui ait attiré son regard, la lumière qui filtrait à travers les volets des fenêtres de la bibliothèque.

Elle crut entendre des voix, des voix plus fortes que la musique de Doigt de Poussière, des voix d'hommes et une peur affreuse l'étreignit, aussi noire et étrangère que celle qui s'était emparée d'elle la nuit où elle avait vu Doigt de Poussière dehors, dans la cour.

Quand elle sauta sur ses pieds, Doigt de Poussière laissa échapper une torche qui tomba dans l'herbe. Il s'empressa d'éteindre le feu avant qu'il ne se propage puis suivit le regard de Meggie de l'autre côté, sans un mot.

Meggie se mit à courir vers la maison. La porte était entrouverte, dans l'entrée il n'y avait pas de lumière, mais elle entendit des voix retentir dans le couloir qui menait à la bibliothèque.

— Mo ! cria-t-elle, et la peur l'assaillit de nouveau, piquant son cœur de son bec crochu.

La porte de la bibliothèque était ouverte aussi. Meggie allait y entrer quand deux mains robustes l'attrapèrent par les épaules.

— Silence ! souffla Elinor en l'entraînant dans sa chambre.

Meggie vit que ses doigts tremblaient quand elle referma la porte à clé.

— Laisse-moi !

Meggie repoussa la main d'Elinor, essaya de tourner la clé dans la serrure, elle voulut lui crier qu'elle devait aider son père, mais Elinor lui mit la main sur la bouche et l'éloigna de la porte. Elinor était forte, beaucoup plus forte que Meggie.

— Ils sont trop nombreux ! dit-elle à voix basse alors que Meggie essayait de lui mordre les doigts. Quatre ou cinq grands types, et ils sont armés.

Elle entraîna Meggie qui se débattait jusqu'au mur près de son lit.

— Cent fois, j'ai eu l'intention d'acheter un maudit revolver !

murmura-t-elle en pressant son oreille contre le mur. Qu'est-ce que je dis ? Mille fois !

— Bien sûr qu'il est ici !

Meggie entendit la voix, même sans être contre le mur. Une voix rustre, âpre comme la langue d'un chat.

— Tu veux qu'on aille chercher ta fille chérie dans le jardin, pour qu'elle nous le montre ? Tu ne préfères pas t'en charger toi-même ?

Meggie tentait toujours d'enlever la main d'Elinor de sa bouche.

— Tiens-toi enfin tranquille ! lui glissa Elinor à l'oreille. Tu vas le mettre en danger. Tu m'entends ?

— Ma fille ? Que savez-vous de ma fille ?

C'était la voix de Mo.

Meggie éclata en sanglots. Elinor lui remit sans tarder la main sur la bouche.

— J'ai essayé d'appeler la police, mais les fils sont coupés, lui chuchota-t-elle à l'oreille.

— Oh, nous savons tout ce que nous voulons savoir.

C'était l'autre voix.

— Alors, où est le livre ?

— Je vais vous le donner ! dit Mo d'une voix lasse. Mais je vais vous accompagner car je veux le récupérer dès que Capricorne n'en aura plus besoin.

Vous accompagner… Que voulait-il dire ? Il ne pouvait pas s'en aller comme ça ! Meggie voulut se diriger vers la porte, mais Elinor la retint. Meggie essaya de la repousser mais Elinor la serra dans ses bras vigoureux.

— Parfait. Nous avions ordre de te conduire à lui de toute

façon, lança une deuxième voix, une voix désagréable et grossière. Tu ne peux pas savoir combien Capricorne a hâte d'entendre le son de ta voix. Il a une grande confiance en tes talents.

— Oui, celui que Capricorne a trouvé pour te remplacer était un incapable.

C'était encore l'autre voix, la voix âpre.

— Regarde ce qu'il a fait de Cockerell !

Meggie entendit des bruits de pas.

— Il boite, et le visage de Nez Aplati ne s'est pas arrangé non plus. Même s'il n'a jamais été une beauté.

— Arrête de discuter, nous n'avons pas le temps, Basta. Alors, qu'est-ce qu'on fait avec la fille, on l'emmène ?

Encore une autre voix. On aurait dit que quelqu'un bouchait le nez de celui qui parlait.

— Non ! s'exclama Mo. Ma fille reste ici, sinon je ne vous donnerai pas le livre !

Un des hommes se mit à rire.

— Oh, si ! Langue Magique, tu nous le donneras, mais ne t'inquiète pas. Il n'a jamais été question de l'emmener. Une enfant nous retarderait et Capricorne t'attend depuis bien trop longtemps. Alors, ce livre, il est où ?

Meggie pressa son oreille si fort contre le mur que ça lui fit mal. Elle entendit des pas, puis un bruit, comme si on poussait quelque chose.

À côté d'elle, Elinor retenait son souffle.

— Pas mal, comme cachette ! s'exclama la voix âpre. Cockerell, emballe-le. Et fais bien attention. Après toi, Langue Magique. On y va.

Et ils partirent. Meggie tenta vainement de se délivrer de

l'emprise d'Elinor. Elle entendit la porte de la bibliothèque se refermer, les pas s'éloigner. Puis ce fut le silence. Et Elinor, enfin, la lâcha.

Meggie se jeta contre la porte, l'ouvrit en sanglotant, traversa le couloir et courut jusqu'à la bibliothèque.

Elle était vide. Mo avait disparu. Les livres étaient bien rangés sur leurs étagères, à un seul endroit, il y avait un vide, large et sombre. Meggie crut apercevoir, bien caché entre les livres, un clapet qui était ouvert.

— Incroyable ! dit Elinor dans son dos. Ils ne sont vraiment venus que pour chercher ce livre.

Meggie la poussa et se précipita dans le couloir.

— Meggie, cria Elinor, attends !

Attendre quoi ? Que les inconnus disparaissent avec son père ?

Elle entendit Elinor courir derrière elle. Ses bras étaient peut-être plus forts, mais les jambes de Meggie, elles, étaient plus rapides.

La porte de la maison était grande ouverte et un vent frais saisit Meggie quand elle sortit en trébuchant.

— Mo ! cria-t-elle.

Elle crut voir s'allumer des phares, derrière, là où le chemin se perdait entre les arbres et elle entendit un bruit de moteur. Meggie courut dans sa direction. Elle trébucha sur le gravier glissant et s'ouvrit le genou. Un sang chaud coula sur son tibia mais elle ne s'en occupa pas. Elle continua à courir, boitant et sanglotant, jusqu'à ce qu'elle arrive devant le grand portail en fer.

Mais au-delà, la route était vide.

Mo était parti.

7

CE QUE CACHE LA NUIT

Mille ennemis hors de la maison valent mieux qu'un seul à l'intérieur.

Proverbe arabe

Quand il vit Meggie passer près de lui en courant, Doigt de Poussière se cacha derrière le tronc d'un châtaignier. Il la vit s'arrêter au portail et regarder fixement la route. Il l'entendit appeler le nom de son père de sa petite voix. Ses appels se perdaient dans l'obscurité, à peine plus perceptibles que le cricri des grillons dans la grande nuit noire. Puis tout redevint silencieux et il vit la silhouette de Meggie qui était là, immobile, à jamais, aurait-on pu croire.

Toute sa force semblait l'avoir quittée, comme si le prochain coup de vent allait l'emporter.

Elle resta si longtemps ainsi que, au bout d'un moment, Doigt de Poussière ferma les yeux pour ne plus la voir. C'est alors qu'il l'entendit pleurer et son visage devint rouge de honte ; il lui sembla que le vent le brûlait, de ce même feu avec lequel il avait joué juste auparavant. Il resta là, sans un bruit, le dos appuyé contre le tronc d'arbre et attendit que Meggie retourne à la maison. Mais elle ne bougeait pas.

Enfin, elle fit demi-tour et, comme une marionnette dont on aurait coupé les fils, elle se dirigea vers la maison. Quand elle passa près de Doigt de Poussière, elle ne pleurait plus, elle se passait simplement la main sur les yeux pour essuyer ses larmes et, l'espace d'un instant affreux, il ressentit le besoin de courir vers elle, de la consoler, de lui expliquer pourquoi il avait tout dit à Capricorne.

Mais Meggie l'avait déjà dépassé. Elle accéléra l'allure, comme si ses forces lui revenaient. Elle se mit à courir, toujours plus vite, jusqu'à ce qu'elle disparaisse derrière les arbres noir d'encre.

Alors, il sortit de sa cachette, lança son sac sur son dos, prit les deux autres sacs avec toutes ses affaires et se dirigea d'un pas pressé vers le portail resté ouvert.

La nuit l'engloutit comme un renard prédateur.

8

SEULE

— Mon petit, dit enfin Grand-mère, tu es sûre que ça ne t'ennuie pas d'être une souris pour le restant de ta vie ?

— Ça m'est absolument égal, dis-je. Du moment que quelqu'un m'aime, peu m'importe qui je suis ni à quoi je ressemble.

Roald Dahl, *Sacrées Sorcières*

Quand Meggie arriva, Elinor se tenait sur le seuil de la porte d'entrée bien éclairée. Elle avait enfilé un manteau sur sa chemise de nuit. La nuit était chaude, mais un vent froid montait du lac.

La fillette avait l'air si désespérée – si perdue. Elinor se souvenait de ce sentiment. Il n'y avait rien de pire.

— Ils l'ont emmené !

Meggie s'étouffait presque de colère et de désarroi. Elle regardait Elinor avec hostilité.

— Pourquoi m'as-tu empêchée ? Nous aurions pu l'aider.

Elle serrait ses poings, comme si elle voulait la frapper.

Elinor connaissait ce sentiment. Parfois, on avait envie de frapper tout le monde, mais cela ne servait à rien, à rien du tout. Le chagrin restait.

— Ne dis pas de bêtises, répondit-elle sèchement, qu'aurions-nous pu faire ? Ils t'auraient emmenée aussi. Tu crois que cela aurait plu à ton père, que ça l'aurait aidé ? Non. Alors ne reste pas plantée là et rentre à la maison.

Mais la fillette ne bougea pas.

— Ils l'emmènent chez Capricorne ! murmura-t-elle, à voix si basse qu'Elinor l'entendit à peine.

— Chez qui ?

Meggie se contenta de secouer la tête et passa sa manche sur son visage mouillé de larmes.

— La police ne va pas tarder, dit Elinor. Je l'ai appelée avec le portable de ton père. Je n'avais jamais voulu acheter un engin pareil mais, maintenant, je pense que je vais le faire. Ils ont coupé les fils du téléphone, tout simplement.

Meggie ne bougeait toujours pas. Elle tremblait.

— De toute façon, maintenant, ils sont loin ! dit-elle.

— Mais il ne lui arrivera rien ! la rassura Elinor en serrant le manteau contre elle.

Le vent forcissait. Il allait sûrement pleuvoir.

— Qu'est-ce que tu en sais ?

La voix de Meggie tremblait de colère.

« Mon Dieu, si les regards pouvaient tuer, je serais déjà morte », songea Elinor.

— Parce qu'il s'est laissé emmener de son plein gré, répondit-elle, agacée, tu l'as toi-même entendu, non ?

La fillette baissa la tête. Bien sûr qu'elle l'avait entendu.

— C'est vrai, murmura-t-elle, il s'est fait plus de souci pour le livre que pour moi.

Elinor ne sut que répondre. Son père à elle avait toujours été convaincu qu'on devait s'occuper plus des livres que des enfants.

Et quand il était mort brutalement, ses deux sœurs et elle avaient eu pendant des années le sentiment qu'il était encore assis dans sa bibliothèque, comme d'habitude, et époussetait ses livres. Mais le père de Meggie était différent.

— Tu dis des bêtises. Bien sûr qu'il s'est fait du souci pour toi. Je ne connais aucun père qui soit aussi fou de sa fille que le tien. Tu vas voir, il va bientôt revenir. Et maintenant, rentre !

Elle tendit la main à Meggie.

— Je vais te faire un lait chaud avec du miel. C'est bien ce qu'on fait aux enfants qui ont un gros chagrin, non ?

Mais Meggie ignora sa main. Elle fit soudain demi-tour et partit en courant. Comme si quelque chose venait de lui passer par la tête.

— Attends-moi !

Elinor enfila en maugréant ses chaussures de jardin et la suivit. Cette petite folle courait derrière la maison, là où le cracheur de feu avait donné sa représentation. Évidemment, la pelouse était vide. Seules les torches consumées étaient encore plantées dans la terre.

— Eh bien, on dirait que monsieur le mangeur d'allumettes est parti lui aussi. En tout cas, il n'est pas dans la maison.

— Il les a peut-être suivis !

La fillette se dirigea vers une torche éteinte et passa sa main sur l'extrémité noire de suie.

— Exactement ! Il a vu ce qui s'est passé et il les a suivis !

Elle regarda Elinor, pleine d'espoir.

— Sûrement. C'est comme ça que les choses ont dû se passer.

Elinor fit vraiment un effort pour ne pas prendre un ton moqueur. «Comment crois-tu qu'il les a suivis? À pied?»ajouta-t-elle en son for intérieur. Mais, au lieu de dire ce qu'elle pensait, elle posa sa main sur l'épaule de Meggie. Seigneur, la fillette tremblait toujours.

— Maintenant, viens! ordonna-t-elle. La police sera bientôt là et, pour le moment, nous ne pouvons rien faire. Tu verras, dans quelques jours, ton père sera de retour et peut-être que ton ami le cracheur de feu sera avec lui. Mais en attendant, il va falloir que tu me supportes.

Meggie hocha la tête et se laissa entraîner sans résistance vers la maison.

— J'ai encore une condition, dit Elinor quand elles arrivèrent devant la porte.

Meggie la regarda avec méfiance.

— Pourrais-tu cesser, pendant que nous sommes seules toutes les deux, de me regarder constamment comme si tu voulais m'empoisonner? Serait-ce possible?

Sur le visage de Meggie passa un petit sourire perdu.

— Je pense, répondit-elle.

Plus tard, les deux policiers posèrent beaucoup de questions auxquelles ni Elinor ni Meggie ne purent répondre. Non, Elinor n'avait jamais vu ces messieurs. Non, ils n'avaient pas volé d'argent, ni aucun objet de valeur, seulement un livre. Quand Elinor leur dit cela, les deux hommes échangèrent un regard amusé. Agacée, elle leur fit un discours sur la valeur des livres rares, mais cela n'arrangea rien, au contraire. Et enfin, quand Meggie leur déclara qu'ils retrouveraient sûrement son père s'ils arrivaient à localiser un certain Capricorne, les deux policiers se regardèrent comme si la fillette déclarait le plus sérieusement du monde que son père avait été enlevé par le grand méchant loup. Et ils s'en allèrent.

Elinor accompagna Meggie dans sa chambre. Cette petite idiote avait de nouveau les larmes aux yeux et Elinor n'avait pas la moindre idée de ce qu'il fallait faire pour consoler une fillette de douze ans.

— Ta mère aussi dormait toujours dans cette chambre.

Ce qui devait être la dernière chose à dire. C'est pourquoi elle s'empressa d'ajouter :

— Tu n'as qu'à lire un peu, si tu ne peux pas dormir.

Puis elle se racla la gorge et s'en alla dans sa chambre, à travers la maison sombre et vide.

Pourquoi la trouvait-elle soudain si grande et si vide ? Durant toutes les années qu'elle avait passées ici seule, cela ne l'avait jamais dérangée que derrière toutes ces portes ne l'attendent que des livres. Bien des années s'étaient écoulées depuis l'époque où elle jouait à cache-cache dans les couloirs avec ses sœurs. Il fallait toujours faire attention de ne pas faire de bruit en passant devant la bibliothèque…

Dehors, le vent s'engouffrait dans les volets. « Mon Dieu, je ne vais pas pouvoir fermer l'œil », se dit-elle. Puis elle pensa au livre qui l'attendait près de son lit et, avec un mélange de joie anticipée et de mauvaise conscience, elle disparut dans sa chambre.

9

UN ÉCHANGE FÂCHEUX

Une maladie du livre, tenace et amère, inonde l'âme. Quelle
honte, d'être assujetti à cette masse pesante de papier, d'impression et de sentiments d'hommes morts. Ne vaudrait-il pas
mieux laisser, avec noblesse et courage, ces détritus où ils sont
et s'en aller dans le monde – ; comme un Superman analpha-
bète, libre et sans complexes ?

Solomon Eagle, *Moving a Library*

Cette nuit-là, Meggie **ne** dormit pas dans son lit. Dès que le
bruit des pas d'Elinor eut cessé, elle se faufila dans la chambre de Mo.

Il n'avait pas encore fini de déballer ses affaires, son sac était
ouvert à côté de son lit. Seuls ses livres étaient déjà sur sa table
de nuit ainsi qu'une tablette de chocolat entamée. Mo était fou
de chocolat. Même un vieux Père Noël en chocolat n'était pas
à l'abri de sa gourmandise. Meggie en prit un morceau et le
mit dans sa bouche mais il n'était pas bon. Il avait le goût de la
tristesse.

Meggie se glissa sous la couette de Mo. Elle était froide et l'oreiller n'avait pas non plus son odeur. Il sentait l'assouplissant et la lessive. Meggie passa sa main sous l'oreiller. Elle n'y trouva pas de livre mais une photo. C'était une photo de sa mère. Mo l'avait toujours sous son oreiller. Quand elle était petite, Meggie croyait que Mo lui avait inventé une mère parce qu'il pensait qu'elle en voulait une. Il lui racontait des histoires merveilleuses à propos de sa mère.

— Elle m'aimait ? ne manquait pas de lui demander Meggie.

— Beaucoup.

— Où est-elle ?

— Elle a dû partir quand tu avais trois ans.

— Pourquoi ?

— Il le fallait.

— Elle est partie loin ?

— Très loin.

— Elle est morte ?

— Non, ça, c'est sûr.

Meggie était habituée aux étranges réponses de Mo à certaines questions. À dix ans, elle avait cessé de croire qu'il lui avait inventé une mère et s'était dit que sa mère était partie. Ce sont des choses qui arrivent. Et tant que Mo était là, elle ne lui manquait pas particulièrement.

Mais maintenant, lui aussi était parti. Et elle se retrouvait seule avec Elinor et ses petits yeux ronds.

Elle sortit le pull de Mo du sac et y enfouit son visage. « C'est la faute du livre, se répétait-elle. C'est la faute du livre. Pourquoi ne l'a-t-il pas donné à Doigt de Poussière ? » Parfois, quand on est tellement triste qu'on ne sait plus quoi faire, cela fait du bien d'être en colère. Mais Meggie ne put s'empêcher de pleurer et elle s'endormit avec un goût de sel sur les lèvres.

Quand elle se réveilla soudain, le cœur battant et les cheveux trempés de sueur, tout lui revint d'un coup : les hommes, la voix de Mo et la route vide. « Je vais le chercher, pensa Meggie. Oui, c'est ça. » Dehors, le ciel se teintait de rouge. Le soleil n'allait pas tarder à se lever. Il valait mieux qu'elle soit partie avant qu'il fasse jour.

La veste de Mo était sur le dossier de la chaise sous la fenêtre, comme s'il venait juste de la quitter. Meggie prit le porte-monnaie qui était dedans, elle aurait besoin d'argent. Puis elle sortit discrètement de la chambre pour prendre quelques affaires, celles qui étaient indispensables : des habits, et une photo d'elle et Mo, pour qu'elle puisse demander en chemin si on l'avait vu. Elle ne pourrait pas emporter sa caisse, bien sûr. Elle songea à la mettre sous le lit, puis elle décida d'écrire un mot à Elinor.

Chère Elinor, écrivit-elle bien qu'elle ne trouvât pas le terme approprié pour Elinor, ensuite elle se demanda si elle devait la tutoyer ou la vouvoyer. « Bof, les tantes, on les tutoie, se dit-elle, et en plus, c'est plus facile. » *Ne te fais pas de souci* — de toute façon, Elinor n'était pas du genre à se faire du souci — *et s'il te plaît, ne dis pas à la police que je suis partie, sinon ils vont me rechercher. Je laisse mes livres préférés dans la caisse. Je ne peux malheureusement pas les emporter. Prends-en soin, s'il te plaît, je reviendrai les chercher dès que j'aurai retrouvé mon père.*
Merci.

Meggie

PS : je sais exactement combien il y a de livres dans la caisse.

Puis elle barra cette dernière phrase, cela ne ferait qu'irriter Elinor et qui sait alors ce qu'elle ferait des livres. Peut-être qu'elle les vendrait. Mo avait en effet confectionné pour chacun d'eux une couverture particulièrement jolie. Pas en cuir, car elle n'avait pas envie de s'imaginer en lisant qu'on avait dépouillé la peau d'un veau ou d'un cochon pour couvrir son livre. Heureusement, Mo comprenait cela. Il y a des centaines d'années, avait-il raconté à Meggie, pour recouvrir les livres très précieux, on utilisait la peau de veaux qui n'étaient pas encore nés : *charta virginea non nata,* un nom très joli pour une chose affreuse. « Et dans ces livres, avait ajouté Mo, il y avait plein de mots très intelligents sur l'amour, la bonté et la charité. »

Tout en faisant son sac, Meggie s'efforça de ne pas réfléchir car elle savait que cela l'amènerait à se demander où elle allait le chercher. Elle écarta cette pensée. Mais, au bout d'un moment, ses mains devinrent quand même plus lentes et finalement elle s'arrêta, debout près de son sac bourré, et ne put étouffer la cruelle petite voix en elle qui chuchotait : « Dis-moi où tu comptes le chercher, Meggie ? Tu ne le sais même pas. Tu crois que tu vas aller loin avant que la police ne te retrouve ? Une fillette de douze ans avec un sac de voyage à la main et une histoire incroyable, un père disparu et pas de mère à qui la ramener. »

Meggie appuya ses mains sur ses oreilles mais elle ne put faire taire la petite voix en elle. Elle resta un long moment sans bouger. Puis elle secoua la tête jusqu'à ce que la voix se taise enfin et elle traîna son sac dans le couloir. Il était lourd, beaucoup trop lourd. Meggie l'ouvrit et lança presque tout le contenu dans la chambre.

Sauf un pull, un livre (elle avait besoin d'un livre, au moins un), la photo et le porte-monnaie de Mo. Ainsi, elle pourrait porter le sac aussi loin qu'il le faudrait.

Elle se faufila dans l'escalier sans faire de bruit, le sac dans une main et le mot pour Elinor dans l'autre. Les premiers rayons du soleil filtraient déjà à travers les volets mais, dans la grande maison, tout était silencieux, même les livres dormaient sur leurs étagères. Seul un léger ronflement lui parvint de la chambre d'Elinor. Meggie voulut glisser son mot sous sa porte, mais elle n'y arriva pas. Elle hésita un instant puis elle tourna la poignée. Dans la chambre, il faisait clair malgré les volets fermés. La lampe à côté du lit était allumée. Apparemment Elinor s'était endormie en lisant. Elle était allongée sur le dos et ronflait, la bouche entrouverte, avec au-dessus d'elle des anges en plâtre accrochés au plafond. Sur sa poitrine, elle tenait un livre. Meggie le reconnut immédiatement.

En quelques pas, elle fut près du lit.

— Où as-tu trouvé ça ? s'écria-t-elle en arrachant le livre des mains d'Elinor. Il appartient à mon père !

Elinor se réveilla d'un coup, comme si Meggie lui avait versé de l'eau bouillante sur la tête.

— Tu l'as volé ! cria Meggie, hors d'elle. Et tu as fait venir ces hommes, oui, c'est ça. Toi et ce Capricorne, vous êtes complices ! Tu as fait enlever mon père et qui sait ce que tu as fait de ce pauvre Doigt de Poussière ! Tu voulais avoir le livre ! Je l'ai tout de suite vu, à la manière dont tu le regardais — comme s'il s'agissait de quelque chose de vivant ! Il vaut sans doute un million ou deux ou trois...

Elinor était assise dans son lit, elle regardait fixement les fleurs de sa chemise de nuit et restait silencieuse. Elle attendit que Meggie reprenne son souffle.

— Tu as fini ? demanda-t-elle. Ou as-tu l'intention de rester ici à crier comme une folle jusqu'à ce que tu tombes raide morte ?

Elle avait un ton sec, comme toujours, mais on sentait qu'à cette sécheresse venait s'ajouter autre chose : la mauvaise conscience.

— Je vais prévenir la police ! lança Meggie. Je vais leur dire que tu as volé le livre et que c'est à toi qu'il faut qu'ils demandent où est mon père.

— Je… t'ai… sauvée…toi… et… ce… livre !

Elinor sauta du lit, alla à la fenêtre et ouvrit les volets.

— Ah bon ! Et Mo ?

Meggie haussa le ton.

— Qu'est-ce qui va se passer quand ils remarqueront qu'il ne leur a pas donné le bon livre ? Ce sera ta faute s'ils lui font du mal. Doigt de Poussière l'a dit : Capricorne le tuera s'il ne lui donne pas le livre. Il le tuera !

Elinor passa la tête par la fenêtre et prit une profonde inspiration avant de se retourner.

— Tu dis des bêtises ! dit-elle, furieuse. Tu accordes beaucoup trop d'importance à ce que raconte ce mangeur d'allumettes. Et à l'évidence, tu as lu beaucoup trop de livres d'aventure. Tuer ton père, doux Jésus, il n'est pas agent secret, que je sache ! Il restaure des livres anciens. Ce n'est pas vraiment un métier où l'on risque sa vie. Je voulais simplement regarder ce livre en toute tranquillité. Voilà pourquoi je l'ai échangé. Je ne pouvais pas me douter que ces sombres personnages allaient faire irruption au beau milieu de la nuit et emmener ton père et le livre avec lui! Moi, il m'avait seulement raconté qu'un collectionneur un peu fou le harcelait depuis des années à cause de ce livre. Comment aurais-je pu savoir que ce collectionneur ne reculerait pas devant une effraction et un enlèvement? Même moi, je n'aurais pas des idées pareilles. Sauf peut-être pour un ou deux livres dans le monde!

— Mais Doigt de Poussière l'a dit. Il a dit qu'il le tuerait!

Meggie serrait le livre très fort contre elle, comme si c'était le seul moyen de l'empêcher de causer encore plus de malheur. Elle eut la sensation d'entendre encore la voix de Doigt de Poussière.

— «Et les cris et les soubresauts de la petite bête, murmura-t-elle, seraient aussi doux à ses oreilles qu'une musique.»

— Quoi? De quoi parles-tu encore?

Elinor s'assit sur le bord de son lit et attira Meggie à côté d'elle.

— Maintenant, tu vas me raconter tout ce que tu sais de cette affaire. Allez.

Meggie ouvrit le livre, le feuilleta jusqu'à ce qu'elle retrouve le grand N sur lequel était assis l'animal qui ressemblait à Gwin.

— Meggie! Écoute-moi! dit Elinor en la secouant énergiquement par les épaules. De qui viens-tu de parler?

— De Capricorne.

Meggie prononça le nom à voix basse, comme si le danger rôdait sur chacune des lettres de ce nom.

— Capricorne? Et après? Je t'ai déjà entendue prononcer ce nom plusieurs fois. Pour l'amour du ciel, qui est cet individu?

Meggie referma le livre, caressa la couverture et le regarda sous toutes ses faces.

— Il n'y a pas de titre, murmura-t-elle.

— Non, ni sur la couverture ni à l'intérieur.

Elinor se leva et se dirigea vers sa penderie.

— Il y a beaucoup de livres sur lesquels le titre n'apparaît pas, ajouta-t-elle. Le fait d'écrire le titre sur la couverture est quelque chose d'assez récent. Lorsque l'on reliait encore les livres avec la courbure du dos vers l'intérieur, le titre était inscrit à la rigueur sur le côté mais, la plupart du temps, il fallait ouvrir le livre pour connaître le titre. Ce n'est que lorsque les relieurs ont appris à faire des dos ronds que le titre est apparu.

— Je sais ! répondit Meggie avec impatience, mais ce n'est pas un livre ancien. Je sais à quoi ressemblent les livres anciens.

Elinor lui lança un regard moqueur.

— Oh, pardon ! J'avais oublié que tu es une experte. Mais tu as raison : ce livre n'est pas très vieux. Il a été publié il y a environ trente-huit ans. Un âge vraiment ridicule pour un livre !

Elle disparut derrière la porte ouverte de sa penderie.

— Il n'empêche qu'il a un titre : il s'appelle *Cœur d'encre*. Je suppose que ton père l'a relié exprès ainsi pour qu'on ne voie pas sur la couverture de quel livre il s'agit. Tu ne trouves même pas le titre à l'intérieur. Si tu regardes bien, tu verras qu'il a enlevé la page.

La chemise de nuit d'Elinor atterrit sur le tapis et Meggie vit ses jambes nues se glisser tant bien que mal à l'intérieur d'un collant.

— Nous devons retourner voir la police, dit Meggie.

— Pourquoi ?

Elinor lança un pull-over par-dessus la porte de la penderie.

— Qu'est-ce que tu veux leur raconter ? Tu n'as pas remarqué comme ils nous ont regardées hier ?

Elinor imita leur voix :

— Voyons, récapitulons, madame Loredan : quelqu'un s'est introduit chez vous après que vous avez eu la bonté de débrancher l'alarme. Ensuite, ces cambrioleurs si habiles n'ont rien volé d'autre qu'un livre, bien que votre bibliothèque soit pleine de livres dont la valeur s'élève à plusieurs millions et ils ont emmené le père de cette jeune fille après qu'il leur eut proposé de les accompagner ! Très intéressant. Et ces hommes travaillaient sans doute pour un certain Capricorne !

Elinor émergea de derrière l'armoire. Elle portait une jupe à carreaux affreuse et un pull-over caramel qui lui donnait un teint blafard.

— Tous les gens qui habitent autour de ce lac me prennent pour une folle et si nous retournons voir la police avec cette histoire, tout le monde va raconter qu'Elinor Loredan a perdu l'esprit. Ce qui serait une fois de plus la preuve que la passion des livres est quelque chose de très nocif.

— Tu t'habilles comme une grand-mère, remarqua Meggie.

— Merci beaucoup, répondit-elle en la regardant de haut, mais je n'ai pas envie d'entendre de commentaires sur mon physique. D'ailleurs, je pourrais être ta grand-mère. En me forçant un peu.

— Tu as déjà été mariée ?

— Non. Je ne sais pas pourquoi je me serais mariée. Et maintenant, je te prie d'arrêter de me poser des questions personnelles. Ton père ne t'a pas appris que cela ne se fait pas ?

Meggie se tut. Elle ne savait pas elle-même pourquoi elle avait posé ces questions.

— Il a beaucoup de valeur, n'est-ce pas? demanda-t-elle.

— *Cœur d'encre*?

Elinor prit le livre des mains de Meggie, caressa la couverture et le lui rendit.

— Oui, je crois. Bien qu'il n'y ait pas un seul exemplaire de ce livre mentionné dans les catalogues et les registres qui existent sur les livres précieux. Entre-temps, j'ai appris des choses à propos de ce livre. Certains collectionneurs seraient prêts à offrir beaucoup d'argent à ton père s'ils apprenaient qu'il détient peut-être le seul exemplaire qui existe. Ce ne serait pas seulement un livre rare, mais un bon livre. Je ne peux rien en dire. Hier soir, je n'ai pas dépassé la page douze. Je me suis endormie quand la première fée est survenue. Je n'ai jamais beaucoup aimé les histoires de fées, de nains et que sais-je encore. Même si je n'aurais rien contre le fait d'en avoir dans mon jardin.

Elinor disparut une fois de plus derrière la porte de sa penderie, apparemment elle se regardait dans le miroir. Finalement, la remarque de Meggie à propos de ses vêtements semblait quand même la préoccuper.

— Oui, je pense qu'il a beaucoup de valeur, répéta-t-elle d'une voix songeuse. Bien que, depuis un certain temps, il soit pratiquement tombé dans l'oubli. Personne n'a l'air de savoir de quoi il s'agit, pratiquement personne n'a l'air de l'avoir lu. Même dans les bibliothèques, on ne le trouve pas. Mais il y a des histoires qui courent à son sujet : on raconte par exemple qu'il n'en existe qu'un seul exemplaire parce que tous les autres ont été volés. Ce sont sans doute des bêtises. Les animaux et les plantes ne sont pas les seules espèces qui disparaissent, ça arrive aussi aux livres. Et assez souvent, hélas. On pourrait certainement remplir une centaine de maisons comme celle-ci avec tous les livres qui ont disparu à jamais.

Elinor referma la porte de l'armoire et remonta ses cheveux.

— Autant que je sache, poursuivit-elle, l'auteur vit encore mais, apparemment, il n'a rien fait pour rééditer son livre, ce que je trouve bizarre car en fin de compte, on écrit des livres pour qu'ils soient lus, non ? Mais peut-être que l'histoire ne lui plaît plus ou que le livre se vendait si mal qu'il n'a pas trouvé d'éditeur qui veuille le réimprimer.

— Je ne crois pas qu'ils l'ont volé uniquement parce qu'il a de la valeur, murmura Meggie.

— Ah bon ? s'exclama Elinor en riant. Tu es bien la fille de ton père. Mortimer non plus ne pouvait jamais se figurer que des gens fassent du mal pour de l'argent, parce que pour lui l'argent ne signifie pas grand-chose. As-tu une idée de la valeur que peut avoir ce livre ?

— Oui, répondit Meggie, agacée, mais je ne crois quand même pas que ce soit la raison.

— Eh bien, moi si ! Et Sherlock Holmes penserait comme moi. Au fait, tu as déjà lu des Sherlock Holmes ? Merveilleux. Surtout les jours de pluie.

Elinor enfila ses chaussures. Pour une femme de sa corpulence, ses pieds étaient étrangement petits.

— Peut-être qu'il y a un secret dans ce livre, murmura Meggie, songeuse, en effleurant du bout des doigts les pages aux caractères serrés.

— Ah ! Tu veux dire comme des messages invisibles, écrits au jus de citron, ou la carte d'un trésor cachée dans les illustrations.

Le ton d'Elinor était si moqueur que Meggie eut envie de lui tordre le cou.

— Pourquoi pas ?

Elle referma le livre et le mit sous son bras.

— Pourquoi auraient-ils emmené Mo, sinon ? Le livre leur aurait suffi.

Elinor haussa les épaules.

« Naturellement, elle ne peut pas admettre qu'elle n'y a pas pensé, songea Meggie avec mépris. Il faut toujours qu'elle ait raison. » Elinor la regarda comme si elle avait lu dans ses pensées.

— Tu sais quoi ? Tu n'as qu'à le lire, dit-elle, tu y trouveras peut-être quelque chose qui, selon toi, n'a rien à faire avec l'histoire. Quelques mots superflus, quelques lettres inutiles ici et là… qui te conduiront au trésor. Qui sait quand ton père reviendra et, jusque-là, il faudra bien que tu t'occupes.

Avant que Meggie ait eu le temps de répondre, Elinor se pencha et ramassa un morceau de papier sur le tapis près de son lit.

C'était le mot d'adieu de Meggie, elle avait dû le laisser tomber quand elle avait découvert le livre dans les mains d'Elinor.

— Qu'est-ce que c'est encore que ça ? demanda Elinor après l'avoir lu en fronçant les sourcils. Alors comme ça, tu voulais aller chercher ton père ? Et où donc, pour l'amour du ciel ? Tu es encore plus folle que je pensais.

Meggie serra *Cœur d'encre* contre elle.

— Qui d'autre irait le chercher ? fit-elle.

Ses lèvres se mirent à trembler, sans qu'elle y puisse rien.

— Eh bien, s'il faut aller le chercher, nous irons ensemble, répliqua Elinor sèchement. Mais d'abord, donnons-lui l'occasion de revenir. Crois-tu que ça lui plairait, en rentrant, de constater que tu as disparu pour aller le chercher dans le vaste monde ?

Meggie secoua la tête. Le tapis d'Elinor se brouilla devant ses yeux et une larme coula le long de ses narines.

L'affaire est réglée, conclut Elinor en lui tendant un mouchoir en tissu. Mouche ton nez et allons prendre notre petit déjeuner.

Elle ne laissa pas Meggie sortir de la maison avant d'avoir mangé une tartine et bu un verre de lait.

— Le petit déjeuner est le repas le plus important de la journée, déclara-t-elle en beurrant sa troisième tartine, et je ne veux pas risquer qu'à son retour, ton père raconte que je t'ai laissée mourir de faim. Tu sais, comme cette méchante femme dans le conte.

Meggie avala la réponse qu'elle avait sur le bout de la langue en même temps que la dernière bouchée de pain et sortit en courant, le livre sous le bras.

10

L'ANTRE DU LION

Écoutez-moi. (Les adultes sont priés de sauter ce paragraphe.)
Je ne veux pas vous raconter que ce livre a une fin tragique. J'ai
déjà dit dans la toute dernière phrase que c'est mon livre préféré. Mais il va se passer maintenant un tas de choses sinistres.

William Goldman, *La Princesse Bouton-d'or*

Meggie s'assit sur le banc derrière la maison, où les torches
consumées de Doigt de Poussière étaient toujours plantées. Elle n'avait jamais hésité aussi longtemps avant d'ouvrir un
livre. Elle avait peur de ce qu'elle allait y trouver. C'était un sentiment tout nouveau. Jamais encore elle n'avait eu peur de ce
qu'un livre pourrait lui raconter. Au contraire, elle était généralement si avide de se laisser entraîner dans un monde inconnu,
inexploré, qu'elle se mettait à lire dans n'importe quelles circonstances. Mo et elle lisaient souvent au petit déjeuner et il
était arrivé plus d'une fois qu'il l'emmène en retard à l'école.
Elle lisait aussi parfois en cachette en classe, à l'arrêt de bus, en
visite chez des cousins, tard le soir sous la couette jusqu'à ce que
Mo vienne la menacer d'enlever tous les livres de sa chambre
pour qu'elle puisse enfin dormir. Il ne l'aurait jamais fait, bien

sûr, et il savait qu'elle le savait. Mais certains jours, après de telles réprimandes, elle glissait quand même un livre sous son oreiller et le laissait lui chuchoter la suite de l'histoire en rêve.

Mais ce livre-là, jamais elle ne l'aurait glissé sous son oreiller, par peur de ce qu'il aurait pu lui chuchoter. Tous ces malheurs qui s'étaient abattus sur elle ces trois derniers jours semblaient être sortis de ses pages et peut-être n'était-ce que l'ombre de ce qui l'attendait là-dedans...

Mais il fallait qu'elle s'y plonge. Où chercher Mo sinon ? Elinor avait raison, cela n'avait pas de sens de partir comme ça, à l'aveuglette. Elle devait essayer de trouver la trace de Mo entre les pages de *Cœur d'encre.*

À peine avait-elle ouvert la première page qu'elle entendit des pas derrière elle.

— Tu vas attraper une insolation si tu restes comme ça en plein soleil, dit une voix familière.

Meggie sursauta. Doigt de Poussière s'inclina. Il avait son sourire habituel.

— Tiens, tiens, quelle surprise ! s'exclama-t-il en se penchant par-dessus son épaule et en découvrant le livre ouvert sur ses genoux. Comme ça, il est ici et c'est *toi* qui l'as.

Décontenancée, Meggie observait son visage balafré. Comment pouvait-il faire comme si de rien n'était ?

— Où étais-tu ? gronda-t-elle. Ils ne t'ont pas emmené ? Et où est Mo ? Où l'ont-ils emmené ?

Les mots se bousculaient dans sa bouche.

Mais Doigt de Poussière prit le temps de répondre. Il examina les buissons environnants comme s'il n'avait jamais rien vu de

pareil. Il portait son manteau bien qu'il fasse chaud, si chaud
que de petites gouttes de sueur perlaient sur son front.

— Non, ils ne m'ont pas emmené, dit-il enfin en tournant
son visage vers Meggie. Mais je les ai vus partir avec ton père. J'ai
couru derrière eux, en coupant à travers les buissons, j'ai failli
me briser le cou dans cette maudite pente mais je suis arrivé au
portail à temps pour voir qu'ils prenaient la direction du sud.
Naturellement, je les ai reconnus tout de suite. Capricorne avait
envoyé ses meilleurs hommes. Même Basta était avec eux.

Meggie était suspendue à ses lèvres, avide de chaque mot qui
sortait de sa bouche.

— Et tu sais où ils ont emmené Mo ?

Sa voix tremblait d'impatience.

— Au village de Capricorne, je pense. Mais je voulais en avoir
le cœur net.

Doigt de Poussière enleva son manteau et le posa sur le
banc.

— Alors je les ai suivis. Je sais, ça a l'air ridicule, à pied derrière une voiture, dit-il en voyant Meggie froncer les sourcils,
sceptique. Mais j'étais tellement furieux. Tout ce que j'avais fait
n'avait servi à rien : vous prévenir, venir ici… J'ai réussi à arrêter une voiture qui m'a emmené jusqu'au prochain village. Ils
y avaient pris de l'essence. Quatre hommes, habillés en noir,
pas très aimables. Ils ne devaient pas être bien loin. Alors j'ai…
emprunté une mobylette et j'ai essayé de les rattraper. Ne me
regarde pas comme ça, tu peux être tranquille, je l'ai rapportée
plus tard. Elle n'était pas très rapide mais, par chance, dans la
région les routes tournent tout le temps et à un moment je
les ai vus, en bas dans la vallée. Maintenant, j'étais sûr d'une

chose : ils emmenaient ton père au quartier général de Capricorne. Directement dans l'antre du lion.

— L'antre du lion, répéta Meggie, c'est où ?

— À environ… trois cents kilomètres au sud.

Doigt de Poussière s'assit sur le banc, plissant les yeux à cause du soleil.

— Pas loin de la côte.

Il regarda de nouveau le livre qui était sur les genoux de Meggie.

— Capricorne ne va pas être content que ses hommes ne lui apportent pas le bon livre, déclara-t-il. J'espère qu'il ne va pas passer sa déception sur ton père.

— Mais Mo ne savait pas que ce n'était pas le bon ! C'est Elinor qui les a échangés !

Les maudites larmes étaient revenues. Meggie s'essuya les yeux avec sa manche.

Doigt de Poussière l'observa comme s'il hésitait à la croire.

— Elle voulait simplement le feuilleter ! expliqua-t-elle. Elle l'avait dans sa chambre. Mo connaissait la cachette où elle l'avait mis et, comme il était enveloppé dans du papier d'emballage, il n'a pas remarqué que ce n'était pas le bon livre ! Et les hommes de Capricorne n'ont pas vérifié !

— Évidemment, dit Doigt de Poussière d'un air méprisant, ils ne savent pas lire. Un livre ou un autre, pour eux, c'est la même chose, ce n'est jamais que du papier imprimé. Et en plus, ils ont l'habitude qu'on leur donne ce qu'ils veulent.

— Il faut que tu m'emmènes dans ce village, cria Meggie, la voix tremblante de peur, je t'en prie !

Elle regarda Doigt de Poussière d'un air suppliant.

— Je vais tout expliquer à Capricorne. Je vais lui donner le livre et il libérera Mo, n'est-ce pas ?

— Oui, sûrement, répondit Doigt de Poussière sans regarder Meggie. C'est bien la seule solution…

Avant qu'il ait pu rien ajouter, la voix d'Elinor se fit entendre de la maison :

— Tiens donc ! On a de la visite !

Elle était à la fenêtre de sa chambre. Le rideau jaune pâle était gonflé par le vent, comme si un esprit s'était engouffré dedans.

— Mais c'est notre mangeur d'allumettes !

Meggie sauta sur ses pieds et courut vers elle.

— Elinor, il sait où est Mo ! s'écria-t-elle.

— Ah bon ?

Elinor s'appuya sur le rebord de la fenêtre et observa Doigt de Poussière, les yeux plissés.

— Reposez ce livre tout de suite, cria-t-elle, Meggie, prends-lui le livre !

Stupéfaite, Meggie se retourna. Effectivement, Doigt de Poussière tenait *Cœur d'encre* à la main mais, quand il vit Meggie se retourner, il s'empressa de le reposer sur le banc. Puis il lui fit signe de s'approcher en lançant un regard mauvais en direction d'Elinor.

Meggie revint vers lui d'un pas hésitant.

— D'accord, je vais te conduire jusqu'à ton père, bien que ce ne soit pas sans risque pour moi, dit-il à voix basse. Mais elle — de la tête, il désigna Elinor — elle reste ici, compris ?

Indécise, Meggie regarda vers la maison.

— Dois-je deviner ce qu'il t'a chuchoté à l'oreille ? lui lança Elinor.

Doigt de Poussière regarda Meggie d'un air menaçant mais elle l'ignora.

— Il veut me conduire jusqu'à Mo, cria-t-elle.

— Je n'ai rien contre ! répondit Elinor, mais je viens avec vous ! Même si vous vous passeriez tous les deux volontiers de ma compagnie.

— C'est sûr, murmura Doigt de Poussière en adressant à Elinor un sourire candide, mais qui sait ? Peut-être pourrons-nous l'échanger contre ton père ? Capricorne aura sûrement besoin d'une servante supplémentaire. Elle ne sait pas faire la cuisine, c'est vrai, mais elle sera peut-être capable de faire la lessive — même si ça ne s'apprend pas dans les livres.

Meggie ne put s'empêcher de rire, bien qu'elle n'ait pu lire dans les yeux de Doigt de Poussière s'il parlait sérieusement ou s'il plaisantait.

11

LÂCHE

À la maison ! Voilà ce que signifiaient ces exclamations tendres, ces caresses délicates qui flottaient dans l'air, ces petites
mains invisibles qui le tiraient, l'entraînaient dans une direction bien précise.

Kenneth Grahame, *Le Vent dans les saules*

Doigt de Poussière ne se faufila dans la chambre de Meggie
qu'après s'être assuré qu'elle dormait. Elle avait fermé sa
porte à clé. Sans doute était-ce Elinor qui l'y avait poussée. Elle
ne lui faisait pas confiance et Meggie avait refusé de lui confier
Cœur d'encre. Il ne put s'empêcher de sourire en introduisant un
fil de fer fin dans la serrure. Que cette femme était bête, en dépit
de tous les livres qu'elle avait lus ! Croyait-elle vraiment qu'une
serrure aussi banale soit un obstacle pour lui ? « Peut-être pour
des doigts malhabiles comme les siens, songea Doigt de Poussière en ouvrant la porte. Mais les miens aiment jouer avec le
feu, ce qui les a rendus souples et adroits. »

La sympathie qu'il ressentait pour la fille de Langue Magique constituait en revanche un obstacle sérieux, et sa mauvaise
conscience ne lui facilitait pas la tâche. Oui, il avait mauvaise

conscience en s'introduisant dans la chambre de Meggie, même si ses intentions n'étaient pas si mauvaises. Il n'avait nullement l'intention de voler le livre, bien que Capricorne voulût toujours le récupérer. Lui apporter le livre et la fille de Langue Magique, telle était sa nouvelle mission. Mais le moment n'était pas venu. Cette nuit, il avait une autre motivation. Ce qui l'amenait dans la chambre de Meggie, c'était quelque chose qui lui rongeait le cœur depuis des années.

Il resta un moment près du lit, songeur, et contempla la fillette endormie. Il n'avait pas eu beaucoup de mal à livrer son père à Capricorne mais, avec elle, ce serait différent. Son visage lui en rappelait un autre, bien que sur ce visage d'enfant, le chagrin n'ait pas laissé ses marques. C'était étrange, quand la fillette le regardait, il ressentait à chaque fois le désir de lui prouver qu'il ne méritait pas la méfiance qu'il lisait dans ses yeux. Car un soupçon de méfiance subsistait toujours, même quand elle riait avec lui.

Quant à Langue Magique, il la regardait comme s'il pouvait la protéger contre tout le mal du monde. Comme si c'était possible !

Doigt de Poussière passa sa main sur ses balafres et fronça les sourcils. Il voulait chasser toutes ces pensées superflues. Il ramènerait à Capricorne ce qu'il voulait : la fille et le livre. Mais pas ce soir.

Sur son épaule, Gwin bougea. Elle essaya d'enlever son collier. Cela lui déplaisait tout autant que la chaîne pour chien que Doigt de Poussière avait attachée au collier. Elle voulait aller à la chasse, mais il ne la lâcha pas. La nuit précédente, la martre s'était sauvée pendant qu'il parlait avec les hommes de Capricorne. Ce petit diable à fourrure avait toujours peur de Basta. Doigt de Poussière ne pouvait pas lui en vouloir.

Meggie dormait profondément, le visage enfoui dans un pull-over gris qui devait appartenir à son père. Elle marmonna quelque chose que Doigt de Poussière ne put comprendre. De nouveau, la mauvaise conscience l'assaillit mais il s'efforça de chasser de son cœur ce sentiment pénible. Ce n'était pas le moment, ni maintenant, ni plus tard. La fillette ne le regardait pas et avec son père, désormais, il était quitte. Oui, quitte. Il n'avait pas de raison de se sentir comme une crapule et un traître.

Il inspecta la chambre obscure. Où avait-elle mis le livre ? Près du lit, il y avait une caisse rouge. Il souleva le couvercle. Quand il se pencha, la chaîne de Gwin cliqueta légèrement.

La caisse était remplie de livres, de livres magnifiques. Doigt de Poussière sortit sa lampe de poche de sous son manteau et éclaira l'intérieur de la caisse.

— Regarde-moi ça ! murmura-t-il. Toutes ces beautés ! On dirait des dames aux costumes somptueux qui s'apprêtent à se rendre au bal d'un prince.

Langue Magique les avait probablement soigneusement reliés après que les doigts d'enfant de Meggie eurent trop abîmé les vieilles couvertures. Évidemment, il y avait sa marque : une tête de licorne. Elle figurait sur chaque couverture et chaque livre avait une reliure de couleur différente. Toutes les couleurs de l'arc-en-ciel étaient rassemblées dans la caisse.

Le livre que cherchait Doigt de Poussière était tout au fond. Au milieu de tous ces messieurs-dames en grande tenue, il avait l'air d'un mendiant avec sa couverture vert argenté.

Il n'était pas surpris que Langue Magique ait habillé ce livre d'un costume aussi discret. Le père de Meggie le détestait certainement tout autant que lui-même l'aimait. Il le souleva avec précaution. Cela faisait presque neuf ans qu'il ne l'avait pas tenu entre les mains. À l'époque, il avait une couverture en carton et un protège-livre en papier déchiré.

Doigt de Poussière leva la tête. Meggie soupira et se retourna, son visage endormi tourné vers lui. Comme elle avait l'air malheureux. Elle devait faire un mauvais rêve. Ses lèvres tremblaient et ses mains serraient le pull-over comme si elle cherchait à s'accrocher à quelque chose… à quelqu'un. Mais dans les mauvais rêves, en général, on est seul, affreusement seul. Doigt de Poussière se souvenait de nombreux mauvais rêves et, l'espace d'un instant, il eut envie de tendre la main et de réveiller Meggie. Quel idiot de sentimental il faisait !

Il tourna le dos au lit. Loin des yeux, loin du cœur. Puis il ouvrit le livre précipitamment, de crainte de changer d'avis. Il avait du mal à respirer. Il feuilleta les premières pages, lut, et lut encore. Mais à chaque page, ses doigts se faisaient un peu plus hésitants. Soudain, il referma le livre.

La lumière de la lune filtrait à travers les volets de la chambre. Il n'avait aucune idée du temps qu'il avait passé ainsi debout, les yeux perdus dans le labyrinthe des lettres. Il avait toujours été un lecteur lent…

— Lâche ! murmura-t-il. Oh, tu es un lâche, Doigt de Poussière ! (Il se mordit les lèvres à se faire mal.) Allez, c'est peut-être la dernière occasion, idiot. Quand Capricorne aura le livre, il ne te laissera sûrement pas y jeter un œil.

Il rouvrit le livre, le feuilleta jusqu'au milieu, et le referma de nouveau si brutalement que, dans son sommeil, Meggie sursauta et enfouit sa tête sous la couverture. Doigt de Poussière attendit immobile près du lit que sa respiration fût redevenue régulière, puis il se pencha sur la caisse avec un profond soupir et remit le livre à sa place.

Sans bruit, il referma le couvercle.

— Tu as vu ? demanda-t-il à la martre, je n'ose pas. N'aimerais-tu pas mieux te trouver un maître plus courageux ? Réfléchis-y.

Gwin lui glapit quelque chose à l'oreille, doucement. Si c'était une réponse, Doigt de Poussière ne put la comprendre.

Il resta encore un moment à écouter la respiration régulière de Meggie puis se dirigea vers la porte.

— À quoi bon ? murmura-t-il quand il se retrouva dans le couloir. En fin de compte, qui veut savoir la fin ?

Puis il remonta dans la mansarde qu'Elinor lui avait attribuée et s'allongea sur le lit étroit autour duquel s'amoncelaient des piles de livres. Mais jusqu'au petit matin, il ne put trouver le sommeil.

12

PLUS LOIN VERS LE SUD

La route se poursuit sans fin
Descendant de la porte où elle commença
Maintenant, loin en avant, la route s'étire
Et je dois la suivre, si je le puis,
La parcourant d'un pied avide,
Jusqu'à ce qu'elle rejoigne quelque voie plus grande
Où se joignent maints chemins et maintes courses.
Et vers quel lieu, alors ? Je ne saurais le dire.

J. R. R. Tolkien, *Le Seigneur des Anneaux,*
La Communauté de l'Anneau

Le lendemain matin, après le petit déjeuner, Elinor déplia une carte routière usagée sur la table de la cuisine.

— Alors, trois cents kilomètres au sud, dit-elle en regardant en direction de Doigt de Poussière d'un air méfiant. Eh bien, montrez-nous où nous devons aller chercher le père de Meggie.

Meggie regarda Doigt de Poussière, le cœur battant. Il avait de grands cernes sous les yeux, comme s'il avait à peine dormi.

Il s'approcha de la table d'un pas incertain et frotta son menton mal rasé. Puis il se pencha sur la carte, l'étudia longuement, très longuement, et mit enfin le doigt dessus.

— Là, dit-il, c'est exactement là que se situe le village de Capricorne.

Elinor s'approcha de lui et regarda par-dessus son épaule.

— En Ligurie, dit-elle, tiens donc ! Et comment s'appelle ce village, si je puis me permettre cette question, Capricornia ?

Elle contemplait Doigt de Poussière comme si elle voulait redessiner avec ses yeux le contour de ses balafres.

— Il n'a pas de nom.

Il répondit au regard d'Elinor avec une aversion non dissimulée.

— Il a dû en avoir un, mais on l'avait déjà oublié avant que Capricorne ne s'y installe. Vous ne le trouverez pas sur cette carte, ni sur aucune autre d'ailleurs. Pour le reste du monde, ce village n'est qu'un amas de maisons en ruine auquel mène une route qui ne mérite pas ce nom.

— Hum, fit Elinor en se penchant sur la carte, je ne connais pas la région. Je suis déjà allée à Gênes. J'y ai acheté chez un antiquaire un très bel exemplaire d'*Alice au pays des merveilles*, bien conservé et pour la moitié de sa valeur.

Elle lança à Meggie un regard interrogatif.

— Tu aimes *Alice au pays des merveilles* ?

— Pas particulièrement, répondit Meggie, les yeux rivés sur la carte.

Devant tant d'incompréhension enfantine, Elinor secoua la tête et se tourna de nouveau vers Doigt de Poussière.

— Que fait ce Capricorne, à part voler des livres ou enlever des pères de famille ? demanda-t-elle. Si j'ai bien compris Meggie, vous le connaissez plutôt bien.

Doigt de Poussière évita son regard et longea du doigt un fleuve bleu qui serpentait à travers le vert et le marron passé de la carte.

— Nous venons du même endroit, dit-il, mais à part ça, nous n'avons pas grand-chose en commun.

Elinor le dévisagea avec insistance, comme si elle voulait lui faire un trou dans le front avec ses yeux.

— Il y a quelque chose que je trouve étrange, reprit-elle, Mortimer voulait mettre *Cœur d'encre* en sûreté pour qu'il ne tombe pas entre les mains de Capricorne. Pourquoi a-t-il apporté ce livre chez moi ? Il s'est pratiquement jeté dans la gueule du loup !

Doigt de Poussière haussa les épaules.

— Peut-être qu'il pensait que votre bibliothèque était la cachette idéale.

Dans la tête de Meggie, un souvenir resurgissait, d'abord très vague, mais soudain tout lui revint, avec netteté, comme une image dans un livre. Elle vit Doigt de Poussière debout près de leur camionnette, près du portail de leur maison et elle eut le sentiment d'entendre sa voix…

Effrayée, elle le regarda.

— Tu as dit à Mo que Capricorne habitait vers le nord, lança-t-elle, il t'a redemandé exprès, une deuxième fois et tu as dit que tu en étais certain.

Doigt de Poussière contemplait ses ongles.

— C'est-à-dire… oui, c'est vrai aussi, avoua-t-il sans lever les yeux.

Il observait toujours ses ongles. Enfin, il les frotta contre son pull-over, comme s'il cherchait à faire disparaître une tache affreuse.

— Vous ne me faites pas confiance, lâcha-t-il d'une voix rauque, toujours sans les regarder. Vous ne me faites confiance ni l'une ni l'autre. Je peux comprendre, mais je n'ai pas menti. Capricorne a deux quartiers généraux et de nombreux autres refuges, pour le cas où ça devient trop dangereux à un endroit ou si un de ses hommes doit se cacher pendant un moment. Généralement, il passe les mois les plus chauds dans le Nord et ne descend dans le Sud qu'en octobre mais cette année, apparemment, il a décidé de passer l'été là-bas. Qu'en sais-je, moi? Il a peut-être eu des problèmes avec la police. Peut-être y a-t-il dans le Sud une affaire dont il veut s'occuper personnellement?

Il avait l'air vexé, un peu comme un jeune garçon que l'on aurait accusé à tort.

— Quoi qu'il en soit, ses hommes sont partis avec le père de Meggie vers le sud, je l'ai vu de mes propres yeux, et quand Capricorne a des choses importantes à régler dans le Sud, c'est toujours dans ce village! Il s'y sent en sécurité, comme nulle part ailleurs. Là-bas, il n'a jamais eu de problèmes avec la police, il peut se comporter comme un roi, comme si le monde lui appartenait. Il fait la loi, il décide de ce qui se passe, il peut agir comme bon lui semble, ses hommes s'en chargent. Croyez-moi, ils s'y connaissent.

Doigt de Poussière sourit avec amertume. «Si vous saviez! semblait-il dire. Mais vous ne savez rien de rien, vous ne comprenez rien.»

Meggie sentit de nouveau monter en elle la peur, la peur

noire. Elle ne venait pas de ce que Doigt de Poussière disait, elle venait de ce qu'il ne disait pas.

Elinor aussi sembla le sentir.

— Au nom du ciel ! Ne faites pas tant de mystères ! lança-t-elle sèchement. Je repose ma question : que fait ce Capricorne ? De quoi vit-il ?

Doigt de Poussière croisa les bras.

— Vous ne tirerez rien de plus de moi. Adressez-vous à lui personnellement. Déjà, le fait de vous conduire jusqu'à son village peut me coûter cher, vous ne voudriez pas non plus que je vous parle de ses affaires. (Il secoua la tête.) Non ! J'ai prévenu le père de Meggie, je lui ai conseillé d'apporter lui-même le livre à Capricorne mais il n'a rien voulu entendre. Si je ne l'avais pas prévenu, ses hommes l'auraient trouvé bien plus tôt encore. Demandez à Meggie ! Elle était là quand je l'ai prévenu ! Bon, je ne lui ai pas raconté tout ce que je savais. Et alors ? Je parle le moins possible de Capricorne, j'évite même de penser à lui et, croyez-moi, quand vous aurez fait sa connaissance, vous ferez de même.

Elinor fronça les sourcils, comme si cette hypothèse était tellement ridicule qu'il valait mieux ne pas répondre.

— Sans doute ne pourrez-vous pas me dire non plus pourquoi il veut absolument avoir ce livre, n'est-ce pas ? demanda-t-elle en repliant la carte. C'est un collectionneur ?

Doigt de Poussière passa le doigt le long du bord de la table.

— Je ne vous dirai qu'une chose : il veut avoir ce livre et vous devriez le lui donner. J'ai vu une fois ses hommes postés durant quatre nuits devant une maison, uniquement parce que le chien du propriétaire plaisait à Capricorne.

— Il l'a eu ? demanda Meggie à voix basse.

— Bien entendu, répondit Doigt de Poussière en la regardant d'un air songeur. Crois-moi, aucune personne ne dort bien quand les hommes de Capricorne sont devant sa porte et lèvent les yeux, pendant des nuits, vers la fenêtre de sa chambre ou celle de ses enfants. En général, il obtient ce qu'il veut au bout de deux jours.

— Maudit soit-il ! s'écria Elinor, il n'aurait pas eu mon chien.

Doigt de Poussière regarda de nouveau ses ongles et sourit.

— Ne souriez pas comme ça, grogna Elinor, et toi, ajouta-t-elle en se tournant vers Meggie, va faire tes bagages, nous partons dans une heure. Il va être temps que tu récupères ton père. Bien que cela ne me plaise pas de devoir donner en échange le livre à ce je-ne-sais-qui ! J'ai horreur que les livres tombent entre de mauvaises mains.

Ils prirent le break d'Elinor, bien que Doigt de Poussière eût préféré la camionnette de Mo.

— Pas question, je n'ai jamais conduit un truc pareil, dit Elinor en lui tendant un carton plein de provisions. Et en plus, Mortimer l'a fermé à clé.

Meggie remarqua que Doigt de Poussière avait une réponse sur le bout de la langue mais il la garda pour lui.

— Et si nous devons dormir en route ? demanda-t-il en portant le carton de provisions à la voiture.

— Pour l'amour du ciel ! Qui parle de dormir en route ? Je compte être rentrée au plus tard demain matin. J'ai horreur de laisser mes livres seuls plus d'une journée.

Doigt de Poussière leva les yeux au ciel, comme si on pouvait s'attendre à y trouver plus de raison que dans la tête d'Elinor, et s'apprêta à monter à l'arrière quand Elinor l'arrêta.

— Stop! s'écria-t-elle, en lui tendant les clés de voiture, il vaut mieux que ce soit vous qui conduisiez, puisque c'est vous qui savez le mieux où nous allons.

Mais Doigt de Poussière lui rendit les clés.

— Je ne sais pas conduire, avoua-t-il, c'est déjà assez désagréable d'être passager dans un engin pareil mais le conduire, non, merci!

Elinor s'assit derrière le volant en secouant la tête.

— Vous êtes un drôle d'oiseau! s'exclama-t-elle tandis que Meggie grimpait sur le siège du passager. J'espère que vous savez vraiment où se trouve le père de Meggie, sinon vous risquez de découvrir que votre Capricorne n'est pas le seul à être capable de vous faire trembler.

Quand Elinor mit le moteur en marche, Meggie descendit la vitre de la portière et regarda une dernière fois en direction de la camionnette. Elle avait le cœur serré de l'abandonner comme ça, bien plus que si elle avait quitté une maison, celle-ci ou une autre. Même quand un endroit leur était étranger, Mo et elle avaient toujours retrouvé dans leur véhicule un peu de l'intimité de leur maison. Et maintenant, elle devait le laisser derrière elle. Il ne lui restait plus rien de familier, excepté les vêtements dans son sac de voyage. Elle avait aussi emporté quelques affaires pour Mo — et deux de ses livres.

— Un choix intéressant! avait constaté Elinor quand elle lui avait prêté un sac pour les mettre, un vieux sac démodé en cuir foncé, qu'on pouvait porter en bandoulière. Alors comme ça, tu emportes la Table ronde du roi Arthur et Frodon et ses huit compagnons. Pas mal, comme compagnons de route. Ce sont de longues histoires, juste ce qu'il faut pour un voyage. Tu les as déjà lus ?

— Plusieurs fois, avait murmuré Meggie en secouant la tête et en caressant les couvertures avant de mettre les livres dans le sac.

Pour l'un d'entre eux, elle se souvenait encore exactement du jour où Mo l'avait relié.

— Ne fais pas cette tête ! lui avait dit Elinor en la regardant d'un air inquiet. Tu vas voir que notre voyage sera loin d'être aussi dramatique que celui des pauvres Pieds velus, et beaucoup plus court.

Meggie aurait bien aimé en être sûre. Le livre qui était la raison de leur voyage était dans le coffre, sous la roue de secours ; Elinor l'avait enveloppé dans un sac en plastique.

— Ne montre pas à Doigt de Poussière où il est ! lui avait-elle recommandé. Je n'ai toujours pas confiance en lui.

Mais Meggie avait décidé de lui faire confiance. Elle le voulait. Elle le devait. Qui d'autre aurait pu la conduire à Mo ?

13

LE VILLAGE DE CAPRICORNE

Mais à la dernière question, il répondait toujours : « Il s'est probablement envolé vers les régions de la nuit, là où les humains ne vont pas et où les bêtes non plus ne s'aventurent jamais.Le ciel y est de cuivre et le sol de fer. Les puissances du mal y vivent sous des toits de bave de crapaud pétrifiée et dans des galeries abandonnées par des taupes. »

Isaac B. Singer, *Naftali le conteur et son cheval Su*s

L e soleil était déjà haut dans le ciel sans nuages quand ils partirent. Dans la voiture d'Elinor, il fit bientôt si chaud et si lourd que le T-shirt trempé de sueur de Meggie lui collait à la peau. Elinor baissa la vitre, fit passer une bouteille d'eau. Elle portait elle-même une veste en laine, boutonnée jusqu'au menton et lorsque, l'espace d'une seconde, Meggie cessa de penser à Mo ou à Capricorne, elle se demanda si Elinor ne s'était pas déjà complètement liquéfiée sous sa veste.

Sur le siège arrière, Doigt de Poussière était si silencieux qu'on aurait presque pu oublier sa présence. Il avait mis Gwin sur ses genoux. La martre dormait tandis que les mains de Doigt de Poussière caressaient inlassablement sa fourrure. Meggie se tournait vers lui de temps en temps. Il regardait par la fenêtre, indifférent, comme s'il voyait à travers les montagnes et les arbres, les maisons et les pentes rocheuses qui défilaient devant ses yeux. Son regard semblait vide, absent, et une fois, en se retournant, Meggie découvrit tant de tristesse sur son visage balafré qu'elle s'empressa de détourner les yeux.

Durant ce long voyage, elle aurait bien aimé, elle aussi, avoir un animal sur les genoux. Peut-être que cela aurait chassé les idées noires qui l'assaillaient. Dehors, les montagnes se faisaient de plus en plus hautes, elles semblaient parfois vouloir écraser la route entre leurs versants de pierre grise. Mais il y avait pire encore que les montagnes : c'étaient les tunnels. Des images y rôdaient qui semblaient s'être cachées dans le noir pour y attendre Meggie : des images de Mo dans un lieu sombre et froid et de Capricorne… Meggie savait que c'était lui, bien qu'il eût chaque fois un visage différent.

Pendant un moment, elle essaya de lire mais, très vite, elle s'aperçut qu'elle ne retenait aucun des mots qu'elle lisait. Elle finit par y renoncer et se mit à regarder par la fenêtre, comme Doigt de Poussière. Elinor prit de petites routes, avec moins de circulation (« Sinon, c'est vraiment trop monotone ! » dit-elle.)

Meggie, tout ça lui était égal. Elle avait seulement hâte d'arriver. Elle contemplait les montagnes et les maisons où des gens se sentaient chez eux. Parfois, par la fenêtre d'une voiture venant en sens inverse, elle saisissait au passage un regard, sur un visage inconnu, qui disparaissait aussitôt, comme un livre que l'on ouvre et referme aussi vite. Tandis qu'ils traversaient un petit village, ils aperçurent sur le bord de la route un homme qui collait un sparadrap sur le genou écorché d'une fillette en pleurs.

Il lui passait la main sur les cheveux pour la consoler et Meggie ne put s'empêcher de penser au nombre de fois où Mo avait fait ce geste. Elle le revit se précipitant parfois dans la maison en jurant parce qu'il ne trouvait pas de sparadrap et ce souvenir lui fit monter les larmes aux yeux.

— Pour l'amour du ciel, dites quelque chose ! On se croirait dans le tombeau d'une pyramide ! s'exclama soudain Elinor. (Meggie trouva qu'elle disait souvent «Pour l'amour du ciel».) Quelqu'un ne pourrait-il pas dire de temps en temps : «Ah, quel beau paysage !» ou «Quel château magnifique !» Dans ce silence de mort, je ne vais pas tarder à m'endormir au volant.

Elle n'avait toujours pas déboutonné sa veste.

— Je ne vois pas de château, marmonna Meggie.

Mais Elinor ne tarda pas à en découvrir un.

— XVIᵉ siècle, déclara-t-elle en apercevant des murs en ruine sur le versant d'une montagne. Une histoire tragique. Un amour défendu, une poursuite, la mort, un chagrin d'amour.

En passant le long de falaises, Elinor raconta une bataille qui avait fait rage, ici même, il y avait plus de six cents ans. («Si tu creuses entre les pierres, tu trouves à tous les coups des os et des casques cabossés.») Le moindre clocher lui inspirait une histoire. Certaines étaient si étranges que Meggie fronçait les sourcils, l'air méfiant.

— C'est exactement comme ça que ça s'est passé, crois-moi ! disait alors Elinor sans quitter la route des yeux.

Elle semblait avoir une prédilection pour les histoires sanglantes. Des histoires d'amants malheureux qu'on avait décapités, et de princes enterrés vivants.

— Évidemment, maintenant, ça a l'air très paisible ici, poursuivit-elle tandis que Meggie pâlissait. Mais je te le redis, il y a toujours une sombre histoire qui se cache quelque part. C'est comme ça, il y a quelques centaines d'années, la vie était plus excitante.

Meggie se demandait ce qu'il y avait d'excitant dans ces vies où les gens, si l'on en croyait Elinor, n'avaient d'autre choix que de mourir de la peste ou sous les flèches des assaillants. Mais à la vue d'un château fort incendié, Elinor fut soudain si émue que son visage se couvrit de taches rouges. Dans ses yeux habituellement si froids s'alluma une lueur romantique quand elle parla des princes belliqueux et des évêques avides d'or qui semaient jadis la terreur et la mort, dans ces mêmes montagnes qu'ils traversaient aujourd'hui, sur une route goudronnée.

— Chère Elinor, apparemment, vous n'êtes pas née dans la bonne histoire, constata soudain Doigt de Poussière.

C'étaient les premières paroles qu'il prononçait depuis leur départ.

— Pas née dans la bonne histoire, vous voulez dire pas née à la bonne époque ? Ah, je me le suis souvent dit.

— Vous devriez vous entendre parfaitement avec Capricorne. Il aime les mêmes histoires que vous.

— Comment dois-je le prendre ? demanda Elinor, vexée.

La comparaison sembla la préoccuper car elle garda le silence pendant une bonne heure, si bien que Meggie n'eut plus rien pour la distraire de ses sombres pensées. Et dans chaque tunnel, des images d'horreur l'attendaient.

Le soir tombait quand les montagnes cédèrent la place à des collines verdoyantes, et derrière, vaste comme un deuxième ciel, la mer apparut soudain. Le soleil bas la faisait étinceler comme la peau d'un beau serpent. Il y avait longtemps que Meggie n'avait pas vu la mer. La dernière fois, c'était une mer froide et grise, à laquelle le vent avait ôté toute couleur. Cette mer-ci était différente, complètement différente.

En la voyant, Meggie eut chaud au cœur, mais elle disparaissait bien trop souvent derrière d'affreux immeubles. Ils envahissaient une bande étroite de la côte située entre la mer et les collines derrière. Mais parfois, les collines ne laissaient plus aucune place aux immeubles, elles s'étalaient, se faufilaient jusqu'à la mer qui venait lécher leurs pieds verts. Dans la lumière du soleil couchant, elles ressemblaient à des vagues qui seraient venues se poser sur la terre ferme.

Alors qu'ils suivaient la route sinueuse de la côte, Elinor se remit à raconter des histoires, des histoires sur les Romains qui auraient construit justement la route sur laquelle ils roulaient, sur la peur que leur inspiraient les farouches habitants de cette étroite bande de littoral…

Meggie n'écoutait que d'une oreille. Il y avait des palmiers de chaque côté de la route, des palmiers aux feuilles poussiéreuses et piquantes. Entre eux poussaient d'immenses agaves, posés là comme des araignées, avec leurs feuilles charnues. Derrière, le ciel se teintait de rose et de jaune citron, tandis que le soleil s'enfonçait doucement dans la mer. Au-dessus, du bleu foncé descendait du ciel comme des gouttes d'encre. Ce spectacle était si beau que ça faisait mal.

Meggie s'était imaginé tout à fait autrement l'endroit où habitait Capricorne. La beauté et la peur ne vont guère de pair. Ils traversèrent un petit village aux maisons colorées qui avaient l'air d'avoir été peintes par un enfant. Elles étaient orange et roses, rouges et très souvent jaunes : jaune pâle, jaune foncé, jaune sable, jaune sale, avec des volets verts et des toits brun-roux. Malgré le soir qui tombait, elles gardaient leurs couleurs.

— Ça n'a pas l'air bien dangereux, par ici, fit observer Meggie en voyant de nouveau surgir une maison rose.

— Parce que tu regardes toujours vers la gauche, dit Doigt de Poussière derrière elle. Mais il y a toujours un côté clair et un côté sombre. Regarde à droite.

Meggie obéit. Elle ne vit d'abord que les mêmes maisons bariolées. Elles longeaient la route, s'appuyant les unes aux autres comme si elles se tenaient par le bras. Mais soudain, les maisons disparurent et la route fut bordée de versants abrupts dans les plis desquels la nuit se nichait déjà. Oui, il avait raison, de ce côté-là, c'était sinistre et les rares maisons semblaient se noyer dans le soir qui tombait.

Il fit bientôt nuit — la nuit tombe vite dans le Sud — et Meggie était contente qu'Elinor suive la route de la côte bien éclairée. Mais au bout d'un moment, Doigt de Poussière lui indiqua une route qui s'éloignait de la mer et des maisons bariolées, une route qui se perdait dans l'obscurité.

La route s'enfonçait dans les collines, montait, redescendait, et les versants, de chaque côté, devinrent de plus en plus abrupts. La lumière des phares éclairait des genêts et des vignes à l'abandon, des oliviers courbés comme des vieillards.

Ils ne croisèrent que deux voitures. Par moments, les lumières d'un village surgissaient de l'ombre. Mais les routes que Doigt de Poussière indiqua à Elinor s'éloignèrent bientôt de toute lumière, s'enfonçant dans la nuit. Plusieurs fois, le faisceau des phares éclaira les ruines d'une maison, mais Elinor n'avait plus d'histoires à raconter à leur sujet. Aucun prince n'avait vécu entre ces pauvres murs, aucun évêque en soutane violette, rien que des paysans et des ouvriers agricoles dont personne n'avait jamais écrit l'histoire, et maintenant celle-ci s'était perdue, envolée parmi le thym sauvage et l'euphorbe luxuriante.

— Sommes-nous toujours sur la bonne route ? demanda soudain Elinor d'une voix feutrée, comme si le monde environnant était trop silencieux pour qu'on puisse parler fort. Où peut bien se trouver un village dans ce coin perdu au bout du monde ? Nous avons déjà dû nous tromper au moins deux fois aux croisements.

Mais Doigt de Poussière secoua la tête.

— Nous sommes sur la bonne route, répondit-il. Encore une colline à passer et nous y sommes. Vous pourrez apercevoir les maisons.

— Espérons ! maugréa Elinor. Pour le moment, j'arrive à peine à distinguer la route. Mon Dieu, j'ignorais qu'il existait dans le monde des endroits aussi lugubres. Vous n'auriez pas pu me prévenir que c'était si loin ? J'aurais repris de l'essence. Je ne sais pas si nous en aurons assez pour rejoindre la côte.

— À qui est cette voiture ? À moi peut-être ? rétorqua Doigt de Poussière, agacé, je vous ai déjà dit que je ne connaissais rien à ces engins. Et maintenant, regardez devant vous, vous allez bientôt traverser un pont.

— Un pont ?

Elinor prit encore un virage et freina brusquement. Devant eux, il y avait une barrière éclairée par deux lanternes. Le métal était rouillé, à croire qu'elle était là depuis des années.

— Eh bien, s'écria Elinor en faisant claquer ses mains sur le volant, qu'est-ce que je disais ! Nous nous sommes trompés de chemin !

— Pas du tout.

Doigt de Poussière ôta Gwin de son épaule et descendit du véhicule. Il regarda autour de lui, aux aguets, tout en se dirigeant vers la barrière. Puis il traîna celle-ci jusqu'au bord de la route.

Devant l'air abasourdi d'Elinor, Meggie eut envie de rire.

— Ce type est complètement fou, murmura Elinor, il ne croit quand même pas que je vais prendre une route barrée dans cette obscurité !

Mais quand Doigt de Poussière lui fit signe de se dépêcher, elle remit le moteur en marche. Dès qu'elle fut passée près de lui, il referma la barrière.

— Ne me regardez pas comme ça ! dit-il en remontant dans la voiture, cette barrière est toujours là. Capricorne l'a installée pour décourager les importuns. Avec les histoires qu'il fait circuler sur le village, il est rare que des gens s'aventurent par ici, mais…

— Quelles histoires ? l'interrompit Meggie qui ne voulait pourtant pas les entendre.

— Des histoires horribles, répondit Doigt de Poussière, les gens d'ici sont superstitieux, comme partout. Son histoire préférée est que le diable en personne habite derrière cette colline.

Meggie s'en voulait, mais elle ne pouvait pas détacher les yeux de la crête noire des collines.

— Mo dit que ce sont les hommes qui ont inventé le diable.

— C'est possible. (Doigt de Poussière arborait de nouveau son sourire énigmatique.) Mais tu voulais savoir ce qu'on raconte. Eh bien, on raconte qu'aucune balle ne peut tuer les hommes qui habitent le village, qu'ils peuvent traverser les murs et que les nuits de pleine lune, ils viennent chercher trois jeunes garçons auxquels Capricorne apprendra à voler, à piller, à incendier et à tuer.

— Pour l'amour du ciel, qui peut bien avoir des idées pareilles ? Les gens d'ici ou ce Capricorne ?

Elinor se pencha sur son volant. La route était pleine de trous et elle devait rouler au pas.

— Les deux, répondit Doigt de Poussière en se renversant sur son siège tandis que Gwin lui mordillait les doigts. Capricorne récompense quiconque invente une nouvelle histoire. Le seul qui n'ait jamais participé à ce jeu est Basta, il est lui-même tellement superstitieux qu'il fait un détour au moindre chat noir.

Basta. Ce nom rappelait quelque chose à Meggie, mais elle n'eut pas le temps de demander qui c'était, car déjà Doigt de Poussière continuait ses histoires. Cela semblait l'amuser.

— Ah oui ! J'allais oublier ! Bien entendu, tous ceux qui habitent le village ont le mauvais œil, même les femmes.

— Le mauvais œil ? répéta Meggie en se tournant vers lui.

— Oui. Un coup d'œil et tu tombes gravement malade. Et au plus tard trois jours après, tu es mort.

— Qui peut croire des histoires pareilles ? marmonna Meggie en se retournant.

— Des imbéciles.

Elinor appuya de nouveau sur le frein. La voiture dérapa sur le gravier. Devant eux se trouvait le pont dont Doigt de Poussière leur avait parlé. Les pierres grises brillaient légèrement à la lueur des phares et l'abîme semblait être sans fond.

— Continuez, continuez, s'exclama Doigt de Poussière, visiblement impatient, il est solide, même s'il n'en a pas l'air !

— On dirait qu'il a été construit par les Romains de l'Antiquité, grommela Elinor, mais pour des ânes, pas pour des voitures.

Cependant, elle s'engagea sur le pont. Meggie ferma les yeux et ne les rouvrit que quand elle entendit de nouveau le gravier crisser sous les pneus.

— Capricorne apprécie beaucoup ce pont, dit Doigt de Poussière à voix basse, un seul homme bien armé suffit à le rendre infranchissable. Mais heureusement, il n'y a pas de garde ici toutes les nuits.

— Doigt de Poussière…

Meggie se tourna vers lui, hésitante, tandis que la voiture d'Elinor grimpait péniblement la dernière côte.

— … qu'est-ce que nous allons raconter si on nous demande comment nous avons trouvé le village ? Ce ne serait certainement pas bien que Capricorne apprenne que c'est toi qui nous l'as montré, n'est-ce pas ?

— Oui, tu as raison, murmura Doigt de Poussière sans la regarder. Même si, en fin de compte, nous lui apportons le livre.

Il rattrapa Gwin qui grimpait sur le dossier du siège, s'en saisit de sorte qu'elle ne puisse pas lui donner un coup de dents et l'attira dans son sac à dos avec un bout de pain. Depuis que la nuit était tombée, la martre était nerveuse. Elle voulait aller chasser.

Ils avaient atteint la crête de la colline. Autour d'eux, le monde avait disparu, avalé par la nuit mais, non loin de là, apparurent soudain dans l'obscurité quelques rectangles pâles. Des fenêtres éclairées.

— Nous y sommes, annonça Doigt de Poussière, c'est le village de Capricorne. Ou si vous préférez : le village du diable.

Il rit doucement.

Elinor se retourna, agacée.

— Maintenant, arrêtez! lui lança-t-elle. On dirait que ces histoires vous plaisent particulièrement. Qui sait, peut-être les avez-vous inventées, peut-être que ce Capricorne n'est rien d'autre qu'un étrange collectionneur de livres.

Doigt de Poussière ne répondit pas. Il se contenta de regarder par la fenêtre avec ce sourire étrange que Meggie avait parfois envie d'effacer de ses lèvres. Cette fois encore, il avait l'air de dire : « Que vous êtes bêtes! »

Elinor éteignit le moteur et le silence qui s'ensuivit fut total, au point que Meggie osa à peine respirer. Elle regarda en contrebas en direction des fenêtres allumées. D'habitude, elle trouvait les fenêtres éclairées rassurantes dans la nuit mais celles-ci semblaient plus menaçantes encore que l'obscurité alentour.

— Y a-t-il des habitants normaux dans ce village? demanda Elinor. Des grands-mères, des enfants, des hommes inoffensifs, qui n'ont rien à voir avec Capricorne…

— Non. Seuls Capricorne et ses hommes habitent là, murmura Doigt de Poussière, et les femmes qui leur font la cuisine, le ménage et tout le reste.

— Tout le reste… c'est intéressant! dit Elinor, horrifiée, en reprenant son souffle. Ce Capricorne m'est de plus en plus sympathique. Bon, finissons-en. J'ai hâte de rentrer chez moi, de retrouver mes livres, de la lumière et une tasse de café.

— Vraiment ? Je croyais que vous aviez envie d'un peu d'aventure.

« Si Gwin pouvait parler, se dit Meggie, elle aurait la voix de Doigt de Poussière. »

— Je préfère quand il fait soleil, lui rétorqua sèchement Elinor. Mon Dieu, que je hais cette obscurité, mais si nous restons plantés là jusqu'au lever du jour, mes livres seront moisis avant que Mortimer ait eu le temps de s'en occuper. Meggie, va derrière et rapporte le sac plastique. Tu sais ce que je veux dire.

Meggie hocha la tête, s'apprêtant à ouvrir la porte, quand une lumière vive l'aveugla. Devant la portière du chauffeur, quelqu'un dont on ne pouvait pas distinguer le visage éclaira l'intérieur de la voiture avec une lampe de poche. Puis il frappa sans ménagement avec la lampe contre la vitre.

Effrayée, Elinor sursauta et se cogna le genou contre le volant mais se ressaisit aussitôt. Elle se frotta la jambe en jurant et ouvrit la fenêtre.

— Qu'est-ce qui vous prend ? lança-t-elle à l'inconnu. Vous voulez nous faire mourir de peur ? On peut facilement se faire renverser à marcher comme ça sur la route la nuit.

Pour toute réponse, l'inconnu introduisit le canon d'un fusil par la fenêtre ouverte.

— C'est une propriété privée ici, déclara-t-il.

Meggie crut reconnaître la voix âpre qu'elle avait entendue dans la bibliothèque.

— Et on peut facilement se faire tirer dessus quand on circule la nuit dans une propriété privée.

— Je m'en occupe! intervint alors Doigt de Poussière en se penchant au-dessus de l'épaule d'Elinor.

— Tiens, tiens! Doigt de Poussière! s'exclama l'inconnu en enlevant son fusil, qu'est-ce qui te prend d'arriver comme ça au milieu de la nuit?

Elinor se retourna et lança à Doigt de Poussière un regard plus que méfiant.

— Je ne savais pas que vous étiez en si bons termes avec ces soi-disant diables! fit-elle remarquer.

Mais Doigt de Poussière était déjà descendu. Meggie trouva elle aussi curieuse la familiarité qu'il semblait y avoir entre les deux hommes. Elle se souvenait parfaitement de ce que Doigt de Poussière avait dit des hommes de Capricorne. Comment pou-vait-il leur parler sur ce ton? Meggie eut beau tendre l'oreille, elle n'entendit pas un mot de ce qu'ils se disaient, sauf une chose : Doigt de Poussière appelait l'inconnu Basta.

— Ça ne me plaît pas! murmura Elinor. Regarde-les! Ils dis-cutent comme si notre mangeur d'allumettes pouvait aller et venir ici à sa guise!

— Il doit savoir qu'ils ne lui feront rien parce que nous appor-tons le livre! chuchota Meggie sans quitter les deux hommes des yeux.

L'inconnu avait deux chiens avec lui, des bergers allemands. Ils reniflaient les mains de Doigt de Poussière et le poussaient avec leurs museaux tout en remuant la queue.

— Tu vois ça? maugréa Elinor, ces maudits chiens le traitent comme un vieil ami. Et si…

Avant qu'elle pût en dire plus, Basta ouvrit la portière de son côté.

— Descendez toutes les deux, ordonna-t-il.

Elinor mit un pied dehors, puis l'autre. Meggie descendit aussi et vint se mettre à côté d'elle. Son cœur battait à tout rompre. Elle n'avait encore jamais vu un homme avec un fusil. Sauf à la télévision, mais jamais en vrai.

— Je n'aime pas beaucoup le ton sur lequel vous me parlez! lança Elinor à Basta. Nous venons de faire un voyage pas franchement réjouissant jusque dans ce coin perdu pour apporter à votre patron, votre boss ou je ne sais comment vous l'appelez, quelque chose qu'il souhaite avoir depuis longtemps. Je vous demanderai donc de vous conduire poliment.

Basta lui adressa un regard si méprisant qu'Elinor prit une grande bouffée d'air tandis que Meggie, malgré elle, lui serra la main.

— D'où sort-elle, celle-là? demanda Basta en se retournant vers Doigt de Poussière qui semblait ne pas être concerné le moins du monde par ce qui se passait.

— La maison est à elle, tu sais bien…

Doigt de Poussière parlait d'une voix feutrée mais Meggie comprenait quand même ce qu'il disait.

— Je ne voulais pas l'amener, mais elle est têtue comme une bourrique.

— Ça ne m'étonne pas!

Basta examina Elinor encore une fois puis il regarda Meggie.

— Et elle, c'est la fille de Langue Magique, pas vrai? Elle ne lui ressemble pas beaucoup.

— Où est mon père? demanda Meggie, comment va-t-il?

C'étaient les premiers mots qu'elle arrivait à prononcer. Sa

143

voix était enrouée, comme si elle n'avait pas servi depuis long-temps.

— Oh, il va bien ! répondit Basta en lançant un coup d'œil à Doigt de Poussière. Sauf qu'en ce moment, on devrait plu-tôt l'appeler Langue de Plomb, vu le peu de paroles qu'il pro-nonce.

Meggie se mordit les lèvres.

— Nous sommes venues le chercher, déclara-t-elle.

Elle avait soudain une petite voix aiguë, malgré ses efforts pour prendre un ton d'adulte.

— Nous avons le livre, mais Capricorne ne l'aura que s'il libère mon père.

Basta se tourna de nouveau vers Doigt de Poussière.

— Finalement, elle tient de son père. Cette manière de serrer les lèvres. Et le regard. Oui, les liens de parenté sont évidents.

Au son de sa voix, il avait l'air de plaisanter mais, quand Meggie le regarda, elle vit qu'il n'en était rien. Il avait un visage étroit, anguleux, des yeux rapprochés qu'il plissait comme pour mieux voir.

Basta n'était pas très grand, il avait des épaules presque aussi étroites que celles d'un jeune garçon mais, quand il fit un pas dans sa direction, Meggie retint son souffle. Elle n'avait encore jamais eu si peur de quelqu'un, et cela ne tenait pas seulement au fusil qu'il avait dans la main. Il y avait en lui quelque chose de mauvais, d'agressif…

— Meggie, va chercher le sac plastique dans le coffre.

Elinor s'interposa quand Basta voulut retenir Meggie.

— Il n'y a rien de dangereux dedans, dit-elle, irritée, rien d'autre que ce qui nous amène ici.

Pour toute réponse, Basta tira les chiens vers lui pour lui laisser le passage. Il tira si fort qu'ils gémirent.

— Meggie, écoute-moi bien ! chuchota Elinor.

Ils avaient abandonné la voiture sur le bord de la route et suivaient maintenant Basta sur un chemin abrupt qui se dirigeait vers les fenêtres allumées.

— Tu ne leur donnes le livre que quand nous aurons vu ton père, compris ?

Meggie hocha la tête en serrant le sac plastique contre sa poitrine. Pour qui Elinor la prenait-elle ? D'un autre côté, si jamais Basta décidait de lui arracher le livre des mains, comment pourrait-elle l'en empêcher ? Mais elle préféra ne pas se poser trop de questions…

C'était une nuit chaude, lourde. Le ciel au-dessus des collines noires était constellé d'étoiles. Le chemin que Basta leur fit prendre était rocailleux et si sombre que Meggie voyait à peine ses pieds mais, chaque fois qu'elle trébuchait, une main était là pour la retenir, celle d'Elinor qui marchait tout près d'elle, ou celle de Doigt de Poussière qui la suivait à pas silencieux, comme son ombre. Gwin était toujours dans le sac à dos. Les chiens de Basta levaient sans arrêt le museau, ils semblaient avoir flairé l'odeur pénétrante de la martre.

Peu à peu, les lumières se rapprochèrent. Meggie distingua des maisons, de vieilles maisons taillées grossièrement dans de la pierre grise, et au-dessus, blafard, le clocher d'une église.

Ils s'engagèrent dans des ruelles si étroites que Meggie se sentit oppressée, ils passèrent devant des maisons dont beaucoup leur parurent inhabitées. Certaines n'avaient plus de toit, d'autres plus guère que des murs à moitié effondrés. Il faisait sombre dans le village de Capricorne, seuls quelques réverbères étaient allumés, fixés à des arcs dans les murs, au-dessus des ruelles. Ils débouchèrent sur une petite place. D'un côté, il y avait le clocher qu'ils avaient vu de loin et, séparée par une ruelle étroite, une maison à deux étages qui, elle, n'avait rien de délabré. La place était mieux éclairée que le reste du village, quatre réverbères dessinaient des ombres inquiétantes sur le pavé.

Basta les conduisit directement à la grande maison. Derrière trois fenêtres du dernier étage, il y avait de la lumière. Mo était-il là ? Meggie écouta en elle-même, comme si elle pouvait y trouver une réponse mais la seule chose que révélaient les battements de son cœur, c'était la peur. La peur et l'angoisse.

14

MISSION ACCOMPLIE

— Ce n'est pas la peine de le chercher, dit M. Castor.
— Que voulez-vous dire ? s'étonna Susan. Il ne doit pas être encore très loin ! Et nous devons le trouver. Que voulez-vous dire en déclarant que ce n'est pas la peine de le chercher ?
— La raison pour laquelle il est inutile de le chercher, dit M. Castor, c'est que nous savons déjà où il est allé !
Chacun le regarda avec stupéfaction.
— Vous ne comprenez donc pas ? dit M. Castor. Il est allé chez *elle*, chez la Sorcière Blanche. Il nous a tous trahis.

C. S. Lewis, *Le Lion, la Sorcière Blanche et l'Armoire magique*

Depuis que Doigt de Poussière lui avait parlé de lui, Meggie s'était imaginé cent fois le visage de Capricorne : pendant le voyage jusqu'à la maison d'Elinor, alors que Mo était encore assis à côté d'elle, puis dans l'immense lit, et enfin pendant le trajet jusqu'ici. Non, pas cent fois, mille fois elle avait essayé de se le représenter, appelant à la rescousse tous les méchants qu'elle avait rencontrés dans ses livres : le capitaine Crochet, maigre et au nez crochu, Long John Silver, avec son sourire faux aux lèvres, Indiana Jones avec son couteau et ses cheveux noirs et gras, qu'elle avait si souvent rencontré dans des cauchemars…

Mais Capricorne ne ressemblait à rien de tout ça.

Meggie renonça vite à compter les portes qu'ils dépassèrent avant que Basta ne s'arrête enfin devant l'une d'entre elles. Mais elle compta les hommes vêtus de noir. Ils étaient au nombre de quatre, debout dans les couloirs, et avaient l'air de s'ennuyer. À côté de chacun d'entre eux, il y avait un fusil appuyé contre le mur au crépi blanc. Dans leurs costumes noirs cintrés, ils ressemblaient à des corbeaux. Seul Basta portait une chemise blanche, d'un blanc de lys, comme avait dit Doigt de Poussière, et sur le col de sa veste, il y avait une fleur rouge qui était comme une mise en garde.

Le peignoir de Capricorne était rouge, lui aussi. Il était assis dans un fauteuil quand Basta entra avec les trois nouveaux arrivants.

Une femme était agenouillée devant lui et lui coupait les ongles de pied. Le fauteuil avait l'air d'être trop petit pour lui, Capricorne était grand et maigre, comme si on lui avait trop tendu la peau sur ses os. Il avait le teint pâle comme du papier vierge, les cheveux coupés en brosse. Meggie n'aurait pu dire s'ils étaient gris ou blond clair.

Quand Basta ouvrit la porte, il leva la tête. Ses yeux étaient presque aussi pâles que le reste de sa personne, dépourvus de couleur mais brillants comme des pièces d'argent. La femme à ses pieds leva furtivement les yeux quand ils entrèrent puis se pencha aussitôt de nouveau sur son travail.

— Excusez, mais les visiteurs escomptés sont là, dit Basta, je pensais que vous voudriez leur parler tout de suite.

Capricorne se renversa dans son fauteuil et jeta un coup d'œil furtif à Doigt de Poussière. Puis ses yeux inexpressifs se tournèrent vers Meggie. Machinalement, elle serra encore plus fort le sac plastique contre sa poitrine. Capricorne regarda le sac comme s'il savait ce qu'il contenait. Il fit un signe à la femme à ses pieds. Elle se leva de mauvaise grâce, défroissa sa robe noire comme le charbon et lança à Elinor et Meggie un regard dépourvu de bienveillance. Avec ses cheveux gris tirés en arrière et son nez pointu qui n'allait pas du tout avec son petit visage ridé, elle ressemblait à une pie. Elle inclina la tête en direction de Capricorne et sortit.

C'était une grande pièce. Il n'y avait pas beaucoup de meubles, juste une grande table avec huit chaises, une armoire et un imposant buffet. Aucune lampe, que des bougies, des dizaines de bougies dans de lourds chandeliers en argent.

Meggie eut le sentiment qu'ils emplissaient la pièce d'ombres plus que de lumière.

— Où est-il ? demanda Capricorne.

Instinctivement, Meggie fit un pas en arrière quand il recula son fauteuil.

— Ne me dites pas que cette fois vous ne m'avez ramené que la fille.

Sa voix était plus impressionnante que son visage. Elle était grave et sombre et, dès les premières paroles, Meggie la détesta.

— Elle l'a apporté. Il est dans le plastique, répondit Doigt de Poussière avant que Meggie ait pu ouvrir la bouche.

Pendant qu'il parlait, ses yeux allaient d'une bougie à l'autre, comme si leurs flammes qui dansaient était la seule chose qui l'intéressât.

— Son père ignorait vraiment qu'il n'avait pas le bon livre. Cette prétendue amie à lui — Doigt de Poussière désigna Elinor — l'avait échangé à son insu. Je crois qu'elle se nourrit de lectures. Toute sa maison est pleine de livres. Elle préfère à l'évidence leur compagnie à celle des hommes.

Les mots se bousculaient sur les lèvres de Doigt de Poussière, il semblait pressé de s'en débarrasser.

— Je l'ai tout de suite trouvée antipathique, mais vous connaissez notre ami Langue Magique. Il a toujours une bonne opinion des gens. Il ferait confiance au diable en personne si jamais celui-ci lui souriait gentiment.

Meggie se tourna vers Elinor. On aurait dit qu'elle avait perdu sa langue. Elle était la mauvaise conscience même.

Capricorne se contenta de hocher la tête en entendant les explications de Doigt de Poussière. Puis il resserra la ceinture de son peignoir, croisa ses mains dans son dos et se dirigea lentement vers Meggie. Elle prit sur elle pour ne pas reculer, pour regarder sans ciller ses yeux délavés mais la peur lui nouait la gorge. Comme elle était lâche ! Elle s'efforça de penser à n'importe quel héros, à un de ses livres, de se mettre dans sa peau pour se sentir plus grande, plus forte, moins peureuse.

Pourquoi ne lui venait-il à l'esprit que des histoires sur la peur tandis que Capricorne l'observait ? D'habitude, elle arrivait si facilement à s'évader en d'autres lieux, à se glisser dans la peau des animaux ou des hommes qui n'existaient que sur le papier, pourquoi pas maintenant ? Parce qu'elle avait peur. Parce que la peur tue tout, lui avait dit Mo un jour, la raison, le cœur et l'imagination en tout cas.

Mo... Où était-il ? Meggie se mordit les lèvres pour ne pas

trembler, mais elle savait que la peur était inscrite dans ses yeux et que Capricorne la voyait. Elle aurait voulu avoir un cœur de glace et des lèvres souriantes au lieu des lèvres tremblantes d'une enfant dont on a volé le père.

Capricorne était maintenant tout près d'elle. Il la dévisagea.

Jamais personne ne l'avait regardée comme ça. Elle se sentait comme une mouche qui est déjà collée sur le ruban tue-mouches et qui attend qu'on l'achève.

— Quel âge a-t-elle ? demanda Capricorne en regardant Doigt de Poussière comme s'il ne croyait pas Meggie capable de répondre elle-même à cette question.

— Douze ans, lança-t-elle d'une voix forte. (Ce n'était pas facile de parler avec des lèvres tremblantes.) J'ai douze ans et maintenant, je veux savoir où est mon père.

Capricorne fit mine de n'avoir pas entendu la dernière phrase.

— Douze ans ? répéta-t-il de sa voix sombre qui pesait sur les oreilles de Meggie. Encore deux ou trois ans et cette mignonne petite chose pourra servir. Mais pour ça, il faudrait la nourrir un peu mieux.

Il serra son bras dans ses longs doigts. Il portait des bagues en or, trois à une seule main. Meggie tenta de se dégager mais Capricorne la tenait fermement, en l'examinant de ses yeux délavés. Comme un poisson, un pauvre poisson qui gigotait.

— Lâchez-la !

Pour la première fois, Meggie se réjouit qu'Elinor puisse avoir un ton aussi sec. Et en effet, Capricorne lâcha son bras.

Elinor s'avança derrière elle et posa sa main sur son épaule, comme pour la protéger.

— J'ignore ce qui se trame ici, lança-t-elle à Capricorne. Je ne sais pas qui vous êtes ni ce que vous fabriquez, vous et vos hommes armés de fusils, dans ce village du bout du monde, et ça ne m'intéresse pas. Je suis ici pour que cette enfant récupère son père. Nous allons vous donner le livre auquel vous tenez tant, même si cela me fait mal au cœur, mais nous allons vous le donner dès que le père de Meggie sera assis dans ma voiture. Et si pour une raison ou pour une autre il souhaitait rester ici, nous voulons l'entendre de sa bouche.

Sans un mot, Capricorne lui tourna le dos.

— Pourquoi as-tu amené cette femme ? demanda-t-il à Doigt de Poussière. J'avais dit : la fille et le livre. Que veux-tu que je fasse de cette femme ?

Meggie regarda Doigt de Poussière.

La fille et le livre. Ces paroles résonnaient dans sa tête. *J'avais dit : la fille et le livre.* Meggie essayait de regarder Doigt de Poussière dans les yeux mais il évitait son regard comme s'il pourrait s'y brûler. Elle se sentait si bête que ça lui faisait mal. Si bête, si affreusement bête.

Doigt de Poussière s'assit sur le rebord de la table et éteignit une bougie entre ses doigts, tout doucement, comme s'il attendait la douleur, la petite morsure de la flamme.

— Je l'ai déjà expliqué à Basta : impossible de convaincre cette chère Elinor de ne pas venir. Elle ne voulait pas laisser partir la fille sans elle et ça n'a pas été facile de lui faire accepter de rendre le livre.

— Et alors ? N'avais-je pas raison ? s'exclama Elinor d'une voix si sonore que Meggie sursauta. Tu entends ça, Meggie, ce mangeur d'allumettes, ce fourbe! J'aurais dû appeler la police quand il est revenu. Il ne l'a fait que pour chercher le livre!

« Et moi, songea Meggie. La fille et le livre. »

Doigt de Poussière faisait semblant d'être terriblement occupé à tirer un fil de la manche de son manteau. Mais ses mains habituellement si habiles tremblaient.

— Et vous! poursuivit Elinor en pointant son index sur la poitrine de Capricorne.

Basta fit un pas en avant mais Capricorne l'arrêta d'un signe de la main.

— J'en ai vu des choses, à propos de livres. On m'en a déjà volé un certain nombre et je ne peux pas dire que tous les livres qui sont sur mes étagères y sont arrivés par des voies légales. Peut-être que vous connaissez la devise « Tous les collectionneurs de livres sont des vautours et des chasseurs » ? Mais vous m'avez l'air d'être encore plus fou que les autres. Ça m'étonne que je n'aie encore jamais entendu parler de vous. Où est votre collection ? (Son regard scruta la grande pièce.) Je ne vois pas un seul livre.

Capricorne enfonça les mains dans les poches de son peignoir et fit un signe à Basta.

Avant que Meggie ait pu réaliser ce qui lui arrivait, celui-ci lui arracha le sac plastique. Il l'ouvrit, regarda à l'intérieur d'un air méfiant, comme s'il s'attendait à voir surgir un serpent ou quelque chose de ce genre, puis en sortit le livre. Capricorne le lui prit des mains. Meggie ne put discerner sur son visage aucune trace de cette tendresse avec laquelle Mo ou Elinor contemplaient un livre. Non, sur le visage de Capricorne, il n'y avait que répulsion — et soulagement.

— Elles ne sont au courant de rien ? demanda Capricorne.

Il ouvrit le livre, le feuilleta et le referma. C'était le bon, Meggie le vit à son expression. C'était exactement le livre qu'il avait cherché.

— Non, elles ne savent rien. La fille non plus.

Doigt de Poussière concentrait son regard sur la fenêtre, comme s'il y avait autre chose à voir que la nuit noire.

— Son père ne lui a rien raconté, ajouta-t-il, pourquoi l'aurait-il fait ?

Capricorne hocha la tête.

— Emmène-les derrière, ordonna-t-il à Basta qui était toujours à côté de lui avec le sac vide dans la main.

— Qu'est-ce que ça veut dire ? protesta Elinor, mais Basta l'entraîna avec Meggie.

— Ça veut dire, mes belles oiselles, que je vais vous enfermer dans nos cages pour la nuit, répondit Basta en leur enfonçant le canon de son fusil dans le dos.

— Où est mon père ? cria Meggie.

Sa propre voix résonnait dans ses oreilles.

— Qu'est-ce que vous voulez encore de lui ?

Capricorne se dirigea vers la bougie que Doigt de Poussière avait éteinte, passa son index sur la mèche et contempla la suie sur le bout de son doigt.

— Ce que je veux de ton père ? dit-il sans se tourner vers Meggie, je veux le garder ici, quoi d'autre ? Tu n'as pas l'air de savoir de quels talents extraordinaires il dispose. Jusque-là, Basta a eu beau essayer de le convaincre, Langue Magique a refusé de les mettre à mon service. Mais maintenant que Doigt de Poussière t'a amenée ici, il fera ce que je lui demande, j'en suis certain.

Meggie essaya de repousser les mains de Basta, mais il la saisit au cou comme un poulet auquel il aurait voulu le tordre. Quand Elinor tenta de venir à son secours, il dirigea le canon de son fusil vers sa poitrine et poussa Meggie vers la porte.

Lorsqu'elle se retourna encore une fois, elle vit que Doigt de Poussière était toujours appuyé contre la grande table. Il la regardait mais, cette fois, il ne souriait plus. Ses yeux semblaient dire : « Pardonne-moi ! J'ai été obligé de le faire. Je pourrai tout expliquer ! »

Mais Meggie ne voulait rien comprendre. Et surtout pas pardonner.

— Je souhaite que tu meures, cria-t-elle tandis que Basta l'entraînait hors de la pièce, je souhaite que tu meures brûlé ! Que ton propre feu t'étouffe !

Basta referma la porte en riant.

— Écoutez-moi cette petite chatte ! dit-il encore, je crois que je vais devoir me méfier d'elle !

15

BONHEUR ET MALHEUR

C'était au beau milieu de la nuit ; Bingo ne pouvait pas dormir. Le sol était dur mais il y était habitué. Sa couverture était sale et sentait affreusement mauvais mais à cela aussi, il était habitué. Il avait une chanson dans la tête, dont il n'arrivait pas à se débarrasser. C'était le chant triomphal des Wendels.

Michael de Larrabeiti, *Gare aux Zorribles*

Les cages – comme les avaient appelées Basta – que Capricorne réservait aux hôtes indésirables se trouvaient derrière l'église, sur une place goudronnée où il y avait un conteneur pour les ordures et des fûts à côté de montagnes de gravats. Une légère odeur d'essence flottait dans l'air et les lucioles qui voltigeaient sans but dans la nuit semblaient elles-mêmes ignorer ce qui les avait amenées là. Une rangée de maisons à moitié en ruine s'élevait derrière le conteneur et les gravats. Les fenêtres n'étaient plus que des trous dans les murs gris. Quelques volets vermoulus pendaient de travers dans leurs gonds, comme si le premier coup de vent venu allait les en arracher. Seules les portes du rez-de-chaussée donnaient l'impression d'avoir été repeintes récemment, en un marron sale sur lequel on avait inscrit à la peinture, d'une écriture gauche, un chiffre. La dernière porte, d'après ce que Meggie put en distinguer dans l'obscurité, portait le chiffre sept.

Basta les poussa vers le numéro quatre. Un instant, Meggie fut soulagée qu'il ne s'agisse pas vraiment d'une cage, même si la porte dans le mur sans fenêtre n'avait rien d'engageant.

— Mais c'est ridicule ! gronda Elinor tandis que Basta déverrouillait la porte.

Il avait amené du renfort avec lui, un jeune garçon maigre qui portait déjà l'uniforme noir des hommes du village de Capricorne et qui semblait prendre plaisir à braquer son fusil, l'air menaçant, sur la poitrine d'Elinor dès qu'elle ouvrait la bouche. Elle ne se tut pas pour autant.

— À quoi jouez-vous, ici ? maugréa-t-elle sans quitter des yeux le canon du fusil. Je me suis laissé dire que ces montagnes avaient toujours été un paradis pour les brigands, mais nous sommes au XXIe siècle, sapristi ! On n'a pas l'habitude de pousser ses visiteurs avec le canon de son fusil, surtout pas un jeune garçon comme celui-là…

— Autant que je sache, dans ce siècle civilisé, on fait tout ce qu'on faisait autrefois, répliqua Basta. Et ce garçon a juste l'âge qu'il faut pour être à notre école. Moi, j'étais encore plus jeune.

Il ouvrit la porte. L'obscurité y était encore plus noire que la nuit.

Basta poussa d'abord Meggie à l'intérieur, puis Elinor, et il referma la porte.

Meggie l'entendit tourner la clé dans la serrure, elle entendit Basta dire quelque chose qui fit rire le garçon puis les pas s'éloignèrent. Elle tendit les bras sur le côté jusqu'à ce que l'extrémité de ses doigts touchent un mur. Ses yeux lui étaient aussi utiles que ceux d'un aveugle, elle ne pouvait même pas distinguer où était Elinor. Mais elle l'entendit maugréer, quelque part sur sa gauche.

— Tu ne vas pas me dire qu'il n'y a même pas une lumière dans ce maudit trou ? On se croirait dans un de ces foutus romans d'aventure au style déplorable, où les crapules portent un bandeau sur l'œil et manient le couteau.

Elinor jurait volontiers, Meggie l'avait déjà remarqué. Plus elle s'énervait et plus elle jurait.

— Elinor ?

La voix venait de quelque part dans la pénombre.

Joie, effroi, surprise, tout cela dans ce seul mot.

Meggie se retourna si brusquement qu'elle faillit s'empêtrer les pieds.

— Mo ?

— Oh, non ! Meggie ? D'où sors-tu ?

— Mo !

Meggie trébuchait dans l'obscurité, en direction de la voix de Mo. Une main lui prit le bras, des doigts passèrent sur son visage.

Au plafond, une ampoule s'alluma. Elinor, la main sur un interrupteur poussiéreux, avait l'air contente d'elle.

— L'électricité est vraiment une invention fantastique ! dit-elle. Ou du moins un progrès notable sur les siècles précédents, vous ne trouvez pas ?

— Que faites-vous ici, Elinor ? demanda Mo en serrant Meggie contre lui. Comment as-tu pu permettre qu'ils l'amènent ici ?

— Permettre ? (Elinor en bafouillait presque.) Je n'ai pas demandé à jouer la baby-sitter de ta fille. Je sais comment on veille sur des livres mais avec les enfants, sapristi, c'est une autre affaire ! Figure-toi qu'elle s'est fait du souci pour toi ! Elle voulait aller te chercher. Et la brave Elinor, tu sais ce qu'elle fait au lieu de rester tranquillement chez elle ? Je ne peux pas laisser cette petite partir seule, que je me dis. Voilà où mène la grandeur d'âme ! J'ai eu droit à des horreurs, on m'a mis le canon d'un fusil sur la poitrine et maintenant, tes reproches par-dessus le marché…

— C'est bon, c'est bon ! répondit Mo en poussant Meggie devant lui pour la regarder de la tête aux pieds.

— Je vais bien, Mo ! dit Meggie d'une voix qui tremblait encore un peu. Vraiment.

Mo hocha la tête et se tourna vers Elinor.

— Vous avez apporté le livre à Capricorne ?

— Naturellement ! Tu le lui aurais donné aussi si je…

Elinor rougit et regarda le bout de ses chaussures couvertes de poussière.

— Si tu ne les avais pas échangés, continua Meggie.

Elle prit la main de Mo et la serra très fort. Elle n'arrivait pas à croire qu'il fût de nouveau là, indemne, à part quelques égratignures sur le front qui disparaissaient presque sous ses cheveux noirs.

— Ils t'ont battu ?

Inquiète, elle passa son doigt sur le sang séché. Mo ne put s'empêcher de sourire, bien qu'il n'y eût guère le cœur.

— Ce n'est rien, ne t'inquiète pas, je vais bien !

Meggie pensa que ce n'était pas une réponse mais elle n'insista pas.

– Comment êtes-vous venues ici ? Capricorne a envoyé ses hommes une deuxième fois ?

Elinor secoua la tête.

– Ce n'était pas la peine, dit-elle d'un ton amer. Ton ami à la bave de serpent s'est chargé de l'affaire. Une belle ordure que tu m'a amenée là ! D'abord il t'a trahi et ensuite il a servi à Capricorne le livre et ta fille sur un plateau. «La fille et le livre», nous l'avons entendu de la bouche même de Capricorne, telle était la mission du mangeur d'allumettes. Et il l'a parfaitement accomplie.

Meggie passa le bras de Mo autour de son cou et cacha son visage contre lui.

– La fille et le livre, répéta-t-il en étreignant Meggie. Bien sûr, maintenant, Capricorne peut être sûr que je ferai ce qu'il attend de moi.

Il se retourna et se dirigea lentement vers de la paille qui était par terre dans un coin. Il s'assit dessus en soupirant, s'appuya contre le mur et ferma les yeux un instant.

– Eh bien maintenant, nous sommes quittes, Doigt de Poussière et moi, dit-il. Mais quand même, je me demande comment Capricorne va le rémunérer pour sa trahison. Car ce que Doigt de Poussière veut, il ne peut pas lui donner.

– Quittes ? Qu'est-ce que tu veux dire par là ? demanda Meggie en s'asseyant à côté de lui. Et toi, qu'est-ce que tu dois faire pour Capricorne ? Qu'est-ce qu'il attend de toi, Mo ?

La paille était humide, ce n'était pas un endroit génial pour dormir, mais c'était toujours mieux qu'à même le sol.

Mo resta un long moment silencieux. Il contempla les murs dénudés, la porte verrouillée, le sol sale.

— Je pense que le moment est venu que je te raconte toute l'histoire, dit-il enfin. Même si je ne voulais pas te la raconter dans un endroit aussi lugubre et seulement quand tu serais plus grande…

— Mais j'ai douze ans, Mo !

Pourquoi les adultes croyaient-ils que les enfants supportent mieux les mystères que la vérité ? Ne savaient-ils rien des sombres histoires que l'on s'invente pour expliquer les mystères ?

Ce n'est que bien des années plus tard, quand Meggie aurait elle-même des enfants, qu'elle comprendrait qu'il y a des vérités qui vous emplissent le cœur de désespoir et qu'on n'a pas envie d'en parler, surtout pas à ses enfants, à moins que l'on ait quelque chose qui oppose un peu d'espoir au désespoir.

— Viens t'asseoir, Elinor ! dit Mo en lui faisant de la place, c'est une longue histoire.

Elinor soupira et s'assit péniblement sur la paille humide.

— Ce n'est pas vrai ! murmura-t-elle. Ce n'est pas possible, je rêve.

— C'est ce que je me dis depuis neuf ans, Elinor, dit Mo.

Et il commença son histoire.

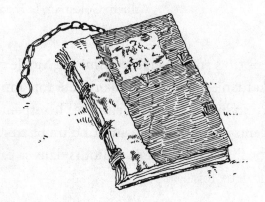

16

AUTREFOIS

Mon père a levé le livre.
– Je vais te le lire pour te détendre.
[...]
– Il y a du sport dedans?
– De l'escrime. Du combat. De la torture. Du poison. Le grand
amour. La haine. La vengeance. Des géants. Des chasseurs. Des
méchants. Des hommes bons. Des dames plus belles que tout.
Des serpents. Des araignées. Des bêtes de toute nature et de
toutes formes. Des lâches. Des hommes forts. Des poursui-
tes. Des évasions. Des mensonges. Des vérités. La passion. Des
miracles.
– Pourquoi pas, ai-je dit, laissant retomber mes paupières.

William Goldman, *La Princesse Bouton-d'or*

– Tu avais trois ans, Meggie, commença Mo. Je me souviens
encore de la manière dont nous avons fêté ton anniversaire. Je
t'avais offert un livre d'images. Celui avec le serpent de mer qui
a mal aux dents et qui s'enroule autour d'un phare...

Meggie hocha la tête. Il était toujours dans sa caisse et avait
déjà été relié deux fois.

— Nous ? demanda-t-elle.

— Ta mère et moi, précisa Mo en extirpant des brins de paille de son pantalon. Déjà, à l'époque, je ne pouvais pas passer devant une librairie sans m'arrêter. Nous habitions une toute petite maison — nous l'appelions la boîte à chaussures, la maison de souris, nous lui donnions beaucoup de noms —, mais ce jour-là j'avais encore acheté tout un tas de livres chez un marchand d'ouvrages anciens. Il y en avait parmi eux qui auraient plu à Elinor, dit-il en lui souriant. Le livre de Capricorne était dans le lot.

— Il était à lui ? demanda Meggie, surprise.

Mo secoua la tête.

— Non, mais… Chaque chose en son temps. Ta mère a soupiré en voyant les nouveaux livres et elle a demandé où nous allions les mettre mais, bien sûr, elle m'a aidé à les déballer. À cette époque, je lui faisais toujours la lecture le soir.

— Tu faisais la lecture ?

— Oui. Tous les soirs. Ta mère aimait cela. Ce soir-là, elle a choisi *Cœur d'encre*. Elle a toujours aimé les histoires d'aventures, des histoires pleines de lumière et d'ombre. Elle pouvait te réciter les noms de tous les chevaliers du roi Arthur et elle savait tout sur Beowolf et Grendel, sur les dieux anciens et les héros un peu moins anciens. Elle aimait aussi les histoires de pirates, mais les histoires qu'elle préférait, c'étaient celles où il y avait au moins un chevalier, un dragon et une fée. Elle était d'ailleurs toujours du côté des dragons. Apparemment, il n'y en avait pas dans *Cœur d'encre*, en revanche le livre débordait de lumière et d'ombre, et de fées et de kobolds… Ta mère aimait aussi beaucoup les kobolds : les Brownies, les Bucca Boos, les Fenoderees, les

Foletti avec leurs ailes de papillon, elle les connaissait tous. Nous t'avons donc donné une pile de livres illustrés, nous nous sommes installés confortablement sur le tapis et j'ai commencé à lire à haute voix.

Meggie appuya sa tête sur l'épaule de Mo et fixa le mur dénudé. Sur le crépi blanc sale, c'est elle-même qu'elle voyait, telle qu'elle s'était vue dans les albums photo : petite, les jambes potelées, les cheveux blonds comme les blés (ils avaient foncé depuis), elle se revoyait en train de feuilleter les grands livres d'images avec ses petits doigts. Chaque fois que Mo racontait, il se passait la même chose : Meggie voyait des images, des images vivantes.

— L'histoire nous plaisait beaucoup, poursuivit son père, il y avait du suspense, elle était bien écrite et peuplée d'êtres extravagants. Ta mère adorait qu'un livre la transporte dans l'inconnu et le monde qu'elle découvrait dans *Cœur d'encre* était tout à fait à son goût. Parfois, c'était sinistre et, chaque fois que le suspense était trop fort, ta mère mettait un doigt sur sa bouche et je lisais plus bas, même si nous étions certains que tu étais bien trop occupée avec tes propres livres pour écouter de sombres histoires auxquelles tu n'aurais de toute façon rien compris. Dehors, la nuit était tombée depuis longtemps, je m'en souviens comme si c'était hier, c'était l'automne et il y avait des courants d'air. Nous avions fait un feu — la boîte à chaussures n'avait pas de chauffage central mais un poêle dans chaque pièce — et j'ai abordé le septième chapitre. C'est là que c'est arrivé…

Mo se tut. Il regardait devant lui comme s'il était perdu dans ses pensées.

— Quoi ? demanda Meggie dans un murmure, qu'est-ce qui est arrivé, Mo ?

Son père la regarda.

— Ils ont surgi, dit-il. Tout d'un coup, ils sont apparus, dans l'embrasure de la porte du couloir, comme s'ils venaient de dehors. Ils se sont tournés vers nous dans un bruit de papier froissé. J'avais encore leurs noms sur les lèvres : Basta, Doigt de Poussière, Capricorne. Basta tenait Doigt de Poussière par le cou, comme un jeune chien que l'on secoue parce qu'il a fait quelque chose de défendu. Capricorne aimait déjà s'habiller en rouge mais il avait neuf ans de moins et n'était pas encore aussi décharné qu'aujourd'hui. Il possédait une épée, je n'en avais encore jamais vu de près. Basta en avait une aussi accrochée à la ceinture, une épée et un couteau, tandis que Doigt de Poussière... — Mo secoua la tête — ...lui, il n'avait rien d'autre que sa martre à cornes bien sûr, dont les numéros étaient son gagne-pain. Je ne crois pas qu'aucun des trois ait compris ce qui s'était passé. Moi-même, je ne l'ai compris que beaucoup plus tard. Ma voix les avait fait sortir de l'histoire, comme une marque glissée entre les pages serait tombée d'un livre. Comment auraient-ils pu comprendre ? Basta a poussé si rudement Doigt de Poussière devant lui que celui-ci a trébuché, il a voulu tirer son épée mais ses mains, pâles comme du papier, n'avaient visiblement pas de force. L'épée lui a glissé des mains, est tombée sur le tapis. Il semblait y avoir du sang séché sur la lame mais ce n'étaient peut-être que les reflets du feu. Capricorne a regardé autour de lui. Il avait l'air d'avoir le vertige, comme un ours de foire ayant tourné trop longtemps sur lui-même. C'est ce qui a dû nous sauver, au dire de Doigt de Poussière du moins. Si Basta et son maître avaient été en pleine possession de leurs moyens, ils nous auraient sûrement tués. Mais ils n'étaient pas encore tout à fait là, dans ce monde, et je me suis emparé de cette affreuse épée qui gisait sur le tapis, au milieu de mes livres. Elle était lourde, beaucoup plus lourde que je n'aurais cru. Je devais être ridicule avec cette chose entre les mains, que je devais tenir probablement comme un aspirateur ou un bâton mais, quand Capricorne est venu vers moi en titubant, j'ai dirigé la lame vers lui et il s'est arrêté. Je me suis mis à bafouiller, j'essayais de lui expliquer ce qui s'était passé, sans comprendre vraiment moi-même, mais Capricorne se contentait de me regarder avec ses yeux délavés tandis que Basta, à son côté, la main sur son couteau, attendait visiblement que son maître lui donne l'ordre de nous trancher la gorge.

— Et le mangeur d'allumettes ? demanda Elinor d'une voix rauque.

— Il était toujours assis sur le tapis, l'air étourdi, pas un son ne sortait de sa gorge. Il ne m'inquiétait pas. Si tu ouvres un panier et qu'il en sort deux serpents et un lézard, tu t'occupes d'abord des serpents, n'est-ce pas ?

— Et ma mère ? murmura Meggie.

C'était un mot qu'elle n'avait pas coutume de prononcer.

Mo la regarda.

— Je ne la voyais plus nulle part ! Tu étais encore accroupie au milieu de tes livres et regardais avec de grands yeux ces hommes inconnus, avec leurs grosses bottes et leurs armes. J'avais affreusement peur pour vous mais, à mon grand soulagement, Capricorne et Basta t'ignoraient. « Assez parlé ! a lancé Capricorne tandis que je m'embrouillais de plus en plus dans mon histoire. Peu m'importe comment j'ai atterri dans cet endroit minable, ramène-moi immédiatement chez moi, maudit magicien, ou Basta va t'arracher la langue. » Cela n'était guère rassurant et j'en avais lu assez sur eux dans les premiers chapitres pour savoir que Capricorne parlait sérieusement. J'ai réfléchi désespérément à la manière dont je pourrais en finir avec ce cauchemar, j'en avais le vertige. J'ai pris le livre, peut-être qu'en relisant le passage… J'ai essayé. Je butais sur les mots, Capricorne ne me quittait pas des yeux tandis que Basta enlevait son couteau de sa ceinture. Il ne se passait rien. Les deux compères étaient là, dans ma maison, et n'avaient pas l'air d'être prêts à retourner dans leur histoire. Et soudain, j'ai eu la certitude qu'ils allaient nous tuer. Alors j'ai laissé tomber le livre, ce livre funeste, et j'ai soulevé l'épée que j'avais jetée sur le tapis. Basta a essayé de m'en empêcher mais j'ai été plus rapide. Je devais tenir cette satanée épée à deux mains, je me souviens encore combien le pommeau était froid. Ne me demande pas comment j'ai fait, tout ce que je sais, c'est que j'ai réussi à repousser Capricorne et Basta dans le couloir. Il y a eu beaucoup de casse, car je brandissais l'épée dans tous les sens, tu t'es mise à pleurer, je voulais me tourner vers toi pour te dire que tout ça n'était qu'un mauvais rêve mais j'étais trop occupé à me protéger de l'épée de Capricorne et du couteau de Basta. « Voilà, c'est arrivé, ne pouvais-je m'empêcher de penser, maintenant, tu es au cœur d'une histoire, comme tu en avais toujours rêvé, et c'est affreux. » La peur a un tout autre goût quand on ne se contente plus de lire des histoires qui font peur, et ce n'est pas aussi drôle que je pensais de jouer les héros. S'ils n'avaient pas été encore faibles sur leurs jambes, les deux hommes m'auraient sûrement tué. Capricorne me hurlait dessus, il avait les yeux exorbités de fureur. Basta jurait en proférant des menaces, il m'a fait une méchante coupure au bras mais, soudain, la porte d'entrée s'est ouverte et ils ont disparu tous deux dans la nuit, en titubant comme deux ivrognes. Je tremblais si fort que j'ai eu du mal à refermer le verrou. Je me suis appuyé contre la porte, j'ai écouté dehors, mais je n'ai rien entendu que les battements affolés de mon cœur. Puis je t'ai entendue pleurer dans le salon et je me suis souvenu qu'il y en avait un troisième. Je me suis précipité en trébuchant, l'épée toujours à la main et j'ai vu Doigt de Poussière au milieu de la pièce. Il n'avait pas d'arme, juste sa martre sur l'épaule et, en me voyant m'avancer vers lui, il a reculé, livide. Je devais être effrayant, le sang coulant le long de mon bras, tremblant de tout mon corps, de peur ou de colère, je n'aurais pu le dire. «Je t'en prie, a-t-il murmuré, ne me tue pas! Je n'ai rien à faire avec les deux autres. Je ne suis qu'un saltimbanque, un pauvre cracheur de feu. Je peux te le prouver.» Et je lui ai répondu : «Oui, je sais, tu es Doigt de Poussière.» Et il s'est incliné avec respect devant moi, le magicien savant, qui savait tout sur lui et l'avait cueilli dans son monde comme une pomme sur un arbre. La martre est descendue de son bras, a sauté sur le tapis et s'est dirigée vers toi. Tu t'es arrêtée de pleurer et tu as tendu la main vers elle. «Fais attention, elle mord!» a lancé Doigt de Poussière en chassant l'animal. Je n'y ai pas fait attention. J'ai senti soudain combien la pièce était silencieuse. Silencieuse et vide. J'ai vu le livre sur le tapis, ouvert, comme je l'avais laissé tomber, et le coussin sur lequel ta mère était assise. Elle n'était plus là. Où était-elle? J'ai crié son nom, je l'ai crié et crié. J'ai couru dans toutes les pièces. Mais elle avait disparu.

Elinor était assise, droite comme un piquet et le regardait fixement.

— Qu'est-ce que tu racontes? s'écria-t-elle. Tu m'avais dit qu'elle était partie en voyage, pour je ne sais quel voyage d'aventures à la noix, et n'en était jamais revenue !

Meggie passa la main sur son bras, là où se cachait la longue estafilade blanche sous la chemise de Mo.

— Tu m'as toujours dit que tu t'étais ouvert le bras en escaladant une fenêtre cassée.

— Mais la vérité est tellement insensée. N'est-ce pas ?

Meggie hocha la tête. Il avait raison, elle aurait cru que c'était encore une de ces histoires à lui.

— Elle n'est jamais revenue ? demanda-t-elle à voix basse, bien qu'elle connût la réponse.

— Non, répondit Mo. Basta, Capricorne et Doigt de Poussière sont sortis d'un livre et elle, elle y est entrée, avec nos deux chats qu'elle avait comme toujours sur les genoux quand que je lui lisais des histoires. Pour Gwin, sans doute qu'un animal a disparu, peut-être une araignée ou une mouche ou un oiseau qui volait autour de la maison…

Mo se tut.

Quelquefois, quand il avait inventé une histoire si bonne que Meggie la croyait vraie, il se mettait soudain à sourire et disait : « Je t'ai eue, Meggie. » Comme pour son septième anniversaire, quand il lui avait raconté que dehors, entre les crocus, il avait vu des fées. Mais cette fois, il ne sourit pas.

— J'ai cherché ta mère dans toute la maison, poursuivit-il, et quand je suis revenu dans le salon, Doigt de Poussière avait disparu, avec son amie à cornes. Seule l'épée était encore là, si réelle que j'ai décidé de ne pas douter de ma raison. Je t'ai mise au lit, je crois t'avoir raconté que ta mère était déjà allée se coucher, et puis j'ai recommencé à lire *Cœur d'encre*. J'ai lu ce maudit livre en entier, jusqu'à ce que je n'aie plus de voix et que le jour se lève, mais tout ce qui en est sorti, c'est une chauve-souris et une cape en soie avec laquelle j'ai garni plus tard ta caisse de livres. Les jours et les nuits qui ont suivi, j'ai recommencé, toujours et encore, jusqu'à ce que les yeux me brûlent et que les lettres se mettent à danser sur les pages. Je ne mangeais plus, je ne dormais plus, je t'inventais constamment de nouvelles histoires sur l'endroit où séjournait ta mère et je veillais à ce que tu ne sois jamais dans la pièce quand je lisais, de peur que tu puisses disparaître toi aussi. Je ne me faisais pas de souci pour moi, curieusement, j'avais le sentiment que, comme lecteur, je ne risquais pas de disparaître entre les pages. J'ignore aujourd'hui encore s'il en est vraiment ainsi. (Mo chassa un moustique sur sa main.) J'ai lu à haute voix jusqu'à ce que je ne puisse plus entendre ma voix, poursuivit-il, mais ta mère n'est pas revenue, Meggie. Au lieu de ça, j'ai vu apparaître dans le salon, au bout de cinq jours, un drôle de petit bonhomme, transparent, comme s'il était en verre, et le facteur, qui était justement en train de glisser le courrier dans la boîte aux lettres, a disparu. J'ai retrouvé sa bicyclette dans la cour. À partir de ce moment-là, j'ai su que ni les murs ni les portes fermées ne pourraient t'empêcher à coup sûr de disparaître, ni toi ni personne d'autre. Et j'ai décidé de ne plus jamais lire un livre à voix haute. Ni *Cœur d'encre* ni aucun autre.

– Qu'est devenu l'homme en verre ? demanda Meggie.

Mo soupira.

– Il s'est cassé quelques jours plus tard, quand un camion est passé devant la maison. Apparemment, rares sont ceux à qui cela réussit de changer de monde. Nous savons tous les deux le bonheur que ce peut être d'entrer dans un livre et d'y passer un moment. Mais sortir d'une histoire pour se retrouver soudain dans notre monde n'a pas l'air de rendre très heureux. Doigt de Poussière, ça lui a brisé le cœur.

— Il a un cœur ? demanda Elinor, amère.

— Il se porterait mieux s'il n'en avait pas, répondit Mo. Il s'était passé plus d'une semaine avant qu'il ne se présente à ma porte. C'était la nuit, naturellement, son heure préférée. J'étais justement en train de faire mes bagages. J'avais décidé qu'il était plus sage de partir car je ne voulais pas me trouver obligé de chasser une deuxième fois Capricorne et Basta de chez moi avec une épée. Doigt de Poussière a confirmé mes inquiétudes. Il était bien plus de minuit quand il est arrivé mais, de toute manière, je ne pouvais pas dormir. (Mo caressa les cheveux de Meggie.) Toi non plus, tu ne dormais pas bien à l'époque. J'avais beau essayer de les chasser avec mes histoires, tu faisais d'affreux cauchemars. J'emballais mes outils dans l'atelier quand j'ai entendu frapper à la porte, doucement, presque à la dérobée. Doigt de Poussière a surgi soudain de l'ombre comme il l'a fait il y a quatre jours, quand tu l'as vu la nuit devant notre maison. Mon Dieu, cela ne fait vraiment que quatre jours ? Bien, quand il est revenu autrefois, il avait l'air de ne pas avoir mangé depuis longtemps, il était maigre comme un chat errant et ses yeux étaient très ternes. « Ramène-moi là-bas ! a-t-il balbutié, ramène-moi là-bas, je t'en prie ! Ce monde me tue. Il est trop rapide, trop plein et trop bruyant. Si je ne meurs pas du mal du pays, je vais mourir de faim. Je ne sais pas de quoi vivre. Je ne sais rien. Je suis comme un poisson sans eau. » Il n'a pas voulu me croire quand je lui ai dit que je ne pouvais pas. Il voulait voir le livre, voulait essayer lui-même, bien qu'il sache à peine lire mais, bien entendu, je ne pouvais pas le lui donner. Ç'aurait été comme si je lui donnais la seule chose qui me restât encore de ta mère. Heureusement, je l'avais bien caché. J'ai autorisé Doigt de Poussière à dormir sur le canapé et, le lendemain matin, quand je suis descendu, il était toujours en train de fouiller les étagères. Pendant deux ans, il est revenu régulièrement. Il nous suivait, peu importe où j'allais m'installer, jusqu'à ce qu'un beau jour, j'en aie eu assez et que je disparaisse en cachette. Après, je ne l'ai plus revu. Jusqu'à il y a quatre jours.

Meggie le regarda.

— Il te fait toujours pitié ? demanda-t-elle.

Mo ne répondit pas.

— Parfois, dit-il enfin.

Pour tout commentaire, Elinor souffla d'un air dédaigneux.

— Tu es encore plus fou que je ne pensais, dit-elle. C'est à cette ordure que nous devons d'être enfermés dans ce trou ; à cause de lui, ils vont peut-être nous trancher la gorge, et il te fait pitié ?

Mo haussa les épaules et leva les yeux vers le plafond où quelques mites voltigeaient autour de l'ampoule.

— Contrairement à moi, Capricorne lui a sans doute promis de le ramener là-bas. Il a compris que Doigt de Poussière serait prêt à faire n'importe quoi en échange d'une telle promesse. Retourner dans son histoire, c'est la seule chose dont il rêve. Il ne veut même pas savoir si l'histoire finit bien pour lui.

— Dans la vraie vie, ce n'est pas différent, fit observer Elinor d'un air sombre. On ne sait pas non plus si ça finit bien. En ce qui nous concerne, pour le moment, il semble plutôt que ça finisse mal.

Meggie avait mis ses bras autour de ses jambes, le visage appuyé sur ses genoux et fixait les trous dans le mur blanc sale. Elle voyait le *N* devant elle, le *N* sur lequel la martre à cornes était assise et elle eut l'impression que, derrière la majuscule, sa mère la regardait, sa mère telle qu'elle la connaissait de la photo passée, sous l'oreiller de Mo. Comme ça, elle n'était pas partie.

Comment allait-elle, dans l'autre monde ? Se souvenait-elle de sa fille ? Ou Meggie et Mo n'étaient-ils plus pour elle aussi qu'une image passée ? Avait-elle, comme Doigt de Poussière, la nostalgie de son monde à elle ?

Et Capricorne, en avait-il aussi la nostalgie ? Était-ce là ce qu'il attendait de Mo ? Qu'en lisant, il le renvoie dans son monde ? Que se passerait-il si Capricorne remarquait que Mo ignorait comment ? Meggie frissonna.

— Il paraît que Capricorne a un autre lecteur, enchaîna Mo, comme s'il avait lu dans ses pensées. Basta m'en a parlé, sans doute pour que je comprenne bien que je ne suis nullement indispensable. Il aurait déjà fait surgir d'un livre plusieurs assistants utiles à Capricorne.

— Ah bon ? Alors qu'est-ce qu'il attend de toi ?

Elinor se releva et se frotta les fesses en gémissant.

— Je n'y comprends plus rien, poursuivit-elle. J'espère simplement que ce n'est qu'un de ces rêves dont on s'éveille avec des courbatures dans la nuque et un mauvais goût dans la bouche.

Meggie doutait qu'Elinor nourrisse vraiment un tel espoir. La paille humide était bien trop réelle, de même que le mur froid dans son dos. Elle s'appuya de nouveau contre l'épaule de Mo et ferma les yeux. Elle regrettait tant de n'avoir lu qu'à peine une ligne de *Cœur d'encre*. Elle ne savait rien de l'histoire dans laquelle sa mère avait disparu. Elle ne connaissait que les histoires de Mo, toutes les histoires que, durant toutes ces années où ils avaient été seuls tous les deux, il lui avait racontées, sur ce qui retenait sa mère loin d'eux, des histoires d'aventures qu'elle vivait dans des pays lointains, de terribles ennemis qui l'empêchaient de revenir et d'une caisse qu'elle remplissait pour Meggie, rien que pour elle, en y déposant, à chacun de ces maudits endroits, quelque chose de nouveau et de merveilleux.

— Mo ? demanda-t-elle, tu crois que ça lui plaît, dans cette histoire ?

Mo garda le silence un moment avant de répondre :

— Les fées lui plaisent sûrement, dit-il enfin, bien que ce soient de petits êtres capricieux, quant aux kobolds, comme je la connais, elle va leur donner du lait. Oui, je crois que tout ça, ça va lui plaire…

— Et qu'est-ce qui… ne va pas lui plaire ?

Mo hésita.

— Le mal, dit-il enfin, il se passe beaucoup de vilaines choses dans ce livre et elle ne sait pas que tout cela finit à peu près bien car je ne lui ai jamais lu l'histoire jusqu'au bout… et ça, ça ne va pas lui plaire.

— Non, bien sûr que non, s'exclama Elinor, mais tu ne sais pas si l'histoire est restée la même ! Car enfin, Capricorne et son acolyte au couteau en sont sortis. C'est nous qui les avons maintenant sur le dos.

— Oui, mais ils sont peut-être encore dans le livre ! Crois-moi, je l'ai relu assez souvent depuis qu'ils en sont sortis. L'histoire parle toujours d'eux — Doigt de Poussière, Basta et Capricorne.

Cela ne signifie-t-il pas que tout est encore comme avant ? Que Capricorne est encore là-bas et que nous, nous avons affaire à son ombre ?

— Pour une ombre, il est plutôt effrayant, dit Elinor.

— C'est vrai, soupira Mo. Peut-être qu'en fin de compte, les choses ont changé. Peut-être qu'il existe derrière l'histoire imprimée une autre histoire, beaucoup plus grande, qui évolue, comme évolue le monde dans lequel nous vivons ? Et les mots ne nous en disent pas plus qu'un coup d'œil jeté par le trou d'une serrure. Peut-être ne sont-ils que le couvercle d'une marmite qui contient bien plus que nous ne pouvons lire.

Elinor soupira.

— Pour l'amour du ciel, Mortimer ! s'écria-t-elle, arrête, tu me donnes des maux de tête.

— Crois-moi, j'en ai eu aussi quand j'ai commencé à réfléchir à tout ça, répondit Mo.

Puis ils restèrent tous les trois un long moment silencieux, chacun plongé dans ses pensées.

Elinor fut la première à rompre le silence, mais c'était un peu comme si elle parlait toute seule.

— Mon Dieu, murmura-t-elle en retirant ses chaussures, quand je pense au nombre de fois où j'ai souhaité pouvoir me glisser dans une de mes histoires préférées. Ce qu'il y a de bien avec les livres, c'est qu'on peut les refermer quand on veut.

Elle fit bouger ses orteils en soupirant et se mit à arpenter la pièce. Meggie faillit se mettre à rire. Elinor était trop drôle à faire ainsi les cent pas entre le mur et la porte, comme un jouet mécanique, avec ses orteils meurtris.

— Elinor, tu me rends fou, dit Mo, assieds-toi !

— Je ne m'assiérai pas ! lui lança-t-elle, parce que c'est moi qui deviendrai folle si je reste assise.

Mo fit une grimace et passa son bras autour du cou de Meggie.

— Bon, laissons-la marcher, lui chuchota-t-il à l'oreille, quand elle aura fait dix kilomètres, elle finira bien par s'arrêter. Mais maintenant, il faut que tu dormes. Je te laisse mon lit. Il n'est pas aussi mauvais qu'il en a l'air. Si tu fermes les yeux très fort, tu peux t'imaginer que tu es Wilbur, le cochon confortablement allongé dans son étable...

— Ou Wart, qui dort dans l'herbe avec les oies sauvages.

Meggie ne put retenir un bâillement. Combien de fois Mo et elle avaient-ils joué à ce jeu : « À quel livre penses-tu ? Lequel avons-nous oublié ? Oh oui, celui-là ! Il y a longtemps que je n'y ai pas pensé. »

Fatiguée, elle s'allongea sur la paille piquante. Mo enleva son pull-over et l'en recouvrit.

— Tu as quand même besoin d'une couverture, dit-il, même si tu es un cochon ou une oie.

— Mais tu vas avoir froid.

— Pas du tout.

— Et où allez-vous dormir, Elinor et toi ?

Meggie se remit à bâiller. Elle n'avait pas réalisé combien elle était fatiguée.

Elinor faisait toujours les cent pas d'un mur à l'autre.

— Qui parle de dormir ? fit-elle. Nous montons la garde, bien entendu.

— Bon, murmura Meggie en enfonçant son nez dans le pull-over de Mo.

« Il est de nouveau près de moi, songea-t-elle tandis que ses paupières devenaient lourdes de sommeil. Le reste ne compte pas. » Puis elle pensa : « Si seulement je pouvais enfin lire le livre jusqu'à la fin. » Mais *Cœur d'encre* était entre les mains de Capricorne — et elle ne voulait pas penser à lui, sinon le sommeil ne viendrait jamais. Jamais…

Plus tard, elle ne savait pas combien de temps elle avait dormi. Peut-être s'était-elle réveillée à cause de ses pieds froids ou de la paille rugueuse sous sa tête. À sa montre, il était quatre heures. Dans cette pièce sans fenêtres, on ne pouvait distinguer si c'était le jour ou la nuit, mais Meggie ne pouvait pas s'imaginer que la nuit soit déjà finie. Mo était assis avec Elinor près de la porte. Ils avaient l'air tous les deux fatigués, fatigués et inquiets, et parlaient à voix basse.

— Oui, ils me prennent toujours pour un magicien, expliquait Mo, ils m'ont affublé de ce nom ridicule, Langue Magique. Et Capricorne est persuadé que je peux refaire ce que j'ai fait une fois, n'importe quand et avec n'importe quel livre.

— Et alors… tu peux ? demanda Elinor car, tout à l'heure, tu n'as pas tout dit, n'est-ce pas ?

Mo resta un moment silencieux.

— Non, répondit-il enfin, parce que je ne veux pas que Meggie me prenne aussi pour un magicien.

— C'est arrivé souvent que tu… fasses surgir des personnages d'un livre ?

Mo hocha la tête.

— J'ai toujours aimé lire des histoires aux autres, même quand j'étais jeune et, un jour, alors que j'étais en train de lire *Les Aven-*

tures de Tom Sawyer à un ami, j'ai vu soudain un chat mort sur le tapis, raide comme un morceau de bois. En échange, je me suis aperçu qu'une de mes peluches avait disparu. Je crois que nos cœurs ont presque cessé de battre, et nous nous sommes juré, en scellant notre serment par le sang, comme Tom et Huck, que nous ne parlerions du chat à personne. Par la suite, j'ai réessayé de nouveau bien sûr, sans témoins mais, apparemment, quand je le voulais, ça ne fonctionnait pas. Il semblait ne pas y avoir de règles, sauf que cela ne se produisait qu'avec des histoires qui me plaisaient. Bien entendu, j'ai gardé tout ce qui est sorti des histoires, à l'exception d'un cornichon pourri que m'a valu la lecture du livre sur le gentil géant. Il empestait vraiment trop. Quand Meggie était encore toute petite, il est arrivé que des choses surgissent de ses livres d'images, une plume, une minuscule chaussure… nous avons mis tous ces objets dans sa caisse de livres, mais sans lui dire d'où ils venaient. Sinon, elle n'aurait peut-être plus ouvert aucun livre de peur que n'en sorte le serpent géant avec ses maux de dents ou n'importe quoi de menaçant ! Mais jamais, Elinor, au grand jamais il n'est sorti quoi que ce soit de vivant d'un livre. Jusqu'à cette nuit-là.

Mo regardait ses paumes de main comme s'il y voyait des choses que sa voix aurait fait surgir des livres.

— Pourquoi ne pouvait-ce être quelqu'un de gentil, si ça devait arriver, quelqu'un comme… Babar l'éléphant ? Meggie aurait été ravie.

« C'est sûr, songea Meggie, j'aurais été ravie. » Elle se souvenait de la petite chaussure et aussi de la plume. Elle était vert émeraude, comme les plumes de Polynesia, le perroquet du docteur Dolittle.

— N'y pense plus, ç'aurait aussi pu être pire.

C'était typique d'Elinor. Comme si ce n'était pas déjà assez terrible d'être enfermé au bout du monde dans une maison en ruine, entourés d'hommes en noir avec des visages de rapaces et des couteaux à la ceinture. Mais Elinor pouvait apparemment se figurer pire encore.

— Imagine que Long John Silver ait surgi soudain dans ton salon avec sa béquille, chuchota-t-elle. Je crois que je préfère encore ce Capricorne. Tu sais quoi ? Quand nous serons rentrés à la maison, je veux dire dans ma maison, je te donnerai un de ces livres charmants — *Babar le petit éléphant* par exemple ou encore *Max et les Maximonstres*. Je n'aurais rien contre un monstre de ce genre. Je t'installerai dans mon meilleur fauteuil, je te ferai un café et tu n'auras plus qu'à me faire la lecture. D'accord ?

Mo se mit à rire et, l'espace d'un instant, il parut un peu moins anxieux.

— Non, Elinor, je ne te ferai pas la lecture. Bien que ce soit très tentant. Mais je me le suis juré. Qui sait qui risquerait de disparaître la prochaine fois. Et peut-être qu'il y a dans *Babar* un méchant auquel nous n'avons pas fait attention. Et si c'était lui que je faisais sortir de l'histoire ? Que ferait-il ici sans ses amis et sans sa forêt ? Il aurait le cœur brisé, comme Doigt de Poussière.

— Grands dieux ! soupira Elinor en signe d'impatience, combien de fois faudra-t-il que je te répète que cet idiot n'a pas de cœur ? Passons. Venons-en à la question suivante dont la réponse m'intéresse beaucoup.

Elinor baissa la voix et Meggie eut beaucoup de mal à la comprendre.

— Qui était Capricorne dans l'histoire ? Un méchant bien sûr, mais pourrais-je en apprendre un peu plus sur son compte ?

Oui, Meggie aussi aurait bien aimé en savoir plus sur Capricorne, mais soudain Mo devint très silencieux.

— Moins vous en saurez sur lui, mieux ça vaudra, se contenta-t-il de répondre.

Puis il se tut. Elinor essaya encore un peu de lui soutirer des informations mais Mo évinça toutes ses questions. Il semblait ne pas avoir envie de parler de Capricorne. Il avait la tête ailleurs, Meggie le lisait sur son visage. Elinor finit par s'assoupir, enroulée sur elle-même à même le sol froid. Mais Mo resta adossé au mur.

Quand Meggie se rendormit, le visage de Mo la poursuivit dans son sommeil. Il surgit dans ses rêves comme une lune sombre. Il ouvrait la bouche et des personnages en sortaient, des gros, des minces, des grands, des petits, qui formaient une longue file.

Mais, sur le nez de la lune, à peine plus grande qu'une ombre, dansait la silhouette d'une femme — et soudain, la lune se mit à sourire.

17

LE TRAÎTRE TRAHI

Le plaisir d'incendier !
Quel plaisir extraordinaire c'était de voir les choses se faire
dévorer, de les voir noircir et se transformer […] Il aurait surtout voulu, conformément à la vieille plaisanterie, plonger
dans le brasier une boule de guimauve piquée au bout d'un
bâton, tandis que les livres, comme autant de pigeons battant
des ailes, mouraient sur le seuil et la pelouse de la maison.
Tandis que les livres s'envolaient en tourbillons d'étincelles
avant d'être emportés par un vent noir de suie.

Ray Bradbury, *Fahrenheit 451*

Peu avant le lever du jour, la pâle lueur de l'ampoule qui les
avait aidés à passer la nuit vacilla et s'éteignit. Mo et Elinor
dormaient tout près de la porte verrouillée mais, dans l'obscurité, Meggie, les yeux grands ouverts, sentait la peur suinter des
murs froids. Elle écoutait la respiration d'Elinor et de son père et
rêvait d'avoir une bougie − et un livre qui maintienne la peur à
distance.

Celle-ci semblait être partout, comme un être maléfique,

sans corps, qui n'avait fait qu'attendre que l'ampoule rende l'âme et qui, maintenant, s'approchait d'elle dans l'ombre pour la prendre dans ses bras froids. Meggie se redressa, reprit son souffle et se dirigea vers Mo à quatre pattes. Elle se blottit contre lui, comme elle le faisait quand elle était petite, et attendit que la lumière de l'aube filtre sous la porte.

Avec l'aube vinrent deux hommes de Capricorne. Mo venait tout juste de se redresser, fatigué, et Elinor frottait son dos meurtri en maugréant quand ils entendirent les pas.

Basta n'était pas avec eux. L'un des hommes, taillé comme une armoire à glace, avait le visage aplati, à croire qu'un géant l'avait écrasé avec son pouce. Le second, petit et maigre, avec une barbichette au menton, tripotait nerveusement son fusil en les regardant d'un air hostile, comme s'il mourait d'envie de les abattre tous les trois sur place.

— Allez, remuez-vous! Dehors! leur lança-t-il tandis qu'ils sortaient en trébuchant, aveuglés par la lumière du jour.

Meggie s'efforça de se souvenir si elle avait entendu cette voix dans la bibliothèque d'Elinor, mais elle n'était pas sûre.

Capricorne avait beaucoup d'hommes.

La matinée était belle et chaude. Un ciel bleu sans nuage s'étirait au-dessus du village de Capricorne et, dans un rosier sauvage qui poussait entre les vieilles maisons, des pinsons gazouillaient comme si, hormis quelques chats affamés, il n'y avait rien de menaçant en ce monde. Dehors, Mo attrapa le bras de Meggie. Elinor enfila ses chaussures à la hâte et quand l'homme à la barbichette la poussa brutalement pour la faire avancer plus vite, elle le repoussa en l'inondant d'un flot d'injures. Comme cela n'eut pour effet que de faire rire les deux hommes, Elinor se contenta de pincer les lèvres en leur lançant un regard noir.

Les hommes de Capricorne étaient pressés. Ils empruntèrent le même chemin que celui que leur avait fait prendre Basta dans la nuit. Nez Aplati marchait devant, l'homme à la barbichette derrière, le fusil braqué sur eux. Il traînait la jambe, ce qui ne l'empêchait pas de les faire avancer plus vite, comme s'il voulait leur prouver qu'il était plus rapide.

Même de jour, le village de Capricorne avait l'air abandonné et cela ne tenait pas uniquement aux nombreuses maisons inhabitées qui, dans la lumière, semblaient encore plus tristes. Il n'y avait pratiquement personne dans les rues, excepté quelques Vestes Noires, comme Meggie les avait baptisées secrètement, ou de jeunes garçons maigres qui les suivaient comme des chiens. Par deux fois, Meggie vit une femme passer en se dépêchant. Elle n'aperçut aucun enfant, aucun enfant en train de jouer ou de trottiner derrière sa mère, rien que des chats, noirs, blancs, roux, tachés, tigrés, qui se chauffaient au soleil sur des corniches, sur le seuil d'une porte ou sur un toit. Le silence régnait dans le village de Capricorne et s'il s'y passait quelque chose, ce devait être en cachette. Seuls les hommes avec leurs fusils ne se cachaient pas. Ils étaient adossés contre un portail ou au coin d'une maison, leur arme à la main. Il n'y avait pas de fleurs devant les maisons, comme Meggie en avait vu dans les autres villages sur la côte, mais des buissons sauvages en fleurs qui sortaient des cavités de fenêtres vides. Certains avaient un parfum si pénétrant que Meggie en eut la nausée.

Quand ils atteignirent la place de l'église, Meggie pensa que les deux hommes allaient les conduire à la maison de Capricorne, mais ils se dirigèrent vers le portail de l'église. Le clocher semblait avoir subi depuis toujours les assauts du vent et du mauvais temps. Sous le toit en pointe se balançait une cloche fêlée et, à peine un mètre plus bas, une graine emportée par le vent avait donné naissance à un petit arbuste qui était accroché là-haut, dans les pierres couleur sable.

Sur le portail de l'église, des yeux étaient peints, des yeux rouges, allongés, et de chaque côté de l'entrée se trouvaient des diables en pierre à échelle humaine qui montraient les dents comme des chiens méchants.

— Bienvenue dans la maison du diable! lança le barbu avec une révérence moqueuse, avant d'ouvrir le lourd portail.

— Ne fais pas ça, Cockerell, lui lança l'homme au visage aplati en crachant trois fois sur le pavé poussiéreux devant ses pieds. Ça porte malheur.

Le barbu se mit à rire en tapotant le gros ventre d'un des diables en pierre.

— Arrête, Nez Aplati, tu vas bientôt finir comme Basta. Il ne faudrait pas grand-chose pour que tu t'accroches toi aussi au cou une patte de lapin qui pue.

— Je suis prudent, c'est tout, grommela Nez Aplati, on raconte tellement de choses.

— Oui, et qui est-ce qui a inventé ces histoires? C'est nous, idiot!

— Certaines existaient avant nous.

Pendant que les deux hommes se disputaient, Mo chuchota à Elinor et à Meggie:

— Quoi qu'il arrive, laissez-moi parler. Les insolences peuvent coûter cher, croyez-moi. Le couteau de Basta est à portée de sa main et il n'hésite pas à s'en servir.

— Basta n'est pas le seul à avoir un couteau, Langue Magique ! s'exclama Cockerell en poussant Mo dans l'église sombre.

Meggie s'empressa de le suivre.

À l'intérieur, il faisait frais et sombre. La lumière ne filtrait qu'à travers quelques rares fenêtres, dessinant des taches claires sur les colonnes et sur les murs. Ils avaient dû être autrefois gris comme les dalles du sol, mais maintenant il n'y avait plus qu'une seule couleur dans l'église de Capricorne. Les murs, les colonnes, même le plafond, tout était rouge, rouge vermillon, comme la viande crue ou le sang séché et, l'espace d'un instant, Meggie eut le sentiment de pénétrer dans les entrailles d'un monstre.

Dans un coin près de l'entrée, il y avait la statue d'un ange, une de ses ailes était cassée et, sur l'autre, un des hommes de Capricorne avait suspendu sa veste noire. Sur la tête de l'ange, il y avait des cornes de diable, comme celles que les enfants se fixent sur les cheveux pour le carnaval. Entre les cornes, on distinguait encore son auréole. Autrefois, l'ange se trouvait probablement sur un socle en pierre devant la première colonne, mais il avait dû céder la place à une autre statue dont le visage maigre et cireux regardait Meggie d'un air condescendant. L'artiste ne connaissait pas grand-chose à son métier, le visage était peint comme celui d'une poupée en plastique, avec des lèvres curieusement rouges et des yeux bleus qui étaient loin d'être aussi effrayants que les yeux délavés avec lesquels Capricorne contemplait le monde. En revanche, la statue était deux fois plus grande que celle de l'ange et tous ceux qui passaient devant devaient pencher la tête en arrière pour voir le pâle visage.

— On a le droit, Mo ? On a le droit de s'exposer soi-même dans une église ? demanda Meggie à voix basse.

— Oh, c'est une vieille coutume ! chuchota Elinor. Les statues qui sont dans les églises sont rarement celles des saints, plutôt celles de seigneurs. Dans la cathédrale de…

Cockerell lui donna un grand coup dans le dos qui la fit trébucher.

— On avance, gronda-t-il, et la prochaine fois, tâchez de vous incliner quand vous passerez devant, compris ?

— Nous incliner ?

Elinor voulait s'arrêter mais Mo l'entraîna vite à sa suite.

— On ne peut quand même pas prendre au sérieux des idioties pareilles, gronda Elinor.

— Si tu ne te tais pas, répondit Mo à voix basse, tu vas bientôt réaliser à quel point ils sont sérieux, compris ?

Elinor vit la ride qui barrait son front et se tut.

Dans l'église de Capricorne, il n'y avait pas de bancs, comme Meggie en avait vu dans les autres églises, mais seulement deux grandes tables en bois avec des banquettes de chaque côté de l'allée centrale. Dessus, il y avait des assiettes sales, des gobelets avec des traces de café, des planches avec des restes de fromage, des couteaux, de la charcuterie, des corbeilles à pain vides. Plusieurs femmes étaient occupées à débarrasser. Quand Cockerell et Nez Aplati passèrent près d'elles avec leurs trois prisonniers, elles levèrent furtivement les yeux puis se penchèrent de nouveau sur leur travail. En les voyant, Meggie pensa à des oiseaux qui rentreraient la tête dans leur cou de peur qu'on ne la leur tranche.

Il n'y avait pas que les bancs qui manquaient dans l'église de Capricorne, l'autel aussi avait disparu. Il avait été remplacé par un fauteuil installé en haut de l'escalier qui menait autrefois à l'autel, un imposant fauteuil tapissé de rouge, avec des sculptures grossières sur les accoudoirs et les pieds. Quatre larges marches, recouvertes d'un tapis noir, menaient jusqu'à lui. Meggie ne savait pas elle-même pourquoi elle les comptait. Sur la plus haute, à quelques pas du fauteuil, Doigt de Poussière était assis, ses cheveux blond-roux en bataille, comme toujours. Perdu dans ses pensées, il laissait Gwin grimper le long de son bras tendu.

Lorsque Meggie remonta l'allée centrale avec Mo et Elinor, il leva furtivement la tête. Gwin grimpa sur son épaule et montra ses petites dents acérées, comme si elle avait remarqué l'expression de dégoût avec laquelle Meggie regardait son maître.

Maintenant, elle savait pourquoi la martre avait des cornes, et pourquoi son sosie se pavanait sur la page d'un livre. Elle savait tout : pourquoi Doigt de Poussière trouvait ce monde trop trépidant et trop bruyant, pourquoi il ne connaissait rien aux voitures et donnait souvent l'impression d'être ailleurs. Mais contrairement à Mo, il ne lui inspirait aucune pitié. Son visage balafré lui rappelait seulement qu'il lui avait menti, qu'il l'avait attirée à sa suite comme le joueur de flûte de Hamelin. Qu'il avait joué avec elle comme avec le feu, comme avec ses petites balles multicolores : viens, Meggie, par ici, fais-moi confiance, Meggie. Comme elle aurait aimé grimper les marches et le frapper sur la bouche, sa bouche de menteur.

Doigt de Poussière sembla deviner ses pensées. Il évita son regard, ainsi que celui de Mo et d'Elinor. Il tira de sa poche une petite boîte d'allumettes. L'air absent, il en prit une, l'alluma, regarda la flamme, absorbé dans ses pensées et passa le doigt au-dessus, presque tendrement jusqu'à ce que la flamme le brûle.

Meggie détourna les yeux. Elle ne voulait pas le voir, elle voulait oublier qu'il était là. Sur sa gauche, au pied de l'escalier, il y avait deux fûts métalliques marron, rouillés, dans lesquels était entassé du bois, des bûches fraîchement coupées. Meggie se demandait à quoi elles pouvaient servir quand elle entendit des pas résonner dans l'église. Basta remontait l'allée centrale, un bidon d'essence à la main. À contrecœur, Cockerell et Nez Aplati s'écartèrent pour le laisser passer.

— Tiens, Doigt Crasseux recommence à jouer avec son meilleur ami ? fit-il remarquer en montant les marches.

Doigt de Poussière laissa tomber l'allumette et se leva.

— Voilà, dit Basta en posant le bidon d'essence devant ses pieds. À toi de jouer. Fais-nous un feu. Tu adores ça.

Doigt de Poussière jeta l'allumette consumée et en alluma une autre.

— Et toi ? demanda-t-il à voix basse en approchant l'allumette du visage de Basta. Tu en as toujours peur ?

D'une claque sur sa main, Basta fit voler l'allumette.

— Oh, tu ne devrais pas faire ça, le prévint Doigt de Poussière, ça porte malheur. Tu sais que le feu se vexe facilement.

Une seconde, Meggie crut que Basta allait le frapper et, apparemment, elle n'était pas la seule à le penser. Tous les yeux étaient tournés vers les deux hommes. Mais quelque chose semblait protéger Doigt de Poussière. Peut-être était-ce vraiment le feu.

— Tu as de la chance que je vienne de nettoyer mon couteau ! grogna Basta, mais recommence un peu ce petit jeu et je te dessine quelques motifs amusants sur ton affreux visage. Et je me fabrique un col de fourrure avec ta martre.

Gwin émit un petit glapissement menaçant et se blottit contre le cou de son maître. Celui-ci se pencha, ramassa l'allumette éteinte et la remit dans sa boîte.

— Oui, tu trouverais ça sûrement très drôle, dit-il, toujours sans regarder Basta. Pourquoi dois-je faire du feu ?

— Pourquoi ? Fais-en un, c'est tout. Nous nous occupons de la nourriture. Mais fais en sorte qu'il soit grand et vorace, pas comme les petits feux inoffensifs avec lesquels tu aimes jouer.

Doigt de Poussière souleva le bidon et descendit lentement les marches. Il arrivait devant les fûts rouillés quand le portail de l'église s'ouvrit une deuxième fois.

En entendant les grincements de la lourde porte en bois, Meggie se retourna et vit Capricorne s'avancer entre les colonnes rouges. Il jeta en passant un bref coup d'œil à sa statue puis remonta l'allée d'un pas rapide. Il portait un costume rouge, rouge comme les murs de l'église, seule sa chemise était noire, ainsi que la plume sur le revers de sa veste. Une bonne demi-douzaine de ses hommes le suivaient, comme des corbeaux derrière un perroquet. Leurs pas résonnaient jusqu'au plafond.

Meggie mit sa main dans celle de Mo.

— Ah, nos hôtes sont déjà là, remarqua Capricorne en s'arrêtant devant eux. Bien dormi, Langue Magique ?

Il avait des lèvres légèrement ourlées, un peu comme celles d'une femme. Quand il parlait, il passait son petit doigt dessus comme pour en dessiner le contour. Elles étaient aussi pâles que le reste de son visage.

— N'était-ce pas gentil de ma part de te faire amener la petite hier soir ? J'avais d'abord pensé te faire une surprise et attendre aujourd'hui, puis je me suis dit : «Capricorne, au fond, tu lui dois bien ça, à cette petite qui t'a gentiment apporté ce que tu cherchais depuis si longtemps.»

Il tenait *Cœur d'encre* à la main. Meggie vit que Mo ne quittait pas le livre des yeux. Capricorne était grand, mais Mo le dépassait de quelques centimètres. Visiblement, cela lui déplaisait. Il se tenait droit comme un cierge, comme pour compenser la différence.

— Laisse Elinor et ma fille rentrer à la maison, déclara Mo. Laisse-les partir et je te lirai ce que tu veux, mais d'abord laisse-les partir.

Qu'est-ce qu'il racontait ? Meggie le regarda, éberluée.

— Non, s'écria-t-elle, non, Mo, je ne veux pas partir.

Mais personne ne faisait attention à elle.

— Les laisser partir ?

Capricorne se tourna vers ses hommes.

— Vous avez entendu, vous autres ? Pourquoi ferais-je une bêtise pareille, maintenant qu'elles sont là ?

Les hommes se mirent à rire et Capricorne se retourna vers Mo.

— Tu sais aussi bien que moi que tu vas faire tout ce que je te demande. Maintenant qu'elle est là, tu vas cesser d'être aussi têtu et de refuser de nous faire une démonstration de tes talents.

Mo serra si fort la main de Meggie qu'elle en eut mal aux doigts.

— Quant à ce livre... — Capricorne regarda *Cœur d'encre* d'un air mauvais, comme s'il lui brûlait ses doigts pâles — ce livre stupide et assommant, qui raconte tant d'âneries, je peux t'assurer que je n'ai pas l'intention de me laisser prendre encore à son histoire. Tous ces êtres superflus, ces fées capricieuses avec leurs voix nasillardes ! Ça grouillait de partout, ça empestait la peau de bête et le fumier. Sur la place du marché, on butait sur des kobolds aux jambes arquées, et à la chasse, des géants faisaient fuir le gibier avec leurs grands pieds. Des arbres qui chuchotaient, des étangs qui murmuraient… Y avait-il seulement une chose qui ne parle pas ? Et ces chemins boueux pour aller à la ville voisine, si on pouvait appeler ça une ville… et cette bande de princes bien nés, bien habillés, dans leurs châteaux, les paysans sales, si pauvres qu'il n'y avait rien à prendre chez eux, les vagabonds et les mendiants, avec la vermine qui leur tombait des cheveux. Comme j'en avais assez, de tout ça.

Capricorne fit signe à un de ses hommes d'apporter un grand carton qui avait l'air d'être très lourd. Avec un soupir de soulagement, l'homme le déposa sur les dalles grises devant Capricorne. Il tendit à Cockerell le livre que Mo avait si longtemps tenu caché et ouvrit le carton. Il était plein à craquer.

— Ça n'a vraiment pas été facile de les trouver tous, expliqua Capricorne en prenant deux livres dans le carton. Ils ont des couvertures différentes, mais le contenu est le même. Le fait que l'histoire ait été écrite dans plusieurs langues ne nous a pas facilité la tâche. C'est une caractéristique de ce monde-ci, bien inutiles, toutes ces langues différentes. Dans notre monde, c'était plus simple, n'est-ce pas, Doigt de Poussière ?

Celui-ci ne répondit pas. Son bidon d'essence à la main, il regardait fixement le carton.

Capricorne se dirigea vers lui et jeta les deux livres dans un des fûts.

— Qu'est-ce que tu fais là ?

Doigt de Poussière tendit la main vers les livres mais Basta le retint.

— Ils restent où ils sont, ordonna-t-il.

Lorsque Doigt de Poussière recula et cacha le bidon derrière son dos, Basta le lui arracha des mains.

— On dirait que notre cracheur de feu veut laisser aujourd'hui quelqu'un d'autre faire le travail à sa place, railla-t-il.

Doigt de Poussière lui lança un regard haineux. Pétrifié, il regarda les hommes de Capricorne continuer à remplir le fût. Il y avait là sur le tas de bois une vingtaine d'exemplaires de *Cœur d'encre*, avec les pages écornées, les couvertures à moitié arrachées comme des ailes brisées.

— Tu veux que je te dise ce qui me rendait fou dans notre ancien monde, Doigt de Poussière ? lui lança Capricorne en prenant le bidon des mains de Basta. Le mal qu'on avait à faire du feu. Pas toi bien sûr, puisque tu savais parler avec lui, c'est probablement un de ces kobolds grognards qui te l'a appris mais, pour nous, c'était un sale boulot. Le bois était constamment humide ou le vent empêchait le bon tirage de la cheminée. Je sais, tu te languis du bon vieux temps et de tous tes amis qui voltigeaient et chantaient mais, moi, je ne les regrette pas. Ce monde-ci possède cent fois plus de choses que celui dont nous avons dû nous contenter pendant des années.

Doigt de Poussière semblait ne rien entendre de ce que lui disait Capricorne. Il regardait fixement l'essence qui se répandait sur les livres avec une odeur nauséabonde. Les pages l'absorbaient avidement, comme si elles avaient hâte d'en finir.

— D'où viennent-ils tous ? balbutia-t-il. Tu m'as toujours assuré qu'il n'y avait plus qu'un exemplaire, celui de Langue Magique.

— Oui, oui, c'est ce que je t'ai raconté, répondit Capricorne en enfonçant les mains dans ses poches. Mais tu es si naïf. C'est amusant de te raconter des mensonges. Ton innocence m'a toujours stupéfié surtout que, pour mentir, tu n'es pas mauvais non plus. Mais tu crois volontiers ce que tu as envie de croire. Maintenant, regarde bien : ce que tu vois ici — et il désigna la pile de livres imprégnés d'essence —, ce sont vraiment les derniers exemplaires de notre pays noir d'encre. Basta et tous les autres ont mis des années à les retrouver dans des bibliothèques minables et chez des marchands de livres anciens.

Doigt de Poussière regardait les livres comme un homme assoiffé regarderait un dernier verre d'eau.

— Mais tu ne peux pas les brûler tous ! bafouilla-t-il. Tu m'as promis de me renvoyer dans mon monde si je t'apportais le livre de Langue Magique. En échange, je t'ai dit où il se cachait, je t'ai amené sa fille…

Capricorne haussa les épaules et prit le livre des mains de Cockerell, le livre à la couverture vert pâle que Meggie et Elinor lui avaient apporté, le livre pour lequel il avait enlevé Mo, pour lequel Doigt de Poussière les avait tous trahis.

— Je t'aurais promis de te décrocher la lune si cela m'avait servi, lui assena Capricorne en jetant d'un air détaché *Cœur d'encre* sur le tas avec les autres livres. J'aime bien faire des promesses, surtout celles que je ne peux pas tenir.

Et il sortit un briquet de sa poche. Doigt de Poussière voulut se précipiter sur lui, le lui arracher des mains, mais Capricorne fit un signe à Nez Aplati.

Ce dernier était si grand et si costaud qu'à côté de lui Doigt de Poussière avait l'air d'un enfant. Et c'est ainsi qu'il l'attrapa, comme un enfant mal élevé. Le poil hérissé, Gwin sauta de l'épaule de son maître. Un des hommes de Capricorne essaya de la rattraper mais la martre lui échappa et disparut derrière une des colonnes rouges. Les autres hommes se mirent à rire devant les efforts désespérés que faisait Doigt de Poussière pour se libérer de la main de fer de Nez Aplati. Celui-ci semblait prendre un immense plaisir à l'approcher des livres imbibés d'essence.

Devant tant de méchanceté, Meggie eut un haut-le-cœur et Mo fit un pas en avant comme s'il voulait venir en aide à Doigt de Poussière, mais Basta lui barra le passage. Il avait soudain un couteau à la main. La lame qu'il mit sur la gorge de Mo était fine et étincelante, terriblement acérée.

Elinor poussa un cri et lança à Basta un flot d'injures que Meggie n'avait jamais entendues. Terrifiée, elle regardait la lame sur la gorge nue de Mo.

— Donne-m'en un, Capricorne, un seul, lança son père.

Meggie réalisa alors qu'il n'avait pas eu l'intention d'aider Doigt de Poussière mais que son problème, c'était le livre.

— Donne-m'en un, répéta-t-il. Je te promets de ne pas prononcer une phrase dans laquelle il y ait ton nom.

— À toi? Tu as perdu la tête? Tu es bien le dernier à qui j'en donnerais un, répondit Capricorne. Pour qu'un jour tu ne puisses tenir ta langue et que je me retrouve dans cette histoire ridicule! Non, merci.

— C'est impossible, s'écria Mo, je ne pourrais pas te renvoyer dans ce monde, même si je le voulais. Combien de fois devrai-je te le dire? Je ne comprends moi-même ni comment ni quand ça se passe, vas-tu finir par me croire?

Pour toute réponse, Capricorne se contenta de sourire.

— Désolé, Langue Magique, je ne crois personne, par principe, depuis le temps, tu devrais le savoir. Nous sommes tous des menteurs quand ça nous sert.

À ces mots, il alluma son briquet et approcha la flamme d'un des livres. L'essence avait rendu les pages presque transparentes, comme du parchemin. Elles s'enflammèrent aussitôt. Même la couverture garnie de tissu brûla sur-le-champ. Sous l'effet des flammes, le lin devint noir.

Quand le troisième livre prit feu, Doigt de Poussière donna à Nez Aplati un tel coup de pied dans les rotules que celui-ci le lâcha en poussant un cri de douleur. Vif comme sa martre, Doigt de Poussière se dégagea de l'emprise des bras vigoureux et se précipita vers le fût. Sans hésiter, il plongea la main dans les flammes mais le livre qu'il en sortit brûlait déjà comme une torche. Il le laissa tomber sur le sol et plongea l'autre main dans le feu mais, au même moment, Nez Aplati l'attrapa par le cou et le secoua si fort qu'il en eut le souffle coupé.

— Regardez ce fou ! railla Basta tandis que Doigt de Poussière, le visage tordu de douleur, contemplait ses mains. Quelqu'un peut-il m'expliquer ce qu'il peut à ce point regretter ? Peut-être les affreuses bonnes femmes des marais qui le portaient aux nues quand il jonglait sur la place du marché ? Ou les trous dégoûtants dans lesquels il vivait avec d'autres vagabonds ? Ils empestaient encore plus que le sac à dos dans lequel il trimbale sa sale bestiole.

Les hommes de Capricorne riaient tandis que, peu à peu, les livres étaient réduits en cendre. Dans l'église vide, l'odeur d'essence persistait et Meggie se mit à tousser. Mo posa la main sur son épaule, comme si ce n'était pas lui, mais elle que Basta menaçait. Mais lui, qui pouvait le protéger ?

Inquiète, Elinor observait son cou ; elle semblait craindre que le couteau de Basta n'y ait laissé des traces de sang.

— Ces types sont complètement fous ! murmura-t-elle. Tu connais sûrement le dicton : « Là où on brûle des livres, on ne tardera pas à brûler des hommes. » Et si c'étaient nous, les prochains à atterrir dans ce brasier ?

Basta se tourna vers elle comme s'il avait entendu ses paroles. Il lui lança un regard moqueur et embrassa la lame de son couteau. Elinor se tut, pétrifiée.

Capricorne avait tiré de sa poche un mouchoir d'une blancheur immaculée. Il s'essuya soigneusement les mains comme pour effacer jusqu'au souvenir de *Cœur d'encre*.

— Bien, voici une bonne chose de faite, dit-il en jetant un dernier coup d'œil sur la cendre fumante.

Puis, l'air satisfait, il se dirigea vers le fauteuil qui était à la place de l'autel. Avec un profond soupir, il se laissa tomber sur le coussin rouge passé.

— Doigt de Poussière, va te faire soigner les mains dans la cuisine de Mortola ! ordonna-t-il d'un air las. Sans tes mains, tu n'es vraiment plus bon à rien.

Doigt de Poussière lança un regard appuyé en direction de Mo avant de s'exécuter. D'un pas hésitant, la tête baissée, il passa devant les hommes de Capricorne. Le chemin jusqu'au portail lui parut interminable. Quand il l'ouvrit, la lumière du soleil étincela un bref instant dans l'église. Puis les portes se refermèrent derrière lui et Meggie, Mo et Elinor se retrouvèrent seuls avec Capricorne et ses hommes — et l'odeur d'essence et de papier brûlé.

— À ton tour, Langue Magique ! s'exclama Capricorne en étendant les jambes.

Il portait des chaussures noires. Il contempla le cuir brillant d'un air suffisant et cueillit sur la pointe de sa chaussure un petit bout de papier carbonisé.

— Jusqu'à présent, Basta, moi et ce pauvre Doigt de Poussière, sommes la seule preuve que tu es capable de faire surgir de ces petites lettres noires des choses tout à fait étonnantes. Apparemment, tu ne te fies pas à tes dons, si l'on en croit ce que tu dis — ce qui n'est pas mon cas. Moi, je pense au contraire que tu es maître en la matière et j'ai hâte que tu nous donnes enfin un aperçu de ton talent. Cockerell ! (Sa voix montrait des signes d'impatience.) Où est le lecteur ? Ne t'avais-je pas ordonné de l'amener ?

Cockerell caressa nerveusement sa barbe.

— Il était encore en train de trier les livres, bafouilla-t-il. Mais je vais le chercher.

Il fit une petite révérence et partit en boitillant. Capricorne se mit à tambouriner avec ses doigts sur les accoudoirs de son fauteuil.

— Tu as certainement déjà appris que j'avais dû faire appel à un autre lecteur, pendant que toi, tu te cachais je ne sais où, dit-il à Mo. J'en ai trouvé un il y a cinq ans, mais c'est un incapable. Il suffit de regarder le visage de Nez Aplati pour comprendre.

Nez Aplati baissa la tête mais tous les regards étaient tournés vers lui.

— Si Cockerell boite, c'est aussi à lui qu'il le doit. Et si tu avais vu les filles qu'il a fait sortir de ses livres ! On a des cauchemars rien qu'à les regarder. En fin de compte, je ne l'ai laissé lire que quand j'avais envie de m'amuser de ces ratés et je suis allé recruter mes hommes dans ce monde-ci. Je choisissais parmi les jeunes. Dans presque chaque village, il y avait un jeune garçon solitaire qui aimait jouer avec le feu.

Il regarda ses ongles en souriant comme un chat observerait ses griffes, satisfait.

J'ai chargé le lecteur de trier pour toi les livres qui conviennent. Ce pauvre bougre s'y connaît en livres, il vit en eux, comme ces vers pâles qui se nourrissent de papier.

— Ah bon! Et que dois-je faire sortir de ces livres? demanda Mo d'une voix pleine d'amertume. Des monstres, des êtres hideux qui iraient bien avec — il fit un signe de tête en direction de Basta — ceux-là?

— Pour l'amour du ciel, ne lui donne pas des idées pareilles, murmura Elinor en tournant la tête vers Capricorne, l'air inquiet.

Mais celui-ci se contenta d'essuyer la cendre sur ses chaussures en souriant.

— Non, merci, Langue Magique, dit-il. Des hommes, j'en ai assez, quant aux monstres, nous verrons ça plus tard peut-être. Pour le moment, nous nous en sortons très bien avec les chiens que Basta a dressés et les serpents de la région. Non, tout ce que je veux aujourd'hui comme aperçu de tes talents, c'est de l'or. J'ai un désir fou d'or. Mes hommes font vraiment tout ce qui est en leur pouvoir pour tirer le maximum de ce qu'ils trouvent dans la région.

En disant cela, Capricorne caressa tendrement la lame du couteau de Basta.

— Mais ça ne suffit pas pour toutes les choses merveilleuses que l'on peut acheter en ce monde immense. Il a tant de facettes, votre monde, des facettes infinies, et sur chacune d'elles, je voudrais tellement pouvoir inscrire mon nom.

— En quel genre de lettres ? demanda Mo. Tu veux que Basta les grave avec son couteau ?

— Oh, Basta ne sait pas écrire, répondit Capricorne avec nonchalance. Aucun de mes hommes ne sait lire ou écrire. Je leur ai interdit. Je suis le seul à avoir appris à lire, avec une de mes servantes. Oui, crois-moi, je suis tout à fait en mesure de marquer ce monde de mon sceau. Et s'il arrive qu'il y ait quelque chose à écrire, c'est le lecteur qui s'en charge.

Au même moment, comme si Cockerell avait attendu son signal, le portail de l'église s'ouvrit. L'homme qu'il amenait avait la tête rentrée dans les épaules, il avançait sans regarder ni à gauche ni à droite. Il était petit et mince, certainement pas plus âgé que Mo, mais il courbait le dos comme un vieillard et balançait les bras en marchant comme s'il ne savait qu'en faire. Il portait des lunettes qu'il relevait nerveusement en marchant et dont la monture était réparée avec du scotch. De son bras gauche, il serrait un tas de livres contre sa poitrine comme pour se protéger des regards qui l'assaillaient et de cet endroit sinistre où on l'avait déjà traîné maintes fois.

Quand ils arrivèrent enfin au pied de l'escalier, Cockerell lui donna un grand coup de coude et il s'inclina avec une telle précipitation que deux livres tombèrent par terre. Il s'empressa de les ramasser et s'inclina une deuxième fois devant Capricorne.

— Nous t'attendions, Darius ! tonna Capricorne. J'espère que tu as trouvé ce que je t'avais demandé.

— Oh oui… oui ! bafouilla Darius en regardant Mo quasi religieusement. C'est lui ?

— Oui. Montre-lui les livres que tu as choisis.

Darius hocha la tête et s'inclina de nouveau, cette fois devant Mo.

— Ce sont toutes des histoires avec des trésors, de grands trésors, balbutia-t-il. J'ai eu plus de mal que je ne pensais à les trouver car dans ce village — il y eut dans sa voix comme un reproche, à peine perceptible —, il n'y a pas beaucoup de livres. J'ai beau le répéter, on ne m'en apporte pas de nouveaux, ou alors des livres qui ne valent rien. Mais bon… Voilà ceux que j'ai sélectionnés. Je pense que tu seras satisfait de mon choix.

Il s'accroupit devant Mo et étala les livres par terre, l'un à côté de l'autre, pour que Mo puisse lire tous les titres.

Meggie eut un coup au cœur en découvrant le premier. *L'Île au trésor*. Troublée, elle regarda Mo. «Pas celui-là, pensa-t-elle. Pas celui-là, Mo.» Mais Mo avait déjà un autre livre à la main : *Les Mille et Une Nuits*.

— Celui-ci devrait convenir, déclara-t-il. Il doit y avoir assez d'or dedans. Mais je te le répète : je ne sais pas ce qui va se passer. Ça ne se produit jamais quand je le veux. Je sais que vous me prenez tous pour un magicien, mais je n'en suis pas un. La magie vient des livres et je ne sais pas mieux que toi ou tes hommes comment ça fonctionne.

Capricorne se renversa dans son fauteuil et regarda Mo d'un air impassible.

— Combien de fois vas-tu me raconter ça, Langue Magique ? Tu peux me le répéter autant de fois que tu veux, je ne te croirai pas. Dans le monde dont nous avons refermé définitivement les portes aujourd'hui, j'avais affaire parfois à des magiciens — des magiciens et des sorcières — et j'ai dû souvent me battre contre leur entêtement. Basta a dû te raconter comment je viens à bout de l'entêtement. Mais dans ton cas, maintenant que ta fille est là, ces méthodes douloureuses ne seront plus nécessaires, je pense.

Il jeta un regard furtif en direction de Basta. Mo voulut retenir Meggie, mais Basta fut plus rapide. Il la tira vers lui et lui passa un bras autour du cou.

— Désormais, Langue Magique, poursuivit Capricorne toujours aussi impassible, Basta suivra ta fille comme son ombre. Elle sera à l'abri des serpents venimeux et des chiens méchants mais naturellement pas de Basta, qui ne sera gentil avec elle qu'aussi longtemps que je le lui dirai. Et cela dépend bien sûr des services que tu me rendras. Me suis-je bien fait comprendre ?

Mo le regarda, puis Meggie. Elle faisait tout ce qu'elle pouvait pour ne pas montrer sa peur, pour convaincre Mo de ne pas se faire de souci, car enfin, elle avait toujours su mentir beaucoup mieux que lui. Mais cette fois, ça ne marcha pas. Il sut en la voyant que sa peur était aussi grande que celle qu'il lisait dans ses yeux.

« Ce n'est peut-être qu'une histoire ! se dit Meggie, désespérée. Et quelqu'un va refermer le livre parce que cette histoire est vraiment trop horrible, Mo et moi, nous allons nous retrouver à la maison et je lui ferai un café. » Elle ferma les yeux, très fort, comme si cette pensée pouvait devenir réalité.

Mais quand elle regarda à travers ses cils, Basta était toujours là et Nez Aplati se frottait le nez en regardant Capricorne avec un air de chien transi.

— Bien, dit Mo d'une voix lasse, je vais te faire la lecture. Mais à condition que Meggie et Elinor sortent d'ici.

Meggie savait exactement à quoi il pensait. Il pensait à sa mère, et se demandait à qui ce serait le tour cette fois.

— Pas question. Elles restent ici.

Capricorne avait changé de ton.

— Et tu vas commencer à lire sans attendre que le livre ne devienne poussière entre tes mains.

Mo ferma un moment les yeux.

— Bon, mais à condition que Basta range son couteau, dit-il d'une voix rauque. S'il touche un cheveu de la tête de Meggie ou d'Elinor, je te jure que je ferai sortir de ma lecture la peste pour toi et tes hommes.

Cockerell lui jeta un regard effaré et une ombre passa sur le visage de Basta, mais Capricorne se mit à rire.

— Dois-je te rappeler que tu parles d'une maladie contagieuse, Langue Magique, qui n'épargne pas les petites filles. Alors, cesse tes menaces inutiles et mets-toi à lire. Maintenant. Immédiatement. Et pour commencer, je voudrais que tu me lises un passage de ce livre !

Il montra du doigt le livre que Mo avait mis de côté.

C'était *L'Île au trésor*.

18

LANGUE MAGIQUE

M. Trelawney (notre châtelain), le docteur Livesey, et tous ces messieurs m'ayant demandé d'écrire en détail l'histoire de l'Île au trésor, du début à la fin, sans rien omettre sauf la position de l'île (uniquement parce qu'il y reste encore une partie du trésor), je prends la plume en l'an de grâce 17.. pour me reporter à l'époque où mon père tenait l'auberge de « l'Amiral Benbow » et où le vieux marin au visage basané, balafré d'un coup de sabre, vint loger pour la première fois sous notre toit.

Robert L. Stevenson, *L'Île au trésor*

C'est ainsi qu'au bout de neuf ans, Meggie entendit pour la première fois son père lire, dans une église. Bien des années plus tard, il suffirait d'ouvrir un de ces livres dont il avait lu des passages ce matin-là pour retrouver l'odeur de papier brûlé dans ses narines.

Bien que, dehors, le soleil fût déjà haut et chaud, il faisait frais dans l'église de Capricorne, quand Mo se mit à lire — de cela aussi, Meggie devait s'en souvenir plus tard.

Mo s'assit à même le sol, les jambes croisées, un livre sur les genoux, les autres à côté de lui. Meggie s'accroupit à côté de lui avant que Basta ait eu le temps de la retenir.

— Allez vous asseoir sur les marches, et plus vite que ça ! ordonna Capricorne à ses hommes. Nez Aplati, gardez la femme avec vous. Seul Basta reste où il est.

Elinor se rebiffa mais Nez Aplati l'attrapa par les cheveux et l'entraîna à sa suite. Les hommes de Capricorne s'assirent donc sur les marches, les uns à côté des autres, aux pieds de leur maître. Au milieu de ces hommes, Elinor avait l'air d'une colombe en colère entourée de coqs belliqueux.

Mo ouvrit le livre sur ses genoux et se mit à le feuilleter en fronçant les sourcils, comme s'il cherchait entre les pages l'or que Capricorne voulait voir surgir.

— Cockerell, tu couperas la langue à quiconque s'aviserait d'émettre le moindre son pendant que Langue Magique lira ! déclara Capricorne.

Sur ce, Cockerell tira un couteau de sa ceinture et passa les hommes en revue comme s'il cherchait déjà sa première victime. Un silence de mort s'abattit dans l'église, au point que Meggie crut entendre la respiration de Basta derrière elle. Mais ce n'était peut-être que sa propre peur.

À en juger par leur visage, les hommes de Capricorne n'avaient pas l'air de se sentir non plus très à l'aise. Ils observaient Mo avec un mélange d'hostilité et de crainte. Meggie ne les comprenait que trop bien. Peut-être que l'un d'eux allait disparaître dans le livre que Mo feuilletait, indécis. Capricorne leur avait-il expliqué que cela pouvait arriver ? Le savait-il seulement ? Et s'il arrivait ce que Mo redoutait : qu'elle disparaisse, elle ? Ou Elinor ?

— Meggie, murmura Mo comme s'il avait lu dans ses pensées. Accroche-toi à moi, autant que tu peux, d'accord ?

Meggie hocha la tête et s'agrippa d'une main à son pull-over. Comme si cela pouvait changer quelque chose !

— Je crois que j'ai trouvé le passage qui convient, dit Mo en rompant le silence.

Il lança un dernier coup d'œil en direction de Capricorne, regarda Elinor encore une fois, se racla la gorge — et commença.

Alors, tout disparut. Les murs rouges de l'église, les visages des hommes et même Capricorne dans son fauteuil. Il n'y avait plus que la voix de Mo et les images que les mots faisaient naître. Si Meggie avait pu haïr Capricorne plus encore, elle l'aurait fait. Car si, durant toutes ces années, Mo ne lui avait pas lu une seule histoire, c'était sa faute. Elle songea à tout ce qu'il aurait pu faire surgir dans sa chambre avec sa voix qui donnait à chaque mot un autre goût, à chaque phrase une mélodie ! Même Cockerell en avait oublié son couteau et les langues qu'il devait couper. Il écoutait, le regard absent. Nez Aplati regardait en l'air, la mine béate, comme si un bateau de pirates passait, toutes voiles gonflées, par un des vitraux de l'église. Tous se taisaient. Hormis la voix de Mo qui donnait vie aux lettres et aux mots, on n'entendait pas un bruit.

Un seul être semblait insensible à cet envoûtement. L'air impassible, les yeux fixés sur Mo, Capricorne attendait. Il attendait que surgissent le tintement des pièces dans la mélodie des mots, et des coffres en bois humide, remplis d'or et d'argent.

Mo ne le fit pas attendre trop longtemps. Tandis qu'il lisait ce que Jim Hawkins, à peine plus âgé que Meggie, avait vu un jour dans une caverne sombre au cours de ses terribles aventures, cela se produisit :

Pièces anglaises, françaises, espagnoles, portugaises ; georges et louis ; dou-blons, doubles guinées, moïdores et sequins ; effigies de tous les rois d'Europe du siècle dernier ; étranges monnaies orientales frappées de signes semblables à des bouts de ficelles ou à des fragments de toiles d'araignée ; pièces rondes, pièces carrées, pièces percées d'un trou au milieu, comme pour être portées en collier ; presque toutes les monnaies de l'univers figuraient, je crois, dans cette collection. Quant à leur nombre, il était considérable, car j'avais mal aux reins à force de me baisser pour les ramasser et mal aux doigts à force de les trier.

Les servantes étaient encore en train d'essuyer les dernières miettes sur les tables lorsque, soudain, des pièces roulèrent sur le bois brillant. Les femmes reculèrent, laissant tomber leurs chiffons. Elles mirent la main sur leur bouche tandis que les pièces rebondissaient entre leurs pieds, des pièces d'or, d'argent et de cuivre. Elles résonnaient sur les dalles, s'amoncelaient en tintant sous les bancs, toujours plus nombreuses. Certaines roulèrent même jusque devant les marches. Les hommes de Capricorne sursautèrent, se penchèrent et tendirent la main vers les petites choses brillantes qui sautaient entre leurs bottes puis la retirèrent aussitôt. Aucun d'entre eux n'osait toucher cet argent ensorcelé. Car qu'était-ce d'autre ? De l'or, fait de papier et d'encre d'imprimerie – et le son d'une voix humaine.

Quand la pluie d'or cessa – au moment même où Mo refermait le livre –, Meggie vit qu'à tous ces scintillements et miroitements s'était mêlé un peu de sable. Des insectes aux reflets bleus s'enfuirent et, d'une montagne de minuscules pièces d'or, surgit la tête d'un lézard vert émeraude. Il regarda autour de lui, pétrifié. Basta lança son couteau dans sa direction comme si, en même temps que le lézard, il pouvait supprimer la peur qui les avait saisis, mais Meggie poussa un cri et le lézard disparut, si vite que la lame du couteau atterrit sur les dalles. Basta bondit, ramassa l'arme et la dirigea vers Meggie, menaçant.

Mais Capricorne se leva, toujours aussi impassible, comme si rien ne s'était passé qui vaille qu'on s'agite, et d'un air de grand seigneur, il claqua dans ses mains couvertes de bagues.

— Pas mal pour un début, Langue Magique ! dit-il. Regarde-moi ça, Darius ! Voilà à quoi ressemble l'or, et pas à ce bric-à-brac rouillé et tordu que tu as tiré de tes lectures. Maintenant que tu as entendu comment on fait, j'espère que tu retiendras la leçon, pour le cas où je ferais encore appel à tes services.

Darius ne répondit pas. Il regardait Mo avec tant d'admiration que Meggie n'aurait pas été surprise qu'il se jette à ses pieds. Quand Mo se releva, Darius se dirigea lentement vers lui.

Les hommes de Capricorne ne bougeaient toujours pas et regardaient l'or comme s'ils se demandaient ce qu'il fallait en faire.

— Pourquoi restez-vous là, plantés comme des vaches dans un champ ? lança Capricorne. Ramassez-le !

— C'était merveilleux, murmura Darius à Mo tandis que les hommes de Capricorne entassaient à contrecœur les pièces dans des sacs et dans des coffres.

Derrière ses lunettes, les yeux de Darius brillaient comme ceux d'un enfant à qui l'on vient de faire le cadeau dont il rêvait depuis longtemps.

— J'ai lu ce livre bien des fois, dit-il d'une voix hésitante, mais jamais je n'ai vu cela aussi clairement qu'aujourd'hui. Et pas seulement vu... je l'ai aussi senti, le sel et le goudron et l'odeur de moisi qui règne sur l'île maudite...

— *L'Île au trésor*! Seigneur, j'ai failli mourir de peur!

Elinor apparut derrière Darius et l'écarta sans ménagement. Nez Aplati semblait l'avoir momentanément oublié.

— Il va arriver d'une minute à l'autre, je n'ai pas cessé de penser à ça : le vieux Silver va arriver et nous envoyer sa béquille dans la figure.

Mo se contenta de hocher la tête mais Meggie put lire le soulagement sur son visage.

— Tenez, prenez-le! dit-il en mettant le livre dans les mains de Darius. J'espère ne plus jamais avoir à en faire la lecture. Il ne faut pas trop tenter le diable.

— Tu as chaque fois mal prononcé son nom, lui chuchota Meggie.

Mo lui caressa tendrement le nez.

— Ah, tu as remarqué? répondit-il à voix basse. Oui, je pensais que ça pourrait marcher. Je me suis dit qu'ainsi le vieux pirate cruel n'aurait peut-être pas l'impression qu'on s'adresse à lui et qu'il resterait à sa place. Pourquoi me regardes-tu comme ça?

— À ton avis? répondit Elinor à la place de Meggie. Pourquoi regarde-t-elle son père d'un air si admiratif? Ce n'est pas à cause des pièces d'or, c'est parce qu'elle n'a jamais entendu quelqu'un lire comme tu l'as fait. J'ai tout vu, la mer et l'île, vraiment tout, comme si c'était à portée de la main et, pour ta fille, c'était pareil.

Mo ne put s'empêcher de sourire. Il repoussa du pied quelques pièces restées par terre. Un des hommes de Capricorne les ramassa et les mit discrètement dans ses poches. En même temps, il jeta à Mo un regard inquiet, comme s'il redoutait que celui-ci ne le transforme d'un coup en crapaud ou en un de ces insectes qui continuaient à courir entre les pièces.

— Ils ont peur de toi, Mo! chuchota Meggie.

Même sur le visage de Basta, la peur se lisait, bien qu'il s'efforçât de la cacher en prenant un air las.

Seul Capricorne donnait l'impression que tout ce qui venait de se produire le laissait tout à fait froid. Les bras croisés, il regardait ses hommes en train de trier les dernières pièces.

— Combien de temps cela va-t-il encore durer? s'exclama-t-il enfin. Ne vous occupez plus des petites pièces et asseyez-vous. Et toi, Langue Magique, va chercher le livre suivant!

— Le suivant! répéta Elinor, manquant s'étouffer d'indignation. Qu'est-ce que ça veut dire? L'or que vos hommes ont ramassé suffit pour au moins deux vies. Nous rentrons chez nous!

Elle allait faire demi-tour mais Nez Aplati se souvint soudain d'elle et l'attrapa rudement par le bras.

Mo leva les yeux vers Capricorne.

Mais avec un sourire mauvais, Basta posa la main sur l'épaule de Meggie.

— Dépêche-toi, Langue Magique! dit-il. Tu as bien entendu. Il reste encore tout un tas de livres.

Mo regarda longuement Meggie avant de se pencher et de prendre le livre qu'il avait déjà eu entre les mains : *Les Mille et Une Nuits.*

— Le livre interminable, murmura-t-il en l'ouvrant. Tu savais que les Arabes disent que personne ne peut le lire jusqu'au bout, Meggie?

Meggie secoua la tête en se rasseyant près de lui sur les dalles froides. Basta la laissa faire mais il se posta tout près d'elle.

Meggie ne savait pas grand-chose des *Mille et Une Nuits.* Elle savait simplement que le livre était composé de nombreux volumes. L'exemplaire que Darius avait apporté ne pouvait être qu'un extrait. Les quarante voleurs se trouvaient-ils dedans ? Et Aladin et la lampe magique ? Qu'est-ce que Mo allait lire ?

Cette fois, Meggie crut discerner deux sentiments contradictoires sur le visage des hommes de Capricorne : la peur de ce que Mo pouvait faire surgir et en même temps le désir presque nostalgique de se laisser porter une fois de plus par sa voix, loin d'ici, en un lieu où l'on pouvait tout oublier, jusqu'à soi-même.

Cette fois, quand Mo commença à lire, il n'y eut pas dans l'église d'odeur de sel et de rhum. Il se mit soudain à faire chaud, Meggie sentit que ses yeux la piquaient et, quand elle les frotta, elle s'aperçut qu'elle avait du sable entre les doigts. Cette fois encore, les hommes de Capricorne écoutèrent la voix de Mo dans le silence le plus total. Et Capricorne fit mine d'être indifférent. Pourtant, quelque chose dans ses yeux trahissait son émotion. Fixes comme ceux d'un serpent, ils étaient rivés aux lèvres de Mo. Son costume rouge faisait ressortir ses pupilles. Son corps était tendu comme celui d'un chien d'arrêt devant sa proie.

Mais Mo le déçut. Les phrases ne firent pas surgir les coffres remplis de trésors, les perles et les sabres incrustés de pierres que la voix de Mo avait fait étinceler, au point que les hommes de Capricorne croyaient pouvoir les cueillir dans les airs. C'est autre chose qui surgit des pages, quelque chose de vivant, en chair et en os.

Entre les fûts qui fumaient encore et dans lesquels Capricorne avait fait brûler les livres, un jeune garçon apparut. Meggie fut la seule à le remarquer. Tous les autres étaient absorbés par l'histoire. Même Mo ne s'en aperçut pas. Il était lui-même transporté quelque part entre le sable et le vent tandis que ses yeux se frayaient un chemin dans l'enchevêtrement des lettres. Le garçon avait peut-être deux ou trois ans de plus que Meggie. Le turban autour de sa tête était sale, ses yeux dans son visage brun assombris par la peur. Il se passa la main devant les yeux comme s'il voulait effacer cette image inconnue, ce lieu inconnu. Il regarda autour de lui l'église vide, comme s'il n'avait encore jamais vu de bâtiment comme celui-ci. Comment aurait-il pu?

Dans l'histoire d'où il venait, il n'y avait sûrement pas d'église au clocher pointu, ni de collines verdoyantes comme celles qui l'attendaient dehors. Le costume qu'il portait tombait sur ses pieds bruns. Il brillait d'un bleu éclatant, comme un morceau de ciel dans l'église sombre.

« Que va-t-il se passer s'ils le voient? se demanda Meggie. Il ne correspond certainement pas à ce que Capricorne attend. »

Mais déjà, il l'avait remarqué.

— Stop! cria-t-il si brusquement que Mo s'interrompit au beau milieu de sa phrase et leva la tête.

D'un seul coup et à regret, les hommes de Capricorne revinrent eux aussi à la réalité. Cockerell fut le premier debout.

— Hé, d'où sort-il, celui-là? gronda-t-il.

Le garçon se pencha, regarda autour de lui d'un air terrifié et se mit à courir en zigzags, comme un lapin. Mais il n'alla pas loin. Trois hommes se précipitèrent à sa suite et le rattrapèrent devant les pieds de la statue de Capricorne.

Mo posa le livre près de lui sur le carrelage et cacha son visage dans ses mains.

— Hé! Fulvio a disparu! s'écria un des hommes de Capricorne. Il s'est volatilisé.

Tous les regards se tournèrent vers Mo. Sur leurs visages, la peur était revenue. À ce moment, ce n'était plus l'admiration mais la colère qui s'y mêlait.

— Renvoie ce garçon d'où il vient, Langue Magique! ordonna Capricorne, furieux. Des comme lui, j'en ai plus qu'il ne m'en faut, et ramène-moi Fulvio.

Mo releva la tête et se leva.

— Pour la centième fois, je te répète que je ne peux faire revenir personne! s'exclama-t-il. C'est la vérité, que tu me croies ou non. Je ne peux pas. Je ne peux pas décider de faire surgir ou disparaître qui ou quoi que ce soit.

Meggie lui prit la main. Quelques hommes de Capricorne s'approchèrent, deux d'entre eux tenaient le garçon par un bras. Ils le tiraient si fort qu'on avait l'impression qu'ils allaient le déchirer en deux. Les yeux écarquillés de peur, celui-ci regardait ces visages étrangers.

— Retournez à vos places! cria Capricorne à ses hommes en colère.

Certains s'étaient approchés de Mo d'un air menaçant.

— Qu'est-ce qui vous prend? poursuivit Capricorne, avez-vous oublié comment s'est conduit Fulvio lors de notre dernier coup? Il s'en est fallu de peu que nous ayons la police à nos trousses. Langue Magique a bien fait de le choisir, lui et pas un autre. Et qui sait? Peut-être qu'un pyromane de talent se cache derrière ce garçon! Mais il n'empêche que ce que je veux voir, ce sont des perles, de l'or, des pierres précieuses. Cette histoire ne parle de rien d'autre, alors, je veux en voir la couleur !

Des murmures de protestation s'élevèrent parmi les hommes. Toutefois, la plupart regagnèrent l'escalier et s'assirent sur les marches usées. Mais trois d'entre eux étaient restés debout devant Mo et le regardaient avec hostilité. Basta était de ceux-là.

— Bon ! On peut se passer de Fulvio ! s'écria-t-il sans quitter Mo des yeux, mais quel est le prochain que ce satané magicien va faire disparaître ? Je n'ai pas envie de finir dans cette maudite histoire de désert et de me retrouver avec un turban sur la tête !

Les hommes qui l'entouraient acquiescèrent et regardèrent Mo d'un air si sombre que Meggie retint son souffle.

— Basta, je ne le dirai pas deux fois. (Le calme dans la voix de Capricorne avait quelque chose de menaçant.) Laissez-le continuer à lire ! Et s'il y en a parmi vous qui claquent des dents de peur, qu'ils sortent d'ici et aillent aider les femmes à faire la lessive.

Quelques-uns regardèrent en direction du portail de l'église avec regret mais aucun n'osa sortir. Les deux hommes qui accompagnaient Basta finirent par faire demi-tour sans un mot et rejoignirent les autres.

— Tu me paieras ça pour Fulvio ! murmura Basta entre ses dents avant de reprendre sa place derrière Meggie.

Si seulement c'était lui qui avait disparu !

Le garçon n'avait toujours pas émis le moindre son.

— Enfermez-le, ordonna Capricorne. Nous verrons plus tard ce que nous ferons de lui.

Le garçon ne se débattit même pas quand Nez Aplati l'entraîna derrière lui. Il le suivit en trébuchant, abasourdi, comme s'il s'attendait à tout moment à se réveiller.

Lorsque la porte se referma sur eux, Capricorne revint s'asseoir dans son fauteuil.

— Continue à lire, Langue Magique, ordonna-t-il, nous avons tout notre temps.

Mais Mo regarda les livres à ses pieds en secouant la tête.

— Non ! dit-il, tu as vu toi-même ce qui est arrivé. Je suis fatigué. Contente-toi de ce que je t'ai procuré avec *L'Île au trésor*. Les pièces de monnaie valent une fortune. Je veux rentrer chez moi et ne plus jamais revoir ton visage.

Sa voix était plus rauque que d'habitude, comme si trop de mots l'avaient habitée.

Capricorne le regarda un long moment d'un air méprisant. Puis il contempla les sacs et les coffres que ses hommes avaient remplis de pièces, comme s'il calculait combien de temps leur contenu lui rendrait la vie belle.

— Tu as raison, déclara-t-il enfin, nous continuerons demain. Sinon, nous risquons de voir surgir ici un chameau crasseux ou un garçon à moitié mort de faim.

— Demain ?

Mo fit un pas vers lui.

— Qu'est-ce que ça signifie ? Tu ne peux donc pas te contenter de ce que tu as ? Un de tes hommes a déjà disparu, tu veux être le prochain ?

— Je peux courir le risque, répondit Capricorne d'un air impassible.

Ses hommes se levèrent d'un bond quand il commença à descendre lentement les marches. Bien que la plupart d'entre eux fussent plus grands que Capricorne, avec leurs mains dans le dos, ils ressemblaient à des écoliers qui auraient peur qu'il ne vienne d'un moment à l'autre contrôler si leurs ongles étaient propres. Meggie se souvint que Basta avait raconté qu'il était très jeune quand il avait rejoint Capricorne. Et elle se demanda si c'était la peur ou l'admiration qui faisait baisser la tête aux hommes.

Capricorne s'était arrêté près d'un des sacs pleins à craquer.

— Crois-moi, Langue Magique, j'attends encore beaucoup de choses de toi, dit-il en plongeant la main dans le sac et en faisant glisser les pièces entre ses doigts. Aujourd'hui, ce n'était qu'un test. Il fallait bien que je m'assure de mes propres yeux de tes dons, n'est-ce pas? Bien sûr que tout cet or me sera utile mais, demain, c'est autre chose que je veux que tu me fasses sortir des pages.

Il se dirigea d'un pas nonchalant vers les cartons dans lesquels on avait apporté les livres, qui n'étaient plus maintenant que cendres et lambeaux de papier brûlé, et il plongea la main dedans.

— Surprise! lança-t-il.

Et il en sortit un livre en arborant un large sourire. Il ne ressemblait pas du tout à celui que Meggie et Elinor lui avaient apporté. Il était couvert d'un papier de couleur, avec une illustration que Meggie ne put distinguer de loin.

— Eh oui! Il m'en reste un, déclara Capricorne en contemplant avec satisfaction les visages stupéfaits autour de lui. C'est mon exemplaire personnel. Et demain, Langue Magique, tu me liras un passage de ce livre-là. Comme je te l'ai déjà dit, ce monde-ci me plaît beaucoup, mais il y a un ami de l'époque passée qui me manque. Je n'ai jamais autorisé ton remplaçant à exercer son art sur ce livre, j'avais trop peur qu'il ne me le fasse surgir sans tête ou avec une seule jambe mais toi, tu es... un maître en la matière.

Médusé, Mo regardait le livre que brandissait Capricorne comme s'il allait se volatiliser d'une seconde à l'autre.

— Repose-toi, Langue Magique, ajouta Capricorne. Ménage ta précieuse voix. Tu auras le temps car je dois m'absenter et ne serai pas rentré avant demain midi. Ramenez-les tous les trois dans leurs appartements, ordonna-t-il à ses hommes. Donnez-leur suffisamment à manger et des couvertures pour la nuit. Ah oui, et que Mortola leur apporte du thé. Il paraît que c'est un remède miracle contre la voix enrouée et fatiguée. Toi, Darius, tu ne jurais que par le thé et le miel, n'est-ce pas ?

Il se tourna vers son ancien lecteur qui hocha la tête en regardant Mo avec compassion.

— Dans nos appartements ? Vous parlez du trou dans lequel votre homme au couteau nous a enfermés la nuit dernière ?

Le visage d'Elinor se couvrit de taches rouges, Meggie se demanda si c'était d'effroi ou d'indignation.

— C'est une atteinte à la liberté, ce que vous faites là ! Que dis-je, un rapt ! Oui, un rapt ! Vous savez combien d'années de prison cela peut vous coûter ?

— Un rapt ! reprit Basta en savourant le mot. Ça sonne bien. Vraiment.

Capricorne lui sourit. Puis il regarda Elinor comme s'il la voyait pour la première fois.

— Basta, demanda-t-il, est-ce que cette dame nous sert à quelque chose ?

— Pas que je sache, répondit-il en souriant comme un petit garçon que l'on vient d'autoriser à casser un jouet.

Elinor pâlit et voulut faire un pas en arrière, mais Cockerell lui barra le passage et la retint.

— Qu'est-ce qu'on fait d'habitude avec les choses inutiles, Basta ? demanda Capricorne à voix basse.

L'homme souriait toujours.

— Arrête avec ça ! s'exclama Mo. Arrête immédiatement de lui faire peur ou je ne lis plus rien.

Capricorne lui tourna le dos d'un air las.

Meggie vit Elinor appuyer sa main sur ses lèvres tremblantes. Sans hésiter, elle s'approcha d'elle.

— Elle n'est pas inutile, dit-elle en serrant la main d'Elinor.

Capricorne se retourna. Son regard fit frissonner Meggie, comme si quelqu'un lui passait des doigts froids dans le dos. Ses cils ressemblaient à des toiles d'araignée.

— Elinor connaît plus d'histoires de trésors que votre lecteur ! balbutia-t-elle. C'est sûr.

Elinor serra les doigts de Meggie au point de les écraser. Les siens étaient trempés de sueur.

— Elle a raison ! ajouta-t-elle d'une voix rauque, j'en connais beaucoup d'autres.

— Tiens donc ! marmonna Capricorne. Eh bien, nous verrons.

Et il fit signe à ses hommes qui poussèrent Elinor, Meggie et Mo devant eux, devant les tables, devant la statue de Capricorne et les colonnes rouges, jusqu'au lourd portail qui grinça quand ils l'ouvrirent.

Dehors, l'église jetait ses ombres sur la place. Il y avait dans l'air une odeur d'été et le soleil brillait dans le ciel sans nuage, comme s'il ne s'était rien passé.

19

SOMBRES PERSPECTIVES

Kaa baissa la tête et la posa un moment doucement sur l'épaule de Mowgli.
— Un cœur brave et une langue courtoise, dit-il. Cela t'aidera à t'en tirer dans la jungle, petit d'homme. Mais maintenant, sauve-toi vite avec tes amis. Va dormir, car la Lune descend doucement et ce qui va suivre maintenant n'est pas fait pour tes yeux.

Rudyard Kipling, *Le Livre de la jungle*

On leur donna en effet suffisamment à manger. Vers midi, une femme leur apporta du pain et des olives et, le soir, ils eurent droit à des pâtes qui sentaient bon le romarin frais. Cependant, cela ne pouvait rendre moins longues ces heures interminables, de même qu'un ventre plein ne pouvait chasser la peur du lendemain. Peut-être même qu'un livre n'y serait pas parvenu, mais il était vain d'y songer. Il n'y avait pas de livres dans la pièce, il n'y avait que des murs sans fenêtres et la porte fermée à clé. Cependant, l'ampoule au plafond avait été changée, ils n'étaient donc pas condamnés à rester assis dans le noir.

Meggie ne quittait pas des yeux l'interstice sous la porte pour voir si la nuit tombait. Elle s'imaginait les lézards dehors au soleil. Elle en avait aperçu quelques-uns sur la place de l'église. Le lézard vert émeraude qui s'était faufilé entre les pièces avait-il réussi à sortir ?

Et le garçon ? Chaque fois que Meggie fermait les yeux, elle revoyait son visage bouleversé.

Elle se demanda si Mo avaient les mêmes idées en tête. Depuis qu'on les avait de nouveau enfermés, il n'avait pratiquement plus prononcé un mot. Il s'était jeté sur le lit de paille, le visage tourné vers le mur. Elinor n'était guère plus bavarde.

— Quelle générosité, avait-elle marmonné après que Cockerell eut verrouillé la porte derrière eux. Notre hôte nous a fait cadeau de deux autres tas de paille moisie.

Puis elle s'était assise dans un coin, les jambes allongées et avait commencé à contempler d'abord ses genoux puis le mur sale.

— Mo ? finit par demander Meggie quand le silence lui fut trop pesant. Qu'est-ce que tu crois qu'ils ont fait du garçon ? Et quel est cet ami que tu dois faire surgir du livre pour Capricorne ?

— Je ne sais pas, Meggie, dit-il sans se retourner.

Alors, elle le laissa tranquille. Elle se fit un lit de paille à côté du sien et se mit à arpenter la pièce aux murs vides. Peut-être que le jeune inconnu se trouvait derrière un de ces murs ? Elle plaqua son oreille contre la pierre. Aucun son ne passait. Quelqu'un avait gravé son nom dans le crépi : Ricardo Bentone, 19.5.96.

Meggie passa le doigt sur les lettres. Un peu plus loin, il y avait un autre nom, et encore un autre. Meggie se demanda ce qu'ils étaient devenus, Ricardo et Ugo et Bernardo… « Je devrais peut-être graver mon nom aussi, pensa-t-elle, au cas où… »

Elle préféra ne pas aller au bout de sa pensée.

Derrière elle, Elinor s'étirait sur son lit de paille. Lorsque Meggie se tourna vers elle, elle lui sourit.

— Que ne donnerais-je pas pour avoir un peigne ! dit-elle en dégageant ses cheveux de son front. Je n'aurais jamais pensé qu'un peigne puisse me manquer autant, mais c'est comme ça. Seigneur, je n'ai même plus une épingle à cheveux. Je dois avoir l'air d'une sorcière, ou d'un porc-épic sur ses vieux jours.

— Tu es très bien comme ça, lui assura Meggie. De toute façon, tu perdais tout le temps tes épingles à cheveux. Je trouve même que ça te rajeunit.

— Ah bon ? Hum, si tu le dis.

Elinor baissa les yeux. Son pull-over gris souris était tout sale et ses bas étaient filés.

— C'était vraiment gentil de venir comme ça à mon secours dans l'église, fit-elle en tirant sa jupe sur ses genoux. J'avais les jambes en caoutchouc, tellement j'avais peur. Je ne sais pas ce qui m'arrive. J'ai l'impression d'être une autre, comme si la bonne vieille Elinor était rentrée à la maison et m'avait laissée seule ici.

Ses lèvres se mirent à trembler et, un instant, Meggie pensa qu'elle allait se mettre à pleurer mais la vieille Elinor était toujours là.

— Tu vois, au fond, c'est dans l'adversité qu'on voit de quel bois on est fait, reprit-elle. Moi, je croyais être en chêne mais, apparemment, ce doit être plutôt du poirier ou un bois tendre de ce genre. Il suffit qu'un bandit me mette son couteau sous le nez pour que tout s'effrite.

Et les larmes qu'Elinor essayait si fort de ravaler jaillirent.

Agacée, elle s'essuya les yeux avec le revers de sa manche.

— Je te trouve tout à fait à la hauteur, Elinor. (Mo avait toujours le visage tourné vers le mur.) Je vous trouve toutes les deux à la hauteur et je devrais me tordre le cou moi-même de vous avoir entraînées dans cette sinistre aventure.

— Tu dis des bêtises. Si quelqu'un ici mérite qu'on lui torde le cou, c'est bien ce Capricorne, répliqua Elinor. Et ce Basta. Mon Dieu, je n'aurais jamais cru pouvoir m'imaginer tuer quelqu'un avec un tel plaisir. Mais je suis sûre que si j'avais les doigts autour du cou de ce Basta...

En voyant le regard étonné de Meggie, elle s'interrompit, gênée, mais Meggie se contenta de hausser les épaules.

— C'est pareil pour moi, murmura-t-elle et elle se mit à graver un *M* dans le mur avec sa clé de vélo.

C'était fou, qu'elle ait toujours cette clé de vélo dans sa poche. Comme un souvenir d'une autre vie.

Elinor passa le doigt sur ses bas filés, Mo se retourna sur le dos et fixa le plafond.

— Je suis désolé, Meggie, dit-il soudain. Je suis désolé de les avoir laissés me prendre le livre.

Meggie grava un grand *E* dans le mur.

— Ah, ça ne change rien de toute façon, déclara-t-elle en reculant d'un pas.

Les *G* de son nom ressemblaient à des *O* mordillés.

— De toute façon, tu ne pourrais sans doute jamais la faire revenir.

— Oui, sans doute, murmura Mo.

Et il se remit à fixer le plafond.

— Ce n'est pas ta faute, Mo, dit Meggie.

« L'essentiel, c'est que tu sois avec moi, voulait-elle ajouter.

L'essentiel, c'est que Basta ne mette plus jamais son couteau sous ta gorge. De toute manière, je ne me souviens presque plus d'elle, je ne la connais que par les photos. »

Mais elle se tut car elle savait que cela ne consolerait pas Mo, au contraire, cela ne ferait que l'attrister encore plus. Pour la première fois, Meggie réalisa à quel point sa mère manquait à Mo. Et l'espace d'un instant insensé, elle fut jalouse.

Elle grava un *I* dans le crépi, c'était facile, et laissa la clé de vélo retomber.

Dehors, des pas se rapprochaient.

Elinor appuya sa main devant sa bouche quand ils s'arrêtèrent. Basta ouvrit la porte. Derrière lui se tenait une femme. Meggie reconnut la vieille qu'elle avait vue dans la maison de Capricorne. L'air maussade, elle poussa Basta pour passer et posa un bol et une bouteille Thermos par terre.

— Comme si je n'avais que ça à faire, grommela-t-elle avant de ressortir. Maintenant, il va falloir nourrir ces messieurs-dames. Faites-les au moins travailler si vous devez les garder ici.

— Va dire ça à Capricorne, répondit Basta.

Puis il sortit son couteau, sourit à Elinor et essuya la lame sur sa veste. Dehors, le soir tombait et sa chemise d'un blanc éclatant étincela dans le crépuscule.

— Savoure ton thé, Langue Magique, dit-il tout en se délectant de la peur qu'il lisait sur le visage d'Elinor. Mortola a mis tant de miel dedans qu'à la première gorgée, tu auras la bouche collée, mais demain ta gorge sera sûrement comme neuve.

— Qu'avez-vous fait du garçon ? demanda Mo.

— Oh, je crois qu'il est enfermé à côté. Cockerell va le soumettre demain à une petite épreuve du feu, ainsi nous saurons s'il peut servir ou pas.

Mo se redressa.

— Une épreuve du feu ? répéta-t-il d'une voix amère et moqueuse. Tu n'as pas dû la passer, toi qui as même peur des allumettes de Doigt de Poussière.

— Prends garde à ta langue, siffla Basta entre ses dents. Encore un mot et je te la coupe, même si elle est précieuse.

— Tu ne feras pas ça, dit Mo en se levant.

Il remplit le bol en prenant son temps.

— Peut-être pas. (Basta baissa la voix comme s'il avait peur qu'on l'entende.) Mais ta fifille a aussi une langue et elle n'est pas aussi précieuse que la tienne.

Mo lança son bol de thé bouillant dans sa direction, mais Basta referma la porte si vite que le bol se brisa en mille morceaux.

— Faites de beaux rêves ! lança-t-il de dehors en refermant le verrou. Je vais demander qu'on t'apporte un nouveau bol et nous nous reverrons demain.

Après son départ, personne ne prononça plus une parole. Pendant longtemps, très longtemps.

— Mo, raconte-moi quelque chose ! chuchota Meggie au bout d'un moment.

— Qu'est-ce que tu veux entendre ? demanda-t-il en passant son bras autour de ses épaules.

— Raconte-moi que nous sommes en Égypte, murmura-t-elle, que nous cherchons des trésors et que nous survivons aux tempêtes de sable, aux scorpions et à tous les esprits affreux qui sortent des tombeaux pour garder leurs trésors.

— Ah, cette histoire ! s'exclama Mo. Ne l'avais-je pas inventée pour ton huitième anniversaire ? Elle était assez sombre, si je me souviens bien.

— Oui, très, dit Meggie. Mais elle finit bien. Tout finit bien et nous rentrons à la maison, chargés de trésors.

— Moi aussi, je veux l'entendre, ajouta Elinor d'une voix tremblante.

Elle devait penser encore au couteau de Basta.

Et Mo se mit à raconter, sans le froissement des pages, sans le labyrinthe infini des lettres.

— Mo, quand tu inventes, jamais rien ne sort de l'histoire, hein ? l'interrompit Meggie soudain inquiète.

— Non, répondit-il. Pour ça apparemment, on a besoin des lettres d'imprimerie et de quelqu'un d'autre qui ait inventé l'histoire.

Il continua son récit, et Meggie et Elinor écoutèrent, jusqu'à ce que sa voix les emmène loin, très loin. Et elles finirent par s'endormir.

Ils furent réveillés tous les trois par un bruit. Quelqu'un essayait d'ouvrir la porte. Meggie crut entendre un juron réprimé.

— Oh non ! chuchota Elinor en se levant d'un bond. Maintenant, c'est moi qu'ils viennent chercher ! La vieille les a convaincus ! Pourquoi nous nourrir ? Toi peut-être, dit-elle en jetant un regard furtif à Mo, mais moi, à quoi bon ?

— Mets-toi le long du mur, Elinor, ordonna-t-il en poussant Meggie derrière lui. Éloignez-vous toutes les deux de la porte.

La serrure sauta, avec un léger déclic, et quelqu'un ouvrit la porte, juste assez pour pouvoir se glisser à l'intérieur : Doigt de Poussière. Il jeta un dernier coup d'œil inquiet derrière lui, puis il referma la porte et s'adossa au battant.

— On m'a raconté que tu avais recommencé, Langue Magique ! dit-il à voix basse. Ils disent que le pauvre garçon n'a pas encore émis un son. Je le comprends. Crois-moi, c'est un sentiment horrible d'atterrir soudain dans une autre histoire.

— Demande-lui ce qu'il est venu faire ici ! lança Elinor. Et s'il n'est là que pour nous raconter qu'il n'est pour rien dans toute cette histoire, tords-lui le cou, à ce menteur !

Pour toute réponse, Doigt de Poussière lui lança un trousseau de clés.

— Pourquoi pensez-vous que je suis là ? gronda-t-il en éteignant la lumière. Ça n'a pas été facile de dérober à Basta son trousseau de clés. Un merci serait la moindre des choses mais nous verrons ça plus tard. Maintenant, ce n'est pas le moment de traîner ici mais de filer.

Il ouvrit la porte tout doucement et tendit l'oreille.

— Dans le clocher de l'église, il y en a un qui monte la garde, chuchota-t-il, mais il surveille les collines et pas le village. Les chiens sont dans leur chenil et si jamais nous tombions sur eux, par chance ils me préfèrent à Basta.

— Pourquoi lui ferions-nous confiance tout d'un coup ? demanda Elinor à voix basse. Et s'il y avait derrière tout ça une machination diabolique ?

— La seule chose qu'il y a derrière tout ça, c'est qu'il faut que je parte avec vous, lança Doigt de Poussière. Je n'ai plus rien à faire ici ! Capricorne m'a trompé. Le tout petit espoir qui me restait est parti en fumée ! Il croit qu'il peut faire n'importe quoi avec moi, que je ne suis qu'un chien à qui l'on peut donner des coups de pied sans qu'il morde. Eh bien, il se trompe. Il a brûlé le livre, alors je remmène le lecteur que je lui ai amené. Quant à vous – il posa son doigt marqué de brûlures sur la poitrine d'Elinor –, vous venez avec nous parce que vous avez une voiture. On ne peut sortir de ce village à pied sans tomber sur les hommes de Capricorne ou les serpents qui se cachent dans les collines. Et je ne sais pas conduire, alors…

— Qu'est-ce que je disais ? s'exclama Elinor en oubliant presque de baisser le ton, il ne pense qu'à sauver sa peau. C'est pour ça qu'il nous aide. Il n'a même pas mauvaise conscience ! Ça non !

— Peu m'importe pourquoi il nous aide, l'interrompit Mo avec impatience. La seule chose qui compte, c'est de sortir d'ici. Mais nous devons emmener quelqu'un d'autre.

— Quelqu'un d'autre ? Et qui donc ? demanda Doigt de Poussière, inquiet.

— Le garçon, le garçon qui a subi le même sort que toi par ma faute, répondit Mo en se glissant à l'extérieur. Basta a dit qu'il était juste à côté et, pour des doigts habiles comme les tiens, une serrure ne pose pas de problème.

— Ces doigts habiles, comme tu dis, je me les suis brûlés aujourd'hui ! s'exclama Doigt de Poussière, l'air furieux, mais comme tu veux. Ton bon cœur finira par nous coûter la vie.

Quand Doigt de Poussière frappa à la porte où était inscrit le numéro cinq, un léger bruit se fit entendre.

— On dirait qu'ils ont l'intention de le laisser en vie ! chuchota-t-il en essayant discrètement de forcer la serrure. Les candidats à la mort, ils les enferment dans la crypte derrière l'église. Depuis que je lui ai raconté que la Dame Blanche hante les tombeaux de pierre, Basta pâlit comme un ver de farine chaque fois que Capricorne l'envoie là-bas.

À ce souvenir, il émit un petit rire sourd comme un écolier qui aurait réussi un bon coup.

Meggie regarda en direction de l'église.

— Ça leur arrive souvent de tuer des gens ? demanda-t-elle à voix basse.

Doigt de Poussière haussa les épaules.

— Moins souvent qu'avant, mais ça arrive…

— Arrête de raconter des histoires pareilles ! chuchota Mo.

Elinor et lui ne quittaient pas des yeux le clocher de l'église. La sentinelle était postée sur le mur, juste à côté de la cloche. Rien qu'à la regarder, Meggie en avait le vertige.

— Ce ne sont pas des histoires, Langue Magique, c'est la vérité. Est-ce que par hasard tu ne la reconnais plus quand tu la rencontres ? C'est vrai qu'elle n'est pas belle. On n'aime pas la regarder en face.

Doigt de Poussière s'écarta de la porte et fit une révérence.

— Je vous en prie. La serrure est ouverte. Vous pouvez le faire sortir.

— Vas-y, toi, chuchota Mo à l'oreille de Meggie. C'est de toi qu'il aura le moins peur.

Derrière la porte régnait l'obscurité la plus totale, mais en s'avançant dans le noir, Meggie entendit un bruit dans la paille. Doigt de Poussière passa un bras dans l'ouverture et lui tendit une lampe de poche. Quand Meggie l'alluma, le rai de lumière tomba juste sur le visage basané du garçon.

La paille qu'ils lui avaient jetée était encore plus moisie que celle sur laquelle Meggie avait dormi mais, de toute manière, le garçon n'avait pas dû fermer l'œil depuis que Nez Aplati l'avait enfermé. Il avait passé les bras autour de ses jambes et les serrait comme si elles seules l'empêchaient de tomber.

Peut-être attendait-il encore que ce cauchemar cesse.

— Viens, chuchota Meggie en lui tendant la main. Nous voulons t'aider. Nous allons te faire sortir d'ici !

Il ne bougea pas. Il la regardait fixement, les yeux remplis de méfiance.

— Meggie, dépêche-toi, dit Mo à voix basse en passant la tête par la porte.

Le garçon la regarda et recula contre le mur.

— Je t'en prie, chuchota encore Meggie, il faut que tu viennes ! Si tu restes ici, ils vont te faire du mal !

Il la regardait toujours. Puis il se leva, hésitant, sans la quitter des yeux. Il était plus grand qu'elle, d'une demi-tête environ.

Soudain, il fit un bond vers la porte ouverte. Il poussa Meggie si brutalement qu'il la fit tomber mais Mo lui barra le passage.

— Hé là ! Doucement ! murmura-t-il. Nous voulons vraiment t'aider mais il faut que tu fasses ce qu'on te dit, compris ?

Le garçon lui lança un regard hostile.

— Vous êtes des diables, tous autant que vous êtes, marmonna-t-il entre ses dents. Des diables ou des démons !

Il comprenait donc leur langue. Pourquoi en aurait-il été autrement d'ailleurs ? On racontait son histoire dans toutes les langues.

Meggie se releva et tâta son genou. Elle avait dû se l'écorcher en tombant sur le sol en pierre.

— Si tu veux voir des diables, tu n'as qu'à rester ici ! dit-elle en passant devant le garçon.

Il recula. Comme si elle était une sorcière !

Mo l'attira près de lui.

— Tu vois la sentinelle là-haut ? chuchota-t-il en montrant du doigt le clocher. Si elle nous voit, elle nous tuera.

Le garçon leva les yeux dans la direction indiquée.

Doigt de Poussière s'approcha de Mo.

— Dépêche-toi ! lança-t-il à voix basse, s'il ne veut pas venir, qu'il reste ici. Et vous tous, enlevez vos chaussures, ajouta-t-il en avisant les pieds nus du garçon, sinon vous allez faire plus de bruit qu'un troupeau de chèvres.

Elinor marmonna quelque chose mais elle obéit et le garçon, bien qu'hésitant, les suivit. Doigt de Poussière marchait en tête, d'un pas rapide, comme s'il voulait échapper à son ombre. Meggie trébuchait sans arrêt, car la ruelle qu'il leur fit prendre était escarpée. Elinor émettait des jurons étouffés quand ses orteils heurtaient les pavés défoncés. Entre les maisons serrées les unes contre les autres, il faisait sombre. Des arcs en pierre reliaient les bâtiments et les soutenaient, comme pour les empêcher de s'écrouler. Les réverbères rouillés lançaient des ombres sinistres. Au moindre craquement, Meggie sursautait.

Cependant, le village de Capricorne dormait. Une seule fois, ils passèrent près d'une sentinelle qui fumait, appuyée contre un mur dans une ruelle latérale. Deux chats se bagarraient quelque part sur les toits. Le garde se retourna et se pencha pour ramasser une pierre qu'il lança dans leur direction.

Doigt de Poussière profita de l'occasion. Meggie était très contente qu'il leur ait fait enlever leurs chaussures. Sans un bruit, ils se faufilèrent derrière la sentinelle. Elle leur tournait toujours le dos mais Meggie n'osa vraiment respirer que lorsqu'ils eurent passé le coin de la ruelle. Elle fut de nouveau frappée par les nombreuses maisons vides, avec leurs fenêtres sans vitres et leurs murs délabrés. Qui avait détruit ces maisons ? Seulement le temps ? Leurs occupants les avaient-ils quittées à cause de Capricorne ou le village était-il déjà vide quand il était venu s'y installer avec ses hommes ? Doigt de Poussière n'avait jamais rien dit à ce sujet.

Il s'était arrêté. Il leva la main pour les avertir et mit un doigt sur sa bouche. Ils étaient arrivés à l'extrémité du village. Devant eux, il n'y avait plus que le parking. Deux réverbères éclairaient l'asphalte lézardé. Sur la gauche se dressait un haut grillage.

— Derrière se trouve l'endroit où Capricorne organise ses fêtes et ses cérémonies, chuchota Doigt de Poussière. Je suppose qu'autrefois les jeunes du village y jouaient au foot mais, maintenant, c'est là qu'ont lieu les cérémonies diaboliques de Capricorne : des feux, de l'alcool, des coups de feu en l'air, des feux d'artifice, des visages noircis, ça leur suffit pour s'amuser.

Ils remirent leurs chaussures avant de le suivre sur le parking. Meggie regardait sans arrêt du côté du grillage. Des cérémonies diaboliques. Elle croyait voir les feux, les visages noircis...

— Dépêche-toi, Meggie, murmura Mo en la tirant derrière lui.

Quelque part dans la nuit, on entendait le bruit d'une rivière et Meggie se souvint du pont sur lequel ils étaient passés en venant. Et s'il était gardé ?

Sur la place, il y avait plusieurs voitures, dont celle d'Elinor, un peu à l'écart des autres. Derrière eux, le clocher de l'église dominait les toits et plus rien ne les dissimulait aux yeux de la sentinelle. À cette distance, Meggie ne pouvait apercevoir l'homme, mais il devait être encore là. De là-haut, ils devaient ressembler à des insectes s'agitant sur une table. Avait-il des jumelles ?

— Dépêche-toi, Elinor ! chuchota Mo tandis que celle-ci essayait désespérément d'ouvrir la porte de sa voiture.

— Voilà, voilà ! grommela-t-elle. Je n'ai pas les doigts aussi agiles que notre ami le jongleur !

Mo passa son bras autour des épaules de Meggie tout en regardant autour d'eux d'un air inquiet, mais sur la place et autour des maisons, à l'exception de quelques chats errants, tout était calme. Rassuré, il poussa Meggie sur la banquette arrière.

Le garçon hésita un instant, il contempla la voiture comme si c'était un animal inconnu dont il ne savait pas encore s'il était gentil ou s'il allait le dévorer, mais il finit par monter. Meggie lui lança un regard peu aimable et se serra contre la porte, le plus loin possible de lui. Son genou lui faisait toujours mal.

— Où est le mangeur d'allumettes ? demanda Elinor à voix basse. Sapristi, ne me dites pas que le drôle a encore disparu.

C'est Meggie qui le repéra la première. Il se faufilait entre les autres voitures.

Elinor serrait le volant, comme pour résister à la tentation de partir sans lui.

— Qu'est-ce qu'il mijote encore ? murmura-t-elle.

Personne ne pouvait lui répondre. Doigt de Poussière resta un long moment dehors et, quand il revint, ils le virent refermer un couteau.

— Qu'est-ce que ça signifie, encore ? lui lança Elinor quand il se laissa tomber près du garçon sur la banquette arrière. N'avez-vous pas dit que nous devions nous dépêcher ? Et qu'avez-vous donc fait avec ce couteau ? Vous n'avez éventré personne, j'espère ?

— Vous me prenez pour Basta ? répliqua-t-il agacé, en essayant de caser ses jambes derrière le siège du chauffeur. J'ai crevé leurs pneus, c'est tout. Par prudence.

Il avait toujours le couteau à la main. Meggie le regarda d'un air inquiet.

— C'est le couteau de Basta, dit-elle.

Doigt de Poussière sourit tout en le rangeant dans sa poche.

— Plus maintenant. J'aurais tellement aimé lui dérober aussi son amulette ridicule mais il ne la quitte jamais, même pas pour dormir, c'était trop risqué.

Quelque part, un chien aboya. Mo ouvrit la vitre de sa portière et passa la tête à l'extérieur, alarmé.

— Tu me croiras si tu veux mais ce sont des crapauds qui font ce vacarme, rien d'autre !

Mais ce que Meggie entendit soudain résonner dans la nuit, ce n'était pas la voix d'un crapaud. Effrayée, elle jeta un coup d'œil par la lunette arrière et aperçut un homme qui sortait d'une des voitures en stationnement, une camionnette poussiéreuse d'un blanc sale. C'était un des hommes de Capricorne. Meggie l'avait déjà vu dans l'église. Il regardait autour de lui, l'air endormi.

Quand Elinor mit le moteur en marche, il attrapa le fusil qu'il avait dans le dos et se dirigea vers la voiture. L'espace d'un instant, Meggie eut presque pitié de lui, tant il avait l'air ébahi et mal réveillé. Quel sort réserverait Capricorne à un garde qui dormait au lieu de faire son travail ? Mais, soudain, il les mit en joue et tira.

Meggie baissa la tête et se laissa glisser derrière le dossier de la banquette arrière tandis qu'Elinor appuyait sur l'accélérateur.

— Sapristi, cria-t-elle à Doigt de Poussière, vous ne l'avez pas vu quand vous vous faufiliez entre les voitures ?

— Non, je ne l'ai pas vu, cria-t-il à son tour. Et maintenant, allez-y ! Non, pas ce chemin ! Celui-là, devant.

Elinor donna un coup de volant. À côté de Meggie, le garçon se mit en boule. À chaque coup de feu, il avait fermé les yeux et s'était bouché les oreilles. Y avait-il des fusils dans son histoire ? Probablement pas plus que des voitures. Meggie et lui se cognèrent la tête l'un contre l'autre, tellement la voiture d'Elinor cahotait en redescendant le chemin rocailleux. Quand ils arrivèrent enfin sur la route, ce ne fut guère mieux.

— Ce n'est pas la route que nous avons prise en venant ! s'écria Elinor.

Derrière eux, le village de Capricorne surplombait la route, comme une forteresse. Les maisons n'avaient pas l'air de rapetisser.

— Si, c'est la même ! Mais, quand nous sommes arrivés, Basta nous attendait plus haut !

Doigt de Poussière s'accrochait d'une main au siège et, de l'autre, il tenait son sac à dos serré contre lui. Un grognement furieux se fit entendre à l'intérieur et le garçon jeta au sac à dos un regard terrifié.

Meggie crut reconnaître l'endroit où ils avaient rencontré Basta, et la colline d'où ils avaient aperçu le village pour la première fois. Puis les maisons disparurent et ce fut comme si le village de Capricorne n'avait jamais existé.

Sur le pont, il n'y avait pas de sentinelles, pas plus qu'à la grille rouillée qui barrait l'accès au village. Meggie se retourna pour le regarder, jusqu'à ce que la nuit l'engloutisse. « C'est fini, songea-t-elle. C'est vraiment fini. »

La nuit était claire. Meggie n'avait encore jamais vu tant d'étoiles. Le ciel s'étendait au-dessus des collines noires comme un tissu brodé de perles minuscules. Le monde entier ne semblait fait que de collines, des gros dos de chat devant le visage de la nuit, sans personne, sans maisons. Sans peur.

Mo se retourna et écarta les cheveux du front de Meggie.

— Ça va ? demanda-t-il.

Elle acquiesça et ferma les yeux. Elle eut soudain envie de dormir, ne rien faire d'autre que dormir... À condition que les battements de son cœur ne l'en empêchent pas.

— C'est un rêve, murmura quelqu'un près d'elle d'une voix monocorde. Rien qu'un rêve. Quoi d'autre ?

Meggie se retourna. Le garçon ne la regardait pas.

— Ce doit être un rêve, répéta-t-il en hochant la tête très fort pour se donner du courage. Tout a l'air faux, artificiel, complètement fou, comme dans les rêves et maintenant – de la tête, il désigna le paysage dehors –, nous volons. Ou c'est la nuit qui vole près de nous. Ou je ne sais quoi encore.

Meggie faillit sourire. « Ce n'est pas un rêve », eut-elle envie de lui dire, mais elle était trop fatiguée pour lui expliquer toute cette histoire si compliquée. Elle regarda Doigt de Poussière. Il caressait le tissu de son sac, il essayait sans doute de calmer la martre en colère.

— Ne me regarde pas comme ça! grogna-t-il quand il remarqua le regard de Meggie. Ce n'est pas *moi* qui vais le lui expliquer. C'est à ton père de le faire. Car, enfin, c'est lui qui est responsable de son cauchemar.

La mauvaise conscience se lisait sur le visage de Mo quand il se tourna vers le garçon.

— Comment t'appelles-tu? demanda-t-il, ton nom n'était pas dans…

Il s'interrompit.

Le garçon le regarda d'un air méfiant puis il pencha la tête.

— Farid, dit-il d'une voix sans timbre. Mon nom est Farid, mais je crois que ça porte malheur de parler dans un rêve. On n'arrive plus à en sortir ensuite.

Et il serra les lèvres, regarda fixement devant lui comme s'il voulait éviter de regarder qui que ce soit, et se tut. Avait-il des parents dans son histoire? Meggie n'arrivait pas à se souvenir. Il n'était question que d'un garçon, un garçon sans nom, qui servait une bande de brigands.

— C'est un rêve, murmura-t-il, rien qu'un rêve. Le soleil va se lever et tout cela disparaîtra. Oui.

Mo le regarda, malheureux et perplexe, comme quelqu'un qui a touché un oisillon et voit qu'ensuite ses parents le rejettent. «Pauvre Mo, songea Meggie. Pauvre Farid.»

Mais il y avait en elle une autre pensée, une pensée dont elle avait honte, une pensée qui avait surgi en même temps que le lézard au milieu des pièces d'or dans l'église de Capricorne. «Je voudrais en être capable, moi aussi, chuchotait-elle, je voudrais pouvoir les faire surgir, pouvoir les toucher, tous ces personnages, tous ces merveilleux personnages. Je veux qu'ils se glissent hors des pages et viennent s'asseoir près de moi, je veux qu'ils me sourient, je veux, je veux, je veux… »

Dehors, il faisait toujours nuit, à croire qu'il n'y aurait pas de lendemain.

C'est alors que loin derrière eux apparurent des phares, comme des doigts avançant à tâtons dans la nuit.

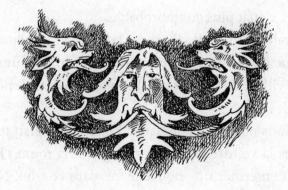

20

SERPENTS ET RONCES

Tous se retournèrent, et là, juste derrière le parapet du pont, ils virent un halo d'une blancheur crue qu'accentuait encore l'encre du ciel. C'étaient les faisceaux des phares d'une voiture prenant position en travers de l'entrée nord du pont, à l'endroit même où ils se trouvaient quelques instants auparavant.

Michael de Larrabeiti, *Gare aux Zorribles*

Elinor eut beau appuyer sur l'accélérateur, les phares se rapprochaient.

— Ça peut être n'importe quelle voiture, dit Meggie tout en sachant que c'était plus qu'improbable.

Il n'y avait qu'un seul village au bout de cette route défoncée et pleine de trous qu'ils suivaient depuis plus d'une heure, et c'était le village de Capricorne. Les poursuivants ne pouvaient venir que de là.

— Qu'allons nous faire ? demanda Elinor. (Elle était tellement énervée que la voiture faisait des zigzags sur la route.) Je ne me laisserai pas enfermer une nouvelle fois dans ce trou. Non, non et non. (À chaque non, elle donnait un coup sur le volant avec la paume de la main.) Je croyais que vous aviez crevé leurs pneus, lança-t-elle à Doigt de Poussière, furieuse.

— En effet, répliqua-t-il tout aussi furieux. Apparemment, ils avaient prévu la chose. Vous n'avez jamais entendu parler de roue de secours ? Accélérez ! Nous allons bientôt arriver dans un village. Il ne doit plus être bien loin. Si nous y arrivons…

— Oui, si ! s'exclama Elinor en tapant du doigt sur l'aiguille du réservoir. Il reste de l'essence pour encore dix, peut-être vingt kilomètres maximum.

Ils n'arrivèrent même pas jusque-là. Dans un virage serré, un des pneus avant éclata. Elinor réussit de justesse à redresser le volant avant que la voiture ne quitte la route. Meggie poussa un cri et cacha son visage dans ses mains. L'espace d'un instant, elle pensa qu'ils allaient tomber dans le précipice qui se perdait dans l'obscurité sur leur gauche mais le break dérapa vers la droite, l'aile érafla le petit mur de pierre qui bordait la route de ce côté-là, il poussa un dernier soupir et s'immobilisa, sous les branches basses d'un chêne qui se penchait comme s'il voulait toucher le bitume.

— Sapristi de sapristi ! jura Elinor en détachant sa ceinture. Tout va bien ?

— Je sais pourquoi je n'ai jamais fait confiance à ces engins ! marmonna Doigt de Poussière en ouvrant sa portière.

Meggie tremblait de tous ses membres. Mo la fit descendre et la regarda dans les yeux, l'air inquiet.

— Ça va ?

Meggie hocha la tête.

Farid descendit du côté de Doigt de Poussière. Se croyait-il toujours dans un rêve ?

Debout sur la route, son sac à dos sur l'épaule, Doigt de Poussière tendit l'oreille. Un bruit de moteur se faisait entendre dans la nuit.

— Il faut que la voiture disparaisse de la route ! dit-il.

— Quoi ? s'exclama Elinor, abasourdie.

— Il faut que nous la poussions dans le ravin.

— Ma voiture ?

Elinor criait presque.

— Il a raison, Elinor, approuva Mo. Peut-être qu'ainsi nous pourrons nous débarrasser d'eux. Nous allons la pousser dans la pente. Dans l'obscurité, ils ne la verront sûrement pas. Et si jamais ils la voient, ils penseront que nous avons quitté la route. Pendant ce temps-là, nous allons grimper de l'autre côté et nous cacher derrière les arbres.

Elinor jeta un coup d'œil sceptique en direction de la colline.

— Mais c'est beaucoup trop abrupt ! Et les serpents ?

— Basta a sûrement un nouveau couteau, fit remarquer Doigt de Poussière.

Elinor lui lança un regard sombre. Puis elle passa derrière la voiture et ouvrit le coffre.

— Où sont nos bagages ? demanda-t-elle.

Doigt de Poussière lui jeta un regard amusé.

— Basta a dû les répartir entre les diverses servantes de Capricorne. Il aime se faire bien voir d'elles.

Elinor le regarda comme si elle ne croyait pas un mot de ce qu'il racontait. Puis elle referma le coffre, s'arc-bouta contre la voiture et se mit à pousser.

Ils n'y arrivèrent pas.

Ils eurent beau pousser et tirer, la voiture d'Elinor sortit de la route, certes, mais ne fit guère plus de deux mètres dans les buissons avant de s'immobiliser. Cependant, le bruit de moteur, qui résonnait étrangement dans cette contrée coupée du monde, se faisait de plus en plus menaçant. Trempés de sueur, ils remontèrent sur la route, escaladèrent le muret dont chaque pierre semblait avoir plus de mille ans d'âge et se mirent à grimper. Il fallait à tout prix s'éloigner au plus vite. Mo tirait Meggie derrière lui et Doigt de Poussière aidait Farid. Elinor avait assez d'elle-même à s'occuper. Toute la colline était couverte de murets, vestiges de tentatives laborieuses des hommes pour transformer cette terre aride en petits champs et en jardins, pour y planter quelques oliviers, des vignes, et ce qui pouvait pousser sur cette terre. Mais la végétation était redevenue sauvage et personne ne récoltait plus quoi que ce soit, parce que les hommes étaient partis depuis longtemps dans l'espoir de mener ailleurs une vie moins dure.

— Baissez-vous ! lança soudain Doigt de Poussière essoufflé, en obligeant Farid à s'accroupir derrière un des murs en ruine. Ils arrivent !

Mo entraîna Meggie derrière le premier arbre venu. Les ronces qui poussaient entre les racines noueuses étaient juste assez hautes pour les cacher.

— Et les serpents ? chuchota Elinor en trébuchant derrière eux.

— Il fait trop froid pour eux ! murmura Doigt de Poussière de sa cachette. Vous n'avez donc rien appris dans vos livres savants ?

Elinor avait la réponse sur le bout de la langue mais Mo lui mit la main sur la bouche. Au-dessous d'eux, le véhicule apparut. C'était la camionnette dans laquelle dormait la sentinelle.

Sans ralentir, elle passa devant l'endroit où ils avaient poussé le break d'Elinor et disparut derrière le virage suivant.

Meggie voulut relever la tête, soulagée, mais Mo l'obligea à rester baissée.

— Pas encore! chuchota-t-il en tendant l'oreille.

Meggie n'avait encore jamais connu de nuit aussi calme. On aurait pu entendre respirer les arbres, l'herbe et la nuit elle-même.

Ils virent les phares de la camionnette surgir de l'autre côté de la colline : deux doigts lumineux dans l'obscurité, qui tâtonnaient sur une route invisible. Mais soudain, ils s'arrêtèrent.

— Ils font demi-tour, murmura Elinor. Oh, mon Dieu! Et maintenant?

Elle voulut se relever mais Mo l'en empêcha.

— Tu es folle? chuchota-t-il. Il est trop tard pour grimper plus haut. Ils nous verraient.

Mo avait raison. La camionnette ne tarda pas à arriver. Meggie vit qu'elle s'arrêtait à quelques mètres de l'endroit où ils avaient poussé la voiture d'Elinor. Elle entendit deux portières s'ouvrir et vit deux hommes descendre. Ils leur tournaient le dos mais quand l'un d'entre eux se retourna, Meggie crut reconnaître le visage de Basta, bien que ce ne fût guère qu'une tache claire dans la nuit.

— C'est leur voiture! dit l'autre.

Était-ce Nez Aplati? Il était assez grand et large.

— Regarde s'ils sont dedans.

Oui, c'était Basta. Meggie aurait reconnu sa voix entre mille.

Nez Aplati descendit la pente, lourdaud comme un ours. Meggie l'entendit jurer, contre les ronces, les épines, l'obscurité et cette maudite racaille à qui il devait d'être là à trébucher au beau milieu de la nuit. Basta était toujours sur la route. Quand il activa son briquet pour s'allumer une cigarette, des ombres bien nettes apparurent sur son visage. La fumée blanche monta jusqu'à eux.

— Ils n'y sont pas ! s'écria Nez Aplati. Ils ont dû continuer à pied ! Tu crois qu'il faut les poursuivre ?

Basta s'approcha du bord de la route et regarda en contrebas.

Puis il fit demi-tour et leva les yeux vers la colline où Meggie, le cœur battant, était blottie contre Mo.

— Ils ne peuvent pas être bien loin, dit-il. Mais dans l'obscurité, ce ne sera pas facile de trouver leur trace.

— Exactement ! Et nous ne sommes pas des Indiens ! répondit Nez Aplati, en arrivant de nouveau sur la route, à bout de souffle.

Basta ne répondit pas. Il resta là, à écouter tout en tirant sur sa cigarette. Puis il dit quelque chose à voix basse à Nez Aplati. Le cœur de Meggie cessa presque de battre.

Nez Aplati regarda autour de lui, l'air préoccupé.

— Allons plutôt chercher les chiens ! l'entendit dire Meggie. Même s'ils se sont cachés quelque part par ici, comment savoir s'ils sont allés vers le haut ou vers le bas ?

Basta lança un coup d'œil vers les arbres et jeta sa cigarette.

— Essayons vers le bas, dit-il en lançant un fusil à Nez Aplati. La grosse préfère sûrement descendre que grimper.

Sans rien ajouter, il disparut dans la nuit. Nez Aplati regarda avec regret en direction de la camionnette et suivit Basta en maugréant.

Ils venaient tout juste de disparaître quand Doigt de Poussière se releva et, silencieux comme une ombre, leur fit signe de le suivre vers le haut de la colline. Le cœur de Meggie battait à tout rompre. Ils se faufilèrent entre les arbres et les buissons, jetant constamment un regard derrière eux. Meggie sursautait à chaque branche qui craquait sous ses pas mais, heureusement, Basta et Nez Aplati faisaient eux aussi du bruit en descendant la pente à travers les buissons.

Bientôt, ils ne virent plus la route. Pourtant, la peur ne les quittait pas, la peur que Basta ait peut-être fait demi-tour et les suive.

Mais chaque fois qu'ils s'arrêtèrent pour écouter, ils n'entendirent que leur propre respiration.

— Ils vont bientôt s'apercevoir qu'ils ont pris la mauvaise direction, murmura Doigt de Poussière au bout d'un moment. Et là, ils vont aller chercher les chiens. Nous avons eu de la chance qu'ils n'y soient pas allés tout de suite. Basta ne leur fait pas tellement confiance et il a raison. Je leur ai souvent donné du fromage à manger. C'est mauvais pour leur flair. Mais quand même, ils vont aller les chercher car Basta ne tient pas non plus à revenir voir Capricorne avec une mauvaise nouvelle.

— Il faut qu'on avance plus vite ! déclara Mo.

— Et où ça ?

Elinor était déjà à bout de souffle.

Doigt de Poussière regarda autour de lui. Meggie se demanda pourquoi. Ses yeux ne distinguaient rien, tant la nuit était noire.

— Il faut aller vers le sud, dit Doigt de Poussière, en direction de la côte. Nous nous cacherons parmi les gens, c'est la seule chose qui puisse nous sauver. Sur la côte, les nuits sont claires et personne ne croit au diable.

Farid était debout à côté de Meggie. Il scrutait les ténèbres intensément, comme s'il pouvait faire venir le matin ou découvrir dans toute cette obscurité les hommes dont parlait Doigt de Poussière. Mais il n'y avait pas la moindre lumière en vue, hormis la constellation d'étoiles qui étincelaient dans le ciel, froides et lointaines. Pendant un moment, Meggie eut l'impression que c'étaient des yeux traîtres et elle crut les entendre chuchoter : « Regarde, Basta, ils sont là-bas. Vite, attrape-les. »

Ils continuèrent d'avancer en trébuchant, serrés les uns contre les autres pour ne pas se perdre. Doigt de Poussière avait sorti Gwin du sac, il l'avait attachée à une chaîne pour qu'elle ne lui échappe pas. Cela n'avait pas l'air de plaire à la martre. Il était obligé de la tirer derrière lui, loin des buissons aux odeurs prometteuses que les hommes ne percevaient pas. Elle feulait et grondait, furieuse, mordait la chaîne et tirait dessus.

— Sapristi, je vais finir par trébucher contre cette sale bête ! maugréa Elinor. Elle ne pourrait pas faire un peu attention à mes pieds meurtris ? Une chose est sûre : dès que nous serons de nouveau parmi les hommes, je vais me prendre la meilleure chambre d'hôtel que je puisse m'offrir avec mon argent et poser mes pauvres pieds sur un gros coussin moelleux.

— Tu as encore de l'argent ? demanda Mo, incrédule. Moi, ils m'ont tout pris.

— Oh, Basta s'est empressé de me prendre mon porte-monnaie, répondit Elinor. Mais je suis une femme avisée. Ma carte de crédit est en lieu sûr.

— Y a-t-il un endroit qui soit sûr, avec Basta ? demanda Doigt de Poussière en faisant redescendre Gwin d'un tronc d'arbre.

— Eh bien, oui ! répondit Elinor. Aucun homme ne s'aventurerait à fouiller de grosses vieilles dames. J'y ai même caché quelques-uns de mes livres les plus précieux…

Elle s'interrompit et se racla la gorge en voyant le regard de Meggie. Mais celle-ci fit semblant de ne pas avoir entendu la dernière phrase d'Elinor, ou du moins de ne pas avoir compris de quoi elle parlait.

— Tu n'es pas si grosse que ça, dit-elle, ni si vieille.

— Merci, ma chérie ! fit Elinor. Je crois que je vais demander à ton père si je peux t'acheter, pour que tu me dises trois fois par jour des choses aussi gentilles. Tu en veux combien, Mo ?

— Je vais réfléchir, répondit-il. Que dirais-tu de trois tablettes de chocolat par jour ?

Ils continuèrent à parler ainsi — leurs voix n'étaient que des murmures — en se frayant un chemin à travers les ronces de la colline. Peu importait de quoi ils parlaient, car tous ces mots murmurés ne visaient qu'à une chose : chasser la peur et la fatigue qui pesaient sur les membres de chacun d'eux. Ils marchèrent et marchèrent encore, espérant que Doigt de Poussière savait où il les emmenait. Meggie resta tout le temps derrière Mo. Son dos la protégeait un peu des ronces qui se prenaient constamment dans ses vêtements et lui égratignaient le visage, telles des bêtes sauvages à l'affût dans l'obscurité avec leurs griffes acérées.

Ils débouchèrent enfin sur un sentier qu'ils suivirent. Il était jalonné de douilles de cartouches laissées là par des chasseurs qui avaient semé la mort en ce lieu paisible. Bien que Meggie pût à peine lever les pieds tant elle était fatiguée, il était quand même plus facile de marcher sur la terre foulée. Lorsque, ivre de fatigue, elle buta pour la seconde fois contre le talon de Mo, il la prit sur son dos, comme il avait fait si souvent par le passé, quand elle ne pouvait pas le suivre avec ses grandes jambes.

«Puce», l'appelait-il alors, ou «plume», ou «fée Clochette», comme dans *Peter Pan*. Aujourd'hui encore, il lui arrivait de l'appeler comme ça.

Fatiguée, Meggie posa son visage contre son épaule et essaya de penser à Peter Pan plutôt qu'à des serpents et à des hommes armés de couteaux. Mais cette fois, sa propre histoire était trop prenante pour laisser place à une histoire inventée.

Farid n'avait pas ouvert la bouche depuis un moment. Il trottinait presque tout le temps derrière Doigt de Poussière. Il semblait avoir de la sympathie pour Gwin. Quand la chaîne de la martre restait accrochée quelque part, il courait la libérer, même si, en guise de remerciement, Gwin se mettait à grogner et essayait de lui mordre les doigts. Elle enfonça une fois ses dents si profondément dans le pouce de Farid que celui-ci se mit à saigner.

— Eh bien! Est-ce que tu continues à croire que c'est un rêve? demanda Doigt de Poussière, moqueur, tandis que Farid essuyait le sang.

Le garçon ne répondit pas. Il se contenta de regarder son pouce endolori. Puis il le suça et cracha.

— Qu'est-ce que ça pourrait être d'autre? demanda-t-il.

Doigt de Poussière regarda Mo mais celui-ci semblait être tellement plongé dans ses pensées qu'il ne le remarqua même pas.

— Disons: une nouvelle histoire? répondit Doigt de Poussière.

Farid se mit à rire.

— Une nouvelle histoire. Ça me plaît. J'ai toujours aimé les histoires.

— Ah bon ? Et que penses-tu de celle-ci ?

— Un peu trop de ronces et j'aimerais bien voir le jour se lever mais, au moins, je n'ai pas dû travailler. C'est déjà ça.

Meggie ne put s'empêcher de sourire.

Au loin, un oiseau cria. Gwin s'immobilisa et leva le museau en reniflant. La nuit appartient aux brigands. Elle leur a toujours appartenu. Dans une maison, protégé par la lumière et des murs épais, on a tendance à l'oublier. La nuit protège le chasseur, elle lui permet de se faufiler sans être vu et elle frappe sa proie de cécité. Une phrase d'un de ses livres préférés lui revint à l'esprit :

.. car les heures de la nuit sont les heures où les rapaces sont tout-puissants.

Elle appuya son visage contre l'épaule de Mo. « Il vaudrait peut-être mieux que je me remette à marcher, pensa-t-elle. Cela fait si longtemps qu'il me porte. » Et elle s'endormit sur son dos.

21

BASTA

Ce bois, à présent si paisible, avait dû retentir de leurs hurlements : dans mon imagination, je croyais les entendre résonner à mes oreilles.

Robert L. Stevenson, *L'Île au trésor*

Meggie se réveilla quand Mo s'arrêta. Le chemin les avait amenés sur la crête de la colline. Il faisait toujours sombre mais, à l'horizon, la nuit pâlissait comme si elle relevait sa jupe pour laisser apparaître le matin.

— Il faut faire une pause, Doigt de Poussière, déclara Mo. Le garçon tombe de fatigue, les pieds d'Elinor ont besoin de repos et, si tu veux mon avis, cet endroit n'est pas le plus mauvais.

— Quels pieds ? demanda Elinor qui se laissa tomber par terre en soupirant. Tu parles de ces pauvres choses meurtries à l'extrémité de mes jambes ?

— Exactement, dit Mo en l'aidant à se relever. Mais nous devons encore faire quelques pas. Nous nous reposerons là-bas.

À une cinquantaine de mètres sur leur gauche, tout en haut de la colline, il y avait une maison, si on pouvait appeler ainsi cette ruine plantée au milieu des oliviers. Avant qu'ils se remettent en route, Meggie se laissa glisser le long du dos de Mo. Les murs consistaient en quelques pierres entassées les unes sur les autres, le toit était effondré et, à la place de la porte, il y avait maintenant un trou noir béant.

Mo dut se baisser pour se glisser à l'intérieur. Des bardeaux de la toiture jonchaient le sol. Dans un coin, il y avait un sac vide, des débris de terre cuite, peut-être d'une assiette ou d'un plat et quelques os proprement rongés…

Mo soupira.

— Ce n'est pas un endroit vraiment sympathique, Meggie, admit-il, tu n'as qu'à t'imaginer que tu es dans la cachette des Garçons perdus ou…

— … dans le tonneau de Huckleberry Finn, compléta Meggie en regardant autour d'elle.

— Je crois que je préfère quand même dormir dehors.

Elinor entra à son tour. Le nouveau logement ne sembla pas lui plaire non plus. Mo embrassa Meggie et se dirigea vers la porte.

— Crois-moi, c'est plus sûr à l'intérieur.

Meggie le suivit des yeux, inquiète.

— Où vas-tu? Il faut que tu dormes, toi aussi.

— Mais je ne suis pas fatigué!

Il était évident qu'il mentait.

— Dors, maintenant, d'accord?

Et il sortit.

Elinor repoussa du pied les bardeaux vermoulus.

— Viens, dit-elle en enlevant sa veste qu'elle étala sur le sol. Nous allons essayer de nous faire un petit coin douillet. Ton père a raison. Imaginons que nous sommes ailleurs. Pourquoi les aventures ne sont-elles amusantes que quand on les lit dans les livres? murmura-t-elle en s'allongeant sur le sol.

Meggie s'allongea à côté d'elle, hésitante.

— Il ne pleut pas, c'est déjà ça, constata Elinor en levant les yeux vers le toit défoncé. Et nous avons les étoiles au-dessus de nous, même si elles sont très pâles. Je devrais peut-être faire creuser quelques trous comme ça dans le toit de ma maison.

D'un signe de tête impatient, elle invita Meggie à venir poser sa tête sur son bras.

— Pour que les araignées ne te grimpent pas dans les oreilles pendant que tu dors, dit-elle en fermant les yeux. Seigneur, l'entendit encore marmonner Meggie, je crois que je vais devoir me racheter une paire de pieds neufs. Ceux-ci sont foutus.

Et elle s'endormit.

Meggie resta les yeux grands ouverts à écouter les bruits du dehors. Elle entendit Mo s'entretenir à voix basse avec Doigt de Poussière. Elle ne put saisir ce qu'ils disaient, crut entendre le nom de Basta. Farid était à l'extérieur, lui aussi. Mais il gardait le silence.

Au bout de quelques minutes, Elinor se mit à ronfler. Meggie eut beau essayer, elle n'arrivait pas à dormir. Finalement, elle se leva et se faufila dehors sans bruit. Mo ne dormait pas. Il était assis contre un arbre et regardait le matin chasser la nuit au-dessus des collines environnantes. Doigt de Poussière était assis un peu plus loin. Il se contenta de relever furtivement la tête quand Meggie sortit de la cabane. Croyait-il aux fées et aux kobolds? Farid était allongé près de lui, roulé en boule comme un chien; Gwin était à ses pieds et dévorait quelque chose. Meggie s'empressa de détourner la tête.

L'aurore se levait sur les collines, conquérant les sommets les uns après les autres. Meggie distingua des habitations à l'horizon, éparpillées sur les collines verdoyantes comme des maisons miniatures. Quelque part derrière, il devait y avoir la mer. Elle posa sa tête sur les genoux de Mo et leva les yeux vers lui.

— Ils ne peuvent pas nous retrouver ici, hein ?

— Non, sûrement pas, dit-il, mais l'expression de son visage était loin d'être aussi insouciante que sa voix. Pourquoi ne dors-tu pas à côté d'Elinor ?

— Elle ronfle, murmura Meggie.

Mo sourit. Puis, en fronçant les sourcils, il regarda de nouveau en contrebas où, caché par les cistes, les genêts et les herbes hautes, serpentait le chemin qui les avait conduits là.

Doigt de Poussière, lui non plus, ne quittait pas le chemin des yeux. À la vue des deux hommes qui veillaient, Meggie fut rassurée et elle ne tarda pas à s'endormir, aussi profondément que Farid, comme si la terre devant la maison en ruine n'était pas recouverte de ronces, mais de duvet.

Quand Mo la secoua en lui mettant la main devant la bouche, elle crut tout d'abord que ce n'était qu'un mauvais rêve.

Il mit un doigt devant ses lèvres pour la mettre en garde. Meggie entendit un bruit d'herbes froissées, et le gémissement d'un chien. Mo la releva et la poussa avec Farid à l'intérieur de la cabane encore plongée dans la pénombre. Elinor ronflait toujours. Dans le halo de lumière que le petit jour projetait sur son visage, elle avait l'air d'une jeune fille mais, quand Mo la réveilla, tout revint sur son visage, la fatigue, les soucis et la peur.

Mo et Doigt de Poussière se placèrent de chaque côté de la

porte, le dos au mur. Des voix d'hommes rompirent le silence matinal. Meggie crut entendre des chiens renifler. Elle aurait voulu se volatiliser dans l'air, dans l'air inodore et invisible. Farid se tenait à côté d'elle, les yeux écarquillés. Meggie remarqua qu'ils étaient presque noirs. Elle n'avait encore jamais vu des yeux aussi foncés ; ses cils étaient aussi longs que ceux d'une fille.

Elinor s'appuya contre le mur, se mordant les lèvres de peur. Doigt de Poussière fit un signe à Mo et avant que Meggie ne comprît ce qui se passait, ils se glissèrent à l'extérieur.

Ils se cachèrent derrière des oliviers bas dont les branches enchevêtrées tombaient jusqu'au sol, comme sous le poids des feuilles. Un enfant aurait pu facilement se cacher derrière eux, mais offraient-ils vraiment un abri pour deux adultes ?

Meggie jeta un coup d'œil par l'ouverture de la porte. Son cœur battait à tout rompre. Dehors, le soleil montait dans le ciel. La lumière du jour pénétrait partout, dans les vallées, sous les arbres et soudain Meggie souhaita qu'il fasse nuit de nouveau. Mo s'était accroupi, pour qu'on ne voie pas sa tête dépasser de l'enchevêtrement des branches. Doigt de Poussière s'appuyait contre un tronc tordu et, affreusement près, à vingt pas tout au plus des deux hommes, elle aperçut Basta. Il se frayait un passage à travers les chardons et l'herbe qui lui arrivait aux genoux.

— Il y a belle lurette qu'ils ont rejoint la vallée, s'écria une voix excédée.

Au même moment, Nez Aplati surgit près de Basta. Ils avaient amené deux chiens à l'air mauvais. Meggie vit leurs deux grosses têtes fouiner en flairant dans l'herbe.

— Avec les deux enfants et la grosse ?

Basta secoua la tête et regarda autour de lui. Farid jeta à son tour un coup d'œil à l'extérieur et, apercevant les deux hommes, il sursauta comme si quelque chose l'avait mordu.

« Basta ? » Les lèvres d'Elinor formaient les syllabes sans un son. Meggie hocha la tête et Elinor devint encore plus pâle qu'elle ne l'était déjà.

— Nom d'un chien, Basta, tu as l'intention de rester encore longtemps à piétiner comme ça ?

La voix de Nez Aplati résonnait dans le silence qui planait au-dessus des collines.

— Les serpents vont bientôt se réveiller et moi, j'ai faim. Nous n'aurons qu'à lui raconter qu'ils sont tombés dans le ravin avec la voiture. Il suffit de pousser un peu la bagnole et ni vu ni connu ! Les serpents se chargeront d'eux de toute manière. Et sinon, ils s'égareront, mourront de faim, attraperont une insolation ou je ne sais quoi. En tout cas, nous ne les reverrons jamais.

— Il leur a donné du fromage ! s'écria Basta en tirant sur la chaîne des chiens, hors de lui. Ce maudit bouffeur de feu leur a donné du fromage pour détruire leur odorat. Mais personne n'a voulu me croire. Pas étonnant qu'ils l'accueillent en remuant la queue dès qu'ils voient sa sale tête.

— Tu les bats trop ! grogna Nez Aplati. C'est pour ça qu'ils ne se donnent pas de mal. Les chiens n'aiment pas qu'on les batte.

— Tu n'y connais rien ! Il faut les battre, sinon ils te mordent. C'est pour ça qu'ils aiment le bouffeur de feu, parce qu'il est comme eux : geignard, hypocrite et mauvais.

Un des chiens se coucha dans l'herbe et commença à se lécher les pattes. Furieux, Basta lui donna un coup de pied dans le flanc en tirant sur sa chaîne.

— Tu peux rentrer au village! lança-t-il à Nez Aplati. Moi, je vais rattraper le bouffeur de feu et lui couper les doigts un par un. Après ça, on verra s'il réussit encore à jongler si habilement avec ses balles. J'ai toujours dit qu'on ne pouvait pas lui faire confiance, mais le patron trouvait ses petits jeux avec le feu si amusants.

— Oui, oui, c'est bon. Tout le monde sait que tu n'as jamais pu le sentir.

Nez Aplati prit un air blasé.

— Si ça se trouve, il n'a rien à voir avec la disparition des autres. Tu sais bien qu'il va et vient comme ça lui chante. Il va peut-être se ramener demain sans avoir la moindre idée de ce qui s'est passé.

— Ça serait bien lui, grogna Basta en continuant d'avancer.

Chaque pas le rapprochait des arbres derrière lesquels étaient cachés Mo et Doigt de Poussière.

— Et les clés de voiture de la grosse, Doigt de Poussière les a subtilisées sous mon oreiller par magie, peut-être? Non. Cette fois, il pourra bien raconter ce qu'il veut, il est bon. Parce qu'il a emporté autre chose qui m'appartient.

Instinctivement, Doigt de Poussière mit la main à sa ceinture comme s'il redoutait que le couteau de Basta n'attire son maître. Un des chiens leva la tête en reniflant et entraîna Basta en direction des arbres.

— Il sent quelque chose!

Basta baissa la voix. Elle était rauque d'excitation.

— Cet idiot a vraiment senti quelque chose!

Peut-être encore dix pas, peut-être moins et il allait arriver entre les arbres. Que pouvaient-ils faire? Que pouvaient-ils bien faire?

Nez Aplati suivit Basta, l'air méfiant.

– Il a dû sentir un sanglier, l'entendit dire Meggie. Il faut faire attention à ces sales bêtes, quand elles chargent, on peut se faire piétiner. À moins que ce soit un serpent. Un des noirs. Tu as le contrepoison dans la voiture, non ?

Pétrifié de peur, il s'immobilisa, se contentant de regarder devant ses pieds. Basta l'ignora et suivit le chien qui reniflait. Encore quelques pas et Mo n'aurait eu qu'à tendre la main pour le toucher. Basta enleva son fusil de son épaule, s'immobilisa et prêta l'oreille. Les chiens l'entraînèrent vers la gauche et se mirent à sauter au pied d'un tronc d'arbre en aboyant.

Gwin était accrochée aux branches.

– Qu'est-ce que je t'avais dit ? s'écria Nez Aplati. Ils ont senti une martre ! Ces sales bêtes puent tellement que même moi, je pourrais flairer leur trace.

– Ce n'est pas n'importe quelle martre ! lança Basta. Tu ne la reconnais pas ?

Il regarda fixement en direction de la cabane en ruine. Il ne voyait plus que ça.

Mo saisit l'occasion. Il bondit hors de sa cachette, se jeta sur Basta et essaya de lui arracher son fusil.

– Attrapez-le ! Attrapez-le, sales cabots ! hurla Basta.

Les chiens se jetèrent sur Mo en montrant leurs dents jaunes.

Elinor attapa Meggie comme elle l'avait fait dans sa maison pour l'empêcher de courir à son secours.

Mais quelqu'un d'autre s'interposa. Avant que les chiens aient eu le temps de mordre, Doigt de Poussière se précipita. Meggie pensa qu'ils allaient le mettre en pièces quand elle le vit les attraper par leurs colliers mais il n'en fut rien. Les chiens lui léchèrent les mains, sautèrent sur lui comme sur un vieil ami tandis

que Mo mettait sa main sur la bouche de Basta pour l'empêcher de leur donner des ordres.

Mais Nez Aplati était là, lui aussi. Heureusement, il ne réalisa pas tout de suite ce qui se passait. Il resta planté, à regarder Basta qui se débattait dans les bras de Mo. C'est ce qui les
sauva.

Doigt de Poussière avait entraîné les chiens vers un arbre
et attachait leurs chaînes autour du tronc friable quand Nez
Aplati sortit de sa torpeur.

— Lâche-le, cria-t-il en braquant son fusil sur Mo.

En réprimant un juron, Doigt de Poussière lâcha les chiens,
mais plus rapide encore fut la pierre que lança Farid. Elle atteignit Nez Aplati en plein front. Le géant tomba dans l'herbe
comme un arbre que l'on abat, aux pieds de Doigt de Poussière.

— Retiens les chiens ! cria Mo comme Basta essayait encore
de se servir de son fusil.

Un des chiens avait planté ses dents dans la manche de Mo.

C'est du moins ce qu'espérait Meggie, que ce ne soit que
dans la manche.

Avant qu'Elinor ait pu encore la retenir, elle se précipita sur
l'animal qu'elle attrapa par son collier. Mais elle eut beau tirer
de toutes ses forces, le chien ne lâcha pas prise, elle vit du sang
sur la manche de Mo et le canon du fusil de Basta presque à
hauteur de sa tête.

Doigt de Poussière rappela les chiens. Dans un premier
temps, ils lui obéirent et lâchèrent Mo, mais Basta réussit à se
libérer de son emprise.

— Attrapez-le ! hurla-t-il, et les chiens continuèrent à grogner, ne sachant s'ils devaient obéir à Basta ou à Doigt de Poussière. Sales cabots! cria Basta en pointant son fusil sur la poitrine de Mo.

Au même moment, Elinor appuya le canon du fusil de Nez Aplati contre sa tête.

Ses mains tremblaient et son visage était couvert de taches rouges, comme quand elle s'énervait, mais elle avait l'air plus que déterminée à faire usage de son arme.

— Baisse ce fusil, dit-elle d'une voix tremblante, et ne t'avise pas de donner le moindre ordre aux chiens! C'est peut-être la première fois que j'ai un fusil entre les mains mais je saurai appuyer sur la gâchette.

— Allez, couchés! ordonna Doigt de Poussière aux chiens.

Ils lancèrent à Basta un coup d'œil indécis mais, comme celui-ci se taisait, ils allèrent se coucher dans l'herbe et laissèrent Doigt de Poussière les attacher à un tronc d'arbre.

Le sang jaillissait de la manche de Mo. À sa vue, Meggie sentit sa tête se mettre à bourdonner.

Doigt de Poussière banda la blessure avec un foulard de soie rouge qui absorba le sang.

— Ce n'est pas aussi grave que ça en a l'air, dit-il à Meggie lorsqu'elle s'approcha, les genoux tremblants.

— As-tu dans ton sac à dos quelque chose avec quoi nous pourrions le ligoter? demanda Mo en montrant de la tête Nez Aplati toujours inconscient.

— L'homme au couteau aurait aussi besoin d'un emballage! fit remarquer Elinor.

Basta la foudroya du regard.

— Ne me regarde pas comme ça ! prévint-elle en braquant le canon sur sa poitrine. Une arme comme celle-ci peut sûrement causer autant de dégâts qu'un couteau et crois-moi, ça me donne des idées pas franchement sympathiques.

Basta fit une grimace méprisante mais il ne quitta pas des yeux le doigt qu'Elinor avait sur la gâchette.

Dans le sac à dos de Doigt de Poussière, ils trouvèrent une corde, pas très grosse mais solide.

— Ça ne suffira pas pour les deux, constata-t-il.

— Pourquoi voulez-vous les attacher ? demanda Farid. Pourquoi ne pas les tuer ? C'est ce qu'ils voulaient vous faire !

Meggie le regarda, stupéfaite, mais Basta se mit à rire.

— Tiens, tiens ! s'exclama-t-il d'un air moqueur. C'est un garçon comme lui qu'il nous aurait fallu ! Mais qui te dit que nous voulions vous tuer ? Capricorne vous veut vivants. Les morts ne peuvent pas faire la lecture.

— Ah bon ? Mais au fait, tu ne voulais pas me couper quelques doigts ? demanda Doigt de Poussière tout en passant la corde autour des jambes de Nez Aplati.

Basta haussa les épaules.

— Depuis quand est-ce qu'on en meurt ?

Elinor lui enfonça le canon du fusil si brutalement entre les côtes qu'il vacilla.

— Vous avez entendu ? Je trouve que ce garçon a raison. Nous devrions peut-être les abattre tous les deux.

Mais ils ne le firent pas, évidemment.

Ils trouvèrent un autre bout de corde dans le sac à dos de Nez Aplati et Doigt de Poussière ligota Basta avec un plaisir non dissimulé. Farid l'aida, il avait l'air de savoir y faire.

Ils transportèrent les deux prisonniers dans la cabane en ruine.

— C'est gentil de notre part, non ? Comme ça, les serpents vous laisseront tranquilles pour le moment, déclara Doigt de Poussière tandis qu'ils portaient Basta à travers la porte étroite. Bien sûr, à midi, il doit faire plutôt chaud mais, d'ici là, peut-être que quelqu'un vous aura trouvés. Nous allons lâcher les chiens. S'ils avaient un peu de bon sens, ils ne retourneraient pas au village, mais les chiens sont rarement malins — et ainsi toute la bande viendra vous délivrer au plus tard cet après-midi.

Nez Aplati ne se réveilla qu'une fois allongé par terre à côté de Basta sous le toit effondré. Il roula des yeux furieux et son visage s'empourpra. Mais, comme Basta, il ne pouvait émettre le moindre son car Farid, en expert qu'il était, les avait bâillonnés tous les deux.

— Une seconde, dit Doigt de Poussière avant de les abandonner à leur sort, il y a une chose que j'ai toujours voulu faire.

Au grand effroi de Meggie, il tira le couteau de sa ceinture et s'approcha des prisonniers.

— Qu'est-ce que tu vas faire ? demanda Mo.

Doigt de Poussière se mit à rire.

— Ne t'inquiète pas, je ne vais pas lui faire des balafres comme celles qu'il m'a gravées sur le visage, dit-il, je veux juste lui faire peur.

Et il se baissa vers Basta et trancha d'un coup le cordon de cuir qu'il portait au cou. Un petit sachet y était accroché, retenu par un ruban rouge. Doigt de Poussière se pencha au-dessus de Basta et balança le sachet devant ses yeux.

— J'emporte ta chance avec moi, Basta ! murmura-t-il en se redressant. Désormais, plus rien ne te protège du mauvais œil, des esprits, des démons, des malédictions, des chats noirs et de tout ce dont tu as peur.

Basta essaya de lui donner des coups de pied malgré ses liens, mais Doigt de Poussière n'eut pas de mal à les éviter.

— Ce n'est pas un au revoir, c'est un adieu, Basta ! lança-t-il. Et si jamais nos chemins devaient se croiser encore une fois, j'aurais ça sur moi. (Il noua le cordon autour de son cou.) Il doit y avoir un de tes cheveux à l'intérieur, non ? Je ferais peut-être mieux d'en emporter un de plus ? Je me suis laissé dire que cela avait un effet affreux quand on met un cheveu de quelqu'un dans le feu…

— Ça suffit, dit Mo en l'entraînant. Il faut qu'on y aille. Capricorne va finir par s'apercevoir de leur absence. Au fait, t'ai-je raconté qu'il n'avait pas brûlé tous les exemplaires de *Cœur d'encre* ? Il en reste encore un.

Doigt de Poussière s'immobilisa brusquement, comme si un serpent l'avait mordu.

— Je pense que je devais te le dire.

Mo le regarda d'un air songeur.

— Même si ça te donne de mauvaises idées.

Doigt de Poussière se contenta de hocher la tête. Puis il se remit en marche sans un mot.

— Pourquoi ne prenons-nous pas leur voiture ? suggéra Elinor quand ils arrivèrent sur le chemin d'où ils étaient venus. Ils ont dû la laisser sur le talus.

— Trop dangereux, déclara Doigt de Poussière. Qui sait qui

nous attend sur la route. Nous mettrions plus longtemps à aller la récupérer qu'à rejoindre le prochain village. Et une voiture comme la leur se repère facilement. Nous ne voulons pas mettre Capricorne sur notre trace, n'est-ce pas ?

Elinor soupira.

— C'était juste une idée, murmura-t-elle en massant ses chevilles meurtries.

Ils restèrent sur le chemin car, dans l'herbe haute, les serpents commençaient à s'agiter. À un moment, un serpent noir et fin rampa même devant eux sur la terre ocre. Doigt de Poussière passa son bâton sous le corps couvert d'écailles et le lança dans les ronces d'où il était venu. Meggie se les était imaginés plus grands mais Elinor lui affirma que les plus petits étaient aussi les plus dangereux. Elinor boitillait mais elle faisait son possible pour ne pas retarder les autres. Mo avançait lui aussi moins vite que d'habitude. Il essayait de ne pas le montrer, mais la morsure du chien le faisait souffrir.

Meggie marchait tout près de lui, ses yeux revenaient constamment sur le foulard rouge que Doigt de Poussière avait noué autour de la blessure. Ils finirent par arriver sur une route goudronnée. Un camion transportant des bouteilles de gaz rouillées passa près d'eux. Ils étaient trop fatigués pour se cacher. D'ailleurs il ne venait pas de la direction du village de Capricorne. Meggie remarqua que l'homme au volant les regardait d'un air surpris. Avec leurs affaires sales, trempées de sueur et déchirées par les ronces, ils devaient paraître inquiétants.

Peu après, ils passèrent devant les premières maisons. Il y en eut bientôt toujours plus sur les collines, de différentes couleurs, avec des fleurs devant les portes. Puis ils arrivèrent à la périphérie d'une plus grande ville. Meggie aperçut des immeubles, des palmiers aux feuilles poussiéreuses et soudain, dans le lointain, étincelante sous le soleil, la mer.

— Seigneur ! J'espère qu'ils vont nous laisser entrer dans une banque, dit Elinor. À nous voir comme ça, on va croire qu'on a été victimes d'une bande de brigands.

— Et alors ? C'est bien le cas, remarqua Mo, non ?

22

EN SÛRETÉ

Les jours passaient tristement mais par chance, chaque nouveau venu délivrait un peu le pauvre garçon de l'angoisse qui
pesait sur lui.

Mark Twain, *Les Aventures de Tom Sawyer*

Malgré ses bas déchirés, Elinor fut autorisée à entrer dans
une banque. Mais avant, elle disparut dans le premier
café venu, dans les toilettes des dames. Meggie n'apprit jamais
précisément où elle avait caché ses objets de valeur mais, quand
elle revint, son visage était propre, ses cheveux coiffés et elle
brandissait d'un air triomphant une carte de crédit dorée. Puis
elle commanda un petit déjeuner pour tout le monde.

C'était un sentiment étrange de se retrouver soudain dans un
café, de manger et de regarder dans la rue les gens tout à fait
normaux qui se rendaient à leur travail, faisaient des courses ou
étaient là, tout simplement, et bavardaient. Meggie avait peine à
croire qu'elle n'avait passé que deux nuits et un jour dans le village de Capricorne et que tout ça – l'animation quotidienne qui
régnait dehors – avait continué durant tout ce temps.

Pourtant, quelque chose avait changé. Depuis que Meggie avait vu Basta appuyer son couteau sur la gorge d'Elinor, c'était comme si le monde avait une tache, une hideuse souillure marron foncé, qui continuait de se répandre avec une odeur nauséabonde.

Même les choses les plus anodines semblaient soudain projeter des ombres suspectes. Une femme sourit à Meggie et s'arrêta ensuite devant la devanture d'une boucherie. Un homme tira si brutalement un enfant derrière lui que celui-ci trébucha et se mit à pleurer en frottant son genou écorché. Et cet homme là-bas, pourquoi sa veste semblait dissimuler quelque chose ? Portait-il un couteau comme Basta ?

L'atmosphère paisible semblait irréelle, improbable. La fuite dans la nuit et la peur dans la cabane délabrée semblaient à Meggie plus vraies que la limonade qu'Elinor lui tendait.

Farid toucha à peine son verre. Il renifla une fois le contenu pétillant, but une gorgée et se contenta ensuite de regarder par la fenêtre. Ses yeux allaient de gauche à droite, comme s'il suivait un jeu invisible dont il cherchait désespérément à comprendre les règles.

Après le petit déjeuner, Elinor alla se renseigner au comptoir sur le meilleur hôtel de la ville. Tandis qu'elle réglait la note avec sa carte de crédit, Meggie contempla avec Mo toutes les friandises qui étaient étalées derrière la vitre du comptoir, mais quand ils se retournèrent Doigt de Poussière et Farid avaient disparu. Cela inquiéta beaucoup Elinor, mais Mo la rassura.

— Doigt de Poussière n'apprécie pas les chambres d'hôtel. Il n'aime pas dormir sous un toit, dit-il, et il a toujours suivi son propre chemin. Il veut peut-être partir loin d'ici, à moins qu'il ne se soit installé au coin de la rue pour offrir une représentation aux touristes. Crois-moi, il ne retournera sûrement pas voir Capricorne.

— Et Farid ?

Meggie n'arrivait pas à croire qu'il soit parti avec Doigt de Poussière.

Mo haussa les épaules.

— Il ne l'a pas quitté d'une semelle, dit-il, mais je me demande si c'est à cause de Doigt de Poussière ou de Gwin.

L'hôtel que le serveur du café avait recommandé à Elinor était situé sur une place proche de la rue principale bordée de palmiers et de boutiques, qui traversait toute la ville. Elinor prit deux chambres à l'étage supérieur, avec des balcons d'où l'on voyait la mer. C'était un grand hôtel. À l'entrée, il y avait un homme avec un drôle de costume qui eut l'air étonné qu'ils n'aient pas de bagages mais leur adressa un sourire cordial, ignorant leurs vêtements sales. Les oreillers étaient si blancs et si doux que Meggie commença par y enfouir son visage. Mais le sentiment d'irréalité ne la quittait pas. Quelque chose en elle était encore dans le village de Capricorne, se frayait un chemin au milieu des ronces, s'appuyait en tremblant contre le mur de la cabane en ruine tandis que, dehors, Basta se rapprochait. Mo devait ressentir la même chose. Quand elle le regardait, elle lui trouvait l'air absent et, au lieu du soulagement auquel elle se serait attendue après tout ce qu'ils avaient vécu, elle lisait de la tristesse sur son visage, et un air songeur qui lui faisait peur.

— Tu n'as pas l'intention d'y retourner, n'est-ce pas ? demanda-t-elle à un moment où cette expression était revenue sur son visage.

Elle le connaissait si bien.

– Non, ne te fais pas de souci ! répondit-il en lui passant la main dans les cheveux.

Mais elle ne le crut pas.

Elinor semblait avoir la même crainte que Meggie car, à plusieurs reprises, elle avait abordé Mo d'un air grave, comme si elle voulait le persuader – dans le couloir de l'hôtel devant sa chambre, au petit déjeuner, au déjeuner – et, chaque fois que Meggie avait fait irruption, elle s'était interrompue brutalement.

C'est aussi Elinor qui avait fait venir un médecin pour soigner le bras de Mo bien que celui-ci n'ait pas jugé cela utile, et qui leur avait acheté à tous les deux des vêtements neufs. Elle avait demandé à Meggie de l'accompagner en expliquant :

– Si c'est moi qui te choisis quelque chose, tu ne le porteras jamais.

Elle passa de nombreux coups de téléphone. Et elle se rendit dans toutes les librairies de la ville. Le troisième jour, elle déclara soudain au petit déjeuner qu'elle allait rentrer chez elle.

– Je n'ai plus mal aux pieds, mes livres me manquent à en mourir et, si je rencontre encore un touriste en maillot de bain, je vais me mettre à hurler, dit-elle à Mo. J'ai loué une voiture. Mais avant de partir, je voudrais te donner quelque chose !

Et elle tendit un morceau de papier à Mo. Un nom et une adresse étaient écrits dessus, de la grande écriture élancée d'Elinor.

– Je te connais, Mortimer, je sais que *Cœur d'encre* ne te sort pas de la tête. C'est pourquoi je me suis procuré l'adresse de Fenoglio. Crois-moi, ça n'a pas été facile, mais il y a une chance non négligeable qu'il en possède encore quelques exemplaires. Promets-moi d'aller le voir – il n'habite pas loin d'ici – et d'oublier une fois pour toutes celui qui se trouve dans ce maudit village.

Mo regarda l'adresse comme s'il voulait l'apprendre par cœur et la rangea dans son porte-monnaie tout neuf.

– Tu as raison, dit-il, cela vaut le coup d'essayer. Merci beaucoup, Elinor.

Il avait l'air presque heureux.

Meggie ne comprit rien à tout ça. Elle ne savait qu'une chose : elle avait raison. Mo pensait constamment à *Cœur d'encre*. Il ne pouvait pas se résigner à l'avoir perdu.

– Fenoglio ? Qui est-ce ? demanda-t-elle d'une voix incertaine. Un libraire ?

Le nom lui disait quelque chose, mais elle ne savait pas quoi.

Mo ne répondit pas. Il regardait fixement par la fenêtre.

– Partons avec Elinor, Mo, dit Meggie, s'il te plaît !

C'était agréable d'aller à la mer le matin et elle aimait les maisons colorées mais elle voulait quand même partir. Quand elle voyait les collines qui s'élevaient derrière la ville, son cœur battait plus fort, et dans la foule de gens qui se pressaient dans les rues, elle avait toujours l'impression de reconnaître Basta ou Nez Aplati. Elle voulait rentrer à la maison, ou du moins chez Elinor. Elle voulait regarder Mo habiller de neuf les livres d'Elinor, imprimer avec ses tampons de l'or friable dans le cuir, choisir le papier pour la page de garde, délayer la colle, serrer la presse.

Mais Mo secoua la tête.

– Je dois d'abord me rendre à cette adresse, Meggie, dit-il. Ensuite, nous irons chez Elinor. Au plus tard après-demain.

Meggie regarda son assiette. Le nombre de choses incroyables que l'on avait au petit déjeuner dans un hôtel luxueux… mais les gaufres fraîches avec des fraises ne lui faisaient plus envie.

— Bon. Nous nous revoyons donc dans deux jours. Donne-moi ta parole, Mortimer !

L'inquiétude dans la voix d'Elinor était manifeste.

— Tu reviens même si tu n'as pas obtenu de Feniglio ce que tu voulais. Promets-le-moi !

Mo ne put s'empêcher de sourire.

— C'est juré, Elinor ! dit-il.

Elinor poussa un profond soupir de soulagement et mordit dans le croissant qui attendait dans son assiette.

— Ne me demande pas tout ce que j'ai dû faire pour obtenir cette adresse ! reprit-elle la bouche pleine. Ce monsieur n'habite vraiment pas loin d'ici, à peine à une petite heure de voiture. C'est curieux que Capricorne et lui habitent si près l'un de l'autre, n'est-ce pas ?

— Oui, c'est curieux, murmura Mo en regardant par la fenêtre.

Dans le jardin de l'hôtel, les palmiers ondoyaient au gré du vent.

— Ses histoires se passent presque toutes dans la région, continua Elinor mais, autant que je sache, il a vécu longtemps à l'étranger et n'est revenu vivre ici que depuis quelques années.

Elle fit signe à la serveuse de lui resservir du café. Meggie secoua la tête quand celle-ci lui demanda si elle voulait encore quelque chose.

— Mo, je ne veux plus rester ici, dit-elle à voix basse. Je ne veux aller rendre visite à personne. Je veux rentrer à la maison. Ou chez Elinor.

Mo prit sa tasse de café. Il faisait toujours la grimace en bougeant son bras gauche.

— Nous allons faire cette visite dès demain, Meggie, promit-il. Tu as entendu, ce n'est pas loin d'ici. Et au plus tard demain soir, tu dormiras de nouveau dans l'immense lit d'Elinor, dans lequel on pourrait caser toute une classe.

Il voulait la faire rire, mais Meggie n'était pas d'humeur à rire. Elle contemplait les fraises dans son assiette. Comme elles étaient rouges.

— Je vais devoir louer une voiture, Elinor, expliqua Mo. Peux-tu me prêter de l'argent? Je te rembourserai dès mon retour.

Elinor acquiesça tout en regardant Meggie.

— Tu sais quoi, Mortimer? dit-elle. Je crois que ta fille n'a pas envie d'entendre parler de livres en ce moment. Je me souviens bien de ce sentiment. Quand mon père se plongeait dans une histoire au point que nous devenions invisibles à ses yeux, j'avais envie de déchirer le livre en mille morceaux. Et maintenant? Maintenant, je suis aussi folle que lui. N'est-ce pas étrange? Bref! (Elle plia sa serviette et repoussa sa chaise.) Je vais aller faire mes bagages, et toi, tu vas raconter à ta fille qui est Fenoglio.

Et elle partit. Meggie se retrouva seule avec Mo. Il commanda encore un café, alors qu'il n'en buvait jamais plus d'une tasse.

— Alors ces fraises, demanda-t-il, tu n'en veux pas?

Meggie secoua la tête. Mo soupira et en prit une.

— Fenoglio est l'homme qui a écrit *Cœur d'encre*, dit-il. Il se pourrait qu'il en possède encore quelques exemplaires. C'est même plus que vraisemblable.

— Tu parles ! s'exclama Meggie d'un air méprisant, Capricorne a dû les lui voler depuis longtemps ! Il les a tous volés, tu as bien vu !

Mais Mo secoua la tête.

— Je crois qu'il n'a pas pensé à Fenoglio. Tu sais, c'est bizarre avec les écrivains. La plupart des gens ne peuvent pas s'imaginer que les livres sont écrits par des personnes comme eux. On suppose que les écrivains sont morts depuis longtemps, mais sûrement pas qu'on pourrait les rencontrer dans la rue ou dans un magasin. On connaît leurs histoires mais on ne sait pas leurs noms ni quelle tête ils ont. Et la plupart des écrivains aiment ça — tu as entendu ce qu'a dit Elinor, ça n'a pas été facile de trouver l'adresse de Fenoglio. Il est pratiquement certain que Capricorne ne se doute pas que son créateur vit à deux heures à peine de chez lui.

Meggie n'en était pas si sûre. Songeuse, elle fit des plis dans la nappe puis lissa de nouveau le tissu jaune pâle.

— J'aimerais quand même mieux rentrer chez Elinor, dit-elle. Le livre… — elle hésita puis continua — je ne comprends pas pourquoi tu tiens absolument à le récupérer. Ça ne sert à rien de toute manière.

« Elle est partie, songea-t-elle en elle-même. Tu as essayé de la faire revenir, mais ça ne fonctionne pas. Rentrons à la maison. »

Mo prit encore une fraise, la plus petite de toutes.

— Les plus petites sont les plus sucrées, dit-il en la mettant dans sa bouche. Ta mère adorait les fraises. Elle n'en avait jamais assez et elle était furieuse quand, au printemps, elles pourrissaient dans les plates-bandes à cause de la pluie.

Un sourire passa sur son visage tandis qu'il regardait par la fenêtre.

— C'est ma dernière tentative, Meggie, assura-t-il. La toute dernière. Et après-demain, nous rentrons chez Elinor. Je te le promets.

23

UNE NUIT PLEINE DE MOTS

Quel enfant n'a jamais cru, par une tiède nuit d'été où il ne
pouvait s'endormir, voir dans le ciel le voilier de Peter Pan ?
Je vais t'apprendre à voir ce bateau.

Roberto Cotroneo, *Quand un enfant, par un matin d'été*

Quand Mo se rendit à l'agence de location de voiture,
Meggie resta à l'hôtel. Elle mit une chaise sur le balcon,
regarda la mer qui étincelait derrière les maisons et essaya de ne
penser à rien, tout simplement. Le bruit de la circulation était
tel qu'elle faillit ne pas entendre Elinor frapper.

Celle-ci commençait à redescendre l'escalier quand Meggie
ouvrit la porte.

— Mais tu es là ! s'exclama Elinor en faisant demi-tour, l'air
gêné.

Elle cachait quelque chose dans son dos.

— Oui, Mo est parti chercher la voiture de location.

— Je voulais te donner quelque chose, avant de partir. (Elinor
sortit de derrière son dos un petit paquet plat.) J'ai eu du mal

à trouver un livre sans méchants, mais je voulais absolument t'en trouver un que ton père puisse te lire sans danger. Je pense qu'avec celui-ci, ça ne risque rien.

Meggie enleva le papier cadeau à fleurs. Sur la couverture du livre, il y avait deux enfants et un chien. Ils étaient accroupis sur un rocher étroit et regardaient le vide au-dessous d'eux.

— Ce sont des poèmes, expliqua Elinor. Je ne sais pas si tu aimes ça, mais j'ai pensé que, si ton père te les lisait à haute voix, ce serait magnifique.

Meggie ouvrit le livre et lut :

Sur mes cahiers d'écolier
Sur mon pupitre et les arbres
Sur le sable sur la neige
J'écris ton nom

Les mots étaient comme une petite mélodie qui s'échappait des pages. Doucement, elle referma le livre.

— Merci, Elinor, fit-elle. Malheureusement, je n'ai rien pour toi.

— Comme ça, tu me devras quelque chose ! répondit Elinor en sortant de son sac tout neuf un autre petit paquet. Qu'est-ce qu'une dévoreuse de livres comme toi ferait avec un seul livre ? Celui-ci, lis-le toute seule. Il y a un tas de méchants dans cette histoire mais je pense qu'elle te plaira. Car enfin, quand on est loin de chez soi, rien ne vaut quelques pages de lecture pour se remonter le moral, n'est-ce pas ?

Meggie acquiesça.

— Mo m'a promis que nous rentrerons après-demain, annonça-t-elle. Tu vas lui dire au revoir avant de partir, hein ?

Elle posa le premier cadeau d'Elinor sur la commode près de la porte et ouvrit le deuxième. C'était un gros livre, tant mieux !

— Non ! Fais-le pour moi ! répondit Elinor. Je n'aime pas les adieux. D'ailleurs, nous nous reverrons bientôt et je lui ai déjà dit de faire attention à toi. Ne laisse jamais les livres ouverts. Cela casse le dos, ajouta-t-elle avant de faire demi-tour. Mais ton père a dû te le répéter déjà cent fois !

— Souvent, en effet, répondit Meggie.

Mais Elinor avait déjà disparu.

Peu après, Meggie entendit quelqu'un traîner une valise jusqu'à l'ascenseur mais elle ne sortit pas dans le couloir pour voir si c'était Elinor. Elle non plus n'aimait pas les adieux.

Meggie demeura silencieuse le reste de la journée. En fin d'après-midi, Mo l'emmena dîner dans un petit restaurant à quelques rues de l'hôtel. Lorsqu'ils revinrent, la nuit tombait déjà et dehors les gens se pressaient dans les rues qui s'assombrissaient.

Sur une place, la foule était particulièrement dense et, quand Meggie se fraya avec Mo un chemin à travers la cohue, elle vit soudain que les gens s'attroupaient autour d'un cracheur de feu.

Quand Doigt de Poussière passa la torche en flammes sur son bras nu, tous se turent. Il s'inclina et les spectateurs applaudirent tandis que Farid passait parmi eux en leur tendant une coupelle en argent. La coupelle était la seule chose qui surprenne dans cet environnement. Farid n'était guère différent des autres garçons qui traînaient sur la plage et se faisaient du coude quand une fille passait. Il avait la peau peut-être un peu plus foncée et les cheveux plus noirs mais à le voir, personne n'aurait pu imaginer qu'il avait surgi d'une histoire dans laquelle les tapis volaient, les montagnes s'ouvraient et les lampes exauçaient des vœux. Il ne portait plus sa longue tunique bleue, mais un pantalon et un T-shirt qui le faisaient paraître plus vieux. Doigt de Poussière avait dû les lui acheter, de même que les chaussures dans lesquelles il marchait avec précaution, comme s'il n'y était pas encore habitué. Quand il découvrit Meggie parmi la foule, il s'inclina d'un air gêné et se dépêcha de continuer son tour.

Doigt de Poussière cracha encore une dernière boule de feu, si grosse que les spectateurs les plus téméraires reculèrent. Puis il reposa les torches et prit ses balles. Il les lança en l'air, si haut que les gens durent pencher la tête très en arrière, les rattrapa et les renvoya en l'air avec les genoux. Elles roulaient le long de ses bras comme tirées par des fils invisibles, réapparaissaient dans son dos comme s'il les avait cueillies en l'air, rebondissaient sur son front, sur son menton, si facilement, si légèrement… Elles dansaient… Tout semblait léger, en apesanteur, rien qu'un jeu magnifique – tout sauf le visage de Doigt de Poussière. Derrière les balles qui tourbillonnaient, il avait l'air grave, comme s'il n'avait rien à voir avec ses mains qui dansaient, avec cette habileté, cette légèreté insouciante. Meggie se demanda si ses doigts lui faisaient encore mal. Ils étaient encore un peu rouges mais ce n'était peut-être que le reflet du feu.

Quand il s'inclina pour saluer et rangea ses balles dans son sac à dos, les spectateurs se dispersèrent lentement. Bientôt, il ne resta plus que Mo et Meggie. Farid s'assit par terre et compta l'argent qu'on lui avait donné. Il avait l'air content – l'air d'avoir fait cela toute sa vie.

– Alors comme ça, tu es encore là ! dit Mo.

– Pourquoi pas ? demanda Doigt de Poussière en rassemblant ses affaires.

Il avait un nouveau sac, le vieux était resté dans le village de Capricorne. Meggie jeta un coup d'œil à l'intérieur mais Gwin n'y était pas.

– J'espérais que tu étais parti depuis longtemps, en un lieu où Basta ne risquait pas de te retrouver.

Doigt de Poussière haussa les épaules.

– Il faut d'abord que je récolte assez d'argent. D'ailleurs, le temps me plaît mieux ici, les gens s'attroupent plus vite, et ils sont généreux. N'est-ce pas, Farid ? Quelle est notre recette aujourd'hui ?

Le garçon sursauta quand Doigt de Poussière se tourna vers lui. Il avait posé la coupelle et était sur le point d'introduire une allumette enflammée dans sa bouche. Il s'empressa de l'éteindre. Doigt de Poussière réprima un sourire.

– Il veut absolument apprendre à jouer avec le feu. Je lui ai montré comment se faire de petites torches pour s'exercer mais il est trop impatient. Il n'arrête pas de se faire des cloques sur les lèvres.

Meggie regarda discrètement en direction de Farid. Il faisait mine de ne pas les voir tout en rangeant les affaires de Doigt de Poussière dans le sac, mais elle était certaine qu'il ne perdait pas une de leurs paroles. Par deux fois, elle croisa son regard, son regard sombre et, la deuxième fois, il détourna les yeux si brusquement qu'il faillit lâcher une des bouteilles.

— Hé, doucement ! lui lança brusquement Doigt de Poussière.

— Ce sont les seules raisons pour lesquelles tu restes ici ? demanda Mo quand Doigt de Poussière se retourna vers lui.

— Qu'est-ce que tu veux dire ? demanda-t-il en évitant son regard. Tu penses que je pourrais y retourner, à cause du livre ? Tu me surestimes. Je suis un lâche.

— Tu racontes n'importe quoi, rétorqua Mo, agacé. Elinor rentre chez elle aujourd'hui.

— Tant mieux pour elle, lança Doigt de Poussière en observant Mo d'un air indifférent. Et toi ? Tu ne rentres pas avec elle ?

Mo regarda les maisons sur la place et secoua la tête.

— J'ai encore une visite à faire.

— Ici ? À qui donc ?

Doigt de Poussière enfila une chemise à manches courtes, une chemise bariolée avec de grandes fleurs qui n'allait pas vraiment avec son visage balafré.

— À quelqu'un qui pourrait en avoir encore un exemplaire.

Doigt de Poussière resta impassible mais ses doigts le trahirent. Ils avaient soudain bien du mal à faire entrer le bouton de sa chemise dans la boutonnière.

— C'est impossible, s'exclama-t-il, Capricorne les a tous ramassés !

Mo haussa les épaules.

— Peut-être. Mais je veux quand même essayer. L'homme dont je parle n'est pas un libraire ni un marchand de livres anciens. Capricorne ignore sans doute son existence.

Doigt de Poussière regarda autour d'eux. Dans une des maisons, quelqu'un fermait les volets et, de l'autre côté de la place, des enfants jouaient entre les chaises d'un restaurant, jusqu'à ce que le serveur les chasse. Ça sentait la cuisine et le feu de Doigt de Poussière. Hormis le serveur qui rangeait machinalement les chaises, il n'y avait pas d'hommes en noir en vue.

— Et qui peut bien être ce mystérieux inconnu ?

Sa voix n'était guère plus qu'un murmure.

— L'homme qui a écrit *Cœur d'encre*. Il ne vit pas loin d'ici.

Farid vint les rejoindre, tranquillement, la coupelle contenant l'argent dans la main.

— Gwin ne revient pas, déclara-t-il. Et nous n'avons plus rien pour l'attirer. Dois-je aller acheter des œufs ?

— Non, elle se débrouillera toute seule.

Doigt de Poussière passa la main sur ses balafres.

— Range l'argent que nous avons récolté dans la sacoche en cuir, tu sais bien, dans mon sac à dos, dit-il à Farid avec impatience.

Meggie n'aurait pas apprécié que Mo lui parle comme ça mais Farid n'avait pas l'air de s'en offusquer. Il s'empressa d'obéir.

— Je croyais vraiment que c'était fini, plus de retour, jamais…

Doigt de Poussière s'interrompit et leva les yeux. Un avion passait dans la nuit, ses feux de position clignotaient. Farid suivit son regard. Il avait rangé l'argent et attendait à côté du sac à dos. Un animal au pelage marron traversa la place et vint vers lui, s'accrocha à sa jambe et grimpa sur son épaule. Farid sourit et tira de sa poche un morceau de pain qu'il tendit à Gwin.

— Si vraiment il y avait encore un livre, tu me donnerais

encore une chance ? demanda Doigt de Poussière en écartant une longue mèche de son front. Tu essaierais de me renvoyer là-bas en lisant ? Une seule fois ?

Il y avait tant de nostalgie dans sa voix que Meggie en eut le cœur serré.

Mais Mo prit un air buté.

— Tu ne peux pas retourner là-bas ! Pas dans ce livre ! dit-il. Je sais que tu ne veux rien entendre mais c'est comme ça. Tu dois finir par l'accepter. Peut-être que je pourrai t'aider un jour, j'ai mon idée, elle est un peu folle mais…

Il s'interrompit, se contentant de secouer la tête, et écrasa une boîte d'allumettes vide qui se trouvait sur les pavés.

Meggie le regarda, stupéfaite. De quelle idée parlait-il ? Existait-elle vraiment ou disait-il cela pour consoler Doigt de Poussière ? Si c'était le cas, il n'avait pas atteint son but. Ce dernier le regardait d'un air toujours aussi hostile.

— Je t'accompagne, lança-t-il.

Ses doigts avaient laissé des traces de suie sur son visage.

— Je t'accompagne voir cet homme, répéta-t-il, et après on verra.

Un éclat de rire retentit dans leur dos. Doigt de Poussière se retourna. Gwin essayait de grimper sur la tête de Farid et le garçon riait comme si rien n'était plus agréable que d'avoir sur le cuir chevelu les griffes acérées d'une martre.

— En voilà un qui ne regrette pas son ancien monde ! murmura Doigt de Poussière. Je lui ai demandé. Nullement ! Tout ce qu'il y a ici – il désigna la place autour –, tout ça lui plaît. Même le bruit et l'odeur des voitures. Il est content d'être ici. Visiblement, tu lui as fait plaisir, à lui !

Le regard qu'il lança à son père en disant cela était si lourd de reproches que machinalement Meggie prit la main de Mo.

Gwin avait sauté de l'épaule de Farid et reniflait avec curiosité les pavés. Un des enfants qui jouaient entre les tables du restaurant se pencha et regarda ses petites cornes d'un air incrédule. Mais alors qu'il s'apprêtait à tendre la main vers l'animal, Farid s'interposa, attrapa Gwin et la remit sur son épaule.

— Où habite ce… ?

Doigt de Poussière n'acheva pas sa phrase.

— À environ une heure d'ici.

Doigt de Poussière se tut. Les feux de position d'un nouvel avion clignotaient dans le ciel.

— Parfois, quand on allait se laver à la fontaine de bonne heure, murmura-t-il, des fées minuscules voltigeaient au-dessus de l'eau, à peine plus grosses que vos libellules, et bleues comme des violettes. Elles aimaient se poser dans les cheveux, et parfois, elles vous crachaient au visage. Elles n'étaient pas très gentilles mais, la nuit, elles brillaient comme des vers luisants. Il m'arrivait d'en attraper une et de l'enfermer dans un pot en verre. Quand on la relâchait la nuit avant d'aller dormir, on faisait des rêves merveilleux.

— Capricorne a raconté qu'il y avait des kobolds et des géants, dit Meggie.

Doigt de Poussière la contempla d'un air songeur.

— C'est vrai, dit-il, des kobolds, des femmes des marais, des faiseurs de verre… Capricorne ne les aimait pas. Il aurait voulu les tuer. Il les faisait chasser.

— Ce doit être un monde dangereux.

Meggie essayait de se les imaginer, les géants, les kobolds… et les fées. Mo lui avait offert une fois un livre sur les fées.

Doigt de Poussière haussa les épaules.

— Oui, il est dangereux, et alors ? Celui-ci aussi, non ?

Il tourna le dos à Meggie, alla chercher son sac à dos, le mit sur son épaule et fit signe au garçon. Farid prit le sac avec les balles et les torches et s'empressa de le suivre. Mais Doigt de Poussière revint vers Mo.

— Ne t'avise pas de parler de moi à cet homme ! dit-il. Je ne veux pas le voir. J'attendrai dans la voiture. Je veux juste savoir s'il lui reste encore un livre, compris ? Car celui de Capricorne, je ne le récupérerai jamais.

Mo haussa les épaules.

— Comme tu veux…

Doigt de Poussière contempla ses doigts rougis et caressa sa peau tendue.

— Il serait capable de me raconter comment finit mon histoire, murmura-t-il.

Meggie le regarda, incrédule.

— Tu ne le sais pas ?

Doigt de Poussière sourit. Meggie n'aimait toujours pas son sourire. Il semblait n'être là que pour dissimuler quelque chose.

— Qu'y a-t-il là de si étrange, princesse ? demanda-t-il à voix basse. Est-ce que tu sais, toi, comment ton histoire finit ?

Meggie ne sut que répondre. Doigt de Poussière lui fit un clin d'œil et tourna les talons.

— Je serai demain matin à l'hôtel, ajouta-t-il.

Puis il partit, sans se retourner. Farid le suivit en portant le gros sac, heureux comme un chien errant qui aurait enfin trouvé un maître.

Cette nuit-là, la lune était pleine et orange, comme un fruit accroché dans le ciel. Avant d'aller se coucher, Mo ouvrit les rideaux pour la regarder : un lampion de couleur au milieu des étoiles blanches.

Ils n'arrivaient à dormir ni l'un ni l'autre. Mo avait acheté des livres de poche d'occasion. Meggie commença à lire le livre avec les méchants qu'Elinor lui avait offert. L'histoire lui plaisait, mais bientôt ses yeux finirent par se fermer. Elle s'endormit vite, avec Mo à côté d'elle qui lisait encore tandis que, dehors, la lune orange brillait dans le ciel inconnu.

Lorsqu'elle émergea soudain d'un rêve confus, Meggie vit Mo toujours assis dans le lit, le livre ouvert dans la main. La lune avait poursuivi sa course et, par la fenêtre, on ne voyait plus que la nuit.

— Tu ne peux pas dormir ? demanda Meggie en se redressant.

— Ce sale chien m'a mordu le bras gauche et tu sais que c'est de ce côté que je préfère m'endormir. Et puis, j'ai plein de choses dans la tête.

— Moi aussi.

Meggie prit sur la table de nuit le livre de poèmes qu'Elinor lui avait offert. Elle le caressa, passa la main sur le dos bombé et suivit du doigt les lettres sur la couverture.

— Tu sais quoi, Mo ? demanda-t-elle d'une voix hésitante. Je crois que j'aimerais bien savoir le faire moi aussi.

— Savoir faire quoi ?

Meggie caressa encore une fois la couverture du livre. Elle croyait l'entendre murmurer. Tout doucement.

— Lire comme toi, dit-elle. Et que les histoires prennent vie.

Mo la regarda.

— Tu es folle. Tous nos problèmes viennent de là.

— Je sais.

Mo referma son livre en gardant un doigt entre les pages.

— Lis-moi quelque chose, Mo, reprit Meggie doucement. S'il te plaît. Rien qu'une fois.

Elle lui tendit le livre de poèmes.

— Elinor me l'a offert. Elle m'a assuré que ça ne risque rien.

— Ah bon ? Elle a dit ça ?

Mo ouvrit le livre.

— On ne sait jamais !

Il feuilleta les pages lisses.

— Tu as vraiment une idée de la manière dont tu pourrais renvoyer Doigt de Poussière dans son monde ? Ou lui as-tu menti ?

— Pas du tout. Pour mentir, je ne suis pas fort, tu le sais.

— C'est vrai.

Meggie ne put s'empêcher de sourire.

— C'est quoi, ton idée ?

— Je t'expliquerai quand je saurai si elle fonctionne.

Mo feuilletait toujours le livre d'Elinor. Les sourcils froncés, il lut une page, feuilleta et en lut une autre.

— S'il te plaît, Mo, supplia Meggie en se rapprochant de lui, un seul poème. Un tout petit. S'il te plaît. Pour moi.

Il soupira.

— Un seul ?

Meggie hocha la tête.

Dehors, le bruit des voitures avait cessé. Le monde était silencieux comme si, telle une chrysalide, il sommeillait dans son cocon pour s'en extraire le lendemain, rajeuni et tout neuf.

— Mo, s'il te plaît, lis ! insista Meggie.

Et Mo commença à combler le silence avec des mots. Il fit jaillir des pages des mots qui n'attendaient que sa voix — des mots longs et courts, des mots doux, au nez pointu, des mots qui roucoulent. Ils dansaient à travers la pièce, faisaient des dessins de verre multicolores, chatouillaient sa peau. Lorsque Meggie s'assoupit, elle les entendait toujours, bien que Mo eût refermé le livre depuis longtemps. Des mots qui lui expliquaient le monde, son côté sombre et son côté clair, et qui construisaient une muraille contre tous les mauvais rêves. Cette nuit-là, pas un seul ne put la franchir.

Le lendemain matin, un oiseau voltigeait sur le lit de Meggie, orange comme la lumière de la lune de la nuit passée. Elle essaya de l'attraper, mais il s'envola vers la fenêtre derrière laquelle le ciel bleu l'attendait. Il se heurta à la vitre à maintes reprises, cognant sa tête minuscule jusqu'à ce que Mo ouvre la fenêtre et le laisse s'envoler.

— Eh bien, tu aimerais toujours savoir le faire ? demanda-t-il après que Meggie eut suivi l'oiseau des yeux, jusqu'à ce qu'il se fonde dans le bleu du ciel.

— Mais il était magnifique ! s'exclama Meggie.

— Oui, mais est-ce que ça va lui plaire ici ? demanda Mo. Et qui a pris sa place là-bas d'où il vient ?

Meggie resta assise à la fenêtre pendant que Mo descendait payer la note. Elle se souvenait parfaitement du poème que Mo avait lu la veille. Elle prit le livre sur la table de nuit, hésita un instant et l'ouvrit.

C'est là que le trottoir s'achève
Avant que la rue ne commence,
L'herbe y pousse, blanche et tendre,
Le soleil pourpre brille sans trêve
Et l'oiseau de Lune
Dans l'odeur fraîche de la menthe

En lisant, Meggie murmurait les mots de Shel Silverstein mais nul oiseau de nuit ne surgit entre les pages. Et l'odeur de la menthe, sans doute se l'imagina-t-elle.

24

FENOGLIO

Vous ne me connaissez pas, à moins que vous n'ayez lu un livre qui s'appelle *Les Aventures de Tom Sawyer*, mais ça importe peu. C'est Mr Mark Twain qui a écrit le livre et ce qu'il raconte est vrai – plus ou moins. Il a exagéré certaines choses, mais la plupart sont vraies. Ça n'a pas d'importance. Je n'ai encore rencontré personne qui ne mente pas à l'occasion.

Mark Twain, *Les Aventures de Huckleberry Finn*

Quand ils sortirent de l'hôtel, Doigt de Poussière les attendait sur le parking avec Farid. Au-dessus des collines, un vent chaud poussait vers la mer des nuages de pluie. Ce jour-là, tout semblait gris, même les maisons aux façades de couleur et les buissons en fleurs le long de la plage. Mo prit la route de la côte qui, au dire d'Elinor, avait été construite par les Romains et la suivit en direction de l'ouest.

Durant tout le trajet, ils eurent la mer sur leur gauche, de l'eau jusqu'à l'horizon, parfois masquée par des maisons, ou par des arbres, mais ce matin-là elle était beaucoup moins engageante que le jour où Meggie l'avait aperçue en sortant de la montagne, avec Elinor et Doigt de Poussière. Le gris terne du ciel se reflétait dans les vagues, dont l'écume moussait comme celle des eaux sales.

Meggie s'aperçut que son regard déviait de plus en plus souvent en direction des collines parmi lesquelles se cachait, quelque part, le village de Capricorne. Elle crut même apercevoir dans un pli du paysage le clocher pâle d'une église et son cœur se mit à battre à tout rompre, même s'il était impossible que ce fût celle de Capricorne. Enfin, ses pieds se souvenaient encore parfaitement du chemin interminable qu'ils avaient suivi.

Mo conduisait plus vite que d'habitude, beaucoup plus vite. Apparemment, il avait hâte d'arriver. Au bout d'une bonne heure, ils quittèrent la côte et s'engagèrent sur une autre route, étroite et sinueuse, dans une vallée parsemée de maisons grises.

Les collines étaient couvertes de serres aux vitres blanchies à la chaux pour se protéger du soleil qui, aujourd'hui, se cachait derrière les nuages. Quand la route se mit à grimper, le paysage redevint verdoyant des deux côtés. La route bifurqua plusieurs fois et Mo dut regarder la carte qu'il avait achetée mais, finalement, ils découvrirent sur un panneau indicateur la direction qu'ils cherchaient.

Le village dans lequel ils débouchèrent n'était pas grand. Il se composait tout juste d'une place, une dizaine de maisons et une église qui ressemblait beaucoup à celle de Capricorne. Quand Meggie descendit de la voiture, elle vit la mer en contrebas.

Même de loin, on distinguait l'écume sur la crête des vagues, tant la mer était agitée par cette journée grise. Mo gara leur véhicule sur la place, tout près du monument aux morts des deux dernières guerres. La liste des noms était longue pour un si petit

FENOGLIO

village, se dit Meggie, apparemment, il y avait presque autant de noms que de maisons dans le village.

— Tu peux laisser la voiture ouverte, je la surveille ! déclara Doigt de Poussière alors que Mo s'apprêtait à la fermer.

Il mit son sac à dos sur son épaule, attacha à sa chaîne Gwin endormie et s'assit sur les marches du monument aux morts. Sans un mot, Farid s'assit à côté de lui. Meggie suivit Mo.

— N'oublie pas que tu as promis de ne pas parler de moi ! lui lança Doigt de Poussière.

— Ne t'inquiète pas ! répondit Mo.

Farid jouait encore avec des allumettes, Meggie le surprit en se retournant. Il arrivait bien à les éteindre avec la bouche mais Doigt de Poussière lui enleva quand même le paquet et Farid, l'air malheureux, n'eut plus qu'à contempler ses mains vides.

Par le métier de son père, Meggie avait souvent rencontré des gens qui aimaient les livres, les vendaient, les collectionnaient, les imprimaient ou, comme son père, les empêchaient de tomber en lambeaux, mais jamais encore elle n'avait rencontré quelqu'un qui écrive les phrases qui couvraient toutes les pages. Elle ne connaissait même pas le nom des auteurs de ses livres préférés et encore moins à quoi ils ressemblaient. Elle n'avait toujours vu que les personnages qui naissaient des mots, jamais celui qui était derrière, qui les avait inventés. Mo avait raison : les écrivains, on se les imagine généralement morts ou très très vieux. Mais l'homme qui leur ouvrit la porte, après que Mo eut sonné deux fois, n'était rien de tout ça. Enfin, il était vieux, assez vieux, du moins aux yeux de Meggie. Il avait au moins soixante ans, peut-être plus. Son visage était ridé comme celui d'une tortue mais

289

il avait des cheveux très noirs, pas le moindre cheveu gris (plus tard, elle apprendrait qu'il se les teignait), et il n'avait pas l'air fragile du tout. Au contraire, il était si impressionnant, debout dans l'embrasure de la porte, que Meggie resta sans voix.

Pas Mo, heureusement.

— Monsieur Fenoglio ? demanda-t-il.

— Oui ?

Il n'avait pas l'air d'apprécier cette visite. La désapprobation se lisait dans la moindre de ses rides. Mais cela ne sembla pas désarmer Mo.

— Mortimer Folchart, dit-il en guise de présentation, et voici ma fille Meggie. C'est un de vos livres qui m'amène ici.

Un petit garçon se faufila à côté de Fenoglio, il devait avoir cinq ans, de l'autre côté, une fillette se frayait un passage. Curieuse, elle contempla d'abord Mo puis Meggie.

— Pipo a mangé les pépites de chocolat du gâteau, chuchota-t-elle en levant les yeux vers Mo d'un air inquiet.

Il lui fit un clin d'œil et elle disparut avec un petit rire derrière le dos de Fenoglio qui avait toujours l'air aussi peu aimable.

— Tout le chocolat ? grommela-t-il. J'arrive. Dis à Pipo que je vais me fâcher très fort.

La fillette hocha la tête et partit en courant, visiblement contente de son rôle de porteuse de mauvaise nouvelle. Le petit garçon s'accrocha à la jambe de Fenoglio.

— Il s'agit d'un livre particulier, continua Mo, *Cœur d'encre*. Vous l'avez écrit il y a longtemps et, malheureusement, on ne le trouve plus nulle part.

Meggie admirait l'aisance avec laquelle Mo s'exprimait en dépit du regard toujours sombre qui était posé sur lui.

— Ah, celui-là ! Et alors ?

Fenoglio croisa les bras. Sur sa gauche, la fillette réapparut.

— Pipo s'est caché, chuchota-t-elle.

— Ça ne fait rien, lui assura Fenoglio, je le retrouve toujours.

La fillette repartit en courant. Meggie l'entendit appeler dans la maison le voleur de chocolat.

Fenoglio se tourna de nouveau vers Mo.

— Que voulez-vous ? Si vous avez l'intention de me poser des questions subtiles sur le livre, vous tombez mal. Je n'ai pas le temps pour ce genre de choses. En outre, je l'ai écrit il y a très longtemps, vous l'avez dit vous-même.

— Non, je n'ai pas de questions, sauf une. J'aimerais savoir si vous en possédez encore quelques exemplaires et si je peux vous en acheter un.

Le regard du vieil homme se fit moins hostile.

— Tiens donc ! Faut-il que ce livre vous ait plu ! Je suis flatté… (Son regard s'assombrit de nouveau.) Mais vous n'êtes pas de ces fous qui collectionnent les livres uniquement parce qu'ils sont rares, n'est-ce pas ?

Mo ne put s'empêcher de sourire.

— Non, dit-il, je voudrais le lire. Simplement le lire.

Fenoglio appuya un bras contre le chambranle de la porte et regarda la maison d'en face comme si elle était sur le point de s'écrouler. La ruelle dans laquelle il habitait était si étroite que Mo aurait pu atteindre les deux côtés rien qu'en écartant les bras.

La plupart de ces maisons étaient construites en pierres grises grossières, comme les maisons du village de Capricorne mais, ici, il y avait des fleurs devant les fenêtres et dans les escaliers, et beaucoup de volets avaient l'air d'être fraîchement repeints.

Devant une maison, il y avait une voiture d'enfant, devant une autre, une mobylette et, par les fenêtres ouvertes, les voix parvenaient jusque dans la rue. Meggie songea qu'autrefois, le village de Capricorne avait dû ressembler à celui-ci.

Une vieille femme passa devant eux, elle regarda les inconnus d'un air méfiant. Fenoglio lui fit un signe de tête, marmonna un bref bonjour et attendit qu'elle ait disparu derrière une porte peinte en vert.

— *Cœur d'encre*, répéta-t-il, cela fait bien longtemps en effet. C'est drôle que vous cherchiez justement ce livre.

La fillette revint. Elle tira Fenoglio par la manche et lui dit quelque chose à l'oreille. Le visage de tortue de l'écrivain s'éclaira et il sourit. Meggie le trouva plus sympathique comme ça.

— Oui, c'est toujours là qu'il se cache, Paula, expliqua-t-il à voix basse à la fillette. Tu devrais peut-être lui conseiller de se chercher une meilleure cachette.

Paula repartit pour la troisième fois, non sans avoir lancé auparavant un long regard curieux à Meggie.

— Eh bien, entrez, proposa Fenoglio.

Sans rien ajouter, il fit signe à Mo et à Meggie d'entrer. Il les suivit dans un couloir sombre et étroit, en boitillant car le petit garçon était toujours accroché à sa jambe comme un petit singe, et il ouvrit la porte qui donnait dans la cuisine, où trônait au milieu de la table une ruine de gâteau. La croûte brune était pleine de trous comme la couverture d'un livre que les vers auraient rongée pendant des années.

— Pipo ! cria Fenoglio, si fort que même Meggie sursauta, bien qu'elle ne se sentît coupable d'aucun crime. Je sais que tu m'entends. Je vais te dire une chose : pour chaque trou que tu as fait dans le gâteau, je vais faire un nœud dans ton nez. Compris ?

Meggie entendit un rire étouffé. Il semblait venir du placard près du réfrigérateur. Fenoglio prit un morceau du gâteau troué.

— Paula, donnes-en aussi un morceau à cette demoiselle, si les trous ne la gênent pas.

Paula sortit de sous la table et regarda Meggie d'un air interrogateur.

— Ils ne me gênent pas, répondit Meggie.

Sur ce, Paula attrapa un grand couteau et découpa un gros morceau de gâteau qu'elle mit devant elle sur la table.

— Pipo, fais passer une des assiettes à fleurs, dit Fenoglio.

Et une main aux doigts pleins de chocolat sortit du placard, et tendit une assiette. Meggie s'empressa de l'attraper avant qu'elle ne tombe et posa son morceau de gâteau dessus.

— Vous aussi ? demanda Fenoglio à Mo.

— J'aimerais mieux le livre, répondit Mo.

Il était plutôt pâle.

Fenoglio décrocha le petit garçon de sa jambe.

— Rico, cherche-toi un autre arbre, dit-il avant de regarder Mo d'un air songeur. Je ne peux pas vous le donner, ajouta-t-il. Je n'en possède plus aucun exemplaire. On me les a volés, tous. Je les avais prêtés pour une exposition de vieux livres d'enfants à Gênes. Il y avait parmi eux une édition spéciale avec de très belles illustrations, une autre avec une dédicace dessinée par l'illustrateur, les deux livres qui appartenaient à mes enfants avec toutes les remarques qu'ils y avaient notées (je leur ai toujours demandé de souligner ce qui leur plaisait le plus) et enfin, mon exemplaire personnel. Tous volés, deux jours après l'inauguration de l'exposition.

Mo se passa la main sur le visage, comme s'il pouvait effacer la déception qui s'y lisait.

— Volés, s'exclama-t-il, naturellement !

— Naturellement ?

Fenoglio plissa les yeux et regarda Mo avec curiosité.

— Il faut que vous m'expliquiez cela. Je ne vous laisserai pas repartir avant de savoir pourquoi vous recherchez justement ce livre-là. Sinon, je lâche les enfants sur vous, ce qui n'est pas agréable, croyez-moi.

Mo essaya d'esquisser un sourire mais sans vraiment y parvenir.

— On m'a aussi volé le mien, avoua-t-il enfin. Et c'était aussi une édition spéciale.

— Bizarre !

Fenoglio leva les sourcils, qui étaient comme des chenilles poilues au-dessus de ses yeux.

— Allez, racontez-moi !

Sur son visage, l'hostilité avait cédé la place à la curiosité, la pure curiosité. Meggie découvrit dans les yeux de Fenoglio la même soif insatiable d'histoires qu'elle avait elle-même à la vue d'un livre nouveau.

— Il n'y a pas grand-chose à raconter.

Au ton de la voix de Mo, Meggie comprit qu'il n'avait pas l'intention de lui révéler la vérité.

— Je restaure des livres. J'en vis. J'ai trouvé le vôtre il y a des années chez un marchand de livres anciens, je voulais le relier et le vendre. Mais il m'a tellement plu que je l'ai gardé. Puis on me l'a volé et j'ai cherché en vain à en racheter un neuf. Une amie qui a l'art de retrouver des livres rares m'a conseillé de m'adresser directement à l'auteur. C'est elle aussi qui m'a procuré votre adresse. C'est comme ça que je suis venu jusqu'ici.

Fenoglio essuya quelques miettes sur la table.

— Bien, fit-il, mais ce n'est pas toute l'histoire.

— Que voulez-vous dire ?

Le vieil homme regarda Mo dans les yeux, jusqu'à ce que celui-ci détourne la tête et regarde par la fenêtre étroite de la cuisine.

— Je veux dire que je sens les bonnes histoires à des lieues à la ronde, alors n'essayez pas de m'en dissimuler une. Allez, racontez-moi tout. Et vous aurez droit à un morceau de ce fabuleux gâteau troué.

Paula se glissa sur les genoux de Fenoglio, appuya sa tête sous son menton et regarda Mo avec la même attente que le vieil homme.

Mais Mo secoua la tête.

— Non, il ne vaut mieux pas. Vous ne me croiriez jamais, de toute façon.

— Oh, je crois les choses les plus folles ! répliqua Fenoglio en lui coupant un morceau de gâteau. Je crois toutes les histoires, du moment qu'on les raconte bien.

La porte du placard s'entrouvrit et Meggie vit la tête d'un garçon émerger.

— Et ma punition ? demanda-t-il.

À en juger par le chocolat sur ses doigts, ce devait être Pipo.

— Plus tard, répondit Fenoglio. J'ai autre chose à faire maintenant.

Déçu, Pipo sortit du placard.

— Tu avais dit que tu me ferais des nœuds dans le nez.

— Des doubles nœuds, des nœuds de marin, des nœuds papillons, tout ce que tu veux mais, d'abord, je veux entendre cette histoire. Tu peux faire encore quelques bêtises en attendant.

Pipo fit la moue et disparut dans le couloir. Le petit garçon courut derrière lui.

Mo se taisait toujours, essuyant des miettes de gâteau sur la table et dessinant avec son index des formes invisibles sur le bois.

— Il y a quelqu'un dans cette histoire à qui j'ai promis de ne pas la raconter, dit-il enfin.

— *Une mauvaise promesse ne devient pas meilleure parce que l'on s'y tient,* déclara Fenoglio. C'est du moins ce qui est écrit dans un de mes livres préférés.

— Je ne sais pas si c'était une mauvaise promesse, soupira Mo en levant les yeux au plafond comme si la réponse s'y trouvait. Bon, je vais vous la raconter. Mais Doigt de Poussière me tuera s'il l'apprend.

— Doigt de Poussière ? C'est le nom que j'ai donné une fois à l'un de mes personnages. Bien sûr, c'était le saltimbanque dans *Cœur d'encre.* Je l'ai fait mourir dans l'avant-dernier chapitre, c'était tellement émouvant que j'en ai pleuré en l'écrivant.

Meggie faillit s'étrangler avec son bout de gâteau, mais Fenoglio poursuivit, impassible :

— Je n'ai pas fait mourir beaucoup de mes personnages. Les scènes de mort ne sont pas faciles à écrire, elles risquent de devenir trop sentimentales. Mais celle-ci, je l'avais vraiment réussie.

Bouleversée, Meggie regarda Mo.

— Il meurt ? Mais… tu le savais ?

— Bien sûr. J'ai lu toute l'histoire, Meggie.

— Mais pourquoi ne le lui as-tu pas dit ?

— Il ne voulait pas le savoir.

Fenoglio suivit cet échange de paroles d'un air perplexe – et avec une grande curiosité.

— *Qui* le tue ? demanda Meggie. Basta ?

— Ah, Basta ! répéta Fenoglio en fronçant les sourcils.

Il avait l'air soudain très content de lui.

— C'est une des meilleures crapules que j'ai imaginées. Un chien enragé mais ce n'est rien à côté de mon autre triste figure : Capricorne. Basta se ferait arracher le cœur pour lui, mais Capricorne ignore ce genre de passion. Il ne ressent rien, absolument rien, même sa propre cruauté ne l'amuse pas. Oui, dans *Cœur d'encre*, il y a ainsi plusieurs sombres personnages qui sont réussis, de même que le chien de Capricorne, l'Ombre, comme je l'appelais toujours. Mais bien sûr, c'est un nom très édulcoré pour un monstre pareil.

— L'Ombre, demanda Meggie dans un murmure, il tue Doigt de Poussière ?

— Non, non, excuse-moi, j'avais complètement oublié ta question. Quand je commence à parler de mes personnages, on ne peut plus m'arrêter. Non, c'est un des hommes de Capricorne qui le tue. Vraiment, la scène est réussie. Doigt de Poussière a une martre apprivoisée, l'homme de Capricorne veut la tuer parce qu'il prend un plaisir particulier à tuer les petits animaux mais, voilà, Doigt de Poussière veut sauver son amie – et il meurt pour elle.

Meggie resta silencieuse. «Pauvre Doigt de Poussière, se dit-elle. Pauvre, pauvre Doigt de Poussière. » Elle ne pouvait plus penser à rien d'autre.

— De quel homme de Capricorne s'agit-il ? Nez Aplati ? Cockerell ?

Fenoglio la regarda d'un air admiratif.

— Mais dis-moi, tu retiens tous les noms ? Moi, je les oublie généralement peu après les avoir inventés.

— Ce n'est ni l'un ni l'autre, Meggie, répondit Mo. Dans le livre, le nom du meurtrier n'est même pas mentionné. Il y a toute une horde d'hommes de Capricorne qui poursuit Gwin, et l'un d'entre eux sort son couteau. Il doit probablement encore attendre Doigt de Poussière.

— Attendre ?

Fenoglio regarda Mo d'un air stupéfait.

— C'est horrible ! murmura Meggie. Je suis contente de n'avoir pas lu jusqu'au bout.

— Qu'est-ce que ça veut dire ? demanda Fenoglio, vexé. Tu parles de mon livre ?

— Oui, répondit Meggie, parfaitement.

Elle se tourna vers Mo et ajouta :

— Et Capricorne ? Qui le tue ?

— Personne.

— Personne ?

Meggie lança à Fenoglio un regard si accusateur qu'il se frotta le nez, gêné. Il avait un nez imposant.

— Qu'est-ce que tu as à me regarder comme ça ? s'écria-t-il. Je le laisse s'en tirer. C'est une de mes meilleures crapules. Pourquoi aurais-je dû le tuer ? Dans la vraie vie, c'est pareil : les grands meurtriers s'en tirent et vivent heureux jusqu'à la fin de leurs jours tandis que les gentils meurent, parfois même les plus gentils de tous. C'est comme ça. Pourquoi devrait-il en être autrement dans les livres ?

— Et Basta ? Il reste en vie, lui aussi ?

Meggie venait de se souvenir de ce que Farid avait dit, dans la cabane : « Pourquoi ne le tuez-vous pas ? C'est ce qu'ils voulaient vous faire. »

— Basta s'en tire aussi, répondit Fenoglio. À l'époque, j'avais songé à écrire une suite à *Cœur d'encre* et je ne voulais pas me passer de ces deux personnages. J'en étais fier. Certes, l'Ombre aussi était assez réussie, vraiment, mais en général, je m'attache surtout à mes personnages humains. Vois-tu, si tu me demandais duquel des deux je suis le plus fier, de Basta ou de Capricorne, je ne pourrais pas te répondre !

Mo regardait de nouveau fixement par la fenêtre. Puis il se tourna vers Fenoglio.

— Vous aimeriez les rencontrer ? demanda-t-il.

— Qui ?

Fenoglio avait l'air surpris.

— Capricorne et Basta.

— Diable, non !

Et il éclata de rire si fort que Paula lui ferma la bouche, effrayée.

— Eh bien, nous les avons rencontrés, dit Mo d'une voix lasse. Moi, Meggie et… Doigt de Poussière.

25

LE MAUVAIS DÉNOUEMENT

Une histoire, un roman, un conte ressemblent à des êtres humains, ils en sont peut-être. Ils ont des têtes, des jambes, des appareils circulatoires, des vêtements tout comme de véritables hommes.

Erich Kästner, *Émile et les détectives*

Après que Mo eut fini son histoire, Fenoglio resta un long moment silencieux. Paula était partie depuis longtemps rejoindre Pipo et Rico. Meggie les entendait courir sur le parquet à l'étage au-dessus, dans un sens et dans l'autre, sauter, glisser, rire et pousser des cris. Mais dans la cuisine de Fenoglio, le silence était tel qu'on entendait le tic-tac de la pendule accrochée au mur près de la fenêtre.

— Il a ces balafres sur le visage, vous voyez ce que je veux dire... ?

Fenoglio regarda Mo d'un air interrogateur. Mo hocha la tête.

Fenoglio essuya les miettes sur son pantalon.

— C'est Basta qui les lui a faites, expliqua-t-il, parce que la même fille leur plaisait.

— Oui, je sais, acquiesça Mo.

Fenoglio regarda par la fenêtre.

— Les fées ont soigné ses cicatrices, c'est pourquoi il ne reste plus que quelques fines balafres, des traits à peine visibles sur sa peau, n'est-ce pas ?

Mo acquiesça. Et Fenoglio regarda de nouveau par la fenêtre. Dans la maison d'en face, il y avait une fenêtre ouverte et on entendait une femme se disputer avec un enfant.

— En fait, je devrais être fier, très fier, murmura Fenoglio. Tous les écrivains souhaitent que leurs personnages soient vivants et les miens se sont littéralement échappés de votre livre !

— Parce que mon père en a fait la lecture, intervint Meggie. Il peut aussi le faire avec d'autres livres.

— Ah, bien sûr ! ajouta Fenoglio en hochant la tête. Tu fais bien de me le rappeler. Sinon, je risquerais de me prendre pour un petit Dieu, pas vrai ? Mais pour ta mère, je suis désolé. Bien que, au fond, ce ne soit pas ma faute.

— Pour mon père, c'est plus grave, dit Meggie. Moi, je ne me souviens pas d'elle.

Mo la regarda, surpris.

— Bien sûr ! Tu étais plus jeune que mes petits-enfants ! constata Fenoglio, l'air songeur, en s'approchant de la fenêtre. J'aimerais vraiment bien le voir. Doigt de Poussière, je veux dire. Maintenant, je regrette de lui avoir inventé une fin si tragique. Mais d'une certaine manière, ça va bien avec le personnage. Comme disait Shakespeare : *Chacun joue son rôle, et le mien est un rôle triste.*

Il regarda dans la rue. Au-dessus de leurs têtes, quelque chose se brisa mais Fenoglio ne sembla pas le remarquer.

— Ce sont vos enfants ? demanda Meggie en montrant le plafond.

— Oh, que non ! Ce sont mes petits-enfants. Une de mes filles habite le village. Ils viennent tout le temps me voir et je leur raconte des histoires. Je raconte des histoires à presque tout le village, mais je n'ai plus envie d'en écrire. Où est-il en ce moment ?

— Doigt de Poussière ? Je ne peux pas vous le dire. Il ne veut pas vous voir.

— Ça lui a causé un choc quand mon père lui a parlé de vous, poursuivit Meggie.

« Mais il faut que Doigt de Poussière sache ce qui lui arrive, pensa-t-elle, il le faut. Comme ça, il comprendra qu'il ne peut pas retourner là-bas. Même s'il continuera à avoir la nostalgie de ce monde-là. Pour toujours. »

— Il faut que je le voie ! Juste une fois. Vous ne comprenez pas ça ? demanda Fenoglio en regardant Mo d'un air suppliant. Je pourrais vous suivre discrètement. Comment pourrait-il me reconnaître ? Je veux juste m'assurer qu'il ressemble bien à ce que je me suis imaginé.

Mo secoua la tête.

— Je crois qu'il vaut mieux le laisser tranquille.

— Vous dites des bêtises ! J'ai bien le droit de le voir si je veux. Car enfin, c'est moi qui l'ai inventé.

— Et fait mourir ! ajouta Meggie.

— Eh oui ! s'exclama Fenoglio en levant les mains, désemparé. Je voulais qu'il y ait du suspense. Tu n'aimes pas les histoires à suspense ?

— Seulement si elles finissent bien.

— Si elles finissent bien ! répéta Fenoglio en levant les yeux vers le plafond avec un soupir de mépris.

Au-dessus de leurs têtes, quelque chose ou quelqu'un était tombé lourdement sur le parquet. La chute fut suivie de pleurs sonores. Fenoglio se précipita vers la porte.

— Attendez-moi ! Je reviens tout de suite ! s'écria-t-il en disparaissant dans le couloir.

— Mo, murmura Meggie, il faut que tu le dises à Doigt de Poussière ! Il faut que tu lui dises qu'il ne peut plus retourner là-bas.

Mo secoua la tête.

— J'ai déjà essayé plus d'une douzaine de fois, il ne veut rien savoir. Peut-être que ce ne serait pas une si mauvaise idée de lui faire rencontrer Fenoglio. Son créateur, il le croira sans doute plus que moi.

En soupirant, il balaya d'un geste les miettes de gâteau sur la table.

— Il y avait une illustration dans *Cœur d'encre*, murmura-t-il en passant la paume de la main sur la table comme pour faire surgir l'image sur laquelle on voyait un groupe de femmes, sous un porche, dans des tenues somptueuses. Elles avaient l'air de revenir d'une fête. L'une d'entre elles avait des cheveux blonds comme ta mère. On ne voit pas son visage sur l'image car elle tourne le dos, mais je me suis toujours imaginé que c'était elle. C'est fou, hein ?

Meggie posa sa main sur celle de Mo.

— Mo, promets-moi de ne pas retourner au village de Capricorne, supplia-t-elle. Promets-moi de ne pas essayer de récupérer le livre.

Sur la pendule de Fenoglio, l'aiguille des secondes découpa le temps en tranches atrocement fines avant que Mo ne se décide à répondre.

— Je te le promets, dit-il.

— Regarde-moi dans les yeux !

Il obéit.

— Je te le promets ! répéta-t-il. Il y a juste une chose dont je veux parler avec Fenoglio et après, nous rentrerons et oublierons le livre. Tu es contente ?

Meggie hocha la tête. Tout en se demandant de quoi il voulait encore parler.

Fenoglio revint avec Pipo en larmes sur le dos. Les deux autres enfants suivaient leur grand-père d'un air penaud.

— Des trous dans le gâteau et, maintenant, un trou dans le front, je crois que je devrais vous renvoyer chez vous ! gronda Fenoglio en déposant Pipo sur une chaise.

Puis il alla fouiller dans la grande armoire jusqu'à ce qu'il ait trouvé un sparadrap qu'il colla sans trop de ménagement sur le front de son petit-fils.

Mo repoussa sa chaise et se leva.

— J'ai réfléchi, déclara-t-il. Je vais vous emmener voir Doigt de Poussière.

Fenoglio se retourna vers lui, surpris.

— Vous réussirez peut-être à lui expliquer une fois pour toutes qu'il ne peut pas rentrer là-bas, continua Mo. Qui sait ce qu'il a l'intention de faire. Je crains que ça ne devienne dangereux pour lui. De plus, j'ai une idée, elle est insensée mais j'aimerais bien en parler avec vous.

— Plus insensée que ce que j'ai entendu jusque-là, ce serait difficile, non ?

Les petits-enfants de Fenoglio étaient retournés se cacher

dans le placard. Ils tirèrent les battants de la porte avec des rires étouffés.

— Vous allez me raconter votre idée, dit Fenoglio, mais d'abord, je veux voir Doigt de Poussière.

Mo regarda Meggie. Il était rare que Mo ne tienne pas sa promesse et, visiblement, cette idée le mettait mal à l'aise.

Meggie ne le comprenait que trop bien.

— Il attend sur la *piazza*, dit Mo d'une voix hésitante, mais d'abord, laissez-moi lui parler.

— Sur la *piazza* ? répéta Fenoglio en écarquillant les yeux, c'est formidable !

Il fit un pas jusqu'au petit miroir accroché à côté de la porte de la cuisine et passa les doigts dans ses cheveux bruns, comme s'il avait peur que Doigt de Poussière soit déçu en le rencontrant.

— Je vais faire comme si je ne le voyais pas, jusqu'à ce que vous m'appeliez ! dit-il. Oui, faisons comme ça.

Dans le placard, il y eut soudain un grand bruit et Pipo en ressortit en trébuchant, vêtu d'une grande veste qui lui arrivait aux chevilles. Sur la tête, il avait un grand chapeau qui lui tombait sur les yeux.

— J'ai une idée ! s'exclama Fenoglio en attrapant le chapeau sur la tête de Pipo pour le mettre sur la sienne. C'est ça, je vais emmener les enfants avec moi ! Un grand-père avec ses trois petits-enfants, cela n'éveille pas les soupçons, n'est-ce pas ?

Mo se contenta de hocher la tête et poussa Meggie dans l'étroit couloir.

Quand ils descendirent la rue qui menait à la *piazza*, Fenoglio les suivait à quelques mètres de distance. Ses petits-enfants sautaient autour de lui comme trois jeunes chiots.

26

UN FRISSON ET UN PRESSENTIMENT

Elle a posé son livre. Elle m'a regardé. Puis, elle a ajouté :
— La vie n'est pas juste, Bill. Nous disons à nos enfants qu'elle
l'est mais c'est une terrible erreur. Ce n'est pas simplement
un mensonge, c'est un mensonge cruel. La vie n'est pas juste,
elle ne l'a jamais été, elle ne le sera jamais.

William Goldman, *La Princesse Bouton-d'or*

Doigt de Poussière était assis sur la pierre froide des marches
et attendait. Il était malade de peur. Il ne savait pas au juste
de quoi il avait peur. Peut-être que le monument dans son dos
lui rappelait trop la mort. Il avait toujours redouté la mort, il se
l'imaginait froide, comme une nuit sans feu. Mais entre-temps, il
y avait une chose qu'il craignait encore plus, c'était la tristesse.

La tristesse qui rend les membres lourds et le ciel gris.

Près de lui, Farid sautait sur les marches. Il montait et descendait, inlassablement, le pied léger et la mine réjouie, comme si,
en lisant, Langue Magique l'avait envoyé directement au paradis.
Qu'est-ce qui pouvait bien le rendre si heureux ?

Doigt de Poussière regarda autour de lui, regarda les maisons
étroites, jaune pâle, roses, couleur pêche, les volets vert foncé

et les toits aux tuiles rouille, les lauriers-roses qui fleurissaient devant un mur, comme si leurs branches étaient en flammes, les chats qui erraient autour des murs chauds. Farid s'approcha de l'un d'entre eux, l'attrapa par sa fourrure grise et le mit sur ses genoux malgré les griffes qui s'enfonçaient dans ses cuisses.

— Tu sais ce qu'on fait ici pour que les chats ne se reproduisent pas trop ?

Doigt de Poussière étendit les jambes et cligna des yeux à cause du soleil.

— Dès que l'hiver vient, les gens font rentrer leurs propres chats chez eux et mettent devant leur porte des écuelles avec de la nourriture empoisonnée pour les chats errants.

Farid caressait toujours les oreilles pointues du chat gris. Mais son visage s'était figé. Toute trace de ce bonheur qui, quelques secondes avant, lui donnait encore un air si doux, si ouvert, avait disparu. Doigt de Poussière détourna les yeux. Pourquoi avait-il dit cela ? Le bonheur qui se peignait sur les traits du jeune garçon le dérangeait-il ?

Farid lâcha l'animal et grimpa les marches du monument aux morts.

Il était toujours assis en tailleur sur le mur quand les deux autres revinrent. Langue Magique n'avait pas de livre à la main, il avait l'air tendu, et son expression trahissait la mauvaise conscience.

Pourquoi ? Pourquoi Langue Magique pouvait-il avoir mauvaise conscience ? Doigt de Poussière regarda autour de lui, l'air méfiant, sans savoir ce qu'il cherchait. Les sentiments de Langue Magique se lisaient toujours sur son visage. C'était un livre perpétuellement ouvert entre les pages duquel tout le monde pouvait lire. Sa fille était différente. Il n'était pas aussi facile de savoir ce qu'elle ressentait. Mais quand elle s'avança vers lui, Doigt de Poussière crut lire de l'inquiétude dans ses yeux, peut-être même de la pitié. Avait-elle pitié de lui ?

Qu'est-ce que cet écrivaillon avait bien pu lui raconter pour qu'elle le regarde de cette manière ?

Il se leva et secoua la poussière de son pantalon.

— Il n'en avait plus aucun exemplaire, c'est ça ? demanda-t-il quand Mo et Meggie arrivèrent devant lui.

— C'est ça ! répondit Langue Magique. On les lui a tous volés. Il y a déjà des années.

Sa fille ne quittait pas Doigt de Poussière des yeux.

— Qu'est-ce que tu as à me regarder comme ça, princesse ? lui lança-t-il. Tu sais quelque chose que je ne sais pas ?

En plein dans le mille. Sans le vouloir. Il avait refusé de savoir, surtout une certaine vérité. La fillette se mordit les lèvres, le regardant toujours avec ce mélange de pitié et d'inquiétude.

Doigt de Poussière passa la main sur son visage, sentit les bala-fres gravées sur sa peau, comme une carte postale sur laquelle serait écrit : « Bons baisers de Basta. » Il ne se passait pas un jour sans qu'il pense au chien enragé de Capricorne, qu'il le veuille ou non. « Pour qu'à l'avenir, tu plaises encore plus à la fille », lui avait susurré Basta à l'oreille en essuyant le sang de la lame de son couteau.

— Oh, non ! Qu'il aille au diable ! s'exclama Doigt de Pous-sière, furieux.

Et il donna un coup de pied si magistral dans le premier mur venu qu'il allait s'en ressentir encore longtemps.

— Tu as parlé de moi à cet écrivaillon ! lança-t-il à Langue

Magique. Et maintenant, ta fille en sait plus sur mon compte que moi! Eh bien! Vas-y! Raconte. Depuis le temps que tu voulais le faire. Basta me pend, c'est ça? Il me tord le cou, me coupe la respiration jusqu'à ce que je sois raide, c'est ça? Mais pourquoi veux-tu que ça me dérange? Basta est ici désormais. L'histoire ne sera plus la même, elle ne pourra plus être la même! Basta ne peut plus rien me faire si tu me renvoies dans le monde auquel j'appartiens.

Il fit un pas en direction de Langue Magique. Il voulait l'empoigner, le secouer, le frapper, pour tout ce qu'il lui avait fait, mais la fillette s'interposa.

— Arrête! Ce n'est pas Basta! s'écria-t-elle en le repoussant. C'est un des hommes de Capricorne. Ils veulent tuer Gwin, et toi tu veux l'aider, c'est pour ça qu'ils te tuent! L'histoire ne changera pas! Cela arrivera, tu n'y peux rien. Tu comprends? C'est pour ça qu'il faut que tu restes ici! Tu ne dois pas retourner là-bas! Jamais!

Il fixa la fillette comme s'il pouvait ainsi la faire taire mais elle soutint son regard. Elle essaya même de prendre sa main.

— Tu peux être content d'être ici, balbutia-t-elle tandis qu'il la repoussait. Ici, tu peux leur échapper. Tu peux partir loin, très loin...

Sa voix tremblait.

Peut-être avait-elle vu les larmes dans ses yeux. Furieux, il les essuya du revers de sa manche. Il regarda autour de lui, comme un animal traqué qui cherche une issue. Mais il n'y avait pas d'issue. Rien devant lui et, pire encore, rien derrière.

De l'autre côté de la place, à l'arrêt de car, trois femmes regardaient dans leur direction avec curiosité. Doigt de Poussière attirait souvent les regards. Tous pouvaient voir qu'il n'était pas d'ici. Il resterait un étranger, pour toujours.

De l'autre côté de la place, trois enfants et un vieil homme jouaient au foot avec une boîte en fer-blanc. Farid les regardait. Il portait toujours le sac à dos de Doigt de Poussière à l'épaule et il avait des poils de chat gris collés sur son pantalon. Plongé dans ses pensées, il enfonçait ses orteils entre les pavés. Il enlevait constamment les chaussures de sport que Doigt de Poussière lui avait achetées. Il marchait pieds nus même sur le bitume, ses chaussures accrochées au sac à dos, comme un butin qu'on rapporte chez soi.

Langue Magique aussi regardait en direction des enfants qui jouaient. N'avait-il pas fait un signe au vieil homme? Celui-ci abandonna les enfants et se dirigea vers eux. Doigt de Poussière fit un pas en arrière. Il eut un frisson dans le dos.

— Mes petits-enfants sont en admiration devant la martre apprivoisée que ce jeune homme tient en laisse, dit-il en s'approchant d'eux.

Doigt de Poussière fit encore un pas en arrière. Pourquoi l'homme le regardait-il ainsi? Il avait une manière de le dévisager très différente de celle des femmes à l'arrêt de car.

— Les enfants prétendent que la martre sait faire des numéros. Et que le garçon est un cracheur de feu. Nous pourrions peut-être venir voir cela de plus près?

Le frisson se propagea dans tout le corps de Doigt de Poussière, malgré le soleil qui lui brûlait la peau. Cette manière que le vieil homme avait de le regarder — comme un chien qui se serait sauvé depuis longtemps et reviendrait enfin, la queue entre les jambes et plein de puces peut-être, mais indéniablement son chien à lui.

— Ils racontent n'importe quoi ! Elle ne fait pas de numéro ! s'exclama-t-il. Il n'y a rien à voir ici !

Et il recula d'un pas, mais le vieil homme le suivit — on aurait dit qu'un lien invisible les unissait.

— Je suis désolé ! s'excusa-t-il en levant la main comme pour toucher les balafres sur son visage.

Doigt de Poussière recula encore et buta contre une voiture en stationnement. Le vieil homme était maintenant juste devant lui. Il le dévisageait…

— Allez-vous-en ! s'écria Doigt de Poussière en le repoussant rudement. Farid, apporte-moi mes affaires.

Le garçon le rejoignit d'un bond. Doigt de Poussière lui arracha le sac à dos des mains, attrapa la martre et la mit dans le sac sans s'occuper des dents pointues qui essayaient de le mordre. Le vieil homme regarda fixement les cornes de Gwin. D'un geste vif, Doigt de Poussière lança le sac sur son épaule et essaya de se frayer un chemin.

— Je t'en prie, je veux juste parler avec toi ! le supplia l'homme en lui attrapant le bras.

— Pas moi !

Doigt de Poussière tenta de se dégager. Il fut surpris de la force des doigts osseux du vieil homme mais il avait encore le couteau, le couteau de Basta. Il le sortit de sa poche, l'ouvrit et le mit sous la gorge de l'homme. Sa main tremblait. Il n'avait jamais aimé l'idée de brandir un couteau en direction de quelqu'un, mais le vieil homme lâcha prise.

Et Doigt de Poussière partit en courant.

Il n'écouta pas ce que Langue Magique lui criait. Il s'enfuit, comme il avait dû le faire souvent par le passé. Il pouvait compter sur ses jambes, même s'il ne savait pas où elles le mèneraient. Il laissa le village et la route derrière lui, se faufila entre les arbres, dans l'herbe sauvage, se laissa engloutir par les genêts, à l'abri du feuillage argenté des oliviers… loin des maisons, des chemins goudronnés. La nature sauvage l'avait toujours protégé.

Quand il fut complètement hors d'haleine, il se laissa tomber dans l'herbe, derrière une citerne échouée là dans laquelle des grenouilles coassaient. L'eau de pluie qui s'y était accumulée s'évaporait au soleil. Il resta allongé, haletant, écoutant les battements de son cœur et regardant le ciel.

— C'était qui, le vieux ?

Il sursauta. Farid était devant lui. Il l'avait suivi.

— Va-t'en ! gronda-t-il.

Le garçon s'assit à côté de lui, parmi les fleurs sauvages. Il y en avait partout, elles faisaient des taches bleues, jaunes et rouges dans l'herbe.

— Je n'ai pas besoin de toi !

Sans un mot, le garçon cueillit une orchidée sauvage et la contempla. On aurait dit un bourdon, un bourdon devant une fleur.

— Quelle drôle de fleur ! murmura-t-il. Je n'en ai encore jamais vu de pareille.

Doigt de Poussière se redressa et s'appuya contre la citerne.

— Si tu continues à me suivre, tu vas le regretter, dit-il. Je vais retourner là-bas. Tu sais de quoi je parle.

C'est en prononçant ces mots qu'il réalisa que sa décision était prise.

Depuis longtemps. Il y retournerait. Doigt de Poussière, le lâche, retournerait dans l'antre du lion. Quoi que disent Langue Magique et sa fille… Il ne voulait qu'une chose. Il n'avait toujours voulu qu'une chose. Et s'il ne pouvait pas l'obtenir tout de suite, il voulait au moins espérer que cela se réaliserait un jour.

Le garçon était toujours là.

— Va-t'en maintenant. Va rejoindre Langue Magique ! Il s'occupera de toi.

Farid resta immobile, les bras repliés autour des jambes.

— Tu vas retourner dans le village ?

— Oui ! Là où habitent les diables et les démons. Crois-moi, un garçon comme toi, ils le tuent au petit déjeuner et après, le café n'en est que meilleur pour eux.

Farid se caressait les joues avec la fleur de l'orchidée. Il fit une grimace quand les feuilles chatouillèrent sa peau.

— Gwin veut sortir, dit-il.

Il avait raison. La martre mordit le tissu du sac et passa la tête dehors. Doigt de Poussière desserra la bride et la laissa sortir. Gwin cligna des yeux, glapit d'un air contrarié, sans doute parce que ce n'était pas la bonne heure pour elle et se dirigea vers le garçon.

Farid la mit sur son épaule et regarda Doigt de Poussière d'un air grave.

— Je n'ai jamais vu une fleur pareille, répéta-t-il. Ni des collines aussi vertes ni une martre si maligne. Mais les hommes comme ceux dont tu parles, je les connais bien. Ce sont partout les mêmes.

Doigt de Poussière secoua la tête.

— Ceux-là sont pires que tout.

— Ce n'est pas vrai.

Le ton provocant de Farid fit rire Doigt de Poussière, sans qu'il sache même pourquoi.

— Nous pourrions aller ailleurs, suggéra le garçon.

— Non, nous ne pouvons pas.

— Pourquoi ? Qu'est-ce que tu veux faire dans le village ?

— Voler quelque chose, répondit Doigt de Poussière.

Farid hocha la tête, comme s'il n'y avait rien de plus naturel au monde et glissa doucement l'orchidée dans sa poche.

— Avant, tu m'apprendras encore des trucs sur le feu ?

— Avant ?

Doigt de Poussière ne put s'empêcher de sourire. C'était un garçon intelligent. Il savait qu'il n'y aurait sans doute pas d'après.

— Bien sûr, ajouta-t-il, je t'apprendrai tout ce que je sais. Avant.

27

JUSTE UNE IDÉE

C'est possible, dit l'Épouvantail, mais chose promise, chose
due, on doit tenir ses promesses.

L. Frank Baum, *Le Magicien d'Oz*

Quand Doigt de Poussière eut disparu, ils ne rentrèrent pas
directement chez Elinor.

— Meggie, je sais, je t'ai promis de rentrer chez Elinor, dit Mo
lorsqu'ils se retrouvèrent un peu perdus sur la place devant le
monument. Mais j'aimerais bien ne partir que demain. Comme
je te l'ai déjà expliqué, il y a quelque chose dont je veux parler
avec Fenoglio.

Le vieil homme était toujours à l'endroit où il avait parlé à
son personnage et regardait la rue qui descendait du village. Ses
petits-enfants le tiraient et l'appelaient mais il ne semblait pas le
remarquer.

— De quoi veux-tu parler avec lui ?

Mo s'assit sur les marches devant le monument et installa
Meggie à côté de lui.

— Tu vois les noms là-haut ? demanda-t-il en montrant la pierre où étaient gravés les noms de ceux qui n'étaient plus. Derrière chaque nom, il y a une famille, une mère ou un père, des frères et sœurs, peut-être une femme. Si l'un d'entre eux s'apercevait qu'il peut leur redonner vie, que ce qui n'est plus qu'un mot pourrait redevenir chair et sang, tu ne crois pas qu'il ferait tout, vraiment tout, pour y parvenir ?

Meggie contempla la liste. À côté de celui qui était tout en haut, quelqu'un avait dessiné un cœur et sur les dalles devant le monument, il y avait un bouquet de fleurs séchées.

— Personne ne peut faire revenir les morts, Meggie, continua Mo. C'est peut-être vrai, et avec la mort commence simplement une nouvelle histoire, mais personne encore n'a lu le livre dans lequel elle est écrite, et celui qui l'a conçue n'habite sûrement pas un petit village sur la côte et ne joue pas au football avec ses petits-enfants. Le nom de ta mère n'est pas gravé sur une pierre comme celle-ci. Il se cache quelque part dans un livre et j'ai une idée de la manière dont on pourrait peut-être encore modifier ce qui s'est passé il y a neuf ans.

— Tu veux y retourner !

— Non. Je te l'ai promis. N'ai-je pas toujours tenu mes promesses ?

Meggie secoua la tête. « La promesse que tu as faite à Doigt de Poussière, pensa-t-elle. Celle-là, tu ne l'as pas tenue », mais elle ne dit rien.

— Tu vois bien ! dit Mo. Je veux simplement parler à Fenoglio, c'est pour cela que je ne veux pas partir tout de suite.

Meggie regarda en direction de la mer. Le soleil avait surgi entre les nuages, l'eau étincelait soudain comme si quelqu'un y avait versé de la couleur.

— Il n'est pas loin d'ici, murmura-t-elle.

— Quoi ?

— Le village de Capricorne.

Mo regarda vers l'est.

— Oui, c'est étrange qu'il soit venu s'installer justement dans la région, n'est-ce pas ? Comme s'il avait cherché un lieu qui ressemble au pays de son histoire.

— Et s'il nous trouve ?

— C'est impossible ! Tu sais combien de villages il y a sur cette côte ?

Meggie haussa les épaules.

— Il t'a déjà retrouvé et tu étais loin, très loin.

— Il m'a trouvé avec l'aide de Doigt de Poussière, qui ne l'aidera certainement pas une seconde fois.

Mo se leva et l'aida à faire de même.

— Viens, nous allons demander à Fenoglio où nous pouvons nous loger ici. Et j'ai l'impression qu'il pourrait avoir besoin de compagnie.

Fenoglio ne lui dit pas si Doigt de Poussière ressemblait à l'idée qu'il s'en était faite. Il ne parla guère quand ils l'accompagnèrent jusque chez lui. Mais lorsque Mo lui annonça qu'ils aimeraient rester un jour de plus, son visage s'éclaira. Il leur proposa même pour la nuit un appartement qu'il louait d'habitude à des touristes.

Mo accepta avec joie.

Le vieil homme et Mo discutèrent jusqu'au soir pendant que

les petits-enfants de Fenoglio couraient derrière Meggie à travers toute la maison. Les deux hommes s'assirent dans le bureau de l'écrivain. Il était attenant à la cuisine et Meggie essayait régulièrement d'écouter à travers la porte, mais Pipo et Rico la surprenaient chaque fois et avant qu'elle ait pu entendre trois mots ils l'attrapaient avec leurs petites mains sales et l'entraînaient jusqu'au prochain palier.

De guerre lasse, elle demanda à Paula de lui montrer les petits chatons qui batifolaient avec leur mère dans le minuscule jardin derrière la maison et suivit les trois enfants jusque chez eux. Ils n'y restèrent pas longtemps, juste le temps de convaincre leur mère de les laisser dîner chez leur grand-père.

Au menu, il y avait des pâtes au basilic. D'un air dégoûté, Pipo et Rico mettaient de côté le basilic amer, mais Meggie et Paula, elles, se régalaient. Après le dîner, Mo but encore une bouteille de vin rouge avec Fenoglio et quand le vieil homme les accompagna, lui et Meggie, jusqu'à la porte, il leur souhaita une bonne nuit.

— Eh bien, c'est entendu, Mortimer, toi tu t'occupes de mes livres et moi, dès demain, je me mets au travail.

— Quel travail, Mo ? demanda Meggie lorsqu'ils se retrouvèrent tous les deux dans les ruelles mal éclairées.

La nuit n'avait guère apporté de fraîcheur, un vent inhabituel, chaud et sablonneux, traversait le village comme s'il transportait le désert au-dessus de la mer.

— Je préférerais que tu ne penses plus à ça, dit Mo. Si nous passions quelques jours ici comme si nous étions en vacances ? Je trouve qu'ici, tout fait penser aux vacances, tu ne trouves pas ?

Pour toute réponse, Meggie hocha la tête. Oui, Mo la connaissait tellement bien — il devinait souvent ce qu'elle pensait avant qu'elle ne le dise —, mais il lui arrivait aussi d'oublier qu'elle n'avait plus cinq ans et que quelques mots gentils ne suffisaient pas à lui faire oublier ce qui l'inquiétait.

« Bon, se dit-elle en suivant Mo dans le village endormi. S'il ne veut pas m'expliquer ce que Fenoglio doit faire pour lui, je lui demanderai, moi, au visage de tortue. Et s'il ne veut pas me le dire non plus, il y aura bien un de ses petits-enfants qui se chargera de le découvrir pour moi ! » Meggie avait passé l'âge de pouvoir se cacher sous la table sans se faire remarquer, mais Paula avait juste la taille qu'il fallait pour espionner.

28

À LA MAISON

À moi, Armem, ma bibliothèque suffisait comme duché.
William Shakespeare, *La Tempête*

Il était presque minuit quand Elinor aperçut enfin son portail sur le bord de la route. En contrebas, sur la rive du lac, les lumières s'alignaient comme une caravane de vers luisants, elles se reflétaient dans l'eau noire, tremblantes. C'était bien de rentrer chez soi. Même le vent qui caressa le visage d'Elinor quand elle descendit ouvrir le portail lui était familier. Tout était familier, le parfum des haies et de la terre et l'air qui était tellement plus frais et plus humide que dans le Sud. Il n'avait plus ce goût de sel. «Ça va peut-être me manquer», songea Elinor. La mer l'emplissait toujours de nostalgie, sans qu'elle sache pourquoi.

Elle ouvrit le portail en fer qui grinça légèrement, comme pour lui souhaiter la bienvenue. Ce serait la seule voix à l'accueillir.

— Quelle pensée idiote, Elinor! murmura-t-elle, agacée, en remontant dans sa voiture. Tes livres seront là pour t'accueillir, c'est bien suffisant.

Déjà, durant le trajet, elle avait connu quelques faiblesses. Elle avait pris son temps pour rentrer, avait roulé sur des routes secondaires et passé une nuit dans un tout petit village de montagne dont elle avait déjà oublié le nom. Au début, elle avait beaucoup apprécié de se retrouver seule car, enfin, elle était habituée à la solitude mais, ensuite, le silence dans sa voiture l'avait troublée et elle s'était arrêtée dans une petite ville endormie qui n'avait même pas de librairie. Elle s'était assise dans un café, uniquement pour entendre des voix. Elle n'était pas restée longtemps, juste le temps d'avaler un café en vitesse, car elle s'en voulait.

— Qu'est-ce qui t'arrive, Elinor ? avait-elle murmuré en remontant dans sa voiture. Depuis quand la compagnie des gens te manque-t-elle ? Il est grand temps que tu rentres chez toi avant de devenir vraiment bizarre.

Quand elle s'engagea dans l'allée, sa maison était si sombre et si isolée qu'elle lui sembla étrangère. Seuls les parfums de son jardin dissipèrent un peu le malaise quand elle monta les marches qui menaient à l'entrée de la maison. La lampe au-dessus de la porte qui, d'habitude, restait allumée la nuit était éteinte, et Elinor mit un temps fou à trouver le trou de la serrure avec sa clé. Tout en ouvrant la porte et en s'engageant tant bien que mal dans le couloir plongé dans l'obscurité la plus totale, elle maugréa contre l'homme qui, d'habitude, veillait sur la maison et le jardin en son absence. Elle avait essayé **par tr**ois fois de le joindre au téléphone mais il devait être de **nouv**eau parti voir sa fille. Pourquoi n'y avait-il personne qui comprenne quels trésors se cachaient dans sa maison ? Bien sûr, s'ils avaient été en or, mais ils étaient en papier, en papier et lettres imprimées…

La maison était silencieuse, très silencieuse et, l'espace d'un instant, Elinor crut entendre la voix de Mo, comme lorsqu'elle avait empli de vie l'église à la peinture rouge. Elle aurait pu l'écouter ainsi cent ans, non, deux cents ans, au moins.

— Il faudra qu'il me fasse la lecture quand il reviendra, murmura-t-elle en enlevant ses chaussures.

— Il doit bien y avoir un livre qu'il peut tenir entre ses mains sans danger…

Comment se faisait-il qu'elle n'ait jamais remarqué à quel point sa maison était silencieuse? Il y régnait un silence de mort et la joie qu'Elinor s'était promise à l'idée de se retrouver enfin entre ses quatre murs se faisait attendre.

— *Hello!* Je suis de retour! lança-t-elle dans le silence tout en cherchant à tâtons l'interrupteur sur le mur. Maintenant, mes petits chéris, vous allez être époussetés et bien rangés!

Soudain, la lumière du plafond s'alluma et Elinor fit un bond en arrière.

— Seigneur, murmura-t-elle, ô doux Jésus, ce n'est pas vrai!

Les étagères aux murs étaient vides, et les livres toujours si bien rangés les uns contre les autres avaient été jetés par terre, en tas informes, salis, piétinés, comme si de grosses bottes avaient dansé là une danse infernale. Elinor se mit à trembler de tout son corps. Elle trébucha au milieu de ses trésors maltraités, souillés, comme au milieu d'un marécage, les écarta, en prit un et le laissa retomber, continua d'avancer d'un pas chancelant dans le long couloir qui menait à sa bibliothèque.

Dans le couloir, ce n'était pas mieux. Les livres s'amoncelaient sur le sol, en tas si hauts qu'Elinor eut du mal à se frayer un chemin au milieu de ce chaos. Quand elle arriva devant la porte de la bibliothèque, celle-ci était entrouverte et Elinor resta une éternité sur le seuil, les genoux tremblants, avant d'oser la pousser.

Sa bibliothèque était vide.

Plus un livre. Plus un seul. Ni sur les étagères, ni dans les vitrines, dont les vitres étaient brisées. Il n'y en avait même plus un sur le sol. Ils avaient tous disparu. Et au plafond se balançait un coq rouge, mort.

Quand elle l'aperçut, Elinor pressa sa main contre sa bouche. La tête du coq pendait, la crête recouvrant les yeux fixes. Ses plumes étincelaient encore, comme si la vie s'était réfugiée là, dans les fines plumes de la poitrine, brun-roux, dans les ailes aux taches sombres et les longues plumes de la queue, vert foncé, chatoyantes comme de la soie.

Une des fenêtres était ouverte. Sur le volet blanc, on avait dessiné une flèche noire à la suie. Elle était dirigée vers l'extérieur.

Elinor s'y rendit en titubant, les pieds paralysés par la peur. La nuit n'était pas assez sombre pour dissimuler ce qu'il y avait sur la pelouse : un gros tas de cendres informe, gris-blanc dans la lumière de la lune, gris comme des ailes de mites, gris comme du papier brûlé.

Ils étaient là. Ses précieux livres. Ou ce qu'il en restait.

Elinor tomba à genoux sur le parquet dont elle avait elle-même soigneusement choisi le bois. Par la fenêtre ouverte au-dessus d'elle, le vent entrait dans la pièce, le vent familier, et il avait maintenant la même odeur que l'air dans l'église de Capricorne. Elinor voulut crier, maudire le ciel, hurler, mais aucun son ne sortit de sa bouche. Elle se mit à pleurer, la seule chose qu'elle pouvait encore faire.

29

UN BON VIEIL ENDROIT OÙ RESTER

— Je n'ai pas de maman, dit Peter.
Non seulement il n'avait pas de mère mais il ne souhaitait nullement en avoir une. Ce genre de personnes lui semblait très surfaites.

James M. Barrie, *Peter Pan*

L'appartement que louait Fenoglio n'était qu'à deux ruelles de sa maison. Il se composait d'une toute petite salle de bains, d'une cuisine et de deux chambres. Comme il était situé au rez-de-chaussée, il était un peu sombre, et les lits grinçaient quand on s'allongeait dessus, mais Meggie dormit bien quand même, en tout cas mieux que sur la paille humide de Capricorne ou dans la cabane au toit effondré.

Mo ne dormit pas bien. La première nuit, Meggie se réveilla trois fois en sursaut à cause des chats qui se battaient dans la rue et, chaque fois, elle le vit les yeux ouverts, les bras croisés derrière la tête, qui regardait par la fenêtre sombre.

Le lendemain matin, il se leva très tôt et alla acheter ce qu'il leur fallait pour le petit déjeuner, dans la petite boutique au bout de la rue. Les petits pains étaient encore chauds et Meggie eut vraiment le sentiment d'être en vacances quand Mo l'emmena dans la petite ville voisine, pour acheter les outils dont il avait besoin : des pinceaux, des couteaux, du tissu, du carton rigide — et une glace vraiment énorme qu'ils mangèrent dans un café devant la mer. Meggie en avait encore le goût dans la bouche quand ils frappèrent à la porte de Fenoglio. Le vieil homme but encore un café avec Mo, dans sa cuisine peinte en vert, puis ils montèrent tous les trois dans le grenier où il rangeait ses livres.

— Tu n'es pas sérieux ! gronda Mo en voyant les étagères pleines de poussière. On devrait te les confisquer tous ! Immédiatement ! Quand es-tu monté ici pour la dernière fois ? Il faudrait une spatule pour enlever la poussière des pages.

— J'ai été obligé de les mettre ici, déclara Fenoglio pour sa défense tandis que la mauvaise conscience se dissimulait dans ses rides. En bas, il n'y avait pas assez de place pour toutes les étagères et, en plus, mes petits-enfants ne pouvaient s'empêcher de les attraper.

— Ils auraient fait moins de dégâts que l'humidité et la poussière, rétorqua Mo d'un ton si mécontent que Fenoglio battit en retraite.

— Pauvre enfant, dit-il à Meggie tandis qu'ils redescendaient l'escalier raide. Ton père est-il toujours si sévère ?

— Seulement quand il s'agit de livres, répondit-elle.

Fenoglio disparut dans son bureau avant qu'elle ait pu lui poser la moindre question et, comme ses petits-enfants étaient à l'école ou au jardin d'enfants, elle alla chercher les livres qu'Elinor lui avait offerts et s'installa dans l'escalier qui descendait dans le minuscule jardin de l'écrivain. Des rosiers sauvages y poussaient, si touffus qu'on pouvait à peine faire un pas sans se prendre les jambes dedans. Du haut de l'escalier, on pouvait voir la mer, elle était très loin et semblait pourtant si proche.

Meggie ouvrit le livre de poèmes. Elle devait plisser les yeux car le soleil l'éblouissait. Avant de commencer à lire, elle regarda derrière son épaule pour s'assurer que Mo n'était pas redescendu. Elle ne voulait pas qu'il la surprenne. Elle avait un peu honte de ce qu'elle allait faire, mais la tentation était trop grande.

Quand elle fut bien sûre d'être seule, elle prit une profonde inspiration, se racla la gorge et commença. Elle formait les mots sur ses lèvres comme elle avait vu Mo le faire, presque tendrement, comme si chaque mot était une note et chaque mot prononcé sans amour une fausse note dans la mélodie. Mais elle s'aperçut bientôt que, si elle s'attardait trop sur chacun d'entre eux, la phrase ne sonnait plus bien et que, si elle prêtait trop d'attention à la sonorité et non au sens des mots, c'était aux dépens des images. C'était difficile. Si difficile. Et le soleil lui donnait envie de dormir. Finalement, elle referma le livre et laissa le soleil chauffer son visage. De toute façon, c'était bête d'essayer. Si bête…

En fin d'après-midi, Pipo, Paula et Rico rentrèrent de l'école et Meggie alla se promener dans le village avec eux. Ils se rendirent dans la petite boutique où Mo avait fait des courses le matin, s'assirent sur un mur à la sortie du village, observèrent les fourmis qui transportaient les aiguilles de pin et les graines de fleurs sur les pierres fissurées et comptèrent les bateaux qui passaient sur la mer.

Un deuxième jour passa ainsi. Parfois, Meggie se demandait ce qu'était devenu Doigt de Poussière, si Farid était toujours avec lui, comment allait Elinor et si elle se demandait où ils en étaient.

Meggie n'avait aucune réponse à ses questions et elle ne découvrit pas non plus ce que Fenoglio faisait dans son bureau.

— Il mordille son crayon, lui déclara Paula après avoir réussi à se cacher sous sa table de travail. Il mordille son crayon et fait les cent pas.

— Mo, quand rentrons-nous chez Elinor ? demanda Meggie la deuxième nuit, sentant qu'il n'arrivait toujours pas à dormir.

Elle s'assit sur le bord de son lit qui grinçait tout autant que le sien.

— Bientôt, répondit-il, mais maintenant dors !

— Elle te manque ?

Meggie ne savait pas elle-même d'où lui était venue cette question. Elle avait surgi soudainement sur sa langue et s'était imposée. Mo mit longtemps à répondre.

— Parfois, répondit-il enfin. Le matin, le midi, le soir, la nuit. Presque toujours.

Meggie sentit la jalousie enfoncer ses petites griffes dans son cœur. Elle connaissait ce sentiment. Il revenait chaque fois que Mo avait une nouvelle copine. Mais jalouse de sa propre mère ?

— Parle-moi d'elle, reprit-elle à voix basse. Et ne me raconte pas d'histoires comme tu l'as fait jusque-là.

Avant, elle avait souvent cherché dans les livres la mère qui lui convenait mais, dans ses livres préférés, il n'y avait pas beaucoup de mères : Tom Sawyer ? Pas de mère. Huck Finn ? Hors de question. Peter Pan, les Enfants perdus ? Pas de mères à l'horizon. Jim Knopf, pas de mère… et, dans les contes, rien que de méchantes belles-mères, des mères jalouses… La liste était longue. Avant, cette idée avait souvent consolé Meggie. Cela ne semblait pas si extraordinaire de ne pas avoir de mère — du moins pas dans ses histoires préférées.

— Qu'est-ce que tu veux que je te raconte ?

Mo regarda par la fenêtre. Dehors, les chats se disputaient de nouveau. Leurs cris ressemblaient à ceux de petits enfants.

— Tu lui ressembles plus qu'à moi, dit-il. Heureusement. Elle rit comme toi et, quand elle lit, elle mordille ses mèches de cheveux, comme toi. Elle est myope, mais elle est trop fière pour porter des lunettes…

— Je la comprends.

Son bras ne lui faisait presque plus mal, la morsure du chien de Basta était presque guérie. Mais il aurait une cicatrice, claire comme celle que le couteau de Basta lui avait faite neuf ans plus tôt.

— Pourquoi comprends-tu ça ? Moi j'aime bien les lunettes, dit Mo.

— Pas moi. Et… ?

— Elle aime les pierres, les pierres plates et les rondes qui adhèrent dans la main. Elle en a toujours une ou deux dans son sac. Elle a l'habitude de les poser sur les livres, surtout les livres de poche, parce qu'elle n'aime pas que la couverture s'ouvre. Mais tu ôtais les pierres et tu les faisais rouler sur le parquet.

— Elle se fâchait ?

— Non ! Elle caressait ton petit cou potelé jusqu'à ce que tu les lâches…

Mo se tourna vers Meggie.

— Elle ne te manque vraiment pas, Meggie ?

— Je ne sais pas. Seulement quand je suis furieuse contre toi.

— Donc, une dizaine de fois par jour.

— Mais non !

Meggie lui donna un coup de coude. Ils tendirent l'oreille, épiant la nuit. La fenêtre était entrouverte, dehors, il n'y avait aucun bruit. Les chats s'étaient tus, ils devaient lécher leurs blessures.

Devant la boutique, il y avait souvent un chat tigré avec une oreille en lambeaux. Un instant, Meggie crut entendre le bruit de la mer dans le lointain, mais ce n'était peut-être que l'autoroute non loin de là.

— Où penses-tu que Doigt de Poussière soit allé ?

L'obscurité les enveloppait comme un drap doux. «Je vais regretter la chaleur, songea-t-elle. Oui, vraiment. »

— Je ne sais pas, répondit Mo. (Au ton de sa voix, il avait l'air absent.) J'espère qu'il est parti très loin, mais je n'en suis pas sûr.

Non, Meggie ne l'était pas non plus.

— Tu crois que le garçon est avec lui ?

Farid. Elle aimait bien son nom.

— Je le crois. Il le suivait comme son chien.

— Il l'aime, voilà. Tu crois que Doigt de Poussière l'aime aussi ?

Mo haussa les épaules.

— Je ne sais pas ce qu'aime Doigt de Poussière, ni qui il aime.

Meggie posa la tête contre sa poitrine, comme elle le faisait toujours à la maison quand il lui racontait des histoires.

— Il veut encore récupérer le livre, hein ? chuchota-t-elle.

Basta va le découper en rondelles avec son couteau si jamais il tombe sur lui. Il a dû se procurer un nouveau couteau.

Dehors, quelqu'un remontait la ruelle. Une porte s'ouvrit et se referma, un chien aboya.

— Si tu n'étais pas là, lui avoua Mo, j'y retournerais aussi.

30

CE BAVARD DE PIPO

— On vous a mal informé, répondit Bouton-d'or. Il n'y a personne à des lieues à la ronde.

— Alors, personne ne vous entendra hurler, dit le bossu, avec une vivacité étonnante, il lui sauta à la gorge.

William Goldman, *La Princesse Bouton-d'or.*

Le lendemain matin, vers dix heures, Elinor composa le numéro de Fenoglio. Meggie était assise à l'étage à côté de Mo. Elle le regardait débarrasser délicatement un livre de sa couverture moisie, comme s'il délivrait un animal blessé pris au piège.

— Mortimer, cria Fenoglio au pied de l'escalier. J'ai au bout du fil une bonne femme hystérique qui me hurle des choses incompréhensibles dans l'écouteur. Elle prétend être une amie à toi.

Mo reposa le livre dénudé et descendit. Fenoglio lui tendit l'appareil d'un air sombre. La voix d'Elinor vomissait sa colère et son désespoir dans le paisible bureau. Mo eut du mal à saisir quelque chose parmi le flot de jurons.

— Comment pouvait-il savoir ?… Mais oui, bien sûr…, l'entendit dire Meggie. Brûlés ? Tous ?

Il passa sa main sur son visage et regarda Meggie, mais elle eut le sentiment qu'il ne la voyait pas.

— Entendu, reprit-il. Oui bien sûr, bien que je craigne que la police d'ici ne te croie pas non plus, et pour ce qui est arrivé aux livres, ce n'est pas de son ressort... Oui, bon. Bien sûr... Je viens te chercher. Oui.

Et il raccrocha.

Fenoglio ne pouvait dissimuler sa curiosité. Il flairait une nouvelle histoire.

— Qu'est-ce qui se passe encore ? demanda-t-il avec impatience tandis que Mo restait prostré devant le téléphone.

C'était un samedi. Rico était accroché au dos de Fenoglio comme un petit singe, mais les autres enfants n'étaient pas encore arrivés.

— Mortimer, qu'est-ce qu'il y a ? Tu ne nous parles plus ? Regarde ton père, Meggie, on dirait qu'il est empaillé.

— C'était Elinor, expliqua Mo. La tante de la mère de Meggie. Je t'ai parlé d'elle. Les hommes de Capricorne se sont introduits dans sa propriété. Ils ont renversé les livres de ses étagères et les ont piétinés. Quant à ceux qui étaient dans sa bibliothèque – il hésita un instant avant de poursuivre –, ses livres précieux, ils les ont mis en tas dans le jardin et les ont brûlés. La seule chose qu'elle a retrouvé dans sa bibliothèque, c'est un coq mort.

Fenoglio fit descendre son petit-fils de son dos.

— Rico, va voir les chatons, lui ordonna-t-il. Ceci n'est pas une histoire pour toi.

Rico protesta, mais son grand-père ne céda pas. Il le fit sortir de la pièce et referma la porte derrière lui.

— Pourquoi es-tu si sûr que Capricorne est derrière tout ça ? demanda-t-il en se tournant vers Mo.

— Qui d'autre ? D'ailleurs, si je me souviens bien, le coq mort est son emblème. As-tu oublié ta propre histoire ?

Fenoglio se tut, gêné.

— Non, non, je me souviens, murmura-t-il.

— Et Elinor ?

Le cœur battant, Meggie attendait la réponse de Mo.

— Heureusement, elle n'était pas là, elle a pris son temps pour rentrer. Mais tu peux te figurer dans quel état elle est. Ses plus beaux livres, mon Dieu…

Fenoglio ramassa de ses doigts nerveux des jouets sur le tapis.

— Oui, Capricorne aime le feu, admit-il d'une voix rauque. Si c'était vraiment lui, votre amie peut s'estimer heureuse qu'il ne l'ait pas brûlée avec ses livres.

— Je le lui dirai.

Mo prit une boîte d'allumettes qui se trouvait sur le bureau, l'ouvrit et la referma doucement.

— Et mes livres, que sont-ils devenus ?

Meggie osait à peine poser la question.

— Ma caisse — je l'avais cachée sous le lit.

Mo reposa la boîte d'allumettes sur le bureau.

— C'est la seule bonne nouvelle, répondit-il. Ta caisse est intacte. Elle est toujours sous le lit. Elinor a regardé.

Meggie prit une grande inspiration. Était-ce Basta qui avait allumé le brasier ? Non, Basta avait peur du feu, elle se souvenait que Doigt de Poussière s'était moqué de lui à ce propos. Mais au fond, peu importait lequel des hommes aux chemises noires l'avait fait. Les trésors d'Elinor étaient partis en fumée et même Mo ne pourrait les faire revenir.

— Elinor vient en avion jusqu'ici, je dois aller la chercher, annonça Mo. Elle s'est mis en tête de lancer la police aux trousses de Capricorne. Je lui ai dit qu'elle n'avait aucune chance. Même si elle pouvait prouver que ce sont ses hommes qui se sont introduits chez elle, comment pourrait-elle prouver que c'est lui qui leur en a donné l'ordre ? Mais tu connais Elinor.

Meggie hocha la tête, l'air sombre. Oui, elle connaissait Elinor — et elle ne la comprenait que trop bien. Mais Fenoglio se mit à rire.

— La police ! Capricorne ne se laisse pas impressionner par la police ! s'exclama-t-il. Il a ses propres règles, ses lois…

— Arrête ! Tu n'es pas en train d'écrire un livre ! l'interrompit Mo brutalement. C'est sans doute très amusant d'inventer quelqu'un comme Capricorne mais, crois-moi, ça n'est pas du tout amusant de le rencontrer. Je vais à l'aéroport, je laisse Meggie ici. Fais bien attention à elle.

Avant que Meggie ait pu protester, il avait disparu. Elle lui courut après, mais dans la rue, elle tomba sur Paula et Pipo. Ils la retinrent et voulurent l'emmener avec eux. Il fallait qu'elle joue au mangeur d'hommes, à la sorcière, au monstre à six bras — des personnages sortis des histoires de leur grand-père dont ils peuplaient le monde et leurs jeux. Quand Meggie réussit enfin à se libérer des petites mains, Mo était déjà loin. La place sur laquelle il avait garé sa voiture de location était vide et Meggie se retrouva seule avec le monument aux morts et quelques vieux qui, les mains dans les poches de leur pantalon, regardaient la mer.

Indécise, elle alla s'asseoir sur les marches du monument. Elle n'était pas d'humeur à courir après les petits-enfants de Fenoglio ni à jouer à cache-cache avec eux. Non, elle voulait simplement rester assise là et attendre le retour de Mo. Le vent chaud qui avait soufflé sur le village la nuit dernière et déposé du sable fin sur les balcons était retombé. L'air était plus frais que les jours précédents. Au-dessus de la mer, le ciel était encore clair, mais des nuages gris apparaissaient derrière les collines et, chaque fois que le soleil se cachait derrière, une ombre s'étendait sur les toits du village, qui faisait frissonner Meggie.

Un chat s'avança vers elle, les pattes raides, la queue en l'air. C'était un petit chat maigre avec des tiques dans sa fourrure grise et des côtes qui saillaient sous les poils fins. Meggie l'appela doucement jusqu'à ce qu'il passe sa tête sous son bras et vienne quémander quelques caresses en ronronnant. Il avait l'air de n'appartenir à personne, il n'avait pas de collier, pas un gramme de graisse, rien n'évoquant un propriétaire qui s'occupe de lui.

Meggie lui caressa les oreilles, le menton, le dos tout en regardant la rue qui disparaissait dans un virage serré derrière les maisons du village.

Combien de kilomètres y avait-il jusqu'à l'aéroport ? Meggie appuya son visage dans ses mains. Au-dessus d'elle, les nuages s'amoncelaient, de plus en plus menaçants. Ils se rapprochaient, toujours plus épais, porteurs de pluie.

Le chat frotta son dos contre son genou et, tandis que Meggie passait ses doigts dans la fourrure sale, une nouvelle question lui traversa l'esprit. Et si Doigt de Poussière n'avait pas seulement parlé à Capricorne de la maison d'Elinor ? S'il lui avait raconté aussi où Mo et elle habitaient ? Allaient-ils retrouver un tas de cendres dans la cour ? Non. Elle ne voulait pas y penser.

— Il ne le sait pas, murmura-t-elle. Il ne sait rien. Doigt de Poussière ne lui en a pas parlé.

Elle se le répétait à mi-voix, comme pour conjurer le sort.

À un moment donné, elle sentit une goutte de pluie sur sa main, puis une autre. Elle leva les yeux vers le ciel. Il n'y avait plus le moindre morceau de bleu. Avec la proximité de la mer, le temps pouvait changer tellement vite ! « Bon, se dit-elle, si c'est comme ça, je vais aller attendre dans l'appartement. » Peut-être y aurait-il encore du lait pour le chat. Le pauvre animal pesait moins que rien et, quand elle le souleva, Meggie eut peur de le briser.

Dans l'appartement, il faisait très sombre. Le matin, Mo avait fermé les volets à cause du soleil. Mouillée par la pluie fine qui s'était mise à tomber, Meggie frissonna quand elle entra dans la chambre fraîche. Elle posa le chat sur le lit défait, enfila le pull trop grand de Mo et alla dans la cuisine. La bouteille de lait était presque vide mais, mélangé avec un peu d'eau chaude, cela suffisait tout juste pour une petite soucoupe.

Dehors, il pleuvait de plus en plus fort. Meggie entendit les gouttes s'écraser sur les pavés. Elle se dirigea vers la fenêtre et ouvrit les volets. La bande de ciel entre les toits était très sombre, comme si le soleil allait déjà se coucher. Meggie s'assit sur le lit de Mo. Le chat léchait toujours la soucoupe, passait sa langue sur la porcelaine à fleurs, dans l'espoir d'y trouver encore une dernière goutte du délicieux breuvage. Meggie entendit des pas dehors, puis un coup frappé à la porte. Qui était-ce ? Il était impossible que Mo soit déjà de retour. À moins qu'il n'ait oublié quelque chose? Le chat avait disparu, sans doute s'était-il caché sous le lit.

— Meggie, cria une voix d'enfant.

Naturellement, c'était Paula ou Pipo.

Sans doute voulaient-ils l'emmener voir les fourmis malgré la pluie. Une patte grise sortit de sous le lit et attrapa son lacet de chaussure. Meggie s'engagea dans le minuscule couloir.

— Je n'ai pas le temps de jouer maintenant, lança-t-elle derrière la porte fermée.

— Meggie, s'il te plaît! supplia Pipo.

En soupirant, Meggie ouvrit la porte… et se trouva nez à nez avec Basta.

— Regarde-moi qui est là! dit-il d'une voix basse et menaçante tandis que ses doigts se resserraient autour du petit cou de Pipo. Que dis-tu de ça, Nez Aplati? Elle n'a pas le temps de jouer.

Basta repoussa Meggie sans ménagement et franchit le seuil avec Pipo. Bien sûr, Nez Aplati était là lui aussi. Avec sa carrure, il passait tout juste par la porte.

— Lâche-le, lança Meggie à Basta d'une voix tremblante. Tu lui fais mal.

— Tu crois? s'exclama Basta en regardant le visage pâle de Pipo. Ce n'est pas gentil de ma part, alors qu'il nous a montré où tu te caches. Sais-tu combien de temps nous avons passé dans cette cabane pourrie?

Il avait dit cela d'un air mauvais et Meggie fit un pas en arrière.

— Trèèèès longtemps!

Basta avait approché sa tête de renard si près du visage de Meggie qu'elle put voir son propre reflet dans ses yeux.

— Pas vrai, Nez Aplati?

— Ces satanés rats m'ont presque bouffé les orteils, gronda le géant. En échange, j'ai bien envie de tordre le nez de cette petite sorcière.

— Peut-être plus tard.

Basta poussa Meggie dans la chambre sombre.

— Où est ton père? demanda-t-il. Ce petit-là — il lâcha le cou de Pipo et lui donna un grand coup dans le dos qui le fit atterrir à côté de Meggie — nous a dit qu'il était parti en voiture. Où?

— Faire des courses.

Meggie avait si peur qu'elle avait du mal à respirer.

— Comment nous as-tu trouvés? murmura-t-elle, en répondant immédiatement dans sa tête à sa question. «Doigt de Poussière. Naturellement. Qui d'autre? Mais pourquoi nous a-t-il trahis cette fois-ci?»

— Doigt de Poussière, répondit effectivement Basta comme s'il avait lu dans ses pensées. Il n'y a pas beaucoup de fous en ce monde qui vagabondent, crachent du feu et possèdent une martre apprivoisée, sans parler d'une martre à cornes. Nous n'avons eu qu'à demander un peu autour de nous. Dès que nous avons retrouvé la trace de Doigt de Poussière, nous avions aussi celle de ton père. Nous vous aurions rendu visite beaucoup plus tôt si cet imbécile — il donna un coup de coude si violent dans l'estomac de Nez Aplati que celui-ci poussa un grognement de douleur — ne vous avait pas perdus de vue en chemin. Nous avons dû parcourir une douzaine de villages, demander à droite et à gauche, marcher et marcher encore avant d'arriver ici et qu'un des vieux qui passent leurs journées à regarder la mer se souvienne enfin des balafres de Doigt de Poussière. Où est-il?

Basta fit une moue moqueuse.

— Parti faire des courses, lui aussi ?

Meggie secoua la tête.

— Il est parti, dit-elle d'une voix monocorde. Il y a long-temps.

Ainsi, il ne les avait pas trahis. Pas cette fois. Et il avait échappé à Basta. Pour un peu, Meggie se serait mise à sourire.

— Vous avez brûlé les livres d'Elinor, reprit-elle en serrant contre elle Pipo qui était muet de peur. Vous allez le regretter.

— Ah oui ? se moqua Basta avec un sourire mauvais. Et pour-quoi ça ? Cockerell a dû bien s'amuser. Mais maintenant, assez bavardé ! Nous sommes pressés. Cet enfant — Pipo recula devant l'index de Basta comme devant un couteau — nous a raconté d'étranges choses à propos de son grand-père qui écrit des livres, en particulier à propos d'un livre qui intéresse beaucoup ton père.

Meggie avala sa salive. Cet idiot de Pipo. Cet idiot de petit bavard.

— Tu as perdu ta langue ? s'énerva Basta. Tu veux peut-être que je serre encore le maigre cou du petit ?

Pipo se mit à pleurer et enfouit son visage dans le pull-over de Mo que Meggie portait toujours. Elle caressa ses cheveux bou-clés pour le consoler.

— Le livre auquel tu penses, son grand-père n'en possède plus aucun exemplaire, lança-t-elle à Basta. Il y a longtemps que vous les lui avez volés !

Elle avait la voix rauque, elle ressentait une haine profonde et ses propres pensées lui donnaient la nausée. Elle aurait voulu donner des coups de pied à Basta, le frapper, enfoncer son couteau dans son ventre, ce couteau flambant neuf qu'il avait à la ceinture.

—Volés, tiens donc!

Basta regarda Nez Aplati en ricanant.

—Nous allons nous en assurer nous-mêmes, pas vrai?

On entendit soudain un grattement sous le lit. Nez Aplati s'agenouilla, tira le drap qui pendait sur le côté et balaya sous le sommier avec la crosse de son fusil. Le chat bondit hors de sa cachette en feulant et, quand Nez Aplati essaya de l'attraper, il lui planta ses griffes dans le visage. Nez Aplati poussa un cri de douleur et se releva.

—Je vais lui tordre le cou! hurla-t-il. Je vais lui briser les os!

Meggie voulut lui barrer le passage quand il se rua en direction du chat, mais Basta fut plus rapide.

— Reste tranquille, lança-t-il à Nez Aplati tandis que le chat disparaissait derrière l'armoire. Ça porte malheur de tuer les chats. Combien de fois faudra-t-il que je te le répète?

— Tu racontes des idioties! Ce sont des superstitions idiotes! J'ai tordu le cou à je ne sais combien de ces bêtes! gronda Nez Aplati en appuyant la main sur sa joue en sang. Est-ce que ça m'a valu plus de malchance que toi? Des fois, tu rends fou avec tes âneries : «Ne marche pas à l'ombre, ça porte malheur…» «Hé, tu as mis ta botte gauche la première, ça porte malheur!» «Tu as bâillé, ça porte malheur!» Par le diable, demain, je tombe raide mort!

— Arrête, lança Basta, s'il y a quelqu'un ici qui raconte des idioties, c'est bien toi! Emmène les enfants jusqu'à la porte.

Pipo s'accrocha à Meggie quand Nez Aplati les poussa dans le couloir.

— Qu'est-ce que tu as à pleurer comme ça ? maugréa-t-il, nous allons aller voir ton grand-père.

Pipo ne lâcha pas une seule fois la main de Meggie tandis qu'ils suivaient tant bien que mal Nez Aplati. Il s'y accrochait si fort que ses petits ongles s'enfonçaient dans sa peau. « Pourquoi Mo ne m'a-t-il pas écoutée ? pensait-elle. Nous aurions dû rentrer chez nous. »

Il pleuvait toujours aussi fort. Les gouttes ruisselaient sur le visage et dans le cou de Meggie. Les rues étaient désertes, il n'y avait personne qui puisse les aider. Basta marchait juste derrière elle, elle l'entendait pester à voix basse contre la pluie. Quand ils atteignirent la maison de Fenoglio, Meggie avait les pieds trempés et Pipo les boucles collées sur la tête. « Peut-être qu'il n'est pas là ! » se dit Meggie, pleine d'espoir — et elle était en train de se demander ce que ferait Basta dans ce cas-là lorsque la porte peinte en rouge s'ouvrit et que Fenoglio apparut.

— Vous avez perdu la tête, pour vous promener dehors par ce temps ? gronda-t-il. J'allais partir vous chercher. Entrez, et plus vite que ça.

— Pouvons-nous entrer aussi ?

Basta et Nez Aplati s'étaient d'abord placés de chaque côté de la porte, le dos au mur, pour que Fenoglio ne les remarque pas tout de suite mais, à ce moment, Basta se posta derrière Meggie et posa la main sur son épaule. Tandis que Fenoglio le contemplait, stupéfait, Nez Aplati s'avança et mit le pied en travers de la porte ouverte. Pipo bondit devant lui, rapide comme une belette et disparut dans la maison.

— Qui est-ce ?

Fenoglio regarda Meggie d'un air lourd de reproche comme si c'était elle qui avait amené de plein gré les deux inconnus.

– Des amis de ton père?

Meggie essuya la pluie sur son visage et lui rendit son regard de reproche.

– Tu devrais les connaître mieux que moi! s'écria-t-elle.

– Les connaître?

Fenoglio la regarda sans comprendre. Puis il contempla de nouveau Basta – et son regard se figea.

– Mon Dieu! murmura-t-il. Ce n'est pas possible!

Dans son dos, Paula regardait la scène.

– Pipo pleure, dit-elle, il s'est caché dans le placard.

– Va le retrouver! ordonna Fenoglio sans quitter Basta des yeux. J'arrive.

– Est-ce qu'on va rester encore longtemps dehors, Basta? grommela Nez Aplati, tu veux qu'on fonde?

– Basta! répéta Fenoglio sans s'écarter.

– Oui, c'est mon nom, mon vieux!

Les yeux de Basta rapetissaient quand il souriait.

– Nous sommes ici parce que tu as quelque chose qui nous intéresse beaucoup, un livre…

Naturellement. Meggie faillit éclater de rire. Il ne comprenait rien! Basta ne savait pas qui était Fenoglio. Comment l'aurait-il su? Comment aurait-il pu savoir que ce vieil homme l'avait inventé, fait naître avec de l'encre et du papier, lui, son visage, son couteau et sa méchanceté?

– Trêve de bavardages! grogna Nez Aplati. La pluie me coule dans les oreilles.

Il écarta Fenoglio comme une mouche importune et s'introduisit dans la maison. Basta le suivit avec Meggie. Dans la cuisine, on entendait encore Pipo sangloter, enfermé dans le placard. Derrière la porte, Paula essayait de trouver des mots pour le calmer. Quand Fenoglio arriva dans la pièce avec les inconnus, elle sursauta et regarda le visage de Nez Aplati d'un air inquiet. Sombre comme toujours, Fenoglio s'assit à la table et fit signe à Paula de venir le rejoindre.

— Alors, ce livre, où est-il ?

Basta regardait autour de lui, mais Fenoglio était bien trop occupé à contempler ses deux créatures pour répondre. Surtout Basta, qu'il regardait fixement, comme s'il n'en croyait pas ses yeux.

— Je vous l'ai dit, il n'y en a plus ici ! répondit Meggie à sa place.

Basta fit semblant de ne pas entendre et se tourna vers Nez Aplati avec impatience.

— Cherche-le ! ordonna-t-il.

Nez Aplati obéit en maugréant. Meggie l'entendit monter avec fracas l'étroit escalier de bois qui menait au grenier.

— Alors, petite sorcière ! Comment avez-vous eu l'idée de venir voir ce vieux ?

Basta lui donna un coup dans le dos.

— Comment avez-vous su qu'il en possédait encore un exemplaire ?

Meggie regarda Fenoglio pour le mettre en garde mais il avait la langue aussi bien pendue que Pipo.

— Comment ont-ils eu l'idée de venir me voir ? C'est moi qui l'ai écrit, ce livre ! annonça le vieil homme fièrement.

Peut-être s'attendait-il à voir Basta tomber à genoux devant lui, mais celui-ci grimaça un sourire compatissant.

— Mais oui, c'est ça ! dit-il en tirant son couteau de sa ceinture.

— C'est vrai qu'il l'a écrit !

Meggie n'avait pu s'empêcher de parler. Elle voulait voir sur le visage de Basta la même peur qui avait fait blêmir Doigt de Poussière quand il avait appris l'existence de Fenoglio, mais Basta se mit à rire et commença à faire des entailles dans la table de cuisine de Fenoglio.

— Tu me prends pour un idiot ? Tout le monde sait que les histoires imprimées dans les livres sont très vieilles, qu'elles ont été écrites par des gens qui sont morts et enterrés depuis longtemps.

Il planta la lame de son couteau dans le bois, la ressortit et la planta de nouveau. Au-dessus de leurs têtes, on entendait les pas lourds de Nez Aplati.

— Morts et enterrés, intéressant, dit Fenoglio en prenant Paula sur ses genoux. Tu as entendu, Paula ? Ce jeune homme prétend que tous les livres ont été écrits à l'époque de la préhistoire, par des gens morts qui ont glané leurs histoires Dieu sait où. Peut-être dans les airs.

Paula eut un petit rire. Dans le placard, il n'y avait plus de bruit. Pipo devait écouter à la porte en retenant son souffle.

— Qu'est-ce qu'il y a de si drôle ? demanda Basta en se redressant comme un serpent à qui on aurait marché sur la queue.

Fenoglio l'ignora. Il contemplait ses mains en souriant — il semblait se rappeler le jour où elles avaient commencé à écrire l'histoire de Basta. Puis il regarda celui-ci.

— Tu portes… toujours des manches longues, remarqua-t-il. Tu veux que je te dise pourquoi ?

Basta leva ses yeux plissés vers le plafond.

— Qu'est-ce qu'il fout, cet imbécile ? Pourquoi met-il si long-temps pour trouver un livre ?

Fenoglio le dévisagea, les bras croisés.

— Tout simplement parce qu'il ne sait pas lire ! dit-il douce-ment. Toi non plus d'ailleurs, tu ne sais pas lire, à moins que tu n'aies appris entre-temps ! Pas un seul des hommes de Capri-corne ne sait lire, pas plus que Capricorne lui-même.

Basta enfonça la lame de son couteau si profondément dans la table qu'il eut du mal à la faire ressortir.

— Bien sûr qu'il sait lire ! Qu'est-ce que tu racontes ?

Il se pencha au-dessus de la table, l'air menaçant.

— Tes bavardages ne me plaisent pas, le vieux. Ça te dirait que je te fasse quelques rides supplémentaires sur le visage ?

Fenoglio sourit. Peut-être croyait-il que Basta ne pouvait rien lui faire parce qu'il l'avait inventé. Meggie n'en était pas si sûre.

— Tu portes des manches longues, poursuivit Fenoglio lente-ment, comme s'il voulait donner le temps à Basta de bien com-prendre chaque mot, parce que ton maître aime jouer avec le feu. Tu t'es brûlé les deux bras jusqu'aux épaules en mettant le feu à la maison d'un homme qui avait osé refuser sa fille à Capri-corne. Depuis, c'est quelqu'un d'autre qui allume le feu et tu te contentes de jouer du couteau.

Basta fit un bond si soudain que Paula glissa des genoux de Fenoglio et alla se cacher sous la table.

— Tu aimes bien faire ton malin ! gronda-t-il en mettant son couteau sous la gorge de Fenoglio. Tout ça parce que tu as lu ce satané livre. Et après ?

Fenoglio le regarda droit dans les yeux. Contrairement à Meg-gie, le couteau sous sa gorge n'avait pas l'air de lui faire peur.

— Je sais tout de toi, Basta, affirma-t-il. Je sais que tu sacri-
fierais sans hésiter ta vie pour Capricorne, que tu meurs d'envie de recevoir des compliments de sa part. Je sais que tu étais
plus jeune que Meggie quand ses hommes t'ont ramassé et que,
depuis, tu le considères un peu comme ton père. Mais tu veux
que je te dise une chose ? Capricorne te trouve bête et te méprise
pour cela. Il vous méprise tous, vous ses fils dévoués, bien que ce
soit lui qui ait tout fait pour que vous restiez bêtes. Et il n'hési-
terait pas à livrer n'importe lequel d'entre vous à la police si cela
lui était utile. Tu comprends ça ?

— Ferme ta sale gueule, le vieux !

Le couteau de Basta se rapprochait dangereusement du visage
de Fenoglio. Un instant, Meggie pensa qu'il allait lui trancher le
nez.

— Tu ne sais rien de Capricorne, rien que ce que tu as lu dans
ce livre idiot et je crois que je ferais mieux de te couper le cou.

— Attends !

Basta se tourna vers Meggie.

— Toi, ne te mêle pas de ça ! Je vais m'occuper de toi après,
petit crapaud.

Fenoglio avait mis ses deux mains autour de son cou. Il regardait Basta, éberlué. Apparemment, il venait enfin de réaliser qu'il
n'était nullement à l'abri de son couteau.

— Tu ne peux pas le tuer ! s'écria Meggie, sinon…

Basta passa le pouce sur la lame de son couteau.

— Sinon quoi ?

Meggie chercha désespérément la réponse qui convenait.
Qu'est-ce qu'elle pouvait répondre ? Quoi ?

— Parce que… Capricorne mourrait aussi ! lança-t-elle. Oui,

parfaitement! Vous mourriez tous, toi et Nez Aplati et Capricorne… Si tu tues le vieil homme, vous allez tous mourir, parce que c'est lui qui vous a créés!

Basta grimaça un sourire méprisant mais il laissa retomber son couteau. Et, l'espace d'un instant, Meggie crut même déceler dans ses yeux quelque chose comme de la peur.

Fenoglio lui lança un regard soulagé. Basta fit un pas en arrière, contempla la lame de son couteau avec beaucoup d'attention, comme s'il y avait découvert une tache et le frotta avec un pan de sa veste noire.

— Je ne crois pas un mot de ton histoire, que ce soit bien clair! lâcha-t-il. Mais elle est tellement folle que Capricorne aimerait peut-être bien l'entendre. C'est pourquoi…

Il lança un dernier coup d'œil à son couteau, le referma et le remit à sa ceinture.

— … nous n'allons pas seulement emmener le livre et la fille, mais toi aussi, le vieux.

Meggie entendit Fenoglio prendre une grande inspiration. Elle n'était pas sûre elle-même que son cœur batte encore, tant elle avait peur. Basta allait l'emmener. «Non! pensa-t-elle. Non! »

— Nous emmener! Où ça? interrogea Fenoglio.

— Demande à la petite!

Basta désigna Meggie d'un air moqueur.

— Elle et son père ont déjà eu l'honneur d'être nos hôtes. Logés, nourris, tout compris.

— Ce n'est pas sérieux! s'exclama Fenoglio. Je croyais que vous étiez venus chercher un livre!

— Eh bien, tu te trompais. Nous ne savions même pas qu'il en existait peut-être encore un. Nous devions simplement ramener Langue Magique. Capricorne a horreur que ses invités lui faussent compagnie sans dire au revoir, et Langue Magique est un hôte de marque, pas vrai, petite ?

Basta fit un clin d'œil à Meggie.

— Mais il n'est pas là et j'ai mieux à faire que de l'attendre. C'est pourquoi je vais emmener sa fille, comme ça, il viendra nous rejoindre de lui-même.

Basta s'approcha de Meggie et lui mit les cheveux derrière les oreilles.

— N'est-elle pas un appât de choix ? demanda-t-il. Crois-moi, le vieux, quand on a la fille, c'est comme si on avait son père au bout d'une laisse, comme un chien de cirque.

Meggie lui donna une tape sur la main. Elle tremblait de colère.

— Ne t'avise pas de recommencer ça ! lui murmura Basta à l'oreille.

Meggie fut soulagée de voir Nez Aplati arriver au même moment dans l'embrasure de la porte, à bout de souffle, une pile de livres sous le bras.

— Voilà ! s'exclama-t-il en les déchargeant sur la table. Ils commencent tous par un demi-rond et après un rond complet, comme tu me l'as dessiné.

Il posa à côté des livres un morceau de papier gras sur lequel étaient écrits un C maladroit et un O. Les lettres donnaient l'impression d'avoir été écrites par quelqu'un qui avait eu bien du mal à les tracer.

Basta étala les livres sur la table et les sépara de la pointe de son couteau.

— Non ! dit-il en poussant deux livres vers le bord de la table si bien qu'ils tombèrent par terre en abîmant les pages. Ceux-là non plus.

Deux autres livres atterrirent sur le sol. Pour finir, Basta envoya tous les livres par terre.

— Tu es sûr qu'il n'en reste pas un ? demanda-t-il à Nez Aplati.

— Oui !

— Tu n'as pas intérêt à te tromper ! Car, crois-moi, ce n'est pas moi qui aurai les problèmes, mais toi !

Nez Aplati jeta un coup d'œil inquiet en direction des livres à ses pieds.

— Au fait, il y a un petit changement. Nous emmenons aussi celui-là.

Basta pointa la lame de son couteau en direction de Fenoglio.

— Pour qu'il puisse raconter ses belles histoires au patron. Crois-moi, elles sont vraiment passionnantes. Et pour le cas où il aurait encore un livre caché quelque part dans cette maison, nous aurons le temps de l'interroger. Tu t'occupes du vieux et moi de la fille.

Nez Aplati hocha la tête et fit lever Fenoglio de sa chaise. Basta prit Meggie par le bras.

Retourner chez Capricorne — elle se mordit les lèvres pour ne pas pleurer pendant que Basta entraînait Fenoglio vers la porte de la cuisine. Non. Elle ne lui ferait pas le plaisir de la voir pleurer. « Au moins, ils n'ont pas attrapé Mo ! » songea-t-elle. Et soudain, elle n'eut plus qu'une idée en tête : si jamais il les croisait avant qu'ils n'aient quitté le village ? S'il arrivait avec Elinor ?

Soudain, elle eut hâte, vraiment hâte de s'en aller, mais Nez Aplati s'arrêta sur le seuil de la maison.

— Qu'est-ce qu'on fait de la gamine et du braillard dans le placard ? demanda-t-il.

Le visage de Fenoglio devint plus blanc que la chemise de Basta.

— Alors, le vieux, à ton avis, qu'est-ce que je fais avec les deux mômes ? demanda Basta, méprisant. Toi qui crois tout savoir de moi.

Fenoglio ne put prononcer une parole. Il pensait sans doute à toute la cruauté dont, dans son imagination, il avait doté Basta.

Pendant quelques délicieuses minutes, Basta savoura la peur qu'il lisait sur son visage puis il se tourna vers Nez Aplati.

— Les enfants restent ici, décida-t-il, la gamine suffit.

Fenoglio eut du mal à retrouver sa voix.

— Paula, rentrez chez vous, s'écria-t-il tandis que Nez Aplati le poussait dans l'escalier. Vous entendez ? Rentrez immédiatement à la maison. Dites à votre mère que je suis parti en voyage pour quelques jours ! Compris ?

— Nous allons repasser à l'appartement, ordonna Basta, j'ai complètement oublié de laisser un message à ton père. Il faut bien qu'il sache où tu es, pas vrai ?

« Quel message peux-tu bien laisser, toi qui arrives à peine à écrire correctement deux lettres ? » songea Meggie mais, évidemment, elle ne dit rien. Tout le long du chemin, elle n'avait qu'une peur, c'était de tomber sur Mo. Quand ils arrivèrent devant la porte de l'appartement, ils croisèrent une vieille femme qui descendait la rue.

— Un seul mot et je retourne chez toi et tords le cou des deux enfants ! chuchota Basta à l'oreille de Fenoglio tandis que la femme ralentissait son allure.

— *Hello*, Rosaria, lança Fenoglio d'une voix rauque. J'ai de nouveaux locataires pour mon appartement. Qu'est-ce que tu en dis ?

La méfiance s'évanouit du visage de la femme qui ne tarda pas à disparaître au coin de la rue. Meggie ouvrit la porte et laissa Basta et Nez Aplati entrer dans l'appartement où Mo et elle s'étaient sentis tellement en sécurité. Dans le couloir, le chat gris lui revint en mémoire. Inquiète, elle regarda autour d'elle, mais elle ne le trouva nulle part.

— Il faut faire sortir le chat, dit-elle quand ils entrèrent dans la chambre, sinon il va mourir de faim.

Basta ouvrit la fenêtre.

— Voilà, maintenant, il peut sortir, dit-il.

Nez Aplati soupira d'un air méprisant, mais il n'ajouta rien à propos des superstitions de Basta.

— Je peux prendre quelques habits ? demanda Meggie.

Nez Aplati se contenta de grogner. Fenoglio regarda sa tenue d'un air malheureux.

— J'aurais besoin de vêtements, moi aussi, dit-il, mais personne ne l'écouta.

Basta était occupé à laisser son message. Avec application, le bout de la langue coincé entre les dents, il grava son nom dans la penderie. BASTA. Mo ne comprendrait que trop bien le message.

Meggie fourra à la hâte quelques affaires dans son sac à dos. Elle garda le pull-over de Mo sur elle. Quand elle voulut glisser les livres d'Elinor sous le pull, Basta lui donna un coup sur les doigts.

— Ils restent ici! ordonna-t-il.

Sur le chemin qui les menait à la voiture de Basta, ils ne croisèrent pas Mo. Sur cet interminable chemin…

31

DANS LES COLLINES

— Laissons-la tranquille, dit Merlin. Peut-être ne veut-elle pas être amie avec toi avant de savoir vraiment qui tu es. Avec les chouettes, ce n'est jamais gagné d'avance.

T. H. White, *Excalibur : L'Épée dans la pierre*

Doigt de Poussière regarda en direction du village de Capricorne. Il lui semblait à portée de sa main. Dans certaines des fenêtres se reflétait le ciel et, sur un toit, un des hommes en veste noire changeait quelques bardeaux cassés. Doigt de Poussière le vit essuyer la sueur de son front. Même par cette chaleur, ces imbéciles n'enlevaient pas leurs vestes – comme s'ils avaient peur de se désagréger sans leur uniforme noir. Enfin, même les corbeaux n'enlèvent pas leurs plumes au soleil et ils n'étaient tous qu'une nuée de corbeaux, des brigands, des charognards qui se plaisaient à planter leurs becs pointus dans les chairs mortes.

Au début, Farid s'était inquiété que Doigt de Poussière ait choisi une cachette si proche du village, mais il lui avait expliqué qu'il n'y avait nulle part ailleurs dans les collines environnantes un endroit aussi sûr. Les murs noircis par le charbon étaient

à peine visibles. Des euphorbes, des genêts et du thym sauvage
s'étaient nichés dans les pierres noires de suie, avaient recouvert
de feuillage vert la douleur et le malheur. Les hommes de Capricorne avaient mis le feu à la maison peu après avoir pris possession du village abandonné. La vieille femme qui l'habitait avait
refusé de s'en aller, mais Capricorne ne tolérait aucun regard
curieux si près de son nouveau refuge. Et c'est ainsi qu'il avait
lâché ses corbeaux, ses hommes en noir qui avaient incendié le
poulailler en bois et la seule pièce de la maison. Ils avaient pié-
tiné les plates-bandes soigneusement entretenues et tué l'âne qui
était presque aussi vieux que sa propriétaire. Ils étaient arrivés à
la faveur de la nuit, comme toujours. Cette nuit-là, la lune était
particulièrement lumineuse, c'est du moins ce qu'avait raconté
à Doigt de Poussière une des servantes de Capricorne. La vieille
femme était sortie de la maison, avait pleuré et crié. Puis elle
les avait tous maudits, mais ses yeux ne s'étaient posés que sur
un seul d'entre eux, Basta, qui se tenait un peu à l'écart parce
qu'il avait peur du feu. Sa chemise blanche brillait sous la lune.
Peut-être avait-elle alors supposé que se cachait en lui un peu
d'innocence ou un bon cœur. Sur ordre de Basta, Nez Aplati lui
avait fermé la bouche tandis que les autres riaient — et soudain,
elle était tombée morte, allongée au milieu de ses plates-bandes
piétinées. Depuis ce jour-là, Basta ne redoutait aucun lieu dans
les collines autant que celui-ci, où se dressaient les murs calcinés
recouverts d'euphorbe. Oui, il n'y avait pas de meilleur endroit
pour observer le village de Capricorne.

Doigt de Poussière passait le plus clair de son temps dans un des
chênes qui, autrefois, donnait de l'ombre à la vieille femme quand
elle s'asseyait devant sa maison. Les branches le protégeaient des

regards de ceux qui auraient pu venir rôder par ici. Il y passait des heures à observer le parking et les maisons. Il avait chargé Farid de rester à l'arrière, dans le creux derrière la maison. Le garçon avait obéi à contrecœur. Il suivait Doigt de Poussière comme son ombre car il trouvait ce lieu sinistre. « L'esprit de la vieille femme est sûrement encore là, disait-il. Et si c'était une sorcière ? »

Mais Doigt de Poussière se moquait de lui. Dans ce monde-ci, les esprits n'existaient pas. Du moins, ils ne se montraient pas.

L'endroit était si bien abrité qu'ils s'étaient même risqués à y faire un feu la nuit précédente. Le garçon avait attrapé un lapin, c'était un bon braconnier, et moins compatissant que Doigt de Poussière qui, quand il prenait un lapin au piège, attendait que la pauvre bête ne bouge plus pour aller la chercher. Farid ne connaissait pas ce genre de pitié. Peut-être avait-il eu trop souvent faim.

Quand il voyait Doigt de Poussière allumer un feu avec quelques fines branches, il était plein d'admiration ! En jouant avec les flammes, le garçon s'était déjà brûlé tous les doigts. Le feu s'était attaqué à son nez, à ses lèvres et pourtant Doigt de Poussière le surprenait régulièrement en train de confectionner des torches avec de la ouate et de petites branches, ou à jouer avec des allumettes. Une fois, il avait même mis le feu dans l'herbe sèche. Doigt de Poussière l'avait pris par la peau du cou et l'avait secoué comme un chien désobéissant, jusqu'à ce qu'il ait les larmes aux yeux.

— Écoute, je ne te le répéterai pas ! Le feu est un animal dangereux ! l'avait-il prévenu. Ce n'est pas ton ami. Si tu ne le traites pas correctement, il te tuera et trahira ta présence à tes ennemis !

— Mais c'est ton ami, à toi ! avait balbutié le garçon, sur un ton de défi.

— Pas du tout ! Je suis simplement prudent. Je fais attention au vent ! Je te l'ai dit cent fois : ne fais pas de feu quand il y a du vent. Et maintenant, va chercher Gwin.

— Mais c'est ton ami ! avait encore murmuré Farid avant de s'en aller. En tout cas, il t'obéit mieux que la martre.

Sur ce point, il avait raison. Ce qui ne voulait pas dire grand-chose car une martre n'obéit qu'à elle-même et, dans ce monde-ci, le feu était loin d'obéir à Doigt de Poussière aussi bien que dans l'autre. Là-bas, les flammes devenaient des fleurs s'il le leur demandait. Elles se ramifiaient comme des arbres dans la nuit et retombaient sur lui en étincelles. Avec leurs voix crépitantes, elles hurlaient et chuchotaient, elles dansaient avec lui. Tandis qu'ici, les flammes étaient à la fois apprivoisées et têtues, des animaux muets et inconnus prompts à mordre à l'occasion la main qui les nourrissait. Parfois, par des nuits froides, quand il n'y avait plus que le feu pour chasser la solitude, il croyait l'entendre chuchoter, mais c'étaient des mots qu'il ne comprenait pas.

Pourtant, le garçon devait avoir raison. Le feu était son ami, mais c'était aussi pour ça que Capricorne l'avait fait venir, autrefois, dans l'autre vie. « Montre-moi comment on joue avec le feu », avait-il dit après que ses hommes l'eurent traîné jusqu'à lui. Et Doigt de Poussière avait obéi.

Aujourd'hui encore, il regrettait de lui avoir enseigné tant de choses, car Capricorne adorait laisser libre cours au feu, ses hommes ne devaient l'éteindre que quand il était rassasié, rassasié de récoltes et d'écuries, de maisons, de tout ce qui ne courait pas assez vite pour lui échapper.

— Il n'est pas encore revenu ?

Farid s'appuya contre l'écorce rugueuse de l'arbre. Le garçon ne faisait pas plus de bruit qu'un serpent. Doigt de Poussière sursautait toujours quand il surgissait ainsi brusquement.

— Non, répondit-il, la chance nous sourit.

Le jour de leur arrivée, la voiture de Capricorne était encore sur le parking mais, dans l'après-midi, deux de ses hommes avaient astiqué la peinture métallisée jusqu'à ce qu'elle brille comme un miroir et, peu avant la tombée de la nuit, Capricorne était parti. Il demandait souvent qu'on le conduise dans des endroits le long de la côte ou dans l'une de ses bases, comme il aimait les nommer, même si ce n'était bien souvent guère plus qu'une cabane dans la forêt gardée par un ou deux malheureux hommes.

Capricorne ne savait pas conduire non plus, mais certains de ses hommes avaient ce talent, même si, pour la plupart, ne sachant pas lire, ils n'avaient pas de permis.

— Je vais y retourner en cachette cette nuit, décida Doigt de Poussière. Il ne devrait pas tarder à revenir, Basta non plus d'ailleurs.

Quand ils étaient arrivés, la voiture de Basta n'était pas sur le parking. Étaient-ils encore ligotés dans la cabane en ruine, Nez Aplati et lui ?

— Bon ! Quand est-ce qu'on y va ? demanda Farid qui semblait impatient de le suivre. Au coucher du soleil ? Ils seront tous dans l'église en train de manger.

Doigt de Poussière chassa une mouche de ses jumelles.

— Je vais y aller seul. Toi, tu resteras ici et garderas nos affaires.

— Non !

— Si. Parce que c'est dangereux. Je veux aller voir quelqu'un et, pour ça, il faut que je m'introduise dans la cour derrière la maison de Capricorne.

Le garçon le regarda, étonné. Ses yeux noirs donnaient l'impression d'avoir déjà vu trop de choses.

— Ça t'épate, hein ? ironisa Doigt de Poussière en réprimant un sourire. Tu n'aurais pas cru que j'aie des amis dans la maison de Capricorne.

Le garçon haussa les épaules et regarda en direction du village. Un véhicule se dirigeait vers le parking, un camion couvert de poussière. Sur le plateau de chargement, il y avait deux chèvres.

— Encore un paysan qui s'est débarrassé de ses chèvres…, murmura Doigt de Poussière. Il a bien fait de les leur donner, sinon, au plus tard ce soir, il avait une feuille de papier collée sur la porte de l'écurie.

Farid le regarda, surpris.

— Avec ces mots écrits sur la feuille : « Demain le coq rouge chantera. » C'est la seule phrase que les hommes de Capricorne sachent écrire. Il leur arrive aussi de suspendre un coq mort au-dessus de la porte. Tout le monde comprend.

— Le coq rouge ? reprit le garçon en agitant la tête. C'est une malédiction ?

— Mais non ! Par le diable, tu parles comme Basta, répliqua Doigt de Poussière en riant tout bas.

Les hommes de Capricorne descendirent de voiture. Le plus petit d'entre eux portait deux sacs en plastique pleins à craquer, l'autre fit descendre les deux chèvres du plateau.

— Le coq rouge est le feu, le feu qu'ils mettent aux écuries ou aux oliviers. Parfois, le coq chante aussi sous le toit ou, si quelqu'un est particulièrement têtu, dans la chambre des enfants. On a presque tous quelque chose à quoi l'on tient.

Les hommes emmenèrent les chèvres dans le village. L'un d'entre eux était Cockerell, Doigt de Poussière le reconnut à sa démarche boitillante. Il s'était souvent demandé si Capricorne était au courant de toutes ces petites affaires ou si ses hommes travaillaient de temps à autre pour leur propre compte.

Farid attrapa une sauterelle dans le creux de la main et l'observa à travers ses doigts.

— Je vais venir quand même, dit-il.

— Non.

— Je n'ai pas peur !

— Justement !

Depuis que ses prisonniers s'étaient enfuis, Capricorne avait fait installer des projecteurs — devant l'église, sur le toit de sa maison et sur le parking. Ce qui ne facilitait pas les choses pour passer inaperçu. Dès la première nuit, Doigt de Poussière s'était introduit dans le village, son visage balafré noirci à la suie pour qu'on ne le reconnaisse pas.

Capricorne avait également renforcé la garde, sans doute à cause des trésors que Langue Magique lui avait procurés.

Naturellement, il y avait longtemps qu'on les avait mis dans les caves de sa maison, enfermés dans les lourds coffres-forts que Capricorne y avait fait installer. Il n'aimait pas dépenser son or. Il le stockait, comme les dragons des contes. Quelquefois, il ornait ses doigts d'une bague ou d'une chaîne le cou d'une servante.

Ou bien encore il envoyait Basta lui acheter un nouveau fusil de chasse.

— Qui veux-tu aller voir ?

— Ça ne te regarde pas.

Le garçon délivra la sauterelle qui partit en rebondissant sur ses frêles pattes vert olive.

— C'est une femme, reprit Doigt de Poussière. Une des servantes de Capricorne. Elle m'a déjà aidé plusieurs fois.

— Celle qui est sur la photo dans ton sac à dos ?

Doigt de Poussière abaissa ses jumelles.

— Comment sais-tu ce que contient mon sac à dos ?

Le garçon rentra la tête dans les épaules comme quelqu'un qui a l'habitude de prendre des coups au moindre mot lancé à la légère.

— Je cherchais des allumettes.

— Si je te prends encore une fois à fouiller dans mon sac, j'ordonne à Gwin de te mordre les doigts.

Le garçon se mit à rire.

— Gwin ne me mordra jamais.

Il avait raison. La martre adorait le garçon.

— Où est-elle passée, la perfide ?

Doigt de Poussière regarda à travers les branches.

— Je ne l'ai pas vue depuis hier.

— Je crois qu'elle a trouvé un mâle.

Farid prit une branche et la piqua dans le feuillage desséché qui jonchait le sol sous les arbres. La nuit, on entendrait tout de suite si des gens se risquaient à s'approcher de leur refuge.

— Si tu ne m'emmènes pas cette nuit, je vais te suivre, tout simplement.

— Si tu me suis, je te donne une raclée.

Farid baissa les yeux, contempla ses orteils d'un air impassible. Puis il regarda en direction du mur derrière lequel ils s'étaient installés.

— Ne me fais pas le coup de l'esprit de la vieille femme ! grommela Doigt de Poussière. Combien de fois devrai-je te le répéter ? Tout ce qui est dangereux se trouve là-bas, dans le village. Tu n'as qu'à faire un feu dans la dénivellation derrière la maison si tu as peur.

— Les esprits n'ont pas peur du feu, murmura le garçon.

Doigt de Poussière descendit de son observatoire en soupirant.

Sur ce point, le garçon ne valait guère mieux que Basta. Il n'avait pas peur des malédictions, des échelles et des chats noirs, mais il voyait des esprits partout et pas seulement celui de la vieille femme qui avait été enterrée à la va-vite quelque part par là dans la terre dure. Non, Farid voyait encore d'autres esprits, une foule d'esprits : des êtres maléfiques, quasi tout-puissants, qui arrachaient le cœur de pauvres garçons mortels et s'en nourrissaient. Il refusait de croire Doigt de Poussière qui lui affirmait qu'ils ne l'avaient pas suivi dans ce monde-ci, qu'ils étaient demeurés dans un livre, avec les voleurs qui le battaient et lui donnaient des coups de pied. S'il restait là seul cette nuit, il risquait de mourir de peur.

— D'accord, je t'emmène, concéda Doigt de Poussière. Mais je ne veux pas t'entendre, compris ? Les autres là-bas ne sont pas des esprits mais de vrais hommes avec des couteaux et des fusils.

Reconnaissant, Farid passa ses bras maigres autour de la taille de Doigt de Poussière.

— C'est bon, c'est bon, grogna ce dernier en le repoussant. Allez, montre-moi si tu sais maintenant te tenir sur une main.

Le garçon s'exécuta sur-le-champ. Le sang à la tête, il se balança d'abord sur le bras droit, puis sur le gauche, ses jambes nues levées en l'air. Au bout de trois secondes, il atterrit dans les feuilles piquantes d'un ciste, mais il se releva aussitôt et essaya de nouveau. Doigt de Poussière s'assit sous un arbre.

Il était temps qu'il se débarrasse du garçon. Mais comment? On peut lancer des pierres à un chien, mais un garçon… Pourquoi n'était-il pas resté avec Langue Magique? Lui, il était plus apte à s'occuper des autres. Et puis enfin, c'est bien lui qui l'avait fait venir. Mais non, celui que le garçon voulait suivre, c'était lui, Doigt de Poussière.

— Je vais voir si je trouve Gwin, annonça-t-il en se levant.

Sans un mot, Farid le suivit.

32

DE RETOUR

Elle parla avec le roi, espérant secrètement qu'il interdirait à son fils d'y aller. Mais celui-ci dit :
— Eh bien, ma chère, il est vrai que les aventures sont utiles même aux tout-petits. Les aventures passent dans le sang d'un homme, même s'il ne se souvient pas plus tard de les avoir vécues.

Eva Ibbotson, *Le Secret du quai 13*

Lorsque Meggie revit le village de Capricorne, par ce matin gris et nuageux, il n'avait plus rien de menaçant. Les maisons délabrées se détachaient sur la colline verte. Pas un rayon de soleil ne venait l'embellir ou le rajeunir et Meggie avait peine à croire que c'étaient ces mêmes maisons qui leur avaient semblé tellement sinistres la nuit de leur évasion.

— Intéressant, murmura Fenoglio tandis que Basta s'engageait sur le parking. Sais-tu que cet endroit ressemble beaucoup à l'un de ceux que j'ai inventés pour *Cœur d'encre* ? Bon, c'est vrai qu'il n'y a pas de château, mais le paysage environnant est sensiblement le même et l'âge du village aussi. Tu sais que *Cœur d'encre* se déroule dans un monde qui ressemble à celui de notre Moyen

Âge. Bien sûr, j'ai ajouté des choses, les fées et les géants par exemple, et il y en a d'autres que j'ai omises, mais…

Meggie ne l'écoutait plus. Elle ne pouvait s'empêcher de penser à cette nuit où ils avaient fui les endroits répugnants où Capricorne les avait enfermés. Elle avait alors tellement espéré ne jamais revoir le parking, l'église et ces collines.

— Allez, dépêchez-vous! grogna Nez Aplati en ouvrant la portière de la voiture. Tu connais le chemin, hein?

Oui, Meggie le connaissait — même si, aujourd'hui, les choses étaient différentes. Fenoglio, quant à lui, regardait les ruelles à la manière d'un touriste.

— Je connais ce village, chuchota-t-il à l'oreille de Meggie, ou plus exactement, j'en ai entendu parler. Il s'est passé des drames ici. Il y a eu un tremblement de terre au siècle dernier, et pendant la dernière guerre…

— Garde ta salive pour plus tard, écrivaillon! l'interrompit Basta. Je n'aime pas les messes basses.

Fenoglio lui lança un regard irrité — et se tut. Il ne dit plus un mot jusqu'à ce qu'ils arrivent devant l'église.

— Ouvrez la porte! Qu'est-ce que vous attendez? grommela Nez Aplati.

Et Meggie, avec l'aide de Fenoglio, poussa le lourd portail en bois de l'église. L'air froid qui en sortit sentait le renfermé, tout comme le jour où elle y était entrée avec Mo et Elinor. À l'intérieur, pratiquement rien n'avait changé. Avec la grisaille environnante, les murs rouges semblaient encore plus menaçants et l'expression sur le visage de poupée de la statue de Capricorne était encore plus hostile. Les fûts dans lesquels les livres avaient brûlé étaient toujours à la même place mais, en haut de l'escalier, le siège de Capricorne avait disparu. Deux de ses hommes montaient les marches en portant un nouveau fauteuil.

La vieille femme à la tête de pie dont Meggie ne gardait pas un bon souvenir leur donnait des instructions d'une voix impatiente.

Basta écarta deux femmes qui, agenouillées dans l'allée centrale, lavaient le sol et se dirigea fièrement vers les marches de l'autel.

— Où est Capricorne, Mortola? lança-t-il à la vieille. J'ai des nouvelles pour lui. Des nouvelles importantes.

La vieille femme ne tourna même pas la tête.

— Plus à droite, bande d'idiots! ordonna-t-elle aux deux hommes qui s'échinaient toujours à transporter le lourd fauteuil. Vous voyez, quand vous voulez!

Puis elle se tourna vers Basta, l'air indifférent.

— Nous t'attendions plus tôt, dit-elle.

— Qu'est-ce que ça signifie?

Basta avait haussé le ton mais, à l'intonation de sa voix, Meggie sentit qu'il n'était pas sûr de lui. Il semblait avoir peur de la vieille.

— Tu sais combien de villages il y a sur cette maudite côte? Et nous n'étions même pas sûrs que Langue Magique soit encore dans le coin. Mais je peux me fier à mon flair — de la tête, il désigna Meggie —, j'ai rempli ma mission.

— Ah bon?

La pie ignora Basta et regarda en direction de Meggie et Fenoglio qui se tenaient plus loin avec Nez Aplati.

— Je ne vois que la fille et un vieil homme. Où est le père?

— Il n'était pas là, mais il va venir. La fille est un appât idéal.

— Et comment saura-t-il qu'elle est ici ?

— Je lui ai laissé un message !

— Depuis quand sais-tu écrire ?

Meggie vit les traits de Basta se crisper de colère.

— J'ai laissé mon nom, cela suffit pour lui faire comprendre où il peut trouver sa précieuse petite fille. Dis à Capricorne que je les enferme dans un des cachots.

Sur ces paroles, il fit demi-tour et revint toujours aussi fièrement vers Meggie et Fenoglio.

— Capricorne n'est pas là et j'ignore quand il reviendra ! lui cria Mortola, mais en son absence, c'est moi qui commande et je suis d'avis que, ces derniers temps, tu ne remplis pas tes missions comme on pourrait le souhaiter…

Basta se retourna, piqué au vif, mais Mortola continua, impassible :

— D'abord tu laisses Doigt de Poussière te voler des clés, après tu perds nos chiens et il faut aller te chercher dans les montagnes. Et maintenant ça. Donne-moi les clés.

La pie tendit la main.

— Quoi ?

Basta pâlit comme un écolier qui va recevoir des coups devant toute la classe.

— Tu m'as bien comprise. Je veux récupérer les clés : celles des cachots, de la crypte et de l'entrepôt où se trouve l'essence. Apporte-les-moi.

Basta ne bougea pas.

— Tu n'as pas le droit, dit-il entre ses dents. Capricorne me les a données et lui seul peut me les reprendre.

Et il tourna les talons.

— Il te les reprendra, lui cria Mortola. Et il attend ton rapport, dès son retour. Il comprendra peut-être mieux que moi pourquoi tu n'as pas ramené Langue Magique.

Basta ne répondit pas. Il prit Meggie et Fenoglio par le bras et les entraîna vers le portail. La pie lui cria encore quelque chose que Meggie ne comprit pas. Et Basta ne se retourna plus.

Il l'enferma avec Fenoglio dans le cachot numéro cinq, celui de Farid.

— Voilà, vous pouvez attendre ton père, dit-il à Meggie avant de la pousser à l'intérieur.

Elle avait l'impression d'être retombée dans son mauvais rêve. Sauf que, cette fois, il n'y avait plus de paille moisie pour s'asseoir et l'ampoule au plafond ne marchait pas. En revanche, la lumière du jour filtrait par un trou étroit dans le mur.

— Bravo ! s'exclama Fenoglio en se laissant tomber sur le sol froid. Des écuries. Quel manque d'imagination. J'aurais pensé que Capricorne avait au moins de vrais cachots pour ses prisonniers.

— Des écuries ?

Meggie appuya son dos contre le mur. Elle entendit la pluie s'abattre soudain contre la porte fermée.

— Oui, à quoi crois-tu que servaient ces bâtiments ? Autrefois, ils construisaient les maisons comme ça. En bas il y avait les bêtes, en haut les gens. Dans certains villages de montagne, c'est toujours pareil avec les ânes et les chèvres. Quand ils emmènent les bêtes paître dans la prairie, elles déposent des tas fumants dans les rues et on marche dedans en allant chercher le pain le matin.

Fenoglio s'arracha un poil, le contempla comme s'il ne pouvait pas croire que quelque chose d'aussi hérissé puisse pousser dans son nez.

— C'est vraiment incroyable, murmura-t-il, c'est exactement comme ça que je me suis imaginé la mère de Capricorne : le nez, les yeux rapprochés, même sa manière de croiser les bras et de mettre le menton en avant.

Meggie le regarda, incrédule.

— La mère de Capricorne ? La pie ?

— La pie ! C'est comme ça que tu l'appelles ? dit Fenoglio en riant doucement. C'est aussi le surnom qu'on lui donne dans mon histoire. Surprenant ! Méfie-toi d'elle. Elle n'a pas un caractère particulièrement agréable.

— Je croyais que c'était sa gouvernante.

— Hum, c'est sans doute ce que tu es censée penser. Garde ce petit secret pour toi pour le moment, compris ?

Meggie hocha la tête sans trop comprendre. Peu lui importait au fond qui était la vieille. Plus rien n'importait. Cette fois, Doigt de Poussière ne serait pas là pour lui ouvrir la porte la nuit. Tout avait été vain — comme s'ils ne s'étaient jamais enfuis. Elle alla jusqu'à la porte verrouillée et appuya ses mains dessus.

— Mo va venir, murmura-t-elle, et ils nous garderont enfermés ici pour toujours.

— Doucement ! dit Fenoglio en l'attirant contre sa poitrine.

Elle posa son visage contre sa veste. Le tissu était rugueux et sentait le tabac.

— Je vais avoir une idée ! chuchota-t-il à son oreille. Car enfin, c'est moi qui les ai inventés, ces brigands. Ce serait bien le comble que je n'arrive pas à nous en débarrasser. Ton père avait bien une idée, mais…

Meggie leva son visage mouillé de larmes et le regarda, pleine d'espoir, mais le vieil homme secoua la tête.

— Plus tard. Maintenant, raconte-moi ce que Capricorne attend de ton père. Cela a un rapport avec son talent de lecteur ?

Meggie acquiesça en essuyant ses larmes.

— Il veut qu'en lisant, Mo fasse surgir du livre un vieil ami à lui…

Fenoglio lui tendit son mouchoir. Quelques restes de tabac en tombèrent quand elle se moucha.

— Un ami à lui ? Capricorne n'a pas d'ami.

Le vieil homme fronça les sourcils. Puis Meggie sentit qu'il prenait soudain une profonde inspiration.

— Qui est-ce ? demanda Meggie.

Fenoglio se contenta d'essuyer une larme sur ses joues.

— Quelqu'un que, je l'espère, tu ne rencontreras jamais ailleurs que dans un livre, répondit-il évasivement.

Puis il se retourna et se mit à arpenter la pièce.

— Capricorne va bientôt être de retour. Il faut que je réfléchisse à la manière dont je vais l'aborder.

Mais Capricorne ne se montra pas. Dehors, la nuit tomba sans que personne ne vînt les délivrer. On ne leur apporta même pas à manger. Avec l'air de la nuit, le froid pénétra dans le réduit. Ils s'assirent l'un contre l'autre sur le sol dur pour se réchauffer.

— Basta est-il toujours aussi superstitieux ? demanda Fenoglio au bout d'un moment.

— Oui, très, répondit Meggie. Doigt de Poussière se moque souvent de lui à ce propos.

— Bon, murmura Fenoglio.

Mais il n'ajouta plus rien.

33

LA SERVANTE DE CAPRICORNE

Comme je n'avais jamais vu mon père et ma mère, les premières images que je me faisais d'eux provenaient étrangement de
leurs pierres tombales. La forme des lettres sur celle de mon
père m'avait absurdement fait penser que c'était un homme
trapu, aux épaules larges, avec des cheveux noirs frisés et un
teint foncé. De la forme et du graphisme de l'inscription «De
même Georgiana, épouse du sieur ci-dessus», je tirais la conclusion enfantine que ma mère avait des taches de rousseur et était
d'une santé fragile.

Charles Dickens, *Les Grandes Espérances*

Quand il fit nuit noire, Doigt de Poussière se mit en route.
Le ciel était toujours couvert et on ne distinguait pas la
moindre étoile. Seule la lune apparaissait par moments entre
les nuages, mince comme une tranche de citron dans une mer
d'encre.

Il se réjouissait qu'il fasse si sombre mais le garçon sursautait
chaque fois qu'une branche lui éraflait le visage.

— Par le diable, j'aurais mieux fait de te laisser auprès de la martre! lui lança-t-il. Tu vas finir par nous trahir à claquer des dents

comme ça. Regarde devant toi ! Tu vas voir quelque chose qui devrait te faire peur ! Pas des esprits, mais des fusils !

Devant eux, à quelques pas de là, s'étendait le village de Capricorne. Les nouveaux projecteurs éclairaient les maisons grises comme en plein jour.

— Qu'on ne vienne pas me vanter les bienfaits de l'électricité ! murmura Doigt de Poussière tandis qu'ils se faufilaient le long du parking.

Une sentinelle flânait entre les voitures, avec l'air de s'ennuyer. L'homme s'appuya en bâillant contre le camion dans lequel Cockerell avait ramené les chèvres dans l'après-midi, et mit des écouteurs sur ses oreilles.

— Parfait ! chuchota Doigt de Poussière. Comme ça, une armée pourrait surgir qu'il ne l'entendrait pas ! Si Basta était là, il enfermerait ce type dans les cachots de Capricorne pendant trois jours sans manger.

— Et si on passait par les toits ?

Toute peur avait disparu du visage de Farid. La sentinelle avec son fusil était loin d'inquiéter le garçon autant que ses esprits imaginaires. Devant tant de superstition, Doigt de Poussière ne pouvait que secouer la tête. Mais l'idée de passer par les toits n'était pas mauvaise. Une vigne grimpait le long d'une des maisons attenantes au parking. Elle n'avait pas été taillée depuis des années. Dès que la sentinelle, qui se balançait au rythme de la musique dans ses oreilles, fut parvenue à l'autre extrémité du parking, Doigt de Poussière s'accrocha aux branches filandreuses et se hissa vers le toit. Le garçon grimpait encore mieux que lui. Arrivé en haut du mur, il lui tendit fièrement la main pour l'aider. Ils se faufilèrent comme des chats errants entre les cheminées, les antennes et les projecteurs de Capricorne dont la lumière était dirigée vers le bas, laissant ainsi tout le reste dans l'ombre protectrice. Un bardeau du toit se démit soudain sous la botte de Doigt de Poussière, mais il réussit à rattraper à temps la planche avant qu'elle ne s'écrase au sol.

Quand ils atteignirent la place où se trouvaient l'église et la maison de Capricorne, ils se laissèrent glisser le long d'une gouttière.

Retenant son souffle, Doigt de Poussière s'accroupit quelques instants derrière un tas de cageots de fruits vides et regarda s'il y avait une sentinelle. La place et la ruelle étroite étaient éclairées comme en plein jour. Un chat noir était assis sur la fontaine devant l'église. Si Basta l'avait vu, son cœur aurait immédiatement cessé de battre, mais les gardes devant la porte de la maison de Capricorne inquiétaient bien plus Doigt de Poussière. Ils étaient deux à l'entrée. L'un d'eux, un petit trapu, avait retrouvé Doigt de Poussière quatre ans plus tôt, dans le Nord, dans une ville où il donnait une dernière représentation. Avec deux autres, ils l'avaient ramené et Capricorne l'avait interrogé, à sa manière, pour savoir où se trouvaient Langue Magique et le livre.

Les gardes se disputaient. Ils étaient tellement absorbés par leur histoire que Doigt de Poussière rassembla son courage et, en quelques pas rapides, disparut dans la ruelle qui longeait la maison de Capricorne. Farid le suivit, silencieux comme son ombre. La maison de Capricorne était un bâtiment imposant, qui avait dû être un jour la mairie du village, un cloître ou une école. Toutes les fenêtres étaient plongées dans l'obscurité et, dans la ruelle, il n'y avait aucune sentinelle en vue. Mais Doigt de Poussière resta prudent. Il savait que les gardes se cachaient parfois sous les porches des maisons, invisibles dans leurs tenues noires comme des corbeaux dans la nuit. Oui, il savait presque tout du village de Capricorne. Il avait assez souvent parcouru ses ruelles. Chaque fois que la nostalgie de son ancien monde l'avait rendu fou, il était revenu voir ses anciens amis, simplement pour ne pas se sentir aussi étranger. Même la peur du couteau de Basta n'avait pas suffi à l'en dissuader.

Il ramassa une pierre plate, fit signe à Farid de s'approcher et la lança dans la ruelle en contrebas. Rien ne bougea. La patrouille faisait sa ronde, comme il l'avait espéré. Doigt de Poussière se glissa jusqu'au grand mur derrière lequel se trouvait le jardin de Capricorne : des carrés de légumes, des arbres fruitiers, des plantes aromatiques, protégés par ce grand mur du vent froid qui soufflait parfois des montagnes proches. Doigt de Poussière avait souvent bavardé avec les servantes pendant qu'elles binaient les plates-bandes. Dans le jardin, il n'y avait pas de projecteurs, pas de sentinelles non plus (qui pourrait bien aller voler des légumes ?) et dans la cour, une seule porte grillagée, qui était fermée la nuit, donnait accès à la maison. Il y avait aussi un chenil, juste derrière le mur, mais il était vide, comme le constata Doigt de Poussière en sautant dans le jardin. Les chiens n'étaient pas rentrés. Ils étaient plus intelligents qu'il n'avait cru et Basta ne les avait pas encore remplacés. Pas malin de sa part. Pas malin, Basta.

Doigt de Poussière fit signe au garçon de le suivre et courut le long des plates-bandes bien entretenues jusqu'à la porte grillagée. Le garçon eut l'air perplexe en voyant la lourde grille, mais Doigt de Poussière mit un doigt sur ses lèvres et leva les yeux vers une fenêtre du deuxième étage. Les volets étaient ouverts. Il émit un miaulement qui avait l'air si vrai que plusieurs chats lui répondirent mais, derrière la fenêtre, rien ne bougea. Il jura à voix basse, tendit l'oreille un moment dans la nuit — et imita le cri d'un rapace. Farid sursauta et se recroquevilla contre le mur de la maison. Quelque chose bougea là-haut, à l'intérieur. Une femme se pencha par la fenêtre. Lorsque Doigt de Poussière lui fit signe, elle répondit à son tour par un petit signe avant de disparaître.

— Ne fais pas cette tête! murmura-t-il en remarquant le regard inquiet de Farid. Nous pouvons lui faire confiance. Il y a beaucoup de femmes qui n'ont pas une bonne opinion de Capricorne ni de ses hommes, elles ne sont pas toutes ici de leur plein gré. Mais elles ont toutes peur de lui. Peur de perdre leur travail, peur qu'il mette le feu à la maison de leurs familles si elles parlent de lui et de ce qui se passe ici, ou qu'il envoie Basta avec son couteau… Resa n'a pas ce genre de soucis, elle n'a pas de famille.

« Plus », ajouta-t-il en lui-même.

La porte derrière la grille s'ouvrit et la femme qui s'était montrée à la fenêtre — Resa — apparut derrière les barreaux. Sous sa chevelure blond foncé, elle était pâle.

— Comment vas-tu?

Doigt de Poussière s'approcha de la grille et passa la main à travers les barreaux. Resa serra ses doigts en souriant — et montra le garçon de la tête.

— C'est Farid, expliqua-t-il en baissant le ton. On pourrait dire qu'il m'a adopté. Tu peux lui faire confiance. Il n'aime pas Capricorne, lui non plus.

Resa hocha la tête. Puis elle le regarda d'un air désapprobateur et secoua la tête.

— Oui, je sais. Ce n'est pas malin d'être revenu. Tu as entendu parler de ce qui s'est passé ? demanda Doigt de Poussière avec un arrière-ton de fierté dans la voix. Ils ont cru que j'avalerais tout mais ce n'est pas le cas. Il reste encore un livre et je veux le récupérer ! Ne me regarde pas comme ça ! Tu sais où Capricorne l'a mis ?

Resa secoua la tête. Derrière eux, il y eut comme un froissement. Doigt de Poussière sursauta mais ce n'était qu'une souris qui traversait la cour silencieuse. Resa tira un crayon et un morceau de papier de la poche de son peignoir. Elle écrivit lentement, en s'appliquant. Elle savait que Doigt de Poussière lisait plus facilement les majuscules. C'était elle qui lui avait appris à lire et à écrire pour qu'il puisse communiquer avec elle.

Comme toujours cela dura un certain temps avant que Doigt de Poussière ne déchiffre les lettres. Lorsque ces signes finissaient par former des mots dont il parvenait à percer le secret, il en tirait chaque fois une nouvelle fierté. « *Je vais aller voir* », lut-il à voix basse.

— Bon, mais fais attention. Je ne veux pas que tu casses ton joli cou. (Il se pencha de nouveau sur la feuille.) Que veux-tu dire par : *Maintenant c'est la pie qui a les clés de Capricorne* ?

Il lui rendit le papier. Farid regarda la main de Resa qui écrivait, fasciné, comme s'il assistait à un tour de magie.

— Je crois qu'il va falloir que tu lui apprennes aussi, chuchota Doigt de Poussière à travers la grille. Tu as vu comme il te regarde ?

Resa leva la tête et sourit à Farid. Gêné, celui-ci détourna les yeux. Elle passa un doigt sur son visage.

— Tu trouves que c'est un beau garçon ? demanda Doigt de Poussière en faisant une moue moqueuse devant Farid qui ne savait plus où se mettre. Et moi alors ? Je suis beau comme la lune ? Hum, que dois-je penser du compliment ? Tu veux dire que je suis balafré, comme elle ?

Resa mit sa main sur sa bouche. C'était facile de la faire rire, elle riait comme une petite fille. C'étaient les seuls moments où l'on entendait sa voix.

Des coups de feu éclatèrent dans la nuit. Resa s'accrocha à la grille et Farid s'accroupit au pied du mur, effrayé. Doigt de Poussière le releva.

— Ce n'est rien, chuchota-t-il, ce sont les gardes qui tirent sur les chats. Ils font toujours ça quand ils s'ennuient.

Le garçon le regarda d'un air incrédule mais Resa continua à écrire. « *Elle les lui a prises*, lut Doigt de Poussière. *Pour le punir.* » Ça ne devait pas lui plaire du tout. Il se pavanait avec ses clés comme s'il devait veiller sur la prunelle des yeux de Capricorne.

Resa fit semblant de tirer un couteau de sa ceinture en prenant l'air si mauvais que Doigt de Poussière se mit à rire presque tout haut. Il regarda autour de lui, inquiet, mais la cour était aussi calme qu'un cimetière.

— Je peux m'imaginer que Basta soit furieux, murmura-t-il. Lui qui fait tout pour plaire à Capricorne !

Resa reprit le papier. Cette fois encore, il mit affreusement longtemps à déchiffrer les lettres.

— Comme ça, tu as entendu parler de Langue Magique. Tu veux savoir qui il est ? Eh bien, il serait encore prisonnier de Capricorne si je n'avais pas été là. Quoi d'autre ? Demande à Farid. Il a cueilli ce garçon dans une histoire comme une pomme mûre. Heureusement qu'il n'a pas fait venir les esprits maléfiques qui font trembler Farid. Oui, c'est un très bon lecteur, bien meilleur que Darius. Tu vois, Farid ne boite pas, son visage est intact et il a aussi une voix — même si, pour le moment, ça n'en a pas l'air.

Farid lui lança un regard mauvais.

— Comment est Langue Magique ? Basta ne lui a pas encore décoré le visage, c'est tout ce que je peux te dire.

Au-dessus de leurs têtes, un volet claqua. Doigt de Poussière s'appuya contre les barreaux. « Ce n'est que le vent, pensa-t-il d'abord, rien que le vent. » Farid le regarda avec des yeux exorbités. Sans doute que, pour lui, ce grincement évoquait encore un démon, mais la créature qui se pencha par la fenêtre au-dessus d'eux était bien en chair et en os : il s'agissait de Mortola, ou la pie, comme on la surnommait en secret. Toutes les servantes étaient sous son autorité, rien n'était à l'abri des yeux et des oreilles de la pie, pas même les secrets que les femmes se chuchotaient à l'oreille dans leurs chambres la nuit. Même les coffres-forts de Capricorne étaient mieux logés que ses servantes. Elles dormaient toutes dans la maison de Capricorne, toujours à quatre dans une pièce, sauf celles qui s'acoquinaient avec un de ses hommes et habitaient avec lui dans une des maisons abandonnées.

Mortola s'appuya sur le rebord de la fenêtre et inspira l'air frais de la nuit. Elle resta ainsi une éternité. Doigt de Poussière aurait volontiers tordu son maigre cou, mais finalement, quand elle sembla s'être suffisamment rafraîchie, elle referma la fenêtre.

— Je dois partir, je reviendrai demain soir. D'ici là, tu auras peut-être appris quelque chose sur le livre, dit Doigt de Poussière en serrant encore une fois la main de Resa.

La lessive et le ménage avaient rendu ses doigts rugueux.

— Je sais, je te le répète à chaque fois mais quand même : sois prudente et évite Basta.

Resa haussa les épaules. Ce conseil était tellement superflu !

Presque toutes les femmes du village évitaient Basta, mais lui ne les évitait pas.

Doigt de Poussière resta devant la porte grillagée jusqu'à ce que Resa ait regagné sa chambre. Elle lui fit un signe par la fenêtre avec la bougie.

Le garde sur la place avait toujours les écouteurs sur les oreilles. Perdu dans ses pensées, il dansait entre les voitures, tenant le fusil dans ses bras comme il aurait tenu une fille. Quand il finit par regarder dans leur direction, la nuit les avait engloutis depuis longtemps.

En regagnant leur cachette, ils ne rencontrèrent personne, hormis un renard au regard affamé qui se sauva à leur approche. Gwin était assise entre les murs de la maison incendiée et dévorait un oiseau. Les plumes brillaient dans l'obscurité.

— Elle a toujours été muette ? demanda le garçon quand Doigt de Poussière s'allongea sous les arbres pour dormir.

— Depuis que je la connais, répondit-il en tournant le dos.

Farid s'allongea près de lui. Il l'avait fait dès le début, et Doigt de Poussière avait beau le pousser, quand il se réveillait le garçon était toujours tout contre lui.

— La photo dans le sac à dos, dit-il, c'est une photo d'elle.

— Et alors ?

Le garçon se tut.

— Si tu as des vues sur elle, reprit Doigt de Poussière d'un air moqueur, laisse tomber. C'est une des servantes préférées de Capricorne. Elle a même le droit de lui apporter son petit déjeuner et de l'aider à s'habiller.

— Depuis combien de temps est-elle chez lui ?

— Cinq ans, répondit Doigt de Poussière, et durant toutes ces années, Capricorne ne l'a jamais autorisée à quitter le village. Ni à quitter souvent la maison. Elle s'est sauvée deux fois mais elle n'est pas allée loin. Une fois, un serpent l'a mordue. Elle ne m'a jamais raconté comment Capricorne l'avait punie mais je sais que, depuis, elle n'a plus jamais essayé de s'enfuir.

Derrière eux, il y eut un craquement. Farid sursauta mais ce n'était que Gwin. La martre sauta sur le ventre du garçon en se léchant le museau. En riant, Farid ôta une plume de son pelage. Gwin lui renifla longuement le menton, le nez, comme si elle l'avait attendu avec impatience, puis elle disparut dans la nuit.

— C'est vraiment une gentille martre ! murmura Farid.

— Non, répondit Doigt de Poussière en remontant la couverture sous son menton. Elle doit t'aimer parce que tu as une odeur de fille.

Farid garda le silence un moment.

— Elle lui ressemble, dit-il alors que Doigt de Poussière commençait à s'assoupir. À la fille de Langue Magique. Elle a la même bouche, les mêmes yeux et elle rit de la même manière.

— Pas du tout ! rétorqua Doigt de Poussière. Elles n'ont pas la moindre ressemblance. Elles ont toutes les deux les yeux bleus, c'est tout. C'est fréquent par ici. Et maintenant, dors.

Le garçon obéit. Il s'enveloppa dans le pull-over que Doigt de Poussière lui avait donné et lui tourna le dos. Bientôt, sa respiration devint aussi régulière que celle d'un nouveau-né.

Mais Doigt de Poussière, lui, resta toute la nuit éveillé, le regard perdu dans l'immensité du ciel.

34

SECRETS

— Si je devais être armé chevalier, dit la Verrue en regardant rêveusement le feu, j'insisterais pour accomplir ma veillée seul, comme Hob avec ses faucons, et je prierais Dieu de me laisser affronter, dans ma propre personne, tout le mal qu'il y a dans le monde pour que, si j'arrive à le vaincre, il n'en reste plus, et si je suis vaincu, je sois le seul à en souffrir.

— Ce serait extrêmement présomptueux de ta part, dit Merlin, tu serais vaincu et tu en souffrirais.

T. H. White, *Excalibur : L'Épée dans la pierre*

Capricorne reçut Meggie et Fenoglio dans l'église, entouré d'une douzaine de ses hommes. Il était assis dans le nouveau fauteuil de cuir noir qu'ils avaient installé sous la surveillance de Mortola. Exceptionnellement, son costume n'était pas rouge mais jaune pâle, comme la lumière du matin qui filtrait par les fenêtres. Il les avait envoyé chercher de bonne heure.

Dehors, au-dessus des collines, flottaient encore des nappes de brume dans lesquelles le soleil se baignait comme un ballon dans une eau trouble.

— Par toutes les lettres de l'alphabet! chuchota Fenoglio en remontant l'allée centrale de l'église avec Meggie, suivi de près par Basta. Il est exactement comme je me l'étais imaginé. «Incolore comme un verre de lait»; oui, je crois que c'est ainsi que je l'avais formulé.

Il pressa le pas, il semblait impatient de voir sa créature de plus près. Meggie avait du mal à le suivre et Basta le tira en arrière avant qu'il atteigne l'escalier.

— Hé, qu'est-ce qui te prend? gronda-t-il. Pas si vite, et tu es prié de t'incliner devant lui, compris?

Fenoglio lui lança un regard méprisant et s'arrêta, droit comme un i. Basta leva la main, mais Capricorne fit un signe de tête presque imperceptible et Basta la laissa retomber, comme un enfant pris en faute. Près du fauteuil de Capricorne se tenait Mortola, les bras posés sur le dossier.

— Vraiment, Basta, je me demande encore ce qui t'a pris de ne pas ramener son père! s'exclama Capricorne tandis que son regard allait de Meggie au visage de tortue de Fenoglio.

— Il n'était pas là, je vous l'ai déjà dit, expliqua Basta d'un air vexé. J'aurais dû rester planté à l'attendre comme un crapaud au bord de l'étang! Il va venir de lui-même! Nous avons tous vu qu'il est gaga devant sa môme. Je parie mon couteau que d'ici demain au plus tard, il sera revenu.

— Ton couteau? Tu l'as déjà perdu il n'y a pas longtemps.

Il y avait tant de mépris dans la voix de Mortola que Basta serra les lèvres.

— Tu te laisses aller, Basta, constata Capricorne. Ta tête brûlée te trouble l'esprit. Mais voyons un peu qui tu nous as amené là?

Fenoglio ne quittait pas Capricorne des yeux. Il le contemplait comme un artiste qui revoit des années plus tard un tableau qu'il avait peint et, visiblement, était content de lui. Meggie ne pouvait déceler la moindre trace de peur dans ses yeux, rien que de la curiosité, une curiosité mêlée d'incrédulité, et de la satisfaction, de l'autosatisfaction. Ce regard ne plaisait pas à Capricorne, Meggie s'en aperçut. Il n'avait pas l'habitude qu'on le regarde ainsi, sans peur.

— Basta m'a raconté d'étranges choses à votre propos, monsieur…

— Fenoglio.

Meggie regarda Capricorne. Avait-il jamais lu le nom qui se trouvait sur la couverture de *Cœur d'encre*, juste au-dessus du titre?

— Même sa voix est telle que je me l'étais imaginée, lui chuchota Fenoglio.

Il avait l'air ravi d'un enfant devant la cage aux lions, mais Capricorne n'était pas dans une cage.

Capricorne fit un signe à Basta qui donna au vieil homme un coup dans le dos si violent qu'il en eut le souffle coupé.

— Je n'aime pas qu'on chuchote en ma présence, déclara Capricorne tandis que Fenoglio essayait de reprendre ses esprits. Comme je l'ai dit, Basta m'a raconté une histoire invraisemblable, selon laquelle vous prétendriez être l'homme qui a écrit un certain livre… Comment s'appelle-t-il déjà?

— *Cœur d'encre*, répondit Fenoglio en frottant son dos meurtri. Il s'appelle *Cœur d'encre* parce qu'il parle de quelqu'un dont le cœur est noir de méchanceté. Ce titre me plaît toujours autant.

Capricorne haussa les sourcils — et sourit.

— Oh, comment dois-je interpréter ça? Comme un compliment peut-être ? Car enfin, c'est de mon histoire que vous parlez là.

— Non, ce n'est pas la tienne, c'est la mienne. Tu es juste un personnage de l'histoire.

Meggie vit que Basta regardait Capricorne d'un air interrogateur mais celui-ci fit un signe de tête imperceptible et le dos de Fenoglio fut épargné pour le moment.

— Tiens, tiens, intéressant. Tu persistes donc dans ton mensonge.

Capricorne décroisa les jambes et se leva. D'un pas lent, il descendit les marches.

Fenoglio sourit à Meggie d'un air entendu.

— Qu'est-ce que tu as à sourire ?

La voix de Capricorne se fit cinglante comme un coup de fouet. Il s'arrêta juste en face de Fenoglio.

— J'étais en train de penser que l'orgueil était un trait de caractère dont je t'avais doté, l'orgueil et — Fenoglio fit une pause théâtrale avant de poursuivre — quelques autres faiblesses dont il vaut mieux ne pas parler devant tes hommes, n'est-ce pas ?

Capricorne le regarda en silence, longuement. Puis il sourit. Ce n'était guère plus qu'un léger haussement du coin de ses lèvres pâles et fines, tandis que ses yeux parcouraient l'église comme s'il avait complètement oublié Fenoglio.

— Tu es un vieil effronté, lança-t-il, et un menteur par-dessus le marché. Mais si tu espères m'impressionner par ton insolence et tes mensonges comme tu l'as fait avec Basta, tu te trompes. Tes affirmations sont ridicules, tout comme toi, et ce n'était pas malin de la part de Basta de t'amener ici car, maintenant, nous allons devoir nous débarrasser de toi d'une manière ou d'une autre.

Basta blêmit. Il s'avança d'un pas rapide vers Capricorne, la tête entre les épaules.

— Et s'il disait vrai ? chuchota-t-il à Capricorne. Ils prétendent tous les deux que nous mourrons si nous touchons au vieux.

Capricorne le regarda avec tant de mépris que Basta recula comme s'il l'avait frappé. Quant à Fenoglio, il avait l'air de s'amuser prodigieusement. Meggie eut le sentiment qu'il considérait tout cela comme une pièce de théâtre que l'on jouerait spécialement pour lui

— Le pauvre Basta ! dit-il à Capricorne. Une fois de plus, tu es très injuste avec lui car il a raison. Imagine que je dise vrai ! Que je vous aie vraiment inventés, Basta et toi ! Tu ne penses pas que vous vous évaporeriez en me touchant ? Tout porte à le croire.

Capricorne se mit à rire mais Meggie sentit qu'il réfléchissait à ce que Fenoglio venait de dire et que cela le tourmentait, même s'il s'efforçait de cacher son inquiétude derrière un masque d'indifférence.

— Je peux te prouver que je suis celui que je prétends être, déclara Fenoglio à voix si basse qu'en dehors de Capricorne seuls Basta et Meggie purent entendre ses paroles. Tu veux que je le fasse ici, devant tes hommes et les femmes ? Tu veux que je leur parle de tes parents ?

Un silence total régnait dans l'église. Plus personne ne bougeait, ni Basta ni les hommes qui attendaient devant les marches.

Même les femmes qui lavaient le sol sous les tables se relevèrent et regardèrent en direction de Capricorne et du vieil homme. Mortola était toujours debout à côté du fauteuil, elle avançait le menton, comme pour mieux entendre ce qu'on chuchotait un peu plus bas.

Capricorne contempla sans rien dire ses boutons de manchette qui étaient comme des gouttes de sang sur sa chemise claire. Puis il leva de nouveau ses yeux incolores vers Fenoglio.

— Raconte ce que tu veux, vieillard ! Mais si tu tiens à la vie, fais en sorte que je sois le seul à l'entendre.

Il parlait à voix basse mais Meggie put discerner la colère contenue dans sa voix. Jamais elle n'avait eu aussi peur de lui. Capricorne fit un signe à Basta qui recula à contrecœur.

— La petite peut entendre, n'est-ce pas ? demanda Fenoglio en posant la main sur l'épaule de Meggie. À moins que tu n'aies peur d'elle aussi ?

Capricorne ne regarda même pas Meggie. Il n'avait d'yeux que pour le vieil homme qui l'avait inventé.

— Eh bien, parle, même si tu n'as rien à dire ! Tu ne seras pas le premier qui tente dans cette église de sauver sa peau en inventant des mensonges mais, si tu continues à te faire prier, je vais donner l'ordre à Basta de te mettre autour du cou une jolie petite vipère. Nous en avons quelques spécimens dans la maison pour ce genre de situation.

Cette menace ne sembla pas particulièrement impressionner Fenoglio.

— Bon, reprit-il en jetant un coup d'œil à l'assemblée, comme s'il regrettait de ne pas avoir plus de public. Par quoi est-ce que je commence ? D'abord un principe de base. Un écrivain n'écrit jamais tout ce qu'il sait sur ses personnages. Les lecteurs ne doivent pas tout apprendre. Il y a des choses qui restent secrètes, un secret que l'auteur partage avec ses créatures. En ce qui le concerne par exemple – il désigna Basta – j'ai toujours su qu'il avait été un garçon très malheureux avant que tu ne le prennes à ton service. Comme c'est si bien écrit dans un livre merveilleux que j'ai lu : « Il est terriblement facile de convaincre les enfants qu'ils sont monstrueux. » Basta en était convaincu. Tu ne l'as pas persuadé du contraire. Pourquoi l'aurais-tu fait ? Tout d'un coup, il y avait quelqu'un à qui il pouvait s'attacher, qui lui disait ce qu'il avait à faire... Il a trouvé un Dieu en toi, Capricorne, même si tu le traites mal. D'ailleurs qui prétend que les dieux sont bons ? La plupart d'entre eux sont sévères et cruels, n'est-ce pas ? Je n'ai rien dit de tout ça dans le livre. Je savais que ce n'était pas la peine. Mais assez parlé de Basta. Parlons plutôt de toi.

Capricorne ne détachait pas les yeux du visage de Fenoglio, il était comme pétrifié.

– Capricorne...

Quand il prononça son nom, la voix de Fenoglio était presque tendre. Il regardait par-dessus l'épaule de Capricorne comme s'il avait oublié que celui dont il parlait était là, en face de lui et non plus entre les pages d'un livre.

– Bien sûr, il a un autre nom, mais même lui ne s'en souvient pas. Il se fait appeler Capricorne depuis l'âge de quinze ans, d'après le signe du zodiaque sous lequel il est né. Capricorne, l'inaccessible, l'impénétrable, l'insatiable, qui aime bien jouer à Dieu ou au diable, c'est selon. Mais le diable a-t-il une mère ?

Fenoglio regarda de nouveau Capricorne dans les yeux.

– Tu en as une.

Meggie regarda la pie. Elle s'était avancée au bord des marches, ses mains noueuses serrées comme des poings, mais Fenoglio parlait à voix très basse.

— Tu aimes bien qu'on raconte qu'elle est d'origine noble, continua-t-il. Oui, parfois, tu te plais même à raconter qu'elle est la fille d'un roi. Ton père, à ce que tu prétends, était armurier à la cour de son père. C'est vraiment une belle histoire. Tu veux que je te donne ma version ?

Pour la première fois, Meggie vit quelque chose comme de la peur sur le visage de Capricorne, une peur sans nom, sans commencement ni fin et, derrière cette peur, telle une énorme ombre noire, se dressait la haine. Meggie était persuadée qu'à ce moment-là, Capricorne n'avait qu'une envie, tuer Fenoglio, mais la peur paralysait sa haine et la rendait encore plus grande.

Fenoglio le voyait-il ?

— Oui, vas-y. Pourquoi pas ?

Les yeux de Capricorne se figèrent comme ceux d'un serpent. Fenoglio eut un sourire espiègle, comme en avaient parfois ses petits-enfants.

— Bon, continuons. L'histoire de l'armurier est un mensonge, bien sûr.

Meggie avait l'impression que le vieil homme s'amusait comme un fou. Il se comportait comme s'il jouait avec un chaton.

Connaissait-il si mal sa créature ?

— Le père de Capricorne était un simple maréchal-ferrant, poursuivit-il sans se laisser troubler par la colère froide qui se lisait dans les yeux de Capricorne. Il laissait jouer son fils avec les charbons ardents et parfois le frappait, presque aussi fort que le fer qu'il forgeait. La pitié se payait en coups, les larmes aussi bien

sûr, ainsi que tous les « je ne peux pas » et « je n'y arrive pas ».
« La force est la seule chose qui compte, enseignait-il à son fils.
C'est le plus fort qui fait la loi, lui seul, alors fais en sorte que ce
soit toi. » La mère de Capricorne aussi considérait ceci comme
la seule vérité qui soit. Et elle racontait constamment à son fils
qu'il serait un jour le plus fort. Ce n'était pas une princesse,
c'était une servante aux mains rugueuses et aux genoux calleux,
et elle suivait son fils comme son ombre, même quand il commença à avoir honte d'elle et à s'inventer un nouveau père et
une nouvelle mère. Elle l'admirait presque pour sa cruauté, elle
aimait voir la peur qu'il semait sur son passage. Et elle aimait son
cœur noir d'encre. Oui, ton cœur est une pierre, Capricorne,
une pierre noire aussi insensible qu'un morceau de charbon, et
tu en es fier, très fier.

Capricorne jouait avec son bouton de manchette, il le retournait et le contemplait, l'air absorbé, comme si toute son attention
était fixée sur ce petit morceau de métal rouge et non pas sur
les paroles de Fenoglio. Quand le vieil homme se tut, Capricorne
rabattit soigneusement la manche de sa veste sur son poignet et
balaya du revers de la main une peluche qui s'y trouvait. Et ce fut
comme s'il avait balayé aussi la colère, la haine et la peur.

Car il ne restait plus rien de tout ça dans son regard pâle et
indifférent.

— C'est vraiment une histoire étonnante, vieil homme, dit-il
à voix basse, elle me plaît. Tu es un bon menteur et c'est pourquoi je vais te garder ici. Pour commencer. Jusqu'à ce que je sois
fatigué de toi.

— Me garder ici ? s'exclama Fenoglio en se redressant, je n'ai
pas l'intention de rester ici ! Qu'est-ce que...

Capricorne lui mit la main sur la bouche.

— Pas un mot de plus, murmura-t-il. Basta m'a parlé de tes trois petits-enfants. Si tu me causes des ennuis ou si tu racontes tes mensonges à mes hommes, je demanderai à Basta d'envelopper quelques jeunes vipères dans du papier cadeau et de les déposer devant la porte de tes petits-enfants. Me suis-je bien fait comprendre, vieil homme?

Fenoglio baissa la tête comme si avec quelques mots prononcés à voix basse Capricorne lui avait brisé le cou. Quand il la releva, la peur était nichée dans chaque ride de son visage. Avec un sourire satisfait, Capricorne mit les mains dans ses poches de pantalon.

— Eh oui, on trouve toujours quelque chose qui touche vos cœurs, vos cœurs si tendres! s'exclama-t-il. Des enfants, des petits-enfants, des frères et sœurs, des parents, des chiens, des chats, des canaris… Ça vaut pour tout le monde : les paysans, les commerçants, même les policiers ont une famille, ou au moins un chien. Tu n'as qu'à regarder son père!

Capricorne se tourna si soudainement vers Meggie qu'elle sursauta.

— Il va venir. Il a beau savoir que je ne le laisserai plus repartir, ni lui ni sa fille, il viendra quand même. Le monde est ainsi fait, n'est-ce pas merveilleux?

— Oui, murmura Fenoglio, c'est merveilleux.

Et pour la première fois, il contempla sa créature non pas avec admiration mais avec répulsion. Capricorne sembla préférer cela.

— Basta! s'écria-t-il en lui faisant signe de s'approcher.

Basta se dirigea vers lui avec une lenteur manifeste. Il avait encore l'air vexé.

—Emmène le vieux dans la pièce où nous avons enfermé Darius à l'époque, lui ordonna Capricorne, et mets un garde devant sa porte.

—Tu veux que je l'emmène dans ta maison ?

—Oui. Pourquoi pas ? Car enfin, il prétend être quelque chose comme mon père. Et en plus, ses histoires m'amusent.

Basta haussa les épaules et attrapa le bras de Fenoglio. Meggie regarda le vieil homme d'un air terrifié. Elle allait se retrouver seule, toute seule dans le cachot de Capricorne avec des murs sans fenêtres et une porte verrouillée. Mais Fenoglio prit sa main avant que Basta ne l'entraîne avec lui.

—Laisse-la avec moi, demanda-t-il à Capricorne. Tu ne peux pas l'enfermer encore dans ce trou, toute seule.

Capricorne lui tourna le dos, l'air indifférent.

—Comme tu veux. De toute manière, son père ne va pas tarder.

Oui, Mo allait venir. Meggie ne pouvait penser à rien d'autre tandis que Fenoglio l'entraînait avec lui, le bras autour de son épaule comme s'il pouvait la protéger réellement contre Capricorne, Basta et tous les autres. Mais c'était une illusion. Mo le pourrait-il ? Bien sûr que non. « Pourvu qu'il ne retrouve pas le chemin, songea-t-elle. Il ne faut pas qu'il vienne. » Et pourtant, il n'y avait rien qu'elle souhaitât autant que ça. Rien au monde.

35

DES OBJECTIFS DIFFÉRENTS

Faber renifla le volume. « Savez-vous que les livres sentent la muscade ou je ne sais quelle épice exotique ? J'aimais les humer lorsque j'étais enfant. »

Ray Bradbury, *Fahrenheit 451*

Farid aperçut la voiture.

Elle montait la côte sur la route. Doigt de Poussière était allongé sous les arbres et essayait de réfléchir mais, depuis qu'il savait que Capricorne était revenu, il n'avait plus les idées claires. Capricorne était rentré et il ne savait toujours pas où chercher le livre. Les feuilles dessinaient des ombres sur son visage, le soleil à travers les branches lui enfonçait ses aiguilles brûlantes et son front était fiévreux. Basta et Nez Aplati étaient aussi de retour, naturellement, que s'était-il imaginé ? Qu'ils resteraient éternellement absents ?

— Pourquoi t'énerves-tu, Doigt de Poussière ? murmura-t-il en regardant les feuilles au-dessus de sa tête. Tu n'aurais pas dû revenir. Tu savais bien que c'était dangereux.

Il entendit des pas s'approcher, des pas rapides.

— Une voiture grise !

Farid se laissa tomber dans l'herbe, à bout de souffle tant il avait couru.

— Je crois que c'est Langue Magique !

Doigt de Poussière se leva d'un bond. Il s'empressa de suivre Farid jusqu'à l'endroit d'où l'on voyait le pont. Comme un serpent nonchalant, la route faisait des lacets jusqu'au village de Capricorne. Il ne leur restait pas beaucoup de temps s'ils voulaient couper la route à Langue Magique. Ils se précipitèrent dans la pente en courant. Farid sauta le premier sur le bitume.

Doigt de Poussière avait toujours été fier de son agilité mais le garçon, preste comme un chevreuil avec ses jambes fines, le surpassait. Il jouait maintenant avec le feu comme avec un jeune chien, si oublieux de lui-même que Doigt de Poussière lui rappelait par moments, avec une allumette enflammée, combien les dents de ce chiot pouvaient être brûlantes.

Quand il les vit au milieu de la route, Langue Magique donna un coup de frein. Il avait l'air épuisé, comme s'il n'avait pas dormi pendant plusieurs nuits. Elinor était assise à côté de lui. D'où sortait-elle ? N'était-elle pas rentrée chez elle, dans son cimetière de livres ? Et où était Meggie ?

Langue Magique descendit de la voiture. En reconnaissant Doigt de Poussière, il prit soudain un air très sombre.

— Naturellement, s'écria-t-il en se dirigeant vers lui, c'est toi qui lui as raconté où nous étions ! Qui d'autre ? Qu'est-ce que Capricorne a bien pu te promettre cette fois ?

— Qu'est-ce que tu racontes ? s'exclama Doigt de Poussière en reculant devant lui. Je n'ai rien raconté à personne ! Demande au garçon.

Langue Magique ne daigna même pas regarder Farid. La dévoreuse de livres était descendue de voiture elle aussi. Elle était debout à côté du véhicule, l'air maussade.

— Le seul qui ait raconté quelque chose ici, c'est toi, s'écria Doigt de Poussière. Tu as parlé de moi au vieux, alors que tu m'avais promis de ne pas le faire.

Langue Magique s'immobilisa. Il n'était pas difficile de lui donner mauvaise conscience.

— Vous devriez cacher la voiture sous les arbres, conseilla Doigt de Poussière en montrant le bord de la route. Il suffirait qu'un des hommes de Capricorne passe par ici ; ils n'aiment pas beaucoup voir des voitures étrangères dans le coin.

Langue Magique se retourna et regarda la route en contrebas.

— Tu ne vas quand même pas le croire ? s'écria Elinor. Bien sûr qu'il vous a trahis ! Qui veux-tu que ce soit d'autre ! Cet individu ment comme il respire.

— Basta a emmené Meggie.

La voix de Langue Magique était sans expression, méconnaissable comme si, avec sa fille, il avait perdu le timbre de sa voix.

— Ils ont aussi emmené Fenoglio, hier matin, pendant que j'étais parti chercher Elinor à l'aéroport. Depuis, nous avons eu un mal fou à retrouver ce satané village. J'étais loin de me douter qu'il y avait autant de villages isolés dans ces collines. C'est seulement après avoir passé le barrage que j'ai su que nous étions enfin sur la bonne route.

Doigt de Poussière ne répondit rien et leva les yeux au ciel. Des oiseaux s'en allaient vers le sud, noirs comme les hommes de Capricorne. Il n'avait pas remarqué qu'ils avaient amené la fillette dans le village, mais il n'avait pas passé son temps à surveiller le parking.

— Basta est parti plusieurs jours du village. Je pensais bien qu'il vous cherchait, dit-il. Tu as de la chance qu'il ne t'ait pas trouvé, toi aussi.

— De la chance ?

Elinor était toujours debout à côté de la voiture.

— Dis-lui de nous laisser passer, lança-t-elle à Langue Magique. Ou c'est moi qui vais lui rouler dessus ! Depuis le début, il est de mèche avec ces incendiaires.

Langue Magique observait Doigt de Poussière comme s'il n'avait pas encore décidé s'il devait le croire ou non.

— Les hommes de Capricorne se sont introduits dans la maison d'Elinor, expliqua-t-il enfin. Ils ont brûlé dans le jardin tous les livres qui étaient dans sa bibliothèque.

L'espace d'un instant, Doigt de Poussière dut admettre qu'il ressentait presque une certaine satisfaction.

— On pouvait s'y attendre, dit-il.

— S'y attendre ?

Elinor en bafouillait. Prête à mordre, elle se dirigea vers lui. Farid lui barra le passage, mais elle l'écarta si brutalement qu'il trébucha sur le bitume brûlant.

— Tu peux bien embobiner ce garçon avec ton feu et tes balles multicolores, mangeur d'allumettes ! lança-t-elle à Doigt de Poussière. Mais avec moi, ça ne marche pas ! Des livres de ma bibliothèque, il ne reste rien qu'un conteneur plein de cendres. La police était en admiration devant la maîtrise des incendiaires. «Car enfin, ils ont réussi à ne pas mettre le feu à votre maison, madame Loredan !» Même le jardin n'a subi aucun dommage, hormis les marques sur la pelouse. Que m'importe la maison ? Et cette maudite pelouse ? Ils ont brûlé mes précieux livres.

Elle eut beau détourner les yeux, Doigt de Poussière vit qu'ils étaient pleins de larmes, et soudain, il ressentit quelque chose comme de la compassion. Peut-être lui ressemblait-elle plus qu'il n'avait pensé : son monde à elle aussi était fait de papier et d'encre d'imprimerie, tout comme le sien. Sans doute se sentait-elle aussi étrangère que lui dans le monde réel. Mais il ne lui montra pas sa pitié, il la dissimula derrière l'ironie et l'indifférence, comme elle qui cachait son désespoir derrière la colère.

— Qu'est-ce que vous croyiez ? Capricorne savait où vous habitiez. Il était à prévoir qu'il enverrait ses hommes, puisque vous lui aviez faussé compagnie. Il a toujours été rancunier.

— Ah oui ! Et qui lui a dit où j'habitais ? Toi !

Elinor prit son élan, le poing serré, mais Farid l'arrêta.

— Il n'a rien révélé ! s'écria-t-il. Rien du tout. Il est là parce qu'il veut voler quelque chose.

Elinor laissa retomber son bras.

— Alors, c'est bien ça ! intervint Langue Magique en la rejoignant. Tu es là pour récupérer le livre. Tu es fou !

— Et toi ? Qu'est-ce que tu as l'intention de faire ? demanda Doigt de Poussière, l'air méprisant. Aller te promener comme ça dans l'église de Capricorne et lui demander de te rendre ta fille ?

Langue Magique ne dit mot.

— Il ne te la rendra pas et tu le sais ! poursuivit-il. Elle n'est qu'un appât et, dès que tu auras mordu à l'hameçon, vous serez tous les deux prisonniers de Capricorne, probablement jusqu'à la fin de vos jours.

— Moi, je voulais venir avec la police, déclara Elinor en

dégageant son bras de l'emprise de Farid. Mais Mortimer était contre.

— Il a eu raison ! Capricorne aurait fait emmener Meggie dans la montagne et vous ne l'auriez jamais revue.

Langue Magique regarda en direction de la montagne dont l'ombre se détachait derrière les collines.

— Attends que j'aie pu voler le livre ! dit Doigt de Poussière. Cette nuit, je vais m'introduire dans le village. Je ne pourrai pas délivrer ta fille comme la dernière fois car Capricorne a triplé ses gardes et, la nuit, le village est mieux éclairé que la devanture d'une bijouterie, mais je réussirai peut-être à apprendre où elle est retenue prisonnière. Après, tu pourras faire ce que tu veux. Et pour me remercier de mes services, tu essaieras de me renvoyer dans mon monde en lisant. Qu'en dis-tu ?

Il trouvait sa proposition très raisonnable, mais Langue Magique réfléchit brièvement et secoua la tête.

— Non ! décida-t-il, non, je suis désolé. Je ne peux pas attendre plus longtemps. Meggie va se demander ce que je fais. Elle a besoin de moi.

Il fit demi-tour et se dirigea vers sa voiture.

Mais il n'eut pas le temps de monter : Doigt de Poussière lui barrait le passage.

— Moi aussi, je suis désolé, dit-il tout en ouvrant le couteau de Basta. Tu sais que je n'aime guère ces choses-là mais, parfois, il faut protéger les gens contre leur propre bêtise. Je ne te laisserai pas retourner dans ce village comme un lapin qui a donné dans le panneau, pour que Capricorne t'enferme, toi et ta voix magique. Cela ne servira ni ta fille ni moi.

Sur un signe de Doigt de Poussière, Farid avait ouvert à son tour le couteau qu'il lui avait acheté dans un village au bord de la mer. C'était un petit couteau ridicule, mais Farid l'appuya si fort contre les côtes d'Elinor qu'elle fit la grimace.

— Doux Jésus, tu veux me transpercer, petit vaurien ! lui lança-t-elle.

Le garçon tressaillit mais laissa son couteau en place.

— Va garer la voiture, Langue Magique, qu'on ne la voie pas de la route ! ordonna Doigt de Poussière, et ne t'avise pas de faire des bêtises. N'oublie pas que ce garçon aura son couteau appuyé sur la poitrine de ton amoureuse des livres jusqu'à ce que tu reviennes.

Langue Magique obéit. Bien entendu. Qu'aurait-il pu faire d'autre ? Puis ils le ligotèrent avec Elinor aux arbres qui poussaient juste derrière la maison incendiée, à quelques pas de leur camp provisoire. Elinor grognait encore plus fort que Gwin quand on la tirait par la queue pour la faire sortir du sac à dos.

— Arrêtez ! lui lança Doigt de Poussière. Ce n'est dans l'intérêt de personne que les hommes de Capricorne nous trouvent ici.

Ce fut un argument convaincant. Elinor se tut aussitôt. Langue Magique appuya la tête contre le tronc de l'arbre et ferma les yeux.

Farid vérifia soigneusement tous les nœuds jusqu'à ce que Doigt de Poussière lui fasse signe.

— Surveille-les quand je m'en irai au village cette nuit, murmura-t-il. Et ne me fais pas le coup des esprits. Cette fois, tu n'es pas tout seul.

Le garçon eut l'air terriblement vexé.

— Mais ils sont attachés, protesta-t-il. Il n'y a pas besoin de les surveiller. Personne n'a jamais réussi à défaire un de mes nœuds, parole d'honneur ! Je veux aller avec toi ! Je peux faire le guet ou distraire la sentinelle. Je peux même m'introduire dans la maison de Capricorne. Je fais encore moins de bruit que Gwin !

Mais Doigt de Poussière secoua la tête.

— Non, répondit-il sèchement. Aujourd'hui, j'y vais seul. Si je veux avoir quelqu'un qui me suive à la trace, je prendrai un chien.

Et il planta là le garçon.

C'était une journée chaude. Le ciel au-dessus des collines était bleu et sans le moindre nuage. Il faudrait attendre encore des heures avant que la nuit tombe.

36

DANS LA MAISON DE CAPRICORNE

> En rêve, je me suis déjà retrouvé dans des maisons sombres
> que je ne connaissais pas. Des maisons inconnues, sombres,
> affreuses. Des pièces noires qui m'entouraient jusqu'à ce que
> je ne puisse plus respirer.
>
> Astrid Lindgren, *Mio, mon Mio*

Deux lits étroits en métal l'un au-dessus de l'autre le long d'un mur, une armoire, une table devant la fenêtre, une chaise, au mur une étagère vide sur laquelle se trouvait juste une bougie.

Meggie avait espéré que, de la fenêtre, on pourrait voir la rue ou au moins le parking, mais on ne voyait que la cour. Des servantes de Capricorne étaient penchées sur les plates-bandes et arrachaient les mauvaises herbes ; dans un coin, des poules picoraient dans un enclos grillagé. Le mur entourant la cour était aussi haut qu'un mur de prison.

Assis sur le lit du dessous, Fenoglio fixait le sol poussiéreux, l'air sombre. Le parquet craquait quand on marchait. Derrière la porte, on entendait Nez Aplati se disputer avec Basta.

— Qu'est-ce que je dois faire ? Cherche-toi quelqu'un d'autre, nom d'un chien ! Je préfère encore m'introduire dans le village voisin, mettre un chiffon imbibé d'essence devant une porte ou accrocher un coq mort à une fenêtre. Et même courir autour d'une maison avec un masque de diable, comme Cockerell a dû le faire la semaine dernière. Mais faire le planton devant une porte pour garder un vieillard et une petite fille, non ! Va te chercher un petit jeune, il sera content de faire enfin autre chose que de laver les voitures.

Mais Basta resta intraitable.

— On viendra te relayer après le dîner, dit-il avant de disparaître.

Meggie entendit ses pas s'éloigner dans le long couloir. Il y avait cinq portes jusqu'à l'escalier et, au pied de l'escalier, il fallait prendre à gauche jusqu'à la porte d'entrée… elle avait tout repéré le long du chemin. Mais comment échapper à la surveillance de Nez Aplati ? Elle retourna à la fenêtre. Rien qu'en regardant dehors, elle avait le vertige. Non, par là, on ne pouvait pas descendre. On se briserait le cou.

— Laisse la fenêtre ouverte ! dit Fenoglio dans son dos. Il fait si chaud ici que l'on dégouline.

Meggie vint s'asseoir sur le lit à côté de lui.

— Je vais me sauver ! lui dit-elle à l'oreille. Dès qu'il fera nuit.

Le vieil homme la regarda d'un air incrédule puis il secoua la tête très énergiquement.

— Tu es folle ? C'est beaucoup trop dangereux !

Sur le palier, Nez Aplati continuait de maugréer.

— Je vais demander à aller aux toilettes, expliqua Meggie en serrant son sac à dos contre elle. Et après je pars en courant.

Fenoglio la prit par les épaules.

— Non, répéta-t-il doucement, mais avec insistance. Non, tu ne vas pas faire ça ! Nous allons trouver autre chose. C'est mon métier d'avoir des idées, l'aurais-tu oublié ?

Meggie serra les lèvres.

— Bon, d'accord ! murmura-t-elle.

Puis elle retourna à la fenêtre.

Dehors, la nuit tombait.

« Je vais quand même essayer, pensa-t-elle tandis que Fenoglio s'étendait sur le lit étroit en poussant un profond soupir. Je ne vais pas jouer l'appât ! Je vais me sauver avant qu'il ne prenne Mo à son tour. »

Et tout en attendant que la nuit tombe complètement, elle repoussa pour la centième fois les questions qui ne lui sortaient pas de la tête :

Où était Mo ?

Pourquoi n'était-il pas venu ?

37

IMPRUDENCE

— Ainsi, tu crois que c'est un piège? demanda le comte.
— Jusqu'à preuve du contraire, je considère que tout est un piège, répondit le prince. C'est pourquoi je suis encore en vie.

William Goldman, *La Princesse Bouton-d'or*

La chaleur persista après le coucher du soleil. Quand Doigt de Poussière s'introduisit dans le village de Capricorne, il n'y avait pas le moindre souffle, et les lucioles dansaient au-dessus de l'herbe desséchée.

Cette nuit-là, deux sentinelles faisaient les cent pas sur le parking, elles n'avaient pas d'écouteurs sur la tête. Aussi décida-t-il de passer par un autre chemin pour se rendre à la maison de Capricorne. De l'autre côté du village, il y avait des ruelles complètement détruites par le tremblement de terre qui avait chassé les derniers habitants, que Capricorne avait laissées telles quelles. Ces ruelles étaient obstruées par les gravats des murs effondrés sur lesquels il était dangereux de grimper. Des années après le tremblement de terre, des murs s'écroulaient encore et les hommes de Capricorne évitaient cette partie du village où, derrière des portes délabrées, on pouvait trouver sur une table de la vaisselle sale laissée par des habitants disparus depuis long-temps. Ici, il n'y avait pas de projecteurs et même les sentinelles s'y aventuraient rarement.

Dans la ruelle qu'emprunta Doigt de Poussière s'amonce-laient des bardeaux de toit et des pierres qui glissèrent sous ses pieds et quand il s'immobilisa, inquiet que le bruit n'ait alerté quelqu'un, il vit soudain surgir un des gardes entre les maisons écroulées. Il eut soudain la gorge sèche de peur en s'accroupis-sant derrière le mur le plus proche où des nids d'hirondelles s'agglutinaient les uns à côté des autres. Tout en se rappro-chant le garde chantonnait. Doigt de Poussière le connaissait, cela faisait plusieurs années qu'il était au service de Capricorne. Basta l'avait recruté dans un autre village, dans un autre pays. Capricorne n'avait pas toujours habité dans ces collines. Il avait occupé d'autres endroits, des villages isolés comme celui-ci, des maisons, des fermes abandonnées, et même un château fort. Mais le filet de peur que Capricorne savait si bien tisser autour de lui finissait toujours par se déchirer, attirant l'attention de la police. Cela arriverait aussi ici un jour.

Le garde s'arrêta et alluma une cigarette. La fumée chatouilla le nez de Doigt de Poussière. Il détourna la tête – vit un chat, un pauvre chat blanc assis entre les pierres. Il avait l'air pétrifié et le regardait fixement avec ses yeux verts. Il aurait bien aimé lui murmurer : « Chut ! Est-ce que, par hasard, j'ai l'air dangereux ? Non, mais l'autre là-bas, il ne va pas tarder à te tirer dessus et après, ce sera mon tour. »

Les yeux verts le fixaient toujours. La queue blanche com-mença à se balancer d'un côté et de l'autre. Doigt de Poussière regarda ses bottes, puis un morceau de fer tordu au milieu des pierres, mais pas le chat. Les animaux n'aiment pas qu'on les regarde dans les yeux. Quand il le faisait avec Gwin, elle montrait ses dents pointues.

La sentinelle se remit à chantonner, la cigarette aux lèvres. Et enfin, alors que Doigt de Poussière commençait à croire qu'il allait devoir passer le reste de sa vie accroupi derrière le mur effondré, l'homme fit demi-tour et disparut. Doigt de Poussière n'osa pas bouger avant que le bruit des pas n'eût complètement cessé. Quand il se releva, les jambes ankylosées, le chat s'enfuit en feulant et il resta un long moment au milieu des maisons sans vie, à attendre que les battements de son cœur se calment.

Il ne rencontra aucun autre garde avant de franchir le mur de Capricorne. L'odeur de thym le saisit. Par cette nuit chaude, tout semblait embaumer, même les plants de tomates et de salades. Sur la plate-bande juste en face de la maison poussaient les plantes toxiques. La pie s'en occupait personnellement. Certaines morts subites dans le village avaient ainsi une odeur de laurier-rose ou de jusquiame.

La fenêtre de la chambre dans laquelle dormait Resa était ouverte, comme toujours. Lorsque Doigt de Poussière imita le cri de colère de Gwin, une main lui fit signe par la fenêtre ouverte et disparut aussitôt. Au-dessus de lui, le ciel était parsemé d'étoiles, il semblait n'y avoir presque pas de place pour la nuit. «Elle sait sûrement quelque chose, pensa-t-il, mais que vais-je faire si elle m'apprend que Capricorne a enfermé le livre dans un des coffres-forts?»

La porte derrière la grille s'ouvrit. Elle grinçait toujours, comme pour protester contre cette intrusion nocturne. Doigt de Poussière se retourna et découvrit un visage inconnu. C'était celui d'une jeune fille qui devait avoir quinze, seize ans. Elle avait des joues rebondies comme celles d'une enfant.

— Où est Resa ? demanda-t-il en s'accrochant à la grille. Que lui est-il arrivé ?

La jeune fille avait l'air paniquée. Elle regardait ses balafres comme si elle n'avait encore jamais vu une chose pareille.

— C'est elle qui t'envoie ?

Il avait envie de passer la main à travers la grille pour secouer cette petite oie.

— Réponds-moi ! Vite ! Je ne vais pas passer la nuit ici !

Il n'aurait pas dû demander à Resa de l'aider. Il aurait dû se débrouiller tout seul. Comment avait-il pu l'exposer ainsi au danger ?

— Ils l'ont enfermée ? Vas-tu parler à la fin !

La jeune fille regarda par-dessus l'épaule de Doigt de Poussière et fit un pas en arrière. Il se retourna pour voir ce qu'elle regardait… et découvrit le visage de Basta.

Comment avait-il pu ne rien entendre ? Basta était connu pour son pas silencieux mais Nez Aplati, qui était à côté de lui, n'était pas doué pour la discrétion. Et Basta avait amené encore quelqu'un : Mortola. Ainsi, ce n'était pas seulement pour respirer l'air frais que, la nuit dernière, elle s'était mise à la fenêtre. Resa l'avait-elle trahi ? Cette pensée lui fit mal.

— Je n'aurais vraiment pas cru que tu t'aventurerais par ici ! grommela Basta en le poussant contre la grille.

Doigt de Poussière sentit les barreaux s'enfoncer dans son dos. Nez Aplati arborait un large sourire, comme un enfant le soir de Noël, il souriait toujours ainsi quand il pouvait faire peur à quelqu'un.

— Qu'est-ce que tu fais avec notre belle Resa ?

Basta ouvrit son couteau et le sourire de Nez Aplati s'élargit encore quand il vit les gouttes de sueur perler sur le front de Doigt de Poussière.

— Je l'ai toujours dit, poursuivit Basta en promenant la pointe de son couteau sur la poitrine de Doigt de Poussière. Le mangeur de feu est amoureux de Resa, il la buvait des yeux, mais les autres ne voulaient rien entendre. Quand même, je n'arrive pas à croire que tu t'aventures ici, toi qui es une poule mouillée.

— C'est qu'il est amoureux, ricana Nez Aplati.

Mais Basta secoua la tête.

— Non, Doigt crasseux ne serait pas venu pour ça, il n'est pas sentimental à ce point. Il est venu à cause du livre, pas vrai ? Tu as toujours la nostalgie des fées qui voltigent et des kobolds qui empestent.

Basta passait presque tendrement son couteau sur la gorge de Doigt de Poussière.

Ce dernier en oubliait de respirer. Il oubliait tout.

— Rentre dans ta chambre, ordonna la pie à la jeune fille. Qu'est-ce que tu fais plantée là ?

Doigt de Poussière entendit le froissement d'une robe puis la porte se referma.

Le couteau de Basta était toujours sur sa gorge mais, quand il voulut faire remonter la pointe de la lame plus haut, la pie l'arrêta.

— Ça suffit, dit-elle sèchement. Ce petit jeu a assez duré, Basta.

— Oui, le patron veut que nous le lui amenions intact !

L'ironie dans la voix de Nez Aplati laissait entendre ce qu'il en pensait.

Basta promena une dernière fois la pointe de son couteau sur le cou de Doigt de Poussière. Puis il le referma d'un geste sec.

— Dommage ! soupira-t-il.

Doigt de Poussière sentait son souffle sur sa peau. L'haleine de Basta avait toujours une odeur de menthe, de la menthe fraîche et forte. Une fille qu'il avait voulu embrasser un jour lui aurait dit qu'il sentait mauvais de la bouche. Ça n'aurait pas réussi à convaincre la fille mais, depuis, Basta suçait du matin au soir des feuilles de menthe.

— On s'est toujours bien amusé avec toi, Doigt de Poussière, dit-il en reculant, sans lâcher son couteau.

— Emmène-le à l'église, ordonna Mortala. Je préviens Capricorne.

— Tu sais que le patron est très en colère contre ton amie muette, murmura Nez Aplati à Doigt de Poussière en le coinçant entre lui et Basta. C'est une de ses favorites.

L'espace d'un instant, Doigt de Poussière se sentit soulagé.

Ainsi, Resa ne l'avait pas trahi.

Il n'aurait quand même pas dû lui demander de l'aider. Jamais.

38

DES MOTS MURMURÉS

Elle fut si heureuse de le voir pleurer qu'elle effleura ses larmes du bout de ses doigts fuselés.
Elle se mit à chuchoter si bas que le sens de ses paroles lui échappait. Il crut cependant comprendre qu'elle pensait pouvoir guérir si les enfants croyaient aux fées.

James M. Barrie, *Peter Pan*

Et Meggie essaya.

Dès que la nuit fut tombée, elle cogna avec le poing contre la porte. Fenoglio se réveilla en sursaut mais, avant qu'il ait eu le temps de la retenir, Meggie cria au garde derrière la porte qu'elle avait besoin d'aller aux toilettes. Celui qui avait pris la relève de Nez Aplati était un homme avec de petites jambes et des oreilles décollées, qui tuait le temps en écrasant avec un journal les mites qui s'aventuraient dans la maison. Plus d'une douzaine étaient déjà collées sur le mur quand Meggie sortit dans le couloir.

— Moi aussi, cria aussitôt Fenoglio qui voulait sans doute détourner Meggie de son projet, mais le garde lui claqua la porte au nez.

— Chacun son tour! lança-t-il au vieil homme. Et si tu ne peux pas te retenir, tu n'as qu'à pisser par la fenêtre.

Il emporta son journal pour accompagner la prisonnière aux toilettes.

Sur le chemin, il écrasa encore trois mites et un papillon qui voltigeait entre les murs froids. Puis il ouvrit une porte, la dernière avant l'escalier qui menait en bas. «Encore quelques pas, songea Meggie. Ensuite, je dois certainement pouvoir dévaler les marches plus vite que lui.»

— Meggie, je t'en prie, sors-toi cette idée de la tête, lui avait chuchoté Fenoglio à l'oreille. Tu vas te perdre. Dehors, il n'y a rien, que la nature sauvage. Ton père te flanquerait une fessée s'il apprenait ce que tu veux faire.

«Sûrement pas», pensa Meggie. Mais quand elle se retrouva seule dans les cabinets vétustes, elle faillit perdre courage. Il faisait si sombre dehors, si affreusement sombre. Et le chemin jusqu'à la porte d'entrée de Capricorne était si long.

— Il faut que j'essaie, murmura-t-elle avant d'ouvrir brusquement la porte. Il le faut!

Le garde la rattrapa dès la cinquième marche. Il la porta dans l'autre sens comme un sac.

— La prochaine fois, je t'emmène voir le patron, prévint-il en la poussant dans la chambre. Il aura sûrement une idée de punition pour toi.

Pendant une bonne demi-heure, elle sanglota tandis que Fenoglio, assis à côté d'elle, fixait le mur d'un air malheureux.

— Ça va! Ça va! répétait-il mais rien n'allait, rien du tout.

— Nous n'avons même pas de lampe! sanglota-t-elle de plus belle. Et ils m'ont même pris mes livres.

Sur ce, Fenoglio sortit une lampe de poche de sous son oreiller et la posa sur ses genoux.

— Je l'ai trouvée sous mon matelas, expliqua-t-il à voix basse. Avec quelques livres. On aurait dit que quelqu'un l'avait cachée là.

Darius, le lecteur. Meggie se souvenait que le petit homme maigre avait traversé à la hâte l'église de Capricorne avec une pile de livres. La lampe de poche devait être à lui. Combien de temps Capricorne l'avait-il gardé prisonnier dans cette petite pièce vide ?

— Il y a aussi une couverture de laine dans l'armoire, je te l'ai mise sur le lit du dessus, chuchota Fenoglio. Je n'arrive pas à grimper là-haut. Quand j'ai essayé, le lit s'est balancé comme un bateau en pleine mer.

— Je préfère dormir en haut de toute manière, déclara Meggie en s'essuyant le visage avec sa manche.

Elle n'avait plus envie de pleurer. Ça ne servait à rien.

Outre la couverture de laine, Fenoglio avait aussi déposé les quelques livres de Darius sur le matelas. Meggie les étala soigneusement devant elle. Ce n'étaient presque que des livres d'adulte : un vieux roman policier, un livre sur les serpents, un autre sur Alexandre le Grand, l'*Odyssée*. Un livre de contes et *Peter Pan* étaient les seuls livres d'enfants — et *Peter Pan*, elle l'avait déjà lu une demi-douzaine de fois.

Derrière la porte, le garde écrasait toujours les mites avec son journal et, au-dessous d'elle, Fenoglio se retournait nerveusement dans son lit étroit. Meggie savait qu'elle ne pourrait pas dormir.

Ce n'était même pas la peine d'essayer. Elle regarda les livres. Rien que des portes fermées. Laquelle devait-elle forcer ?

Derrière laquelle oublierait-elle tout, Basta et Capricorne, *Cœur d'encre*, elle-même… tout, quoi ? Elle écarta le roman policier, le livre sur Alexandre le Grand et prit l'*Odyssée*. C'était un livre qui avait beaucoup servi, Darius devait l'aimer particulièrement. Il avait même souligné certains passages, et d'une main si forte que le crayon avait presque déchiré le papier : *mais il a beau s'appliquer, il ne sauve pas ses amis.* Indécise, Meggie feuilleta les pages usées, puis elle referma le livre et le mit de côté. Non. Elle connaissait assez bien l'histoire pour savoir qu'elle aurait aussi peur de ces héros grecs que des hommes de Capricorne. Elle essuya une larme qui traînait sur sa joue et passa la main sur un autre livre. Des contes. Elle n'appréciait pas tellement les contes, mais le livre était très beau. Elle aimait le froissement des pages qu'elle tournait. Elles étaient fines comme du parchemin, couvertes de lettres minuscules. Il y avait de magnifiques illustrations de nains et de fées, et les histoires parlaient de créatures imposantes, immenses, fortes comme des ours, immortelles même mais elles avaient toutes quelque chose de perfide : les géants mangeaient les humains, les nains voulaient avoir de l'or et les fées étaient méchantes et rancunières. Non. Meggie dirigea la lampe de poche vers le dernier livre. *Peter Pan.*

La fée de l'histoire n'était pas très gentille non plus, mais le monde qui l'attendait entre les pages lui était familier. Peut-être était-ce juste ce qu'il fallait dans une nuit sombre comme celle-ci. Dehors, une hulotte hululait mais, à part cela, le village de Capricorne était silencieux. Fenoglio marmonna quelque chose en dormant et se mit à ronfler. Meggie se glissa sous la couverture rugueuse, sortit le pull-over de Mo du sac et l'enfila.

— S'il te plaît! murmura-t-elle en ouvrant le livre, s'il te plaît, emporte-moi loin d'ici, rien que pour une heure ou deux, je t'en prie, loin d'ici, très loin.

Dehors, le garde grommelait des paroles incompréhensibles. Il devait s'ennuyer. Le parquet craquait sous ses pas tandis qu'il déambulait derrière la porte fermée.

— Emporte-moi! chuchotait Meggie, emporte-moi loin d'ici! S'il te plaît!

Elle promena ses doigts sur les lignes, sur le papier rugueux tandis que ses yeux suivaient les lettres dans un autre lieu plus froid, dans une autre époque, dans une autre maison sans porte verrouillée et sans hommes vêtus de noir.

— *À peine la fée avait-elle surgi que la fenêtre s'ouvrit en grand sous l'effet du souffle des étoiles,* murmura Meggie.

Elle entendait le craquement de la fenêtre. *Et Peter Pan sauta dans la pièce. Il avait transporté la fée Clochette pendant une partie du trajet et sa main était encore saupoudrée de poussière enchantée.*

«Des fées, songea Meggie. Je comprends qu'elles aient manqué à Doigt de Poussière.» Mais pour le moment, c'était une pensée interdite. Elle ne voulait pas penser à Doigt de Poussière, seulement à la fée Clochette, à Peter Pan et à Wendy qui était encore dans son lit et ne se doutait pas de la présence de cet étrange garçon ailé qui venait de faire irruption dans sa chambre, vêtu de feuillage et de toile d'araignée. *Clochette, appela-t-il à mi-voix après s'être assuré que les enfants dormaient. Clochette, où es-tu? Elle était descendue au fond d'un broc et paraissait beaucoup s'y plaire; jamais elle n'avait exploré de broc.* «La fée Clochette.» Meggie prononça deux fois son nom à voix basse, elle avait toujours aimé le prononcer, avec cette première syllabe qui arrondissait les lettres comme pour un baiser.

Sors donc de ce broc et réponds-moi ! Sais-tu ce qu'ils ont bien pu faire de mon ombre ? Un délicieux tintement de clochettes lui répondit. Tel était le langage des fées. Vous autres, enfants normaux, ne pouvez pas les entendre mais si par hasard vous en étiez capables, vous les reconnaîtriez au premier son. « Si je pouvais voler comme la fée Clochette, songea Meggie, je pourrais grimper sur le rebord de la fenêtre et m'envoler. Je n'aurais plus à m'inquiéter des serpents et je trouverais Mo avant qu'il ne vienne ici. Il a dû s'égarer. C'est ça. Oui. Exactement. » Et s'il lui était arrivé quelque chose… Meggie secoua la tête comme pour chasser cette pensée lancinante.

— *Clochette lui déclara que l'ombre était dans la grande boîte, chuchota-t-elle. Elle faisait allusion à la commode et Peter bondit vers les tiroirs dont il éparpilla des deux mains tout le contenu…*

Meggie s'arrêta. Quelque chose brillait dans la pièce. Elle éteignit la lampe de poche mais la lumière était toujours là… *mille fois plus brillante que les veilleuses.*

— … *une source d'éclats lumineux successifs qui, s'interrompant durant une fraction de seconde, permit de voir qu'il s'agissait d'une…* Elle ne prononça pas le mot. Elle suivit des yeux la lumière qui virevoletait de-ci de-là, vive, plus rapide qu'une luciole et bien plus grosse.

— Fenoglio !

Le garde derrière la porte ne faisait plus de bruit. Il s'était peut-être endormi. Meggie se pencha par-dessus le bord du lit jusqu'à ce que ses doigts touchent l'épaule de Fenoglio.

— Fenoglio, regarde !

Elle le secoua pour qu'il ouvre enfin les yeux. Et si elle allait s'envoler par la fenêtre ?

Meggie glissa hors de son lit. Elle referma la fenêtre si brutalement qu'elle faillit coincer une des ailes brillantes dans un battant. Affolée, la fée s'envola de l'autre côté. Meggie crut entendre un pépiement de protestation.

Fenoglio regarda, les yeux bouffis de sommeil, cette petite chose volante.

— Qu'est-ce que c'est ? demanda-t-il d'une voix rauque, un ver luisant mutant ?

Meggie retourna sur son lit sans quitter la fée des yeux. Elle voltigeait de plus en plus vite dans la pièce exiguë, tel un papillon affolé, montant et descendant, du plafond à la porte et à la fenêtre. Meggie posa le livre sur les genoux de Fenoglio. *Peter Pan.* Il regarda le livre, puis la fée, et de nouveau le livre.

— Je ne l'ai pas fait exprès, murmura Meggie, vraiment pas.

La fée voltigeait vers la fenêtre, encore et encore.

— Non ! s'exclama Meggie en courant vers elle. Tu ne peux pas sortir. Tu ne comprends pas.

Une fée. Pas plus grande que la main et encore dans l'enfance. Elle s'appelait Clochette et était vêtue d'une robe de feuilles ravissante.

— Voilà quelqu'un ! s'exclama soudain Fenoglio en se redressant, si brutalement qu'il se cogna la tête contre le lit du dessus.

Il avait raison. Dehors dans le couloir, des pas se rapprochaient, des pas rapides et décidés. Meggie recula vers la fenêtre. Qu'est-ce que ça signifiait ? Au beau milieu de la nuit. « Mo est arrivé ! pensa-t-elle. Il est là » et, malgré elle, son cœur bondit de joie.

— Cache-la, chuchota Fenoglio, vite, cache-la !

Meggie le regarda, paniquée. Bien sûr. La fée. Il ne fallait pas qu'ils la voient. Meggie essaya de l'attraper mais elle lui glissa entre les doigts et s'envola vers le plafond.

Maintenant, les pas étaient tout près.

— C'est ce que tu appelles monter la garde ?

C'était la voix de Basta. Meggie entendit un soupir étouffé. Il avait dû réveiller le garde d'un coup de pied.

— Dépêche-toi d'ouvrir ! Je n'ai pas de temps à perdre !

Quelqu'un introduisit une clé dans la serrure.

— Ce n'est pas la bonne, espèce d'abruti ! Capricorne attend la fille, je vais lui raconter pourquoi on le fait attendre si long-temps.

Meggie grimpa sur son lit qui se balança dangereusement quand elle se redressa.

— Clochette, murmura-t-elle, je t'en prie, viens là.

Elle eut beau tendre la main tout doucement, la fée voltigea vers la fenêtre. Et Basta ouvrit la porte.

— D'où elle sort, celle-là ? demanda-t-il en s'arrêtant sur le seuil. Je n'ai pas vu de ces oiselles depuis des années.

Meggie et Fenoglio se taisaient. Qu'auraient-ils pu dire ?

— Ne croyez pas que vous allez vous en tirer comme ça !

Basta enleva sa veste, la prit dans sa main gauche et se diri-gea lentement vers la fenêtre.

— Surveille la porte, au cas où elle m'échapperait ! ordonna-t-il au garde. Si tu la laisses s'enfuir, je te coupe les oreilles.

— Laisse-la !

Meggie sauta prestement de son lit, mais Basta fut plus rapide. Il lança sa veste et la lumière de Clochette s'éteignit comme une bougie que l'on souffle. Quand la veste tomba par terre, il y eut un faible sursaut sous le tissu noir. Basta la ramassa délicatement, en fit comme un baluchon et s'arrêta devant Meggie.

— Alors, la belle, dépêche-toi de m'expliquer d'où elle vient ! dit-il d'une voix lourde de menaces. D'où vient cette fée ?

— Je ne sais pas, bafouilla Meggie sans le regarder. Elle est... elle est arrivée tout d'un coup.

Basta s'adressa au garde :

— Tu as déjà vu une fée dans le coin, toi ?

Le garde leva le journal sur lequel étaient encore collées quelques mites et en donna un coup contre le chambranle de la porte avec un grand sourire.

— Non, mais si j'en avais vu, je saurais quoi en faire, répondit-il.

— Oui, ces petites choses sont agaçantes comme des moustiques. Mais il paraît qu'elles portent bonheur.

Basta se tourna de nouveau vers Meggie.

— Allez, raconte ! D'où sort-elle ? Je ne te le demanderai pas une fois de plus.

Meggie ne put s'empêcher de regarder en direction du livre que Fenoglio avait laissé tomber. Basta suivit son regard et ramassa le livre.

— Ça alors ! murmura-t-il en regardant la couverture.

L'illustrateur avait vraiment réussi son dessin de la fée Clochette.

Elle était en réalité un peu plus pâle que sur l'image et légèrement plus petite, ce qui n'empêcha pas Basta de la reconnaître.

Il émit un petit sifflement entre ses dents puis il mit le livre sous le nez de Meggie.

— Ne viens pas me dire que c'est le vieux qui l'a fait sortir du livre en lisant ! s'énerva-t-il. C'est toi. J'y mettrais mon couteau au feu. C'est ton père qui te l'a appris ou as-tu hérité de son don ? Mais peu importe.

Il glissa le livre dans la ceinture de son pantalon et prit Meggie par le bras.

— Viens, nous allons raconter ça à Capricorne. En fait, je devais t'amener, toi seule, pour te faire rencontrer un ancien ami, mais Capricorne n'aura sûrement rien contre des nouvelles aussi excitantes.

— Mon père est revenu ? s'exclama Meggie en se laissant entraîner vers la porte sans résistance.

Basta secoua la tête et la contempla d'un air moqueur.

— Non, il ne s'est toujours pas présenté. Apparemment, il tient plus à sa peau qu'à la tienne. À ta place, je n'apprécierais pas.

La déception de Meggie fut cinglante comme un coup de fouet et, en même temps, elle fut soulagée.

— Je dois avouer que, moi aussi, il m'a plutôt déçu, poursuivit Basta. Car enfin j'avais parié qu'il allait venir mais, maintenant, nous n'avons plus besoin de lui, pas vrai ?

Il secoua sa veste et Meggie crut entendre un léger tintement désespéré.

— Enferme le vieux, ordonna Basta au garde, et gare à toi si tu ronfles quand je reviens.

Puis il descendit l'escalier en entraînant Meggie à sa suite.

39

UNE PUNITION POUR LES TRAÎTRES

— Et toi ? demanda Lobosch. Toi, Krabat, tu n'as pas peur ?

— Plus que tu ne l'imagines, dit Krabat. Et pas seulement pour moi.

Otfried Preussler, Krabat

Quand elle traversa avec Basta la place devant l'église, son ombre suivait Meggie comme un mauvais esprit. Sous la lumière crue des projecteurs, la lune ressemblait à un vieux lampion.

Dans l'église, il faisait beaucoup plus sombre. La statue de Capricorne émergeait de l'obscurité, à demi cachée par les ombres et, entre les colonnes, il faisait si noir que la nuit semblait s'être réfugiée là pour fuir la lumière des projecteurs.

Au-dessus du fauteuil de Capricorne en revanche, il y avait une lampe, la seule de toute l'église. Dans son peignoir de soie brillant comme les plumes d'un paon, il avait l'air de s'ennuyer.

Cette fois encore, la pie se tenait derrière lui. Dans la semi-pénombre, on apercevait juste son visage pâle au-dessus d'une robe noire. Dans un des fûts au pied de l'escalier, un feu était allumé. La fumée piqua les yeux de Meggie et la lumière vacillante des flammes se mit à danser sur les murs et les colonnes.

— Mettez les chiffons devant la fenêtre de ses enfants, comme dernier avertissement !

Capricorne n'avait pas parlé fort mais sa voix résonna jusqu'aux oreilles de Meggie.

— Imbibez-les bien d'essence, ordonna-t-il à Cockerell qui se trouvait au bas des marches avec deux hommes. Quand, demain matin, l'odeur montera dans les narines de cet imbécile, il comprendra peut-être enfin que ma patience est à bout.

Cockerell fit signe qu'il avait compris. Il tourna les talons et engagea les deux autres à le suivre. Leurs visages étaient noircis à la suie et ils portaient tous les trois une plume de coq rouge à la boutonnière.

— Tiens, la fille de Langue Magique ! grogna Cockerell d'un air moqueur en croisant Meggie. Eh bien, ton père n'est pas venu te chercher ? Tu n'as pas l'air de lui manquer beaucoup !

Les deux autres se mirent à rire et Meggie ne put s'empêcher de rougir.

— Enfin ! s'écria Capricorne lorsque Basta s'arrêta au pied de l'escalier avec elle. Pourquoi as-tu mis si longtemps ?

Sur le visage de la pie passa quelque chose comme un sourire. Sa lèvre inférieure s'était avancée légèrement, ce qui donnait à son visage maigre une expression de contentement. Cet air satisfait inquiéta Meggie plus encore que la mine sombre qu'elle affichait habituellement.

— Le garde ne trouvait pas la clé ! expliqua Basta, énervé. Et ensuite, j'ai dû attraper ceci.

La fée se remit à gigoter quand il brandit la veste. Le tissu se déformait sous les efforts qu'elle faisait pour se libérer.

— Qu'est-ce que c'est que ça? demanda Capricorne d'un air agacé. Tu attrapes les chauves-souris, maintenant?

Basta serra les lèvres de colère, mais il ne répondit pas et passa sans rien dire la main sous le tissu noir. En réprimant un juron, il en sortit la fée.

— La sale bête! gronda-t-il. J'avais oublié qu'elles pouvaient mordre aussi fort!

La fée Clochette battait désespérément d'une aile, l'autre étant prise entre les doigts de Basta. Meggie ne pouvait pas la regarder. Elle avait honte d'avoir fait surgir du livre cette petite créature si fragile. Tellement honte.

Capricorne regarda la fée d'un air dégoûté.

— D'où sort-elle, celle-là? De quelle espèce s'agit-il? Je n'en ai encore jamais vu avec des ailes pareilles!

Basta tira *Peter Pan* de sa ceinture et posa le livre sur les marches.

— Je crois qu'elle vient de là, dit-il. Regarde le dessin sur la couverture, à l'intérieur aussi il y a des dessins d'elle. Et maintenant, devine qui l'a fait surgir du livre.

Il serra Clochette si fort qu'elle en eut le souffle coupé, et il posa l'autre main sur l'épaule de Meggie qui essaya de se dégager mais Basta resserra son étreinte.

— La fille? demanda Capricorne, incrédule.

— Oui, elle a l'air d'avoir le même don que son père. Regarde un peu la fée!

Basta attrapa Clochette par ses jambes fines et la souleva.

— Elle est réussie, tu ne trouves pas? Elle sait voler et protester, tout ce dont ces pauvres créatures sont capables.

— Intéressant. Vraiment très intéressant.

Capricorne se leva, resserra la ceinture de son peignoir et descendit l'escalier. Il s'arrêta près du livre que Basta avait posé sur les marches.

— Alors, comme ça, c'est de famille ! murmura-t-il en se penchant pour ramasser le livre.

Les sourcils froncés, il le contempla.

— *Peter Pan*, lut-il. Mais c'est un des livres que mon ancien lecteur appréciait particulièrement. Oui, je me souviens, il m'en a lu des passages. Il était censé faire surgir du livre un des pirates mais il a échoué lamentablement. Au lieu de ça, je me suis retrouvé avec des poissons puants et un crochet d'abordage dans ma chambre. Ne lui avons-nous pas fait manger les poissons pour le punir ?

Basta se mit à rire.

— Oui, mais ce dont il s'est plaint le plus, c'est que tu lui aies confisqué ses livres. Celui-là, il a dû le cacher.

— Sans doute.

Capricorne s'approcha de Meggie, l'air songeur. Quand il mit sa main sous son menton et fit tourner son visage de sorte qu'elle le regarde droit dans ses yeux délavés, elle eut envie de lui mordre les doigts.

— Tu vois comment elle me regarde, Basta ? lança-t-il, moqueur. D'un air aussi buté que son père. Tu ferais mieux de garder cet air-là pour lui, petite. Car tu dois être furieuse contre lui, non ? Mais désormais, peu m'importe où il se cache. Car maintenant, c'est toi qui vas être ma lectrice surdouée, mais dis-moi… tu dois le haïr de t'avoir ainsi laissée tomber, non ? N'en aie pas honte. La haine peut donner des ailes. Moi non plus, je n'ai jamais aimé mon père.

Quand il lâcha enfin son menton, Meggie détourna les yeux. Elle était rouge de honte et de colère et sentait encore ses doigts sur sa peau, comme s'ils y avaient laissé des taches.

— Basta t'a-t-il dit pourquoi je t'ai fait venir à une heure si tardive ?

— Il paraît que je dois rencontrer quelqu'un.

Meggie s'efforça de parler d'une voix claire et assurée, mais elle n'y parvint pas. Le sanglot qu'elle avait dans la gorge ne laissa passer qu'un murmure.

— Exact !

Capricorne fit un signe à la pie. Celle-ci hocha la tête, descendit l'escalier et disparut dans l'obscurité. Peu après, Meggie entendit un craquement au-dessus de sa tête et lorsqu'elle leva les yeux vers le plafond, effrayée, elle vit quelque chose descendre dans le noir : un filet, non, il y avait deux filets, comme elle en avait déjà vu dans les bateaux de pêcheurs. Ils restèrent suspendus à environ cinq mètres du sol, juste au-dessus de la tête de Meggie, c'est alors qu'elle s'aperçut qu'il y avait des personnes prises dans les mailles, comme des oiseaux dans les pièges des arbres fruitiers.

Meggie eut le vertige rien qu'à les regarder. Cela devait être quelque chose de se balancer là-haut, retenu simplement par des cordes !

— Eh bien, tu reconnais ton vieil ami ?

Capricorne enfonça ses mains dans les poches de son peignoir. La fée était toujours coincée entre les doigts de Basta, comme une marionnette cassée. Le seul bruit perceptible était un timide son de clochette.

— Oui ! Voilà ce qu'il advient des sales traîtres qui volent des clés et délivrent des prisonniers.

La satisfaction dans la voix de Capricorne était manifeste. Meggie ne lui accorda pas un regard. Elle n'avait d'yeux que pour Doigt de Poussière. Car bien sûr, c'était lui.

— *Hello*, Meggie, lui lança-t-il de là-haut, tu n'as pas bonne mine.

Il s'efforçait vraiment d'avoir l'air insouciant, mais Meggie perçut la peur dans sa voix. Et en matière de voix, elle s'y connaissait.

— Tu as le bonjour de ton père ! Il te fait dire qu'il va bientôt venir te chercher. Et il ne viendra pas seul.

— Si tu continues, le mangeur de feu, tu vas finir en vrai conteur ! lui cria Basta. Mais même la fille n'y croit pas, à tes histoires. Il faudrait que tu trouves autre chose !

Meggie ne pouvait détacher les yeux de Doigt de Poussière. Elle avait tellement envie de le croire.

— Hé, Basta, lâche cette pauvre fée ! cria-t-il à son vieil ennemi. Envoie-la-moi, il y a bien trop longtemps que je n'en ai plus vu.

— Tu serais trop content. Non, je la garde pour moi ! répondit Basta en donnant une pichenette sur le nez minuscule de Clochette. J'ai entendu dire que les fées éloignent le malheur quand on les garde dans sa chambre. Je vais peut-être la mettre dans un pot en verre. Toi qui as toujours été un grand ami des fées, tu dois savoir ce qu'elles mangent ! Dois-je lui donner des mouches ?

Clochette s'arc-bouta contre ses doigts, essayant désespérément de libérer son aile. Elle y parvint mais Basta la retint par les jambes et elle eut beau se débattre, elle ne put s'échapper.

Finalement, avec un petit tintement, elle renonça. La lueur qui émanait d'elle était comme celle d'une bougie en train de s'éteindre.

— Sais-tu pourquoi j'ai fait amener la fille, Doigt de Poussière ? cria Capricorne à son prisonnier. Elle devait te convaincre de nous parler de son père et de l'endroit où il se cache — si jamais tu le sais, ce dont je commence à douter. Mais maintenant, je n'ai plus besoin de cette information : la fille va prendre la place de son père, et ce juste au bon moment ! Car j'ai décidé que, pour te punir, nous devions avoir une idée tout à fait extraordinaire. Trouver quelque chose d'impressionnant, d'inoubliable. Un traître mérite bien ça, n'est-ce pas ? Tu devines où je veux en venir ? Non ? Alors, je vais t'aider. Ma nouvelle lectrice va nous lire en ton honneur des passages de *Cœur d'encre*. Car enfin, c'est bien ton livre préféré, n'est-ce pas ? Même si la créature qu'elle devra faire surgir n'est pas vraiment de celles que tu aimes. Son père l'aurait fait depuis longtemps si tu ne l'avais pas aidé à s'enfuir, mais maintenant sa fille va s'en charger. Tu vois de quel ami je parle ?

Doigt de Poussière posa sa joue balafrée contre le filet.

— Oh oui, je m'en doute. Je ne saurais l'oublier, prononça-t-il si bas que Meggie eut du mal à le comprendre.

— Pourquoi ne parles-tu que du châtiment du cracheur de feu ?

La pie avait surgi d'entre les colonnes.

— Tu as oublié Resa, notre colombe muette ? Sa trahison est aussi grave que la sienne.

Elle leva les yeux vers le deuxième filet d'un air méprisant.

— Oui, oui, bien sûr ! s'exclama Capricorne avec une pointe de regret dans la voix. C'est dommage, mais c'est comme ça.

Meggie ne pouvait distinguer le visage de la femme qui se balançait dans le deuxième filet derrière Doigt de Poussière. Elle ne vit que des cheveux blond foncé, le tissu d'une robe bleue et des mains fines qui s'accrochaient aux mailles.

Capricorne poussa un profond soupir.

— C'est vraiment honteux, lança-t-il à Doigt de Poussière. Pourquoi fallait-il que tu la choisisses, elle ? Tu n'aurais pas pu en convaincre une autre d'aller fouiner partout ? J'avais vraiment un faible pour elle depuis que Darius, cet incapable, l'avait fait surgir du livre. Cela ne m'avait jamais dérangé qu'elle y ait laissé sa voix. Non, vraiment pas, au contraire, naïvement, je croyais qu'ainsi, je pouvais lui faire confiance. Savais-tu qu'à l'époque sa chevelure était comme des fils d'or ?

— Oui, je me souviens, répondit Doigt de Poussière d'une voix rauque, mais en ta présence, elle a foncé.

— Ça suffit ! s'exclama Capricorne en fronçant les sourcils. Nous devrions peut-être essayer avec de la poussière de fée. Recouvert de cette poussière, même le laiton se met à ressembler à de l'or, cela marcherait peut-être aussi avec des cheveux de femme ?

— C'est inutile, déclara la pie, l'air dédaigneux, à moins que tu ne tiennes à ce que, pour son exécution, elle soit particulièrement belle.

— Sottises.

Capricorne se retourna brutalement et se dirigea vers l'escalier. Meggie s'en aperçut à peine. Elle avait les yeux levés vers l'inconnue. Les paroles de Capricorne se bousculaient dans sa tête : des cheveux comme des fils d'or… cet incapable de lecteur… Non, ce n'était pas possible. Elle essaya de distinguer le visage derrière les cordes, mais les ombres qui le cachaient étaient noires.

— Bon, reprit Capricorne en se renversant dans son fauteuil avec un profond soupir. Combien de temps nous faut-il pour les préparatifs ? Car tout ça devra avoir lieu dans un cadre agréable.

— Deux jours, répondit la pie en montant les marches pour reprendre place derrière lui. Si tu veux faire venir les hommes postés ailleurs qu'ici.

Capricorne fronça les sourcils.

— Pourquoi pas ? Il serait bon de faire de nouveau un petit exemple. Ces derniers temps, la discipline a nettement laissé à désirer.

À ces mots, il regarda Basta qui baissa la tête comme si toutes les fautes des derniers jours pesaient comme du plomb sur ses épaules.

— Eh bien, après-demain, donc, poursuivit Capricorne. Dès que la nuit sera tombée. Que Darius fasse encore un test avec la fille. Qu'il lui fasse lire n'importe quoi, je veux juste m'assurer que la fée n'est pas un hasard.

Basta avait enveloppé de nouveau Clochette dans sa veste.

Meggie aurait bien voulu se boucher les oreilles pour ne pas entendre ses tintements désespérés. Elle serra les lèvres pour cesser de trembler et leva les yeux vers Capricorne.

— Je ne lirai pas pour toi ! s'écria-t-elle.

Sa voix résonnait dans l'église comme celle d'une étrangère.

— Pas un mot ! Je ne te ferai pas surgir d'un livre de l'or et encore moins je ne sais quel… bourreau !

Elle cracha le mot à la figure de Capricorne.

Celui-ci se contenta de jouer avec la ceinture de son peignoir.

— Ramène-la! ordonna-t-il à Basta. Il est tard. Il faut qu'elle dorme.

Basta donna un coup dans le dos de Meggie.

— Allez! Tu as entendu. En route!

Meggie leva les yeux vers Doigt de Poussière puis elle descendit l'allée devant Basta d'un pas hésitant. Quand elle arriva au-dessous du deuxième filet, elle leva les yeux encore une fois. Le visage de l'inconnue était toujours dans l'obscurité mais elle crut distinguer les yeux, un nez fin… elle s'imagina des cheveux plus clairs…

— Allez! Dépêche-toi!

Meggie obéit mais elle se retourna avant d'arriver au portail et cria :

— Je ne le ferai pas! Je le promets! Je ne ferai venir personne dans ce monde! Jamais.

— Ne fais pas de promesses que tu ne pourras pas tenir! gronda Basta en ouvrant le portail.

Puis il l'entraîna vers la place éclairée.

40

LE CHEVAL NOIR DE LA NUIT

Il se pencha en avant, ôta Sophie de sa poche et la déposa à terre. Elle n'était toujours vêtue que de sa chemise de nuit et elle avait les pieds nus. Elle frissonna et contempla autour d'elle les brumes tourbillonnantes et les vapeurs fantomatiques.

— Où sommes-nous ? demanda Sophie.

— Au pays des rêves, répondit le BGG. C'est ici que naissent tous les rêves.

Roald Dahl, *Le Bon Gros Géant*

Quand Basta poussa Meggie dans la chambre, Fenoglio était allongé sur son lit.

— Que lui avez-vous fait ? lança-t-il à Basta en sautant sur ses pieds. Elle est livide !

Mais Basta avait déjà refermé la porte.

— Dans deux heures, il y a la relève, l'entendit dire Meggie au garde avant de s'en aller.

Fenoglio posa ses mains sur ses épaules et la regarda dans les yeux, inquiet.

— Eh bien ? Raconte ? Qu'est-ce qu'ils te voulaient ? Ton père est là ?

Meggie secoua la tête.

— Ils ont capturé Doigt de Poussière, répondit-elle. Et une femme.

— Quelle femme ? Mon Dieu, tu es toute bouleversée.

Fenoglio l'attira contre lui.

— Je crois que c'est ma mère, murmura-t-elle.

— Ta mère ?

Fenoglio la regarda, médusé. Il avait les yeux rouges après cette nuit sans sommeil. Meggie lissait les plis de sa robe, distraitement. Le tissu était sale et chiffonné. Pas étonnant, elle dormait avec depuis plusieurs jours.

— Ses cheveux sont plus foncés, balbutia-t-elle. Et la photo que Mo a d'elle a plus de neuf ans. Capricorne l'a fait mettre dans un filet. Comme Doigt de Poussière. Dans deux jours, il veut les faire exécuter et, moi, je devrai faire surgir quelqu'un de *Cœur d'encre*, cet ami, comme l'appelle Capricorne, je t'en ai parlé ! Tu ne voulais pas me révéler qui il est, mais maintenant, il faut que tu me le dises !

Elle regarda Fenoglio d'un air suppliant.

Le vieil homme ferma les yeux.

— Seigneur ! murmura-t-il.

Dehors, il faisait encore nuit. La lune était juste en face de leur fenêtre. Un nuage passa devant, comme une robe déchirée.

— Je te le raconterai demain, dit Fenoglio. Promis.

— Non ! Maintenant.

Il la regarda d'un air songeur.

— Ce n'est pas une histoire pour la nuit. Après, tu vas faire de mauvais rêves.

— Raconte-moi ! insista Meggie.

Fenoglio soupira.

— Oh, je connais ce regard, c'est le même que celui de mes petits-enfants, dit-il. Eh bien…

Il l'aida à grimper sur son lit, glissa le pull-over de Mo sous sa tête et remonta la couverture jusqu'à son menton.

— Je vais te le raconter comme c'est écrit dans *Cœur d'encre*, dit-il doucement. Je connais les phrases presque par cœur. À l'époque, j'en étais très fier…

Il se racla la gorge avant de commencer à parler, à mi-voix, dans la nuit :

— *Mais il y en avait un dont les gens avaient encore plus peur que des hommes de Capricorne. On l'appelait l'Ombre. Il n'apparaissait que quand Capricorne l'appelait. Il était tantôt rouge comme le feu, tantôt gris comme la cendre qui rend gris tout ce qu'il dévore. Comme la flamme jaillit du bois, il jaillissait de la terre. Ses doigts semaient la mort, et même son souffle. Il surgissait devant les pieds de son maître, sans bruit et sans visage, flairant, comme un chien sur une piste, attendant que son maître lui désigne sa proie.*

Fenoglio passa la main sur son front et regarda par la fenêtre. Il resta un moment silencieux, comme si, après toutes ces années, il devait faire remonter les mots à sa conscience.

— *On racontait*, poursuivit-il enfin à voix basse, *que Capricorne avait chargé des kobolds ou des nains — qui connaissent tout ce qui peut produire du feu et de la fumée — de créer l'Ombre à partir de la cendre de ses victimes. Cependant, personne n'en était bien sûr car il paraît qu'après, Capricorne les avait fait tous tuer. Mais il y avait une chose que tous savaient : c'est que l'Ombre était immortelle, invulnérable et sans pitié, comme son maître.*

Fenoglio se tut.

Meggie regardait la nuit, fixement, le cœur battant.

— Meggie, je pense que tu dois faire surgir l'Ombre, dit enfin

Fenoglio à voix basse. Et que Dieu nous protège si tu réussis. Il y a beaucoup de monstres dans notre monde, la plupart sont humains, et tous sont mortels. Je ne voudrais pas être responsable de la présence sur cette planète d'un monstre immortel qui sème la terreur. Ton père avait une idée quand il est venu me voir, je t'en ai déjà parlé, c'est peut-être notre unique chance, mais je ne sais pas encore si elle peut fonctionner ni comment. Il faut que je réfléchisse, nous n'avons plus beaucoup de temps, et toi il faut que tu dormes. Tu dis que cela doit avoir lieu après-demain ?

Meggie hocha la tête.

— Dès qu'il fera nuit ! murmura-t-elle.

Fatigué, Fenoglio se passa la main sur le visage.

— En ce qui concerne la femme, ne te fais pas de souci, ajouta-t-il. Ça ne va pas te faire plaisir mais je pense qu'il est impossible que ce soit ta mère. Comment aurait-elle pu revenir ?

— Darius ! s'exclama Meggie en cachant son visage dans le pull-over de Mo. Le mauvais lecteur. Capricorne a expliqué qu'il l'avait fait surgir du livre et qu'alors, elle avait perdu sa voix. Elle est revenue, j'en suis sûre, et Mo ne le sait pas ! Il croit encore qu'elle est dans le livre et…

— Eh bien, si tu dis vrai, il vaudrait mieux qu'elle y soit encore, soupira Fenoglio en remontant la couverture sur les épaules de Meggie. Je crois que tu te trompes, mais tu peux penser ce que tu veux. Et maintenant, dors !

Mais Meggie ne réussit pas à dormir. Le visage tourné vers le mur, elle écoutait ce qui se passait en elle. L'inquiétude et la joie se mêlaient dans son cœur comme deux couleurs qui se fondent l'une dans l'autre. Chaque fois qu'elle fermait les yeux, elle voyait les filets et, derrière les cordes, les deux visages, celui de Doigt de Poussière et l'autre, flou comme une vieille photo, qu'elle n'arrivait pas à retenir.

Quand elle finit par s'endormir, le jour commençait à se lever mais la nuit n'emporte pas avec elle les mauvais rêves. À ce moment de l'aube grise, entre la nuit et le jour, ils surgissent particulièrement vite, et transforment les secondes en une éternité.

Des cyclopes immenses et des araignées géantes vinrent peupler le sommeil de Meggie, des cerbères, des sorcières mangeuses d'enfants, tous les personnages monstrueux qui hantent le royaume des lettres. Ils rampaient hors de la caisse que Mo leur avait construite et se glissaient entre les pages de ses livres préférés. Les monstres surgissaient même des albums que Mo lui avait offerts à l'âge où les lettres ne signifiaient encore rien pour elle. Bariolés et poilus, ils dansaient dans les rêves de Meggie, souriaient de leurs grandes bouches, exhibant de petites dents pointues. Il y avait le Chat de Chester dont elle avait toujours eu si peur et aussi les Maximonstres que Mo aimait tant. Qu'ils avaient de grandes dents ! Elles croqueraient Doigt de Poussière comme si c'était du pain d'épices. Mais juste au moment où l'un d'entre eux, celui aux yeux gros comme des assiettes, tendait ses griffes, une nouvelle silhouette surgit du néant, crépitant comme une flamme, gris cendre et sans visage, s'empara du Maximonstre et le déchira en lambeaux de papier.

– Meggie !

Les monstres disparurent, le soleil se posa sur son visage. Fenoglio était près de son lit.

— Tu as rêvé.

Meggie se redressa. Apparemment, le vieil homme n'avait pas fermé l'œil de la nuit, il avait aussi quelques rides en plus.

— Où est mon père, Fenoglio ? demanda-t-elle. Pourquoi ne vient-il pas ?

41

FARID

Car les voleurs avaient coutume de guetter les routes, de faire irruption dans les villages et dans les villes et de tourmenter les habitants. Et chaque fois qu'ils avaient pillé une caravane ou attaqué un village, ils emportaient leur butin en cet endroit isolé et caché à l'abri des regards des hommes.

Ali Baba et les quarante voleurs

Farid resta longtemps les yeux dans le vague à regarder la nuit, mais Doigt de Poussière ne revenait pas. Par moments, il croyait distinguer son visage balafré entre les branches basses. Ou bien il croyait entendre son pas presque silencieux sur les feuilles sèches, mais chaque fois il se trompait. Farid avait l'habitude d'épier la nuit. Il avait passé ainsi des nuits et des nuits, et familiarisé ses oreilles plus encore que ses yeux. Jadis, dans son autre vie, quand le monde autour de lui n'était pas verdoyant, mais jaune et marron, il arrivait que ses yeux le trahissent, mais il avait toujours pu compter sur son ouïe.

Et pourtant, cette nuit-là, la plus longue de toutes, Farid écouta vainement. Doigt de Poussière ne revenait pas. Quand le jour commença à poindre derrière les collines, Farid alla voir les deux prisonniers, leur donna de l'eau, un peu de pain sec qui restait et quelques olives.

— Allez, Farid, détache-nous ! dit Langue Magique quand il lui glissa le pain entre les lèvres. Doigt de Poussière devrait être rentré depuis longtemps, tu le sais bien.

Farid se taisait. Il adorait écouter la voix de Langue Magique. Elle l'avait arraché à la vie misérable qu'il menait avant, mais il aimait plus encore Doigt de Poussière, sans savoir pourquoi — et Doigt de Poussière lui avait demandé de surveiller les prisonniers. Il n'était donc pas question de les détacher.

— Écoute, tu es un garçon intelligent, intervint la femme, alors fais marcher un peu ta cervelle, hein ? Est-ce que tu veux rester assis ici jusqu'à ce que les hommes de Capricorne viennent et nous trouvent ? Ce sera un beau spectacle : un garçon et deux prisonniers ligotés qui ne peuvent même pas lever le petit doigt pour l'aider. Ils vont mourir de rire.

Comment s'appelait-elle déjà ? Eli-nor. Farid avait du mal à retenir ce nom. Il lui pesait sur la langue, comme un caillou. Il évoquait pour lui le nom d'une magicienne d'un pays très lointain. Elle l'impressionnait, elle le regardait comme un homme, sans gêne, sans peur, et sa voix pouvait devenir aussi rageuse que celle d'un lion...

— Il faut que nous allions dans le village, Farid ! insista Langue Magique. Nous devons savoir ce qui est arrivé à Doigt de Poussière — et où est passée ma fille.

Ah oui ! La fille... La fille aux yeux clairs, comme de petits fragments de ciel qui seraient tombés et se seraient pris dans ses cils sombres. Farid remuait la terre avec un bâton. Une fourmi traînait une miette de pain devant ses orteils, une miette plus grosse qu'elle.

— Peut-être qu'il ne nous comprend pas! suggéra Elinor.

Farid releva la tête et lui lança un regard hostile.

— Je comprends tout!

Il avait tout compris d'emblée d'ailleurs, comme s'il n'avait jamais entendu d'autre langue que celle-ci. Il ne put s'empêcher de penser à l'église rouge. Doigt de Poussière lui avait expliqué que c'était une église, Farid n'avait jamais vu un bâtiment pareil avant. Il se souvenait aussi de l'homme au couteau. Dans son ancienne vie, il y avait des hommes comme celui-ci. Ils aimaient leurs couteaux et s'en servaient pour faire des choses affreuses.

— Si je te détache, tu vas en profiter pour t'enfuir.

Farid regardait Langue Magique d'un air méfiant.

— Non, je ne m'enfuirai pas. Est-ce que tu crois que je vais laisser ma fille là-bas? Avec Basta et Capricorne?

Basta et Capricorne. C'étaient bien leurs noms. L'homme au couteau et celui aux yeux délavés. Un brigand, un assassin…

Farid savait tout de lui. Doigt de Poussière lui en avait beaucoup parlé quand ils étaient assis devant le feu. Ils s'étaient raconté mutuellement des histoires sombres, bien qu'ils eussent tous deux la nostalgie d'une belle histoire.

Et cette histoire-ci devenait de jour en jour plus sombre.

— Il vaut mieux que j'y aille tout seul.

Farid enfonça son bâton si brutalement dans la terre qu'il se brisa entre ses doigts.

— J'ai l'habitude de me faufiler dans des villages, dans des maisons, dans des palais inconnus… c'était mon rôle, autrefois. Tu sais de quoi je parle. (Langue Magique hocha la tête.) C'était toujours moi qu'on envoyait, poursuivit Farid. Qui se méfie d'un garçon maigre comme moi ? Je pouvais fouiner partout sans éveiller les soupçons. À quel moment est la relève de la garde ? Quel est le meilleur chemin pour s'enfuir ? Où habite l'homme le plus riche du village ? Quand tout se passait bien, ils me donnaient assez à manger. Quand ça se passait mal, ils me battaient comme si j'étais un chien.

— Qui ça, ils ? demanda Elinor.

— Les voleurs, répondit Farid.

Les deux adultes se turent. Doigt de Poussière ne revenait toujours pas. Farid regarda en direction du village et vit les premiers rayons du soleil s'étendre sur les toits.

— Bon, tu as peut-être raison, admit Langue Magique. Vas-y tout seul et tâche d'apprendre ce que nous voulons savoir, mais détache-nous d'abord. C'est le seul moyen pour que nous puissions t'aider si jamais tu te fais prendre. Et en plus, je n'ai pas envie d'être attaché quand le premier serpent va ramper vers nous.

La femme regarda autour d'elle, affolée, comme si elle entendait déjà des bruits suspects dans les feuilles sèches. Mais Farid observait le visage de Langue Magique, l'air songeur. Il voulait savoir s'il pouvait se fier à ses yeux comme il se fiait à ses oreilles. Puis sans un mot il se leva, détacha le couteau qu'il portait à la ceinture et les délivra.

— Doux Jésus, plus jamais je ne me laisserai ligoter ! s'exclama Elinor en se frottant les poignets et les chevilles. Je suis tout ankylosée, j'ai l'impression de m'être transformée en poupée de chiffon. Comment vas-tu, Mortimer ? Est-ce que tu sens encore tes pieds ?

Farid la contemplait avec curiosité.

— Tu… tu n'as pas l'air d'être sa femme. Tu es sa mère? demanda-t-il en désignant Langue Magique de la tête.

Le visage d'Elinor se couvrit de taches comme une amanite tue-mouches.

— Pour l'amour du ciel, non! Quelle drôle d'idée! Est-ce que j'ai l'âge d'être sa mère? (Elle baissa les yeux et se regarda.) Oui, sans doute. Et pourtant, je ne suis pas sa mère. Ni celle de Meggie, si jamais tu imaginais ça. Mes enfants sont tous faits de papier et d'encre et lui, là-bas, ajouta-t-elle en montrant la direction où les toits du village de Capricorne commençaient à briller entre les arbres, il a fait détruire un grand nombre d'entre eux. Il le regrettera, crois-moi.

Farid la regarda, sceptique. Il ne pouvait s'imaginer que Capricorne ait peur d'une femme, surtout d'une femme qui était à bout de souffle en grimpant la pente d'une colline et qui craignait les serpents. Non, si l'homme aux yeux délavés avait peur d'une chose, c'était celle dont tous avaient peur : la mort. Et Elinor n'avait pas l'air de s'y connaître pour donner la mort. Langue Magique non plus.

— La fille…, demanda Farid timidement. Où est sa mère?

Langue Magique se dirigea vers le foyer refroidi et prit un morceau de pain entre les pierres noires de suie.

— Elle est partie depuis longtemps, dit-il. À l'époque, Meggie avait trois ans. Et la tienne?

Farid haussa les épaules et leva les yeux au ciel. Il était tout bleu, comme si la nuit n'avait jamais existé.

— Il vaut mieux que j'y aille maintenant, décida-t-il en remettant le couteau à sa ceinture.

Il prit le sac à dos de Doigt de Poussière. À quelques pas de là, Gwin dormait, en boule entre les branches d'un arbre. Farid la souleva et la mit dans le sac. La martre protesta, encore endormie, mais Farid lui caressa la tête et referma le sac.

— Pourquoi l'emportes-tu ? demanda Elinor, étonnée. Son odeur à elle seule peut te trahir.

— Elle pourrait m'être utile, répondit Farid en enfonçant le bout de la queue ébouriffée de Gwin dans le sac. Elle est maligne. Plus maligne qu'un chien et qu'un chameau en tout cas. Elle comprend ce qu'on lui dit et elle retrouvera peut-être son maître.

— Farid ?

Langue Magique tira un morceau de papier de sa poche.

— Je ne sais pas si tu réussiras à découvrir où ils détiennent Meggie, dit-il en écrivant à la hâte quelque chose sur le papier, mais si c'est possible, peux-tu essayer de lui faire parvenir ce message ?

Farid prit le papier et le regarda.

— Qu'est-ce que tu as écrit ? voulut-il savoir.

Elinor lui prit le papier des mains.

— Par le diable, Mortimer, qu'est-ce que ça veut dire ? demanda-t-elle.

Langue Magique sourit.

— C'est une écriture secrète avec laquelle Meggie et moi avons souvent échangé des messages, elle la maîtrise encore mieux que moi. Tu ne la reconnais pas ? Elle vient d'un livre. J'ai écrit : *Nous sommes tout près d'ici, ne t'inquiète pas, nous allons bientôt venir te chercher. Mo, Elinor et Farid.* Meggie sera la seule à pouvoir lire ce message.

— Aha ! murmura Elinor en rendant le papier à Farid. Bon, si jamais ce message devait tomber entre de mauvaises mains, c'est mieux comme ça… On ne sait jamais, peut-être qu'un de ces pyromanes sait lire.

Farid plia le morceau de papier jusqu'à ce qu'il soit de la taille d'une pièce de monnaie et le glissa dans sa poche de pantalon.

— Au plus tard quand le soleil sera au-dessus de cette colline, je serai de retour, dit-il, sinon…

— … je viens te chercher, conclut Langue Magique.

— Et moi aussi, naturellement, ajouta Elinor.

Farid ne trouva pas l'idée très bonne, mais il ne dit rien.

Il prit le même chemin que celui que Doigt de Poussière avait emprunté la nuit dernière, la nuit qui l'avait englouti comme si les esprits qui attendaient dans l'ombre l'avaient dévoré.

42

MUSEAU POILU SUR REBORD DE FENÊTRE

Seule la langue nous protège de la peur des choses sans nom.
Toni Morrison, *Discours du prix Nobel de littérature 1993*

Ce matin-là, Nez Aplati apporta à Meggie et à Fenoglio un petit déjeuner qui ne consistait pas seulement en quelques tranches de pain et des olives. Il déposa également sur la table une corbeille de fruits et une assiette de petits gâteaux. Mais le sourire qu'il leur servit en supplément ne plut pas du tout à Meggie.

– Tout ça pour toi, petite princesse, grommela-t-il en lui pinçant les joues avec ses gros doigts. Pour donner de la force à ta petite voix. Depuis que Basta a parlé à tout le monde de l'exécution, il y a de l'effervescence dans l'air. Je l'avais toujours dit : dans la vie, on doit avoir d'autres plaisirs que d'accrocher par-ci par-là des coqs morts et tirer sur des chats.

Fenoglio regarda Nez Aplati avec une moue de dégoût, comme s'il ne pouvait pas croire, avec la meilleure volonté du monde, qu'une telle créature soit née de sa plume.

— Vraiment, il y a longtemps que nous n'avons pas eu droit à une belle exécution ! poursuivit-il en se dirigeant vers la porte. Il paraît que ça causait trop d'agitation. Comme quand il s'agissait de faire disparaître quelqu'un, il fallait toujours veiller à ce que ça ressemble à un accident ! Vous croyez que c'est drôle ? Non. Jadis, on mangeait, on buvait, on dansait, il y avait de la musique, tout ce qu'il faut, quoi ! Mais cette fois, on va se retrouver comme au bon vieux temps.

Fenoglio but une gorgée du café noir que Nez Aplati avait apporté et avala de travers.

— Eh bien ! Tu ne trouves pas ça drôle, le vieux ? s'exclama Nez Aplati en le regardant d'un air moqueur. Crois-moi, les exécutions de Capricorne sont vraiment grandioses !

— À qui le dis-tu ! murmura Fenoglio, effondré.

Au même moment, on frappa à la porte. Nez Aplati l'avait laissée entrouverte et Darius, le lecteur, passa la tête à l'intérieur.

— Excusez-moi ! susurra-t-il en regardant Nez Aplati comme un oiseau obligé d'approcher d'un chat affamé. Hum... je... dois faire lire la fillette. Ordre de Capricorne.

— Ah oui ? Espérons que cette fois elle fera surgir quelque chose d'utile. Basta m'a montré la fée. On a beau la secouer, il n'en tombe même pas de poussière.

Dans le coup d'œil qu'il lança à Meggie se mêlaient dégoût et respect. Il la prenait peut-être pour une sorcière.

— Frappe quand tu voudras sortir ! grogna-t-il en passant près de Darius.

Darius acquiesça et resta un moment immobile avant de s'asseoir, gêné, à la table où étaient installés Meggie et Fenoglio. Il regarda les fruits avec avidité, jusqu'à ce que Fenoglio lui tende la corbeille. Indécis, il finit par prendre un abricot et porta religieusement le petit fruit à sa bouche, comme s'il devait ne plus avoir de sa vie une chose aussi délicieuse entre les lèvres.

— Ce n'est jamais qu'un abricot, se moqua Fenoglio, ce n'est pas franchement un fruit rare sous ces latitudes.

Darius recracha le noyau dans sa main, confus.

— Quand ils m'enfermaient dans cette pièce, expliqua-t-il d'une voix hésitante, on ne me donnait que du pain sec à manger. Ils m'ont aussi pris mes livres, mais j'ai réussi à en cacher quelques-uns et, quand j'avais trop faim, je regardais les illustrations. La plus belle comprenait des abricots. Il m'est arrivé de rester des heures assis à regarder les fruits peints, en ayant l'eau à la bouche. Depuis, quand j'en vois, je ne peux plus me contrôler.

Meggie prit encore un abricot dans la corbeille et le mit dans sa main maigre.

— Ils t'ont souvent enfermé ? demanda-t-elle.

Le petit homme frêle haussa les épaules.

— Chaque fois que ce que je faisais sortir d'un livre était raté, répondit-il, évasif. En fait, à chaque fois. Puis ils ont arrêté parce qu'ils ont remarqué qu'à force de me faire peur, ils rendaient les choses pires encore. Nez Aplati, par exemple — il baissa la voix et regarda en direction de la porte —, Nez Aplati, quand je l'ai fait surgir, Basta était à côté de moi avec son couteau…

Il haussa encore une fois ses frêles épaules, l'air désolé.

Meggie le regardait, pleine de compassion. Puis elle demanda, d'une voix hésitante :

— Tu as déjà fait apparaître des femmes ?

Fenoglio lui lança un coup d'œil inquiet.

— Bien sûr, répondit Darius. Mortola! Elle prétend que je l'ai vieillie et rendue plus branlante qu'une vieille chaise mal recollée mais je trouve que, dans son cas, je m'en suis plutôt bien sorti. Par chance, Capricorne est de mon avis.

— Et des plus jeunes? demanda Meggie sans regarder ni Darius ni Fenoglio. Ça t'est arrivé de faire surgir de plus jeunes femmes?

— Hélas, soupira Darius. Le même jour que Mortola. À l'époque, Capricorne vivait plus au nord, dans une ferme isolée à moitié en ruine, et il n'y avait pas beaucoup de jeunes filles dans le coin. Je n'habitais pas très loin, dans la maison de ma sœur. J'étais instituteur mais, durant mes heures de loisir, il m'arrivait de faire des lectures, dans les bibliothèques ou dans les écoles, dans des fêtes d'enfants et parfois même, les soirs d'été, sur une place ou dans un café. J'aimais beaucoup ça.

Il dirigea son regard vers la fenêtre, comme s'il pouvait y apercevoir un peu de ces jours heureux, depuis longtemps oubliés.

— Basta m'a remarqué un jour où je faisais une lecture lors d'une fête de village, je crois que c'était le *Docteur Dolittle*, et soudain, l'oiseau a surgi. Quand je suis rentré chez moi, Basta m'a attrapé, comme un chien errant, et m'a conduit chez Capricorne. Dans un premier temps, il a voulu que je fasse surgir de l'or de mes lectures, comme ton père, ajouta-t-il avec un sourire triste à l'attention de Meggie. Puis il a voulu que je fasse venir Mortola, ensuite ce fut le tour des servantes. C'était affreux.

Darius ajusta ses lunettes en tremblant.

— J'avais tellement peur, poursuivit-il. Comment lire dans ces conditions? Il m'a laissé essayer trois fois. Ah! J'avais tant de peine pour elles, je ne veux pas en parler!

Il cacha son visage derrière ses mains noueuses de vieillard. Meggie crut l'entendre sangloter et, pendant un moment, elle hésita à poser la question suivante, mais elle finit par se décider.

— La servante qu'ils appellent Resa, demanda-t-elle, le cœur battant à tout rompre, elle en faisait partie ?

Darius leva les yeux.

— Oui, elle est arrivée tout à fait par hasard, son nom n'était pas mentionné, répondit-il d'une voix feutrée. En réalité, c'est une autre servante que Capricorne avait demandée, mais soudain Resa est apparue et, dans un premier temps, je me suis dit que tout allait bien. Elle était si belle, d'une beauté presque irréelle, avec ses cheveux dorés et ses yeux tristes. Et puis j'ai remarqué qu'elle ne parlait pas. Mais apparemment, ça n'a pas pas dérangé Capricorne, je crois même que ça lui a plu.

Il tira tant bien que mal un mouchoir chiffonné de sa poche de pantalon.

— Il fut un temps où j'y arrivais beaucoup mieux, dit-il en reniflant, mais cette peur permanente… Vous permettez ?

Avec un sourire triste, il prit encore un abricot et mordit dedans. Puis il essuya ses lèvres avec le revers de sa manche, se racla la gorge et se tourna vers Meggie. Derrière les épais verres de ses lunettes, ses yeux paraissaient démesurés.

— Lors de la… fête que Capricorne envisage de donner, dit-il en baissant les yeux tandis que son doigt suivait le bord de la table, il a prévu, comme tu le sais, de te faire lire des extraits de *Cœur d'encre*. En attendant, le livre est conservé dans un endroit secret. Capricorne est le seul à savoir où. C'est aussi la raison pour laquelle tu ne le verras pas avant cette… manifestation. Pour la dernière mise à l'épreuve de ton talent à laquelle Capricorne veut te soumettre, nous prendrons donc un livre différent. Par chance, il y en a d'autres dans ce village, pas beaucoup, mais j'ai été chargé d'en choisir un qui convienne.

Il releva la tête et adressa à Meggie un petit sourire discret.

— Cette fois, je n'étais pas censé trouver de l'or ou ce genre de choses. Capricorne veut uniquement avoir une preuve de ton talent, c'est pourquoi j'ai choisi ceci, dit-il en posant un petit livre sur la table.

Meggie se pencha sur la couverture et lut : *Recueil des contes de Hans Christian Andersen.*

Elle regarda Darius et ajouta :

— Ils sont très beaux.

— Oui, murmura-t-il, tristes mais très très beaux.

Il se pencha sur la table et ouvrit le livre pour Meggie à l'endroit qu'il avait marqué par quelques brins d'herbe glissés entre les pages jaunies.

— J'avais d'abord songé à mon conte préféré, celui avec le rossignol, tu le connais peut-être ?

Meggie hocha la tête.

— Mais la fée que tu as fait surgir de l'histoire hier, Basta l'a enfermée dans une cruche et ce n'est pas drôle pour elle, poursuivit Darius. C'est pourquoi je pense qu'il vaudrait peut-être mieux que tu essaies avec le soldat de plomb.

Le soldat de plomb. Meggie se tut. L'intrépide soldat dans son petit bateau en papier… Elle se l'imagina, surgissant soudain à côté de la corbeille de fruits.

— Non ! s'exclama-t-elle. Non, je l'ai déjà dit à Capricorne. Je ne vais rien lui faire sortir d'un livre, pas même pour un essai.

Dis-lui que je ne sais plus. Dis-lui simplement que j'ai essayé et que ça n'a rien donné.

Darius la regarda avec compassion.

– J'aimerais bien, soupira-t-il. Vraiment. Mais la pie… – il mit sa main devant sa bouche, confus –, oh pardon, je veux bien sûr parler de la gouvernante, madame Mortola, c'est devant *elle* que tu dois lire. Moi, je suis juste chargé de choisir le texte.

La pie. Meggie la voyait devant elle, avec ses yeux d'oiseau. «Et si je me mordais la langue? songea-t-elle. De toutes mes forces.» Ça lui était déjà arrivé, sans faire attention, et une fois, sa langue avait tellement gonflé que, pendant deux jours, elle avait communiqué avec Mo dans le langage des signes. Elle regarda Fenoglio, désemparée.

– Fais-le, dit-il à sa grande surprise. Fais la lecture devant la vieille, mais fais-le à une seule condition : qu'elle t'autorise à garder le soldat de plomb. Raconte-lui n'importe quoi – que tu veux jouer avec, que tu meurs d'ennui – et exige encore une chose : des feuilles de papier et un stylo. Prétends que tu veux dessiner. Compris? Si elle est d'accord, nous aviserons.

Meggie ne comprit rien à ce qu'il racontait mais, avant qu'elle ait pu lui demander ce qu'il avait l'intention de faire, la porte s'ouvrit et Mortola entra dans la pièce.

En la voyant, Darius sauta si brusquement sur ses pieds qu'il renversa l'assiette de Meggie, qui était sur la table.

– Oh…pardon, pardon…, bafouilla-t-il tandis que ses doigts noueux ramassaient les débris.

En ramassant le dernier morceau, il se coupa le pouce si profondément que des gouttes de sang tombèrent sur le parquet.

— Relève-toi, imbécile! lança Mortola. Lui as-tu montré le livre dont elle doit me lire des passages?

Darius acquiesça en contemplant sa coupure d'un air malheureux.

— Alors va-t'en. Tu peux aller aider les femmes dans la cuisine. Il y a des poulets à plumer.

Darius fit une moue dégoûtée mais il s'inclina et disparut dans le couloir non sans avoir lancé à Meggie un dernier regard compatissant.

— Bon! reprit Mortola avec des signes d'impatience. Eh bien maintenant, vas-y et applique-toi!

Et Meggie fit surgir le soldat de l'histoire. Comme s'il était tombé du plafond, simplement. « … *est-ce que ce fut le troll ou un courant d'air, la fenêtre s'ouvrit soudain et le soldat tomba, tête la première, du deuxième étage. La vitesse fut épouvantable, il avait la jambe en l'air, il se retrouva tout droit sur sa casquette, sa baïonnette enfoncée entre deux pavés.* »

La pie l'attrapa avant que Meggie en ait eu le temps. Elle le contempla comme s'il n'était qu'un vulgaire jouet peint tandis que lui la regardait, l'air terrifié. Puis elle le mit dans la poche de sa veste en grosse laine.

— S'il vous plaît! Puis-je l'avoir? balbutia Meggie alors que Mortola avait déjà atteint la porte.

Fenoglio se mit derrière elle comme pour la soutenir mais la pie ne regardait que Meggie, avec ses yeux fixes d'oiseau.

— Vous… vous ne pouvez rien en faire, bafouilla encore Meggie. Je m'ennuie. S'il vous plaît.

Mortola la regarda d'un air impassible.

— Quand Capricorne l'aura vu, je te le rendrai, décida-t-elle en refermant derrière elle.

— Le papier ! Tu as oublié de lui demander le papier et le crayon, s'écria Fenoglio.

— Je suis désolée ! murmura Meggie.

Elle n'avait pas oublié, mais elle n'avait tout simplement pas osé demander. Son cœur battait à tout rompre.

Meggie s'approcha de la fenêtre, appuya son front contre la vitre et regarda dans le jardin où des servantes de Capricorne attachaient des plants de tomates. « Que dirait Mo s'il savait que j'y arrive aussi ? se demanda-t-elle. Qui as-tu fait sortir de l'histoire, Meggie ? La pauvre fée Clochette et l'intrépide soldat de plomb ? »

— Oui, murmura Meggie en dessinant un *M* invisible sur la vitre. Pauvre fée, pauvre soldat de plomb, pauvre Doigt de Poussière et…

Elle ne put s'empêcher de penser à la femme, la femme aux cheveux blond foncé.

— Resa, murmura-t-elle.

C'était le nom de sa mère.

Elle allait se retourner quand elle aperçut dehors quelque chose qui s'avançait sur le rebord de la fenêtre… un petit museau poilu. Meggie fit un bond en arrière. Est-ce que les rats peuvent grimper au mur d'une maison ? Oui, sûrement. Mais ce n'était pas un rat, son museau n'était pas assez pointu. Elle s'approcha de la vitre.

Gwin.

La martre était assise et la regardait de ses yeux endormis.

— Basta ! murmura Fenoglio derrière elle. Oui, Basta va me procurer du papier. C'est une idée.

Meggie ouvrit la fenêtre tout doucement, pour ne pas effrayer

Gwin et risquer qu'elle ne tombe dans le vide. À cette hauteur, même une martre se briserait les os en s'écrasant sur les pavés de la cour. Tout doucement, elle tendit la main. Ses doigts tremblaient quand elle caressa le dos de Gwin. Puis elle l'attrapa avant que celle-ci ne la morde avec ses petites dents et la ramena vite à l'intérieur. Inquiète, elle regarda dans la cour mais les servantes n'avaient rien remarqué. Elles étaient toutes penchées sur leurs plates-bandes, les vêtements trempés de sueur sous le soleil torride qui leur brûlait le dos.

Sous le collier de Gwin, il y avait un morceau de papier sale, plié en mille morceaux, attaché avec un ruban.

— Pourquoi ouvres-tu la fenêtre ? Dehors, l'air est encore plus chaud qu'à l'intérieur…

Fenoglio s'interrompit et, stupéfait, regarda l'animal dans les bras de Meggie. Elle s'empressa de mettre un doigt sur sa bouche. Puis elle serra contre sa poitrine Gwin qui se débattait et dégagea le papier du collier. La martre glapit d'un air menaçant et essaya de lui mordre le doigt. Elle n'aimait pas qu'on la tienne trop longtemps. Elle mordait même Doigt de Poussière quand il le faisait.

— Qu'est-ce que c'est que ça ? Un rat ?

Fenoglio s'approcha. Meggie lâcha la martre qui sauta aussitôt sur le rebord de la fenêtre.

— Une martre ! s'exclama-t-il, abasourdi. D'où sort-elle ?

Meggie lança un regard inquiet en direction de la porte mais, apparemment, le garde n'avait rien entendu. Fenoglio mit la main sur sa bouche et observa Gwin d'un air si étonné que Meggie faillit éclater de rire.

— Elle a des cornes, murmura-t-il.

— Bien sûr. Puisque tu l'as inventée comme ça ! répondit-elle à voix basse.

Gwin était toujours sur le rebord de la fenêtre, clignant des yeux à cause du soleil. En fait, elle n'aimait pas la lumière du jour, d'habitude, le jour, elle dormait. Comment était-elle arrivée là ?

Meggie jeta un coup d'œil par la fenêtre mais, en bas, il n'y avait toujours que les servantes. Elle s'empressa de revenir dans la chambre et déplia le papier.

— Des nouvelles ? demanda Fenoglio en se penchant par-dessus son épaule. Ça vient de ton père ?

Meggie fit signe que oui. Elle avait tout de suite reconnu l'écriture, bien qu'elle ne fût pas aussi régulière que d'habitude. Son cœur s'emballa. Elle déchiffra les lettres avec ferveur, comme si elles formaient un chemin au bout duquel Mo l'attendait.

— Mais qu'est-ce que ça peut bien vouloir dire ? chuchota Fenoglio, je ne comprends pas un seul mot.

Meggie sourit.

— C'est l'écriture des elfes, répondit-elle. Mo et moi, nous nous en servons d'écriture secrète, depuis que j'ai lu *Le Seigneur des Anneaux*. On voit qu'il a perdu la main. Il a fait pas mal de fautes.

— Bon, et qu'est-ce qu'il raconte ?

Meggie lui lut le message.

— Farid, c'est qui ?

— Un garçon que Mo a fait sortir des *Mille et Une Nuits*, mais c'est une autre histoire. Tu l'as déjà vu, il était avec Doigt de Poussière quand il s'est sauvé sur la place.

Meggie replia le papier et regarda par la fenêtre. Une des servantes s'était relevée. Elle essuyait la terre qu'elle avait sur les mains en observant le grand mur, comme si elle rêvait de s'envoler par-dessus. Qui avait amené Gwin ? Mo ? À moins que la martre n'ait trouvé le chemin toute seule ? C'était tout à fait improbable. Elle ne se promenait pas comme ça en plein jour sans que quelqu'un l'y ait poussée.

Meggie glissa le morceau de papier dans la manche de sa robe. Gwin était toujours sur le rebord de la fenêtre. Elle tendait le cou, somnolente, et reniflait le mur. Elle sentait peut-être les pigeons qui atterrissaient là parfois.

— Donne-lui du pain, qu'elle ne se sauve pas ! chuchota Meggie à Fenoglio.

Puis elle se dirigea vers le lit et attrapa son sac à dos. Où était son crayon ? Elle en avait un, elle en était sûre. Mais où allait-elle trouver du papier ? Elle tira de sous le matelas un des livres de Darius et arracha soigneusement la page de garde. Elle n'avait encore jamais fait ça, arracher la page d'un livre, mais à cet instant, il le fallait.

Elle s'accroupit et se mit à écrire, dans la même écriture entrelacée que celle dont Mo s'était servi. Elle la connaissait par cœur : *Nous allons bien et j'y arrive aussi, Mo ! En lisant, j'ai fait surgir la fée Clochette de l'histoire, et demain, à la tombée de la nuit, Capricorne veut que je lui fasse surgir de* Cœur d'encre *l'Ombre, pour qu'elle tue Doigt de Poussière.* Elle n'écrivit rien sur Resa. Pas un mot. Elle n'écrivit pas qu'elle croyait avoir vu sa mère et que, si Capricorne s'en tenait à ce qu'il avait décidé, il ne lui restait plus, à elle aussi, qu'à peine deux jours à vivre. Une nouvelle comme celle-ci ne s'écrivait pas sur un bout de papier, quelle que soit sa taille.

Gwin grignotait goulûment le morceau de pain que Fenoglio lui tendait. Meggie plia le papier et l'attacha à son collier.

— Fais bien attention à toi! chuchota-t-elle en lançant le reste de pain dans la cour de Capricorne.

La martre se précipita et redescendit le long du mur comme s'il n'y avait rien de plus facile. Une des servantes poussa un cri quand elle se faufila entre ses jambes. Elle appela les autres servantes; sans doute avait-elle peur pour les poules de Capricorne, mais Gwin avait déjà disparu.

— Bien, très bien! Alors, ton père est là, dit Fenoglio en rejoignant Meggie devant la fenêtre ouverte. Quelque part par là… Très bien. Et tu vas pouvoir récupérer ton soldat de plomb. Tout va pour le mieux dans le meilleur des mondes. Qui a dit cela, déjà?

Il se frotta le bout du nez et plissa les yeux devant la lumière éblouissante du soleil.

— Pour commencer, murmura-t-il, nous allons exploiter la superstition de Basta! Comme j'ai bien fait de le doter de cette petite faiblesse. Bien joué!

Meggie ne comprit pas de quoi il parlait mais ça lui était égal.

Elle n'avait qu'une pensée en tête : «Mo est là.»

43

UN ENDROIT SOMBRE

— Jim, mon garçon, murmura-t-il alors, notre voyage aura
été bien court. Tu es vraiment un gentil petit gars, et je suis
désolé de t'avoir entraîné ici...
Jim se mordit les lèvres pour ne pas pleurer.

Michael Ende, *Jim Bouton et Lucas le chauffeur de locomotive*

Doigt de Poussière avait pensé que Capricorne les laisserait se
balancer dans ces maudits filets, Resa et lui, jusqu'à l'exécution, mais ils n'y passèrent qu'une seule nuit, une très longue
nuit. Au matin, alors que le soleil commençait tout juste à dessiner des taches claires sur les murs rouges de l'église, Basta les fit
descendre. Pendant quelques terribles secondes, Doigt de Poussière pensa que Capricorne avait décidé de se débarrasser d'eux
de manière rapide et discrète. Et quand il sentit de nouveau la
terre ferme sous ses pieds, il ne sut ce qui faisait le plus trembler
ses genoux, la peur ou la nuit passée dans le filet.

Quoi qu'il en soit, il avait du mal à tenir debout.

Sans le vouloir bien sûr, Basta le rassura.

— J'aurais bien aimé te laisser te balancer là-haut, lui dit-il tandis que ses hommes le tiraient hors du filet, mais pour je ne sais quelle raison, Capricorne a décidé de vous enfermer dans la crypte pour le temps qu'il reste à votre misérable vie.

Doigt de Poussière fit ce qu'il put pour cacher son soulagement. La mort s'était un peu éloignée.

— Je suppose que ça dérange Capricorne d'avoir constamment un auditoire quand il discute de ses mauvais coups, continua-t-il, à moins qu'il ne veuille que vous puissiez vous rendre à l'échafaud debout.

Une nuit de plus, et Doigt de Poussière n'aurait effectivement plus de jambes pour marcher.

Après cette nuit dans le filet, il était déjà tellement ankylosé qu'il marchait comme un vieillard quand Basta l'emmena avec Resa dans la crypte. Celle-ci trébucha plusieurs fois dans l'escalier, elle avait l'air d'aller encore plus mal que lui, mais elle n'émettait pas une plainte et, quand Basta lui attrapa le bras après qu'elle eut glissé sur une marche, elle se dégagea en lui lançant un regard si glacial qu'il la laissa continuer seule.

La crypte sous l'église était un endroit humide et froid, même quand dehors le soleil, comme ce jour-là, faisait fondre les briques des toits. Dans les entrailles de la vieille église flottait une odeur de moisi et de crotte de souris, et d'autres choses encore auxquelles Doigt de Poussière préférait ne pas penser. Peu après son arrivée dans le village, Capricorne avait fait mettre des grilles aux niches étroites dans lesquelles des prêtres oubliés depuis longtemps dormaient dans des sarcophages de pierre.

— Qu'est-ce qui pourrait convenir mieux pour des condamnés à mort que de dormir sur des cercueils ? avait-il fait observer à l'époque en riant.

Il avait toujours eu un sens de l'humour très particulier.

Basta les poussa dans les dernières marches. Il manifestait des signes d'impatience, il avait hâte de retrouver la lumière du jour, loin des morts et de leurs esprits. Quand il accrocha sa lanterne à un crochet et ouvrit la grille de la première cellule, sa main tremblait. Il n'y avait ni électricité, ni chauffage, rien que les sarcophages silencieux et les souris qui couraient sur les dalles fêlées.

— Tu ne veux pas nous tenir un peu compagnie ? se moqua Doigt de Poussière quand Basta les poussa dans la cellule.

Ils durent baisser la tête pour entrer. Sous les vieilles voûtes, on pouvait à peine se tenir debout.

— Nous pourrions nous raconter des histoires de revenants, j'en connais de nouvelles.

Basta grogna comme un chien.

— Pour toi, on n'aura pas besoin de cercueil, Doigt crasseux, dit-il en refermant la grille.

— C'est vrai ! Une urne peut-être, un pot de confiture, mais sûrement pas un cercueil.

Doigt de Poussière recula d'un pas derrière la grille pour ne pas être à la portée du couteau de Basta.

— Je vois que tu as une nouvelle amulette ! lança-t-il à Basta lorsque celui-ci eut presque atteint l'escalier. Une nouvelle patte de lapin ? Je croyais t'avoir dit que ces choses-là attirent les Dames Blanches ? Dans notre ancien monde, on pouvait les voir, ici, malheureusement, ce n'est pas le cas, mais elles sont quand même là bien sûr, avec leurs chuchotements et leurs doigts glacés.

Basta s'arrêta, les poings serrés. Il lui tournait toujours le dos.

Doigt de Poussière était à chaque fois surpris de constater combien il était facile de lui faire peur avec des mots.

— Tu te souviens, quand elles viennent chercher leurs victimes ? poursuivit-il à voix basse. Elles chuchotent ton nom : *Bastaaa !* Alors tu commences à grelotter et après…

— C'est ton nom qu'elles vont bientôt chuchoter, l'interrompit Basta d'une voix tremblante. Le tien seulement.

Et il remonta en hâte, comme si les Dames Blanches étaient à ses trousses.

Puis le bruit de ses pas cessa et Doigt de Poussière se retrouva seul — avec le silence, la mort et… Resa. Apparemment, ils étaient les seuls prisonniers. Il arrivait que Capricorne enferme dans la crypte un pauvre bougre pour lui faire peur, mais la plupart de ceux qu'on détenait ici et qui gravaient leurs noms sur les sarcophages disparaissaient par une nuit sombre et on ne les revoyait jamais.

Les adieux qu'ils allaient faire à ce monde s'annonçaient plus spectaculaires.

« Ma dernière représentation en quelque sorte, pensa Doigt de Poussière. Peut-être qu'à cette occasion, je vais réaliser que tout ça, ici, n'était qu'un mauvais rêve et qu'il fallait que je meure pour rentrer chez moi ? » C'était une idée sympathique. Si seulement il avait pu y croire.

Resa s'était assise sur le sarcophage. C'était un simple cercueil en pierre. Le couvercle était lézardé et on ne pouvait plus déchiffrer le nom qui y avait été gravé. La proximité de la mort ne semblait pas effrayer Resa.

Contrairement à Doigt de Poussière. Il n'avait pas peur des esprits et des Dames Blanches comme Basta. Si l'une d'entre elles était apparue, il l'aurait saluée comme il se doit. Non. Il avait peur de la mort. Dans ce trou, il croyait l'entendre respirer si profondément qu'il ne restait plus d'air pour lui. Il avait la sensation qu'une grosse bête hideuse était assise sur sa poitrine. Ce n'était finalement pas pire dans le filet là-haut. Au moins, il arrivait à respirer.

Il sentit que Resa l'observait. Elle lui fit signe de venir s'asseoir à côté d'elle en tapotant le couvercle du sarcophage. Hésitant, il s'exécuta. Elle mit la main dans la poche de sa robe, en sortit une bougie et la lui mit sous le nez d'un air interrogateur. Il ne put s'empêcher de sourire. Oui, bien sûr qu'il avait des allumettes sur lui. C'était un jeu d'enfant de dissimuler des choses aussi petites que des allumettes aux yeux de Basta et de ces autres idiots.

Avec un peu de cire, Resa fixa la bougie allumée sur le cercueil. Elle adorait les bougies, les bougies allumées et les pierres. Elle en avait toujours dans la poche — ça et d'autres choses encore. Mais peut-être n'avait-elle allumé la bougie aujourd'hui que pour lui parce qu'elle savait combien il aimait le feu.

— Je suis désolé, j'aurais dû chercher le livre tout seul, dit-il en passant le doigt au-dessus de la flamme. Pardonne-moi.

Elle lui mit la main devant la bouche. Cela devait vouloir dire qu'il n'y avait rien à pardonner. Quel gentil mensonge. Elle ôta sa main et Doigt de Poussière se racla la gorge.

— Tu... tu ne l'as pas trouvé, hein ?

Cela n'aurait rien changé, mais il fallait qu'il le sache. Resa secoua la tête et haussa les épaules d'un air désolé.

— Je m'en doutais.

Il soupira. Le silence était terrible, plus terrible encore que des milliers de voix.

— Raconte-moi une histoire, Resa ! demanda-t-il doucement en se rapprochant d'elle.

« S'il te plaît, poursuivit-il dans sa tête. Pour chasser la peur. Elle m'oppresse. Emporte-nous dans un autre monde, meilleur. »

Resa savait faire ça. Elle connaissait énormément d'histoires, elle ne lui avait jamais révélé d'où elle les connaissait, mais il le savait, naturellement. Il savait parfaitement qui lui avait lu ces histoires naguère. En effet, il avait tout de suite reconnu son visage, la première fois qu'il l'avait vue chez Capricorne. Langue Magique lui avait assez souvent montré la photo.

Resa tira un morceau de papier de ses poches insondables. Elles ne contenaient pas que des bougies et des pierres. De même que Doigt de Poussière avait toujours sur lui ce qu'il fallait pour faire du feu, Resa avait toujours du papier et un crayon, sa langue en bois, comme elle l'appelait.

Quand elle lui racontait une de ses histoires, elle écrivait parfois la moitié d'une phrase et il devait la compléter. Ça allait plus vite et, ainsi, l'histoire prenait des tours inattendus. Mais cette fois, elle ne voulait pas, alors qu'il en aurait eu besoin plus que jamais.

Qui est la fillette ? écrivit Resa.

Naturellement. Meggie. Devait-il mentir ? Pourquoi pas ? Mais non, sans même savoir pourquoi, il dit la vérité.

— C'est la fille de Langue Magique.

Quel âge ?

— Douze, je crois.

C'était la réponse qu'elle attendait. Il le vit dans ses yeux. Les mêmes yeux que Meggie. Un peu plus fatigués peut-être.

— «*À quoi ressemble Langue Magique?*» Je crois que tu me l'as déjà demandé. Il n'a pas de balafres comme moi.

Il essaya de sourire, mais Resa restait grave. La lumière des bougies dansait sur son visage. «Tu le connais mieux que moi, pensa-t-il, mais je ne te dirai rien sur lui. Il m'a enlevé tout mon univers, pourquoi ne le priverais-je pas de sa femme?»

Elle se leva et mit sa main un peu au-dessus de sa tête.

— Oui. Il est grand. Plus grand que toi et plus grand que moi.

Pourquoi n'arrivait-il pas à mentir?

— Oui, ses cheveux sont bruns, mais je n'ai pas envie de parler de lui maintenant.

Il prit conscience de l'agacement contenu dans sa voix.

— S'il te plaît, insista-t-il en prenant sa main et en l'attirant de nouveau près de lui. Raconte-moi plutôt une histoire? La bougie va bientôt s'éteindre et la lumière que Basta nous a laissée suffit pour voir ces maudits cercueils mais pas pour déchiffrer des lettres.

Elle le contempla d'un air songeur, comme si elle voulait lire dans ses pensées, trouver les mots qu'il ne disait pas. Mais Doigt de Poussière savait dissimuler ce qu'il ressentait, mieux que Langue Magique, beaucoup mieux. Il pouvait rendre son visage impénétrable : en faire un bouclier pour protéger son cœur des regards indiscrets. En quoi son cœur regardait-il les autres?

Resa se pencha de nouveau sur le papier et se mit à écrire.

Hâtez-vous d'ouïr et d'entendre; car ceci fut, arriva, devint et survint, ô Mieux Aimée, au temps où les bêtes apprivoisées étaient encore sauvages. Le Chien était sauvage, et le Cheval était sauvage, et la Vache était sauvage, et le Cochon était sauvage et ils se promenaient par les Chemins Mouillés du Bois

Sauvage, tous sauvages et solitairement. Mais le plus sauvage de tous était le Chat. Il se promenait seul et tous lieux se valaient pour lui. Resa savait toujours choisir l'histoire dont il avait besoin. Elle était étrangère en ce monde, comme lui. Il n'était pas possible qu'elle appartienne à Langue Magique.

44

LE RAPPORT DE FARID

— D'accord, dit Zoff. Voici ce que j'ai à dire, celui qui croit
avoir un meilleur plan pourra le dire après.

Michael de Larrabeiti, *Gare aux Zorribles*

Quand Farid revint, Langue Magique l'attendait. Elinor dormait sous les arbres, rouge de chaleur, mais Langue Magique était toujours là où Farid l'avait laissé en partant. Quand il le vit remonter le versant de la colline, le soulagement se lut sur son visage.

— Nous avons entendu des coups de feu, cria-t-il à Farid. J'ai pensé que nous n'allions jamais te revoir.

— Ils tirent sur des chats, répondit Farid en se laissant tomber dans l'herbe.

L'attention que lui portait Langue Magique le troublait. Il n'était pas habitué à ce qu'on s'inquiète pour lui. *Pourquoi as-tu mis si longtemps ? Où as-tu encore traîné ?* C'était plutôt le genre d'accueil auquel il était habitué. Même le regard de Doigt de Poussière était toujours absent, son visage fermé comme une porte bien verrouillée. Sur le visage de Langue Magique au contraire, on pouvait tout lire — l'inquiétude, la joie, la colère, la douleur, l'amour —

même s'il s'efforçait de le cacher, comme il essayait maintenant de ravaler la question qui lui brûlait les lèvres depuis que le garçon était revenu.

— Ta fille va bien, déclara-t-il enfin. Elle a reçu ton message, bien qu'elle soit enfermée dans la maison de Capricorne, au premier étage. Mais Gwin est un bon grimpeur, encore meilleur que Doigt de Poussière, ce qui n'est pas peu dire !

Il entendit Langue Magique pousser un grand soupir de soulagement, comme s'il lui avait enlevé un énorme poids de sur la poitrine.

— J'ai même une réponse.

Farid fit sortir Gwin du sac à dos, l'attrapa par la queue et détacha le message de Meggie du collier.

Langue Magique déplia le papier très soigneusement, comme s'il avait peur d'effacer les lettres avec ses doigts.

— Une page de garde, murmura-t-il, elle a dû l'arracher dans un livre.

— Qu'est-ce qu'elle écrit ?

— Tu as essayé de le lire ?

Farid secoua la tête et tira un morceau de pain de la poche de son pantalon. Gwin avait mérité une récompense. Mais la martre avait disparu. Peut-être pour rattraper le sommeil qui lui avait manqué.

— Tu ne sais pas lire, c'est ça ?

— Oui.

— De toute façon, il n'y a pas beaucoup de gens qui savent lire cette langue. C'est la même que celle que j'avais utilisée. Tu l'as bien vu, même Elinor ne peut pas la déchiffrer.

Langue Magique défroissa le papier — il était jaune pâle, comme le sable du désert —, lut et releva brutalement la tête.

— Mon Dieu ! murmura-t-il, il ne manquait plus que ça.

— Quoi ?

Farid mordit dans le pain qu'il avait gardé pour la martre. Il était dur, ils allaient bientôt devoir en voler un autre.

— Meggie y arrive aussi !

Langue Magique secoua la tête, incrédule, les yeux rivés sur le morceau de papier.

Farid appuya son coude dans l'herbe.

— Je sais, ils en parlent tous… J'ai écouté. Ils disaient qu'elle pouvait faire de la sorcellerie, comme toi, et que maintenant, Capricorne ne t'attend plus. Il n'a plus besoin de toi.

Langue Magique le regarda, éberlué. Il n'avait pas pensé à ça.

— C'est vrai. Maintenant, ils ne la laisseront plus jamais repartir.

Il regardait les mots que sa fille avait écrits. Pour Farid, c'étaient comme des traces de serpent dans le désert.

— Qu'est-ce qu'elle écrit d'autre ?

— Qu'ils ont attrapé Doigt de Poussière et qu'elle doit faire surgir en lisant quelqu'un qui le tuera, demain soir.

Il laissa retomber le papier et se passa la main dans les cheveux.

— Oui, j'ai aussi entendu parler de ça, dit Farid.

Puis il cueillit un brin d'herbe et le déchira en minuscules morceaux.

— Il paraît qu'ils les ont enfermés dans la crypte sous l'église. Qu'est-ce qu'il y a d'autre sur le papier ? Ta fille ne dit pas qui elle doit faire surgir pour Capricorne ?

Langue Magique secoua la tête, mais Farid vit qu'il ne disait pas tout.

— Tu peux me le dire ! C'est un bourreau, c'est ça ? Un qui s'y connaît pour couper les têtes.

Langue Magique fit mine de ne pas entendre.

— J'ai déjà vu ça, déclara Farid. Tu peux me raconter. Quand le bourreau sait bien manier l'épée, ça va assez vite.

Langue Magique le regarda un instant, stupéfait, puis il secoua la tête.

— Ce n'est pas un bourreau. Du moins pas un bourreau avec une épée. Ce n'est pas un homme.

Farid pâlit.

— Pas un homme ?

Langue Magique secoua la tête. Il resta un moment silencieux.

— Ils l'appellent l'Ombre, reprit-il d'une voix blanche. Je ne me souviens plus très bien des mots qui le décrivent dans le livre, je sais seulement que je me le suis imaginé comme une créature faite de cendre incandescente, grise et brûlante, sans visage.

Farid le regarda, pétrifié. L'espace d'un instant, il regretta d'avoir posé la question.

— Ils attendent tous… l'exécution… avec impatience, balbutia-t-il. Les Vestes Noires sont vraiment de bonne humeur. Ils veulent aussi tuer la femme, celle que Doigt de Poussière est allé voir. Parce qu'elle a essayé de retrouver le livre pour lui.

Il enfonçait ses orteils nus dans la terre. Doigt de Poussière avait vainement tenté de l'habituer aux chaussures, à cause des serpents, mais Farid avait à chaque pas la sensation qu'on lui tenait les orteils, c'est pourquoi il avait fini par les jeter au feu.

— Quelle femme ? Une servante de Capricorne ?

Langue Magique le regarda d'un air interrogateur. Farid acquiesça. Il frottait ses orteils pleins de piqûres de fourmi.

— Elle ne parle pas. Elle est muette comme une carpe. Doigt de Poussière a une photo d'elle dans son sac à dos. Elle l'a déjà aidé plusieurs fois. En plus, je crois qu'il est amoureux d'elle.

Farid n'avait pas eu de mal à passer inaperçu dans le village. Il y avait beaucoup de garçons de son âge qui lavaient les voitures des hommes de Capricorne, ciraient leurs bottes et nettoyaient leurs armes, leur faisaient passer des lettres d'amour… Lui aussi, on l'avait chargé de faire passer des lettres d'amour, jadis, dans son autre vie. Il n'avait pas dû cirer de bottes mais s'occuper des armes, oui, et ramasser le crottin de chameau. Ce devait être plus agréable de faire briller les carrosseries de voiture.

Farid leva les yeux vers le ciel. Des nuages minuscules passaient, blancs comme des plumes de héron, ébouriffés comme des fleurs d'acacia. Dans ce ciel, il y avait souvent des nuages. Farid aimait cela. Dans le ciel du monde d'où il venait, il n'y en avait jamais.

— Demain…, murmura Langue Magique. Que puis-je bien faire ? Comment pourrais-je la délivrer de la maison de Capricorne ? Peut-être que je pourrais m'y introduire la nuit, d'une manière ou d'une autre, mais il me faudrait un costume noir…

— Je t'en ai apporté un.

Farid sortit une veste et un pantalon du sac à dos.

— Je l'ai volé sur une corde à linge. J'ai aussi une robe pour Elinor !

Langue Magique le regarda avec une admiration non dissimulée, ce qui le fit rougir.

— Tu es un vrai petit diable ! C'est à toi que je devrais demander comment délivrer Meggie !

Farid sourit, confus, en regardant ses doigts de pied. Lui demander à lui ? Personne encore ne lui avait jamais demandé de conseil. Il n'avait toujours été que le fin limier, l'éclaireur. Les plans, c'étaient les autres qui les forgeaient : des plans de razzia, d'attaque, de vengeance. Au chien, on ne demandait rien. Le chien, on le battait quand il n'obéissait pas.

— Nous ne sommes que deux, et eux, là-bas, ils sont une bonne vingtaine, dit-il, ce ne sera pas facile…

Langue Magique regarda en direction de leur campement, et l'endroit où dormait la femme sous les arbres.

— Tu ne comptes pas Elinor ? C'est une erreur. Elle est beaucoup plus belliqueuse que moi et, en ce moment, elle est très très en colère.

Farid ne put s'empêcher de sourire.

— Bon, ça fait trois, admit-il. Trois contre vingt.

— Oui, je sais, ce n'est pas gagné.

Langue Magique se leva en soupirant.

— Viens, nous allons raconter à Elinor ce que tu as appris, ajouta-t-il.

Mais Farid resta assis dans l'herbe. Il attrapa une des branches sèches qui jonchaient le sol. Du bois de parfaite qualité pour faire du feu. Il y en avait partout. Dans son ancienne vie, il aurait fallu marcher longtemps, très longtemps pour trouver du bois comme celui-ci. On l'aurait échangé contre de l'or. Farid le contempla, passa le doigt sur l'écorce rugueuse et regarda en direction du village de Capricorne.

— Nous pourrions nous faire aider par le feu, proposa-t-il.

Langue Magique le regarda sans comprendre.

— Que veux-tu dire ?

Farid ramassa une autre branche, puis une autre encore. Il les entassa, les grosses et les petites branches que perdaient les arbres, comme s'ils en avaient trop.

— Doigt de Poussière m'a appris à apprivoiser le feu. Il est comme Gwin : il mord quand on ne sait pas comment l'attraper mais, si on sait s'y prendre, il fait ce qu'on veut. C'est ce que m'a montré Doigt de Poussière. Si nous l'utilisons au bon endroit et au bon moment…

Langue Magique se pencha, prit une branche dans sa main et passa son doigt dessus.

— Et comment veux-tu l'arrêter une fois qu'il est parti ? Il n'a pas plu depuis longtemps. Avant que tu aies eu le temps de dire ouf, les collines auront brûlé.

Farid haussa les épaules.

— Uniquement si le vent s'y prête.

Langue Magique secoua la tête.

— Non, déclara-t-il d'un ton résolu. Je ne jouerai avec le feu dans ces collines que si je n'ai vraiment aucune autre solution. Nous allons essayer de nous introduire dans le village cette nuit. Peut-être que nous pourrons tromper l'attention des gardes. Peut-être qu'ils se connaissent si mal qu'ils me prendront pour un des leurs. Car enfin, nous avons déjà réussi à leur passer entre les doigts. Peut-être que nous y arriverons une nouvelle fois.

— Ça fait beaucoup de *peut-être*, remarqua Farid.

— Je sais, répondit Langue Magique, je sais.

45

DES MENSONGES POUR BASTA

— Regarde ! s'écria-t-elle. Je crache par terre et le maudis. Son cas est noir. Si tu vois le Laird, dis-lui une seule chose : dis-lui que c'est la mille deux cent dix-neuvième fois que Jennet Clouston prononce une malédiction contre lui et sa maison, ses granges et ses écuries, ses hommes et ses hôtes, sur le maître, la femme, la demoiselle et l'enfant — noir, noir est son cas !

Robert L. Stevenson, *Enlevé !*

En quelques phrases, Fenoglio réussit à convaincre le gardien derrière la porte qu'il devait parler à Basta de toute urgence. Le vieil homme était un excellent menteur. Il tissait des histoires à partir de rien, plus vite qu'une araignée ne tisse sa toile.

— Qu'est-ce que tu veux, le vieux ? demanda Basta en passant la porte.

Il avait le soldat de plomb à la main.

— Tiens, petite sorcière ! dit-il à Meggie en le lui tendant. S'il n'avait tenu qu'à moi, je l'aurais mis au feu, mais plus personne ne m'écoute.

En entendant le mot « feu », le soldat de plomb sursauta. Sa moustache se hérissa et ses yeux prirent une expression si désespérée que Meggie en fut bouleversée. Quand elle le serra entre ses doigts pour le protéger, elle crut sentir les battements de son cœur. La fin de son histoire lui revint : *Le lendemain, quand la bonne enleva les cendres, elle le trouva sous la forme d'un petit cœur de plomb. De la danseuse, en revanche, il ne restait que la paillette calcinée, noire comme du charbon.*

— Oui, plus personne ne t'écoute, je le vois bien !

Fenoglio regardait Basta comme un père l'eût fait avec son fils — ce qu'il était d'ailleurs, d'une certaine manière.

— C'est justement pour ça que je voulais te parler, dit-il en baissant la voix d'un air de conspirateur. Je veux te proposer un marché.

— Un marché ?

Basta l'observa avec un mélange de peur et d'arrogance.

— Oui, un marché ! répéta doucement Fenoglio. Je m'ennuie ! Je suis un écrivaillon, comme tu l'as dit de manière fort pertinente, j'ai besoin de papier pour vivre, comme d'autres ont besoin de pain et de vin ou je ne sais quoi encore. Apporte-moi du papier, Basta, et je t'aiderai à récupérer les clés. Tu sais de quoi je parle, les clés que Mortola t'a reprises.

Basta sortit son couteau. Quand il l'ouvrit, le soldat de plomb se mit à trembler si fort que la baïonnette glissa de ses mains minuscules.

— Comment ça ? demanda Basta en se nettoyant les ongles avec la pointe de son couteau.

Fenoglio se pencha vers lui.

— Je vais te rédiger un petit sortilège nocif, qui clouera Mortola au lit pendant des semaines et te donnera le temps de prouver à Capricorne que tu es le vrai maître des clés. Naturellement, ce genre de sortilège ne marche pas tout de suite, ça demande un certain temps, mais tu peux me croire, quand ça commence à agir…

Fenoglio leva les sourcils d'un air significatif. Mais Basta fit une grimace méprisante.

— J'ai déjà essayé avec des araignées, du persil et du sel. La vieille est résistante.

— Du persil et du sel ! répéta Fenoglio en riant doucement. Tu es un imbécile, Basta. Je ne parle pas de sortilèges d'enfant. Je parle de lettres. Il n'y a rien de plus puissant qu'elles, dans le bien comme dans le mal, crois-moi.

Fenoglio baissa encore la voix, jusqu'à ce qu'elle ne soit plus qu'un murmure :

— Je t'ai créé avec des lettres, Basta ! Toi et Capricorne.

Basta recula. La peur et la haine sont sœurs, et Meggie les vit toutes les deux sur le visage de Basta. Mais elle vit autre chose encore : il croyait le vieil homme. Il croyait tout ce qu'il disait.

— Tu es un sorcier ! s'écria-t-il. Toi et la fille, il faudrait vous brûler comme ces maudits livres, et son père avec.

Puis il cracha devant les pieds de Fenoglio, trois fois.

— Oh ! Cracher ! Contre quoi cela peut-il te protéger ? Contre le mauvais œil ? railla Fenoglio. L'idée de brûler les gens n'est pas vraiment nouvelle, Basta mais, apparemment, tu n'es guère enclin à la nouveauté. Alors, ce marché ?

Basta fixa des yeux le soldat de plomb, jusqu'à ce que Meggie le cache derrière son dos.

— Bon, je suis d'accord ! grogna-t-il, mais à condition de regarder tous les jours ce que tu as écrit, compris ?

« Comment veux-tu faire ? pensa Meggie. Tu ne sais pas lire. » Basta tourna les yeux vers elle comme s'il avait entendu ce qu'elle avait pensé.

— Je connais une servante qui le lira pour moi, dit-il, alors n'essaie pas de ruser, compris ?

— Bien sûr ! répondit Fenoglio en hochant la tête énergiquement. Au fait, un stylo ne serait pas mal non plus. Un noir, si possible.

Basta apporta le stylo et un paquet de feuilles de papier blanc. Fenoglio s'assit à la table, l'air important, posa la première feuille devant lui, la plia et la déchira soigneusement en neuf morceaux. Sur chaque morceau de papier, il écrivit cinq lettres, tarabiscotées, pratiquement illisibles et toujours les mêmes. Puis il replia avec précaution les petits bouts de papier, cracha une fois sur chacun d'entre eux, les tendit à Basta et lui expliqua où il devait les cacher.

— En mettre chaque fois trois là où elle dort, où elle mange, où elle travaille. Au bout de trois jours et trois nuits, l'effet escompté se produira. Si, toutefois, la personne concernée devait trouver le papier, le sortilège se retournera contre toi.

— Qu'est-ce que ça veut dire ?

Basta regarda les morceaux de papier de Fenoglio comme s'ils allaient lui transmettre la peste sur-le-champ.

— Eh bien, cache-les de sorte qu'elle ne les trouve pas ! répliqua Fenoglio en le poussant vers la porte.

— Si ça ne marche pas, le vieux, grogna Basta avant de refermer derrière lui, je vais te décorer le visage comme je l'ai fait avec Doigt de Poussière.

Il disparut et Fenoglio s'appuya contre la porte avec un sourire satisfait.

— Mais ça ne va pas marcher ! chuchota Meggie.

— Et alors ? Trois jours, c'est long, lui répondit Fenoglio en se rasseyant à la table. Et j'espère que nous n'aurons pas besoin de tant. Car enfin, ce que nous voulons, c'est empêcher l'exécution de demain, n'est-ce pas ?

Pendant le reste de la journée, il passa son temps à regarder dans le vide ou à écrire comme un fou. De sa grande écriture qui courait sur le papier, il remplit des pages et des pages.

Meggie ne le dérangea pas. Elle s'assit à la fenêtre avec le soldat de plomb, regarda les collines et se demanda où Mo, dans ce fouillis de feuilles et de branches, pouvait bien se cacher. Le soldat de plomb était assis près d'elle, la jambe tendue devant lui et contemplait ce monde étranger avec des yeux pleins d'effroi. Peut-être pensait-il à la danseuse en papier dont il était si amoureux, peut-être ne pensait-il à rien. Il ne disait pas un mot.

46

RÉVEILLÉE AU CŒUR DE LA NUIT

Les serviteurs apportaient aussi des fleurs, à l'heure de midi.
De gros tas de fleurs de chêne et de genêt et de reine-des-prés,
les plus belles et les plus fines qu'on puisse trouver dans la
forêt.

Evangeline Walton, *Les Mabinogion*

Il faisait nuit depuis longtemps mais Fenoglio écrivait toujours.

Sous la table, le sol était jonché de feuilles déchirées ou froissées.
Elles étaient beaucoup plus nombreuses que celles qu'il mettait de
côté, avec précaution, comme s'il craignait que les lettres s'échap-
pent. Lorsqu'une petite servante maigrichonne leur apporta le
dîner, Fenoglio plaça celles qu'il avait mises de côté sous son lit. Ce
soir-là, Basta ne revint pas. Il était peut-être trop occupé à cacher
les papiers magiques de Fenoglio.

Lorsque Meggie alla se coucher, il faisait si noir dehors que les
collines se confondaient avec le ciel. Elle laissa la fenêtre ouverte.

— Bonne nuit ! murmura-t-elle à l'adresse de la nuit, comme si
Mo l'entendait.

Puis elle prit le soldat de plomb et grimpa sur son lit. Elle l'installa à côté de son oreiller.

— Crois-moi, tu as plus de chance que la fée Clochette, lui chuchota-t-elle. Basta l'a gardée parce qu'il croit que les fées portent bonheur, et tu sais quoi ? Si nous sortons d'ici, je te promets de te fabriquer une danseuse, comme dans ton conte.

Il ne lui répondit pas. Il se contenta de la regarder avec ses yeux tristes puis il hocha la tête, imperceptiblement. Avait-il perdu sa voix, lui aussi ? se demanda Meggie, ou n'avait-il jamais su parler ? Sa bouche semblait ne s'être jamais ouverte. « Si j'avais le livre ici, pensa-t-elle, je pourrais vérifier, ou essayer d'en faire sortir la danseuse. » Mais c'était la pie qui l'avait. Elle lui avait pris aussi tous les autres.

Le soldat de plomb s'appuya contre le mur et ferma les yeux.

« Non, cette danseuse lui briserait le cœur ! » pensa Meggie avant de s'endormir. La dernière chose qu'elle entendit, ce fut le stylo de Fenoglio qui courait sur le papier, d'une lettre à l'autre, aussi vite qu'une navette de tisserand qui composerait, avec des fils noirs, un dessin aux multiples contours...

Cette nuit-là, Meggie ne rêva pas de monstres. Pas même une araignée ne s'introduisit dans ses rêves. Elle était rentrée chez elle, elle le savait, bien que sa chambre fût la même que celle qu'elle avait dans la maison d'Elinor. Mo était là aussi, et sa mère. Elle ressemblait à Elinor, mais Meggie savait que c'était bien la femme qu'elle avait vue, suspendue à côté de Doigt de Poussière, dans l'église de Capricorne. Dans les rêves, on sait beaucoup de choses, et surtout que l'on ne peut se fier à ses yeux. On le sait, tout simplement. Elle allait s'asseoir à côté de sa mère sur le vieux canapé qui se trouvait entre les étagères de livres de Mo quand, soudain, quelqu'un murmura son nom : « Meggie ! » Plusieurs fois. « Meggie ! » Elle ne voulait pas l'entendre, elle voulait que le rêve ne finisse jamais, mais la voix insistait, impitoyable.

Meggie la connaissait. À contrecœur, elle ouvrit les yeux.

Fenoglio était près de son lit, les doigts tachés d'encre noire, noire comme la nuit qu'on voyait par la fenêtre ouverte.

— Qu'est-ce qu'il y a ? Je veux dormir.

Meggie lui tourna le dos. Elle voulait retourner dans son rêve.

Peut-être qu'il était encore là, quelque part derrière ses paupières fermées. Peut-être qu'un peu de bonheur était encore collé à ses cils, comme de la poussière d'or. Dans les contes, les rêves ne laissaient-ils pas quelque chose de semblable derrière eux ? Le soldat de plomb dormait encore, la tête sur la poitrine.

— J'ai fini !

Malgré les ronflements du garde qui traversaient la porte, Fenoglio chuchotait. Elle aperçut sur la table, à la lueur de la bougie, un petit tas de feuilles noircies par son écriture.

Meggie s'assit en bâillant.

— Il faut que nous essayions quelque chose cette nuit ! poursuivit Fenoglio à voix basse. Nous allons voir si, avec ta voix et mes mots, on peut changer le cours des histoires. Nous allons essayer de renvoyer le soldat de plomb dans son monde.

Il s'empressa d'aller chercher les feuilles et les posa sur ses genoux.

— Ce n'est pas très bien de commencer par une histoire que je n'ai pas écrite, mais on peut toujours essayer. Nous n'avons rien à perdre !

— Le renvoyer ? Mais je ne veux pas le renvoyer ! s'exclama

Meggie, bouleversée. Il va mourir. Le petit garçon le jette dans la cheminée et il fond. Et la danseuse brûle.

... De la danseuse, en revanche, il ne restait que la paillette calcinée, noire comme du charbon..

— Mais non! répondit Fenoglio en désignant les feuilles avec impatience. J'ai écrit une nouvelle histoire, une histoire qui finit bien. C'était ça l'idée de ton père : changer le déroulement des histoires! Lui, la seule chose qu'il voulait, c'était retrouver ta mère, en récrivant *Cœur d'encre* de sorte qu'on la lui rende. Si l'idée fonctionne vraiment, Meggie, si on peut changer le cours d'une histoire imprimée en ajoutant des mots, alors on peut tout changer de cette histoire : qui en sort, qui y retourne, comment elle finit, qui elle rend heureux ou malheureux. Tu comprends? Ce n'est qu'un essai, Meggie! Mais si le soldat de plomb disparaît, alors crois-moi, nous pourrons aussi modifier le déroulement de *Cœur d'encre*! Comment, il faut que j'y réfléchisse encore, mais maintenant, lis, je t'en prie!

Fenoglio prit la lampe de poche sous l'oreiller et la mit dans la main de Meggie.

Elle dirigea en hésitant le rayon de la lampe sur la première page à l'écriture serrée. Tout d'un coup, elle eut les lèvres sèches.

— Ça finit bien?

Elle passa sa langue sur ses lèvres et regarda le soldat de plomb endormi. Elle crut percevoir un léger ronflement.

— Mais oui! J'ai écrit une fin heureuse, à l'eau de rose, confirma Fenoglio avec une certaine impatience. Il s'installe avec la danseuse dans le château de carton et ils y vivent heureux jusqu'à la fin de leurs jours... Pas de cœur qui fond, de papier qui brûle, rien que du bonheur et de l'amour.

— Ton écriture n'est pas facile à lire.

— Quoi ? Je me suis donné beaucoup de mal !

— Quand même.

Le vieil homme soupira.

— Bon, dit Meggie, je vais essayer.

« Chaque lettre, vraiment chaque lettre est importante ! pensa-t-elle. Il faut que les mots résonnent, qu'ils retentissent, qu'ils murmurent, qu'ils fredonnent et qu'ils grondent. »

Et elle se mit à lire.

À la troisième phrase, le soldat de plomb s'assit, droit comme un *i*. Meggie le vit du coin de l'œil. L'espace d'un instant, elle perdit presque le fil, buta sur un mot, le relut. Après ça, elle n'osa même plus le regarder – jusqu'à ce que Fenoglio pose sa main sur son bras.

— Il a disparu, murmura-t-il. Meggie, il a disparu.

Il avait raison. Le lit était vide. Fenoglio serra son bras si fort qu'il lui fit mal.

— Tu es une vraie petite magicienne ! murmura-t-il. Mais je ne suis pas mauvais non plus, n'est-ce pas ?

Il contempla ses doigts tachés d'encre d'un air admiratif. Puis il claqua dans ses mains et se mit à danser dans la petite chambre comme un vieil ours. Lorsqu'il s'arrêta enfin près du lit de Meggie, il était à bout de souffle.

— À nous deux, nous allons préparer une mauvaise surprise à Capricorne, murmura-t-il tandis qu'un sourire se nichait dans chacune de ses rides. Je me mets au travail immédiatement ! Oh oui ! Il va avoir ce qu'il veut : tu vas faire surgir l'Ombre de l'histoire. Mais entre-temps, son vieil ami aura changé, je m'en charge ! Moi, Fenoglio, le maître des mots, le magicien de l'encre, le sorcier du papier. J'ai inventé Capricorne et je vais le supprimer comme s'il n'avait jamais existé — ce qui aurait mieux valu, je l'avoue ! Pauvre Capricorne ! Il va subir le même sort que le magicien qui avait conçu pour son neveu cette femme aux fleurs. Tu connais l'histoire, n'est-ce pas ?

Meggie regardait fixement l'endroit où le soldat de plomb était assis. Il lui manquait.

— Non ! murmura-t-elle. Quelle femme aux fleurs ?

— C'est une très vieille histoire. Je vais te raconter la version courte. L'autre, la longue, est très belle, mais le jour ne va pas tarder. Donc : Il était une fois un magicien qui s'appelait Gwydion. Il avait un neveu qu'il aimait plus que tout au monde, mais sa mère avait proféré une malédiction à son égard.

— Pourquoi ?

— Ça nous entraînerait trop loin. Elle l'avait maudit. Si jamais il touchait une femme, il en mourrait. Le magicien en eut le cœur brisé. Son neveu préféré était ainsi condamné à errer pour toujours dans une solitude désolante. Aussi s'enferma-t-il, trois jours et trois nuits, dans sa chambre de magicien et créa une femme faite de fleurs, de reines-des-prés, des fleurs de genêt et de chêne, pour être précis. Jamais il n'y avait eu femme plus belle et le neveu de Gwydion tomba amoureux fou d'elle. Mais Blodeuwedd, tel était son nom, lui fut fatale. Elle tomba amoureuse d'un autre et, ensemble, ils tuèrent le neveu du magicien.

— Blodeuwedd !

Meggie savourait ce nom comme un fruit exotique.

— C'est triste. Qu'est-elle devenue ? Le magicien la tue-t-il à son tour en représailles ?

— Non. Gwydion se métamorphosa en chouette et depuis

toutes les chouettes font penser à des femmes qui pleurent, aujourd'hui encore.

— C'est beau. Beau et triste, murmura Meggie.

Pourquoi les histoires tristes étaient-elles si souvent si belles ? Dans la vraie vie, ce n'était pas pareil.

— Bon, comme ça, maintenant, je connais l'histoire de la femme aux fleurs, dit-elle. Mais quel rapport avec Capricorne ?

— Eh bien, Blodeuwedd n'a pas fait ce qu'on attendait d'elle. Et je vais faire en sorte qu'il en soit de même : ta voix et mes mots, des mots tout neufs, grâce à eux l'Ombre de Capricorne ne fera pas ce qu'on attend d'elle !

Fenoglio avait l'air content de lui, comme une tortue qui aurait trouvé une feuille de salade à un endroit tout à fait inattendu.

— Et qu'est-ce qu'elle devrait faire ?

Fenoglio plissa le front. Son expression de satisfaction avait disparu.

— J'y travaille encore, bougonna-t-il d'un air agacé, en pointant son index sur son front. C'est là-dedans. Il me faut du temps.

Dehors, des voix se firent entendre, des voix d'hommes. Ils venaient de l'autre côté du mur. Meggie se laissa glisser de son lit et courut vers la fenêtre ouverte. Elle entendit des pas, des pas pressés, et des coups de feu. Elle se pencha, mais elle ne put rien voir. Le bruit semblait venir de la place de l'église.

— Fais attention ! murmura Fenoglio en la retenant par les épaules.

De nouveau, ils entendirent des coups de feu. Les hommes de Capricorne crièrent quelque chose. Ils avaient l'air en colère, en alerte. Pourquoi ne pouvait-elle pas comprendre ce qu'ils disaient ? Affolée, elle regarda Fenoglio. Peut-être avait-il pu saisir, au milieu de leurs cris, ce qu'ils disaient, des mots, des noms…

— Je sais ce que tu penses, déclara-t-il, rassurant, mais ce n'était sûrement pas ton père. Il ne serait pas assez fou pour s'introduire dans la maison de Capricorne la nuit !

Il l'éloigna doucement de la fenêtre. Les voix se turent. La nuit redevint silencieuse, comme si rien ne s'était produit.

Le cœur battant, Meggie regrimpa dans son lit. Avec l'aide de Fenoglio.

— Fais-lui tuer Capricorne ! murmura-t-elle. Fais que l'Ombre le tue.

Ses propres paroles l'effrayèrent, mais elle resta sur sa position. Fenoglio se frotta le front.

— Il va bien le falloir, non ? dit-il doucement.

Meggie prit le pull-over de Mo et le serra contre elle. Quelque part dans la maison, des portes claquèrent, des pas résonnèrent, qui montaient jusqu'à eux. Puis le silence revint. Un silence menaçant. « Un silence de mort », songea Meggie. Ce mot ne lui sortait plus de la tête.

— Que se passera-t-il si l'Ombre ne t'écoute pas ? demanda-t-elle. Comme la femme aux fleurs, hein ?

— Il vaut mieux ne pas y penser, répondit Fenoglio.

47

SEULE

— Ah ! Pourquoi ne suis-je pas resté dans mon trou de Hobbit ! dit le pauvre monsieur Sacquet brinquebalé sur le dos de
Bombur.

J. R. R. Tolkien, Bilbo le Hobbit

Quand elle entendit les coups de feu, Elinor sauta si brusquement sur ses pieds que, dans l'obscurité, elle s'empêtra
dans sa couverture. Elle tomba de tout son long dans l'herbe
rugueuse et s'égratigna les mains en se relevant.

— Oh, mon Dieu ! Mon Dieu ! Ils les ont eus ! balbutia-t-elle
en continuant de trébucher dans le noir, à la recherche de cette
malheureuse robe que le garçon avait volée pour elle. Il faisait si
sombre qu'elle voyait à peine ses pieds.

— Ils sont bien avancés, marmonna-t-elle à voix basse, pourquoi ne m'ont-ils pas emmenée, les imbéciles, j'aurais pu faire le
guet, j'aurais fait attention.

Quand elle eut enfin trouvé la robe, elle l'enfila par la tête, les
mains tremblantes, et s'immobilisa.

Quel silence ! Un silence de mort…

« Ils les ont tués ! chuchotait une voix en elle. C'est pour ça que c'est si silencieux. Ils sont morts. Bien morts. Ils sont tous deux allongés sur la place devant la maison, baignant dans leur sang, oh, mon Dieu. Et maintenant?» Elle éclata en sanglots. «Non, Elinor, pas de larmes. Qu'est-ce que ça veut dire? Va les chercher, allez!»

Elle se mit en route, d'un pas mal assuré. Quelle était la bonne direction?

— Tu ne peux pas venir, Elinor! avait déclaré Mortimer.

Dans le costume que Farid avait volé pour lui, il était méconnaissable, on eût dit un homme de Capricorne, mais enfin, c'était le but de cette mascarade. Le garçon lui avait même procuré un fusil.

— Et pourquoi pas? avait-elle répondu. Je vais même mettre cette robe ridicule!

— Une femme se ferait remarquer, Elinor! Tu l'as vu toi-même. La nuit, il n'y a pas de femmes dans la rue. Il n'y a que des gardes. Demande à Farid.

— Je ne veux rien lui demander. Pourquoi ne m'a-t-il pas volé un costume? J'aurais pu me déguiser en homme!

Ils n'avaient pas su quoi répondre.

— Elinor, je t'en prie! Nous avons besoin de quelqu'un pour veiller sur nos affaires.

— Nos affaires? Tu parles du sac à dos crasseux de Doigt de Poussière?

Furieuse, elle avait donné un coup de pied dans le sac. Ils s'étaient crus malins. Mais cette mascarade ne leur avait servi à rien. Qui les avait reconnus? Basta, Nez Aplati, le boiteux?

«Nous serons de retour au lever du jour, Elinor! Avec Meggie.»

Menteur! À l'intonation de sa voix, elle avait deviné qu'il n'y croyait pas lui-même.

Elinor buta sur une racine, se rattrapa d'une main à quelque chose de piquant et tomba à genoux en sanglotant. Des assassins! Des assassins et des incendiaires! Qu'avait-elle à faire avec cette racaille? Elle aurait dû s'en douter quand Mortimer était venu lui demander de cacher le livre. Pourquoi n'avait-elle pas dit non? N'avait-elle pas toujours pensé qu'on pouvait lire sur le visage de ce mangeur d'allumettes comme si le mot «problèmes» y était écrit en rouge? Mais le livre... oui, le livre. Naturellement, elle n'avait pas pu résister...

«Ils ont emmené cette martre répugnante! pensa-t-elle en se relevant. Mais pas moi. Et maintenant ils sont morts. Allons trouver la police!» Combien de fois ne l'avait-elle pas dit! Mais la réponse de Mo avait toujours été la même : «Non, Elinor, au premier policier qui entrerait dans le village, Capricorne ferait disparaître Meggie. Et le couteau de Basta est plus rapide que toutes les polices du monde, crois-moi.»

Que pouvait-elle faire maintenant? Si seule.

«Ne fais pas tant d'histoires, Elinor, se dit-elle. Tu as toujours été seule, tu l'avais oublié? Creuse-toi la tête. Il faut que tu aides la fillette, quoi qu'il soit arrivé à son père. Tu dois la délivrer de ce maudit village, il n'y a plus personne d'autre que toi qui puisse le faire, si tu ne veux pas qu'elle finisse comme ces servantes qui osent à peine lever la tête et ne sont là que pour faire la toilette et la cuisine de ce monsieur. Peut-être aura-t-elle aussi le droit de faire la lecture à Capricorne s'il en ressent le désir, et quand elle sera plus grande... elle est jolie...»

Elinor se sentit mal.

— Il me faut un fusil, murmura-t-elle, ou un couteau, un grand couteau tranchant, pour m'introduire dans la maison de Capricorne. Qui me reconnaîtrait dans cette robe immonde ?

Mortimer avait toujours cru qu'elle n'était bonne que dans son univers de livres, elle allait lui faire voir, maintenant !

« Mais comment ? susurrait la petite voix en elle. Il est parti, il a disparu, comme tes livres. » Elle sanglota si fort qu'elle sursauta et se mit la main sur la bouche. Une branche craqua sous ses pas et derrière une fenêtre, dans le village de Capricorne, une lumière s'éteignit. Elle le savait, le monde était terrible, cruel, impitoyable, sombre comme un mauvais rêve. Ce n'était pas un endroit où vivre. La pitié, le réconfort, le bonheur… et l'amour n'existaient que dans les livres. Les livres aimaient quiconque les ouvrait, ils donnaient un sentiment d'intimité et d'amitié sans rien attendre en échange, ils ne vous quittaient jamais, même si on les traitait mal.

Amour, vérité, beauté, sagesse et réconfort face à la mort. Qui avait dit cela ? Un de ces amoureux des mots, elle avait oublié son nom, mais elle se souvenait des mots. Les mots sont immortels… sauf quand on vient les brûler. Et même…

Elle continua son chemin, tant bien que mal. Une lumière pâle suintait du village de Capricorne, comme de l'eau laiteuse dans la nuit. Sur le parking, entre les voitures, trois des assassins s'étaient regroupés. « Oui, parlez toujours ! murmura Elinor. Vantez-vous, avec vos mains pleines de sang et vos cœurs noirs de charbon, vous regretterez de les avoir tués ! »

Que valait-il mieux faire ? S'introduire dans le village maintenant ou attendre le matin ? De toute façon, c'était de la folie, elle ne pouvait aller bien loin. Un des trois hommes se retourna et, un instant, Elinor crut qu'il l'avait repérée. Elle recula, glissa et se rattrapa au dernier moment à une branche avant de perdre pied de nouveau. Elle entendit un bruit derrière elle et, avant même de pouvoir se retourner, sentit une main s'abattre sur sa bouche.

Elle voulut crier mais aucun son ne sortit, car les doigts appuyaient de toutes leurs forces sur ses lèvres.

— Elinor ! Qu'est-ce que tu fais là ?

Ce n'était pas possible. Elle était tellement sûre de ne plus jamais entendre cette voix.

— Excuse-moi, mais je savais que tu allais crier ! Viens !

Mortimer enleva sa main et lui fit signe de le suivre. Elle était partagée entre l'envie de lui sauter au cou et celle de le frapper à lui faire mal.

Quand les maisons de Capricorne eurent presque disparu derrière les arbres, il s'arrêta.

— Pourquoi n'es-tu pas restée là-haut ? Qu'est-ce que tu fais à traîner par ici dans l'obscurité ? Tu ne sais pas combien c'est dangereux ?

C'en était trop. Elinor était encore à bout de souffle, tant il avait marché vite.

— Dangereux !

Ce n'est pas facile de parler à voix basse quand on est dans une telle colère.

— C'est à moi que tu dis ça ? J'ai entendu des coups de feu et des cris. Je vous croyais morts ! Je croyais qu'ils vous avaient criblés de balles…

Il se passa la main sur le visage.

— Ils ne savent pas viser ! plaisanta-t-il. Heureusement.

Devant son calme apparent, Elinor eut envie de le secouer.

— Ah bon ? Et le garçon, où est-il passé ?

— Il va bien aussi, à part une égratignure sur le front. Quand ils ont tiré, la martre s'est enfuie et il a couru derrière. C'est alors qu'il a reçu un éclat. Je l'ai laissé là-haut.

— La martre ? C'est votre seul souci, cette martre qui mord et empeste ? Cette nuit m'a coûté dix ans de vie !

Elinor avait haussé la voix.

— J'ai mis cette robe affreuse, marmonna-t-elle entre ses dents. Je vous voyais déjà, baignant dans le sang… Oui, tu peux me regarder ! C'est un miracle que vous ne soyez pas morts. Je n'aurais pas dû t'écouter. Nous aurions dû aller trouver la police… Cette fois, ils seront bien obligés de nous croire, nous…

— Nous n'avons pas eu de chance, Elinor ! l'interrompit-il. Crois-moi. Il a fallu que ce Cockerell soit justement de garde devant la maison. Les autres ne m'auraient pas reconnu.

— Et demain ? Ce sera peut-être Basta ou Nez Aplati ! Et ta fille, tu crois que ça l'aidera que tu meures ?

Mortimer lui tourna le dos.

— Mais je ne suis pas mort, Elinor ! s'exclama-t-il. Et je vais tirer Meggie de là avant qu'elle ne soit contrainte de jouer le rôle principal dans une exécution.

Quand ils arrivèrent à leur campement, Farid dormait déjà. Le tissu taché de sang que Mo lui avait enroulé autour de la tête ressemblait au turban qu'il portait quand il était apparu entre les colonnes dans l'église de Capricorne.

— C'est impressionnant mais ce n'est pas grave, murmura Mo. Crois-moi, si je ne l'avais pas retenu, il aurait poursuivi la martre à travers tout le village. Et s'ils ne nous avaient pas surpris, il se serait sûrement introduit dans l'église pour voir où était Doigt de Poussière.

Elinor hocha la tête et s'enroula dans sa couverture. La nuit était douce. En d'autres circonstances, on aurait sûrement dit qu'elle était paisible.

— Comment vous êtes-vous débarrassés d'eux ? demanda-t-elle.

Mortimer s'assit près du garçon. Elinor s'aperçut alors qu'il portait le fusil que Farid avait volé pour lui. Il l'enleva de son épaule et le posa dans l'herbe près de lui.

— Ils ne nous ont pas suivis longtemps, répondit-il. À quoi bon ? Ils savent que nous reviendrons. Ils n'ont qu'à attendre.

Cette fois, Elinor serait de la partie, elle se le jura. Elle ne voulait plus jamais se sentir comme elle s'était sentie cette nuit-là, loin de tout et de tous.

— Qu'avez-vous prévu de faire ? demanda-t-elle.

— Farid a suggéré que nous mettions le feu. Jusque-là, je trouvais ça trop dangereux, mais le temps presse.

— Le feu ?

Elinor eut l'impression que ce mot lui brûlait la langue. Depuis qu'elle avait retrouvé ses livres en cendres, la vue de la moindre allumette la paniquait.

— Doigt de Poussière lui a appris un certain nombre de choses à ce sujet. Et d'ailleurs, n'importe quel idiot est capable d'allumer un feu. Si nous mettons le feu à la maison de Capricorne…

— Tu es devenu fou ? Et si le feu s'étend aux collines ?

Mo baissa la tête et passa sa main le long du canon du fusil.

— Je sais, mais je ne vois pas d'autre moyen. Le feu fera diversion, les hommes de Capricorne seront occupés à l'éteindre et, dans la confusion, j'essaierai de rejoindre Meggie. Farid s'occupera de Doigt de Poussière.

— C'est de la folie !

Cette fois, Elinor ne put s'empêcher de hausser le ton. Farid marmonna quelque chose en dormant, tâta machinalement le pansement autour de sa tête et se tourna de l'autre côté. Mo remonta sa couverture et s'appuya de nouveau contre le tronc d'arbre.

— Nous allons le faire quand même, Elinor, dit-il. Crois-moi, je me suis creusé la tête, à en devenir fou. Il n'y a pas d'autre moyen. Et si ça ne suffit pas, je mettrai aussi le feu à sa maudite église. Je ferai fondre son or et réduirai son maudit village en cendres. Je veux récupérer ma fille.

Elinor n'ajouta plus rien. Elle s'allongea et fit semblant de dormir, mais elle ne ferma pas l'œil de la nuit. Quand le jour se leva, elle persuada Mortimer d'aller se coucher et de la laisser faire le guet. Il ne mit pas longtemps à s'endormir. Dès que sa respiration fut devenue calme et régulière, Elinor enleva la fameuse robe, enfila ses propres habits, coiffa ses cheveux emmêlés et lui écrivit sur un bout de papier : *Je vais chercher de l'aide. Je serai de retour vers midi. S'il te plaît, ne fais rien avant mon retour. Elinor.*

Elle glissa la feuille dans sa main à demi ouverte pour qu'il la trouve en se réveillant. Lorsqu'elle passa près du garçon également endormi, elle vit que la martre était de retour. Elle s'était couchée en boule à côté de lui, se léchait les pattes et elle regarda Elinor de ses yeux noirs quand celle-ci se pencha sur Farid pour ajuster son pansement. Cette sinistre bête, elle ne l'aimerait jamais, mais Farid l'aimait comme on aime un chien. Elle se releva en soupirant.

— Prends garde à eux deux, compris ? murmura-t-elle avant de se mettre en route.

Sa voiture était toujours là où elle l'avait cachée, sous les arbres. C'était une bonne cachette, elle eut elle-même du mal à la retrouver, avec les branches qui pendaient jusqu'au sol. Le moteur démarra du premier coup. Elinor prêta l'oreille un moment, anxieuse, mais elle n'entendit rien d'autre que les oiseaux qui saluaient le jour, pleins d'entrain, comme si c'était le dernier.

Le village le plus proche était à peine à une demi-heure de voiture. Là-bas, il y avait sûrement un commissariat de police.

48

LA PIE

Mais ils le réveillèrent avec des mots, leurs armes cruelles et étincelantes.

T. H. White, *Le Livre de Merlin*

Il était encore tôt quand Meggie entendit la voix de Basta dans le couloir. Elle n'avait pas touché au petit déjeuner qu'une servante leur avait apporté. Elle lui avait demandé ce qui s'était passé la nuit dernière, pourquoi ces coups de feu, mais la fille s'était contentée de la regarder en secouant la tête, l'air terrifiée, avant de se précipiter vers la porte. Elle la prenait visiblement pour une sorcière.

Fenoglio non plus n'avait pas pris son petit déjeuner. Il écrivait. Il écrivait sans relâche, remplissait une page après l'autre, déchirait ce qu'il avait écrit, recommençait, mettait une feuille de côté, en reprenait une autre, la mettait en boule et recommençait. Cela durait depuis des heures et il avait conservé trois pages.

Seulement trois. En entendant la voix de Basta, il s'empressa de les cacher sous son matelas, et poussa du pied les feuilles déchirées sous le lit.

— Meggie, vite, aide-moi! chuchota-t-il. Personne ne doit les voir. Aucune.

Meggie obéit, mais elle n'avait qu'une question en tête : que venait faire Basta? Que voulait-il lui dire? Voulait-il voir la tête qu'elle ferait en apprenant qu'elle n'avait plus besoin d'attendre Mo?

Fenoglio se rassit à la table devant une feuille blanche et il gribouilla à la hâte quelques mots quand la porte s'ouvrit.

Meggie retint son souffle comme si elle avait pu retenir les paroles qui allaient sortir de la bouche de Basta et lui briser le cœur.

Fenoglio posa son stylo et vint se placer à côté d'elle.

— Qu'est-ce qui se passe? demanda-t-il.

— Je dois la conduire chez Mortola, dit Basta, elle veut la voir.

Il avait l'air agacé, comme si cette mission était indigne de lui.

Mortola? La pie? Meggie regarda Fenoglio. Qu'est-ce que ça voulait dire? Mais le vieil homme se contenta de hausser les épaules, perplexe.

— La petite colombe est censée savoir ce qu'elle va lire ce soir, expliqua Basta. Pour qu'elle ne bafouille pas, comme Darius, et gâche tout.

Impatient, il fit signe à Meggie de le suivre.

— Allez, dépêche-toi.

Meggie fit un pas vers lui, puis elle s'arrêta.

— Je veux d'abord savoir ce qui s'est passé cette nuit, exigea-t-elle. J'ai entendu des coups de feu.

— Ah, ça!

Basta sourit. Ses dents étaient presque aussi blanches que sa chemise.

— Je crois que ton père voulait te rendre visite. Mais Cockerell ne l'a pas laissé entrer.

Meggie resta immobile, comme pétrifiée. Basta la prit par le bras et la tira sans ménagement derrière lui. Fenoglio essaya de les suivre mais Basta lui ferma la porte au nez.

Le vieil homme lui cria quelque chose, mais Meggie ne comprit pas ce qu'il disait. Ses oreilles sifflaient, comme si elle entendait son propre sang couler beaucoup trop vite dans ses artères.

— Il a réussi à s'échapper, si ça peut te consoler, l'informa Basta en la poussant dans l'escalier. Mais ça ne veut rien dire. Quand Cockerell tire sur les chats, ils arrivent souvent à se sauver et après, on finit par les retrouver crevés dans un coin.

Meggie lui donna un coup de pied dans le tibia, de toutes ses forces. Puis elle se précipita en courant dans l'escalier mais Basta eut vite fait de la rattraper. Le visage tordu de douleur, il la saisit par les cheveux et la tira vers lui.

— Ne recommence pas ça, mignonne, lui lança-t-il, haineux. Tu as de la chance d'être l'attraction principale de la soirée, sinon je te tordrais le cou ici même.

Meggie n'essaya plus de s'enfuir. Même si elle avait voulu, elle n'en aurait pas eu l'occasion. Basta ne lâchait pas ses cheveux. Il la traînait brutalement derrière lui. Meggie en eut les larmes aux yeux, mais elle détourna le visage pour que Basta ne le voie pas.

Il la conduisit à la cave. Elle n'était encore jamais allée dans cette partie de la maison de Capricorne. Le plafond était bas, encore plus bas que dans le cachot où elle avait été enfermée la première fois avec Mo et Elinor. Les murs étaient peints en blanc et il y avait autant de portes qu'à l'étage. La plupart donnaient l'impression de n'avoir pas été ouvertes depuis longtemps.

Certaines d'entre elles étaient munies de gros cadenas. Meggie pensa aux coffres-forts dont avait parlé Doigt de Poussière et à l'or que Mo avait fait surgir dans l'église de Capricorne. « Ils ne l'ont pas eu ! songea-t-elle. C'est sûr que non. Le boiteux ne sait pas viser. »

Ils s'arrêtèrent enfin devant une des portes dont le bois était plus beau que celui des autres. La lumière de l'ampoule qui éclairait la cave lui donnait des reflets roux.

— Crois-moi, susurra Basta à Meggie avant de frapper, si tu te permets avec Mortola les mêmes insolences qu'avec moi, elle te fera suspendre dans un des filets de l'église jusqu'à ce que tu aies si faim que tu en rongeras les mailles. À côté du sien, j'ai le cœur tendre comme celui de ces peluches que l'on donne aux petites filles qui n'arrivent pas s'endormir.

Son haleine chargée de menthe passa sous le nez de Meggie. Plus jamais elle ne pourrait manger de menthe.

La chambre de la pie était si grande qu'on aurait pu y danser. Les murs étaient peints en rouge comme ceux de l'église mais on n'en voyait pas grand-chose car ils étaient recouverts de photos dans des cadres dorés, des photos de maisons et de gens. Au milieu, dans un cadre doré lui aussi, mais beaucoup plus grand que les autres, il y avait le portrait de Capricorne. Celui qui l'avait peint était aussi peu doué que celui qui avait réalisé la statue qui se trouvait dans l'église. Sur le tableau, le visage de Capricorne était plus rond et moins dur qu'en réalité et sa bouche curieusement féminine était comme un fruit exotique sous le nez trop court et trop large. Seuls les yeux étaient réussis.

Dépourvus d'expression comme dans la vie réelle, ils regardaient Meggie de haut, comme ceux d'un homme qui regarde une grenouille dont il veut ouvrir le ventre pour voir ce qu'il y a à l'intérieur. Aucun visage, elle l'avait appris dans le village de Capricorne, n'est plus effrayant qu'un visage dénué de pitié.

La pie se tenait étrangement droite, dans un fauteuil en velours vert, juste sous le portrait de son fils. Elle donnait l'impression de n'avoir pas l'habitude d'être assise, comme une femme qui a toujours quelque chose à faire et que le calme met mal à l'aise. Mais son corps fatigué la forçait peut-être à s'asseoir parfois dans ce fauteuil déformé, qui semblait bien trop imposant pour elle. Meggie remarqua que les jambes de la vieille femme étaient enflées. Quand elle surprit son regard, Mortola tira sa jupe sur ses genoux.

— Lui as-tu dit pourquoi elle est ici?

Elle eut du mal à se lever. Meggie vit qu'elle s'appuyait sur une petite table en serrant les lèvres. Basta semblait content de sa faiblesse. Il esquissa un sourire qui disparut aussitôt quand la pie le toisa d'un air glacial. Impatiente, elle fit signe à Meggie d'avancer. Comme elle ne bougeait pas, Basta lui donna un coup dans le dos.

— Viens là, je vais te montrer quelque chose.

Mortola se dirigea d'un pas lent, mais assuré, jusqu'à une imposante commode qui semblait bien trop lourde pour ses pieds finement arrondis. Dessus, entre deux lampes jaune pâle, se trouvait un coffret en bois décoré d'un motif avec de minuscules trous.

Lorsque la pie ouvrit le couvercle, Meggie fit un bond en arrière. Dans le coffret somnolaient deux serpents, fins comme des lézards et guère plus longs que l'avant-bras de Meggie.

— Je tiens ma chambre toujours bien chaude pour qu'ils ne soient pas trop endormis! expliqua-t-elle en ouvrant le premier tiroir de la commode dont elle tira un gant.

C'était un gant en cuir noir et épais, si raide qu'elle eut du mal à y glisser sa main étroite.

— Ton ami Doigt de Poussière a joué un mauvais tour à Resa en la chargeant de chercher le livre.

Elle souleva le coffret et, d'une main ferme, attrapa un des serpents.

— Viens ici! lança-t-elle à Basta en lui tendant le serpent qui se tortillait.

Meggie vit à son air que cela le répugnait mais il s'approcha, attrapa le serpent et tint le plus loin possible de lui le corps couvert d'écailles qui se tordait dans tous les sens.

— Tu vois, Basta n'aime pas mes serpents! constata la pie avec un sourire. Il ne les a jamais aimés, mais ça ne veut pas dire grand-chose. Autant que je sache, Basta n'aime que son couteau. Et en plus, il croit que les serpents portent malheur, ce qui est complètement idiot, bien sûr.

Mortola tendit le deuxième serpent à Basta. Quand la vipère ouvrit sa gueule, Meggie aperçut ses crochets minuscules. Un instant, elle eut presque pitié de Basta.

— Alors, qu'en dis-tu? N'est-ce pas une bonne cachette? demanda la pie en mettant une troisième fois la main dans le coffret.

Cette fois-ci, elle en sortit un livre.

Même si elle n'avait pas reconnu la couverture colorée, Meggie aurait su de quel livre il s'agissait.

— J'ai souvent rangé des objets précieux dans ce coffret, poursuivit Mortola. Personne ne connaît son existence, excepté Basta et Capricorne. La pauvre Resa a cherché le livre dans de nombreuses pièces, elle est courageuse, mais elle n'a pas trouvé le coffret. Ce ne sont pas les serpents qui l'auraient effrayée, je ne connais personne qui en ait si peu peur, bien qu'elle se soit déjà fait mordre. N'est-ce pas, Basta ?

La pie enleva son gant en lui lançant un regard moqueur.

— Basta s'amuse à faire peur aux femmes qui le repoussent avec des serpents. Avec Resa, il n'a pas eu de succès. Que s'est-il passé au juste ? Elle les a mis devant ta porte, non ?

Basta ne répondit pas. Les serpents continuaient de s'entortiller autour de ses mains. L'un d'eux avait même enroulé sa queue autour de son bras.

— Repose-les, lui ordonna la pie. Mais fais attention.

Puis elle retourna s'asseoir dans son fauteuil avec le livre.

— Assieds-toi, dit-elle à Meggie en montrant du doigt le tabouret qui était à côté du fauteuil.

Meggie obéit. Discrètement, elle regarda autour d'elle. La chambre de Mortola lui apparut comme un coffre au trésor rempli à ras bord. Il y avait trop de tout : trop de chandeliers en or, de lampes, de tapis, de tableaux, de vases, de figurines en porcelaine, de fleurs en soie, de petites cloches dorées.

La pie la regarda d'un air narquois. Dans sa robe noire défraîchie, elle ressemblait à un coucou qui se serait glissé dans le nid d'un autre oiseau.

— Une chambre somptueuse pour une servante, n'est-ce pas ?

fit-elle observer d'un air satisfait. Capricorne sait ce que je repré-
sente pour lui.

— Il te fait habiter dans la cave, répliqua Meggie, alors que tu
es sa mère.

Pourquoi ne peut-on pas ravaler ses mots, les rattraper et
les remettre vite dans sa bouche ? La pie la regarda avec tant de
haine que Meggie crut déjà sentir ses doigts noueux autour de
son cou. Mais Mortola ne bougea pas, elle se contenta de la fixer
de ses yeux d'oiseau.

— Qui t'a raconté cela ? Le vieux sorcier ?

Meggie serra les lèvres et se tourna vers Basta. Il n'avait probablement rien entendu, il était en train de remettre le deuxième
serpent dans le coffret. Connaissait-il le petit secret de Capricorne ? Avant qu'elle ait eu le temps de réfléchir à la question,
Mortola lui posa le livre sur les genoux.

— Un seul mot là-dessus à qui que ce soit, ici ou ailleurs, siffla-t-elle entre ses dents, et je préparerai personnellement ton
prochain repas. Un peu de concentré d'aconit, quelques pointes d'if ou peut-être quelques graines de ciguë dans la sauce, tu
aimerais ? Crois-moi, cela ne te réussirait pas du tout. Et maintenant, lis.

Meggie regarda fixement le livre sur ses genoux. Quand
Capricorne l'avait brandi dans l'église, elle n'avait pas pu distinguer l'image sur la couverture. Maintenant, elle avait l'occasion
de la voir de près. À l'arrière-plan, il y avait un paysage qui était
comme une reproduction légèrement différente des collines
autour du village de Capricorne. Mais au premier plan se détachait un cœur, un cœur noir entouré de flammes rouges.

— Eh bien, ouvre-le ! ordonna Mortola.

Meggie obéit et l'ouvrit à la page qui commençait par le *N*, le *N* sur lequel était assise la martre à cornes. Combien de temps s'était-il écoulé depuis que, dans la bibliothèque d'Elinor, elle l'avait contemplée ? Une éternité, une vie entière ?

— Ce n'est pas la bonne page. Continue à feuilleter ! ordonna la pie. Jusqu'à ce que tu arrives à celle dont le coin est plié.

Meggie s'exécuta sans rien dire. Sur cette page-là, il n'y avait pas d'illustration, sur celle d'en face non plus. Sans réfléchir, elle redressa le coin plié avec l'ongle de son pouce. Mo détestait que les pages soient cornées.

— Qu'est-ce que tu fais ? Tu veux que je ne retrouve plus le passage ? demanda la pie, moqueuse. Commence au deuxième paragraphe, mais fais attention de ne pas lire fort. Je n'ai pas envie de voir apparaître l'Ombre dans ma chambre.

— Jusqu'où dois-je lire ? Jusqu'où devrai-je lire ce soir ?

— Qu'est-ce que j'en sais, moi ?

Mortola se pencha en avant et se frotta la jambe gauche.

— Combien de temps te faut-il d'habitude pour les faire apparaître, tes fées, tes soldats de plomb et que sais-je encore ?

Meggie baissa la tête. Pauvre fée Clochette.

— Ça dépend, murmura-t-elle. C'est très variable. Parfois ça arrive vite, parfois il faut lire beaucoup de pages et, d'autres fois, il ne se passe rien du tout.

— Eh bien, tu n'as qu'à lire le chapitre entier, ça devrait suffire ! Et je ne veux pas entendre parler de ton « rien du tout » !

Mortola se frotta l'autre jambe. Elle portait des bandages qu'on distinguait à travers ses bas foncés.

— Qu'est-ce que tu as à me regarder comme ça ? lança-t-elle à Meggie. Tu ferais mieux de me faire surgir un remède contre

ça. Une petite sorcière comme toi connaît peut-être une histoire qui contient un remède contre l'âge et la mort ?

— Non, murmura Meggie.

— Alors, arrête de me fixer avec cet air idiot, occupe-toi
plutôt de ton livre. Observe bien chaque mot. Ce soir, je ne
veux pas t'entendre bafouiller, bégayer ou écorcher un mot,
compris ? Cette fois, Capricorne doit avoir exactement ce qu'il
veut. J'y veillerai.

Meggie effleura du regard les lettres sur la page. Elle ne
comprit pas un mot de ce qu'elle lut. Elle ne pouvait penser
qu'à Mo et aux coups de feu qu'elle avait entendus dans la
nuit. Mais elle fit semblant de lire plus, toujours plus tandis
que Mortola ne la quittait pas des yeux. Puis elle leva la tête et
referma le livre.

— Voilà, déclara-t-elle, j'ai fini.

— Déjà ?

La pie la scruta d'un air sceptique.

Meggie ne répondit pas. Elle regardait Basta. L'air blasé, il
s'appuyait contre le fauteuil de Mortola.

— Je ne vais pas lire ce soir, dit-elle. Vous avez tué mon père,
cette nuit. Basta me l'a dit. Je ne lirai pas un seul mot.

La pie se tourna vers Basta.

— Qu'est-ce que c'est que cette histoire ? demanda-t-elle,
furieuse. Tu crois que la petite lira mieux si tu lui brises le
cœur ? Avoue-lui que vous l'avez raté, et dépêche-toi.

Basta baissa les yeux, comme un enfant que sa mère aurait
surpris à jouer un mauvais tour.

— Je te l'ai déjà dit, maugréa-t-il — enfin, presque —, Cockerell
ne sait pas viser. Ton père n'a même pas une égratignure.

Soulagée, Meggie ferma les yeux. Elle fut soudain envahie d'une merveilleuse sensation de chaleur. Tout était bien, et ce qui ne l'était pas allait le devenir.

Le bonheur lui donna de l'audace.

— Il y a encore une chose ! reprit-elle.

Pourquoi aurait-elle peur ? Ils avaient besoin d'elle. Elle était la seule à pouvoir faire sortir l'Ombre du livre, personne d'autre ne le pouvait, excepté Mo, qu'ils n'avaient toujours pas attrapé. Et ils ne l'attraperaient jamais, jamais.

— Quoi encore ?

La pie lissa ses cheveux tirés en arrière en un chignon sévère. Comment pouvait-elle bien être autrefois, quand elle avait l'âge de Meggie ? Avait-elle déjà des lèvres si minces ?

— Je ne lirai que si on m'autorise à voir Doigt de Poussière une dernière fois. Avant qu'il…

Elle n'acheva pas sa phrase.

— Pour quoi faire ?

« Parce que je veux lui dire que nous allons essayer de le sauver, pensa Meggie, et parce que je crois que ma mère est avec lui » mais, bien sûr, elle le garda pour elle.

— Je veux lui dire que je suis désolée, répondit-elle, car enfin, il nous avait aidés.

Mortola fit une moue moqueuse.

— Que c'est touchant ! lança-t-elle.

« Je veux simplement la voir de près, pensa Meggie. Peut-être que ce n'est pas elle. Peut-être… »

— Et si je dis non ?

La pie l'observait comme un chat qui joue avec une jeune souris sans expérience.

Mais Meggie s'attendait à la question.

— Alors, je me mordrai la langue ! prévint-elle. Je la mordrai si fort qu'elle enflera et que ce soir je ne pourrai pas lire.

La pie se renversa dans son fauteuil et se mit à rire.

— Tu as entendu, Basta ? Elle n'est pas bête, cette petite.

Basta se contenta de hocher la tête.

Mortola prit un air presque bienveillant.

— Je vais te dire une chose : je vais exaucer ton petit souhait ridicule. Mais à propos de la lecture de ce soir, je veux que tu jettes un œil sur mes photos.

Meggie regarda autour d'elle.

— Observe-les bien. Tu vois tous ces visages ? Chacun d'entre eux était un ennemi de Capricorne et on n'a plus jamais entendu parler d'eux. Les maisons que tu vois sur les photos n'existent plus, pas une seule, le feu les a toutes dévorées. Pense aux photos quand tu liras ce soir, petite sorcière. Si jamais tu bafouilles, s'il te prend l'envie idiote de te taire, alors ton visage figurera bientôt dans un joli cadre en or comme ceux-là. Mais si tu fais bien ce que tu as à faire, nous te laisserons aller retrouver ton père. Lis comme un ange ce soir et tu le reverras ! On m'a raconté que sa voix métamorphosait chaque mot en velours et en soie, en chair et en os. Tu vas lire comme lui, sans trembler ni bégayer comme cet idiot de Darius. Tu as compris ?

Meggie la regarda.

— J'ai compris ! dit-elle doucement, tout en sachant parfaitement que la pie mentait.

Ils ne la laisseraient jamais aller retrouver Mo. Il allait devoir venir la chercher.

49

LA FIERTÉ DE BASTA
ET LA RUSE DE DOIGT DE POUSSIÈRE

> — Je me demande toutefois si nous figurerons jamais dans les chansons ou les histoires. On est engagé dans une histoire à présent, naturellement ; je veux dire : mise en paroles, vous savez, pour être racontée au coin du feu ou lue dans un gros livre avec des lettres rouges et noires, bien des années plus tard. Et les gens diront : « Écoutons l'histoire de Frodon et de l'Anneau ! » Et ils diront : « Oui, c'est une de mes histoires favorites. »
>
> J. R. R. Tolkien, *Le Seigneur des Anneaux. Les Deux Tours*

Basta maugréa sans interruption en accompagnant Meggie jusqu'à l'église.

— Se mordre la langue ! Depuis quand la vieille se fait-elle avoir comme ça ? Et qui est-ce qui doit emmener cette petite effrontée dans la crypte ? Basta, bien sûr ! Je suis quoi, moi, ici ? La seule servante mâle ?

— La crypte ?

Meggie croyait que les prisonniers étaient toujours dans

les filets mais, quand ils entrèrent dans l'église, elle vit qu'ils n'étaient plus là. Basta la poussa rudement entre les colonnes.

— Oui, la crypte! grogna-t-il. C'est là qu'on met les morts et ceux qui le seront bientôt. Par là. Et dépêche-toi, j'ai mieux à faire aujourd'hui que de jouer la nounou de la demoiselle Langue Magique.

L'escalier qu'il désignait était raide et sombre. Les marches étaient usées et si inégales qu'à chaque pas Meggie trébuchait. Il faisait si noir qu'elle ne remarqua même pas qu'elle était arrivée en bas. Elle cherchait du pied la marche suivante quand Basta la poussa sans ménagement en avant.

— Qu'est-ce qui se passe encore, bon sang? l'entendit-elle jurer. Pourquoi cette maudite lanterne est-elle encore éteinte?

Il craqua une allumette et son visage apparut dans l'obscurité.

— De la visite pour toi, Doigt de Poussière! annonça-t-il, moqueur, tout en rallumant la lanterne. La fifille de Langue Magique veut te faire ses adieux. Son père t'a fait venir dans ce monde et, ce soir, sa fille va t'en faire sortir. S'il ne tenait qu'à moi, je ne l'aurais pas laissée venir ici, mais sur ses vieux jours, la pie se laisse attendrir. La petite a l'air de vraiment bien t'aimer. Ce ne doit pas être à cause de ton joli visage, hein?

Entre les murs humides, le rire de Basta résonna de manière sinistre.

Meggie s'approcha de la grille derrière laquelle se trouvait Doigt de Poussière. Elle lui lança un bref coup d'œil puis elle regarda par-dessus son épaule. La servante de Capricorne était assise sur un sarcophage de pierre. La lanterne que Basta avait allumée n'éclairait pas beaucoup mais cela lui suffit pour reconnaître son visage. C'était bien celui qui était sur la photo de Mo. Seuls les cheveux qui l'encadraient étaient plus foncés et, sur ce visage-là, il n'y avait pas l'ombre d'un sourire.

Quand Meggie s'approcha de la grille, sa mère leva la tête et la regarda fixement, comme s'il n'y avait plus rien d'autre au monde qu'elle.

— Mortola l'a laissée venir ici ? s'étonna Doigt de Poussière. Incroyable !

— La petite a menacé de se mordre la langue.

Basta était toujours dans l'escalier et jouait avec la patte de lapin qu'il avait au cou comme porte-bonheur.

— Je voulais m'excuser auprès de toi.

Meggie prononça ces mots à l'intention de Doigt de Poussière, mais en observant sa mère toujours assise sur le sarcophage.

— Pourquoi ?

Doigt de Poussière avait son sourire énigmatique.

— Pour ce soir. Parce que je vais lire.

Comment pouvait-elle leur raconter le plan de Fenoglio ? Comment ?

— Bon, maintenant, tu t'es excusée ! s'exclama Basta, impatient. Viens, l'air humide risque d'abîmer ta petite voix.

Mais Meggie ne se retourna pas. Elle serra les barreaux de la grille aussi fort qu'elle put.

— Non, dit-elle, je veux rester encore.

Peut-être que lui viendraient à l'esprit des phrases en apparence anodines…

— J'ai encore fait surgir quelque chose d'un livre, annonça-t-elle à Doigt de Poussière. Un soldat de plomb.

— Ah !

Il sourit de nouveau. Mais cette fois, curieusement, son sourire n'était ni énigmatique ni arrogant.

— Eh bien, comme ça, ce soir, tout ira bien, n'est-ce pas ?

Il la regardait d'un air songeur et Meggie essaya de lui expliquer avec les yeux : « Nous allons vous sauver. Les choses ne vont pas du tout se passer comme s'y attend Capricorne. Croyez-moi ! »

Doigt de Poussière la fixait intensément. Il essayait de comprendre. Il leva les sourcils d'un air interrogateur. Puis il s'adressa à Basta :

— Hé, Basta ! Comment va la fée ? Vit-elle encore ou n'a-t-elle pu survivre à ta présence ?

Meggie vit que sa mère se rapprochait, d'un pas hésitant, comme si elle marchait sur des éclats de verre.

— Elle est toujours vivante ! répondit Basta, grincheux. Elle fait tinter sa clochette et on ne ferme pas l'œil de la nuit. Si ça continue, je vais demander à Nez Aplati de lui tordre le cou, comme il le fait aux pigeons qui font leurs crottes sur sa voiture.

Meggie vit sa mère tirer un morceau de papier de sa poche et le glisser discrètement dans la main de Doigt de Poussière.

— Ça vous vaudrait au moins dix ans de malheur à tous les deux, l'avertit Doigt de Poussière. Crois-moi. Tu sais qu'avec les fées, je m'y connais. Hé, fais attention, derrière toi !

Basta sursauta comme si quelque chose l'avait mordu dans le cou.

Rapide comme l'éclair, Doigt de Poussière passa la main à travers la grille et glissa le papier dans la main de Meggie.

— Sacré nom d'un chien ! jura Basta. Ne recommence jamais ça, compris ? (Il s'était retourné juste au moment où les doigts de

Meggie se refermaient sur le message.) Un morceau de papier! Voyons un peu ça!

Meggie essaya vainement de garder la main fermée mais Basta n'eut guère de mal à écarter ses doigts. Il scruta, perplexe, les lettres minuscules que sa mère avait écrites.

— Lis! ordonna Basta d'un ton menaçant, à moins que tu ne préfères que je ne grave sur ton visage un joli petit motif comme sur celui de ton ami.

— Lis-le-lui, Meggie! dit Doigt de Poussière. Ce bâtard sait parfaitement que je ferais n'importe quoi pour une bonne gorgée de vin.

— Du vin! s'esclaffa Basta. Tu veux que la petite te procure du vin? Et comment veux-tu qu'elle fasse?

Meggie ne pouvait détacher ses yeux du papier. Chaque mot s'inscrivit en elle, jusqu'à ce qu'elle les sache tous par cœur. *Neuf ans, c'est long. J'ai fêté tous tes anniversaires. Tu es encore plus jolie que je m'imaginais.*

Elle entendit Basta rire.

— Oui, ça te ressemble bien, Doigt de Poussière, admit-il. Tu crois que tu vas pouvoir noyer ta peur dans le vin? Mais un tonneau entier n'y suffirait pas.

Doigt de Poussière haussa les épaules.

— Ça valait le coup d'essayer.

Peut-être qu'en disant cela, il eut l'air trop sûr de lui. Basta fronça les sourcils et contempla d'un air méfiant le visage balafré.

— D'un autre côté, reprit-il lentement, tu as toujours été un roublard. Et pour une bouteille de vin, il y a beaucoup de mots, non? Qu'en penses-tu, mignonne?

Il mit le papier sous le nez de Meggie.

— Alors, tu me le lis ou tu veux que je le fasse lire à Mortola ?

Meggie s'en empara en un éclair sous les yeux de Basta qui regarda sa main vide, médusé.

— Rends-moi ça, petite garce ! grogna-t-il. Rends-moi le papier avant que je ne vienne le chercher avec mon couteau.

Mais Meggie recula jusqu'à ce qu'elle heurte la grille.

— Non ! s'écria-t-elle en s'accrochant d'une main aux barreaux et en passant le papier à travers avec l'autre.

Doigt de Poussière comprit tout de suite. Elle sentit qu'il le lui prenait.

Basta la frappa au visage, si violemment que sa tête cogna contre la grille. Une main lui caressa les cheveux et, quand elle se retourna, à demi étourdie, elle vit sa mère. « Il va s'apercevoir, pensa-t-elle. Il va tout découvrir. » Mais Basta n'avait d'yeux que pour Doigt de Poussière qui, derrière la grille, jouait avec le morceau de papier et le narguait.

— Alors, dit-il en reculant d'un pas. Oseras-tu entrer ou préfères-tu continuer à frapper la petite ?

Basta restait immobile, comme un enfant qui aurait brusquement reçu une gifle. Puis il attrapa Meggie par le bras et la tira vers lui. Elle sentit du métal froid contre son cou. Elle n'avait pas besoin de regarder pour savoir ce que c'était. Sa mère poussa un cri et attrapa la main de Doigt de Poussière mais celui-ci brandit le papier plus haut encore.

— Je le savais ! s'exclama-t-il. Tu es un lâche, Basta. Tu préfères menacer une enfant avec ton couteau plutôt que d'oser entrer ici. Bien sûr, si Nez Aplati était avec toi, avec sa carrure et ses gros poings... mais il n'est pas là. Allez, viens ! Tu as un couteau ! Et moi, je n'ai que mes mains, et tu sais que j'ai horreur de m'en servir pour me battre.

Meggie sentit que Basta relâchait son emprise. La lame ne se pressait plus contre sa peau. Elle tâta son cou. Elle s'attendait presque à sentir couler du sang chaud, mais il n'y avait rien.

Basta la repoussa avec tant de violence qu'elle trébucha et atterrit sur le sol humide et froid. Puis il fouilla sa poche de pantalon et en sortit un trousseau de clés. La colère le faisait souffler comme un homme qui a couru longtemps et trop vite. D'une main tremblante, il mit une clé dans la serrure de la cellule.

Doigt de Poussière l'observait d'un air impassible. Il fit signe à la mère de Meggie de s'écarter de la grille et recula à son tour, souple comme un danseur. La peur ne se lisait pas sur son visage, ses balafres semblaient encore plus sombres que d'habitude.

— Ça veut dire quoi ? dit-il lorsque Basta entra dans la cellule en brandissant son couteau vers lui. Range ça. Si tu me tuais, tu gâcherais tout le plaisir de Capricorne. Il ne te le pardonnerait jamais.

Il avait peur, sans aucun doute, Meggie l'entendit au son de sa voix, les mots sortaient trop vite de sa bouche.

— Qui parle de te tuer ? grogna Basta en refermant la porte de la cellule derrière lui.

Doigt de Poussière recula jusqu'au sarcophage de pierre.

— Ah ! Tu veux me faire de nouvelles décorations sur le visage ? (Il chuchotait presque. Il y avait maintenant autre chose dans sa voix, de la haine, du dégoût, de la colère.) Ne t'imagine pas que, cette fois, ce serait si facile, dit-il à voix basse, j'ai appris quelques astuces depuis.

— Ah bon ? (Basta était environ à un pas de lui.) On peut savoir quoi ? Ton ami le feu n'est plus là pour t'aider. Tu n'as même pas ta martre puante.

— Je pensais plutôt à des mots.

Il posa la main sur le sarcophage.

— Je ne t'ai pas dit ? Les fées m'ont appris comment maudire quelqu'un. Elles ont eu pitié de mon visage balafré et savaient que j'étais incapable de me défendre. Je te maudis, Basta, par les os du mort qui repose dans ce sarcophage. Je parie qu'il y a belle lurette qu'il n'y a plus de prêtres dedans, mais un des hommes que vous avez fait disparaître, je me trompe ?

Basta ne répondit pas, mais son silence en disait long.

— Oui, bien sûr. Un vieux cercueil est une cachette formidable.

Doigt de Poussière caressa le couvercle fissuré comme s'il voulait rappeler le mort à la vie par la chaleur de sa main.

— Que son esprit te hante, Basta ! dit-il d'une voix solennelle, qu'il te murmure mon nom à l'oreille à chaque pas que tu feras…

Meggie vit Basta toucher sa patte de lapin.

— Cette chose-là ne t'aidera pas, le prévint Doigt de Poussière, la main toujours sur le sarcophage. Pauvre Basta ! Tu commences à avoir chaud ? Tes membres se mettent à trembler ?

Basta dirigea la lame de son couteau sur Doigt de Poussière qui l'esquiva prestement.

— Donne-moi le papier qu'elle t'a fait passer !

Basta lui criait presque à la figure mais Doigt de Poussière mit le papier dans sa poche de pantalon. Meggie était pétrifiée. Du coin de l'œil, elle vit sa mère tirer de la poche de sa robe une pierre grise à peine plus grosse qu'un œuf d'oiseau.

Doigt de Poussière passa les mains sur le couvercle du sarco-phage et les tendit vers Basta.

— Tu veux que je pose mes mains sur toi ? demanda-t-il. Tu sais ce qui se passe quand on touche un cercueil dans lequel repose quelqu'un qui a été assassiné ? Dis-moi, tu t'y connais dans ce genre de choses ?

Il fit de nouveau un pas de côté, comme un danseur qui tourne autour de son partenaire.

— Si tu essaies de me toucher, je coupe tes doigts puants ! Un par un, et ta langue avec, cria Basta, rouge de colère.

De nouveau, il tenta de l'atteindre avec son couteau. Sa lame fendit l'air mais Doigt de Poussière esquiva le coup. Il tournait autour de Basta de plus en plus vite, se penchait, s'avançait, reculait, mais soudain, dans cette danse effrénée, il se prit lui-même au piège. Derrière lui, il n'y avait plus que le mur dénudé et, à droite, la grille. Basta s'avança vers lui.

Au même moment, la mère de Meggie leva le bras. La pierre atteignit Basta à la tête. Stupéfait, il se retourna, la regarda, essaya de se rappeler qui elle était, et porta la main à sa tête ensanglantée. Meggie n'eut pas le temps de voir comment Doigt de Poussière s'y était pris mais, en un éclair, le couteau de Basta était en sa possession. Basta regarda la lame familière d'un air ébahi, comme s'il ne pouvait comprendre qu'elle le trahisse et se retourne contre lui.

— Alors, quel effet ça fait ?

Doigt de Poussière approcha doucement la pointe de la lame du ventre de Basta.

— Tu sens combien la chair est tendre ? Un corps est une chose bien vulnérable et tu ne peux pas t'en procurer un autre. Comment vous faites déjà, avec les chats et les écureuils ? Nez Aplati aime tant raconter ça…

— Je ne chasse pas les écureuils, répondit Basta d'une voix rauque.

Il essayait de ne pas regarder la lame qui était tout près de sa chemise d'un blanc éclatant.

— Ah oui, c'est vrai, je me souviens. Ça t'amusait moins que les autres.

Basta était très pâle. Le rouge de la colère avait disparu. La peur n'est pas rouge. La peur est livide comme le visage d'un mort.

— Que vas-tu faire ? demanda-t-il. (Il respirait avec difficulté, comme s'il allait étouffer.) Tu t'imagines que tu vas sortir vivant du village ? Ils vont vous abattre avant que vous ayez atteint la place.

— Je préfère encore ça à une rencontre avec l'Ombre, répliqua Doigt de Poussière. Et en plus, aucun d'entre vous ne sait particulièrement bien viser.

La mère de Meggie s'approcha de lui et fit mine d'écrire dans le vide. Doigt de Poussière mit la main dans sa poche et lui tendit le papier. Basta le suivit des yeux, comme s'il avait pu l'attirer jusqu'à lui rien qu'en le fixant. Resa écrivit quelque chose et rendit le papier à Doigt de Poussière. Il lut et fronça les sourcils.

— Attendre qu'il fasse sombre ? Non, je ne veux pas attendre. Mais peut-être vaut-il mieux que la petite reste là.

Il regarda Meggie.

— Capricorne ne lui fera rien. Elle est sa nouvelle Langue Magique et son père va bien finir par venir la chercher.

Il remit le papier dans sa poche et passa la lame du couteau le long des boutons de la chemise de Basta. Ils tintèrent au contact du métal.

— Va dans l'escalier, Resa, dit-il. Je m'occupe de lui et, après, nous allons traverser tranquillement la place, comme si nous étions n'importe quel couple d'amoureux.

Hésitante, Resa ouvrit la grille de la cellule. Elle la franchit et prit la main de Meggie. Ses doigts étaient froids et un peu rugueux, c'étaient les doigts d'une inconnue mais le visage était familier, même s'il était moins jeune et plus anxieux que sur la photo.

— Resa ! Nous ne pouvons pas l'emmener !

Doigt de Poussière attrapa le bras de **Basta** et le poussa le dos au mur.

— Son père me tuera si jamais ils lui tirent dessus dehors. Et maintenant, tourne-toi et mets ta main devant ses yeux, si tu ne veux pas qu'elle voie ça…

Le couteau tremblait dans sa main. Resa le regarda, horrifiée, elle secoua la tête énergiquement mais il fit mine de ne pas la voir.

— Il va falloir enfoncer fort, Doigt crasseux ! siffla Basta entre ses dents. Tuer n'est pas chose facile. Il faut s'entraîner pour le faire bien.

— Tu parles !

Doigt de Poussière lui mit le couteau sous la gorge, comme Basta avait fait à Mo dans l'église.

— N'importe quel idiot est capable de tuer. C'est facile, aussi facile que de jeter un livre dans le feu, de défoncer une porte ou de faire peur à un enfant.

Meggie se mit à trembler, elle ne savait même pas pourquoi. Sa mère pressa son visage contre sa poitrine et referma les bras autour d'elle. Meggie eut l'impression de reconnaître son odeur, comme quelque chose d'oublié depuis longtemps. Elle ferma les yeux et essaya de ne penser à rien, ni à Doigt de Poussière, ni au couteau, ni au visage livide de Basta. Pendant un instant affreux, elle n'eut qu'un seul désir, voir Basta allongé par terre, mort, immobile comme une poupée qu'on aurait jetée, un objet laid et idiot, dont on aurait eu un peu peur... Le couteau n'était plus qu'à quelques millimètres de la chemise blanche de Basta mais, soudain, Doigt de Poussière prit le trousseau de clés dans sa poche et fit un pas en arrière.

— Ah, tu as raison, je ne sais pas tuer, déclara-t-il en sortant à reculons de la cellule, et je ne vais pas apprendre pour toi.

Un sourire méprisant apparut sur le visage de Basta mais Doigt de Poussière ne s'en soucia pas. Il referma la grille, prit la main de Resa et l'entraîna dans l'escalier.

— Lâche-la! dit-il en voyant qu'elle serrait toujours la main de Meggie. Crois-moi, il ne lui arrivera rien, et nous ne pouvons pas l'emmener!

Mais Resa se contenta de secouer la tête et passa le bras autour des épaules de Meggie.

— Hé, Doigt de Poussière! s'écria Basta, je savais que tu ne le ferais pas. Rends-moi mon couteau. Tu ne peux rien en faire, de toute manière!

Doigt de Poussière ne l'écouta pas.

— Ils te tueront si tu restes, dit-il à Resa, sans lâcher sa main.

— Hé, là-haut, cria Basta, venez! Alerte! Les prisonniers veulent s'enfuir!

Affolée, Meggie regarda Doigt de Poussière.

— Pourquoi ne l'as-tu pas bâillonné ?

— Avec quoi, princesse ?

Resa attira Meggie contre elle et lui caressa les cheveux.

— Ils vont vous tirer dessus ! Vous ti-tirer dessus ! Tirer dessus-ssus !

Basta en bafouillait.

— Héééééé ! Aleeerte ! cria-t-il encore en secouant les barreaux.

En haut, des pas se firent entendre. Doigt de Poussière lança un dernier regard en direction de Resa. Puis il jura à voix basse et s'élança dans l'escalier délabré.

Meggie ne put entendre s'il ouvrait la porte du haut. Elle avait dans les oreilles les cris de Basta. Elle courut vers lui, désemparée, elle voulut le frapper à travers les barreaux, le frapper en pleine face. Elle entendit de nouveau des pas, des cris étouffés… Que devait-elle faire ? Quelqu'un descendait l'escalier avec fracas. Était-ce Doigt de Poussière qui revenait ? Mais ce n'était pas sa silhouette qui apparut soudain dans l'obscurité, c'était celle de Nez Aplati. Un autre homme de Capricorne descendait derrière lui. Il avait l'air jeune, un visage joufflu et imberbe, mais il braqua sans hésiter son fusil sur Meggie et sa mère.

— Hé, Basta ! Que fais-tu derrière les barreaux ? s'étonna Nez Aplati, éberlué.

— Ouvre, espèce d'idiot ! lui cria Basta. Doigt de Poussière s'est enfui.

— Doigt de Poussière ?

Nez Aplati s'essuya le front avec sa manche.

—Le garçon avait raison! Il est venu me dire qu'il avait vu le cracheur de feu derrière une colonne.

—Et tu ne l'as pas poursuivi? Tu es encore plus bête que tu en as l'air!

Basta appuyait son visage contre les barreaux comme s'il voulait passer à travers.

—Hé! Fais attention à ce que tu dis, compris?

Nez Aplati s'approcha de la grille et contempla Basta avec un plaisir non dissimulé.

—Comme ça, il t'a eu, une fois de plus, le Doigt crasseux. Ça ne va pas plaire à Capricorne.

—Envoie quelqu'un à ses trousses! hurla Basta. Ou je dirai à Capricorne que tu l'as laissé filer!

Nez Aplati tira un mouchoir de sa poche et se moucha bruyamment.

—Ah oui? Mais qui est derrière les barreaux, toi ou moi? Il n'ira pas loin. Sur le parking, il y a deux gardes, sur la place, il y en a encore trois, et sa tête est facile à reconnaître, grâce à toi, pas vrai?

Il se mit à rire et son rire ressemblait à un aboiement.

—Tu sais, je pourrais m'habituer à ce spectacle! Toi derrière des barreaux. Au moins, tu ne peux plus faire le malin et mettre ton couteau sous le nez des gens.

—Tu vas ouvrir à la fin! hurla Basta. Sinon, c'est ton affreux nez que je vais couper.

Nez Aplati croisa les bras.

—Je ne peux pas ouvrir, constata-t-il d'une voix lasse. Doigt crasseux a emporté la clé. À moins que tu ne la voies, toi, quelque part?

Il s'adressait au jeune garçon qui avait toujours son fusil braqué sur Meggie et sa mère. Ce dernier secoua la tête et un large rictus se dessina sur le visage démoli de Nez Aplati.

— Non, il ne la voit nulle part. Je vais être obligé d'aller trouver Mortola. Elle a peut-être un double.

— Arrête de ricaner, cria Basta, ou je te coupe les lèvres !

— Tiens donc ! Mais au fait, où est passé ton petit couteau ? Doigt de Poussière te l'aurait-il subtilisé une deuxième fois par hasard ? Si ça continue, il va pouvoir les collectionner.

Nez Aplati tourna le dos à Basta et désigna du doigt la cellule attenante.

— Enferme la femme là-dedans et surveille-la jusqu'à ce que je revienne, ordonna-t-il. Je vais d'abord ramener la petite Langue Magique.

Meggie se débattit quand il l'entraîna derrière lui, mais Nez Aplati la souleva et la mit sur son épaule.

— Dis-moi, qu'est-ce que la petite est venue faire ici ? demanda-t-il. Capricorne est au courant ?

— Demande à la pie, lança Basta rageusement.

— Je m'en garderai bien ! grommela Nez Aplati en s'engageant dans l'escalier avec Meggie.

Elle eut juste le temps de voir le garçon pousser sa mère dans l'autre cellule avec le canon de son fusil puis il n'y eut plus que les marches et l'église et la place poussiéreuse à travers laquelle Nez Aplati la porta comme un sac de pommes de terre.

— Espérons que ta petite voix soit moins légère que toi ! grogna-t-il en la déposant devant la chambre dans laquelle on l'avait enfermée avec Fenoglio. Sinon, tu risques de nous faire apparaître ce soir une Ombre un peu étriquée.

Meggie ne répondit pas.

Quand Nez Aplati ouvrit la porte, elle passa sans un mot devant Fenoglio, grimpa sur son lit et enfouit sa tête dans le pull-over de Mo.

50

PAS DE CHANCE POUR ELINOR

Après lui avoir décrit la position exacte du commissariat et lui avoir donné toutes les informations pour traverser le passage et ensuite dans la cour prendre les marches à droite et ôter son chapeau quand il entrerait dans le bureau, Charley Bates lui demanda de continuer tout seul et lui promit de l'attendre là où ils s'étaient séparés.

Charles Dickens, *Oliver Twist*

Elinor roula plus d'une heure avant de trouver un commissariat de police. La mer était encore loin mais les collines moins hautes et sur leurs versants poussait de la vigne au lieu de la végétation touffue et des arbres qui envahissaient celles entourant le village de Capricorne. Il faisait affreusement chaud, encore plus chaud que les jours précédents. Quand Elinor descendit de voiture, elle entendit au loin un grondement de tonnerre. Au-dessus des maisons, le ciel était encore bleu mais d'un bleu foncé, foncé comme l'eau profonde. Présage de malheur…

« Ne sois pas bête, Elinor ! pensa-t-elle en se dirigeant vers la maison au crépi jaune pâle qui abritait le commissariat de police.

Un orage va éclater, c'est tout, tu ne vas pas devenir supersti-
tieuse comme Basta?»

Elinor entra dans le petit bureau où se trouvaient deux agents
de police. Ils avaient accroché leur veste d'uniforme sur le dossier des chaises. Malgré le gros ventilateur qui tournait au plafond, l'air était si lourd qu'on aurait pu le mettre en bouteille.

Le plus jeune des deux était large d'épaules et avait un nez
de bouledogue. Il se mit à rire en entendant l'histoire qu'Elinor
lui racontait et il lui demanda si c'était le vin de la région qui
la rendait si rouge. Sans l'intervention de son collègue, elle se
serait jetée sur lui. Le deuxième était un grand type maigre au
regard mélancolique et aux cheveux bruns qui lui tombaient sur
le front.

— Arrête! lança-t-il à l'autre. Laisse-la au moins raconter son
histoire jusqu'au bout.

Il écouta d'un air impassible l'histoire du village de Capricorne et de ses hommes en noir, plissa le front quand elle parla
d'incendies et de coqs morts et haussa les sourcils quand elle
évoqua Meggie et l'exécution prévue pour le soir même. Bien
entendu, elle ne parla pas du livre ni de la manière dont cette
exécution devait se dérouler. Elle-même n'en aurait pas cru un
mot quinze jours plus tôt.

Quand elle eut fini son rapport, son interlocuteur resta un
moment silencieux. Il rangea ses crayons, rassembla quelques
papiers sur son bureau et la regarda enfin d'un air songeur.

— J'ai déjà entendu parler de ce village, dit-il.

— Bien sûr, railla l'autre, tout le monde en a entendu parler. Le village du diable, le village maudit que même les serpents
contournent. Les murs de l'église sont barbouillés de sang et

dans les rues patrouillent des hommes en noir qui sont en réalité les esprits des morts et ont du feu dans leurs poches. Il suffit de s'approcher d'eux pour se volatiliser. Pfuit!

Il frappa dans ses mains au-dessus de sa tête.

Elinor le regarda, glaciale. Son collègue sourit puis il se leva en soupirant, enfila maladroitement sa veste et fit signe à Elinor de le suivre.

— Je vais aller voir ça, décida-t-il.

— Si tu n'as rien de mieux à faire, lui lança l'autre en riant si fort qu'Elinor faillit faire demi-tour pour le renverser de sa chaise.

Peu après, elle se retrouva sur le siège du passager, dans une voiture de police. Devant elle serpentait la même route que celle qu'elle avait prise pour venir. «Mon Dieu, pourquoi ne suis-je pas venue les trouver plus tôt? se répétait-elle. Maintenant, tout va s'arranger, tout. Personne ne sera abattu ou exécuté. Meggie va retrouver son père et Mortimer sa fille. Oui, tout va s'arranger! Grâce à Elinor!» Elle aurait pu chanter, danser (même si elle n'était pas très douée pour la danse). Jamais encore elle n'avait été si contente d'elle. Plus personne ne viendrait lui dire qu'elle ne savait pas se débrouiller dans le monde réel.

À côté d'elle, le policier gardait le silence. Il se contentait de regarder la route, prenait les virages à une allure qui faisait battre plus fort le cœur d'Elinor, et tripotait de temps en temps, l'air absent, le lobe de son oreille droite. Il semblait connaître la route. Pas une seule fois il n'hésita à une bifurcation, jamais il ne se trompa de chemin. Elinor ne pouvait s'empêcher de penser au temps que Mo avait mis à trouver le village. Soudain, une pensée inquiétante lui traversa l'esprit.

— Ils sont assez nombreux! dit-elle d'une voix mal assurée. Ce Capricorne, il a beaucoup d'hommes. Et ils sont armés, même s'ils ne savent pas bien tirer. Vous auriez peut-être besoin de renfort?

C'était comme ça dans les films, ces films ridicules de bandits et de policiers. On demandait toujours du renfort.

Le policier passa la main dans ses cheveux clairsemés et hocha la tête comme s'il y avait aussi pensé.

— Bien sûr! dit-il d'un air absent en s'emparant de son émetteur radio. Du renfort ne peut pas faire de mal, mais vous devrez rester en dehors de tout ça. Car enfin, il s'agit seulement de poser quelques questions.

Par radio, il demanda cinq hommes. Ce n'était pas beaucoup, comparé aux vestes noires de Capricorne, pensa Elinor, mais c'était mieux que rien — en tout cas mieux qu'un père désespéré, un jeune Arabe et une collectionneuse de livres obèse.

— Le voilà! s'écria-t-elle quand le village de Capricorne apparut dans le lointain, gris et quelconque au milieu de toute cette verdure.

— Oui, c'est bien ce que je pensais! répondit le policier.

Et il se tut. Lorsqu'il fit un signe de tête au garde sur le parking, Elinor ne voulut rien y voir d'anormal. Mais quand il la conduisit devant Capricorne, dans l'église peinte en rouge et qu'il la lui remit comme une chose qu'il aurait trouvée et qui revenait maintenant à son propriétaire, elle dut bien admettre... que cela n'augurait rien de bon. Que tout était perdu et qu'elle avait été bête, bien bête.

— Elle raconte de méchantes choses sur vous, déclara le policier.

Il évitait de la regarder.

— Elle parle d'enlèvement d'enfant. Ce n'est pas tout à fait la même chose qu'un incendie…

— Ce sont des bêtises ! répondit Capricorne d'un air las. J'aime les enfants — pas de trop près, il est vrai. Sinon, ils dérangent dans les affaires.

Le policier acquiesça et contempla ses mains d'un air malheureux.

— Elle a aussi parlé d'une exécution…

— Vraiment ? s'exclama Capricorne en regardant Elinor comme s'il n'en revenait pas de tant d'imagination. Mais toi, tu sais bien que je n'ai pas besoin de ça. Les gens font ce que je dis sans que j'aie recours à de telles mesures.

— Bien sûr, murmura le policier, bien sûr.

Il était très pressé de s'en aller. Quand on entendit ses pas rapides et saccadés s'éloigner, Cockerell, qui était resté assis sur les marches pendant toute la scène, se mit à rire.

— Il a trois jeunes enfants, n'est-ce pas ? Oui, on devrait obliger tous les policiers à avoir de jeunes enfants. Avec celui-là, ça a été particulièrement facile, il a suffi que Basta se poste deux fois devant l'école. Faut-il par précaution faire encore une visite chez lui ? Pour lui rafraîchir la mémoire ?

Il regarda Capricorne d'un air interrogatif, mais ce dernier secoua la tête.

— Non, je pense que ce n'est pas la peine ! Réfléchissons plutôt à ce que nous allons faire de notre invitée. Qu'est-ce qu'on fait avec des gens qui racontent de si vilaines histoires sur nous ?

Quand ses yeux délavés se posèrent sur elle, Elinor sentit ses jambes flageoler. « Si Mortimer me proposait maintenant de me faire entrer dans un livre, pensa-t-elle, j'accepterais ! Et je ne ferais pas la difficile. »

Derrière elle se tenaient trois ou quatre Vestes Noires, il ne fallait pas songer à s'enfuir. « Maintenant, il ne te reste plus qu'à accepter ton sort avec dignité, Elinor ! » pensa-t-elle.

Mais c'est une chose qui est plus facile à lire dans les livres qu'à faire dans la vie.

— La crypte ? Pourquoi pas ? Il faut bien se débarrasser d'elle. Sinon, qui sait qui elle est encore capable de nous ramener ici !

Capricorne dissimula un bâillement derrière sa main.

— Comme ça, ce soir, l'Ombre aura encore plus à faire. Ça lui plaira.

Elinor voulut dire quelque chose, quelque chose d'audacieux, d'héroïque mais elle avait la langue lourde, comme anesthésiée. Cockerell l'entraînait déjà à sa suite quand Capricorne le rappela.

— J'ai complètement oublié de lui demander ce qu'était devenu Langue Magique ! s'écria-t-il. Demande-lui si elle sait par hasard où il se trouve.

— Allez, raconte ! gronda Cockerell en l'attrapant par le cou comme s'il voulait la secouer et en faire sortir ainsi des mots. Où est-il ?

Elinor serra les lèvres. « Vite, Elinor, vite, une bonne réponse ! » pensa-t-elle. Et soudain, sa langue se réveilla.

— Que me demandes-tu là ? lança-t-elle à Capricorne qui était toujours dans son fauteuil, très pâle, comme s'il avait été lavé trop souvent, ou décoloré par le soleil torride de la place. Tu connais la réponse mieux que quiconque. Il est mort. Tes hommes l'ont abattu, lui et le garçon.

« Regarde-le, Elinor ! se dit-elle. Droit dans les yeux, comme tu faisais jadis avec ton père quand il te surprenait avec un livre qu'il n'aimait pas. Quelques larmes ne seraient pas mal non plus. Allez, pense à tes livres, à tous tes livres calcinés ! Pense à la nuit dernière, à la peur, au désespoir — et si ça ne suffit pas, pince-toi. »

Capricorne l'observait, songeur.

— Qu'est-ce que je disais ? s'exclama Cockerell, je savais bien que nous les avions eus.

Elinor regardait toujours Capricorne qui disparut derrière le voile de ses fausses larmes.

— Nous verrons bien, reprit-il lentement. De toute façon, mes hommes cherchent dans les collines un prisonnier évadé. Je suppose que tu ne me diras pas où je dois chercher les deux corps ?

— Je les ai enterrés et je ne vous dirai sûrement pas où.

Elinor sentit une larme couler le long de ses narines. « Par toutes les lettres du monde, pensa-t-elle, tu as raté ta vocation de comédienne, Elinor. »

— Enterrés, tiens donc.

Capricorne jouait avec les bagues de sa main gauche. Il en portait trois qu'il remettait en place, les sourcils froncés, comme si elles avaient bougé sans son autorisation.

— C'est pour ça que je suis allée trouver la police ! poursuivit Elinor. Pour les venger, eux et mes livres.

Cockerell se mit à rire.

— Tes livres au moins, tu n'as pas eu besoin de les enterrer, pas vrai ? Ils ont bien brûlé, comme le meilleur bois. Et leurs pages tremblaient comme de petits doigts.

Il leva la main et fit le geste d'imiter les pages. Elinor le frappa au visage, de toutes ses forces, et elle n'en manquait pas. Le sang jaillit du nez de Cockerell. Il l'essuya avec la main et le regarda comme s'il était surpris que quelque chose d'aussi rouge puisse sortir de lui.

— Regarde-moi ça ! s'écria-t-il en montrant à Capricorne ses doigts tachés de sang. Tu verras qu'elle va donner plus de fil à retordre à l'Ombre que Basta.

Quand il l'entraîna, Elinor le suivit, la tête haute. Mais lorsqu'elle vit l'escalier qui, au bout de quelques marches raides, disparaissait dans un trou noir sans fond, elle perdit courage. La crypte, mais bien sûr, c'était le lieu réservé à ceux qui étaient voués à la mort. Elle en avait l'odeur, putride et humide, comme on s'imagine le parfum de la mort.

Quand Elinor aperçut la frêle silhouette de Basta derrière les barreaux, elle n'en crut pas ses yeux. Elle pensait avoir mal compris la dernière phrase de Cockerell, mais si, il était bien là. Basta, enfermé comme un animal dans une cage, avec dans les yeux la même peur, le même désespoir. Leur arrivée ne réussit pas à le distraire. Il semblait ne pas les voir, comme s'ils étaient transparents, elle et Cockerell, comme s'ils étaient deux de ces esprits dont il avait si peur.

— Que fait-il là ? demanda Elinor. Vous vous enfermez mutuellement, maintenant ?

Cockerell haussa les épaules.

— Je lui dis ? demanda-t-il à Basta, mais il n'obtint pour toute réponse que ce même regard vide. Eh bien, il a commencé par laisser s'échapper Langue Magique et ensuite Doigt de Poussière. C'est comme ça qu'on perd sa cote auprès du patron, même quand on se prend pour son protégé.

Il regardait Basta avec un sourire mauvais.

«Madame Loredan, il va être temps de penser à votre testament! songea Elinor tandis que Cockerell la poussait plus loin. Si maintenant Capricorne fait exécuter son chien le plus fidèle, avec vous, il n'hésitera pas.»

— Hé, tu pourrais faire une autre tête! lança Cockerell à Basta tout en sortant son trousseau de clés de sa poche. Tu vas désormais avoir la compagnie de deux femmes.

Basta appuya son front contre la grille.

— Vous n'avez toujours pas rattrapé le bouffeur de feu? demanda-t-il d'une voix sourde.

On aurait dit qu'il avait une extinction de voix.

— Non, mais la grosse, là, prétend que nous avons eu Langue Magique. Il paraît qu'il est bien mort. Apparemment, cette fois, Nez Aplati a bien visé. Il faut dire qu'il s'était entraîné avec les chats.

Derrière la grille que Cockerell ouvrit pour Elinor, quelque chose bougea. Une femme était assise dans l'obscurité, le dos appuyé contre ce qui ressemblait à un sarcophage. D'abord, Elinor ne put distinguer son visage. Puis la femme releva la tête.

— De la compagnie pour toi, Resa! lança Cockerell en poussant Elinor à l'intérieur. Vous allez pouvoir bavarder un peu!

Dans un éclat de rire sonore, il s'éloigna.

Elinor ne sut d'abord pas si elle devait rire ou pleurer. Elle aurait bien aimé retrouver sa nièce préférée en un autre lieu.

51

DE JUSTESSE

— Je ne sais pas ce que c'est, répondit Fiver, malheureux.
Pour le moment, il n'y a pas de danger ici, mais il vient, il
vient.

Richard Adams, *Les Garennes de Watership Down*

Ils étaient en train de préparer les torches quand Farid entendit
des pas. Elles devaient être encore plus serrées et plus grandes
que celles qu'utilisait Doigt de Poussière pour sa représentation.
Car il fallait qu'elles brûlent longtemps. Il avait coupé les cheveux de Langue Magique, avec le couteau que Doigt de Poussière
lui avait offert. Ils étaient maintenant en brosse, ce qui changeait
au moins un peu son apparence. Farid lui avait montré avec
quelle terre il devait se frotter le visage pour que sa peau paraisse
plus sombre. Cette fois, personne ne devait le reconnaître, en
aucun cas — c'est alors qu'il entendit les pas. Et des voix : une
voix qui grondait et une autre qui riait et criait quelque chose.
Elles étaient encore trop loin pour qu'on puisse comprendre les
mots.

Langue Magique rassembla les torches, Gwin essaya de mordre les doigts de Farid quand celui-ci la fit entrer sans ménagement dans le sac à dos.

— Où pouvons-nous aller, Farid ? Où ? chuchota Langue Magique.

— Je sais !

Farid lança le sac sur son dos et l'entraîna à sa suite vers des vestiges de murs calcinés. Il grimpa sur les pierres noires, sauta dans l'herbe derrière un mur et s'accroupit.

Il poussa une plaque de métal déformée par le feu et recouverte d'alysses. Les minuscules petites fleurs blanches faisaient comme une couche de neige sur la tôle. Farid avait découvert cette plaque en sautant dessus par hasard, durant les longues heures qu'il avait passées ici avec Doigt de Poussière. Pour dissiper le silence et l'ennui, il s'était amusé à sauter, du mur dans l'herbe, de l'herbe sur le mur, et c'est ainsi qu'il avait découvert le trou sous la plaque. Peut-être que cette petite cave souterraine n'avait été à l'origine qu'un endroit pour conserver les provisions périssables, mais elle avait aussi servi de cachette, au moins une fois…

Langue Magique sursauta en apercevant le squelette dans l'obscurité. C'était un petit squelette, à peine de la taille d'un adulte. Recroquevillé sur lui-même, il dégageait une impression de paix, comme s'il était en train de dormir. Peut-être que Farid n'avait justement pas peur parce que le lieu était paisible. Si jamais il y avait un esprit dans ce trou, il était persuadé que ce ne pouvait être qu'un esprit triste et inoffensif dont on n'avait pas de raison d'avoir peur.

Quand Farid remit la plaque au-dessus d'eux, ils se trouvèrent à l'étroit. Langue Magique était grand, presque trop grand pour l'endroit, mais sa présence était rassurante, même si son cœur battait aussi fort que celui de Farid. Ils étaient accroupis l'un à côté de l'autre, écoutant ce qui se passait au-dessus de leurs têtes, et Farid sentait chaque battement de son cœur.

Les voix se rapprochèrent, des voix indistinctes. La terre les étouffait comme si elles provenaient d'un autre monde. Un pied se posa sur la plaque et Farid enfonça ses ongles dans le bras de Langue Magique. Il ne le lâcha que lorsque, dehors, le silence fut revenu. Ils attendirent très longtemps avant de se fier à ce silence, si longtemps qu'une fois ou deux le jeune garçon tourna la tête, croyant voir le squelette bouger.

Mais lorsque Langue Magique se décida enfin à soulever la plaque et à regarder à l'extérieur, les visiteurs avaient bel et bien disparu. Il n'y avait plus que le chant inlassable des grillons et un oiseau sur le mur calciné qui, effrayé, s'envola.

Ils avaient tout emporté, leurs couvertures, le pull-over dans lequel Farid se glissait la nuit comme dans une coquille d'escargot, même le pansement taché de sang que Langue Magique lui avait noué autour du front la nuit où on leur avait tiré dessus.

— Qu'est-ce que ça peut faire ? dit Langue Magique lorsqu'ils se retrouvèrent près du foyer refroidi. Ce soir, nous n'aurons pas besoin de couvertures.

Il passa la main dans les cheveux noirs de Farid.

— Qu'est-ce que je deviendrais sans toi, qui sais comme personne te faufiler discrètement, attraper des lapins et trouver des cachettes, dit-il.

Farid regarda ses orteils et sourit.

52

UNE PETITE CHOSE SI FRAGILE

Comme elle exprimait l'espoir incertain que Clochette serait peut-être heureuse de la voir, il demanda :
— Qui est Clochette ?
— Oh, Peter ! répliqua-t-elle, choquée.
En dépit des explications de Wendy, il fut, encore une fois, incapable de se souvenir.
— Il y a tellement de fées, dit-il. C'est bien possible qu'elle n'existe plus.
Peut-être avait-il raison, car les fées ne vivent pas longtemps ; mais elles sont si petites que même un court laps de temps leur semble très long.

James M. Barrie, *Peter Pan*

Les hommes de Capricorne ne cherchaient pas Doigt de Poussière au bon endroit. Il n'avait même pas réussi à sortir du village. En fait, il n'avait même pas essayé. Doigt de Poussière était dans la maison de Basta.

Elle se trouvait dans une ruelle juste derrière celle de Capricorne, au milieu de maisons vides dans lesquelles ne se réfugiaient que des chats et des rats. Basta ne voulait pas de voisins, il ne voulait aucune autre compagnie que celle de Capricorne. Doigt de Poussière était sûr d'une chose : Basta aurait dormi sur le pas de sa porte si Capricorne l'y avait autorisé, mais aucun de ses hommes n'habitait dans la maison principale. Ils montaient la garde, c'est tout. Ils mangeaient dans l'église et dormaient dans les nombreuses maisons vides du village, c'était une règle immuable. La plupart d'entre eux changeaient constamment de maison, logeaient un jour dans l'une et, quand le toit n'était plus étanche, dans une autre. Seul Basta habitait toujours au même endroit, depuis le jour où il était arrivé au village. Doigt de Poussière supposait qu'il avait choisi cette maison parce que du millepertuis poussait sur le seuil. Car aucune plante n'était aussi réputée que celle-ci pour éloigner le mal — hormis le mal qui se nichait dans le cœur même de Basta.

Elle était bâtie en pierres grises, comme la plupart des maisons du village, avec des volets peints en noir que Basta n'ouvrait presque jamais et sur lesquels il avait barbouillé des signes qui, selon lui, étaient censés éloigner le malheur, comme les fleurs jaunes du millepertuis. Parfois, Doigt de Poussière pensait que, si Basta avait si peur des malédictions et des malheurs, c'est parce qu'il avait peur de la noirceur qui était en lui et en concluait que le reste du monde était semblable à lui.

Doigt de Poussière avait eu de la chance de pouvoir atteindre la maison de Basta. En sortant de l'église, il était tombé sur des hommes de Capricorne qui, naturellement, l'avaient tout de suite reconnu. Oui, Basta avait fait en sorte qu'on le reconnaisse, toujours et toujours. Leur stupéfaction lui avait juste laissé le temps de disparaître dans une des ruelles.

Heureusement, il connaissait tous les recoins de ce village

maudit. Il avait d'abord eu l'intention de se glisser jusqu'au parking et, de là, rejoindre les collines puis il avait pensé à la maison vide de Basta. Il s'était faufilé dans des trous de mur, dans des caves, s'était dissimulé derrière les parapets de balcon que personne n'utilisait jamais. Pour se cacher, il était fort. Même Gwin n'avait rien à lui apprendre et l'étrange curiosité qui l'avait toujours poussé à explorer les coins et recoins oubliés et cachés de tel ou tel endroit lui servait maintenant.

Quand il atteignit la maison de Basta, il était hors d'haleine. Basta était sans doute le seul dans le village qui fermât sa porte à clé, mais la serrure n'était pas un problème. Doigt de Poussière se cacha dans le grenier jusqu'à ce que les battements de son cœur se calment, bien que, là-haut, les poutres soient si pourries qu'il craignait à chaque pas de passer au travers. Dans la cuisine, il trouva de quoi se rassasier, la faim n'ayant cessé de tourmenter son estomac. Resa et lui n'avaient rien mangé depuis qu'on les avait mis dans les filets et ce fut pour lui un double plaisir de se remplir le ventre, en plus avec les provisions de Basta.

Quand il fut pratiquement repu, il entrouvrit un des volets pour pouvoir entendre si des pas approchaient, mais le seul bruit qui parvint à ses oreilles fut un tintement très faible, à peine perceptible. Il se souvint alors de la fée, la fée que Meggie avait fait surgir dans ce monde sans fées.

Il la trouva dans la chambre de Basta. Elle était simplement meublée d'un lit et d'une commode sur laquelle étaient soigneusement alignées des briques couvertes de suie. Le bruit courait dans le village que, chaque fois que Capricorne faisait flamber une maison, Basta en emportait une brique, malgré sa peur du feu. Apparemment, cette histoire était vraie. Sur une des briques se trouvait un pot en verre d'où émanait une faible lueur, à peine plus claire que celle produite par un ver luisant. La fée était au fond, roulée en boule comme une chrysalide. Basta avait mis une assiette sur le pot mais la petite chose fragile n'avait pas l'air d'avoir encore la force de s'envoler.

Quand il enleva l'assiette, la fée ne leva même pas la tête. Doigt de Poussière plongea la main dans la prison de verre et en sortit délicatement la petite créature. Ses membres étaient si frêles qu'il avait peur qu'ils ne se cassent entre ses doigts. Les fées qu'il avait connues étaient différentes, elles étaient plus petites mais plus robustes, avec une peau violette et quatre ailes brillantes. Celle-ci avait le même teint qu'un humain, elle était très pâle et ses ailes ne ressemblaient pas à celles d'une libellule mais plutôt à celles d'un papillon. Son mets préféré était-il le même que celui des autres fées qu'il connaissait ? Cela valait la peine d'essayer, elle avait l'air déjà à moitié morte.

Doigt de Poussière prit l'oreiller du lit de Basta, le mit sur la table de la cuisine reluisante (tout dans la maison de Basta était reluisant, propre comme sa chemise toujours d'un blanc éclatant) et déposa la fée dessus. Puis il versa du lait dans une soucoupe et la posa près de l'oreiller sur la table. La fée ouvrit immédiatement les yeux − concernant son odorat et son goût pour le lait, elle ne semblait guère se distinguer des fées qu'il connaissait. Il plongea un doigt dans le liquide et en laissa tomber une goutte sur les lèvres de la fée. Elle la lécha comme une chatte affamée. Doigt de Poussière fit tomber une goutte de lait après l'autre dans sa bouche jusqu'à ce qu'elle se redresse et se mette à battre faiblement des ailes. Son visage avait retrouvé quelques couleurs, mais il ne comprit pas un mot de ce qu'elle voulait dire avec le faible tintement qu'elle émettait, bien qu'il connaisse trois des langues que parlaient les fées.

— Quel dommage ! murmura-t-il tandis qu'elle déployait ses ailes et s'envolait, encore mal assurée, vers le plafond. Je ne peux pas te demander si tu peux me rendre invisible ou si petit que tu puisses me transporter jusqu'à la fête de Capricorne.

La fée baissa les yeux vers lui, fit tinter quelque chose d'incompréhensible à ses oreilles et se posa sur le bord du réfrigérateur.

Doigt de Poussière s'assit sur l'unique chaise qui se trouvait dans la cuisine de Basta et leva les yeux vers elle.

— N'empêche que ça fait plaisir de te voir, dit-il. Si, dans ce monde-ci, le feu avait un peu plus d'humour et si, de temps en temps, un kobold ou un homme de verre passait la tête entre les arbres, je pourrais peut-être m'habituer au reste, au bruit, à la précipitation, aux bousculades et au fait qu'on ne puisse guère échapper aux hommes — et aux nuits plus claires…

Il resta longtemps ainsi, dans la cuisine de son pire ennemi, à regarder la fée qui voltigeait dans la pièce, examinait tout (les fées sont curieuses, celle-ci ne faisait pas exception à la règle) et revint finalement laper un peu de lait jusqu'à ce qu'il remplisse la soucoupe une deuxième fois. À plusieurs reprises, il entendit des pas se rapprocher, puis s'éloigner. Quelle chance que Basta n'ait pas d'amis. L'air qui entrait par la fenêtre était lourd et lui donnait envie de dormir. Cela demanderait encore quelques heures avant que la bande de ciel au-dessus des maisons ne s'assombrisse. Ce qui lui laissait le temps de réfléchir s'il devait se rendre à la fête de Capricorne ou non.

Pourquoi irait-il ? Il pouvait aller chercher le livre n'importe quand, plus tard, quand l'agitation dans le village serait retombée et que la vie aurait repris son cours habituel. Et Resa ? Qu'allait-elle devenir ? L'Ombre allait l'emporter. On ne pouvait rien y faire. Personne ne pouvait rien y faire, pas même Langue Magique, s'il était assez fou pour essayer. Mais il ne savait rien d'elle ; quant à sa fille, il n'avait pas de souci à se faire. Car elle était le jouet favori de Capricorne. Il ne permettrait pas à l'Ombre de lui faire du mal.

« Non, je ne vais pas y aller, pensa Doigt de Poussière. À quoi bon ? Je ne peux pas les aider. Je vais me cacher un moment ici. Demain, il n'y aura plus de Basta, c'est déjà ça. Peut-être que je vais partir moi aussi, pour toujours… » Non. Il savait qu'il ne le ferait pas. Pas tant que le livre était ici.

La fée volait devant la fenêtre. Elle regardait dans la ruelle avec curiosité.

— Laisse tomber. Reste ici ! lui conseilla Doigt de Poussière. Dehors, ce n'est pas bon pour toi, crois-moi.

Elle le regarda, l'air interrogateur. Puis elle replia ses ailes et s'agenouilla sur le rebord de la fenêtre. Et elle resta ainsi, comme si elle n'arrivait pas à se décider entre la pièce étouffante et la liberté inconnue, dehors.

53

LES MOTS JUSTES

Le plus terrible, c'était que de cette fange venant du plus profond des profondeurs semblaient monter des voix et des cris, que la poussière informe bougeait et pêchait, et que ce qui était mort et n'avait pas de forme se permettait des propos de la vie.

Robert L. Stevenson, *L'Étrange Cas du Dr Jekyll et de M. Hyde*

Fenoglio écrivait sans répit mais le nombre de feuilles qu'il avait cachées sous le matelas n'augmentait toujours pas. Il allait sans arrêt les chercher, faisait des corrections, en déchirait une et la remplaçait par une autre.

— Non, non et non ! l'entendait pester Meggie à voix basse. Ce n'est pas ça, non !

— Dans quelques heures, il fera nuit ! fit-elle remarquer à un moment, inquiète. Et si tu n'arrives pas à finir ?

— J'ai fini ! lui lança-t-il, agacé. J'ai déjà fini une douzaine de fois mais je ne suis pas satisfait.

Il baissa la voix et continua dans un murmure :

— Il y a tellement de questions : et si, après avoir tué Capricorne, l'Ombre se précipite sur moi, ou sur toi, ou sur les prisonniers? Et n'y a-t-il pas une autre solution que de tuer Capricorne? Que va-t-il se passer ensuite avec ses hommes? Qu'est-ce que je fais d'eux?

— Qu'est-ce que tu veux en faire? Il faut que l'Ombre les tue tous! murmura Meggie à son tour. Comment pourrions-nous rentrer chez nous sinon, ou sauver ma mère?

Cette réponse ne plut pas à Fenoglio.

— Comment peux-tu être à ce point sans cœur? chuchota-t-il. Les tuer tous! N'as-tu pas vu combien certains d'entre eux sont jeunes?

Il secoua la tête et reprit :

— Je ne suis pas un tueur, je suis un écrivain! Je vais bien finir par trouver un dénouement moins sanglant.

Et il se remit à écrire… et à corriger… et à écrire encore tandis que dehors le soleil descendait dans le ciel, jusqu'au moment où ses rayons firent un ourlet d'or aux crêtes des collines.

Chaque fois que, dans le couloir, on entendait des pas s'approcher, Fenoglio cachait ce qu'il avait écrit sous le matelas, mais personne ne vint voir ce que le vieil homme rédigeait sans interruption sur des feuilles blanches. Car Basta était dans la crypte.

Cet après-midi-là, les gardes qui s'ennuyaient à les surveiller eurent beaucoup de visites. Apparemment, les hommes de Capricorne en poste ailleurs que dans le village étaient venus pour assister à l'exécution. Meggie colla son oreille à la porte et écouta leurs conversations. Ils riaient beaucoup et avaient l'air excités. Tous se réjouissaient à l'idée de la soirée qui les attendait. Aucun d'entre eux ne semblait avoir pitié de Basta. Au contraire, le fait que l'ancien garde du corps de Capricorne dût mourir cette nuit-là paraissait rendre la chose encore plus intéressante. Bien entendu, ils parlaient aussi d'elle.

Ils l'appelaient la petite sorcière, la môme magique, et tous n'avaient pas l'air d'être convaincus de ses talents.

Sur le bourreau de Basta, Meggie n'en apprit pas plus que ce que Fenoglio lui avait déjà raconté et de ce qu'elle avait retenu du passage que Mortola lui avait fait lire. Ce n'était pas grand-chose, mais elle entendait la peur dans les voix derrière la porte, la peur respectueuse qui s'emparait des hommes à l'évocation de son nom qui n'en était pas un. Tous ne connaissaient pas l'Ombre, seulement ceux qui étaient sortis du livre de Fenoglio, mais tous en avaient entendu parler et ils s'imaginaient la manière sinistre dont elle s'attaquerait aux prisonniers, dont elle tuerait ses victimes. Sur ce point, les avis divergeaient mais, plus le soir se rapprochait, plus les versions devinrent terrifiantes. Jusqu'à ce que Meggie, ne supportant plus de les entendre, aille s'asseoir à la fenêtre, en se bouchant les oreilles.

Il était six heures — la cloche de l'église se mettait juste à sonner — quand Fenoglio posa soudain son stylo et contempla son œuvre d'un air satisfait.

— Ça y est, chuchota-t-il. Voilà, comme ça, ça va marcher. Formidable !

Avec impatience, il fit signe à Meggie de venir le rejoindre et lui tendit la feuille.

— Lis ! murmura-t-il en jetant un regard anxieux du côté de la porte.

Dehors, Nez Aplati était justement en train de se vanter d'avoir empoisonné les réserves d'huile d'olive d'un paysan.

— C'est tout?

Meggie regardait la page unique d'un air sceptique.

— Mais oui, tu verras! Il suffit de trouver les mots justes. Dépêche-toi de lire jusqu'au bout.

Meggie obéit.

Dehors, les hommes riaient et elle eut du mal à se concentrer, elle finit cependant par y arriver. Mais à peine avait-elle achevé la première phrase que, d'un seul coup, le bruit cessa et la voix de la pie retentit dans le couloir.

— Vous vous croyez dans un salon de thé?

Fenoglio attrapa vite la précieuse feuille et la glissa sous le matelas. Il finissait juste de rabattre le drap lorsque la porte s'ouvrit.

— Ton dîner, dit-elle à Meggie en posant une assiette fumante sur la table.

— Et moi? demanda Fenoglio d'une voix exagérément enrouée.

Le matelas avait légèrement glissé quand il avait caché la feuille dessous et il s'appuyait contre son lit pour que Mortola ne le remarque pas, mais par chance elle ne s'intéressait pas à lui. Elle le considérait comme un menteur, rien de plus — Meggie en était sûre — et cela l'agaçait certainement que, sur ce point, Capricorne ne soit pas de son avis.

— Tu manges tout! ordonna-t-elle à Meggie. Et après, tu te changes. Tes habits sont affreux et en plus ils sont raides de crasse.

Elle fit un signe à la servante qui l'accompagnait. C'était une jeune fille, qui devait avoir quatre ou cinq ans de plus que Meggie. La rumeur à propos des dons de sorcellerie de la fillette devait lui être parvenue aux oreilles. Elle portait sur le bras une robe d'un blanc immaculé et elle évita de regarder Meggie quand elle passa près d'elle pour accrocher la robe dans l'armoire.

— Je ne veux pas de cette robe, lança Meggie à la pie. Je veux mettre ça.

Elle sortit le pull-over de Mo de sous le lit mais Mortola le lui arracha des mains.

— Pas question. Tu veux que Capricorne pense qu'on t'a mise dans un sac ? Il t'a choisi cette robe et tu vas la mettre. De gré ou de force. Dès qu'il fera nuit, je viendrai te chercher. Lave-toi et coiffe-toi, tu ressembles à un chat errant.

La servante passa de nouveau près de Meggie, l'air inquiète, et fit bien attention de ne pas la toucher. La pie la poussa dans le couloir avec impatience et la suivit.

— Ferme derrière moi, grogna-t-elle à Nez Aplati, et renvoie tes amis, tu es là pour monter la garde.

Nez Aplati se dirigea vers la porte d'un air nonchalant. Meggie le vit faire une grimace dans le dos de la pie avant de fermer la porte de la chambre.

Elle alla jusqu'à l'armoire et caressa le tissu blanc.

— Blanc ! murmura-t-elle. Je n'aime pas les habits blancs. La mort a des chiens blancs. Mo m'a raconté une histoire là-dessus.

— Oh oui, les chiens blancs aux yeux rouges de la mort.

Fenoglio s'approcha d'elle.

— Les fantômes aussi sont blancs et on assouvissait la soif de sang des dieux antiques avec des animaux blancs, comme si les dieux aimaient le goût de l'innocence. Oh non ! Non ! ajouta-t-il en voyant l'air effaré de Meggie. Non, crois-moi, Capricorne n'a certainement pas pensé à ça en t'envoyant cette robe. Comment pourrait-il connaître ces histoires ? Le blanc est aussi la couleur du début et de la fin, et nous deux (il baissa la voix), toi et moi, nous allons faire en sorte que ce soit la fin de Capricorne et non la nôtre.

Il entraîna doucement Meggie vers la table et la fit asseoir. L'odeur de viande grillée lui chatouillait les narines.

— Qu'est-ce que c'est comme viande ? demanda-t-elle.

— On dirait du veau. Pourquoi ?

Meggie repoussa l'assiette.

— Je n'ai pas faim, murmura-t-elle.

Fenoglio la regarda, compatissant.

— Tu sais, Meggie, je crois que la prochaine chose que je ferai, c'est d'écrire une histoire sur toi : écrire comment tu nous sauves tous avec ta voix. Ce serait passionnant…

— Une histoire qui finit bien, hein ?

Meggie regardait par la fenêtre. Encore une ou deux heures et la nuit allait tomber. Et si Mo venait aussi à la fête ? S'il essayait encore de la délivrer ? Il ignorait ce que Fenoglio et elle avaient l'intention de faire. Et s'ils tiraient sur lui, encore une fois ? Et si, la nuit dernière, ils l'avaient vraiment eu…

Meggie posa son bras sur la table et y enfouit son visage.

Elle sentit Fenoglio lui caresser les cheveux.

— Ça va bien se passer, Meggie, murmura-t-il. Crois-moi, mes histoires finissent toujours bien. Quand je veux.

— La robe a des manches étroites, chuchota Meggie. Comment vais-je pouvoir en tirer la feuille sans que la pie s'en aperçoive ?

— Je ferai diversion. Compte sur moi.

— Et les autres ? Ils vont tous me voir la sortir.

— Mais non ! Tu vas y arriver.

Fenoglio lui souleva le menton.

— Ne t'inquiète pas, Meggie ! répéta-t-il en essuyant de son index une larme qui coulait sur sa joue. Tu n'es pas seule, même si tu en as l'impression. Je suis là et Doigt de Poussière est quelque part, non loin d'ici. Crois-moi, je le connais comme si j'étais lui. Il va venir, ne serait-ce que pour voir le livre, peut-être pour le récupérer… Et il y a aussi ton père — et ce garçon, qui te regardait amoureusement, sur la place devant le monument aux morts, le jour où j'ai vu Doigt de Poussière.

— Arrête ! s'écria Meggie en lui donnant un coup de coude dans le ventre.

Mais elle ne put s'empêcher de rire malgré les larmes qui brouillaient tout devant ses yeux, la table, les mains et le visage ridé de Fenoglio. Elle avait l'impression d'avoir versé au cours des dernières semaines les larmes de toute une vie.

— Pourquoi donc ? C'est un beau garçon. Moi, je n'hésiterais pas à parler à ton père en sa faveur.

— Je t'ai dit d'arrêter !

— À condition que tu manges quelque chose.

Fenoglio poussa l'assiette vers elle.

— Et cette amie à vous, comment s'appelle-t-elle déjà ?

— Elinor.

Meggie mit une olive dans sa bouche et mordit dedans jusqu'à ce qu'elle sente le noyau entre ses dents.

— C'est ça. Peut-être qu'elle n'est pas loin avec ton père. Quand j'y pense, nous sommes presque en surnombre !

Meggie faillit avaler son noyau de travers. Fenoglio sourit, content de lui. Quand il arrivait à la faire rire, Mo levait toujours les sourcils en prenant un air étonné et sérieux à la fois, comme s'il ne savait pas pourquoi elle riait. Meggie vit son visage si nettement devant elle qu'elle eut envie de tendre la main pour le toucher.

— Tu vas bientôt revoir ton père ! murmura Fenoglio. Et tu lui raconteras qu'en plus, tu as retrouvé ta mère et l'as sauvée des griffes de Capricorne. Ce n'est pas rien, hein ?

Meggie se contenta de hocher la tête.

La robe la grattait au cou et aux bras. Elle ne ressemblait pas à une robe d'enfant, plutôt à celle d'une adulte, et elle était trop grande pour Meggie. Elle fit quelques pas dedans et marcha sur l'ourlet. Les manches étaient étroites, mais elle pouvait quand même glisser sans problème la feuille de papier à l'intérieur. Elle essaya plusieurs fois — dedans, dehors, dedans. On entendait un léger bruissement quand elle bougeait les mains ou levait le bras.

Lorsque la pie vint chercher Meggie, la lune était blafarde au-dessus du clocher de l'église et la nuit portait sa lumière comme un voile devant le visage.

— Tu ne t'es pas coiffée ! constata-t-elle, furieuse.

Elle était accompagnée d'une autre servante, une femme trapue au visage et aux mains rouges qui, apparemment, n'avait pas peur des dons de sorcellerie de Meggie. Elle lui passa le peigne si brutalement dans les cheveux que Meggie faillit pousser un cri.

— Les chaussures ! s'exclama la pie en voyant ses pieds nus dépasser de la robe. Personne n'a pensé aux chaussures ?

— Elle n'a qu'à mettre celles-ci, proposa la servante en désignant les tennis éculées de Meggie. La robe est assez longue, on

ne les verra pas. D'ailleurs, les sorcières ne marchent-elles pas
toujours pieds nus?

La pie lui lança un regard qui la fit taire immédiatement.

— Parfaitement! s'écria Fenoglio qui regardait d'un air
moqueur les deux femmes préparer Meggie. Elles marchent
pieds nus, toujours. Et moi, dois-je me changer pour les festivi-
tés? Que porte-t-on pour une exécution? Je suppose que je vais
être assis juste à côté de Capricorne.

La pie tendit le menton dans sa direction. C'était un petit
menton délicat qui avait l'air d'appartenir à un autre visage, un
visage plus aimable.

— Tu peux rester comme tu es, répondit-elle en accrochant
une barrette ornée de perles dans les cheveux de Meggie. Les prisonniers n'ont pas besoin de se changer.

Le sarcasme suintait de sa voix comme un poison.

— Les prisonniers? Qu'est-ce que ça veut dire?

— Ça veut dire prisonniers. Un point c'est tout.

La pie recula et contempla Meggie d'un air méprisant.

— Ça devrait aller. C'est drôle, avec ses cheveux dénoués, elle
me fait penser à quelqu'un.

Meggie s'empressa de détourner la tête et, avant que la pie ne
réfléchisse un peu plus à la question, Fenoglio attira son attention.

— Je ne suis pas un prisonnier ordinaire, ma chère, que ce soit
bien clair! gronda-t-il. Sans moi, rien de tout cela n'existerait, y
compris votre réjouissante personne.

La pie lui lança un dernier regard dédaigneux et attrapa le
bras de Meggie. Heureusement, pas celui contre lequel elle avait
caché les précieux mots de Fenoglio.

— Le garde viendra te chercher au moment voulu, lui annonça-t-elle en entraînant Meggie vers la porte.

— Pense à ce que t'a dit ton père, lança Fenoglio à Meggie alors qu'elle atteignait le couloir. Les mots ne deviennent vraiment vivants que quand tu les savoures sur ta langue.

La pie donna un coup dans le dos de Meggie.

— Presse-toi ! ordonna-t-elle en refermant la porte.

54

AU FEU

Mais soudain Bagheera sauta sur ses pattes.
— Non ! Je sais ! Descends vite dans la vallée, jusqu'aux cabanes des humains et empare-toi de la fleur rouge qu'ils plantent là-bas. Tu auras ainsi, quand ton heure sera venue, un ami plus puissant que moi ou Baloo ou n'importe lequel de la bande, qui t'aime. Va chercher la fleur rouge !
Par la fleur rouge, Bagheera voulait dire le feu ; mais dans la jungle, personne ne l'appelait par son nom car tous le craignaient comme la mort.

Rudyard Kipling, Le Livre de la jungle

Quand le soir descendit sur les collines, ils se mirent en route, laissant Gwin au campement. Après ce qui s'était passé lors de leur dernière excursion nocturne au village de Capricorne, même Farid avait admis que c'était mieux ainsi. Langue Magique le laissa ouvrir la marche. Il ne savait rien de sa peur des esprits et autres créatures nocturnes. Farid avait su la lui cacher, bien mieux qu'il n'avait fait avec Doigt de Poussière. Contrairement à ce dernier, Langue Magique ne se moquait pas de sa peur de l'obscurité et, curieusement, la peur était alors moins grande, elle diminuait comme à la lumière du jour.

Quand Farid s'engagea dans la pente raide, d'un pas prudent mais assuré, il entendit comme les autres nuits les esprits chuchoter dans les arbres et dans les buissons, mais ils ne s'approchèrent pas, comme s'ils avaient soudain peur de lui, comme s'il pouvait les maîtriser, comme Doigt de Poussière le feu.

Le feu. Ils avaient décidé de l'allumer juste à côté de la maison de Capricorne. Ainsi, il n'atteindrait pas tout de suite les collines, mais il menacerait ce que Capricorne avait de plus cher : ses coffres-forts.

Cette fois, le village n'était pas désert et silencieux comme les autres nuits. Il bourdonnait comme une ruche. Sur le parking patrouillaient quatre gardes armés et autour du grillage qui entourait le terrain de football vide était stationnée une rangée de voitures. Leurs phares éclairaient la pelouse d'une lumière crue. Le bitume ressemblait à un drap clair étalé dans l'obscurité.

— C'est donc là que le spectacle doit avoir lieu, chuchota Langue Magique quand ils s'approchèrent des maisons. Pauvre Meggie.

Au milieu de la place était installée une sorte d'estrade et, en face, il y avait une cage, peut-être pour le monstre que devait faire surgir sa fille, ou pour les prisonniers.

Sur le côté gauche du terrain, tournant le dos au grillage et au village, il y avait de grands bancs en bois sur lesquels étaient déjà assis quelques Vestes Noires, comme des corbeaux qui auraient trouvé un petit coin chaud et clair pour la nuit.

Ils pensèrent d'abord se faufiler dans le village par le parking. Au milieu de tous les inconnus, ils passeraient inaperçus. Mais finalement, ils optèrent pour un chemin plus long, plus sombre. Là encore, Farid ouvrit la marche, se cachant derrière chaque tronc d'arbre, restant toujours au-dessus des maisons, jusqu'à ce qu'ils arrivent en surplomb de la partie inhabitée du village, celle qui semblait avoir été piétinée par un géant. Cette nuit-là, même dans ce coin, les gardes étaient plus nombreux que d'habitude. Ils devaient sans arrêt se dissimuler dans l'ombre d'un porche, s'accroupir derrière un mur ou grimper par une fenêtre et attendre en retenant leur souffle que la patrouille soit passée. Heureusement, le village de Capricorne comptait de nombreux recoins et les gardes parcouraient les ruelles nonchalamment, comme des hommes qui sont sûrs qu'aucun danger ne les menace.

Farid avait emporté le sac à dos de Doigt de Poussière, avec tout ce qu'il fallait pour allumer un feu rapide et dévorant. Langue Magique portait le bois qu'ils avaient ramassé pour le cas où les flammes ne prendraient pas bien entre les pierres. Il y avait aussi les réserves d'essence de Capricorne. Farid se souvenait de cette odeur d'essence qu'il avait sentie la nuit où ils l'avaient enfermé. Les fûts étaient rarement surveillés, mais ils n'en auraient peut-être même pas besoin.

C'était une nuit sans vent, les flammes brûleraient tranquillement et régulièrement. Farid n'avait pas oublié les recommandations de Doigt de Poussière : « Ne fais jamais de feu quand il y a du vent. Le vent s'y engouffre et l'attise, alors, le feu se rue sur toi et t'arrache la peau des os. » Mais aujourd'hui, le vent dormait et l'air chaud stagnait dans les ruelles.

Ils avaient espéré que la place devant la maison de Capricorne serait vide mais, quand ils s'approchèrent avec précaution dans une des ruelles d'en face, ils découvrirent une demi-douzaine de ses hommes postés devant l'église.

— Qu'est-ce qu'ils font là? chuchota Farid tandis que Langue Magique l'entraînait à l'ombre d'une porte. La fête ne devrait pas tarder.

Deux servantes sortirent de la maison de Capricorne, chacune avec une pile d'assiettes. Elles les emportèrent dans l'église où, apparemment, on fêterait ensuite le succès de l'exécution. Quand les servantes passèrent devant les hommes, ils se mirent à les siffler. Une des femmes faillit lâcher la vaisselle quand l'un d'entre eux essaya de soulever sa jupe avec le canon de son fusil. C'était l'homme qui avait reconnu Langue Magique lorsqu'il s'était introduit dans le village la nuit précédente. Farid porta la main à la plaie qu'il avait au front et le maudit, avec les pires jurons qu'il connaissait. Qu'il attrape la peste, la gale... Pourquoi fallait-il justement qu'il se trouve là? Et même s'ils arrivaient à passer près de lui sans se faire reconnaître, comment feraient-ils pour allumer le feu avec tous les autres alentour?

— Du calme! murmura Langue Magique. Ils vont bien finir par partir. Nous devons d'abord nous assurer que Meggie n'est plus dans la maison.

Farid hocha la tête et leva les yeux vers la bâtisse. De la lumière brillait encore derrière deux fenêtres, mais cela ne voulait rien dire.

— Je vais me faufiler jusqu'au terrain de football et voir si elle y est déjà, chuchota-t-il à Langue Magique.

Ils avaient peut-être déjà fait sortir Doigt de Poussière de l'église. Peut-être était-il dans la cage qu'ils avaient installée. Il pourrait alors lui murmurer qu'il avait amené son meilleur ami, le feu, pour le sauver.

En dépit de la lumière des réverbères, l'obscurité emplissait de nombreux recoins. Farid allait s'y réfugier quand la porte de la maison de Capricorne s'ouvrit. La vieille en sortit, celle qui avait une tête d'aigle. Elle tirait derrière elle la fille de Langue Magique. Farid faillit ne pas la reconnaître dans sa longue robe blanche. Derrière elles apparut l'homme qui avait tiré sur eux, son fusil à la main. Il regarda autour de lui puis sortit un trousseau de clés de sa poche, ferma la porte et fit signe à un des hommes postés devant l'église de surveiller la maison.

Farid sentit que Langue Magique tendait chacun de ses muscles — comme s'il voulait se précipiter vers sa fille qui était presque aussi blanche que sa robe. Prudent, Farid lui prit le bras mais Langue Magique semblait l'avoir oublié. Un pas de plus et il sortait de l'ombre qui le protégeait ! Non ! Farid le tira en arrière. Heureusement, les hommes de Capricorne ne regardaient pas dans leur direction, ils regardaient la vieille et Meggie qui traversaient la place.

— Comme elle est pâle ! murmura Langue Magique. Mon Dieu, tu vois comme elle a peur ? Peut-être qu'elle va regarder par ici, peut-être pouvons-nous lui faire un signe…

— Non ! (Farid le retenait des deux mains.) Nous devons mettre le feu. Il n'y a que ça qui puisse l'aider. Je t'en prie, Langue Magique, ils peuvent te voir !

— Arrête de m'appeler Langue Magique ! Ça me rend fou.

La vieille femme disparut avec Meggie entre les maisons. Nez Aplati les suivait d'un pas lourd, comme un ours qu'on aurait affublé d'un costume noir. Enfin, les autres se mirent en marche à leur tour. Ils disparurent en riant dans la ruelle, se réjouissant à l'idée du spectacle que la nuit leur réservait. Un spectacle de mort et de peur, et l'arrivée d'une nouvelle forme de terreur dans le village maudit.

Le garde resta seul devant la maison de Capricorne. L'air sombre, il regarda les autres s'éloigner, donna un coup de pied dans un paquet de cigarettes vide et un coup de poing contre le mur. Lui seul était privé de fête. Le garde posté en haut du clocher pouvait au moins profiter du spectacle de loin, mais lui…

Ils avaient prévu qu'il y aurait un garde devant la maison. Farid avait expliqué à Langue Magique le meilleur moyen de s'en débarrasser et Langue Magique avait acquiescé. Lorsque le bruit de pas des hommes de Capricorne se fut éloigné, qu'ils ne perçurent plus que celui du parking, ils sortirent de l'ombre et se dirigèrent côte à côte vers le garde. Méfiant, celui-ci, les voyant venir, retira le fusil de son épaule, ce qui n'avait rien de rassurant.

— Hé, il faut que tu nous donnes un coup de main, lui cria Langue Magique, ignorant le fusil. Ces idiots ont oublié le fauteuil de Capricorne. Nous devons le transporter là-bas.

Le garde tenait son fusil devant lui.

— Il ne manquait plus que ça ! Ce truc pèse une tonne ! D'où venez-vous ?

Il observait Langue Magique comme s'il essayait de se rappeler où il l'avait déjà vu. Il ne prêtait aucune attention à Farid.

— Vous venez du nord ? Il paraît qu'on s'amuse bien là-haut.

— C'est vrai, répondit Langue Magique en s'approchant si près du garde que celui-ci fit un pas en arrière. Allez, dépêche-toi, tu sais que Capricorne n'aime pas qu'on le fasse attendre.

Le garde acquiesça en maugréant.

— C'est bon, c'est bon, grogna-t-il en jetant un coup d'œil vers l'église. De toute façon, ça n'a pas de sens de monter la garde ici. Qu'est-ce qu'ils croient ? Que le cracheur de feu va s'introduire ici pour voler l'or ? Ce type a toujours été un dégonflé, il y a belle lurette qu'il a filé…

Langue Magique en profita pour lui donner un coup de crosse sur la tête et le traîna dans la maison de Capricorne, où il faisait nuit noire.

— Tu as entendu ce qu'il a dit ?

Farid passa une corde autour des jambes du garde évanoui. Quand il s'agissait de ligoter quelqu'un, il savait mieux s'y prendre que Langue Magique.

— Doigt de Poussière s'est évadé ! Ce ne peut être que lui ! Il a dit qu'il avait filé.

— Oui, j'ai entendu ! Je suis aussi content que toi, mais ma fille, elle, est toujours ici.

Langue Magique mit le sac à dos dans les mains de Farid et regarda autour de lui. La place était toujours aussi calme et déserte, comme s'il n'y avait plus personne dans le village de Capricorne. On n'entendait plus rien du côté du clocher, le garde devait observer le terrain de sport éclairé.

Farid tira deux torches du sac de Doigt de Poussière et la bouteille d'alcool à brûler. « Il leur a échappé ! pensait-il. Tout simplement. » Il aurait pu sauter de joie.

Langue Magique courut derrière la maison de Capricorne, jeta un coup d'œil à l'intérieur par plusieurs fenêtres et cassa une vitre en atténuant le bruit avec sa veste. Du parking leur parvenaient des rires et de la musique.

— Les allumettes ! Je ne les trouve pas !

Farid fouillait dans les affaires de Doigt de Poussière mais Langue Magique lui arracha le sac des mains.

— Donne ! chuchota-t-il. Prépare les torches.

Farid obéit. Il imprégna soigneusement la ouate d'alcool à brûler. « Doigt de Poussière va revenir chercher Gwin, pensa-t-il, et il m'emmènera. » D'une ruelle montèrent soudain des voix, des voix d'hommes. L'espace d'un instant qui leur parut une éternité, ils crurent qu'elles se rapprochaient mais elles s'éloignèrent enfin, absorbées par la musique qui emplissait la nuit comme une mauvaise odeur.

Langue Magique cherchait toujours les allumettes.

— Pouah ! maugréa-t-il doucement en sortant sa main du sac.

Il avait de la crotte de martre collée au pouce. Il l'essuya et lança une boîte d'allumettes à Farid. Puis il sortit encore quelque chose — le petit livre que Doigt de Poussière gardait dans une poche intérieure. Farid l'avait souvent feuilleté. Des images y étaient collées, des images de fées et de sorcières, de kobolds, de nymphes et d'arbres ancestraux... Langue Magique le regarda pendant que Farid imbibait la deuxième torche. Puis il contempla la photo qui se trouvait entre les pages, la photo de la servante de Capricorne qui avait essayé d'aider Doigt de Poussière et qui était condamnée à mourir cette nuit. Avait-elle aussi réussi à s'évader ?

Langue Magique fixait la photo, comme si plus rien d'autre n'existait au monde.

— Qu'est-ce qu'il y a ?

Farid approcha l'allumette de la torche qui gouttait. La flamme avide jaillit en sifflant. Qu'elle était belle !

Farid se lécha le doigt et le passa à travers la flamme.

— Tiens ! Prends-la ! dit-il à Langue Magique en lui tendant la torche.

Il valait mieux que ce soit lui qui la lance par la fenêtre. Car il était plus grand. Mais Langue Magique ne quittait toujours pas la photo des yeux.

— C'est la femme qui a aidé Doigt de Poussière, expliqua Farid. Celle qu'ils ont aussi enfermée ! Je crois qu'il est amoureux d'elle. Tiens ! reprit-il en lui tendant la torche allumée. Qu'est-ce que tu attends ?

Langue Magique le regarda comme s'il émergeait d'un rêve.

— Tiens, tiens ! Amoureux ! murmura-t-il en lui prenant la torche des mains.

Puis il glissa la photo dans la poche de sa chemise, regarda encore une fois la place vide et lança la torche dans la maison de Capricorne.

— Soulève-moi ! Je veux voir comment ça brûle ! lui demanda Farid.

Langue Magique lui fit ce plaisir. La pièce ressemblait à un bureau. Farid vit du papier, une table de travail, un portrait de Capricorne accroché au mur. Apparemment, il y avait ici quelqu'un qui savait écrire. La torche enflammée brûlait au milieu des feuilles couvertes de mots. Elle léchait le papier avec gourmandise, elle chuchotait, comblée, sur la table dressée comme pour un festin, elle jaillissait et bondissait, de la table aux rideaux de la fenêtre. Avide, elle s'attaqua au tissu sombre. La pièce tout entière s'emplit de rouge et de jaune. De la fumée sortit par la vitre cassée, piquant les yeux de Farid.

— Il faut que j'y aille !

Langue Magique le reposa brusquement. La musique s'était tue, faisant place soudain à un silence de mort. Il partit en courant vers la ruelle qui menait au terrain de football.

Farid le suivit des yeux. Il avait encore une mission. Il attendit que les flammes sortent des fenêtres puis il se mit à crier : «Au feu! Au feu! Il y a le feu dans la maison de Capricorne!» Sa voix résonna sur la place déserte.

Le cœur battant, il courut jusqu'au coin de la grande maison et leva les yeux vers le clocher. Le garde était en alerte. Farid alluma la deuxième torche et la lança devant le portail de l'église. Une odeur de fumée se propagea dans l'air. Le garde s'immobilisa, pétrifié, puis il se retourna et − enfin − fit sonner la cloche.

Farid partit alors en courant, derrière Langue Magique.

55

TRAHISON, BAVARDAGES ET BÊTISE

> Et il dit :
> — Je dois périr, ça ne fait aucun doute : il n'y a pas moyen de sortir de cette étroite prison !
>
> *Ali Baba et les quarante voleurs*

Elinor se dit qu'elle était vraiment courageuse. Elle ne savait certes toujours pas exactement ce qui l'attendait — et si sa nièce en savait plus long, elle ne lui avait rien dit — mais une chose était sûre : ce n'était rien de bon.

Teresa ne fit pas non plus aux hommes qui vinrent la chercher dans la crypte le plaisir de verser des larmes. De toute manière, elle n'aurait pu ni jurer ni les insulter. Sa voix s'était envolée, comme un vêtement devenu inutile. Heureusement, il lui restait les deux morceaux de papier, sales et chiffonnés, beaucoup trop petits pour tous les mots qu'elle avait accumulés durant ces neuf années, mais c'était mieux que rien. Elle les avait couverts de lettres minuscules, jusqu'à ce qu'il n'y ait plus de place pour le moindre petit mot. Elle ne voulait rien dire sur elle ni sur ce qu'elle avait vécu, et quand Elinor l'en priait à voix basse, elle répondait par un geste évasif. Non, elle voulait poser des questions, sans relâche, sur sa fille et son mari. Et Elinor lui chuchotait les réponses à l'oreille, pour que Basta n'apprenne pas que les deux femmes se connaissaient, depuis que la plus jeune avait appris à marcher, entre les interminables étagères de livres jadis pleines à craquer.

Basta se laissait aller. Chaque fois qu'elles regardaient de son côté, elles voyaient ses mains accrochées au grillage, les jointures blanches sous la peau bronzée. Une fois même, Elinor crut l'entendre pleurer, mais quand on vint les chercher, son visage resta inexpressif, comme le visage d'un mort, et quand on les enferma dans cette horrible cage, il s'assit dans un coin et ne bougea plus.

La cage sentait le chien et la viande crue. Elle ressemblait d'ailleurs à une cage de chenil. Plusieurs hommes de Capricorne firent résonner le canon de leurs fusils contre le grillage gris argent avant d'aller s'asseoir sur les bancs qui leur étaient réservés. Basta surtout fut l'objet des pires moqueries. Mais pas une seule fois il ne réagit, ce qui laissait imaginer la profondeur de son désespoir.

Toutefois, Elinor et Teresa restèrent aussi loin que possible de lui, dans la mesure où la cage le permettait. Elles restèrent aussi loin du grillage, de tous ces doigts qui passaient à travers, des grimaces qu'on leur faisait, des cigarettes allumées qu'on leur lançait. Elles se tenaient serrées l'une contre l'autre, contentes et tristes à la fois de s'être retrouvées là.

Autour du stade, soigneusement séparées des hommes, étaient assises les femmes qui travaillaient pour Capricorne. Il n'y avait parmi elles aucun signe de l'excitation joyeuse qui régnait parmi les hommes. La plupart des visages étaient anxieux, les regards dirigés souvent vers Teresa, remplis de crainte – et de pitié.

Quand Capricorne arriva, les bancs étaient déjà tous occupés. Il n'y avait plus de place pour les jeunes garçons assis par terre devant les Vestes Noires. Impassible, Capricorne passa devant eux, les ignorant comme s'ils n'étaient vraiment qu'une bande de corbeaux rassemblés sur son ordre. Il ne ralentit le pas qu'une fois arrivé à hauteur de la cage dans laquelle se trouvaient les prisonniers à qui il lança un coup d'œil furtif et satisfait.

L'espace d'une seconde, la vie revint sur le visage de Basta, il leva la tête et regarda Capricorne d'un air suppliant, comme un chien qui demande pardon à son maître, mais celui-ci continua son chemin, imperturbable. Quand il s'assit dans son fauteuil de cuir noir, Cockerell se posta derrière lui, jambes écartées.

Apparemment, il était le nouveau favori.

– Pour l'amour du ciel! Arrête de le regarder comme ça! lança Elinor à Basta qui avait toujours les yeux rivés sur Capricorne. Il a prévu de te donner en pâture comme une mouche à une grenouille, tu pourrais peut-être te rebeller un peu? Toi qui avais toujours de si belles menaces à la bouche, du genre: je te coupe la langue, je te coupe en rondelles... où sont-elles passées?

Mais Basta baissa la tête et regarda fixement le sol entre ses bottes. Elinor trouva qu'il ressemblait à une huître dont on aurait aspiré la chair et la vie.

Quand Capricorne prit place et que la musique se tut, on amena Meggie. Malgré l'affreuse robe qu'on lui avait imposée, elle marchait la tête haute et la vieille que tous appelaient la pie eut toutes les peines du monde à l'entraîner jusqu'à l'estrade que les Vestes Noires avaient montée au milieu du terrain. Sur l'estrade se trouvait une chaise, qui avait l'air déplacé là-haut, comme si quelqu'un l'y avait oubliée. Elinor aurait mieux compris qu'il y eût une potence et une corde. Quand la pie la poussa dans l'escalier de bois, Meggie regarda dans leur direction.

— Bonsoir, ma chérie ! cria Elinor quand le regard affolé de Meggie se posa sur elle. Ne t'inquiète pas, je suis là uniquement parce que je ne voulais pas rater ta lecture !

Sa voix résonna dans tout le stade. Une voix forte, sans peur. Heureusement, personne ne pouvait entendre les battements de son cœur. Personne ne remarquait que la peur l'étouffait car Elinor avait revêtu sa cuirasse, la cuirasse invisible et efficace derrière laquelle elle se cachait toujours en cas de coup dur. Elle s'était endurcie avec les épreuves, et des épreuves, la vie d'Elinor n'en avait pas manqué.

À ces mots, plusieurs Vestes Noires se mirent à rire, et même sur le visage de Meggie passa l'esquisse d'un sourire. Elinor mit le bras autour du cou de Teresa et la serra contre elle.

— Regarde ta fille ! lui murmura-t-elle. Elle est courageuse comme… comme…

Elle voulait comparer Meggie au personnage d'une histoire, mais toutes les histoires qui lui vinrent à l'esprit étaient des histoires d'hommes, et personne ne lui sembla être aussi courageux que la fillette qui se tenait bien droite, la tête haute, et toisait les Vestes Noires de Capricorne avec un air de défi.

La pie avait aussi amené un vieil homme. Elinor supposa qu'il s'agissait de celui par qui le mal était arrivé : Fenoglio, l'inventeur de Capricorne, de Basta et de toutes ces affreuses créatures, y compris le monstre à qui Meggie devait donner vie cette nuit même. Elinor avait toujours tenu les livres en plus haute estime que les écrivains, et quand Nez Aplati fit passer le vieillard devant leur cage, elle lança à celui-ci un regard plutôt malveillant. Un fauteuil l'attendait à quelques pas seulement de celui de Capricorne. Elinor se demanda s'ils étaient devenus amis, mais quand Nez Aplati se posta derrière le vieillard, l'air furieux, elle en conclut qu'il devait également faire partie des prisonniers.

Dès que le vieil homme fut assis à côté de lui, Capricorne se leva. Sans un mot, il passa en revue la longue rangée de ses hommes, lentement, comme s'il se remémorait les bons et mauvais services que chacun d'entre eux avait rendus. Le silence alentour avait l'odeur de la peur. Les rires s'étaient tus, on n'entendait pas le moindre murmure.

— Je n'ai pas besoin d'expliquer à la plupart d'entre vous pourquoi les trois prisonniers que vous voyez là-bas vont être punis, commença Capricorne en haussant le ton. Quant aux autres, il suffira que je leur dise que c'est pour trahison, bavardages et bêtise. On peut certes discuter sur la question de savoir si la bêtise est un crime qui mérite la mort. Je pense que oui, car elle peut avoir les mêmes conséquences que la trahison.

Une rumeur circula soudain parmi les bancs. Elinor pensa d'abord que c'étaient à cause des paroles de Capricorne, mais elle entendit la cloche. Même Basta leva la tête lorsque les tintements retentirent dans la nuit. Sur un geste de Capricorne, Nez Aplati fit signe à cinq de ses hommes et disparut avec eux. Ceux qui étaient restés resserrèrent les rangs, inquiets. Certains se levèrent même pour regarder en direction du village. Mais Capricorne leva la main pour mettre fin aux murmures.

— Ce n'est rien, cria-t-il d'une voix si perçante que le silence revint immédiatement. Rien qu'un feu. Et le feu, ça nous connaît, n'est-ce pas?

Des rires fusèrent mais certains, hommes et femmes, regardaient toujours en direction des maisons, inquiets.

Ainsi, ils l'avaient fait. Elinor se mordit les lèvres à s'en faire mal. Mortimer et le garçon avaient mis le feu. On ne voyait pas encore de fumée au-dessus des toits et bientôt les visages, rassurés, se tournèrent de nouveau vers Capricorne qui continuait de parler de trahison, de mensonge, de discipline et de laisser-aller nocif. Elinor n'écoutait plus que d'une oreille. Elle ne pouvait s'empêcher de regarder vers les maisons, tout en sachant parfaitement qu'elle n'aurait pas dû.

— Voilà pour les prisonniers qui sont ici, déclara Capricorne. Venons-en maintenant à ceux qui se sont échappés.

Cockerell souleva un sac qui se trouvait derrière le fauteuil de Capricorne et le lui tendit. Capricorne plongea la main dedans en souriant et en sortit un morceau de tissu déchiré et couvert de sang.

— Ils sont morts! lança Capricorne à la ronde. J'aurais préféré les voir ici bien sûr mais, malheureusement, nous avons été obligés de les abattre alors qu'ils tentaient de fuir. Pour ce qui est du traître cracheur de feu que vous connaissez presque tous, je n'ai pas de regrets et, par chance, Langue Magique nous a laissé sa fille qui a hérité de ses dons.

Teresa regarda Elinor, les yeux écarquillés de peur.

— Il ment, lui chuchota Elinor bien qu'elle eût, elle aussi, du mal à détourner les yeux du morceau de tissu couvert de sang. Il reprend mes propres mensonges ! Ce n'est pas du sang, c'est de la peinture…

Mais elle vit que sa nièce ne la croyait pas. Elle croyait au tissu ensanglanté, tout comme sa fille. Elinor le vit sur le visage de Meggie. Elle aurait tant aimé lui crier que Capricorne mentait mais elle voulait qu'il y croie encore un moment − que tous étaient morts et que personne ne viendrait troubler sa jolie fête.

− C'est ça ! Fais le malin avec ton chiffon ensanglanté, pauvre incendiaire ! lui cria-t-elle à travers les barreaux. Tu peux être fier ! Pourquoi vas-tu chercher un autre monstre ? Vous êtes tous des monstres ! Tous autant que vous êtes ! Des tueurs de livres, des voleurs d'enfants !

Personne ne prit garde à elle. Quelques Vestes Noires se mirent à rire et Teresa s'approcha du grillage, accrocha ses doigts au fil de fer et ne quitta pas Meggie des yeux.

Capricorne laissa le morceau de tissu ensanglanté sur l'accoudoir de son fauteuil. « Je connais ce chiffon, pensa Elinor, je l'ai déjà vu quelque part. Ils ne sont pas morts. Qui aurait mis le feu sinon ? » « Le mangeur d'allumettes ! » chuchotait une petite voix en elle mais elle ne voulait pas l'entendre. « Non, cette histoire doit bien finir. C'est dans la logique des choses ! » Elle n'avait jamais aimé les histoires dont la fin est triste.

56

L'OMBRE

Mon ciel est en cuivre
Ma terre est en fer
Ma lune une motte de terre
Mon soleil une pestilence,
Brûlant à midi
Et vapeur de mort
La nuit

William Blake, *La Complainte d'Enion*

Dans les livres, on lit souvent que la peur procure une sensation de chaleur mais, à la fête de Capricorne, Meggie apprit que la peur est froide, c'est une main gelée qui vous fige le cœur et s'enfonce dans les côtes comme un poing serré. La haine la glaçait, malgré la tiédeur de l'air qui l'enveloppait comme pour lui faire croire que le monde, en dépit du tissu ensanglanté sur lequel Capricorne avait posé en souriant sa main couverte de bagues, était encore intact.

— Passons à autre chose, cria-t-il. Venons-en à ce qui nous amène ici. Cette nuit, en effet, nous ne voulons pas seulement punir quelques traîtres, mais aussi fêter le retour d'un vieil ami. Certains d'entre vous se souviennent de lui, et les autres, je vous le promets, ne l'oublieront pas une fois qu'ils l'auront rencontré.

Cockerell grimaça un sourire forcé. Visiblement, ces retrouvailles ne le réjouissaient guère. Il n'était pas le seul. Après le discours de Capricorne, la peur s'inscrivit aussi sur d'autres visages.

— Bien, assez parlé. Nous allons maintenant passer à la lecture.

Capricorne s'appuya sur le dossier de son fauteuil en faisant signe à la pie. Mortola claqua alors dans ses mains et Darius traversa le terrain en courant. Il portait le coffret que Meggie avait vu dans la chambre de la pie et semblait en connaître le contenu. Il l'ouvrit et le lui tendit, la tête baissée avec humilité. Les serpents devaient être endormis car cette fois Mortola n'enfila pas de gant pour les attraper. Elle se les accrocha même sur l'épaule, tout en sortant le livre du coffret. Puis elle remit les serpents à l'intérieur, délicatement, comme des bijoux, referma le couvercle et rendit le coffret à Darius. L'air gêné, il resta sur l'estrade. Meggie surprit son regard plein de compassion quand la pie la fit asseoir sur la chaise et posa le livre sur ses genoux.

Il était là de nouveau, l'objet funeste, dans sa couverture de couleur. Quelle autre couleur se cachait dessous?

Meggie souleva le couvre-livre avec le doigt et regarda le tissu rouge foncé, rouge comme les flammes qui entouraient le cœur noir. Tout ce qui était arrivé avait commencé là, entre les pages de ce livre, et le salut ne pouvait venir que de son auteur. Meggie caressa la couverture, elle le faisait toujours avant d'ouvrir un livre comme elle avait vu Mo le faire. Elle connaissait par cœur sa manière de prendre un livre dans la main, d'en caresser presque tendrement la couverture avant de l'ouvrir comme s'il ouvrait une boîte remplie à ras bord de merveilles inouïes.

Naturellement, il arrivait qu'on ne découvre pas derrière la couverture les merveilles espérées, alors on refermait le livre, déçu de la promesse non tenue, mais *Cœur d'encre* n'était pas de ceux-là. Les mauvaises histoires ne prennent pas vie. Et elles n'ont pas de personnages comme Doigt de Poussière, ni même comme Basta.

— J'ai encore quelque chose à te dire !

La robe de la pie sentait la lavande. Cette odeur enveloppait Meggie comme une menace.

— Si jamais tu ne faisais pas ce dont tu es chargée, s'il te venait l'idée de faire exprès de buter sur les mots ou de les déformer pour que l'hôte qu'attend Capricorne ne vienne pas, dans ce cas (Mortola se pencha si près d'elle que Meggie sentit son haleine sur sa joue) Cockerell tranchera la gorge du vieil homme. Peut-être que Capricorne ne lui en donnera pas l'ordre parce qu'il croit les stupides mensonges du vieux, mais moi, je ne les crois pas et Cockerell fera ce que je lui dis. Tu m'as comprise, mignonne ?

Et elle pinça la joue de Meggie de ses doigts maigres.

Meggie écarta sa main et tourna les yeux vers Cockerell. Il s'avança derrière Fenoglio, sourit à Meggie et fit mine avec l'index de trancher le cou du vieil homme.

Fenoglio le repoussa et lança à Meggie un regard qui se voulait à la fois encourageant et consolant. Il ne dépendrait que de lui que leur plan fonctionne, que de lui et de ses mots.

Meggie sentait le papier dans sa manche, il lui grattait la peau. Quand elle tourna les pages du livre, elle eut la sensation que ses mains étaient celles d'une étrangère. Le passage qu'elle devait lire n'était plus marqué par un coin plié. Il y avait maintenant un marque-page noir.

— Quand tu écarteras la mèche de ton front, ce sera le signal, avait dit Fenoglio.

Mais juste au moment où elle s'apprêtait à le faire, une rumeur parcourut de nouveau l'assistance.

Nez Aplati revenait, le visage noir de suie. Il se dirigea à la hâte vers Capricorne et lui dit quelques mots à l'oreille. Capricorne fronça les sourcils et regarda en direction des maisons. Meggie découvrit deux colonnes de fumée montant vers le ciel.

Capricorne se leva. Il prit un ton dégagé, moqueur, comme quelqu'un qui s'amuse d'une farce d'enfant. Mais son visage en disait long.

— Je suis désolé de devoir encore gâcher la fête de quelques-uns d'entre vous, mais cette nuit, le coq rouge chante aussi chez nous. C'est un petit coq de rien du tout, mais il faut quand même lui tordre le cou. Nez Aplati, prends dix hommes de plus.

Nez Aplati obéit et repartit avec du renfort.

— Je ne veux revoir aucun d'entre vous avant que vous ayez retrouvé cet incendiaire! leur hurla Capricorne. Nous allons lui apprendre, ici et maintenant, ce qu'il en coûte de mettre le feu chez le diable en personne!

Un homme rit, mais la plupart regardaient vers le village, inquiets. Plusieurs servantes s'étaient même levées, mais la pie cria leurs noms et elles se rassirent aussitôt, comme des écolières prises en faute. Cependant l'agitation persistait. Plus aucune d'entre elles ne faisait attention à Meggie, elles lui tournaient le dos, montraient du doigt la fumée et chuchotaient entre elles. Une lueur rouge embrasa le clocher de l'église et de la fumée grise monta vers le ciel.

— Qu'est-ce que vous avez tous à regarder cette fumée ridicule? cria Capricorne sans plus chercher à dissimuler sa colère. Un peu de fumée, quelques flammes. Et après? Vous n'allez pas laisser gâcher notre fête pour ça? Le feu est notre meilleur ami, vous l'avez déjà oublié?

Meggie vit que les visages se tournaient de nouveau vers elle, comme à regret. Puis elle entendit un nom : Doigt de Poussière. Une femme l'avait crié.

— Qu'est-ce que ça veut dire? (La voix de Capricorne était devenue si cinglante que Darius faillit lâcher le coffret avec les serpents.) Il n'y a plus de Doigt de Poussière. Il est couché dans les collines, la bouche remplie de terre et sa martre sur la poitrine. Je ne veux plus entendre son nom. Il est oublié, comme s'il n'avait jamais existé…

— Ce n'est pas vrai.

La voix de Meggie résonna si fort sur la place qu'elle-même sursauta.

— Il est là! s'écria-t-elle en brandissant le livre. Quoi que vous fassiez. Ceux qui liront l'histoire le verront, pourront même entendre sa voix et son rire et le voir cracher le feu.

Le silence se fit dans le stade, un silence total. Soudain, Meggie entendit quelque chose dans son dos. Comme le tic-tac d'une pendule, mais un peu différent, plutôt comme la langue de quelqu'un qui imiterait le tic-tac. *Tic tac tic tac.* Le bruit venait des voitures stationnées derrière le grillage, dont les phares l'aveuglaient. Meggie ne put s'empêcher de se retourner, malgré la pie et tous les regards posés sur elle. Elle le regretta aussitôt. Et si les autres avaient aperçu, eux aussi, la frêle silhouette qui s'était dressée entre les voitures et aussitôt accroupie ? Mais personne ne semblait l'avoir remarquée, pas plus que le tic-tac.

— Tu as prononcé un beau discours ! déclara lentement Capricorne. Mais tu n'es pas là pour faire une oraison funèbre aux traîtres qui sont morts. Tu es ici pour lire. Je ne le répéterai pas !

Meggie se força à le regarder. Surtout ne pas regarder en direction des voitures. Et si c'était vraiment Farid ? Et si elle ne s'était pas imaginé le tic-tac ?

La pie observait autour d'elle, méfiante. Peut-être l'avait-elle aussi entendu, le léger tic-tac, imperceptible, juste une langue que quelqu'un fait claquer contre ses dents. Qu'est-ce que cela pouvait vouloir dire ? À moins qu'on connaisse l'histoire du capitaine Crochet et de sa peur du crocodile dont le ventre faisait *tic tac*. La pie ne la connaissait sûrement pas. Mais Mo savait que Meggie comprendrait son signe. Il l'avait assez souvent réveillée avec le tic-tac tout près de son oreille, si près que ça la chatouillait.

— Le petit déjeuner, Meggie ! murmurait-il alors. Le crocodile est là !

Oui, Mo savait qu'elle reconnaîtrait le tic-tac, celui avec lequel Peter Pan s'était introduit sur le bateau du capitaine Crochet pour sauver Wendy. Il n'aurait pas pu lui envoyer un meilleur signe. « Wendy ! » pensa Meggie. Quelle était la suite de l'histoire ?

Pendant un moment, elle oublia presque où elle était mais la pie le lui rappela en lui donnant une tape sur la tête.

— Vas-tu enfin commencer, petite sorcière ? gronda-t-elle, mauvaise.

Et Meggie obéit.

Elle écarta le marque-page qui masquait le texte. Il fallait qu'elle fasse vite, qu'elle lise avant que Mo ne fasse une bêtise. Il ne connaissait pas le plan de Fenoglio.

— Je vais commencer, et je veux que personne ne me dérange ! annonça-t-elle d'une voix forte. Personne ! Compris ?

« Je t'en prie, pensa-t-elle, je t'en prie, ne fais rien ! »

Certains hommes de Capricorne se mirent à rire, mais ce dernier se renversa dans son fauteuil en croisant les bras, plein d'espoir.

— Oui, écoutez bien ce que la petite a dit, cria-t-il. Le premier qui dérange sera offert à l'Ombre en cadeau de bienvenue.

Meggie glissa deux doigts dans sa manche. Ils étaient là, les mots de Fenoglio. Elle regarda la pie.

— *Elle*, elle me dérange, dit-elle d'une voix forte. Je ne peux pas lire si elle reste derrière moi.

Capricorne adressa un signe impatient à Mortola. Elle fit une grimace, comme s'il lui avait ordonné de manger du savon, mais elle recula de deux ou trois pas hésitants. Cela devait suffire. Meggie leva la main et écarta une mèche de son front.

Le signal pour Fenoglio.

Il commença immédiatement son numéro.

— Non ! Non ! Non ! Elle ne lira pas ! s'écria-t-il en faisant un pas en direction de Capricorne avant que Cockerell ait eu le temps de le retenir. Je ne le permettrai pas. Je suis l'inventeur de cette histoire et je ne l'ai pas écrite afin qu'on s'en serve pour commettre des crimes et des meurtres !

Cockerell essaya de lui mettre la main devant la bouche mais Fenoglio lui mordit les doigts et lui échappa avec une agilité dont Meggie n'aurait pas cru capable le vieil homme.

— Je t'ai inventé! hurla-t-il tandis que Cockerell courait après lui autour du fauteuil de Capricorne. Et je le regrette, maudit bandit.

Puis il courut en direction du stade. Cockerell le rattrapa juste devant la cage des prisonniers. Pour se venger des sarcasmes que cela lui valut, il tordit le bras de Fenoglio dans le dos, si brutalement que celui-ci poussa un cri de douleur. Mais quand Cockerell le ramena à côté de Capricorne, il avait l'air content, très content, car il savait qu'il avait laissé assez de temps à Meggie. Ils s'étaient entraînés maintes fois. Elle tira la feuille de sa manche, ses doigts tremblaient mais, quand elle la glissa entre les pages du livre, personne ne le remarqua. Pas même la pie.

— De quoi le vieux vient-il de se vanter? Ai-je l'air de quelqu'un qu'on a inventé? s'écria Capricorne.

Des rires fusèrent. On semblait avoir oublié la fumée au-dessus du village. Cockerell mit sa main sur la bouche de Fenoglio.

— Encore une fois, et j'espère que ce sera la dernière! cria Capricorne à Meggie. Commence! Les prisonniers ont attendu assez longtemps leur bourreau.

Le silence revint. Il avait de nouveau l'odeur de la peur.

Meggie se pencha sur le livre posé sur ses genoux.

Les lettres semblaient danser devant ses yeux.

« Surgis! songea Meggie. Surgis et sauve-nous. Sauve-nous tous : Elinor et ma mère, Mo et Farid. Sauve Doigt de Poussière s'il est encore là, et même Basta. »

Sa langue était comme un petit animal qui aurait trouvé refuge dans sa bouche et cognait maintenant la tête contre ses dents.

— *Capricorne avait beaucoup d'hommes*, commença-t-elle. *Et ils étaient craints des lieues à la ronde. Ils sentaient la fumée froide, le soufre et tout ce qui a le goût du feu. Si l'un d'entre eux surgissait quelque part, les gens se barricadaient et cachaient leurs enfants. Ils les appelaient les doigts de feu, les bouchers. Les hommes de Capricorne avaient de nombreux noms. On avait peur d'eux le jour et, la nuit, ils s'introduisaient jusque dans les rêves et les empoisonnaient. Mais il y en avait un que les gens redoutaient plus encore que les hommes de Capricorne.*

Meggie eut le sentiment que sa voix devenait plus forte à chaque mot. Elle semblait enfler, jusqu'à emplir complètement les lieux.

— *On l'appelait l'Ombre.*

Encore deux lignes sur cette page avant de la tourner. Les mots de Fenoglio attendaient à la page suivante. « Regarde ça, Meggie, avait-il murmuré en lui montrant la feuille. Ne suis-je pas un artiste ? Y a-t-il quelque chose de plus beau au monde que les mots ? Signes magiques, voix des morts, créateurs de mondes merveilleux, meilleurs que celui-ci, consolateurs, compagnons de solitude. Gardiens de secrets, porte-parole de la vérité… »

« Savoure chaque mot, Meggie, chuchotait la voix de Mo en elle, laisse-les fondre sur ta langue. Tu savoures les couleurs ? Tu savoures le vent et la nuit ? La peur et la joie ? Et l'amour. Savoure-les, Meggie, et tout va s'éveiller à la vie. »

— *On l'appelait l'Ombre. Il n'apparaissait que lorsque Capricorne l'appelait,* continua-t-elle

Le *on* s'arrondissait sur ses lèvres, le *r*, sombre, roulait dans sa bouche.

— *Il était tantot rouge comme le feu, tantôt gris comme la cendre qui rend gris tout ce que le feu dévore. Comme la flamme s'élève du bois, il s'élevait de la terre. Ses doigts semaient la mort, de même que son souffle. Devant les pieds* de son maître, il se relevait, sans bruit et sans visage, flairant une piste comme un chien et attendant que son maître lui indique sa victime. On racontait que Capricorne avait chargé un kobold ou des nains, pour qui l'art du feu et de la fumée n'avait pas de secrets, de façonner l'Ombre avec la cendre de ses victimes. Personne n'en était vraiment sûr car on disait aussi que Capricorne avait fait tuer ceux qui avaient donné vie à l'Ombre. Mais tous savaient une chose, c'est qu'elle était immortelle, invulnérable et sans pitié, comme son maître.

La voix de Meggie s'envola, comme si le vent l'avait happée sur ses lèvres.

Quelque chose s'éleva soudain sur le terrain, grandit, étendit des membres couleur de cendre. La nuit s'emplit alors d'une odeur de soufre. Elle piqua si fort les yeux de Meggie que les lettres se brouillèrent, mais il fallait qu'elle continue à lire pendant que la sinistre créature continuait de grandir, toujours plus, comme si ses doigts de soufre voulaient toucher le ciel.

— Mais une nuit, une nuit douce constellée d'étoiles, l'Ombre, quand elle apparut, n'écouta pas la voix de Capricorne, mais celle d'une fillette et, quand celle-ci prononça son nom, l'Ombre se souvint. Se souvint de tous ceux dont les cendres l'avaient façonnée, de toute la souffrance, de toute la tristesse…

La pie attrapa Meggie par l'épaule.

— Qu'est-ce que c'est que ça ? Qu'est-ce que tu racontes ?

Meggie fit un bond et lui échappa avant qu'elle ait pu lui arracher la feuille des mains.

— Elle se souvint, continua-t-elle d'une voix sonore, et décida de se venger, de se venger de ceux qui étaient à l'origine de ce malheur, qui empoisonnaient le monde avec leur cruauté.

— Qu'elle arrête !

Était-ce la voix de Capricorne ? Meggie faillit trébucher sur le bord de l'estrade en tentant d'échapper à la pie. Darius était là et la regardait, éberlué, le coffret à la main. Soudain, très calmement, comme s'il avait tout son temps, il le posa et ceintura la pie avec ses bras maigres. Elle eut beau se débattre et l'insulter, il ne la lâcha pas. Et Meggie poursuivit sa lecture, le regard dirigé vers l'Ombre qui ne bougeait pas et regardait dans sa direction. Elle n'avait vraiment pas de visage, mais elle avait des yeux, des yeux terribles, rouges comme la lueur qui rougeoyait là-bas parmi les maisons, comme la braise d'un feu caché.

— Arrachez-lui le livre ! cria Capricorne.

Il était devant son fauteuil, courbé, comme s'il avait peur que ses jambes refusent d'avancer s'il faisait un pas en direction de l'Ombre.

— Enlevez-le-lui !

Mais aucun de ses hommes ne bougea, aucun des jeunes garçons, aucune des femmes ne lui vint en aide. Tous regardaient l'Ombre qui restait immobile, écoutant la voix de Meggie comme si elle lui racontait une histoire depuis longtemps oubliée.

— *Oui, elle voulait se venger,* continua Meggie.

Si seulement elle avait pu empêcher sa voix de trembler, mais ce n'était pas facile de tuer, même si un autre allait le faire pour elle.

— *Et l'Ombre s'avança vers son maître et tendit ses mains grisâtres vers lui…*

Et sans un bruit, l'immense et terrible créature se mit à avancer. Meggie ne pouvait détacher les yeux de la phrase suivante : « *Et Capricorne tomba en avant, et son cœur noir s'arrêta de battre…* »

Elle ne pouvait le dire, elle ne pouvait pas.

Tous leurs efforts avaient été vains.

Mais soudain, un homme surgit derrière elle. Elle n'avait

même pas remarqué qu'il était monté sur l'estrade. Le garçon qui était avec lui braqua un fusil en direction des bancs. Mais personne ne bougea. Personne ne leva le moindre petit doigt pour sauver Capricorne.

Et Mo prit le livre des mains de Meggie, parcourut des yeux les lignes que Fenoglio avait ajoutées et lut jusqu'au bout, d'une voix assurée, ce que le vieil homme avait écrit :

— *Et Capricorne tomba en avant, et son cœur noir s'arrêta de battre, et tous ceux qui avaient rançonné et assassiné disparurent — comme la cendre au gré du vent.*

57

UN VILLAGE DÉSERTÉ

Dans les livres, je rencontre les morts, comme s'ils étaient vivants, dans les livres, je regarde les choses qui arrivent.
Toutes les choses périssent et passent, avec le temps.
Toute gloire sombrerait dans l'oubli, si Dieu n'avait donné aux mortels pour les aider, le livre.

Richard de Bury, cité d'après Alberto Manguel

Ainsi mourut Capricorne, exactement comme Fenoglio l'avait écrit. Et au moment même où son maître s'écroula, Cockerell disparut, et avec lui plus de la moitié des hommes qui étaient assis sur les bancs. Les autres s'enfuirent en courant, les jeunes garçons et les femmes. Ils croisèrent les hommes que Capricorne avait envoyés éteindre le feu et ceux qui étaient censés capturer l'incendiaire. Sur leurs visages couverts de suie se lisait l'effroi, dû non pas à l'incendie qui avait dévoré la maison de Capricorne, mais à la disparition de Nez Aplati qui s'était volatilisé sous leurs yeux, et de bien d'autres encore. Ils avaient disparu, happés par la nuit, comme s'ils n'avaient jamais existé, et peut-être était-ce la réalité. L'homme qui les avait inventés les avait aussi effacés, gommés, comme des fautes, des taches sur du papier blanc. Ils avaient disparu et les autres, ceux qui n'étaient pas nés de la plume de Fenoglio, revenaient en courant pour rapporter à Capricorne tous ces événements affreux. Mais Capricorne gisait face contre terre dans son costume rouge, et personne n'aurait plus jamais à lui rendre des comptes – sur le feu et la fumée, sur la peur et la mort. Plus jamais.

Seule l'Ombre était encore là, si grande que les hommes qui arrivaient sur le parking en courant la virent de loin, qui se détachait, grise, sur le ciel noir de la nuit, les yeux formant deux étoiles embrasées. Tous se précipitèrent sur les voitures. Ils n'avaient qu'une idée en tête : fuir, avant que la créature qui avait été appelée comme un chien ne les dévore tous.

Lorsque Meggie recouvra ses esprits, ils avaient tous disparu. Elle avait glissé sa tête sous le bras de Mo, comme elle faisait toujours quand elle ne voulait pas voir le monde. Mo avait mis le livre sous la veste qui le faisait ressembler à un homme de Capricorne et il avait serré Meggie contre lui pendant qu'autour d'eux les gens couraient en criant. Seule l'Ombre était absolument silencieuse comme si, en ayant tué son maître, elle avait perdu tout son pouvoir.

– Farid, dit Mo, tu peux aller ouvrir la cage?

Alors seulement, Meggie releva la tête et vit que la pie était toujours là. Pourquoi n'avait-elle pas disparu? Darius la ceinturait toujours, comme s'il avait peur de ce qui arriverait s'il la lâchait. Mais elle ne se débattait plus. Elle regardait seulement Capricorne et les larmes coulaient sur son visage anguleux, sur son petit menton et tombaient sur sa robe comme des gouttes de pluie.

Avec l'agilité de Gwin, Farid sauta de l'estrade et courut vers la cage, sans quitter l'Ombre des yeux. Mais elle ne bougeait toujours pas. Elle était là, immobile, comme si jamais plus elle ne bougerait. Jamais plus.

— Meggie, lui chuchota Mo. Allons voir les prisonniers, tu veux bien ? La pauvre Elinor a l'air épuisée et je voudrais te présenter quelqu'un.

Farid s'efforçait d'ouvrir la porte de la cage et les deux femmes regardaient dans leur direction.

— Tu n'as pas besoin de me la présenter, dit Meggie en serrant sa main. Je sais qui c'est. Je le sais depuis longtemps. J'aurais tellement aimé t'en parler mais tu n'étais pas là et, maintenant, il faut qu'on lise encore quelque chose. Les dernières phrases.

Elle sortit le livre de sous la veste de Mo et le feuilleta jusqu'à ce qu'elle tombe sur le morceau de papier de Fenoglio, glissé entre les pages.

— Il les a écrites au verso de la feuille, il n'y avait plus de place, expliqua-t-elle. Il n'arrive vraiment pas à faire de petites lettres.

Fenoglio.

Elle laissa retomber la feuille et regarda autour d'elle, mais elle ne le vit nulle part. Les hommes de Capricorne l'avaient-ils emmené, à moins que...

— Mo, il a disparu ! s'exclama-t-elle, bouleversée.

— Je vais aller à sa recherche, la consola Mo, mais d'abord, lis, vite ! À moins que tu ne préfères que je le fasse ?

— Non !

L'Ombre recommença à bouger. Elle fit un pas en direction du corps de Capricorne, un autre en arrière, chancelante, puis demi-tour, gauchement, comme un ours savant. Meggie crut entendre un gémissement. Quand les yeux rouges se posèrent sur lui, Farid s'accroupit derrière la cage. Elinor et sa mère aussi reculèrent. Mais Meggie lut, d'une voix assurée :

— *L'Ombre était là, et les souvenirs lui faisaient si mal qu'elle en fut presque déchirée. Elle les entendait dans sa tête, tous ces cris et ces soupirs, elle croyait sentir les larmes sur sa peau grise. La peur lui brûlait les yeux comme de la fumée. Et puis soudain, elle sentit autre chose, qui la fit tomber à terre, à genoux, et la silhouette effrayante se désagrégea. Alors, d'un seul coup, tous resurgirent, tous ceux dont les cendres l'avaient façonnée : femmes et hommes, enfants, chiens, chats, kobolds, fées et bien d'autres encore.*

Et Meggie vit le stade se remplir de monde. Ils étaient de plus en plus nombreux. Ils se regroupaient à l'endroit où l'Ombre s'était effondrée, regardaient autour d'eux comme s'ils venaient juste de se réveiller, et Meggie lut la dernière phrase de Fenoglio :

— *Ils semblaient s'éveiller d'un mauvais rêve et, enfin, tout rentra dans l'ordre.*

— Il n'est plus là ! s'exclama Meggie quand Mo lui prit des mains la feuille de Fenoglio pour la remettre dans le livre. Il a disparu, Mo ! Il est dans le livre, je le sais !

Mo regarda le livre et le remit sous sa veste.

— Oui, je crois que tu as raison, admit-il. Mais si c'est ça, nous n'y pouvons rien pour le moment.

Puis il entraîna Meggie qu'il fit descendre de l'estrade, au milieu de tous ces gens et de toutes ces créatures étranges qui se rassemblaient dans le stade comme s'ils étaient chez eux. Darius, qui avait fini par lâcher la pie, les suivit. Elle était toujours près de la chaise sur laquelle Meggie s'était assise, ses mains noueuses posées sur le dossier, elle pleurait, sans bruit, absente, comme si elle n'était plus que larmes.

Tandis que Meggie se dirigeait avec Mo vers la cage dans laquelle étaient enfermées Elinor et sa mère, une fée atterrit dans ses cheveux — une minuscule créature à la peau bleue, qui se confondit en excuses. Puis un personnage velu déboucha devant elle, avec une drôle de démarche, mi-homme, mi-bête, et enfin, elle faillit écraser un minuscule petit bonhomme qui semblait être tout en verre. Le village de Capricorne comptait désormais de bien étranges habitants.

Quand ils arrivèrent devant la cage, Farid essayait toujours de l'ouvrir. L'air sombre, il s'acharnait sur la serrure, murmurant des mots comme : « Doigt de Poussière m'a pourtant montré exactement comment m'y prendre mais ce doit être une serrure très spéciale. »

— Eh bien, bravo ! ironisa Elinor en pressant son visage contre les barreaux. Cette Ombre ne nous a pas mangées, certes, mais voilà qu'en échange nous allons devoir mourir de faim dans une cage. Que dis-tu de ta fille, Mo ? N'est-ce pas une enfant courageuse ? Moi, je n'aurais pas pu articuler un seul mot, pas un seul. Seigneur, quand j'ai vu que la vieille essayait de lui arracher le livre des mains, j'ai cru que mon cœur s'arrêtait de battre.

Mo posa sa main sur l'épaule de Meggie, mais il regardait quelqu'un d'autre. Neuf ans, c'est long, très très long.

— Ça y est ! J'ai réussi ! s'écria Farid en ouvrant la porte de la cage.

Mais avant que les deux femmes aient pu faire un pas, une silhouette surgit du coin le plus obscur de la cage, sauta sur elles et attrapa la plus jeune — la mère de Meggie.

— Stop ! lança Basta. Pas si vite ! Où vas-tu comme ça, Resa ?

Rejoindre ta famille chérie ? Tu crois que je n'ai pas compris toutes vos messes basses dans la crypte ? Eh bien, tu te trompes !

— Lâche-la ! cria Meggie. Lâche-la !

Pourquoi n'avait-elle pas pris garde à la forme sombre qui était allongée dans le coin sans bouger ? Comment avait-elle pu penser que Basta était mort, comme Capricorne ? Et pourquoi ne l'était-il pas ? Pourquoi n'avait-il pas disparu, comme Nez Aplati et Cockerell et tous les autres ?

— Lâche-la, Basta ! répéta Mo à voix basse, comme s'il n'avait plus la force de parler plus fort. Tu ne sortiras pas d'ici, même avec elle. Personne ne t'aidera, ils sont tous partis.

— Oh, si ! Je sortirai d'ici ! répliqua Basta d'une voix fielleuse. Si tu ne me laisses pas passer, je l'étrangle, je tords son joli petit cou. Au fait, tu sais pourquoi elle ne parle pas, n'émet pas un son ? C'est parce que c'est Darius, l'incapable, qui l'a fait surgir en lisant. Un poisson muet, voilà ce qu'elle est, un petit poisson muet. Mais comme je te connais, tu veux la récupérer quand même, hein ?

Mo ne répondit pas et Basta se mit à rire.

— Pourquoi n'es-tu pas mort ? lui cria Elinor. Pourquoi ne t'es-tu pas effondré comme ton maître, ou dissous dans les airs ?

Basta se contenta de hausser les épaules.

— Va savoir ! maugréa-t-il en mettant sa main autour du cou de Resa. (Elle essaya de lui donner des coups de pied, mais il serra encore plus fort.) La pie aussi est encore là, mais il est vrai qu'elle a toujours laissé les autres se charger des corvées. Quant à moi... je fais peut-être partie des gentils maintenant, parce qu'ils m'ont enfermé dans la cage ? J'ai peut-être été épargné parce qu'il y a longtemps que je n'ai plus rien fait et parce que

Nez Aplati prenait beaucoup plus de plaisir que moi à tuer ?
Peut-être, peut-être, peut-être… En tout cas, je suis encore
là… Et maintenant, laisse-moi passer, bouffeuse de livres !

Elinor lui barrait le passage.

— Non ! s'écria-t-elle, tu ne sortiras que si tu la lâches ! Je
n'aurais jamais pensé que cette histoire puisse finir bien, mais
si, vois-tu — et ce n'est pas un petit minable comme toi qui va
venir tout gâcher à la dernière minute. Aussi vrai que je m'appelle Elinor Loredan !

Et d'un air résolu, elle se campa devant la porte de la cage.

— Cette fois, tu n'as pas ton couteau sur toi, poursuivit-elle
d'une voix doucereuse et menaçante. Tu n'as plus rien, que ta
langue de vipère et, crois-moi, ça ne te servira à rien. Enfon-
ce-lui les doigts dans les yeux, Teresa ! Donne-lui des coups de
pied, mords-le, ce bandit !

Mais avant que Resa ait pu obéir, Basta la bouscula si violemment qu'elle heurta Elinor et la renversa, en même temps
que Mo qui voulait leur venir en aide.

Basta se précipita sur la porte ouverte de la cage, écarta Farid
et Meggie, stupéfaits, et s'enfuit parmi tous ceux qui erraient
toujours comme des somnambules dans le stade. Et il disparut
avant que Mo et Farid aient eu le temps de se lancer à sa poursuite.

— Bravo ! murmura Elinor en sortant de la cage avec Teresa.
Maintenant, chaque fois que j'entendrai la nuit des craquements
dans mon jardin, je m'imaginerai son couteau sur mon cou.

Mais Basta n'était pas le seul à s'être enfui. La pie aussi disparut cette nuit-là sans laisser de trace.

Fatigués, ils se mirent en route vers le parking dans l'espoir d'y trouver une voiture qui les emporterait loin du village de Capricorne, mais les voitures aussi étaient parties. Il n'en restait plus une seule sur la place plongée de nouveau dans l'obscurité.

— Oh non ! Dites-moi que ce n'est pas vrai ! gémit Elinor. Est-ce que cela signifie que nous allons devoir refaire tout ce maudit chemin à pied ?

— À moins que tu n'aies ton portable sur toi ? répondit Mo.

Depuis que Basta était parti, il était resté au côté de Teresa.

Inquiet, il avait examiné son cou, où les traces rouges laissées par les doigts de Basta étaient encore visibles — il avait également pris une mèche de ses cheveux entre les doigts et lui avait dit qu'il les aimait encore mieux plus foncés. Mais neuf ans, c'est vraiment très long et Meggie observa qu'ils se rapprochaient avec prudence, comme des gens sur une passerelle au-dessus d'un grand, grand vide.

Bien entendu, Elinor n'avait pas son portable sur elle. Capricorne le lui avait confisqué. Ils décidèrent donc de passer une dernière nuit dans le village, avec tous ceux que Fenoglio avait arrachés à la mort. C'était une nuit douce et magnifique et l'on pouvait dormir sous les arbres.

Meggie et Mo trouvèrent suffisamment de couvertures dans le village désert. La maison de Capricorne fut la seule qu'ils évitèrent. Meggie ne voulait plus jamais y remettre les pieds, non pas à cause de l'odeur âcre de brûlé qui s'en dégageait, mais à cause des souvenirs qui, telles des bêtes sauvages, l'assaillaient rien qu'à la regarder.

Assise entre Mo et sa mère sous un des vieux chênes-lièges qui entouraient le parking, elle ne put s'empêcher de penser soudain à Doigt de Poussière. Elle se demanda si Capricorne n'avait pas menti, s'il ne gisait pas vraiment mort, quelque part dans les collines. « Je ne saurai sans doute jamais ce qu'il est devenu », songea-t-elle, tandis qu'une des fées bleues se balançait sur une branche au-dessus d'elle, l'air perplexe.

Cette nuit-là, le village tout entier semblait être enchanté. L'air était rempli de murmures ; les créatures qui passaient par le parking semblaient sorties tout droit de rêves d'enfants et non des mots d'un vieil homme. Mais une autre question revenait sans cesse à l'esprit de Meggie : où pouvait bien être Fenoglio et comment se sentait-il dans sa propre histoire ? Elle souhaitait de tout son cœur qu'il s'y plaise. Mais elle savait combien ses petits-enfants et leurs jeux de cache-cache dans le placard de la cuisine, allaient lui manquer.

Avant que ses yeux ne se ferment, Meggie aperçut Elinor qui se promenait, entourée de kobolds et de fées, avec un air radieux que Meggie ne lui avait jamais vu. À la gauche et à la droite de Meggie, il y avait ses parents et sa mère écrivait, sur les feuilles des arbres, sur le tissu de sa robe et sur le sable. Il y avait tant de choses à dire, tant d'histoires à raconter…

58

NOSTALGIE

Et pourtant, Bastien savait qu'il ne pouvait partir sans le livre. Il réalisait maintenant qu'il n'était venu là que pour ce livre, celui-ci l'avait mystérieusement appelé, parce qu'il voulait le retrouver, parce que depuis toujours, il lui appartenait.

Michael Ende, *L'Histoire sans fin*

Juché sur le toit d'une maison assez éloignée du stade pour qu'il se sente à l'abri de l'Ombre sans rien perdre du spectacle, Doigt de Poussière avait assisté à toute la scène — grâce à des jumelles qu'il avait trouvées dans la maison de Basta. Il avait d'abord envisagé de rester dans sa cachette. Il n'avait vu que trop souvent l'Ombre tuer des gens. Mais il avait été poussé par un sentiment étrange, aussi irrationnel que l'amulette de Basta : le sentiment de pouvoir protéger le livre par sa seule présence. Lorsqu'il sortit furtivement dans la ruelle, il ressentit même quelque chose d'autre, quelque chose qu'il avait du mal à s'avouer : il voulait voir mourir Basta, à travers les jumelles avec lesquelles celui-ci observait ses futures victimes.

C'est ainsi qu'assis sur le bardeau d'un toit défoncé, adossé contre la cheminée froide, le visage couvert de suie pour ne pas trahir sa présence dans la nuit, il vit la fumée monter dans le ciel, à l'emplacement de la maison de Capricorne. Il vit Nez Aplati se précipiter avec quelques hommes pour éteindre le feu. Il vit l'Ombre surgir de terre et grandir, le vieil homme disparaître avec une expression d'étonnement infini, et Capricorne mourir de la mort qu'il avait lui-même appelée. Malheureusement, Basta avait survécu, ce qui était vraiment contrariant. Doigt de Poussière le vit s'enfuir, et vit la pie le suivre.

Il vit tout, Doigt de Poussière, le spectateur.

Il avait souvent été spectateur et cette histoire n'était pas la sienne. En quoi Langue Magique et sa fille, le garçon, la folle de livres et la femme qui appartenait maintenant à un autre le concernaient-ils ? Elle aurait pu fuir avec lui mais elle était restée dans la crypte, avec sa fille. Aussi l'avait-il bannie de son cœur, comme il faisait chaque fois que quelqu'un voulait s'y incruster trop longtemps. Il était content que l'Ombre ne l'ait pas tuée mais elle ne l'intéressait plus. Désormais, c'est à Langue Magique que Resa raconterait les merveilleuses histoires qui chassent la solitude, la nostalgie et la peur. Peu lui importait.

Et les fées et les kobolds qui se promenaient dans le stade de Capricorne ? Pas plus que lui, ils n'avaient leur place en ce monde et ne sauraient lui faire oublier qu'il n'était toujours là que pour une seule raison. La seule chose qui l'intéressait encore, c'était le livre, rien que le livre, et quand il avait vu Langue Magique le glisser sous sa veste, il avait décidé de le récupérer.

Le livre au moins serait à lui, il le fallait. Il caresserait ses pages et, quand il fermerait les yeux, il se sentirait chez lui. Le vieux y était bien, lui, le vieux au visage ridé. C'était fou. « Oui, toi et ta peur, Doigt de Poussière! se disait-il, amer. Tu es et resteras un lâche. Pourquoi n'étais-tu pas à côté de Capricorne? Pourquoi n'as-tu pas osé y aller, c'est peut-être *toi* qui aurais disparu, à la place du vieux.»

La fée aux ailes de papillon et au teint laiteux voltigeait derrière lui. C'était une petite fée vaniteuse. Chaque fois qu'elle voyait son reflet dans une fenêtre, elle s'arrêtait devant en souriant, perdue dans ses pensées, se tournait d'un côté et de l'autre, se passait les doigts dans les cheveux et se contemplait, comme ravie de sa propre beauté. Les fées qu'il avait connues jusque-là n'étaient pas particulièrement vaniteuses. Au contraire, elles prenaient même parfois un malin plaisir à se barbouiller le visage de boue ou de pollen pour lui demander après en riant laquelle d'entre elles se cachait derrière tant de saleté.

«Je devrais peut-être en attraper une! se disait-il. Elle pourrait me rendre invisible. Ce serait merveilleux d'être invisible, comme autrefois. Ou bien un kobold! Tout le monde le prendrait pour un nain en costume de fourrure. Je ne connais personne qui sache faire aussi longtemps le poirier qu'un kobold, ou faire aussi bien les grimaces, et leurs petites danses effrénées, si drôles… Mais oui, pourquoi pas?»

Mais lorsque la lune eut parcouru déjà la moitié du ciel, Doigt de Poussière était toujours sur son toit et la fée aux ailes de papillon s'impatienta. Tandis qu'elle continuait de voltiger autour de lui, ses tintements devinrent aigus et furieux. Que voulait-elle? Qu'il la ramène d'où elle venait, là où toutes les fées ont des ailes de papillon et où l'on comprend leur langue?

— Tu te trompes d'interlocuteur, lui dit-il à voix basse. Tu vois la fillette là-bas, et l'homme qui est assis à côté de la femme aux cheveux blond cendré ? C'est à eux qu'il faut t'adresser, mais je te préviens : ils sont forts pour te faire sortir de ton monde mais, pour t'y ramener, c'est autre chose. Essaie quand même ! Tu auras peut-être plus de chance que moi !

La fée regarda en contrebas, lui lança un dernier regard offusqué et s'envola. Il vit sa lueur se mêler à celle des autres fées. Elles avaient la mémoire courte. Dans leurs petites têtes, aucun chagrin ne durait plus d'un jour — et qui sait ? peut-être que la douceur de l'air leur avait fait oublier depuis longtemps que cette histoire n'était pas la leur.

Quand tous s'endormirent enfin, le jour pointait à l'horizon. Seul Farid montait la garde. C'était un garçon méfiant, toujours sur la défensive, toujours prudent, sauf quand il jouait avec le feu.

Doigt de Poussière ne put s'empêcher de sourire en pensant à son air appliqué et au jour où il avait pris en cachette les torches dans son sac à dos et s'était brûlé les lèvres. Le garçon ne serait pas un problème. Non. C'était sûr.

Langue Magique et Resa dormaient sous un arbre, Meggie était allongée entre eux, à l'abri comme un jeune oiseau dans le nid. Un peu plus loin dormait Elinor. Elle souriait dans son sommeil. Doigt de Poussière ne l'avait encore jamais vue heureuse. Sur sa poitrine reposait une fée, roulée en boule comme une chenille. Elinor avait passé sa main autour d'elle. Le visage de la fée n'était guère plus gros que le bout de son pouce et sa lueur filtrait à travers les doigts imposants d'Elinor comme une étoile captive.

Dès qu'il aperçut Doigt de Poussière, Farid se redressa. Il tenait un fusil qui avait dû appartenir à l'un des hommes de Capricorne.

— Tu… tu n'es pas mort ? murmura-t-il, incrédule.

Il ne portait toujours pas de chaussures. Ce n'était pas étonnant, car il n'avait cessé de trébucher sur ses lacets qu'il avait toujours eu du mal à attacher.

— Non, non, je ne suis pas mort.

Doigt de Poussière s'arrêta devant Langue Magique et Resa pour les contempler.

— Où est Gwin ? demanda-t-il au garçon. J'espère que tu as veillé sur elle !

— Elle s'est enfuie quand on nous a tiré dessus, mais elle est revenue !

De la fierté perçait dans sa voix.

— Bon.

Il s'accroupit à côté de Langue Magique.

— Oui, elle a toujours su quand il était temps de s'enfuir, comme son maître, ajouta-t-il.

— La nuit dernière, nous l'avons laissée au campement, là-haut, près de la maison incendiée parce que nous savions que ce serait assez dangereux, continua le garçon. Mais je comptais aller la chercher dès que j'aurais fini ma garde.

— Je vais m'en charger. Ne t'inquiète pas, elle va sûrement bien. Une martre comme Gwin sait se débrouiller.

Doigt de Poussière tendit la main et la passa sous la veste de Langue Magique.

— Qu'est-ce que tu fais ?

Le garçon avait l'air inquiet.

— Je reprends ce qui m'appartient, répondit Doigt de Poussière.

Quand il attrapa le livre, Langue Magique ne bougea pas. Il

dormait profondément. Qu'est-ce qui pouvait troubler son sommeil désormais ? Il avait tout ce qu'il désirait.

— Il n'est pas à toi !

— Si.

Doigt de Poussière leva les yeux vers les branches. Trois fées y étaient endormies. Il s'était toujours demandé comment elles pouvaient dormir dans les arbres sans tomber. Délicatement, il en cueillit deux sur la branche fine où elles reposaient, souffla doucement sur leur visage quand elles ouvrirent les yeux en bâillant et les mit dans sa poche.

— Quand on souffle, ça les endort, expliqua-t-il au garçon. C'est bon à savoir, si jamais tu as affaire à elles. Mais je crois que ça ne marche qu'avec les bleues.

Il ne réveilla pas de kobold. Les kobolds sont des créatures têtues. Il faudrait trop de temps pour en convaincre un de le suivre et Langue Magique risquerait de se réveiller avant.

— Emmène-moi ! s'exclama le garçon en lui barrant le passage. Tiens, j'ai ton sac à dos.

Il brandit le sac, comme s'il voulait ainsi s'acheter la compagnie de Doigt de Poussière.

— Non.

Doigt de Poussière prit le sac, le posa sur son épaule et lui tourna le dos.

— Si ! insista le garçon en le suivant. Il faut que tu m'emmènes. Que vais-je dire à Langue Magique quand il remarquera que le livre a disparu ?

— Dis-lui que tu t'es endormi.

— S'il te plaît !

Doigt de Poussière s'arrêta.

— Et elle ? demanda-t-il en désignant Meggie. Elle te plaît, non ? Pourquoi ne restes-tu pas avec elle ?

Le garçon rougit. Il regarda longuement la fillette comme s'il voulait s'imprégner de son image. Puis il se tourna vers Doigt de Poussière.

— Je ne suis pas de son monde.

— Tu n'es pas non plus du mien.

Et il se mit en route. Au bout d'un moment, il se retourna : le garçon était toujours là. Il avait fait le moins de bruit possible pour que Doigt de Poussière ne l'entende pas et, maintenant, il avait l'air d'un voleur pris sur le fait.

— Qu'est-ce que tu fabriques ? Tu sais bien que je ne vais pas rester longtemps ici ! lui lança Doigt de Poussière. Maintenant que j'ai le livre, je vais chercher quelqu'un qui puisse me renvoyer dans l'autre monde. Même si c'est un mauvais comme Darius et qu'il m'y expédie avec une jambe plus courte que l'autre ou un nez aplati. Qu'est-ce que tu feras alors ? Tu te retrouveras tout seul.

Le garçon haussa les épaules et le regarda avec ses grands yeux noirs.

— J'arrive déjà très bien à cracher le feu. Je me suis beaucoup entraîné pendant ton absence. Mais pour avaler, j'ai encore un problème.

— C'est plus difficile. Tu veux aller trop vite. Je te l'ai déjà dit cent fois.

Ils retrouvèrent Gwin près des ruines de la maison incendiée, somnolente, avec des plumes sur le museau. Elle eut l'air contente de revoir son maître. Elle lui lécha la main mais, ensuite, c'est le garçon qu'elle suivit. Ils marchèrent jusqu'au lever du jour, toujours en direction du sud, quelque part vers la mer. Puis ils firent une halte, avec les provisions que Doigt de Poussière avait trouvées dans la cuisine de Basta : du saucisson, rouge et épicé, un morceau de fromage, du pain et de l'huile d'olive. Le pain était un peu dur, ils le trempèrent dans l'huile, mangèrent en silence, assis dans l'herbe, et se remirent en route. Entre les arbres poussait de la sauge sauvage, bleu et rose. Dans la poche de Doigt de Poussière, les fées s'agitaient – et le garçon marchait derrière lui comme une deuxième ombre.

59

RETOUR À LA MAISON

Il fit voile à nouveau.
Il vogua le matin et il vogua le soir,
les jours étaient comme des semaines
et les semaines comme des mois
mais au bout d'un an et un jour
il accosta enfin en pleine nuit,
dans sa propre chambre
où il trouva son dîner
qui l'attendait
— tout chaud —

Maurice Sendak,
Max et les Maximonstres

Le lendemain matin, lorsque Mo s'aperçut que le livre avait disparu, Meggie pensa d'abord que c'était Basta qui l'avait pris. L'idée qu'il ait pu rôder autour d'eux pendant leur sommeil l'angoissa. Mais Mo avait une autre explication.

— Farid aussi a disparu ! remarqua-t-il. Tu crois qu'il aurait suivi Basta ?

Non. Il n'y avait qu'une personne que Farid puisse suivre. Meggie pouvait bien s'imaginer Doigt de Poussière surgissant au milieu de la nuit, comme il l'avait fait la nuit où tout avait commencé.

— Et Fenoglio ? dit-elle.

Mo se contenta de soupirer.

— Je ne sais pas si j'aurais essayé de le faire revenir. Ce livre a été à l'origine de tant de malheurs, et je ne suis pas écrivain. Je ne suis qu'une sorte de soigneur de livres. Je peux leur confectionner de nouvelles couvertures, je peux les rajeunir un peu. Je peux les débarrasser des vers et empêcher qu'avec les années ils perdent leurs pages comme un homme ses cheveux. Mais prolonger leurs histoires, remplir de nouvelles pages vierges avec des mots justes, ça, je ne sais pas. C'est un autre métier, un tout autre métier. Un célèbre auteur a écrit un jour : « On peut considérer un écrivain sous trois aspects : comme un conteur d'histoires, comme un pédagogue ou comme un magicien... Mais c'est le magicien qui l'emporte. » J'ai toujours pensé qu'il avait raison.

Meggie ne sut que répondre. Elle savait seulement que le visage de Fenoglio lui manquait.

— Et la fée Clochette ? demanda-t-elle. Que va-t-elle devenir ? Doit-elle rester ici, elle aussi ?

En se réveillant, elle avait vu la fée allongée dans l'herbe près d'elle. Maintenant, elle voltigeait avec les autres fées. Meggie avait beau se creuser la tête, elle avait du mal à comprendre comment elle avait échappé à Basta. N'avait-il pas parlé de l'enfermer dans un pot ?

— Si je me souviens bien, Peter Pan a fini par oublier qu'elle existait, dit Mo. Je me trompe ?

Oui, Meggie s'en souvenait aussi.

— Quand même ! murmura-t-elle. Pauvre Fenoglio !

Mais à ces mots, sa mère secoua la tête énergiquement. Mo cherche du papier dans ses poches. La seule chose qu'il trouva fut une facture de station-service et un feutre. Teresa les lui prit des mains en souriant. Puis elle écrivit, tandis que Meggie attendait, assise dans l'herbe à côté d'elle : *N'aie pas de peine pour lui. Il n'est pas tombé dans une mauvaise histoire.*

— Capricorne y est-il encore ? Tu l'avais déjà rencontré ? demanda Meggie.

Mo et elle s'étaient si souvent posé la question. Car enfin, *Cœur d'encre* parlait toujours de lui. Mais peut-être y avait-il derrière le monde des mots imprimés tout un monde qui, comme celui-ci, se transformait de jour en jour.

J'ai seulement entendu parler de lui, écrivit sa mère. *On disait qu'il était parti en voyage. Mais il y en avait d'autres, aussi méchants que lui. C'était un monde plein de terreur et de beauté et —* là, ses lettres devinrent si petites que Meggie eut du mal à les déchiffrer *— j'ai toujours pu comprendre la nostalgie qu'en avait Doigt de Poussière.*

Cette dernière phrase mit Meggie mal à l'aise, elle regarda sa mère d'un air inquiet, mais celle-ci éclata de rire et prit sa main.

J'avais bien plus la nostalgie de vous, bien plus, écrivit-elle sur la paume de sa main. Meggie referma sa main sur ces mots comme pour les retenir. Durant tout le voyage qui les ramena à la maison d'Elinor, elle les relut souvent et, avant qu'ils ne s'effacent, beaucoup de jours passèrent.

Elinor n'avait pas pu se résigner à devoir de nouveau marcher à travers les collines peuplées de serpents et couvertes de ronces.

— Je ne suis pas folle ! maugréa-t-elle. J'ai déjà mal aux pieds rien que d'y penser.

Aussi se mit-elle avec Meggie en quête d'un téléphone. C'était un sentiment étrange que de traverser le village déserté, de passer devant la maison de Capricorne noire de suie et devant le portail de l'église à demi calciné. Sur la place, il y avait de grosses flaques d'eau. Le ciel s'y reflétait, ce qui donnait l'impression que la place s'était transformée en lac durant la nuit. Les tuyaux dont s'étaient servis les hommes de Capricorne pour sauver la maison de leur maître semblaient se tortiller au milieu comme de gigantesques serpents. Le feu n'avait détruit que le rez-de-chaussée mais Meggie n'osait quand même pas entrer. Après qu'elles eurent cherché en vain dans une douzaine d'autres maisons, Elinor finit par franchir seule le seuil calciné de celle de Capricorne. Meggie lui avait expliqué où se trouvait la chambre de la pie. Elinor prit un fusil avec elle, au cas où la vieille serait revenue pour sauver au moins quelques-uns de ses trésors et ceux de son brigand de fils. Mais la pie avait disparu, tout comme Basta, et Elinor revint avec un sourire triomphant sur les lèvres et un téléphone à la main.

Ils appelèrent un taxi. Il ne fut pas facile d'expliquer au chauffeur qu'il ne devait pas s'occuper du barrage qu'il rencontrerait en chemin mais, par chance, il ne croyait pas aux histoires diaboliques qu'on racontait sur le village. Mo et Elinor l'attendirent sur la route, pour qu'il ne voie pas les fées et les kobolds. Meggie resta au village avec sa mère tandis qu'ils se firent conduire tous les deux à la localité la plus proche pour revenir ensuite avec deux voitures de location, ou plus exactement deux minibus. Car Elinor avait décidé d'offrir un asile à toutes les étranges créatures qui avaient atterri dans ce monde. « Un asile, disait-elle, car notre monde n'a guère de patience ni de compréhension pour ceux qui sont légèrement différents. » Alors, qu'en serait-il pour ceux qui avaient la peau bleue et qui volaient ?

Cela dura un certain temps avant que tous comprennent la proposition d'Elinor. Bien entendu, elle valait aussi pour les êtres humains, mais la plupart décidèrent de rester dans le village de Capricorne. De plus, Meggie parla aux enfants des trésors qui devaient encore se trouver dans la cave de Capricorne. Ils suffiraient sans doute pour nourrir les nouveaux habitants du village jusqu'à la fin de leur vie. Les oiseaux, les chiens et les chats auxquels l'Ombre avait redonné vie n'étaient pas restés là. Ils s'étaient réfugiés depuis longtemps dans les collines environnantes, mais quelques fées et deux hommes de verre, grisés par les fleurs de genêt, l'odeur du romarin et les ruelles étroites dans lesquelles les vieilles pierres leur chuchotaient de vieilles histoires, décidèrent de s'installer dans l'ancien village maudit.

Il y eut quand même quarante-trois fées à la peau bleue et aux ailes de libellule qui entrèrent dans les bus en battant des ailes et se posèrent sur les dossiers aux motifs gris. La fée Clochette fut de celles qui restèrent, Meggie ne s'en offusqua pas particulièrement car elle avait constaté que la fée de Peter Pan voulait toujours avoir raison. Et en plus, ses perpétuels tintements lui tapaient vraiment sur les nerfs. Ils ne s'arrêtaient pratiquement jamais, surtout quand elle n'obtenait pas ce qu'elle voulait.

Quatre kobolds, treize hommes et femmes de verre mon-

tèrent encore dans le bus d'Elinor — et Darius, le lecteur malheureux à la langue qui fourchait. Plus rien ne le retenait dans
le village repeuplé. Il y avait trop de souvenirs malheureux. Il
proposa à Elinor de l'aider à reconstituer sa bibliothèque, et
elle accepta (Meggie se demanda si, en secret, elle ne songeait
pas à le faire lire de nouveau, sachant que la présence menaçante de Capricorne ne le ferait plus bafouiller).

Lorsqu'ils quittèrent le village de Capricorne, Meggie regarda
longtemps en arrière. Elle savait qu'elle n'oublierait jamais ce
spectacle, pas plus qu'on oublie une histoire même si elle vous a
fait peur, ou justement à cause de ça.

Avant de partir, Mo, soucieux, avait voulu savoir si cela ne
l'ennuyait pas de passer d'abord chez Elinor. Mais Meggie ne
demandait que ça. Curieusement, elle se réjouissait plus de
revoir la maison d'Elinor que la vieille ferme dans laquelle Mo et
elle avaient vécu ces dernières années.

Sur la pelouse derrière la maison, il y avait toujours des traces d'incendie à l'endroit où les hommes de Capricorne avaient
brûlé les livres. Elinor avait fait enlever la cendre — après avoir
rempli de cette fine poussière grise un pot de confiture qu'elle
avait mis sur sa table de nuit.

Quant aux livres que les hommes de Capricorne avaient
jetés par terre, beaucoup avaient retrouvé leur place et d'autres
attendaient d'avoir une nouvelle reliure sur la table de travail
de Mo. Dans la bibliothèque, les étagères étaient toujours vides
et, quand elles s'y retrouvèrent toutes les deux, Meggie vit
qu'Elinor avait les larmes aux yeux — bien qu'elle s'empressât
de les essuyer.

Les semaines qui suivirent, Elinor partit faire des achats. Des achats de livres. Elle voyagea à travers toute l'Europe. Darius la suivit partout, et parfois Mo les accompagna. Mais Meggie resta avec sa mère dans la grande maison. Elles s'asseyaient toutes les deux à une fenêtre et regardaient dans le jardin où les fées se construisaient des nids, des nids ronds qui pendaient comme des balles aux branches des arbres. Les créatures de verre s'installèrent dans le grenier d'Elinor et les kobolds se creusèrent des galeries entre les vieux arbres du jardin. Elinor leur avait recommandé à tous d'éviter de quitter la propriété. Elle les mit en garde contre les dangers qui les attendaient au-delà des haies. Mais les fées ne tardèrent pas à voltiger la nuit jusqu'au lac tandis que les kobolds se glissaient dans les villages endormis et que les bonshommes de verre disparaissaient parfois dans l'herbe haute qui recouvrait les versants des montagnes alentour.

— Ne t'inquiète pas, la rassura Mo alors qu'Elinor se plaignait une fois de plus de tant de légèreté. Le monde dont ils viennent n'était pas moins dangereux.

— Mais il était différent ! rétorqua Elinor. Il n'y avait pas de voitures. Tu imagines, si les fées s'écrasent sur un pare-brise ? Et il n'y avait pas non plus de chasseurs qui tirent sur tout ce qui bouge juste pour le plaisir.

Maintenant, Elinor n'ignorait plus rien du monde de *Cœur d'encre*. La mère de Meggie avait eu besoin de beaucoup de papier pour écrire tous ses souvenirs. Chaque soir, Meggie lui demandait d'en raconter d'autres. Alors, elles s'asseyaient toutes les deux, Teresa écrivait et Meggie lisait. Parfois, elle essayait de dessiner ce que sa mère avait écrit.

Les jours passaient et les étagères d'Elinor se remplissaient de nouveaux livres merveilleux. Certains étaient en piteux état et Darius, qui avait commencé à faire l'inventaire des trésors imprimés d'Elinor, interrompait régulièrement son travail pour voir Mo accomplir le sien. Il le regardait avec de grands yeux débarrasser un vieux livre de sa couverture usée, recoudre des pages volantes, coller le dos et faire ce qu'il fallait pour conserver les livres encore de nombreuses années.

Plus tard, Meggie n'aurait pu dire quand ils s'étaient décidés à rester pour toujours chez Elinor. Peut-être au bout de plusieurs semaines ou bien dès le premier jour. Meggie se vit attribuer la chambre avec le trop grand lit sous lequel se trouvait toujours sa caisse de livres. Elle aurait tant aimé lire à sa mère à haute voix des histoires de ses livres préférés mais, entre-temps, elle avait compris pourquoi Mo le faisait toujours si rarement, même maintenant. Et un jour où, une fois de plus, elle n'arrivait pas à dormir parce qu'elle croyait voir le visage de Basta dans la nuit, elle s'assit à sa table devant la fenêtre et se mit à écrire tandis que les fées voltigeaient dans le jardin d'Elinor et que les kobolds se faufilaient entre les buissons.

Car Meggie avait un plan : elle voulait apprendre à inventer des histoires, comme Fenoglio. Apprendre à pêcher les mots pour pouvoir faire la lecture à sa mère sans se soucier de qui pourrait surgir des histoires et venir la regarder ensuite avec de grands yeux pleins de nostalgie. C'est ainsi que Meggie décida de faire des mots son métier. Où pouvait-on mieux l'apprendre que dans une maison où les fées construisaient leurs nids dans le jardin et où les livres, la nuit, chuchotaient sur les étagères ?

Comme Mo l'avait dit un jour : écrire des histoires, cela relève de la magie.

TABLE DES MATIÈRES

1. Un inconnu dans la nuit, *11*

2. Mystères, *24*

3. Vers le sud, *34*

4. Une maison pleine de livres, *44*

5. Juste une illustration, *61*

6. Feu et étoiles, *77*

7. Ce que cache la nuit, *91*

8. Seule, *93*

9. Un échange fâcheux, *98*

10. L'antre du lion, *111*

11. Lâche, *117*

12. Plus loin vers le sud, *122*

13. Le village de Capricorne, *130*

14. Mission accomplie, *147*

15. Bonheur et malheur, *156*

16. Autrefois, *162*

17. Le traître trahi, *181*

18. Langue Magique, *203*

19. Sombres perspectives, *219*

20. Serpents et ronces, *238*

21. Basta, *249*

22. En sûreté, *264*

23. Une nuit pleine de mots, *273*

24. Fenoglio, *287*

25. Le mauvais dénouement, *300*

26. Un frisson et un pressentiment, *306*

27. Juste une idée, *315*

28. À la maison, *320*

29. Un bon vieil endroit où rester, *324*

30. Ce bavard de Pipo, *331*

31. Dans les collines, *353*

32. De retour, *363*

33. La servante de Capricorne, *370*

34. Secrets, *380*

35. Des objectifs différents, *391*

36. Dans la maison de Capricorne, *399*

37. Imprudence, *402*

38. Des mots murmurés, *408*

39. Une punition pour les traîtres, *418*

40. Le cheval noir de la nuit, *428*

41. Farid, *434*

42. Museau poilu sur rebord de fenêtre, *141*

43. Un endroit sombre, *454*

44. Le rapport de Farid, *462*

45. Des mensonges pour Basta, *469*

46. Réveillée au cœur de la nuit, *474*

47. Seule, *482*

48. La pie, *491*

49. La fierté de Basta et la ruse de Doigt de Poussière, *503*

50. Pas de chance pour Elinor, *519*

51. De justesse, *528*

52. Une petite chose si fragile, *531*

53. Les mots justes, *537*
54. Au feu, *547*
55. Trahison, bavardages et bêtise, *557*
56. L'Ombre, *564*
57. Un village déserté, *576*
58. Nostalgie, *585*
59. Retour à la maison, *593*

CORNELIA FUNKE

Cornelia Funke est née à Dorsten, en Allemagne, en 1958. Après ses études, elle passe trois ans comme travailleur social pour un projet éducatif auprès d'enfants en difficulté. Elle suit alors des cours d'illustration à Hambourg et devient illustratrice de jeux de société et de livres pour la jeunesse. Comme ces derniers ne lui conviennent pas, elle commence à écrire ses propres histoires pour les jeunes lecteurs. Elle est aujourd'hui en Allemagne l'écrivain pour la jeunesse le plus connu et le plus apprécié. Son œuvre a été récompensée par de nombreux prix et rencontre aussi un grand succès, en Grande-Bretagne et aux États-Unis. Elle a été traduite en trente-cinq langues. Cornelia Funke vit à Beverly Hills, Los Angeles, avec sa fille de dix-huit ans, Anna, et Ben, son fils de treize ans.

DÉCOUVREZ LE PREMIER CHAPITRE
DU DEUXIÈME TOME
DE LA TRILOGIE

SANG D'ENCRE

EN LIBRAIRIE
EN JUILLET 2009

1

DES MOTS SUR MESURE

Le soir commençait à tomber et Orphée n'était toujours pas rentré.

Farid sentait les battements de son cœur, comme chaque fois que le jour le laissait seul avec l'obscurité. Celui-là, avec sa Tête de Camembert ! Où était-il passé ? Dans les arbres, les oiseaux s'étaient tus comme si la nuit qui se dessinait les avait étouffés, et les montagnes environnantes viraient au noir comme si le soleil couchant les avait consumées. Bientôt, le monde entier serait noir, d'un noir d'encre, même l'herbe sous les pieds nus de Farid, et les esprits se mettraient à murmurer. Le seul endroit où Farid ne les craignait plus, c'était derrière Doigt de Poussière, juste derrière, assez près pour sentir sa chaleur. Doigt de Poussière, lui, n'avait pas peur de la nuit, il l'aimait.

— Alors, ça recommence, tu les entends ? demanda-t-il en sentant Farid se coller contre lui.

— Combien de fois devrai-je te le répéter ? Dans ce monde-ci, les esprits n'existent pas. C'est bien un de ses seuls avantages.

Appuyé contre un chêne vert, Doigt de Poussière regardait la rue déserte. Tout en haut, là où les maisons, à peine une douzaine, se tapissaient devant les montagnes sombres, blotties les unes contre les autres comme si elles aussi avaient peur de la nuit, un lampadaire éclairait l'asphalte défoncé. Celle dans laquelle habitait l'homme au teint blême était la première de la rue. Une des fenêtres était éclairée. Doigt de Poussière ne la quittait pas des yeux, depuis plus d'une heure déjà. Farid avait bien essayé de rester immobile, lui aussi, mais il ne pouvait rester longtemps en place.

— Je vais aller voir ce qu'il fait !

— Pas question ! lança Doigt de Poussière.

Son visage était impassible, comme toujours, mais sa voix le trahissait. Farid percevait son impatience... et cet espoir qui ne voulait pas mourir, bien qu'il eût été si souvent déçu.

— Tu es sûr qu'il a dit vendredi ?

— Oui, on est bien vendredi, non ?

Doigt de Poussière hocha la tête et dégagea ses cheveux longs de son visage. Farid avait essayé de se laisser pousser les cheveux jusqu'aux épaules, comme lui, mais les siens bouclaient de manière si anarchique qu'il avait fini par les couper, avec son couteau.

« Vendredi, en bas du village, quatre heures. » C'est exactement ce qu'il a dit. Pendant ce temps-là, son cabot me regardait en grognant, à croire qu'il n'avait jamais rien vu d'aussi appétissant qu'un garçon brun et craquant !

Le vent s'engouffra sous le pull-over fin de Farid, qui se frotta les bras en frissonnant. Un beau feu bien chaud, oui, ça lui aurait bien plu maintenant mais, avec ce vent, Doigt de Poussière ne le laisserait même pas craquer une allumette. Quatre heures... En jurant à voix basse, Farid leva les yeux au ciel. Il n'avait pas besoin de montre pour savoir qu'il était bien plus tard.

— Je te le dis, il nous fait attendre exprès, cet enflé !

Les lèvres minces de Doigt de Poussière esquissèrent un sourire. Farid arrivait de plus en plus facilement à le faire sourire. C'est peut-être pour cela qu'il avait promis de l'emmener si jamais cette Tête de Camembert réussissait à le renvoyer dans son monde. Ce monde fait de papier, d'encre d'imprimerie et des mots d'un vieil homme.

« Mais non ! se dit Farid. Pourquoi cet Orphée réussirait-il justement là où tous les autres ont échoué ? Tant d'autres ont essayé... Le Bègue, Œil d'Or, Langue de Corbeau... des escrocs qui, chaque fois, ont empoché l'argent... »

Derrière la fenêtre d'Orphée, la lumière s'éteignit et Doigt de Poussière se redressa d'un bond. Une porte claqua. Des pas se firent entendre dans l'obscurité, des pas rapides, irréguliers. Et Orphée apparut à la lueur de l'unique réverbère — Tête de Camembert, comme l'avait surnommé Farid à cause de la pâleur de sa peau et aussi parce qu'il transpirait au soleil, fondait comme un morceau de camembert. Il dévala la route en pente raide, le souffle court, son chien infernal à ses côtés, hideux comme une hyène. Quand il aperçut Doigt de Poussière sur le bord de la route, il lui fit signe en arborant un large sourire.

Farid attrapa le bras de Doigt de Poussière.

— Regarde-moi ce sourire imbécile ! Et faux jeton avec ça ! lui chuchota-t-il. Comment peux-tu lui faire confiance ?

— Qui te dit que je lui fais confiance ? Qu'est-ce que tu as à t'énerver comme ça ? Tu préférerais peut-être rester ici ? Avec les voitures, les images animées, la musique en boîte, la lumière qui chasse la nuit ? (Doigt de Poussière enjamba le parapet qui longeait la route.) Au fond, ça te plaît tout ça. Là où je veux aller, tu t'ennuieras.

Qu'est-ce qu'il racontait ? Ne savait-il pas que Farid ne rêvait que d'une chose : rester auprès de lui ? Furieux, le garçon s'apprêtait à lui répondre quand un craquement sec, comme un bruit de bottes écrasant une branche, le fit sursauter.

Doigt de Poussière avait entendu, lui aussi. Il s'était arrêté et tendait l'oreille. Mais il n'y avait rien que les branches qui se balançaient au gré du vent et un papillon de nuit, pâle comme un esprit, qui passa en voltigeant devant les yeux de Farid.

— Désolé ! Je suis en retard ! s'exclama Orphée.

Farid n'arrivait toujours pas à comprendre qu'une voix pareille puisse sortir de cette bouche. Dans des villages, ils avaient entendu des gens parler de cette voix et Doigt de Poussière était aussitôt parti à sa recherche, mais ils n'avaient retrouvé Orphée que la semaine précédente, dans une bibliothèque où il lisait des contes devant des enfants qui, visiblement, n'avaient pas remarqué le nain qui venait de surgir entre les livres usés à force d'être lus. Mais Doigt de Poussière, lui, l'avait vu. Il avait guetté Orphée et, au moment où celui-ci allait s'engouffrer dans sa voiture, il lui avait montré le livre, celui que Farid avait tant de fois maudit.

— Oh oui, je le connais! avait murmuré Orphée. Et toi aussi, je te connais, avait-il ajouté en contemplant quasi religieusement Doigt de Poussière et ses cicatrices. Dans cette histoire, tu es le meilleur. Doigt de Poussière! Le cracheur de feu! Quel est celui qui, en lisant, t'a arraché à ton histoire pour te transporter dans celle-ci, la plus sombre d'entre toutes? Ne dis rien! Tu veux y retourner, n'est-ce pas, mais tu ne trouves pas la porte, la porte entre les lettres! Ça ne fait rien. Je peux t'en fabriquer une nouvelle, avec des mots sur mesure! Pour un prix d'ami — si tu es bien celui que je crois!

Un prix d'ami! Tu parles! Ils avaient dû lui promettre presque tout leur argent, et l'attendre en plus pendant des heures, jusqu'à la nuit, dans ce coin paumé et venté qui sentait les esprits.

— La martre est avec toi? demanda Orphée en dirigeant sa lampe de poche vers le sac à dos de Doigt de Poussière. Tu sais que mon chien ne l'aime pas.

— Non, elle est partie chasser, répondit Doigt de Poussière en regardant le livre qu'Orphée avait sous le bras. Alors? Tu es prêt?

— Bien sûr!

Le chien infernal regardait Farid en montrant les dents.

— Au début, les mots étaient un peu récalcitrants. Peut-être parce que j'étais très ému. Comme je te l'ai déjà dit lors de notre première rencontre : quand j'étais enfant, ce livre... (Orphée passa les doigts sur la couverture)... était mon livre préféré. J'avais onze ans quand je l'ai vu pour la dernière fois. On l'a volé dans la petite bibliothèque où je l'empruntais régulièrement. Moi, je n'avais pas eu le courage de le voler, mais je ne l'ai jamais oublié. Il m'a appris pour toujours que, grâce aux mots, on peut facilement s'échapper de ce monde ! Qu'on se fait des amis entre les pages, de merveilleux amis ! Des amis comme toi, des cracheurs de feu, des géants, des fées... ! Tu n'imagines pas combien j'ai pleuré quand j'ai lu que tu mourais ! Mais tu es vivant et tout va s'arranger ! Tu vas récrire l'histoire...

— Moi ? l'interrompit Doigt de Poussière avec un sourire moqueur. Non, crois-moi, ça, je ne sais pas faire.

— Bon, peut-être ! reprit Orphée en se raclant la gorge comme s'il était gêné d'avoir ainsi déballé ses sentiments. Quoi qu'il en soit, c'est bien dommage que je ne puisse partir avec toi, dit-il en se dirigeant d'un pas mal assuré vers le parapet qui bordait la route. Mais celui qui lit doit rester, c'est la règle implacable. J'ai tout essayé pour me glisser moi-même à l'intérieur d'un livre, mais ça ne marche pas.

Il s'arrêta en soupirant, passa sa main sous sa veste mal coupée et en sortit une feuille de papier.

— Voilà ce que tu as commandé, dit-il à Doigt de Poussière. Des mots merveilleux, rien que pour toi, une route de mots, qui te ramènera tout droit d'où tu viens. Allez, lis !

Hésitant, Doigt de Poussière prit la feuille de papier. Elle était couverte de lettres fines, inclinées, entrecroisées comme un fil à coudre. Doigt de Poussière suivait les mots du doigt, comme s'il devait les montrer à ses yeux, un par un, tandis qu'Orphée l'observait comme un écolier qui attend sa note.

Quand Doigt de Poussière releva enfin la tête, il avait l'air surpris.

— Tu écris très bien ! Des mots merveilleux...

Orphée rougit.

— Je suis content que ça te plaise !

— Oui, ça me plaît beaucoup ! C'est exactement comme je te l'avais raconté. Sauf que c'est mieux dit.

Avec un sourire confus, Orphée reprit la feuille des mains de Doigt de Poussière.

— Je ne puis garantir que ce soit la même heure du jour, dit-il à mi-voix. Les lois de mon art sont difficiles à saisir mais, crois-moi, nul ne les connaît mieux que moi ! Par exemple, on ne devrait modifier ou poursuivre une histoire qu'en employant les mots qui s'y trouvent déjà. Avec trop de mots inconnus, il ne se passe rien, ou bien quelque chose que l'on n'a pas prévu ! Peut-être est-ce différent quand on est soi-même l'auteur...

— Pour l'amour des fées ! l'interrompit Doigt de Poussière avec impatience, il y a en toi plus de mots que dans toute une bibliothèque. Que dirais-tu de te mettre à lire maintenant ?

Orphée se tut, aussi soudainement que s'il eût avalé sa langue.

— Pas de problème, reprit-il d'un ton légèrement mortifié. Tu verras, avec mon aide, le livre va t'accueillir comme un fils prodigue. Il va t'absorber comme le papier absorbe l'encre !

Doigt de Poussière hocha la tête et regarda en direction de la route déserte. Farid sentait combien il aurait aimé croire Tête de Camembert, et combien, en même temps, il avait peur d'être déçu, une fois de plus.

— Et moi dans tout ça ? demanda Farid en se mettant tout près de lui. Il a aussi écrit quelque chose sur moi, n'est-ce pas ? Tu as vérifié ?

Orphée lui lança un regard dépourvu de bienveillance.

— Mon Dieu ! lança-t-il, moqueur, à Doigt de Poussière. Il a l'air de tenir à toi, ce garçon ! Tu l'as trouvé où ? Sur le bord de la route ?

— Pas vraiment, répondit Doigt de Poussière. L'homme qui m'a fait l'honneur de me sortir de mon histoire est aussi allé le chercher dans la sienne.

— Ce... Langue Magique ?

Orphée avait prononcé ce nom avec dédain, comme s'il ne pouvait concevoir que quelqu'un puisse le mériter.

— Oui. C'est son nom. Comment le sais-tu ?

Doigt de Poussière ne pouvait dissimuler sa surprise.

Le chien infernal renifla les orteils des pieds nus de Farid et Orphée haussa les épaules.

— Quand quelqu'un sait donner vie aux mots qui sont dans les livres, cela finit toujours par se savoir.

— Ah bon ?

Doigt de Poussière avait l'air sceptique mais il n'insista pas. Il se contenta d'examiner la feuille de papier couverte des fines lettres d'Orphée. Mais l'homme à la tête de camembert regardait toujours Farid.

— De quel livre viens-tu ? demanda-t-il. Et pourquoi ne veux-tu pas retourner dans ta propre histoire au lieu d'aller dans la sienne où tu n'as rien à faire ?

— Qu'est-ce que ça peut te faire ? rétorqua Farid, furieux.

Tête de Camembert lui plaisait de moins en moins. Il était trop curieux… et bien trop malin.

Doigt de Poussière eut un petit rire.

— Sa propre histoire ? dit-il. Non, Farid n'en a pas la moindre nostalgie. Ce garçon change d'histoire comme un serpent de peau.

Dans sa voix, Farid perçut quelque chose comme de l'admiration.

— Vraiment ?

Orphée dévisagea de nouveau Farid avec tant de mépris que, sans ce chien infernal qui le regardait toujours avec ses yeux avides, Farid lui aurait volontiers donné des coups de pied dans les genoux.

— Bon, ajouta Orphée en s'asseyant sur le muret. Mais je te préviens, te ren-voyer dans ton histoire est un jeu d'enfant, lui, en revanche n'a rien à y faire ! Je ne peux pas citer son nom. Comme tu as pu le constater, il est seulement question d'un jeune garçon, je ne peux pas garantir que ça marche. Et, quand bien même ça marcherait, il ne fera sans doute que semer le trouble. Peut-être même qu'il te portera malheur !

Qu'est-ce qu'il racontait, ce sale type ? Farid regarda Doigt de Poussière.

« Je t'en prie ! pensait-il. Oh, je t'en prie, ne l'écoute pas ! Emmène-moi avec toi. »

Doigt de Poussière croisa son regard et sourit.

— Malheur ? répéta-t-il (au ton de sa voix, on devinait que personne n'avait rien à lui apprendre sur le malheur). Au contraire, ce garçon me porte bonheur. Et comme cracheur de feu, il est plutôt bon. Je l'emmène. Ça aussi. Tu n'en as plus besoin, et moi, je dormirai bien plus tranquille s'il est en ma possession.

Avant qu'Orphée ait pu comprendre ce qui se passait, Doigt de Poussière attrapa le livre qu'il avait posé à côté de lui sur le muret.

— Mais…, rétorqua Orphée d'un air désemparé. Je t'ai dit que c'était mon livre préféré. J'aimerais vraiment bien le garder.

— Moi aussi, répondit Doigt de Poussière en tendant le livre à Farid. Tiens, et fais-y bien attention.

Farid serra le livre contre sa poitrine en hochant la tête.

— Gwin, dit-il, il faut appeler Gwin.

Mais comme il sortait un morceau de pain sec de sa poche et s'apprêtait à appeler la martre, Doigt de Poussière lui mit la main sur la bouche.

— Gwin reste ici ! dit-il.

S'il avait déclaré qu'il laissait son bras droit ici, Farid n'aurait pas été plus interloqué.

— Ne me regarde pas comme ça ! Nous capturerons une autre martre plus docile dans l'autre monde.

— À la bonne heure ! Te voilà devenu raisonnable, du moins pour ce qui concerne cet animal, dit Orphée.

Que voulait-il dire ?

Mais Doigt de Poussière évita le regard perplexe de Farid et lança à Orphée :

— Qu'attends-tu pour lire ? Nous n'allons pas rester ici jusqu'au coucher du soleil !

Orphée le regarda longuement, comme s'il voulait lui dire quelque chose, puis se racla la gorge.

— Tu as raison, dit-il simplement, dix ans dans une histoire qui n'est pas la tienne, c'est long. Je commence.

Des mots.

Des mots qui emplirent la nuit comme un parfum de fleurs invisibles.

Des mots sur mesure, puisés dans un livre que Farid serrait contre lui et que les mains blafardes d'Orphée avaient agencés pour leur donner un sens nouveau. Ils parlaient d'un autre monde, d'un monde merveilleux et effrayant à la fois. Et Farid écoutait, oubliant le temps. Seule existait la voix d'Orphée, si étonnante dans sa bouche. Avec elle, tout disparaissait, la route défoncée et les pauvres maisons au bout, le réverbère, le muret sur lequel Orphée était assis, même la lune au-dessus des arbres noirs.

Et, soudain, il y eut dans l'air un parfum doux et inconnu...

RÉFÉRENCES DES CITATIONS

Ali Baba et les quarante voleurs,
traduction de Marie-Claude Auger. Pages 434, 557

Richard ADAMS, *Les Garennes de Watership Down,*
traduction de Marie-Claude Auger. Droits réservés. Page 665

Hans Christian ANDERSEN *Le Petit Soldat de plomb,*
traduction de Régis Boyer, © Gallimard, 1992. Page 448, 470

James M. BARRIE, *Peter Pan,*
traduction de Henri Robillot, © Gallimard, 1988. Pages 324, 408, 412-414, 531

L. Frank BAUM, *Le Magicien d'Oz,*
traduction de Marie-Claude Auger. Page 315

William BLAKE *La Complainte d'Enion,*
traduction de Marie-Claude Auger. Page 564

Lucy M. BOSTON, *Les Enfants de Green Knowe.*
Droits réservés. Page 11

Ray BRADBURY, *Fahrenheit 451,*
traduction de Jacques Chambon et Henri Robillot, © Éditions Denoël, 1995.
Pages 181, 391

Richard de BURY, d'après *Une histoire de la lecture* d'Alberto Manguel.
Page 576

Paul CELAN *Strette*
© Mercure de France, 1971. Page 9

Roberto COTRONEO, *Quand un enfant, par un matin d'été,*
traduction de Marie-Claude Auger. Droits réservés. Page 273

Roald DAHL *Sacrées Sorcières,*
traduction de Marie-Raymond Farré, © Gallimard Jeunesse, 1984. Page 93

Roald DAHL *Le Bon Gros Géant,*
traduction de Camille Fabien, © Gallimard Jeunesse, 1984. Page 428

Charles DICKENS, *Les Grandes Espérances,*
traduction de Marie-Claude Auger. Page 370

Charles DICKENS, *Oliver Twist,*
traduction de Marie-Claude Auger. Page 519

Solomon EAGLE, *Moving a library,*
traduction de Marie-Claude Auger. Droits réservés. Page 98

Paul ELUARD, *Liberté*, in *Au rendez-vous allemand*.
© Éditions de Minuit, 1945. Page 274

Michael ENDE, *Die unendliche Geschiste*,
© Thienemann Verlag (Thienemann Verlag GmbH), Stuttgart-Wien, 1979, *L'Histoire sans fin*, traduction de Dominique Autrand © Éditions Stock, 1984. Page 585

Michael ENDE, *Jim Bouton et Lucas le chauffeur de locomotive*,
traduction de Jean-Claude Mourlevat. © Bayard Jeunesse. Page 454

William GOLDMAN, *La Princesse Bouton-d'or*,
abrégé de l'œuvre de S. Morenstern, traduction d'Ange,
© Editions Bragelonne, 2004. Pages 111, 162, 306, 331,402

Kenneth GRAHAME, *Le Vent dans les saules*,
traduction de Marie-Claude Auger. Pages 34, 117

Wilhelm HERTZ, *Spielmannsbuch*,
traduction de Marie-Claude Auger. Droits réservés. Page 77

Eva IBBOTSON, *Le Secret du quai 13*,
traduction de Elie Robert-Nicoud, © Éditions Albin-Michel. Page 363

Erich KÄSTNER, *Émile et les détectives*,
traduction de L. Faisans-Maury. © Hachette Jeunesse. Page 300

Rudyard KIPLING, *Le Livre de la jungle*,
traduction de Jean-Pierre Richard, © Hachette Jeunesse. Pages 219, 460, 547

Rudyard KIPLING, *Histoires comme ça*,
traduction de Robert d'Humières et Louis Fabulet, © Éditions Delagrave, 1961.
Page 460-461

Michael de LARRABEITI, *Gare aux Zorribles*,
traduction d'Alain Robert, © L'Atalante, 1995. Pages 156, 238, 462

C.S. LEWIS, *Le Lion, la Sorcière Blanche et l'Armoire magique*,
traduction d'Anne-Marie Dalmais, © Gallimard Jeunesse 2001. Page 147

Astrid LINDGREN, *Mio, mon Mio*,
traduction d'Agneta Segol et Pascale Brick-Aida, © Hachette Jeunesse. Page 390

Alberto MANGUEL, Inscription dans la bibliothèque du cloître de San Pedro à Barcelone,
traduction de Marie-Claude Auger. Page 61

Toni MORRISON, Discours du prix Nobel de littérature, 1993,
traduction de Marie-Claude Auger. Droits réservés. Page 441

Otfried PREUSSLER, *Krabat*,
traduction de Jean-Claude Mourlevat, © Bayard Jeunesse. Page 418

Le papier de cet ouvrage est composé
de fibres naturelles, renouvelables, recyclables
et fabriquées à partir de bois provenant
de forêts plantées et cultivées expressément
pour la fabrication de pâte à papier.

Mise en pages : Dominique Guillaumin
ISBN : 978-2-07-062205-4
Numéro d'édition : 161159
Imprimé en France par CPI Firmin-Didot
Dépôt légal : janvier 2009
Numéro d'impression : 93369

as commentators on England's history and national identity. There is, as
we shall see, a direct link between the peculiarities of the novel as a literary
genre and the part played by novelists in the definition of Englishness.

The Nation and National Literature

The idea of a national literature is inseparable from the phenomenon of
national languages. In the transition from medieval to modern Europe,
national literatures written in the vernacular took the place of the unified
canon of ancient Greek and Latin authors. National literatures are therefore plural and exist in relation to one another; translation and cross-
cultural adaptations have always been commonplace, and literary genres
do not respect linguistic boundaries. The prose of fictional narrative is more
readily translatable than poetry or verse drama. At the same time, novels
typically draw upon a variety of dialects and registers, echoing the divisions
of class, region, age, and occupation within each linguistic area. Novelists
have frequently used the authority of the narrating voice to set up a hierarchy of discourses, paralleling the social hierarchy and privileging the
written, the more elaborate, and the more educated linguistic registers over
the spoken, the familiar, and the parochial. In fiction this hierarchy is
usually manifested in the interplay between narration and dialogue. But the
novel's presentation of narration and dialogue was influenced by earlier
forms of writing, and particularly by writing for the stage where they are
not formally distinguished from one another. In drama a hierarchy of
discourses can only be established through stage rhetoric and the spoken
voice, and Shakespeare is the great master of this practice in English. The
variety of his dramatic language is in sharp contrast to the regularity and
evenness of, for example, French neoclassical verse tragedy.

In Shakespeare there is verse drama with its 'mighty line' which has
the effect of uniting the nation—or, at least, the national territory—with the
power of the state, even as it calls the state to account; it speaks for and to the
nation at the same time. John of Gaunt's dying speech is a famous example:

> This royal throne of kings, this scept'red isle,
> This earth of majesty, this seat of Mars,
> This other Eden, demi-paradise,
> .   .   .   .
> Is now leas'd out—I die pronouncing it—
> Like to a tenement or pelting farm.
>
> (*Richard II*, II. i. 40–60)

16 The Novel and the Nation

But Shakespeare sometimes uses narrative prose at moments of high dramatic emotion, as in the Hostess's account of the death of Falstaff:

'a parted ev'n just between twelve and one, ev'n at the turning o' th' tide; for after I saw him fumble with the sheets, and play with flowers, and smile upon his fingers' end, I knew there was but one way; for his nose was as sharp as a pen, and 'a babbl'd of green fields. 'How now, Sir John!' quoth I 'What, man! be o' good cheer'... So 'a bade me lay more clothes on his feet; I put my hand into the bed and felt them, and they were as cold as any stone; then I felt to his knees, and so upward and upward, and all was as cold as any stone.

(*Henry V*, II. iii. 11–24)

Falstaff and John of Gaunt die thinking of England, of the land and its neglected agriculture. For John of Gaunt it has become like a 'pelting' (paltry) tenant-farm, while Falstaff babbling of green fields must be remembering his neglected estate; when all is said and done, the roistering Knight of Eastcheap is a country squire who has left his substance behind. John of Gaunt's speech is a deathbed oration, a piece of public theatre theatrically represented, while the Hostess's account of Falstaff's death is familiar storytelling expressing deep feeling in the plainest and most colloquial terms. The difference between the two passages has little to do with the presence or absence of rhetoric—since the Hostess's narrative is full of figures of speech—but it very clearly relies upon a difference of social register, setting the polysyllabic Latinate vocabulary of the court against a series of plain Anglo-Saxon monosyllables which in the Hostess's speech become a kind of wild poetry. Put side by side, these passages from Shakespeare's historical cycle exemplify a deep split in the English language and English society.

Both extracts help to define the idea of a national literature. They do so, first, by virtue of their explicit or implicit subject matter—the land of England—although (as Paul Gilbert has written in a wide-ranging examination of this topic) something more than a certain kind of content is needed to typify a national literature. For Gilbert, 'the treatment of the subject matter must express an *insider's* view of it', but beyond that there are no intrinsic properties which belong to one literary nationality rather than another: 'What is exemplary of a national literature is something chosen to be so, without any grounding in properties that make it so.'[18] In other words, Falstaff's green fields are English by habitual association, not because the fields in other countries or literatures—the fields of Ireland, for instance—are necessarily less green. Within Shakespeare's own writing we can see, through abundant examples, how the associations of Englishness are built up. Gaunt's notion of England as Eden, a walled island-garden, connects not only to Falstaff's green fields but to some of the other details recalled by the Hostess: the time as marked by the turning of the tide, reminding us of London's situation as the capital and chief port of an island nation; and Falstaff's toying with the flowers, and his feet 'as cold as any stone', where the stone or rock is not just dead, inorganic matter but uncultivated ground. The potential of a national literature is present in these passages from Shakespeare, in ways that could never be forgotten so long as his plays continued to be performed and read. Moreover, the Shakespearian revival in the eighteenth century coincided with, and thus helped to shape, the rise of the English novel as a new branch of national literature.

With the rise of the novel came a shift in the literary idea of nationhood. In *The Making of English National Identity* (2003) Krishan Kumar adopts the distinction, first put forward in 1907 by Friedrich Meinecke, between the 'political' and the 'cultural' nation. The political nation is the nation as defined by John of Gaunt. It is, in Kumar's words, 'the "state-nation", rather than, strictly speaking, the "nation-state". It is a nation formed, in many cases, "from the top down", as in France, Spain and Britain where centralizing monarchies accomplished the main work of nation-building as the necessary complement to their state-making.' The cultural nation is, according to Kumar, the 'nation-state proper'; it is a concept in which the state arises from the nation rather than vice versa.[19] It is the idea of the cultural nation, not the political nation, that inspires cultural nationalism and popular independence movements. The political nation is monarchical and autocratic; the cultural nation is democratic, at least in the sense that the people, not God, are the ultimate source of political authority. Falstaff's Englishness belongs to the cultural, not the political nation, while Prince Hal, Falstaff's friend and adversary, mixes with the common people and later succeeds—as Henry V at the Battle of Agincourt—in enlisting the cultural nation in the service of the political nation.

But the novel's affiliations are with the cultural nation and not the political nation. In England, between the age of Shakespeare and the age of Defoe and Fielding there had come the revolutionary upheavals of the seventeenth century which brought the period of absolute monarchy to an end. Whether the immediate outcome was the transformation of 'state-nation' into 'nation-state', or simply a reformulation of the 'state-nation' in the interests of a new kind of oligarchy, is a question for historians, although the oligarchical nature of the eighteenth-century Whig Ascendancy is implicitly alleged in Fielding's *Amelia* (1752); later it would be fully charted in Disraeli's novels. What is important is that, with few exceptions, English novelists have not sought to balance the political and the cultural nation—the nation as seen from the top down and from the bottom up—in the way that Shakespearian drama does. Novels typically speak to us from outside the ruling elite but from inside the nation.

This book will ask how the novel has represented the cultural nation of England, not the political nation officially known as the United Kingdom of Great Britain and Northern Ireland. But the English outlook—like that of France and Spain, Kumar's other examples of 'centralizing monarchies'—has long been imperious and expansionist, leading to the formation both of an internal empire within the British Isles and to a global, seafaring empire. The result, according to Kumar, is a kind of nationalism stressing not ethnic identity but the nation's 'political, cultural or religious mission'.[20] But, while missionary activity is directed outwards, much of the power and magnetism of empires comes from their ability to draw people in and to bring them to the centre. Thus it goes without saying that many 'English' writers are of Welsh, Scottish, Irish, or more distant origin. It is in relation to the home population, not just the imperial diaspora, that 'Englishness' has long ceased to have any connection with ethnic purity. Strictly speaking, there never was such a connection, since all accounts of England's early formation agree that the nation was constituted by successive waves of immigrants—Romans, Angles, Saxons, Danes, Vikings, Normans, and others—so that ethnic mixing and miscegenation are at the root of Englishness. And, though England is an old country, the immigration and mixing continues. No definition of the national identity can ignore it.

It is due to the missionary nationalism of the internal empire that 'England' and 'Britain' have been so often confused as to become virtual synonyms in many contexts. Until very recently, Great Britain and the United Kingdom were customarily referred to as England. The distinction between Great Britain as the political nation and England as the cultural nation is neatly, if teasingly, summed up when Swift's Lemuel Gulliver speaks of the 'kingdom of Tribnia by the natives called Langden, where I had long sojourned'.[21] Gulliver, like the Anglo-Irish Jonathan Swift, was descended from an old English county family and normally describes his native country as England, but his use of the verb 'sojourned' begs the question of what kind of difference there is between a native and a long-term 'sojourner' or temporary resident. Can English identity be acquired voluntarily and through a process of naturalization like the issue of a British passport, or does it only belong to those who have resided long enough to develop, or inherit, what is known as the 'English character'? These questions have been intensely debated both by the earliest and the most recent English novelists.

In present-day arguments about immigration, but also in the work of novelists and commentators going back to Defoe, we can distinguish between radical and conservative definitions of Englishness. The radical definition is fluid, hospitable, and welcoming to immigrants while the conservative definition is static, defensive, and xenophobic to a greater or lesser extent. As we shall see in Chapter 3, Defoe's satire 'The True-Born Englishman' (1702) is one of the greatest sources of the radical definition of Englishness. A century later, it was enthusiastically endorsed by William Hazlitt; most recently, it has been quoted by the novelist Caryl Phillips at the start of his anthology of immigrant literature, *Extravagant Strangers* (1997).[22] Hazlitt described 'The True-Born Englishman' as

a satire which, if written in doggerel verse ... is a masterpiece of good sense and just reflection, and shows a thorough knowledge both of English history and of the English character. It is indeed a complete and unanswerable exposure of the pretence set up to a purer and loftier origin than all the rest of the world, instead of our being a mixed race from all parts of Europe, settling down into one common name and people.[23]

There are some underlying problems in this passage, since the idea of the 'English character'—relatively new in Hazlitt's day, as we shall see—could seem to be inherently biased in favour of the native and against the immigrant. Moreover, if the English have settled down into 'one common name and people', when did the settlement take place? According to the great conservative theorist Edmund Burke, England is an 'old establishment' with an '*antient* constitution of government' deriving from Magna Carta. Burke's 'firm ground of the British constitution' is a foundation likely to be radically disturbed by new waves of immigrants.[24] Popular hostility towards new arrivals and 'asylum seekers' is not likely, therefore, to be assuaged by simple appeals to national history. In conservative thought, however, the idea of the 'true-born Englishman' was taken at face value and Defoe's irony was soon forgotten. Walter Scott, for example, described Defoe's hero Robinson Crusoe (the English-born son of a German immigrant father), 'with his rough good sense, his prejudices, and his obstinate determination not to sink under evils which can be surpassed by exertion', as 'no bad specimen of the true-born Englishman'.[25] Crusoe has not merely acquired the 'English character'; he exemplifies it. Not only has Scott apparently forgotten that Crusoe was the son of an immigrant, but he uses the adjective 'true-born' in precisely the glib, journalistic sense that was the target of Defoe's mockery.

The division between the native and the immigrant is one between being and becoming English, or what Edward W. Said has called filiation and affiliation. Filiation is something we are born into, whereas affiliation involves a deliberate and self-conscious choice of allegiance. Said's account of modern culture speaks of the failure of filial relationships held together by 'natural bonds and natural forms of authority', and their replacement by affiliative links belonging 'exclusively to culture and society'.[26] But it can equally be argued that there is a constant reversion from 'cultural' to 'natural' bonds and from the affiliative to the filiative. In the tradition of the novel, for example, as well as in some of the classics of political thought, the nation is often implicitly or explicitly seen as a kind of extended family. This has the advantage of presenting national allegiance as a natural and filiative condition rather than an external discipline imposed by the power of the state. In families, however, survival and growth depend upon the readiness to welcome and absorb new members through marriage, since ingrown and unfertilized families wither and die. The process of intergenerational continuity in families transforms affiliation into filiation and incomers into natives. The 'national family' is an empty metaphor if one has to be born into the nation in order to belong to it.

National Character and National Identity

The philosopher David Hume argued in his essay 'Of National Characters' (1748) that 'each nation has a peculiar set of manners', and that 'some particular qualities are more frequently to be met with among one people than among their neighbours'.[27] National character, it was felt, arose from the process of imitation and mutual conformity natural to a settled population. Founded in historical continuity, it was threatened with disappearance in times of cosmopolitanism and mass migration. The idea of national character dominated discussion of cultural nationality during the eighteenth and nineteenth centuries, and it can still be met with today. Yet in the twentieth century, as Perry Anderson has noted, 'the discourse of national difference ... shifted from character to identity', two terms which are by no means synonymous.[28] There is a continuing demand for quasi-biographical studies of nations and national cultures such as J. B. Priestley's *The English* (1973) and Jeremy Paxman's *The*

English: A Portrait of a People (1998), but the last serious academic study of national character, Ernest Barker's *National Character and the Factors in its Formation*, was published in 1927.

The emergence of the idea of national character has itself been linked to the rise of the novel, since fiction and biography are the literary genres most typically associated with character portrayal and character analysis.[29] The concept of character, in Anderson's words, is a comprehensive and self-sufficient principle, 'covering all the traits of an individual or a group'.[30] 'Character' like 'identity' may be invoked in purely external and summary fashion—in the sense that employers require character references and the police hold identity parades—but in the literary context, as George Eliot wrote, 'character...is a process and an unfolding'.[31] Moreover, character is not subjective; an individual cannot truly know his or her own character. It is for this reason that first-person narrators and autobiographers are notoriously unreliable, since readers are likely to arrive at a judgement of their character which differs to a greater or lesser extent from the narrator's declared self-perception. Conscious attempts to live up to our ideas of our own character introduce a histrionic, self-dramatizing element into behaviour, which may in the end lead—as, most famously, in Conrad's *Lord Jim* (1900)—to complete self-deception. To enquire into one's own character is to ask the, at best, very imperfectly answerable question 'What am I?', whereas enquiry into identity involves the much more negotiable question 'Who am I?'

The idea of character, then, presupposes an objective standpoint from which character can be observed in action or behaviour. The idea of character in fiction and biography also presupposes a degree of subtlety and complexity in human behaviour, since the literary presentation of character is typically an accumulation of apparently conflicting traits which cannot be understood without prolonged observation. (Even the most absorbing and memorable fictional characters, such as Robert Lovelace or Emma Woodhouse, can in principle be analysed as structures of oxymorons or self-contradictions.) Popular ideas of national character are very much simpler than the idea of character conveyed in fiction. Character in the novel, however, is fixed, since the actions through which it is revealed are circumscribed and there are no traits left to be exhibited once the novel is over. Biographies similarly end with the death of the individual subject, while national character is perpetually open to change. It is, then, hardly surprising that nearly all accounts of an achieved and settled national character are marked either by the fear of loss or by an unconcealed idealization and nostalgia. Early twentieth-century novelists' accounts of the English national character, like E. M. Forster's 'Notes on the English Character' (1936) and George Orwell's *The Lion and the Unicorn* (1941), can now be seen to present a more or less transient set of traits as essential and permanent. More recently the portrayal of national character has become a favourite medium for conservative elegies for the English nation, as in Peter Vansittart's *In Memory of England: A Novelist's View of History* (1998) and Roger Scruton's *England: An Elegy* (2001).

Some of the earliest accounts of the English 'national character' argued that the notion was a contradiction in terms and that it was the essence of Englishness—as opposed to Irishness, Scottishness, or Welshness—to lack a distinct character. For Defoe, the Englishman was a 'man akin to all the universe', a harbinger of the coming globalization of culture.[32] For Hume, England's perceived complexity and diversity meant that its sole national characteristics were those of internal difference and individual eccentricity:

We may often remark a wonderful mixture of manners and characters in the same nation, speaking the same language, and subject to the same government: And in this particular the ENGLISH are the most remarkable of any people, that perhaps ever were in the world. . . . the ENGLISH government is a mixture of monarchy, aristocracy, and democracy. All sects of religion are to be found among them. And the great liberty and independency, which every man enjoys, allows him to display the manners peculiar to him. Hence the ENGLISH, of any people in the universe, have the least of a national character; unless this very singularity may pass for such.[33]

The term 'eccentricity' did not come into use until a generation after Hume. It is, Paul Langford has remarked, a more benign idea than Hume's 'peculiarity' and 'singularity', since it provides 'an engaging diversity without threatening conformity'. Eccentricity implies a common 'centricity' from which it deviates.[34] If this is very much in the spirit of Hume's passage, it is because the shift from character to identity as a basis for nationality is already implied in it. In fact, an underlying tension between character and identity runs through the whole tradition of thought about cultural nationality.

Identity, in Anderson's words, 'always possesses a reflexive or subjective dimension', involving self-awareness and self-identification.[35] The plot of many novels hinges on the external verification of an identity that the protagonist has all along embodied and seemed to take for granted—Tom Jones, for instance, behaves like a well-born young gentleman long before he is proved to be one—and first-person narratives typically describe the progressive construction or discovery of identity. There are conflicting models of identity, since the term refers both to an unchanging inward core of the self and to the sociological and psychological roles that individuals adopt. The modern view of identity leans heavily towards the provisional and performative, in which, as Anthony D. Smith explains, 'the self is composed of multiple identities and roles—familial, territorial, class, religious, ethnic and gender'. Similarly, the modern idea of national identity reflects the political ideology of nationhood.[36] National identity became an explicit concern in the late nineteenth and early twentieth centuries at a time of the construction of new nation-states, the persecution and mass migration of peoples, the collapse of established empires, and the compulsory introduction of passports for travel between states. Modern national identity always exists in relation to (though it is far from being identical with) the bureaucratic registration of nationality that governments impose.

Anderson adds that 'the preoccupations of national identity are a product of the material erosion of much of what was once associated with national character'.[37] National character, we may say, emphasizes the separateness of peoples, while identity comes to the fore in a world where nationalities are easily confused. The debate between national character and national identity can be observed in two of the principal Victorian theorists of nationality, Walter Bagehot and John Stuart Mill. Mill's liberalism leads him to emphasize the voluntary character of national communities, while Bagehot stresses the conservative inheritance of national character. According to Mill's definition in *Representative Government* (1861),

[a] portion of mankind may be said to constitute a Nationality if they are united among themselves by common sympathies which do not exist between them and any others—which make them co-operate with each other more willingly than with other people, desire to be under the same government, and desire that it should be government by themselves or a portion of themselves exclusively.

The emphasis here is on 'desire', the will to cooperate, and common sympathies. Mill admits the strength of the 'feeling of nationality', which is based on 'identity of political antecedents; the possession of a national history, and consequent community of recollections; collective pride and humiliation, pleasure and regret, connected with the same incidents in the past'. But he also discusses how small nations, including the Welsh and the Scots, are capable of blending into larger ones, and he believes that globalization and world government are in the long-term interest of the human race.[38] The advantage of separate nationhood is that for the time being it makes possible a cohesive and responsive political democracy. Mill's liberal definition of nationhood relies on voluntary affiliation, not unconscious filiation, and it implies that national loyalties have a pragmatic and temporary basis.

Walter Bagehot, by contrast, argues in *Physics and Politics* (1872) that nations have been formed and held together by the largely instinctual processes of 'unconscious imitation', including the 'imitation of preferred characters' and the 'elimination of detested characters', which took place during the ages of authoritarian discipline which preceded modern liberal democracy.[39] Bagehot defined a nation as 'a *like* body of men, because of that likeness capable of acting together, and because of that likeness inclined to obey similar rules'; their sense of common identity is the direct outcome of a long period of uninterrupted settlement during which the nation's character was formed.[40] Bagehot's Darwinian reasoning led him to question the ability of settled national characters such as the English (which he believed to be virtually unchanged since the age of Chaucer) to adapt to the changing conditions of the nineteenth century. Implicitly, Bagehot portrayed the form of the nation as what Victorian anthropologists and social theorists called a 'survival', a product of the archaic conditions of a previous era which could function only as a conservative symbol in the modern world. Modern democratic nations, he suggested, relied on the 'myth' of national character while repudiating the authoritarian and oppressive conditions that gave rise to it. Bagehot, however, believed that a 'real nation' like England, fortified by 'long ages of transmitted discipline', could survive the pressures of modern cosmopolitanism and globalization.[41]

Bagehot, then, is the theorist of national character where Mill is the theorist of identity. National character is an unconscious inheritance, while national identity for Mill is a matter of choice; but it seems that no sooner do we become conscious of national character than its existence is threatened. So far as fiction is concerned, there is a long history in which English novels have been read as expressing the English national character, but the novel itself has increasingly foregrounded questions of identity rather than character.

Character and Identity in the Novel

Henry Fielding, the most theoretically minded of the great early English novelists, was a strict neoclassicist who believed that all valid literature was derived from the ancient Greek and Roman literary forms. He could not, therefore, regard the novel as strictly novel. It must be a variation on something that already existed: hence his famous definition, in the preface to *The Adventures of Joseph Andrews* (1741), of the novel as a 'comic epic poem in prose'. His characters, likewise, were not intended as eccentric individual portraits but as representatives of immemorial human types such as the lawyer or the soldier.[42] Later eighteenth-century critics, however, saw Fielding, together with Defoe, Richardson, and Sterne, as 'novelists'— the precursors, that is, of a new and rapidly growing class of authors— rather than as writers in the comic epic mode. At the same time, they came to value Fielding's characters not (or not only) as universal and timeless portraits but for their local and historical authenticity. Criticism of the novel almost invariably entailed an awareness of the role of nationality in fiction. Fielding's novels were read as embodiments of Englishness, not of universal nature, and the novel in general came to be widely regarded as the principal source for a 'History of National Manners'.[43]

The new mode of criticism of fiction is exemplified in a passage from Walter Scott's *Lives of the Novelists* (1824):

Of all the works of imagination, to which English genius has given origin, the writings of Henry Fielding are, perhaps, most decidedly and exclusively her own. They are not only altogether beyond the reach of translation, in the proper sense and spirit of the word, but we even question whether they can be fully understood, or relished to the highest extent, by such natives of Scotland and Ireland as are not habitually and intimately acquainted with the characters and manners of Old England. Parson Adams, Towwouse, Partridge, above all, Squire Western, are personages as peculiar to England as they are unknown to other countries. Nay, the actors, whose characters are of a more general cast, as Allworthy, Mrs Miller, Tom Jones himself, and almost all the subordinate agents in the narrative, have the same cast of nationality, which adds not a little to the verisimilitude of the tale. The persons of the story live in England, travel in England, quarrel and fight in England; and scarce an incident occurs, without its being marked by something which could not well have happened in any other country.[44]

For all his no doubt sincere admiration, Scott is suggesting that Fielding's 'verisimilitude' has been bought at the cost of insularity, untranslatability, and obsolescence: in other words, it runs directly counter to the novelist's own neoclassical principles. Even the somewhat jocular reference to 'Old England' plays its part in reminding Scott's readers that the England of two generations earlier reflected in Fielding's novels now only survives in the imagination. Fielding was not, apparently, even aware that his personages were 'peculiar to England' and that they offered a true representation of the national character. It takes a cosmopolitan reader such as Scott—a reader thoroughly acquainted both with the English and with other nationalities—to see this, or so Scott implies. He does not define what he calls the English 'cast of nationality'—he rather assumes that those 'in the know' will know it when they see it—but he clearly thinks that the novelist should be a conscious analyst of national character, as he himself was. The Scottish novelist is gently patronizing the English one.

Scott's essay on Fielding has the effect of making space for a new kind of novel, the so-called 'national tale' by which he himself had been decisively influenced. The national tale originated in Irish fiction, in novels such as Maria Edgeworth's *Castle Rackrent* (1800) and Lady Morgan (Sydney Owenson)'s *The Wild Irish Girl* (1806) and *O'Donnel: A National Tale* (1814), where Anglo-Irish colonists were juxtaposed with typical specimens of 'native' Irish people. Scott's own Waverley novels often follow a young English gentleman on an expedition of discovery through lowland and highland Scotland. The term 'national allegory' has been applied to this kind of fiction, which sets English wealth and power against a defeated but potentially resurgent Celtic nationalism.[45] An earlier kind of national allegory, however, was of English, not Scottish or Irish, origin; this was the body of Augustan essay-writing and prose satire based around such obvious national caricatures as Joseph Addison's Tory squire Sir Roger de Coverly and John Arbuthnot's robust English tradesman John Bull. *The History of John Bull* (1712) has a cast of characters representing the contending nations in the War of Spanish Succession, but the satire is purely ephemeral and Bull's fame owes everything to the eighteenth-century cartoonists who turned him into the epitome of the truculent English bully.

If John Bull is the eighteenth century's most famous characterization of the typical Englishman, his nearest rival (as we shall see in Chapter 3) is Defoe's Robinson Crusoe. It is no accident, perhaps, that the novel in which he appears is for most of its length more sparsely populated than almost any other work of world literature. Novelists have usually been concerned with contrasts and differences of character, so that Fielding's reflection of Englishness in a novel such as *Tom Jones* is spread across several characters rather than being concentrated into a single one. Where, as often, these differences of character serve to dramatize the nation's internal divisions we have a form of national allegory which may be covert or hidden, rather than foregrounded as in the 'national tale'. An acute critical reader will often detect national allegory as a level of submerged meaning in the work of a novelist with apparently very different intentions. In the words of one recent literary historian, a novel may '*contain* the nation within its form, its structure, its silences'—above all, through the interplay of its characters.[46]

The strength of characterization in English fiction up to the time of Dickens is due partly to the novel's effectiveness as national allegory and partly to the perceived link between English character and eccentricity. The novelists delight in the foibles and peculiarities of individual temperaments. Hazlitt, for example, explains in 'Standard Novels and Romances' that the achievement of Fielding, Richardson, Smollett, and Sterne belongs to the age of the early Hanoverian kings in which the English character was 'more truly English than perhaps at any other period—that is, more tenacious of its own opinions and purposes'. It was an 'age of hobby-horses' (19–20). The 'hobby-horse' here alludes to Sterne's Walter Shandy and Uncle Toby; the latter is a disabled army veteran living out his days in tranquil retirement, and Hazlitt strongly implies that the English novel's genial view of character could not survive the domestic repression and the devastating wars of the revolutionary epoch that succeeded the 'age of hobby-horses'.

What gradually overshadowed the prominence of individual eccentricity in the novel was not, however, an awareness of war and political revolutions but rather the growing consciousness of society as a monolithic institution or organization containing and dwarfing the individual. This sociological awareness begins with the idea of the social machine first expounded in Thomas Carlyle's early essays such as 'Signs of the Times' (1829). The social machine was figured as an interconnected system or grid, holding its members in narrowly confined positions and reducing them, ultimately, to animated puppets. The efflorescence of individual character which had fascinated earlier novelists now came to seem something of a charade. For H. G. Wells's narrator at the beginning of *Tono-Bungay* (1909), for example, the social system is a complex arrangement of 'character parts':

Most people in this world seem to live 'in character'; they have a beginning, a middle and an end, and the three are congruous one with another and true to the rules of their type. You can speak of them as being of this sort of people or that. They are, as theatrical people say, no more (and no less) than 'character actors'. They have a class, they have a place, they know what is becoming in them and what is due to them, and their proper size of tombstone tells at last how properly they have played the part.[47]

In a rather similar passage in her essay 'The Niece of an Earl' (1932), Virginia Woolf described society as seen by the English novelist as a 'nest of glass boxes one separate from another, each housing a group with special habits and qualities of its own'.[48]

Once character and a fixed place in the social organization are seen to go together, the emphasis naturally falls on those who have somehow lost their place and no longer know 'what is becoming in them and what is due to them'—who no longer know who they are. Novelists beginning with Charlotte Brontë in *Jane Eyre* (1847) had described protagonists who feel themselves to be aliens and misfits, and who, like Rudyard Kipling's Kim, repeatedly have to ask themselves 'Who am I?' By the early twentieth century the search for identity had become open-ended and exploratory; in a novel such as D. H. Lawrence's *Women in Love* (1920), it almost entirely supersedes the depiction of individual character as traditionally understood. The following exchange takes place between two of Lawrence's protagonists, Rupert Birkin and Gerald Crich, as they travel by train from Nottinghamshire to London:

'What do you think is the aim and object of your life, Gerald?' [Birkin] asked.... 'Wherein does life centre, for you?'

'I don't know—that's what I want somebody to tell me. As far as I can make out, it doesn't centre at all. It is artificially held together by the social mechanism.'[49]

What Gerald is describing here is an emptiness of identity: the need for a centre. The 'character' he presents to the world as an industrialist and former army officer is purely artificial, he thinks. Lawrence's novel portrays a series of actions by his protagonists in which they effectively choose their identities. The choice is not merely individual, however, since choice of identity in fiction can almost invariably be linked to national allegory. Jane Eyre, who as a child thought of herself as an alien, ends her narrative in apparent contentment living in fortress-like privacy in the English countryside. Not only is Charlotte Brontë one of the greatest English courtship novelists, but her fiction presents courtship as, overwhelmingly, a means of forging identity as well as a test of character. In early twentieth-century fiction Kim must decide whether, and in what senses, he is English, Indian, and/or Irish, while Wells's narrator and the principal characters of *Women in Love* are all shown as voluntarily or involuntarily leaving England. The choice of identity is emphatically present in these novels, and in the novels of immigration (to be discussed in Chapter 15) which have succeeded them; but it has been an undercurrent in English fiction from the beginning.

Forms of English Fiction

The history of the English novel reveals both a changing sense of what it is to be English and a gathering awareness of the weight of fictional tradition, whether as a source of veneration or an object to be parodied. Within that tradition particular forms of narrative have come to the fore, dominating fiction for a time and then, it may be, receding or being absorbed into others. The last section of this chapter offers a preliminary sketch of three of these forms: the journey novel and male *Bildungsroman*, the novel of courtship, and the family saga and extended novel-sequence.

In the background to the novel are the romances of knight-errantry. Cervantes's Don Quixote set out, in Hazlitt's words, to 'revive the example of past ages, and once more "witch the world with noble horsemanship" ',[50] but the Don's pretensions were mocked by his shabby, ill-conditioned horse and by Sancho Panza, the servant and man of the people, who rode behind him on a donkey. Noble horsemanship is a theme for traditional epic, romance, and the modern historical costume drama beginning with Scott's *Ivanhoe*. *Don Quixote* is the great masterpiece of the early European novel because it debunks the pretensions of horsemanship, preferring the comedy of the low horse and the donkey or carnival horse. After Cervantes the novel's aspiring male heroes would go on foot, or would keep horses they could not afford. The difference between those who could manage to keep a stable of horses and the pedestrian majority is one of the oldest marks of class division.[51]

The European novel's debt to the chivalric romances can be measured by the prominence, from its earliest beginnings down to Fielding and Dickens, of the journey trope or 'romance of the road'. Don Quixote and Sancho Panza ride across the plains of La Mancha; the giant Gargantua is given a hobby-horse as a child, and then sent to Paris on a huge mare; and Guzman de Alfarache sets out from Seville on foot to mend his 'miserable Estate', and celebrates the good company to be found on the road which 'makes horse-men, of footmen'.[52] These works by Cervantes, Rabelais, and Aléman were translated into English in the early seventeenth century, some decades before Bunyan's Pilgrim took to the road with his backpack and staff. English readers were already familiar with Chaucer's pilgrims, with the early highwayman legends, and with the Elizabethan 'road fiction' of Thomas Deloney and Thomas Nashe. The journey as narrative framework immediately distinguished prose fiction from drama, since the theatre with its static stage sets is ill-equipped to portray continuous movement from place to place. Such a journey is typically undertaken on foot, even if (as in Fielding's *Joseph Andrews* and *Tom Jones*) the characters originally intended to travel on horseback or in a stagecoach. The male hero of the journey novel is always (in the words of Nashe's most famous title) an unfortunate traveller.

Unfortunate, but—if he is an English protagonist—not irredeemably so. The Spanish picaresque novel beginning with the anonymous *Lazarillo de Tormes* (1553) provided a model for Nashe and for several of Defoe's narratives, but the *pícaro*'s autobiography is that of an orphan and a social outcast. His life's journey is constantly interrupted by violent and sensational episodes, and the only way in which he ever can be said to rejoin his society is through his success as an autobiographer and story-teller.[53] The novels of Fielding and his successors are 'anti-picaresque' in the sense that they move towards an achieved settlement and a reconciliation with the social order.[54]

The outcast, in English mythology and English fiction, is only temporarily dispossessed. In the end his society will recognize him and save him from destitution. Robin Hood, the highwayman and thief, is the rightful Earl of Huntingdon, a faithful follower of the king whose authority has been usurped by an unlawful tyrant; Dick Whittington's flight from London comes to a quick end when the bells reveal that he is the future Lord Mayor. These mythic happy endings foreshadow the fate of the characters of the English *Bildungsroman* or 'novel of development', in which the orphan or foundling is the true heir to an estate and the same person may be both robber and benefactor. The despised servant or apprentice marries his master's daughter, or (in Samuel Richardson's female variant) the maidservant marries her former mistress's son. But in Richardson the journey novel, with its international origins, gives place to the English domestic fiction of courtship.

The courtship novel offers at least a diluted journey narrative, since it traces the protagonist's path from provincial innocence to broadening experience. The subtitle of Frances Burney's *Evelina* (1778)—*The History of a Young Lady's Entrance into the World*—suggests the social topography of these narratives of coming of age and the approach to marriage. The second part of Richardson's *Pamela* (1741), showing the heroine's life once the drama of her courtship and marriage is complete, found few imitators, though in the late eighteenth century a new kind of novel emerged to portray the sufferings of restless, unhappily married women. For many critics, however, the story of courtship portraying a young girl's awakening has remained the typically English form of the novel, since it is sharply opposed to the dangerously adulterous liaisons of classic European fiction. English domestic novels endorsed family values and were, therefore, addressed to all levels of society, not merely to connoisseurs of the *demi-monde* or gentlemen in the privacy of their libraries. The fiction of courtship appealed to the curiosity of young readers, since it offered both instruction in the social proprieties and the indulgence of (licit or illicit) desire.[55]

Sexual desire in English fiction is famously muted, even in the case of Richardson's *Clarissa* (1748) where the climactic event is the rape of the heroine. But the gratification of social desires, and above all of individual ambition, is one of the perennial attractions of reading fiction. Walter Bagehot wrote in *The English Constitution* that 'Courts and aristocracies have the great quality which rules the multitude, though philosophers can see nothing in it—visibility'.[56] Today the cult of celebrity centres on singers, film stars, sports personalities, and politicians rather than the traditional aristocracy, but it still enforces a sharp separation between the visible elite and the invisible multitude. The novel's great task was to make its middle-class heroes and heroines visible by representing them as newcomers eligible for admission into the charmed spectacle of upper-class society. The eighteenth-century novel of courtship led almost inevitably to the early nineteenth-century 'silver-fork school' of popular novels of fashionable life, and even today the proportion of peers and persons of title in contemporary English fiction greatly exceeds that in the population at large. Jane Austen is by no means a 'silver-fork' novelist in the vulgar sense, yet the heroine of *Pride and Prejudice* marries one of England's greatest landowners, while in *Mansfield Park* Susan, Fanny Price's younger sister, sits in the coach on her first journey to her rich uncle's estate 'meditating much upon silver forks, napkins, and finger glasses'.[57] Austen (herself a clergyman's daughter) clearly expects us to sympathize with Susan's anxieties as she prepares to enter the great house where Fanny, the novel's heroine, has made her first timid appearance forty-six chapters earlier.

The pretence to intimate knowledge of the lives of people higher in the social scale than either the authors or their readers can be found throughout English fiction. As one of Richardson's twentieth-century critics observed, 'It is remarkable, on cool reflection, how much of their talents good middle-class radicals of the great middle-class age, like Thackeray and Dickens and Meredith, devoted to narrations of lords, baronets, knights and their hangers-on.'[58] The novel of courtship is much more than a vehicle for the romance of social climbing and upward mobility, however. The form's potential for national allegory resides in the so-called 'national marriage plot',[59] in which an alliance between families bears a weight of political symbolism implying the resolution of contraries and the reconciliation of national differences.

Pride and Prejudice, with its union between the Tory gentry and the Whig aristocracy, is a story of courtship with political repercussions of which most modern readers are blissfully unaware. In Richardson's *Pamela*, where the heroine's Puritan virtue triumphs over the Cavalier immorality of her high-born suitor, the resulting marriage has the effect of healing the religious and social divisions which had torn the nation apart a century earlier. In the great novels of courtship the twists and turns of the romantic intrigue are so engrossing that readers can accept a degree of political symbolism without even thinking about it. The courtship romance has the effect of removing the spectacle of social reunification beyond the reach of political controversy. The power of national allegory in these novels may be in reverse proportion to its obviousness.

In Victorian and later fiction the novel of courtship merges into the more elaborate form of the family saga, which projects an idea of the nation as a network of extended families; this is an extension of the traditional political analogy between family and state in which the monarch is father of his people. George Orwell, who once planned to write such a saga, described England as a 'family with the wrong members in control': 'It is a family in which the young are generally thwarted and most of the power is in the hands of irresponsible uncles and bedridden aunts.'[60] Whatever we make of this as political analysis, it is a novelist's-eye view in which the paternal figure is either sidelined or altogether absent; novels rarely uphold a father's authority.

At the head of the English state 'family' is still the so-called 'royal family', a dynasty that is sharply criticized whenever it fails to display traditional family virtues. But the monarchy seldom if ever appears in English fiction. It may be argued that this is due to a desire to avoid mentioning actual historical personages, to a natural deference, or to the novelists' fear of possible censorship. 'What does a King feel? What does a Duke think? We cannot say,' observed Virginia Woolf.[61] 'Royalty must be worth knowing, and very great fun,' confides the narrator of Wells's *Tono-Bungay* (4–5), but he does not get to know them. A century and a half after Bagehot's description of the English political system as one in which 'A Republic has insinuated itself beneath the folds of a Monarchy',[62] it is still often asserted that England is essentially monarchical and that the national identity is held together by patriotic investment in the royal family.

This is arguably true of the United Kingdom as a whole, since Unionism's political force depends heavily on the monarchy as overarching symbol, and in England the popular press, the educational system, and the political class remain at least ostensibly loyal to the monarchy. In contrast to such professions of loyalty, we do not meet with or (usually) even hear of members of the royal family in mainstream English fiction. Royalty is confined to historical romances set in much earlier centuries. Traditional epic poetry and drama introduced kings and queens as a matter of course, but if any character in a novel has intimate relations with a 'royal person-age', that personage (as in Defoe's *Roxana*) is likely to be masked under a pseudonym and heavily disguised. The England of the novelists, however status-conscious, is implicitly republican.

The courtship novel explores relationships between two or more families, which may or may not be brought together. But novelists are notably economical with the number of families which might in principle be involved in the ups and down of courtship. Fictional marriages are quite often endogamous—that is, conducted within an extended family, as for example between cousins—rather than exogamous. The pattern of *Mansfield Park*, in which a brother and sister form relationships with a sister, a brother, and a female cousin—but the two cousins end up marrying one another—is an extreme example of the courtship novel's customary simplification of family structures and intermarriage.

'The usual plan is to take two couples and develop their relationships,' said D. H. Lawrence of his first novel; 'Most of George Eliot's are on that plan.'[63] In *The Rainbow* (1915) and *Women in Love* (1920), however, Lawrence turned to a family saga extending over two volumes and three generations. *The Rainbow* is one of innumerable English novels that might usefully contain a family tree as a guide for their readers, and many stories of mysterious foundlings (like *Tom Jones* and *Oliver Twist*) would contain rather little mystery if an explicit family tree had been printed at the beginning. Family genealogies in the English novel are often loaded with cultural meaning, conveying a hint—and sometimes far more than a hint—of national allegory through their links to the Civil War and other traumatic episodes of English history. This sense of dynastic succession, from *Tristram Shandy* through to Ian McEwan's *Atonement* (2001), forms a background to the trials and divisions of the novel's protagonists. In general, the more prominently the genealogy is stated at the outset, the more clearly is family identity linked to national identity.

The novel-sequence, as pioneered by the great French novelist Balzac, may be seen as a development of the family saga. The sequence replicates the idea of a social network by introducing recurring characters in novel after novel, so that the protagonist of one novel is likely to feature as a peripheral figure in others. Disraeli, Thackeray, and Trollope introduced this technique into English fiction, using it to evoke a continuous and overlapping social world. In the twentieth-century novel-sequences by Ford Madox Ford, Evelyn Waugh, and Anthony Powell there is a curious return to the novel's origins in a parody of chivalric romance, both in the thwarted 'knight-errantry' of particular characters and in the presentation of the novel's world as a 'round table' or charmed circle of initiates. If, as seems possible, the family saga and novel-sequence are now at least temporarily exhausted, the novel of immigration (to be discussed in Chapter 15) can bring new energy to these old forms. Where the conflicts and continuities in the family saga point to an assessment of the nation's present and future, novels of immigration openly question the idea of national identity.

And not, perhaps, before time. The tradition of journey novels ending in settlement, national marriage plots, and sagas of family reunion and family conflict suggests an overwhelmingly domestic agenda, which has been summed up by the critic Martin Green as 'the story of caste psychology and intercaste conflict, of manners taken seriously and marriage taken solemnly, with which we are all familiar because it has been central to our literary culture'.[64] But in every generation of English fiction there have been novelists who broke away from the domestic sphere to examine the often shocking conditions of the 'greater England' of the empire, or to contrast life at home with life abroad. The English novel, like other national literatures, will in future have to depend upon national identity for its life support if it is to survive as a distinctive form. National identity, for its part, will continue to draw strength from the concern with identity in the nation's fictions.

~~~ 2 ~~~

Cavaliers, Puritans, and Rogues: English Prose Fiction from 1485 to 1700

E NGLISH prose fiction was a comparatively late arrival in European
literature. Before *The Pilgrim's Progress* in the late seventeenth
century there is no popular masterpiece comparable to Giovanni
Boccaccio's story cycle *The Decameron* (1349–51) or François Rabelais's
Gargantua and *Pantagruel* (1532–4), let alone to Miguel de Cervantes's
Don Quixote de la Mancha, which is the greatest of all early novels.
Until the Elizabethan period English prose fiction consisted of romance
narratives translated or adapted from Latin and French, together with a
few original short stories.[1] The two prose works that survive as literary
classics are Sir Thomas More's *Utopia*, published in Latin in 1516 and not
translated into English until 1551, and Sir Thomas Malory's translation
of the Arthurian romances from French and Welsh originals. It is small
wonder that the conventional history of the English novel begins with
Defoe and fails to acknowledge the novel's prehistory.

But English fiction before Defoe outlines many of the national themes
that were to become familiar in the later tradition. Sixteenth-century
prose narratives provided stories and plots for Elizabethan and Jacobean
drama, a mode of expression that matured so much faster that it
comprehensively outclassed the early novel. The comparative failure of
Elizabethan fiction reveals, above all, the futility of the idea of the novel
as a 'book of the Courtier', a sophisticated, learned, and highly elaborate
art intended, like much of the poetry of the time, to win royal patronage
and the praise of the aristocracy. John Lyly, Sir Philip Sidney, and other
writers of Elizabethan courtly prose were thwarted by the novel's adaptation to private reading and its inability to engage with the public and
performative role of the arts in the life of the court.

Nor did prose fiction have any roots in, or much apparent connection
with, English popular culture. The surviving early accounts of folk heroes

such as Robin Hood are verse ballads or dramatic interludes, not
fictional narratives. There is a fourteenth-century prose romance, *Fouke
Fitzwarine*, the story of an earl who rebels against King John and leads a
band of outlaws in the greenwood; its basis is an Anglo-Norman poem,
and some of its motifs later reappear in the Robin Hood ballads.[2]
Malory's *Le Morte d'Arthur* (1485) was a work of reclamation, avowedly
based on a 'French boke' and annexing the stories about the 'matter of
Britain' which had been passed down in languages other than English.
One of the best-known early sources of Arthurian legend is the Latin of
Geoffrey of Monmouth's *Historia Regum Britanniae* (*c*.1136), which
identifies Arthur as a Celtic king of Britain who set out to unite the whole
island and to 'harry the Saxons'.[3] The Warwickshire knight Sir Thomas
Malory not only translated the Arthurian romances into English prose but
asserted that the 'matter of Britain' was really the matter of England—
that Arthur was the first great English king. In Geoffrey of Monmouth's
version, the Last Battle against Mordred takes place near Tintagel in
Cornwall, and Arthur's defeat leaves the Saxons in control of Loegria
(Malory's Logres), the Welsh name for England. *Le Morte d'Arthur*
installs the Round Table at Winchester (Camelot) and later at Westminster,
the political heart of the English nation.

According to his most famous twentieth-century editor, Sir Thomas
Malory was the founder of the modern English novel.[4] But Malory's
claim owes everything to William Caxton, the Westminster printer and
courtier who brought out the Arthurian romances in the year in which the
young Welshman Henry Tudor became King of England after defeating
Richard III at Bosworth Field. It was Caxton who divided the romances
into twenty-one books and no less than 507 chapters, each with a
descriptive chapter-heading in a style that would be imitated by innumerable later novelists. Caxton dedicated his edition—produced, he
claimed, at the urgent request of a group of English noblemen—'unto all
noble princes, lords and ladies, gentlemen or gentlewomen, that desire to
read or hear read of the noble and joyous history of the great conqueror
and excellent king, King Arthur, some time king of this noble realm, then
called Britain'.[5] The wording makes it clear that the noble realm 'then
called Britain' is now the kingdom of England and Wales. Caxton also
promises that his book will teach young noblemen the arts of chivalry,
and that 'for to pass the time [it] shall be pleasant to read' (i. 3). But this
raises the spectre that would later trouble Jane Austen's young lady, the
suspicion that *Le Morte d'Arthur* is 'only a novel'—that it is no more than
a trivial, perhaps childish, entertainment.[6]

As a publisher of serious historical and devotional works, Caxton was anxious to refute the charge that the Arthurian romances were 'but feigned and fables' (i. 2). His preface to *Le Morte d'Arthur* sets out Arthur's credentials as an authentic national hero, whose relics are to be found all over England. He would, Caxton writes, have been more widely acclaimed 'save only it accordeth to the Word of God, which saith that no man is accept for a prophet in his own country' (i. 2). It is a matter of national pride, therefore, that the 'French boke' should be turned into an English book. Malory's text describes friendly tournaments in which Arthur and his knights take on the combined forces of Celtic and Viking Britain, led by the kings of North Wales, Scotland, Ireland, and Northumbria. It ends with the civil war between Arthur and Mordred splitting England in two, and with the most Saxon-dominated parts of the country (the South-East and East Anglia) providing the bulk of Mordred's supporters. Some modern commentators have seen *Le Morte d'Arthur* as an allegory of the Wars of the Roses, and at one point the narrator intervenes in the text—'Lo ye all Englishmen, see ye what a mischief here was'—to denounce the fickleness of the English people who have deserted Arthur (ii. 384). The national epic culminates in an overwhelming tragedy redeemed only by the Grail knights' example of Christian chivalry and by the promise that Arthur, *Rex quondam Rex que futurus*, will come again. England for Malory and Caxton is also Logres, the magical realm overseen by Arthur and Merlin. This idea would be revived by Victorian poets and painters, but it lay dormant, so far as the novel was concerned, until the twentieth century.

After Malory and Caxton there is, except for the *Utopia* written in Latin, no English prose fiction of any note for nearly a hundred years. Even in the late sixteenth century, when there was an efflorescence of prose romance, most of the fiction was either actually based on classical or Italian sources, or pretended to be so. George Gascoigne's *The Adventures of Master F.J.* (1573) is a story of adultery set in a dissolute Italian country mansion, possibly a tale of the English aristocracy in disguise. The prose tale serves as the frame for a sequence of love poems, sonnets and songs, as in Sir Philip Sidney's much more famous *Arcadia* (1580; partly revised in 1590), dedicated to his sister the Countess of Pembroke. Divided into five acts with verse interludes, *Arcadia* with its themes of disguise, cross-dressing, senile adultery, and teenage passion—not to mention a dead king belatedly coming back to life—manifestly foreshadows Shakespearian pastoral comedy and romance. At first Sidney's melodrama suggests the performance of an aristocratic court playing at being shepherds and shepherdesses. Later the plot darkens, as a series of debates about the king's supposed murder dramatizes the issues of justice and mercy. But Sidney is so steeped in his classical and Renaissance sources that it would be hard, if not impossible, to read his pastoral Arcadia as a representation of dilemmas of state in contemporary England.[7]

In the same year as the first version of *Arcadia*, John Lyly produced *Euphues and His England*, the sequel to his highly successful *Euphues: The Anatomy of Wit* (1578) and, perhaps, the first deliberate celebration of the English nation in prose fiction. The story of the visit of Euphues, a young Athenian, and his friend Philautus to Queen Elizabeth's court is a piece of unashamed nationalist propaganda, dedicated to the Earl of Oxford and evidently intended to advance its author's own standing at court.[8] Euphuism, as Lyly's famously high-flown style became known, is a flattering mirror for the court, appealing to its members' learning, refinement, and literate sensitivity.[9] The actual narrative of Euphues's travels is of little or no interest, but the book offers a series of exemplary dialogues, love stories, and letters culminating in 'Euphues Glasse for Europe', where England, its women, and its Queen are held up as a model for rival nations.

Both Sidney and Lyly reflect the tensions between masculinity and femininity in Elizabethan court life. Euphues's description of England as a second Paradise and a 'new *Israel*'[10] contributes to the ideology of the Protestant nation presided over by a Virgin Queen, although he portrays Elizabeth not as a warrior monarch but as an aristocratic *grande dame* surrounded by chaste and pious ladies-in-waiting who spend their mornings in prayer and the rest of the day listening to learned discourses of courtly love. They take greater pleasure 'to heare of love, th[a]n to be in love' (445), but the category of 'learned discourses' seems meant to exclude a light-minded romance such as the *Arcadia*. Sidney, however, described his sister as his first reader, claiming that much of the *Arcadia* was written in her presence at Wilton, her country seat. His character Musidorus speaks of love as a passion that 'doth . . . womanize a man . . . making reason give place to sense, and man to woman' (18), and it is love that brings Musidorus and his friend Pyrocles into mortal danger in their Arcadian retreat. Sidney's feminine romance—so unlike the masculine world of *Le Morte d'Arthur*—was written for the Countess's aristocratic circle, but it anticipates the emergence a century later of romantic prose fiction as a commercial literary genre concerned, over-whelmingly, with matters of love, and mostly read by women. The

Arcadia remained popular in England throughout the seventeenth century until it was supplanted by the romances of women authors such as Delarivier Manley and Eliza Haywood.

But the Elizabethan novels that remain attractive to readers today are not the fiction of the country house and the feminized court. Instead, they are strongly masculine texts in which violence, sexual promiscuity, trickery, and roguery take the place of amorous passion. Moreover, they are historical novels set in past reigns and making no allusion, therefore, to the cult of the Virgin Queen. Thomas Nashe's *The Unfortunate Traveller* (1594), dedicated to the Earl of Southampton, is a bastard offshoot of Elizabethan courtly fiction employing a racy first-person narrative voice rather than the distanced storytelling of the romance tradition. Nashe's narrator, the swaggering, unscrupulous Jack Wilton, presents himself as one of the underlings of court society, a page; he is, he boasts, the 'King of pages'.[11] After serving as a soldier in Henry VIII's army, he leaves the English court, following what he calls the 'vocation of my cavaliership' (291) through Germany and Italy. Eventually he returns to the King's service. His story is one of an interlude or sabbatical in his career at court, the devious wanderings of an errant page. Not only is Nashe concerned to entertain a Protestant public with the corruption and skulduggery of Catholic Europe, but he specializes in a kind of pornography of violence, with torture and execution scenes too disgusting, and too mechanically ingenious, for theatrical representation. *The Unfortunate Traveller* is fiction for fiction's sake, the story without the moral discourse, the poetic interludes, and the court flattery, but nevertheless aimed at an aristocratic or sub-aristocratic readership. Jack Wilton himself is a self-proclaimed cavalier and rogue, and both terms call for some amplification.

A *cavalier* in the strict sense in which Nashe uses the term is a gentleman trained to arms, the successor of the medieval knight; the word, taken into English from Spanish and Italian, is closely linked to cavalry and horsemanship. But a cavalier was also a gallant and, by extension, a roistering, devil-may-care kind of gentleman. From 1642 the Royalist supporters of Charles I were known as Cavaliers, and by the following century the adjective *cavalier* had come to mean haughty, supercilious, and careless in manner. (Still later, the noun came to mean no more than a lady's escort or dancing partner.) Jack Wilton's willingness to trust his luck in what he calls the 'lottery of travel' is evidence of a purely secular outlook, the reverse of the Christian chivalry that lay behind the courtly ideal. Jack may be forced by circumstances into the roles of manservant, page, thief, and so on, but he is born a gentleman and manifestly thinks himself the equal of any Englishman alive. For some time he travels in the service of Henry Howard, Earl of Surrey, but when Surrey wishes to pass incognito in order to pursue his career of gallantry, he and Jack Wilton exchange places. (Predictably this leads to a farcical mix-up in which both men claim to be the real Earl of Surrey.) Wilton's narrative is itself a cavalier act of defiance on the part of Thomas Nashe, a penniless university graduate who was manifestly not a blue-blooded aristocrat like the Earl of Surrey or Sir Philip Sidney.

Rogue is the conventional English translation of the Spanish *pícaro*, whose fictional career began with the anonymous *Lazarillo de Tormes*, first translated into English in 1586. *The Unfortunate Traveller* is a picaresque novel in all but the strictest sense of the term. Unlike the protagonists of the Spanish picaresque, Jack Wilton has an accepted, if subordinate, place in the English gentry, and it is his desire for adventure, rather than poverty and hunger, that sets him wandering across Europe. But his story, like the *pícaro*'s, consists of a long series of lurid episodes involving hair's-breadth escapes from prison, from the gallows, and (in Jack's case) from being disembowelled by the Pope's physician in the course of an anatomy lesson. His instinctive individualism draws intellectual justification from his meeting at Rotterdam with the most revered of English humanists, 'Quick-witted Sir *Thomas More*'. In More's opinion, we are told, 'principalities were nothing but great piracies which, gotten by violence and murther, were maintained by private undermining and bloodshed... in the chiefest flourishing kingdoms there was... a manifest conspiracy of rich men against poor men' (240). More's response to this is to 'lay down a perfect plot of a commonwealth or government which he would entitle his *Utopia*'; but for the cynical Jack Wilton, such a diagnosis of existing society confirms the absolute necessity of living by his wits. Only at the end does he elect to go straight, marrying his mistress or 'courtesan' and hastening back to France to rejoin the King's army.

Where Lyly had portrayed the English court as a virtuous model for Europe to emulate, Nashe wallows in the vicious excitements awaiting an English traveller abroad. Once he has left the ordered society and (somewhat lax) military discipline of the court, Wilton enters the no-holds-barred world that would be described half a century later in Thomas Hobbes's *Leviathan*:

To this warre of every man against every man, this also is consequent; that nothing can be Unjust. The notions of Right and Wrong, Justice and Injustice have there no place. Where there is no common Power, there is no Law: where no Law, no Injustice. Force, and Fraud, are in warre the two Cardinall vertues.[12]

Here life is 'solitary, poore, nasty, brutish, and short', and it is 'thought no dishonour to be a Pyrate, or a High-way Theefe' (156–7). Hobbes adds that, where there is no writ of society higher than the family, men live by the 'Lawes of Honour' (224). Jack Wilton's adventures culminate in the nauseating spectacle of the execution of Cutwolfe, a murderer who makes a defiant last speech to the crowd before his body is broken on the wheel and left out for the vultures. Cutwolfe, who claims to speak for '[a]ll true Italians', maintains that 'Revenge is the glorie of armes, and the highest performance of [valour]' (355). He has, in his own eyes, lived by the principle of honour, while the state's retribution, brutally performed by the executioner or 'hackster', is simply another kind of vendetta. At Rome, Jack Wilton has earlier met with a banished English earl, who self-righteously holds Italy responsible for teaching young English visitors 'the art of atheisme, the art of epicurising, the art of whoring, the art of poysoning, the art of Sodomitrie' (336). These words, 'worse than an upbraiding lesson after a britching' (337), could sum up the lessons of *The Unfortunate Traveller*, although Jack's scorn for the banished earl is also part of the story. Nashe's novel seems in retrospect like an early pre-emptive strike against the Puritan ideology that was to transform English society in the coming century. Together with Lyly and others, Nashe had written in defence of the Anglican bishops against the Presbyterians in the Marprelate controversy of 1588–9, and it is part of Jack Wilton's 'cava-liership' that Puritans are to be despised as poisonous, malicious toads. Since life and art are worthless without a 'lyttle spice of wantonnesse' (310), the Puritan, in Jack's eyes, is inevitably a hypocrite. Fifty years before the outbreak of the Civil War, the conflict between Puritan and Cavalier values in English fiction had already begun.

The Genteel Tradesman

Nashe's Cavalier fiction was no match for the popularity of Thomas Deloney, a silk-weaver of unknown origins who, after a ribald youth, is said to have become a fervent Puritan.[13] Deloney's novels are grounded in civic responsibility and the Protestant ethic, although his plot material, which has its sources in folk tales and jest books,[14] resembles Nashe's in its devotion to roguery and trickery. But Deloney's heroes are (with certain exceptions) fortunate travellers, whose adventures open up possibilities of social advancement leading to civic honours and recognition at court. The merry young apprentice turns into a proud merchant or a substantial alderman. These stories of men of business celebrate the independence of the mercantile middle classes, reflecting the status of the City of London as a self-governing corporation, subject only to its fealty to the king. Like Dick Whittington, Deloney's bourgeois heroes may be aided by predestination, quick wits, or magical good fortune, but they inhabit a broadly republican ethos and owe nothing to the official apparatus of Church and State. They are free citizens of civil society rather than the subjects of the absolute monarchy to which, formally, their allegiance is pledged. Their relationship with the king is a commercial one, since it is their own power and wealth, rather than the royal prerogative of dignified patronage, which forces him to deal favourably with them. They do business with the court rather than simply seeking preferment.

Deloney's novels are in themselves neither courtly nor Puritanical, but they constitute a series of foundation legends of the English merchant caste which would soon become Puritanism's political base.[15] These lively, down-to-earth narratives are invariably cast in the mode of historical romance, since their object is to show the origins of the national prosperity enjoyed by Deloney's Elizabethan contemporaries. One of the signs of national prosperity is what we would now call gentrification. Deloney, like Nashe, employs the conventional address to the 'Gentle Reader', but he also refers to shoemaking as a 'gentle craft', implying that such a skilled luxury trade paradoxically confers genteel status on those who get rich by it. The Gentle Craft (1597) is subtitled 'A Discourse Containing many matters of Delight, very pleasant to be read', suggesting that Deloney, like Nashe, aims to provide casual, light-minded entertainment for people of leisure.

In his guise as a historian of the middle classes, Deloney was often content to recycle very traditional material. In Jack of Newbury (1597) the apprentice Jack Winchcomb is lured into marriage by his master's widow, whose time-honoured seduction technique has been traced back to a twelfth-century Latin tale.[16] After her death Jack inherits her fortune, becoming a gentleman and favourite at court. He refuses the King's personal offer of a knighthood, preferring to remain a broadcloth manufacturer rather than waste his substance supporting the 'vain titles of gentility'.[17] The 'greene king' of the second part of The Gentle Craft (1598) is a 'jolly Shoemaker' and a carnival figure who clothes his men in green when they put on a performance before King Henry I. Simon Eyre,

the hero of the first part of *The Gentle Craft* who is also celebrated in
Thomas Dekker's play *The Shoemaker's Holiday*, was a shoemaker's
apprentice from the North of England who rose to become Lord Mayor of
London in the fifteenth century. The Eyre of *The Gentle Craft* owes his
legendary good fortune not to a fairy-tale sequence of events like Dick
Whittington's, but to a smart confidence trick in which the penniless
apprentice persuades the captain of a newly arrived merchant ship to sell
him his whole cargo on credit. Deloney's novel displays a kind of social
realism that is absent from the Whittington legend. Eyre's ability to
inspire confidence and to return a profit to the person who invests in him,
while keeping a handsome percentage for reinvestment in his next venture, is the way in which City fortunes have been made from his day to
ours. By the end, he has become in reality the rich alderman he had earlier
pretended to be. But there is no breath of satire in Deloney's revelation of
capitalism's dependence on the creation of illusory confidence and the
calculated exploitation of risk. Eyre's trickery ends in triumph as he
becomes one of the City's founding fathers, building Leadenhall and
keeping his promise to feast his fellow apprentices once he has become
Lord Mayor. (The Lord Mayor's Banquet continues to this day, though it
has long ceased to be for the benefit of City apprentices.)

If *The Gentle Craft* reveals the foundation of London's wealth as a
centre of world trade, *Thomas of Reading* (*c*.1600) celebrates the growth
of provincial manufacturing industry. Its characters are rich clothing
manufacturers from the West of England who journey to and from
London on business in the early twelfth century. They are large
employers, so much so that half the population of England, including
children as young as 6, are said to earn their livelihood through the
clothing trade. Textiles are 'the greatest merchandise, by which our
Countrey became famous through all Nations', or so Deloney alleges,[18]
and he shows how this was achieved by strict regulation of the home
market, including the grant of a royal monopoly and the introduction of
a standard yard, regular coinage, and capital punishment for stealers
of cloth. The very remote historical setting of *Thomas of Reading* is
puzzling, since there were no merchant princes like Deloney's clothiers in
the reign of Henry I.[19] But the story illustrates both the power of the
middle-class merchants and their fear of an anarchic, Hobbesian social
state in which they could be cheated or robbed at will. The mood of
civic self-congratulation that Deloney creates is brutally interrupted by
the murder of the Reading clothier Thomas Cole at the Crane Inn at
Colnbrook on the western edge of Hounslow Heath (later to become one

of the classic locations of highwayman biography). The merchants regularly put up here on their return from London even though the host and hostess of the Crane Inn are, as Deloney reveals, serial killers who have devised a mechanism with a hidden trapdoor for killing their sleeping guests and disposing of the bodies. At their trial they confess to some sixty murders. Once they have been found guilty and hanged, the river where Cole's body was found is named after him (giving the origin of the name Colnbrook), and the inn is burnt to the ground. Cole's widow uses his wealth to endow a monastery. The story is a curious mixture of folk legend, fanciful historical reconstruction (it concludes with Henry I's burial at Reading Abbey), and bloodcurdling invention.

Deloney, who was almost an exact contemporary of Shakespeare, is a direct ancestor of some of the major English novelists although his work remains deservedly obscure. He is an author of historical romances, but with none of the aristocratic and chivalric values traditionally associated with romance. He might be called the inventor of the 'romance of commerce'. Like Defoe, he was a London novelist, a propagandist for capitalism, and a writer capable of linking individual destinies to a sense of national history. Yet his novels have little emotional depth or spiritual power, and almost no insight into character. Their author's reported conversion to Puritanism was not allied to any capacity to tap the resources of biblical language, or to anticipate Bunyan's use of Puritan allegory. In so far as his achievement was to give crude fictional shape to the rise of the middle classes and to the economic processes that were transforming Elizabethan England from a small kingdom to the heart of a great empire, then Deloney should be remembered as the first English writer to make his career as a novelist. But the novel in his hands was a small affair, and there were no successors before Defoe to build on his work.

The English Rogue

Apart from the works of two major writers at the end of the century, neither of whom can be unambiguously classed as a novelist—Aphra Behn and John Bunyan—the seventeenth century is largely a missing chapter in the history of the English novel. This remains true despite the success of recent scholars in bringing to light a number of forgotten works. Most seventeenth-century fiction remains obstinately unavailable except in scarce original editions or in unmodernized, facsimile reprints.

It has never become part of the English literary canon. One reason for this is that, of the 450 new works of prose fiction published in England during the century, 213 were translations.[20] Another is that some of the liveliest seventeenth-century fiction is underground literature, scandalous, immoral, and unashamedly popular. Highly derivative, if not openly plagiarized, it has been contemptuously dismissed by literary historians who would like to believe that the English novel had more respectable antecedents.

The great political contention of the seventeenth century was that embodied in the Civil War between King and Parliament. There are few memorable depictions of the Civil War and the Commonwealth in the fiction of the time or, indeed, in English novels of any period. At most the novel would mirror the experience of civil war indirectly, leaving the task of providing straightforward narrative accounts of the most traumatic episode in modern English history to historians from the Earl of Clarendon onwards. There is, however, one contemporary fictive version of the Civil War that has recently been rediscovered: Percy Herbert's *The Princess Cloria: or, The Royal Romance*, a turgid, long-winded allegory. The first two volumes, published in 1653 as *Cloria and Narcissus*, take the story up to the defeat of King Euarchus of Lydia (Charles I) and his imprisonment by his senate. The full five volumes appeared in 1661, immediately after the Restoration, with a prefatory address to the reader setting out the work's Royalist credentials. Here the author explained that the Princess Cloria was an allegorical conception who was 'not only to be taken for the Kings Daughter, but also sometimes for his National Honour'. The allegorical form had been adopted to escape the censorship of Cromwell's 'Tyrannical Government', but also because readers would find it more instructive and entertaining than an unvarnished historical account.[21] (For example, Euarchus's speech on receiving the death sentence is set out at length, although Charles I had been prevented from making any such speech.)

Beneath the historical struggle between the King and Parliament was the contest between anarchy and the rule of law, which was central to the political philosophy of the age. At his trial in Westminster Hall, Charles I demanded to know 'by what authority, I mean lawful', he was accused of being a *'tyrant, traytor, murtherer* and *publique enemy of the Commonwealth'*. The King repudiated the prosecutor's claim to speak for the people of England, retorting to his 'pretended judges' that there were 'many unlawful authorities in the world, thieves and robbers by the highways'.[22] Parliament, he was asserting, had brought England back to what Hobbes would soon call an anarchic state of nature. Later in the century John Locke, in answer to the Royalist Sir Robert Filmer, set out to justify the impeachment of a tyrant by a properly constituted tribunal. If there were no circumstances in which the king's authority could be overruled, then there must be open war between the 'Rulers Insolence' and the 'Peoples Wantonness', according to Locke.[23] The popularity of criminal biography and crime fiction (two genres that are often barely distinguishable) after the Restoration may be seen partly as a response to Charles II's relaxation of censorship, but partly, also, as reflecting the widespread sense of a suspension or usurpation of lawful authority in the preceding decades. Once the Puritan judges and regicides had been silenced, there was a feeling that thieves and highway robbers might be allowed to put their case and try to justify their actions, at least through the medium of fiction. In particular, the rogue narratives drew attention to crucial changes in seventeenth-century England which had passed almost unnoticed while the nation was obsessed by the conflict between King and Parliament. England was fast becoming a major European power, its national and international trade was growing steadily, and it was beginning to acquire a global empire.

The prototype of seventeenth-century rogue fiction was not the courtier Jack Wilton but the Spanish 'Guzman' or *pícaro* whom society regards as no better than a common thief. James Mabbe's translation of *The Rogue, or the Life of Guzman de Alfarache* was published in 1623 with a dedicatory poem by Ben Jonson, who claimed that its hero was already a byword at home and abroad:

> For though Spaine gave him his first ayre and Vogue,
> He would be call'd, henceforth, the English-Rogue.[24]

Guzman leaves his home in Seville after his father's death to seek out his 'Noble Kindred and Alliance' in Italy.[25] Fortune always eludes him, and he is by turns a kitchen scullion, a beggar, a page, and a thief. He spends periods in the service of a cardinal and an ambassador, and twice marries in the hope of gain, but all to no purpose; at the end, after four volumes, he suffers the ultimate degradation of being sentenced to the galleys. By the middle of the century Guzman was such a proverbial figure that a biography of the Royalist highwayman James Hind was published in 1652 as *The English Gusman*. Thirty years later, the Essex-born Thomas Dangerfield adopted the name of Don Tomazo when he set out on the road to become a 'young Gusman'.[26] The story of Dangerfield's supposed adventures is a tiresome rodomontade, but his book is full of memorable asides about 'gusmans' and 'gusmanry'. Far from being a helpless victim of society, the English rogue is 'Lawless as an Irish Tory' (a species of highwayman), 'as impatient as Ajax and as choleric as Hector' (374). Tomazo goes rampaging round the Mediterranean, deals in counterfeit money in several European countries, fits out a pirate ship, and runs a network of spies for Prince William of Orange. 'He delights in large-scale operations', as one critic has commented.[27] Dangerfield contrasts his greedy, imperious hero with the poor-spirited Spanish *pícaro*: 'See here the difference between a Spanish and an English gusman: the one pursuing a poor, hungry plot upon his penurious master's bread and cheese, the other designing to grasp the riches of a fourth part of the world by the ruin of a national commerce' (390). London is the 'grand receptacle of all the most refined virtuosos in gusmanry' (389), making the English rogue a symbol of the fall of the Spanish and the rise of the British empires.

There is a notable female 'English rogue' biography, *The Case of Madam Mary Carleton* (1663), revised ten years later as *The Counterfeit Lady Unveiled* by Francis Kirkman. Carleton, a thief who defends herself in court against a charge of bigamy, has been identified as the prototype of Defoe's Moll Flanders.[28] The most famous and popular of the rogue novels, however, was Richard Head's *The English Rogue* (1665), to which three further volumes were appended (with or without Head's collaboration) by Francis Kirkman. *The English Rogue* spawned a series of imitations, all by English writers: *The French Rogue* (1672), *The Dutch Rogue* (1683), *The Irish Rogue* (1690), and *The Scotch Rogue* (1706).[29] Head's rogue Meriton Latroon (roughly translatable as the Virtuous Highwayman) is a Royalist who, unlike his martyred King, narrowly escapes execution in the year 1650. He sits out the rest of the Commonwealth years in exile in Siam and the East Indies. The three later volumes consist largely of the life histories of various members of the English trading fleet whom Meriton, now a substantial local businessman, entertains when they arrive at Java.

Don Tomazo and *The English Rogue* are narratives of empire, celebrating an unscrupulous lawlessness that was felt to be a powerful weapon of the English abroad even if it was frowned upon at home. Significantly, both Tomazo and Meriton Latroon initially set out as self-styled knights-errant intent upon winning their spurs. They are travelling in the footsteps not only of the Arthurian knights but of the hero of *Don Quixote*, which had been translated into English by Thomas Shelton immediately after its first publication in 1605–15. Meriton's first stopping-place is a barn rather than an 'enchanted castle', while

Tomazo's is a Scottish peasant hovel shared by the family and their livestock. Criminal biographies drew upon Cervantes's mode of satirical anti-romance in the act of creating a kind of underworld romance. Meriton's attempt at 'knight-errantry' leads inevitably to his later adventures on the 'High Pad' with a gang of 'knights of the road', or highwaymen.[30] His first-person narrative is embellished with thieves' cant and highwayman lore, much of it plagiarized from earlier sources, and some of which would reappear in Head's later criminal biography *Jackson's Recantation* (1674).

Among other things, the engagingly frank eroticism of *The English Rogue* must have won it many readers. As a child, Meriton begins 'night practices' with the maid, 'being so young my mother did not in the least suspect me; but my too forward lechery would not let me lie quiet, putting her frequently to the squeak' (15). For all his expertise Meriton is not sexually insatiable, complaining that 'there is no slavery greater than that of the smock' and abandoning one of his sexual partners because 'the more I endeavoured to satisfy her, the further I was from it' (204–5). His adventure with three amorous highwaywomen ends in disappointment since, as he confides, 'my strength could not cope with such excesses' (166). Having turned transvestite in order to penetrate a girls' boarding school, he tells us that 'In the very height of these my jollities, I could not forebear thinking sometimes on my eternal condition' (82). Another aspect of sexual disillusionment found in *The English Rogue* is that Meriton's partners are constantly getting pregnant, forcing him either to get rid of them or to make himself scarce.

Having sired at least nine illegitimate children, and cuckolded and ruined the merchant to whom he was apprenticed, our hero gets married—an unwise move that leads him to report that 'Now began our domestic Civil Wars' (115). He flees to Ireland, returns to find that his wife has resorted to prostitution, and sets her up in a brothel with two other young whores. When they are committed to Bridewell he goes to watch them being 'well lashed, I hoped' (210). He himself is imprisoned again in Newgate, and then transported to the East, where he commits some of his bloodiest acts. Later three of his former mistresses turn up in Java and tell their stories. Meriton excuses his multiple infidelities with the claim that people like himself are 'like such who are upon a trading voyage, it is not one port but a great many that makes up their market' (632). The morality of the rogue's life is also the logic of mercantile capitalism. But the rogue is by definition an unsuccessful capitalist, since if he were conventionally successful he would have won the respect of his fellow citizens and no longer be called a rogue. His tale of wickedness (leading in the end to a perfunctory repentance) is told for the benefit of respectable male readers who can, presumably, reflect that there but for God's grace go they. Kirkman and Head's compilation was frequently reprinted in bulky complete editions which, according to one modern scholar, 'would have been available only to more prosperous members of the commercial and trading classes'.[31] Doubtless they were kept well locked away from the apprentices, servants, and women of the household.

However well-off he may claim to be at the end of his tale, the rogue's success is never secure and it is certainly not providentially ordained. In a prefatory 'Epistle to the Reader' Head claims to be presenting 'an original in your own mother-tongue', though he immediately admits that the work is also a 'translation' drawn 'from the black copy of men's wicked actions' (1); a good deal of it, as it happens, is simply plagiarized. The rogue's autobiography is simply another expedient, the latest temporary venture in a life spent on the make. As the critic Paul Salzman argues, he 'slips from one disguise to another in a world of surfaces'.[32] Head and Kirkman's company of criminal storytellers in exile on the other side of the globe, at a safe distance both from the lawful authorities and from their intended readers, invites comparison with the defeated Cavaliers in exile from the Commonwealth during the same years. The Cavaliers, however, were exiles, not colonists, and had a home country to which they would eventually return in order to reclaim their estates. The rogue, as would be seen in Defoe's *Colonel Jack* and *Captain Singleton*, could only return in disguise. Like other colonists since his time, his necessary field of operations is outside England, the home country he has left involuntarily and in disgrace. It should be added that Meriton Latroon, like Richard Head, was born in Ireland, where he tells us that his father, a Protestant preacher, was murdered by Catholic rebels (although the date of his birth, 1637, cannot be reconciled with his transportation in 1650). At the end of the four volumes he is an Anglo-Irish settler in the East Indies, married to a local woman, and likely to stay there for good, yet he is still the self-proclaimed 'English Rogue'.

The Cavalier: Aphra Behn

There is a conscious affinity between rogue fiction and Royalism, as already suggested: the Puritan Commonwealth turned both criminals and followers of the defeated King into footloose adventurers. Charles II's

Restoration was widely welcomed in the novels of the period, so much so that Meriton Latroon, in retirement in Java, writes a poem to celebrate it. Under the surface, the hatreds engendered by the Civil War continued to fester, and Puritan and Cavalier became cultural stereotypes that were used to stir up class and religious dissensions throughout the remaining years of the Stuart dynasty. Aphra Behn, the dramatist, Restoration wit, and outspoken Royalist, satirizes the Puritan preacher Ananias Gogle in her play *The Round-heads* (1681). Gogle mistakes Puritan London for 'the Holy City, which the Saints have prepared for the Elect, the Chosen ones', and for his pains is beaten up by the soldiers and the London mob at the time of the Restoration. A Royalist gallant accuses Ananias of being a spiritual highwayman or 'Padder', who robs 'on the High-way i' th' Pulpit'.[33] John Bunyan was in some respects a real-life Ananias Gogle. In 1660, when literature and the theatre were enjoying their new-found freedom from censorship, Bunyan was arrested for preaching without a licence and imprisoned in Bedford Jail. Among his books are *The Holy City, or the New Jerusalem* (1665) and an allegorical novel, *The Holy War* (1682), in which the city of Mansoul is captured after prolonged fighting and pacified by the ruthless lawgiver Prince Emanuel. One of those sentenced to crucifixion is Mr Lustings, a stereotypical Cavalier nobleman who pleads before the court that 'I am a man of high birth, and have been used to the pleasures and pastimes of greatness, I have not been wont to be snub'd for my doings, but have been left to follow my will as if it were Law'.[34] Bunyan takes a grim pleasure in bringing those who consider themselves above the law to summary justice in his imaginary English Commonwealth. In the early 1680s the Civil War of forty years earlier was still being fought at the level of literary propaganda, with two major writers of English fiction ranged on opposite sides.

Aphra Behn turned to prose fiction in 1683, when her income as a popular dramatist had dried up and she had been imprisoned for insulting the Duke of Monmouth in a stage performance. Not surprisingly, her novels are less politically outspoken than her plays, though everything she wrote bears the stamp of a dedicated Royalist. The Cavalier and Roundhead stereotypes who romp through Behn's drama are not found in her fiction. *The Round-Heads* pillories actual members of the Puritan government and shows Lady Lambert, formerly Oliver Cromwell's mistress, starting an intrigue with Loveless, a Royalist gallant. Behn's most widely known novel, however, is *Oroonoko, or The Royal Slave* (1688), which will be discussed in Chapter 4. Although in some respects a Royalist allegory, *Oroonoko* is set in tribal Africa and the former English colony of Surinam, 'an obscure world, that afforded only a female pen to celebrate [the hero's] fame'.[35] Another novel, *Love-Letters Between a Nobleman and His Sister* (1684–7), ostensibly a saga of amorous intrigues in France and the Low Countries during the sixteenth-century Huguenot wars, contains a thinly veiled allegory of events leading up to the Monmouth rebellion of 1685.

Behn's fiction offers fantasies of aristocracy and gallantry; Bunyan offers allegorical fantasies of virtue and justice. The English courtship novel of the eighteenth century would later combine these two sorts of fantasy in a decorously romantic fable with a moral calculated to appeal to the respectable middle classes. Some of Behn's novellas, such as 'The Unfortunate Happy Lady' in which the libertine Sir William Wilding is eventually reclaimed by his virtuous sister, end in a triumph of innocence just as the courtship novel generally does. But her most memorable characters are aristocratic rebels living by a code of 'honour' and ruthlessly intent on following their desires. Retribution follows, sometimes in the gruesome style of Cutwolfe's execution in *The Unfortunate Traveller*.

For the novel to function as a fantasy of aristocracy, the middle-class professional novelist must either impersonate an upper-class narrator or, at least, claim to reveal the inner feelings and secrets of a higher social class. Aphra Behn's fiction has all the marks of social aspiration: its subject matter consists of upper-class scandals and the intimate histories of wealthy families, told in a sometimes gossipy, sometimes high-flown and declarative style, and introduced by witty dedications to people of fashion whom Behn addresses as friends—possibly lovers—and political allies. In *The Fair Jilt* (1688) and *Oroonoko* she appears as an eyewitness narrator who was on the periphery of the events she relates. *The Fair Jilt* is supposedly a true story of crimes committed in Antwerp in 1666, the year in which Behn had visited the city as a Royalist spy, and biographers have deduced from *Oroonoko* that the author must have lived in Surinam at some point in her earlier life. *Love-Letters* is one of the first epistolary novels in English. The novel in letters was a particularly appropriate forum for portraying the intimate lives of persons of 'quality', who were presumed to have more time on their hands, a higher standard of literacy, freer access to writing materials, more to write about, and more reliable means of sending clandestine letters than their social inferiors.

The epistolary novel has two apparently contradictory purposes. It reveals the scandalous secrets of the aristocracy at the same time as providing its readers with information on the modes of conducting love affairs, engaging in polite discourse, and corresponding with friends of either sex. Epistolary novels might be presented, in the jargon of the age, as 'true secret histories', but they exemplify a kind of narrative language that is informal, gossipy, full of emotion—both true and pretended—and unashamedly subjective. Although not an easy form for the writer to negotiate, the novel in letters soon became one of the most influential models of fictional narration. Readers were quick to identify with an aristocratic or genteel protagonist who was a keen letter writer, and often the letter writers were also represented as readers of novels. For all the rigid stratifications of rank in the societies they depict, the works of Behn and her successors and imitators tend to promote solidarity and cultural homogeneity between the upper and middle classes. They express a fantasy of social assimilation, and function as a guide to the socially aspiring.

Love-Letters is to some extent based on a French epistolary novel, Gabriel de Bremond's *Hattigé*, which reflected the love affairs of Charles II.[36] But Behn's protagonists, Philander and Sylvia, allude to the Duke of Monmouth's associate Lord Grey of Werke and his sister-in-law Lady Henrietta Berkeley, whom he abducted in 1682. Philander and Sylvia are supporters of the Prince of Condé, who died in the Huguenot wars in 1569, but the two lovers live in exile in the Low Countries, to which Monmouth and his closest supporters had fled in 1683. The topicality of *Love-Letters* must be approached through an intricate series of masks, one of which is the mask of the *chronique scandaleuse* or novel of adultery. The defeat of the Huguenots at the end of the third volume (echoing Monmouth's defeat at Sedgemoor in 1685) is introduced with the proviso that 'it is not the business of this little history to treat of war, but altogether love; leaving those rougher relations to the chronicles and historiographers of those times' (447). 'Little history' here refers to the scandalous and fashionable genre of *petites histoires*, such as the 'little French* novels' (300) that Behn's characters use to while away the odd brief interlude between episodes of sexual dalliance.

The characters of *Love-Letters* are so besotted with sex that they tend to disregard politics even when political allegiance has put their lives in danger. Philander frequently ignores the Prince's summonses; the Prince only with the greatest reluctance tears himself away from erotic dalliance to lead an ill-prepared and half-hearted rebellion. At least one recent commentator has read *Love-Letters* as a 'cautionary romance' warning against the immorality of Lord Grey and his fellow Whigs, though its moral atmosphere closely resembles that of Behn's well-known comedy *The Rover, or The Banished Cavaliers* (1677), where Willmore, the 'Rover of Fortune', suggests the future Charles II living in exile during the

Commonwealth.[37] For the banished cavaliers of *Love-Letters*, love is the supreme form of military campaign, its aim being to exercise a tyrannical rule over captured territory. Defeat and erotic enslavement, however, can also be enjoyed to the full. Taking possession of a woman is a matter of storming the 'loose and silken counterscarps that [fence] the sacred fort' (50). The maid Antonet, asked by Sylvia ' "[W]hat sort of man would soonest incline you to a yielding" ', replies that the man to ' "villainously incline" ' her would, first, be one who would make her fortune, and, secondly, one who would give pleasure. What if both were combined in the same person? ' "Why then most certainly, madam," ' Antonet replies, ' "I should yield him my honour, after a reasonable siege" ' (205–6). Sylvia, like Behn's other female libertines, often appears in night attire with her clothes disarranged and her bosom temptingly half-exposed. She shows pornography's customary disregard for the mundane inconveniences which tend to damp down sexual activity, and both the fury of her own desires, and the ardour with which she is being pursued, persist unabated when she is heavily and visibly pregnant. During her pregnancy she dons male disguise, keeping it up for longer than the plot strictly requires since she is 'pleased with the cavalier in herself' (117).

Love-Letters deals in two kinds of honour, women's 'honour' and aristocratic honour. For the Cavalier novelist chastity, the first kind of honour, has no intrinsic value and is worth only a token defence. Sixty years later, both Richardson's *Pamela* and Fielding's *Joseph Andrews* were to portray lower-class protagonists who firmly reject the advances of wealthy libertines and yet succeed in rising in society. Their sense of rectitude, however much it might appeal to the respectable middle classes, appears laughable in terms of the Cavalier ethic. In *Love-Letters* the chief representative of middle-class Puritanism is Sebastian, a member of the Dutch States-General and a consummate hypocrite in sexual and other matters. Sebastian accuses his nephew Octavio of immorality with Sylvia—' "A little fornication in a civil way might have been allowed" ', he pontificates, but ' "this is flat adultery" ' (286)—but, like Octavio, he too discovers that he would rather be a slave at Sylvia's feet than a 'monarch over all the nasty provinces' (286–7). The Puritan legislator is capable of any degree of crime or treachery against his nephew. Sebastian's main function in the novel is to show the corruption and imposture of official justice, which appears irrevocably tarnished beside the personal honour of the aristocratic Cavalier ready at all times to stake his life on his sword.

Philander, as befits a gentleman and a libertine, fights several skirmishes and duels with his rivals; each fight is a trial of strength which invariably produces a just outcome. By contrast, his former servant Brilliard is a cowardly bourgeois who does his best to get out of the duel to which he is challenged. Only a true Cavalier can live or die by the aristocratic code. In this code the language of duelling overlaps with the language of gallantry, so that swordplay suggests loveplay and the sword the phallus. A gentleman's performance with either weapon is a matter of 'honour'. Each instance of duelling and hand-to-hand fighting in Behn's novel is referred to as a 'rencounter', but the same term is sometimes used to denote the sexual act, substituting for the more frequent 'encounter'.[38] When Sylvia allows herself to be seduced by Octavio, for example, the occasion is described as 'this soft rencounter' (284–5). The whole intricate plot of *Love-Letters* can be reduced to a sequence of encounters and rencounters between male and female libertines, ending with defeat on the battlefield and the Prince's beheading. Philander survives the debacle, and he and Sylvia carry on much as before. Philander's sense of honour had made him turn out with the rebels, but he is also suspected of betraying them. He is eventually pardoned by the King and returns to court 'in as much splendour as ever, being very well understood by all good men' (461); his honour is not lost, though possibly a little tarnished. Aphra Behn died in 1689, an unrepentant Cavalier who never had to trim her sails or seek a pardon from the new Whig regime after the final banishment of the Stuarts. 'Scandalously but rather appropriately', in Virginia Woolf's words, this first professional author of prose fiction to live by the female pen was buried in Westminster Abbey.[39]

The Puritan: John Bunyan

Aphra Behn's fiction with its Cavalier eroticism went out of favour once the middle-class novel had been instituted by Richardson, Fielding, Fanny Burney, and their contemporaries. Her works came to be excluded from serial reprints of the 'British Novelists', and fell into near-oblivion for almost two centuries. John Bunyan, by contrast, remained securely installed in the literary canon, and *The Pilgrim's Progress* (1678–84) has long been recognized as a great classic of English prose fiction. Bunyan is the leading devotional writer in the Nonconformist tradition, but his relationship to the modern novel remains a fascinating and puzzling problem. He was not, in the fullest sense, a novelist—partly because he would not allow himself to become one—but his work has profoundly influenced the English novel's language and structure.

We may begin by considering *The Life and Death of Mr Badman* (1680), an allegorical fable which clearly alludes to the genre of criminal biography and has been called a 'Puritan rogue novel'.[40] Just as criminal biographies could only be written and published once the individual concerned had been sentenced to hang or had gone through some form of repentance, so, in Bunyan's scheme, Mr Badman's death is even more noteworthy than his life. Both are recounted by his fellow townsman Mr Wiseman, an obituarist whose motto seems to be *de mortuis nihil nisi malum* (speak nothing but ill of the dead). Bunyan's difficulty is that he can do no more than hint at the sensational aspects of his protagonist's career in crime, since the reader must be edified and not (or not overtly) entertained by his story. Wiseman's racy, demotic account thus engages in a kind of narrative striptease, constantly insinuating what it will not perform. For example, he tells us that Badman was still able to get money 'by hatfulls and pocketfulls' even though he had squandered his wife's dowry and ruined his own business by neglect. Wiseman's interlocutor Mr Attentive understandably wants to hear more:

Why I trow he was no Highway man, was he?

Wise[man]. I will be sparing in my speech as to that, though some have muttered as if he could ride out now and then, about no body but himself knew what, over night, and come home all dirty and weary next morning. But that is not the thing I aim at.[41]

Earlier we have been told that Badman courted his future wife 'under a Vizzard of Religion, as if he had been for Honesty and Godliness, one of the most sincere and upright-hearted in England' (66). The situation would reappear in countless English courtship novels, and we cannot help being curious as to how this devout and intelligent woman was so thoroughly deceived. But, once again, this is not the thing Bunyan aims at.[42]

A vizard is literally a face mask, and Bunyan's allegorical method could be described as a sustained masquerade. His characters' 'true' identities, which are so clear to the reader, are often mysterious to one another. The names by which we know them are nicknames or given names rather than patronymics.[43] (It is true that Badman is one of a large family of 'Badmans', 'both Brothers and Sisters', yet they are the 'Children of a godly Parent' (16), whose name can hardly have been Badman as well. Nor, it would seem, is Badman's wife Mrs Badman, since she admonishes her husband on her deathbed that she is going 'where no bad man shall come' (142).) Characters in Bunyan's other narratives occasionally hide

under false names, and Badman himself is in danger of becoming a good
man if he does not act badly enough. The task of showing what a bad man
he was is tiresomely repetitive, though Bunyan imparts humour and
variety by allowing Attentive to become, from time to time, a little
impatient with Wiseman's narrative. At one point Wiseman wonders
aloud why it is necessary to enumerate all the 'particular actions' of his
subject, given that 'his whole life and all his actions, went as it were to
the making up of one massie body of sin' (126–7). Such a detailed
indictment is perhaps needed because Mr Badman stands for a tide of
wickedness which, Bunyan feared, was 'like to drown our English world'
(7). 'Mr. *Badman* and his Friends', he announced in a prologue, had
practically brought the nation to its knees (2).

The use of allegorical names is part of the novel's inheritance from
earlier literature. In drama and poetic narrative, characters' names were
either derived from existing historical and legendary sources, or they
were inflected with meaning to a greater or lesser extent. The name
invariably helped to characterize the character who bore it. What is
surprising in modern fiction is not that names often bear an allegorical
inflection but that characters' names increasingly tend to be neutral and
uninflected. This innovation is part of the novel's commitment to
everyday realism, but it appeared relatively late in the history of fiction.
Jack Wilton and Robinson Crusoe, for example, though relatively colourless, are not wholly uninflected names.[44] They lack the pronounced
moral insinuation conveyed by innumerable characters' names in later
fiction, such as Lovelace (pronounced, but not spelt, like Loveless in
The Round-Heads), Allworthy, Random, Willoughby, Knightley, Eyre,
and Snowe. It was not until the realistic and naturalistic fiction of the
late nineteenth century that it became commonplace to encounter
characters with completely ordinary 'telephone book' names devoid of
social or moral significance. Even in the twentieth century this innovation was often discarded. This penchant for allegorical naming lends
some support to those critics who have accused English novelists of
a fairy-tale simplicity of moral outlook;[45] but in both drama and the
novel the gap between characters' behaviour and their inflected names
is regularly exploited as a source of suspense and dramatic irony.
Mr Allworthy does not seem to be all-worthy, nor is Mr Knightley
particularly knightly. This tension ought to be suppressed in Bunyan's
moral allegories, since we are never meant to think of Mr Badman as
being anything but bad. In practice, however, the tension is often
intriguing and sometimes disturbing.

At a simple level, Bunyan's plain language and sharpness of observation are huge assets for fictional characterization. Consider Great-heart's account in *The Pilgrim's Progress* of 'Madam Bubble, or this vain world':

She is a great gossiper, she is always, both she and her daughters, at one pilgrim's heels or other, now commending, and then preferring the excellencies of this life. She is a bold and impudent slut; she will talk with any man. She always laugheth poor pilgrims to scorn, but highly commends the rich. If there be one cunning to get money in a place, she will speak well of him, from house to house. She loveth banqueting, and feasting mainly well; she is always at one full table or another.[46]

Great-heart warns his listeners not to surrender to Madam Bubble's charms—'whoever doth lay their head down in her lap, had as good lay it down upon that block over which the axe doth hang'—but he goes further than this, declaring that 'whoever lay their eyes upon her beauty are counted the enemies of God' (362). By this standard, of course, the reader is condemned; anybody who enjoys and responds to Bunyan's prose is condemned. Behind this delightful description, the setting of an impossible standard suggests both Puritan hypocrisy and the threat of a Puritan tyranny. The author of Puritan fiction would force us to look upon beauty and then consign us to eternal damnation for finding it beautiful; he would trick us by his lies, and then denounce us for believing in lies.

Puritan tyranny at its starkest is depicted in Bunyan's *The Holy War*. Here a military tribunal passes sentence on numerous characters who are seen as agents of Prince Diabolus, the enemy commander whose forces have been routed from the City of Mansoul. Diabolus has a fifth column within the city, many of whom go under false names. In terms of Bunyan's allegorical naming conventions this is undoubtedly disturbing; it is as if Mr Badman had suddenly decided to call himself Goodman. Mr Good-deed in *The Holy War* is 'A man that bare only the name, but had nothing of the nature of the thing' (98). Lord Covetousness passes as Prudent-thrifty, and Lasciviousness as Harmless-mirth, and both are brutally punished for their deception. The ruler of the city who decrees these righteous punishments is Prince Emanuel's deputy, Lord Wilbewill— itself a curiously ambiguous name, denoting the Lord's Will that will be done but also suggesting high-born self-will.[47] Wilbewill crucifies Harmless-mirth's two sons, Jolley and Griggish, with his own hands. Any-thing and Loosefoot are clapped in irons and held ready to be crucified publicly at the time when 'twould be for the best to the Corporation, and most for the discouragement of the camp of the enemies' (199). Meanwhile three other petty malefactors, Fooling, Letgoodslip, and Clip-promise, are hanged in the streets. This is truly a bloody assize, the more so since Bunyan's narrator is aware that some of the characters' punishments do not seem to fit either their names or their crimes. Clip-promise, for example, is guilty of reneging on a commercial contract, but, we are told, his hanging is in no sense unduly harsh: 'truly my judgment is that all those of his name and life should be served even as he' (243). The 'holy war' turns into a holocaust carried out in the name of godliness and good business.

During his long imprisonment, John Bunyan himself seems to have been treated punctiliously according to the law, and in many ways leniently. What should we make of his allegory of the soul as a well-run town or city where godless miscreants are judicially murdered in an orgy of legal vengeance? *The Holy War* draws on Bunyan's knowledge of actual Civil War sieges, and its immediate stimulus was Charles II's political campaign to take back control of the English cities and boroughs from the Dissenters by 'remodelling' their corporations and issuing new charters. In Bunyan's home town of Bedford this led to the granting of a new charter in 1684.[48] It seems, to say the least, a slender basis for a long and bloodthirsty fiction of military history. The crucial point, no doubt, is that *The Holy War* is an allegory of the individual soul in which, as one scholar has put it, 'the battles of the interior self are conflated with the battles of saints against sinners and of Roundheads against Cavaliers'.[49] The ruthlessness with which a Puritan ought to suppress a rebellion within his own soul does not translate very happily into methods of civic government.

If the City of Mansoul itself were seen as Bunyan's protagonist, then *The Holy War* could be understood as a distorted version of the traditional tale of suffering, of which the most distinguished example is the Book of Job. The lesson of Job—perhaps the most influential of all devotional texts in seventeenth and eighteenth-century English culture—was that the true Christian must have the patience to withstand suffering, however harsh and unjust it might seem. Mansoul is fought over by Diabolus and King Shaddai (the Hebrew name for God used in Job and Revelation) and his son Prince Emanuel. Like Job, the rulers of Mansoul cry out to Shaddai and Emanuel for help, but receive no response. On one occasion when the Lord Mayor is sent away empty-handed, 'he smote upon his breast and returned weeping, all the way bewailing the lamentable state of *Mansoul*' (160), a very Job-like reaction. It is only when Shaddai judges that the people of Mansoul are '*heart and soul* in the matter' (208)—that is, that they are at their last extremity—that he sends Prince Emanuel to relieve them and to accomplish the ethical and spiritual cleansing of their city.

Bunyan had produced a much more palatable rewriting of the Book of Job in his spiritual autobiography *Grace Abounding* (1666). Here the narrator uses his reading of the Bible, including the Book of Job, to help him resist temptation. Eventually Bunyan is thrown into prison, parted from his wife and children, and threatened with hanging. Earlier he has reported the malicious rumours that were spread against his ministry, 'that I was a Witch, a Jesuit, a Highway-man, and the like'.[50] Moreover, he knows that 'when *Job* had passed thorow his captivity, *he had twice as much as he had before*' (78). In prison, he prays for comfort, 'yet no comfort appeared' until he remembers Satan's challenge: 'Doth *Job serve God for naught?*' (100–1). He must be content to 'serve God for nothing' (101) and then, para-doxically, God will give him everything—hence the work's full title, *Grace Abounding to the Chief of Sinners*. This structure of deprivation, impri-sonment, and spiritual abandonment leading to a final reward is found again and again in the plots of English eighteenth- and nineteenth-century fiction, as we shall see in Chapter 5. It testifies to the novel's indebtedness to Puritan spiritual autobiography and also to criminal biography. Clarissa, Tom Jones, Humphrey Clinker, the Vicar of Wakefield, Caleb Williams, and several of Dickens's heroes all suffer imprisonment. Their imprison-ment is usually unjust in human terms, yet it is also part of the framework of poetical justice with which the novelist represents God's plan for the world. It follows the pattern not only of the story of Job, but of the great moral lesson that was commonly drawn from the Civil War and the Commonwealth—that of the expropriation, banishment, and eventual restoration of the English monarchy. Everything must be taken away from the protagonist in order that, by God's grace, everything may be restored.

There is a spiritual grimness in all the texts by Bunyan considered so far. *The Pilgrim's Progress*, by contrast, became one of the best-loved books in English. Underlying it, nevertheless, is a contest between a rightful and a usurping king, in which no compromise is possible. The Celestial City which is the pilgrims' ultimate goal is the site of a judicial regime potentially as harsh as that presided over by Lord Wilbewill. Justice for Bunyan means the revenge of the righteous, not the ideal of an impartial civil justice that was emerging in his lifetime. In the Celestial City the pilgrims are expected to sit beside the King of Glory on the Throne of Judgement, so that 'when he shall pass sentence upon all the workers of iniquity, let them be angels or men, you also shall have a voice in that judgement, because they were his and your enemies' (201). Bunyan promises his Christian readers an eternity in Heaven spent not just playing the harp, but paying off old scores.

And yet to write a denunciation of *The Pilgrim's Progress* from the standpoint of our supposedly more enlightened and secular age would be grotesquely unfair and small-minded. Bunyan's other fictional works share a sense of spatial and spiritual claustrophobia, of confinement within a town, a besieged city, a prison, a beleaguered soul, or an unredeemed life of sin. *The Pilgrim's Progress* breaks out of these confines, taking us on the open road with a lively company of travellers. Bunyan's pilgrims reach back to Chaucer's Canterbury pilgrims, and also to the knights-errant of courtly romance. They are constantly meeting with spiritual challenges and life-threatening obstacles on a quest which could be compared with the Arthurian knights' quest for the Holy Grail, except that they journey on foot. The landscape through which they pass (which overlaps very slightly with the landscape of *The Holy War*)[51] is a synthetic, allegorical creation composed of at least three elements: the biblical Holy Land, the land of folk tales and medieval romance, and modern England.

At the scriptural level, the landmarks passed on the journey include the River Jordan and the monument to Lot's wife overlooking the Cities of the Plain. The pilgrims are heading for the New Jerusalem and carrying Mediterranean-style provisions such as wine, raisins, figs, and pomegranates. Their language is the 'language of Canaan' (126). They pass through the Delectable Mountains where there are both vineyards and shepherds. On the other hand, they only have to cross the wrong stile to come upon Doubting-Castle, the home of Giant Despair and the last resting-place of innumerable victims whose skeletons litter the castle yard. Christian has already overcome the dragon Apollyon, and later his family will be threatened by the giant Grim. Despair and Grim have been interpreted as modern English landlords erecting 'Keep Out' and 'Trespassers will be prosecuted' signs,[52] but they are primarily fairy-tale figures.

Nevertheless, the King's highway from the City of Destruction to the Celestial City traversing such obstacles as the Slough of Despond (where the King's surveyors are unable to mend the road) and the Hill Difficulty is recognizably an English main road. Vanity Fair is a modern market town in which produce from Britain, France, Germany, Italy, and Spain is bought and exchanged. There is the Valley of Humiliation where 'many labouring men ... have got good estates' (289) and there is 'no rattling with coaches, nor rumbling with wheels' (291)—not merely an Earthly Paradise, but an England in which the landowning classes are no longer allowed to oppress the poor. Bunyan's 'good companions' are spiritual 'footmen' (170), in sharp contrast not only with the Arthurian knights but with the rogues, gentlefolk, and haughty Cavaliers of other seventeenth-century fiction. The only legitimate rider in *The Pilgrim's Progress* is Faithful, the martyr of Vanity Fair who is taken direct to the Celestial City in a heavenly chariot.

Bunyan's pilgrims stop at roadside inns and other resting-places such as the Delectable Mountains and the House Beautiful. They must also keep a perpetual lookout for highwaymen and robbers. Christian's advice to travellers on the road combines both spiritual and practical good sense: they should go armed (with the shield of faith), and in a convoy with other pilgrims. Preferably they should be accompanied by an experienced guide such as Great-heart, who kills the robber captain Slay-good, or Valiant-for-Truth whose bloody face and drawn sword reveal that he has just dispatched three highwaymen. The pilgrim who has his purse snatched is called Little-faith, a name suggesting he is too ill-equipped to travel safely.

If Christian is both pedestrian knight-errant and fortunate traveller, he is also a young man in search of his destiny. Thanks to the parchment roll given to him by Evangelist, he goes to 'seek an inheritance' (42). This inheritance lies in the city of the '*righteous nation*' (203), a city whose streets are paved with gold. Here the New Jerusalem of the biblical Apocalypse, in which 'the street of the city was pure gold' (Revelation 21: 21), joins hands with Dick Whittington's London even though the profanity of the folk tale would have appalled Bunyan. But neither Christian nor the other pilgrims are shown actually entering the Celestial City. Instead, they wait by the riverside on the opposite bank while the Shining Ones, emissaries from the city, move among them. And far from portraying Christian's life inside the City of Gold, the second part of *The Pilgrim's Progress* accomplishes a remarkable doubling-back by showing the women Christiana and Mercy undergoing the same journey that Christian has already made.

To write a narrative sequel in which the protagonist's steps are literally retraced by new characters would be unthinkable in a modern novel. It is one of the features that most clearly reveals the uniqueness of Bunyan's allegory. A novel cannot appropriately describe the same journey twice, and even a reverse journey (such as the return up or down a river in late nineteenth-century romances like *Huckleberry Finn* and *Heart of Darkness*) is normally got over as quickly as possible. A novel, whether or not it is a tale of travel and adventure, relies on vivid, unexpected, and unique events, while Bunyan's allegory openly valorizes repetition and recapitulation just as a fairy tale does. It is possible that part one of

The Pilgrim's Progress was too much like a novel or a modern fantasy narrative for Bunyan's austere purposes. In the second part the landscape and adventures become less vivid, and as the itinerary is repeated the allegory is foregrounded. The physical journey that seemed to take Christian a matter of days or perhaps weeks now takes several years, becoming a pilgrimage of life during which Christiana ages, her sons grow up, and Mercy marries and has children. But the journey is also a textual one in which the pilgrims in part two find that their predecessors' journey has already been narrated, being inscribed on stone monuments along the King's highway that they have to follow. This narrative self-consciousness is a profoundly novelistic touch, reminding us, for example, of the second part of *Don Quixote* where the knight-errant's fame is already established because the characters have read and laughed over his adventures in the first part.

John Bunyan died in 1688, the year before Aphra Behn, and is buried with his fellow Dissenters, including Daniel Defoe, in London's Bunhill Fields. Bunyan and Behn belong to the period immediately before the so-called Glorious Revolution of 1688–9, when England took a turn towards national unity and reconciliation to which neither the Puritan saint nor the libertine novelist ever had to accommodate themselves. Neither author would have been at ease (though Behn, doubtless, was more adaptable) with a nation broadly at peace with itself, or with a civil society whose greatest conflicts were not between contending spiritual and temporal powers, but simply between political parties. Bunyan's *The Holy War* with its tyrannical vision of justice was soon forgotten by a new England anxious to bury its memories of religious division and civil war. *The Pilgrim's Progress*, on the other hand, found its readership not only among the tiny minority of Nonconformists but throughout a decidedly unrighteous nation.[53]

3

Cross-Grained Crusoe: Defoe and the Contradictions of Englishness

FEW writers have been as insistent about their nationality as Daniel Defoe. He was a prolific journalist and author of histories, travel books, handbooks, and advice books, whose titles include *A Tour through the Whole Island of Great Britain* (1724–6), *The Complete English Tradesman* (1726), and *A Plan of the English Commerce* (1728). Not only is he the principal claimant for the title of father of the English novel, but his non-fictional writings amount to a kind of ramshackle encyclopedia, a comprehensive compendium of facts and opinions about the English nation. His greatest contribution to world literature was his creation of Robinson Crusoe, a fictional character who has long been regarded as an archetypal Englishman. Yet Defoe and his fictional creations have a more complex relationship to national identity than appears at first sight.

The historian Linda Colley argues that the construction of the sense of British national identity began with the union of England and Scotland in 1707, more than a century after the two countries were first brought together under the Stuart monarchy.[1] The early eighteenth century was a time when nationalities were forcefully asserted and new national symbols invented. However, it is Englishness, not Britishness, that is stressed in Defoe's works and in the literary characterizations of his contemporaries such as Addison's Sir Roger de Coverly (the prototypical country squire) and Arbuthnot's John Bull. Sir Roger and his friends are old-timers who reflect the Whig belief in the healing of national differences and the mellowing of the English nation two generations after the Civil War. John Bull is a symbol of outwardly turned national aggression, an expression of England's growing readiness to challenge France, Holland, and Spain for dominance on the world stage.

In Joseph Addison's *Spectator* essays of 1711–12, the Tory country squire is shown on his visits to London attending the Club frequented by Mr Spectator, Will Honeycomb, and the City merchant Sir Andrew

Freeport. Sir Roger de Coverly's great-grandfather was supposedly the inventor of the well-known country dance, but his name is manifestly allegorical and can be taken to suggest a former Cavalier who has gone to earth in the country—a shy fox who rarely emerges from his covert. In his youth Sir Roger fought a duel and mixed with the Restoration rakes Etherege and Rochester, but he has mellowed into a state of benevolent patriotism and is the embodiment of his own belief that country squires are the 'Ornaments of the *English* Nation'.[2] Sir Roger's natural opponent is the Puritan tradesman Sir Andrew Freeport, an ardent republican who (as Will Honeycomb reports on one occasion) 'is grown Cock of the Club since [Sir Roger] left us, and if he does not return quickly, will make every Mother's Son of us Commonwealths Men' (95–6). Freeport, far from exuding benevolence, is full of cheeseparing maxims; but eventually he saves enough money to retire from business and devote himself to religious contemplation in the country. The Club (which is brought to an end by Sir Roger's death and Sir Andrew's retirement) is, therefore, a literary forum bringing together Tories and Whigs, country gentlemen and city merchants, and ageing Cavaliers and ageing Roundheads. Fifty years have passed since Charles II's Restoration and, however challenging they may once have been, Sir Andrew's Cromwellian doctrines are now no more than debating society opinions. Civil war has given place to a friendly dispute among a group of mildly ridiculous turkey-cocks long past their prime. The *Spectator* essays are highly effective as national allegory precisely because the allegory is so understated.

Nobody could accuse the John Bull pamphlets of understatement. John Arbuthnot's satire on the War of Spanish Succession takes the form of a 'property romance' in which two tradesmen, John Bull and the Dutchman Nicholas Frog, take legal action against the French king Lewis Baboon to recover the estate of the late Lord Strutt (Charles II of Spain). Soon they all become hopelessly bogged down in litigation. Bull, the representative of the 'English People',[3] is no Puritan. The boozing, corpulent, cudgel-wielding figure looks like a plebeian, but makes his money by trade and spends it like a lord:

For the better understanding of the following History, the Reader ought to know, that *Bull*, in the main, was an honest plain-dealing Fellow, Cholerick, Bold, and of a very unconstant Temper . . . he was very apt to quarrel with his best Friends, especially if they pretended to govern him: If you flatter'd him, you might lead him like a Child. *John*'s Temper depended very much upon the Air; his Spirits rose and fell with the Weather-glass. *John* was quick, and understood his business very well, but no Man alive was more careless, in looking into his Accounts, or more cheated by Partners, Apprentices, and Servants: This was occasioned by his being a Boon-Companion, loving his Bottle and his Diversion; for to say Truth, no Man kept a better *House* than *John*, nor spent his Money more generously.[4]

Bull may be a laughing stock, but he soon became the eighteenth-century cartoonists' standby, a homely and likeable substitute for the more heraldic and mythological representatives of the English nation.[5] He personifies the first four of the 'British beatitudes' recited at a drunken moment two centuries later in James Joyce's *Ulysses* (beer, beef, business, bulldogs, Bibles, battleships, buggery, and bishops).[6] For the best part of these two centuries he remained instantly recognizable abroad, and—though Arbuthnot's ephemeral satire scarcely deserves the title of a novel—he is an appropriate national symbol for a novel-reading age.

There could be no starker contrast than that between Bull and Defoe's fictional protagonists. The latter may be rogues but they are also Puritans, notoriously addicted to bookkeeping and the balancing of material and spiritual accounts. Their national identity is frequently uncertain. For the most part they are wanderers of no fixed abode, unpredictably changing their manner of life and even their names—the 'half-outsiders' without national ties who are the typical heroes of picaresque fiction.[7] Their hunger for independence, wealth, and adventure constantly draws them away from England. Crusoe, whose name is a corruption of Kreutznaer, is born at York of a German father. He leaves England as soon as he can, and spends a total of forty-five years overseas. Finally he returns to England at the age of 72 for a life of spiritual reflection in preparation for 'a longer journey than all these'.[8] Whether or not the nickname Moll Flanders hints that Defoe's heroine is part-Flemish, she is born in Newgate and spends much of her life in America before returning to England in old age. Colonel Jack grows up in the streets of London but later joins an Irish regiment in the French Army, changes his name to Jacques, and lives for some time as a Frenchman at Canterbury. Captain Bob Singleton poses as a retired Greek merchant speaking no English when he finally returns to settle in England after decades of piracy on the high seas. These characters are not without jingoistic feelings and prejudices—Captain Bob, for example, loathes the Portuguese because 'it is natural to an Englishman to hate a coward'[9]—but their patriotism is for the most part muted and undemonstrative. Roxana, born in Poitiers of French Huguenot stock, calls herself an Englishwoman even though Paris is the scene of many of her triumphs. She is known as Mademoiselle de Beleau and the Countess de Wintelsheim, but prefers to be remembered by the Turkish nickname acquired when she was mistress of the English king. Eventually she marries a Dutch merchant and settles in Holland. The anonymous narrator of *Memoirs of a Cavalier* is a Shropshire landowner's son who gains his military experience in the Swedish Army before fighting for Charles I in the Civil War. He is a remarkably dispassionate observer who turns Royalist for partly mercenary reasons, without, as he puts it, troubling himself to examine sides: 'I was glad to hear the Drums beat for Soldiers; as if I had been a meer *Swiss*, that had not car'd which Side went up or down, so I had my Pay'. It is true that he later feels some remorse over his lack of concern for his country's 'approaching Ruin', but nationality and allegiance are often no more than flags of convenience for Defoe's protagonists.[10] Their cosmopolitanism and capacity for switching identities is still more remarkable when set beside Defoe's lifelong output as a journalist and commentator on national themes, beginning with his *Essay upon Projects* (1697) with its pioneering futurological vision of a reconstructed and modernized England.

Defoe served as a government agent and as a commentator on English politics in the *Review* (1704–12), and by the time of his death in 1731 he had published more or less comprehensive accounts of English commerce, geography, politics, history, religion, sex, and family life. His urge to demonstrate mastery of such a disparate catalogue of knowledge reminds us of Crusoe laboriously teaching himself all the trades necessary for his island existence. His novels written in the early 1720s were followed by *A Tour through the Whole Island of Great Britain* and by his series of advice books culminating in the unfinished *Complete English Gentleman*. It could be said that his slowly maturing ambition had made him a kind of English Walt Whitman whose large, all-embracing song of himself was also a song of the nation. His fiction is centrifugal, his non-fiction centripetal, with London always as the centre. Moreover, his vision of the national life projects the nation as a kind of body in which the blood courses back and forth from centre to circumference, from nucleus to periphery. This is most plainly announced in his descriptions of the circulation of trade, where London is the heart, the main roads are the arteries, and commerce is the instrument of national prosperity joining together the remotest parts of the kingdom.[11] In terms of the volume of home trade and foreign trade, England, as Defoe asserted 'without the least partiality to our own country', was the 'greatest trading country in the world'.[12] His schemes in the *Essay upon Projects* for a national banking system, for the improvement of main roads, and for better education for men and women would all tend to promote the circulation of trade.

Defoe observes in *The Complete English Tradesman* that 'trade increases people, and people increase Trade' (226). A healthy economy implies a constantly moving and circulating population, with plentiful immigration and emigration. The more pluralistic the nation, the better its prospects. Thus the narrator of *The Consolidator* (1705)—Defoe's strange and tedious politico-religious satire cast in the form of a moon voyage—lives in a country which 'had been peopled from all parts, and had in it some of the blood of all the nations in the moon'. Its people are 'the weakest, strongest, richest, poorest, most generous, covetous, bold, cowardly, false, faithful, sober, dissolute, surly, civil, slothful, diligent, peacable, quarrelling, loyal, seditious nation that ever was known'.[13] That *The Consolidator* was a national allegory about the English nation would have been immediately evident to readers of *The True-Born Englishman* (1700), Defoe's witty, impassioned verses prompted by a pamphlet attacking King William for his foreign birth. Defoe's England is the world's melting-pot, its population the bastard fruit of 'spurious generation' from 'all the nations under Heav'n':

> A True-Born Englishman's a contradiction,
> In speech an irony, in fact a fiction.
> A banter made to be a test of fools,
> Which those that use it justly ridicules.[14]

Multicultural and multi-ethnic England stands in stark contrast to its weaker and ethnically purer neighbours, Ireland, Scotland, and Wales, 'three nations . . . as clear from mixtures of blood as any in the world'.[15] But if the Englishman is a 'man akin to all the universe' (36), he is also indefinable, and verging on the invisible and unmentionable—'Europe's sink, the jakes where she | Voids all her offal out-cast progeny' (32). Thus Defoe confounds the popular Tory idea of the national breed, since the 'true-born' Englishman is a mongrel rather than a thoroughbred, a pariah and not a pedigree bulldog. Far from being the heir to a unique national past, he represents the coming age of global commerce in which all nations will gradually become miscegenated and pluralistic. The English may be tempted to despise foreigners, but 'what they are to-day we were yesterday, and to-morrow they will be like us'.[16]

It may be said that in this poem Defoe had discovered that one of the best ways of flattering the English is to insult them. Any straightforward enumeration of national virtues is likely to sound embarrassing and tasteless in English ears. Defoe was not invariably a good judge of his readers' responses, and soon after *The True-Born Englishman* a badly aimed satire would have him sent to the pillory; but here, speaking in the voice of 'Satire' (with a brief interlude of Britannia's song eulogizing King William),[17] his sense of tone is almost unerring, and he can get away with lampooning the English as a 'vile degenerate race' (58) who have nothing to boast of but their bastardy. This does not mean that the poem is free of self-contradiction—far from it. As an ardent Williamite, Defoe dismisses the growing opposition to the Dutch Protestant King on the grounds that the English are a 'discontented nation' of hot-headed rebels, 'Easily set together by the ears' and 'Harder to rule in times of peace than war' (44). But English truculence and discontent must have their uses, since without them William would never have come to the throne; so Defoe in his role as people's tribune asserts that

> Whate're the dialect of courts may tell,
> He that his right demands, can ne're rebel. (48)

Elsewhere in the poem his fulsome praise of 'great Nassau' (King William), who was Charles I's grandson, is hard to square with a rollicking populist attack on the worship of heredity and rank. Radical as he may have been in his statement of the people's rights, Defoe was by no means a modern democrat.

Who exactly are 'the people of England'? In *The True-Born Englishman* they appear as a promiscuous, unruly, crime-ridden multitude, but a later tract addressed to the King, *The Original Power of the Collective Body of the People of England, Examined and Asserted* (1702), puts forward a much more restricted and legalistic definition of the English people. Here Defoe maintains that the public good, the commonwealth, the English constitution, and the laws and 'liberties of England' are all reducible to 'that great term, the People of England', but the latter consist only of freeholders and property owners.[18] The others have 'no right to live there but upon sufferance'. Only the property owners qualify as full citizens, or rather as free subjects under the King, the 'universal landlord' (102). For Defoe in this tract submission to constitutional monarchy is part of the national character—'The genius of this nation has always appeared to tend to a monarchy, a legal limited monarchy' (96)—while property-owning Englishmen enjoy 'more freedom in our regal, than any people in the world can do in a popular, government' (97).

On examination, then, Defoe's radical Englishness contains as many self-contradictions as the xenophobic notions he set out to attack. He was a notable contributor to the myth of English freedom, but he restricted that freedom to members of the upper and middle classes, the 'tradesmen' and 'gentlemen' at whom his advice books would later be aimed. If the laws and liberties of England are reduced to the People, the People to the freeholders, and the freeholders to tenants of a royal landlord, the great majority of the nation's inhabitants do not even enjoy squatter's rights. But whatever his political affiliations may have led him to embrace, Defoe's novels reveal his imaginative identification with outlaws who have no rights and who, by and large, become property owners only on false pretences, and in fear of being found out. Crusoe pretending to govern his island, Moll Flanders posing as a penitent, and Captain Singleton living disguised as a Greek are at once manifest impostors and narrators with an irresistible urge to confess their imposture. They want to be both visible and invisible, both present and absent. If their narratives speak for the English people it can only be through the medium of the 'irony', 'fiction', 'metaphor', and 'contradiction' that Defoe had underlined in *The True-Born Englishman*.

Crusoe and the Naked Quaker

Defoe's identification with his exiled and outlawed protagonists is made possible by the fact that theirs is, from one point of view, a common tale of original sin leading to suffering, calamity, and eventual deliverance. Crusoe in his volume of *Serious Reflections* asserts that 'The fable is always made for the moral, not the moral for the fable',[19] and numerous modern critics have concurred that the sometimes perfunctorily stated morals at the end of Defoe's fictions ought to be taken seriously. At some point in their careers, even the most unregenerate of Defoe's protagonists will come to feel that they have been deservedly condemned to the terrors of hell. Later, often much later, they will seek divine forgiveness. Moll Flanders experiences Newgate as an 'emblem of hell itself';[20] Bob Singleton is so tormented by guilt over his successful life of crime that his Quaker friend William has to dissuade him from suicide; and Roxana compares her fear of divine vengeance to a 'Dart struck into the Liver . . . a secret Hell within, even all the while, when [my] Joy was at the highest'.[21] Both Crusoe and Colonel Jack identify with the biblical Job. Jack, surveying his twenty-four years of 'levity and profligate wickedness', plans, he says, to 'with a just detestation, learn, as Job says, to abhor myself in dust and ashes'.[22] And yet, far from wallowing in Job-like despair and self-hatred, Defoe's characters find comfort, first in the life of action, and later, when their time for repentance has officially come, in reliving and retelling the exploits of their wicked lives in narrative.

Robinson Crusoe freely confesses to the 'original sin' of filial disobedience, and critics have suggested that his self-dramatization as a Job-like figure is spurious, since he is the author of his own tribulations.[23] His shipwreck on the island is, he thinks, a manifest sign of God's displeasure. He has 'Reasons . . . to expect particular Misfortunes to my self', and he cannot believe that God has singled him out without cause.[24] He tries to eliminate the word 'accident' from his vocabulary, since nothing in his world is accidental. Experience is full of 'secret Hints and Notices' which may be put down to a 'Converse of Spirits', and which ought to guide the conduct of the wise man (128, 180). The need to pay due regard to these 'providences' is the chief spiritual lesson of his life on the island.

Crusoe's superstitions, and above all his belief that 'there was a strange Concurrence of Days in the various Providences which befel me' (97), are faithfully repeated throughout Defoe's works. As we read in the *Serious Reflections*, 'a man killed by accident is a man whom God has delivered up . . . to be killed in that manner, perhaps vindictively, perhaps not' (204). Defoe's God is frequently a jealous and vindictive God. Not even Crusoe's twenty-eight years of punishment and repentance on the island are enough to satisfy Him, since in the *Farther Adventures* Crusoe again suffers bewildering reversals of fortune exhibiting the 'justice of Providence' (185). But, in an eloquent passage from the *Serious Reflections*, Crusoe claims to support his afflictions with the proverbial patience of Job:

I, Robinson Crusoe, grown old in affliction, borne down by calumny and reproach, but supported from within, boldly prescribe this remedy against universal clamours and contempt of mankind: patience, a steady life of virtue and sobriety, and a comforting dependence on the justice of Providence, will first or last restore the patient to the opinion of his friends, and justify him in the face of his enemies; and in the meantime, will support him comfortably in despising those who want manners and charity, and leave them to be cursed from heaven with their own passions and rage. (225)

At this point, a later novelist such as Samuel Richardson would surely have observed that Job's sufferings had to be borne patiently since they were, by all merely human reckoning, arbitrary and unjust. There is a world of difference between Clarissa Harlowe's tragedy and Crusoe's display of spiritual smugness. The biblical Job was exhorted by his wife to 'curse God, and die' (Job 2: 9), but Crusoe, vindictive for all his protestations of stoicism, is calmly waiting to see God curse his enemies. He seems oblivious to the doctrine of 'future remuneration' which holds that injustices in this life will only be compensated for in the next. There is something 'stage-managed' about his devotionalism.[25]

The plots of many of Defoe's novels can be seen as devices for isolating the individual from society and getting him alone with his God. Historically, however, the belief that God's vengeance was manifested on Earth, and not merely in the afterlife, was more often associated with nations than with individuals. It is the rationale of Bunyan's *The Holy War* as well as of countless ancient and modern wars. Defeat in war has invariably been regarded as a token of divine displeasure, although the individual soldier killed on the losing side may well be in a state of grace. The interpretation of wars as the instruments of God's chosen vengeance, so powerful during the English Civil War and its aftermath, was doubtless fading by the time that Defoe wrote *Robinson Crusoe*.[26] Nevertheless, Crusoe discusses the idea of God's national vengeance, and Defoe explores it at length in *A Journal of the Plague Year* (1722).

Why did God choose to visit a great plague on London in 1665, five years after the Restoration? H.F., the eyewitness narrator of Defoe's *Journal*, reports the explanations put forward by prophets and enthusiasts at the time with considerable scepticism, yet he himself is in his quiet way as superstitious as they are. The wildest of the prophets of doom is Solomon Eagle, the 'naked Quaker' who 'though not infected at all but in his head, went about denouncing of judgement upon the city in a frightful manner, sometimes quite naked, and with a pan of burning charcoal on his head'.[27] Before, during, and after the plague Defoe's narrator largely concurs with Eagle's diagnosis of his times, even if he stops short of proclaiming it in the streets and rending his clothes. For example, the narrator confronts a bunch of mocking atheists in a tavern, who laugh at him for 'calling the plague the hand of God' (84). Retiring from the scene somewhat crestfallen, he reflects that the atheists' time of triumph will be short, since God 'had, as it were, His sword drawn in His hand on purpose to take vengeance not on them only, but on the whole nation' (87). But, though the whole nation may be laid low, H.F. himself has received a divine token that he enjoys the Lord's special protection. Opening the Bible at random, he has read in Psalm 91 that 'A thousand shall fall at thy side, and ten thousand at thy right hand; but it shall not come nigh thee. Only with thine eyes shalt thou behold and see the reward of the wicked' (34).

The fact that 1665 is to be a time of God's anger is announced by numerous portents. In the heavens there are two comets, and on Earth people 'were more addicted to prophecies and astrological conjurations, dreams, and old wives' tales than ever they were before or since' (41–2). This popular addiction is a sign of impending calamity, yet it is also a reason for it, being part of the 'error of the times' which God is concerned to punish (41). In *A Journal of the Plague Year* God's anger is never ascribed to political causes, yet it will have been in Defoe's and his readers' minds that it was the events of the Civil War, the Common-wealth, and the Restoration which called for the punishment of one or other of the contending parties. Are the people of London being scourged for their waywardness in Cromwell's time, or for the explosion of licentiousness and wickedness that supposedly accompanied the Restoration? Defoe's narrator will not say. Though fully convinced that the plague is God's vengeance, he is extremely vague about what might have provoked it. Solomon Eagle may have been more specific, but the words of his frightful denunciations of judgement on the city are never directly recorded.

If Eagle the 'naked Quaker' is, in some sense, H.F.'s alter ego, two of Defoe's other protagonists are closely associated with Quaker compan-ions. Captain Bob Singleton's partner in crime is the Quaker William, while Roxana becomes so intimate with her Quaker landlady that she herself is taken for a Quaker.[28] The English Quakers notoriously changed within Defoe's lifetime from a cruelly persecuted sect of militant enthu-siasts to a congregation of quiet, sober, high-minded people who were extremely successful in banking and other businesses. We could well see Robinson Crusoe on his island, as—at least by his own account—a type of the new Quaker. At first he loudly protests against his fate, crying out '*Why has God done this to me? What have I done to be thus us'd?*' But, he adds, 'My Conscience presently check'd me in that Enquiry, as if I had blasphem'd', and, moreover, his conscience rebukes him 'like a Voice' (68). Once Crusoe has thus been moved by the Spirit (in Quaker par-lance), he does not waste time in lamentations but buries himself in work. Where Job did little more than sit down and complain under his afflic-tions, Crusoe builds and cultivates until his island is fit for its 'King and Lord', as he describes himself (73). In *A Journal of the Plague Year* Solomon Eagle and the narrator, the prophet and the practical man, are supposed to be quite distinct, and in *Robinson Crusoe* it might at first appear that we see a practical man on his own. But Crusoe, for all his understatement, is also a prophet.

Admittedly, to begin with he has not a nation's evils to denounce, but his own. Is his filial disobedience—without which we should have very few novels or adventure stories—really such a heinous sin that it deserves to be punished with twenty-eight years' imprisonment on an island? Defoe gets around this dilemma by emphasizing not his castaway's afflictions but his good fortune or, to use Crusoe's own term, his deliverance. But Crusoe's stress on the cheerful and providential aspects of his shipwreck is made very much easier by a process of erasure and retrospective editing. For example, there is the unwritten diary entry in which he informs us that on his first day ashore he ran around wringing his hands and beating his head and face, exclaiming at his misery, and crying out that he was undone. This is one of the 'dull things' he would have written on the day of his shipwreck (30 September 1659) if he had not been in 'too much Hurry' and 'too much Discomposure of Mind'— always supposing he had found a pen and dry paper—but his actual, retrospective entry for 30 September speaks merely of his 'afflicting my self at the dismal Circumstances I was brought to' (51-2). But Crusoe continues his habit of Job-like lamentation, as we learn not from his own relatively tight-lipped account—for he only ever mentions his bouts of grief and despair when they are over—but from the cries of his parrot. The parrot, a true witness of its master's demeanour on the island, repeats the words he must have heard most often: 'Poor Robin Crusoe . . . How came you here?' (104).

A wet, hungry mariner cast ashore on a desolate island would worry first of all about finding food and building a fire. Crusoe mentions that when he is first washed ashore he has a knife, pipe, and tobacco in his pockets, but there is no sign of his having even the means of lighting his pipe. Among Defoe's sources, Captain Woodes Rogers's account of his rescue of Alexander Selkirk lays emphasis on the building of fires and shows Selkirk, in a classic boy-scout scene, rubbing two sticks together when his powder has run out. Crusoe is remarkably evasive about where and how he laid his fires. More than twenty years have passed in his narrative before he reveals that he has made a tinderbox from 'the Lock of one of the Muskets' (129) that he salvaged from the cornucopia of the ship's stores two days after he was washed up on the island. How long did this take? And how many working days did he lose as a result of the sudden storms of grief to which he confesses? How did he deal with the temptations of idleness and suicide, not to mention the store of rum which he faithfully husbands for twenty-eight years (despite taking a stiff dram at the first opportunity while he is searching the wreck)? These are some of the things that Crusoe's narrative omits: details which might have spoilt his insistence on his happiness in his 'beloved Island' (102), and might have compromised his ability to speak airily of 'my Reign, or my Captivity, which you please' (100).

Not surprisingly, Crusoe has struck many readers and critics as the inhabitant of a one-man utopia—a 'bourgeois utopia' or a 'utopia of the Protestant ethic'[29]—rather than as a national or religious prophet. His repentance is but a step on his road from relative discomfort to full, self-satisfied enjoyment of his possessions. But matters change with the arrival of the cannibals. Between his discovery of a footprint in the sand and his capture of Friday he spends much of his time terrified of intruders, lurking in his cave or going out armed to the teeth. Does he have a 'higher' responsibility, however—a white man's burden to take up? At first he settles for inaction; he cannot be the instrument of God's vengeance towards the savage nations:

As to the Crimes they were guilty of towards one another, I had nothing to do with them; they were National, and I ought to leave them to the Justice of God, who is the Governor of Nations, and knows how by National Punishments to make a just retribution for National Offences; and to bring publick Judgments upon those who offend in a publick Manner, by such ways as best pleases Him. (125)

The difficulty for Crusoe is that if he obeys his belligerent instincts and launches an attack on the cannibals, he may be guilty of murder. Yet not to act in a case where conscience required him to act would clearly be sinful. As time goes on and his firepower is increased by the addition of Friday, it becomes increasingly obvious that, like any leader anxious to go to war, he is looking for a lawful *casus belli*. He finds it, needless to say, when he realizes that there is a captive European about to go into the cannibals' cooking-pot. Now at last the moment has come when, as he has foreseen, God 'would take the Cause into his own Hands, and by national Vengeance punish them as a people for national Crimes' (168). Armed at last with prophetic certainty, Crusoe and Friday open fire. Three pages later, our narrator offers a meticulous body count of one wounded and seventeen dead.

Is this an isolated moment of bloodthirsty action in an otherwise peaceful story? Taking *Robinson Crusoe* on its own, this is arguably the case, notwithstanding Crusoe's earlier fight with Moorish pirates. But adding in the *Farther Adventures* and *Serious Reflections* gives a very different picture. At Madagascar, in the *Farther Adventures*, Crusoe witnesses the sacking of a village and the massacre of its men, women, and children by the crew of his ship in revenge for the killing of one of their

number. He condemns this at the time, and later says he grew 'sick of
killing such poor savage wretches' (231); but then he advocates massac-
ring the inhabitants of a Tartar village whom he accuses of devil-
worship, citing 'the story of our men at Madagascar' as a moral precedent
(285). (Although his partner dissuades him from spilling blood, they
manage to set off a full-scale war by stealing the Tartars' wooden idol and
burning it.) Crusoe's hypocrisy about European imperialism is further
evidenced in his *Serious Reflections*. Where in *Robinson Crusoe* he had
condemned the Spaniards' slaughter of the Aztecs in Mexico as 'meer
Butchery' (125), he now compares them to Joshua and Moses casting out
the heathen in the name of 'God in his Providence' (215). The newly
militant Crusoe disclaims any belief in planting religion by the sword
(217), but this again is pious humbug. What is needed, he asserts, is 'an
universal war against paganism and devil-worship' (224), a Holy War to
be launched by the Christian princes: 'This is my crusado; and it would be
a war as justifiable on many accounts as any that was ever undertaken in
the world, a war that would bring eternal honour to the conquerors and
an eternal blessing to the people conquered' (232). This 'crusado' is
assured of certain victory, thanks to the 'concurrence of Heaven' (227).
'Crusoe' is supposedly a corruption of 'Kreutznaer', but it seems he is also
a true-born Crusader.

Not content with his trumpet call to the Christian princes, the author of
the *Serious Reflections* is also a visionary and mystic who claims special
insight into the ways of Providence. The *Reflections* culminate in a
'Vision of the Angelic World', in which Crusoe affirms the 'reality of
spirits, and of the intelligence between us and them'. His argument for
the 'superintendency of divine Providence in the minutest affairs of this
world' relies on the evidence of dreams, voices, impulses, hints, apprehensions, and other phenomena which the unreflecting would be likely to
dismiss as merely accidental. It is, to say the least, hard to reconcile the
soothsayer convinced of the 'manifest existence of the invisible world'
(314) with the hard-headed, pragmatic colonist intent on building a
rational and civilized life on his desert island. It would be tempting to
argue that the *Serious Reflections* is not a true sequel and that there is no
continuity between its narrator and the Crusoe of the original story. (In
fact, the later book has rarely been reprinted, and most admirers of
Robinson Crusoe are unaware of its existence.) Crusoe's preface to the
Reflections invites us to consider his life as a 'parable or allegoric history'
written for the purpose of moral and religious improvement (p. xii). If this
is, after all, to be taken seriously then we must conclude that, at some

point in his island solitude, he became as wild and half-crazed as the Quaker prophet Solomon Eagle.

Crusoe as Universal Englishman

Taking *Robinson Crusoe* together with the *Farther Adventures* and *Serious Reflections*, Crusoe's story is that of a victim of divine vengeance who comes increasingly to think of himself as God's appointed agent. His greatest achievement and greatest happiness is to live in peace on his island, yet he is also a missionary advocating a holy war engulfing the world. We have seen how Crusoe becomes an instrument of 'national Vengeance' in his attacks on the savages. Can it be that in his 'Reign' or 'Captivity' on the island he is also a kind of scapegoat whose suffering and expiation is for national as well as personal crimes?

The rough coincidence between the dates of his exile (1659–87) and the period of the Restoration and Charles II's reign has often been noted.[30] Since in Defoe's view coincidence of dates is always providential, Crusoe's punishment can easily be seen as a displaced equivalent to the Great Plague. The England that he leaves behind, cheerfully disobeying his father, is one that has just lost its Lord Protector (Oliver Cromwell died on 3 September 1658); the England to which he returns is on the verge of becoming what Defoe clearly saw as the redeemed nation of William III—an England no longer torn apart by national divisions and national crimes, and ready for domestic reconstruction and foreign wars. Crusoe's 'deliverance' from shipwreck and his survival during these years may be read as a form of national allegory, since, as Paul J. Korshin argues, 'the most obvious type of deliverance is that of the Jews from Egypt'. Puritans under the Restoration were accustomed to regard their position in England as a kind of Egyptian or Babylonian captivity.[31] The difficulty with such a typological reading of Defoe's novel (a reading which remained hidden from Defoe's time until the late twentieth century) lies in Crusoe's ignorance and insouciance about English politics. Political emotions and forebodings play no part in his decision to rebel against his father and leave the country, nor does he feel any need to register any political changes in the England to which he returns nearly thirty years later, 'as perfect a Stranger to all the World, as if I had never been known there' (200). But the portrait of a religious prophet, ideological crusader, and potential national scapegoat emerging from between the lines of *Robinson Crusoe* subverts the patriotic stereotypes that crop up time and again in conventional accounts of Defoe's protagonist.

The myth of Crusoe as a definitive study in national character began with his conversion into a pantomime hero not long after Defoe's death. On the stage, and to some extent in the national and international imagination, his name rivals those of legendary figures such as Whittington and Robin Hood. The mythical Crusoe is an English pragmatist and a universal man; it is his achievements as a settler, colonist, and mentor of Friday that are remembered, not his religious visions or his destiny as a wanderer dreaming of an imperial crusade. Among Defoe's influential critics, Walter Scott's opinion that Crusoe's 'rough good sense, his prejudices, and his obstinate determination not to sink under evils which can be surpassed by exertion, forms no bad specimen of the True-Born Englishman' has already been quoted in Chapter 1. The same idea was taken up by Victorian critics such as Leslie Stephen and Walter Raleigh. For Raleigh, Crusoe manifested the 'spirit of the Anglo-Saxon race' as seen in the conquest of India and North America—a view that was subsequently repeated by James Joyce.[32] Leslie Stephen's account of Defoe's protagonist as the 'typical Englishman of his time' deserves to be quoted at length:

He is the broad-shouldered, beef-eating John Bull, who has been shouldering his way through the world ever since. Drop him in a desert island, and he is just as sturdy and self-composed as if he were in Cheapside. Instead of shrieking or writing poetry, becoming a wild hunter or a religious hermit, he calmly sets about building a house and making pottery and laying out a farm. . . . Cannibals come to make a meal of him, and he calmly stamps them out with the means provided by civilisation. Long years of solitude produce no sort of effect upon him morally or mentally. He comes home as he went out, a solid keen tradesman, having, somehow or other, plenty of money in his pockets, and ready to undertake similar risks in the hope of making a little more. He has taken his own atmosphere with him to the remotest quarters. Wherever he has set down his solid foot, he has taken permanent possession of the country.[33]

Here Stephen is so carried away that he has evidently forgotten Crusoe's religious conversion, his expressions of penitence, and the fact that he is neither attacked nor threatened by the cannibals whom he so ruthlessly stamps out. The comparison of the goat-eating Crusoe with beefeating John Bull is totally misleading. If Crusoe had been no more than a 'solid keen tradesman' he would never have gone to Brazil, let alone have embarked on his disastrous slave-hunting voyage, and if Bull had been marooned on an island nothing more would have been heard of him once he had exhausted his rum ration. Stephen explicitly identifies Crusoe with the stereotypical British imperialist, 'eating roast beef and plum-pudding; drinking rum in the tropics; singing "God Save the King" and intoning

Watts's hymns',[34] but the portrait is wildly inaccurate. Above all, Crusoe fails to display any ambition to take 'permanent possession of the country'. Instead, he cannot wait to leave it.

Robinson Crusoe's global popularity suggests that its hero cannot simply be identified with any one nationality, and another school of criticism suggests that he is not a second John Bull but, as Defoe had said of the 'true-born Englishman',

> A metaphor invented to express
> A man akin to all the universe.[35]

Crusoe's universality was largely a discovery of the Romantic critics, especially Rousseau and Coleridge: for Coleridge he is the 'universal representative, the person for whom every reader could substitute himself'.[36] The idea that Defoe's novel expresses universal sentiments is common to later critics in the Romantic tradition such as Walter de la Mare,[37] as well as to some recent writers aware of deconstructive and postcolonialist onslaughts on the notion of literary universality. Louis James, for example, finds that Crusoe's contradictions are 'basic to the human predicament' for Western and non-Western readers alike.[38] Samar Attar, a specialist in Arabic literature, traces Arabic echoes in *Robinson Crusoe* and asserts with reference to James Joyce's view of the book that 'Audacity, prudence, courage, sexual apathy, well-balanced piety, self-confidence and tenacity are all human traits which do not have any specific affinity to one race more than the other'.[39] A compromise view is that of James Sutherland: 'Crusoe may be all Mankind in difficulties, but he is first of all an Englishman of the lower middle class making the best of things.'[40] But this has its own kind of carelessness, since Crusoe's upbringing as the third son of a 'good Family', 'and not bred to any Trade' (4) raises him above Defoe's own class position. It is remarkable how often the characterizations of Crusoe (whether in terms of nationality or universality) imitate their subject in resorting to the technique of listing or making an inventory. This is parodied by the American critic Harvey Swados when he cites Alphonse Daudet's estimate of Crusoe as 'the typical Englishman par excellence, with his adventuresomeness, his taste for travel, his love of the sea, his piety, his commercial and practical instincts, and so on and so on'.[41] Constructing lists of national or universal import, the critics take possession of Crusoe and reduce him to order just as Crusoe does with his life and his island.

In fact, the inventories of Crusoe's character conceal sharp differences of interpretation which have come to the fore in some recent criticism. For example, is Crusoe or is he not a born ruler and colonist? According to Manuel Schonhorn, his fortification of the island and his ascendancy over Friday reflect Defoe's adulation of the warrior-king ideal personified by William III and Gustavus Adolphus of Sweden. Crusoe evidently prefers absolute monarchy to parliamentary government.[42] David Trotter, however, maintains that Crusoe was 'never meant to be a colonist' and is manifestly unfit for positions of authority.[43] In part, this disagreement results from Defoe's own inconsistencies, since the image of authoritarian kingship that can be drawn from *Robinson Crusoe* is wholly discredited by the *Farther Adventures*.[44] The high point of Crusoe's enjoyment of authoritarian kingship occurs when he is in total solitude, reigning over a parrot, a dog, and two cats; he becomes embroiled in unwanted complications from the moment that Friday, his first human subject, appears. When his island becomes an organized colony in communication with the outside world, Crusoe loses all interest in it except in so far as it ministers to his vanity.

It is true that Crusoe tells us, of his time with Friday, that the 'three Years which we liv'd there together [were] perfectly and compleatly happy' (159). But Friday is often homesick, bewildered, and terrified, and Crusoe helps him to subdue his unhappiness in Christian piety and a frenzy of unnecessary work.[45] Friday would like Crusoe to accompany him back to his nation and become a missionary there, while Crusoe's thoughts are turning to war against the cannibals. Both of them, anticipating the later heroes of the eighteenth-century European *contes philosophiques* such as Candide and Rasselas, are looking for the first route out of the Happy Valley. Their society is briefly and precariously expanded with the rescue of a Spaniard and of Friday's father, but then comes a party of English mutineers, and Crusoe can no longer act the absolute monarch. His island is reconstituted as a colony with himself as governor, but no sooner has he been installed than he begins his voyage back to England.

In the *Farther Adventures* Crusoe returns for a single ceremonial visit of twenty-five days, exercising his legislative function and dispensing justice, but his efforts to reconcile the Spanish settlers with the English mutineers come to nothing. The Englishmen, led by Will Atkins who prefers staying on the island to being 'carry'd to *England* to be hang'd' (199), need much firmer government than Crusoe provides. He could easily have turned the island into a proper colony and have 'carried over cannon and ammunition, servants and people, to plant, and taking possession of the place, fortified and strengthened it in the name of England, and increased it with people', but he prefers not to, omitting even to name the island, and leaving it 'belonging to no man'. He will neither govern it properly nor relinquish the governorship to one of the other settlers. Not surprisingly, the plantation fails to prosper, being racked by wars within and without. Crusoe, 'possessed with a wandering spirit', is content to play at being an 'old patriarchal monarch' over this no man's land, leaving it as a refuge of outlaws and accidental castaways, a fallen utopia not marked on any map (184). The 'truth' about the place that he hears many years later—that 'they went on but poorly; were malcontent with their long stay there' (184–5)—is offset by his remarkable capacity to idealize and senti-mentalize the island once he has abandoned it. It is his idealization, not the supposed reality, that is remembered. The whole narrative of *Robinson Crusoe* is testimony to this idealization, which teeters over into absurdity at the end of the *Farther Adventures* when he finds himself stranded in Siberia, the polar opposite of his tropical island. Here Crusoe boasts to his companion, a Russian political exile, that his power over his dominions exceeded the 'Czar of Muscovy': 'never tyrant, for such I acknowledged myself to be, was ever so universally beloved, and yet so horribly feared, by his subjects' (300). For Crusoe his colony has now become a mere fantasy, with no more substance than the island over which Sancho Panza was governor.

Crusoe, despite his dreams of imperialist wars, is far from being the practical empire-builder envisaged by Walter Raleigh, James Joyce, and others. In Defoe's own allegory (as stated in the *Serious Reflections*) Crusoe is meant to embody the examined life; ironically, though, he is most English in his unexamined inconsistencies. His life and thought are cross-grained and self-contradictory, exemplifying both miracle and muddle. For all his successful self-projection as a calm, efficient, practical Englishman, he is perpetually homeless, wandering, and lost, a prey to superstition and religious mania. The defeated, quixotic fantasist pondering obsessively over his lost greatness and his unhappy destiny is also a magnificent storyteller. He is a representative of the European adventurer, but his loyalty is entirely to himself and not to an English king; his island is less a one-man colony than a one-man nation. Nevertheless, his Puritan origins cannot be concealed, and they come out most tellingly in moments of pretended abstinence, self-denial, and down-to-earth bluntness. When he loots the second (Spanish) wreck on the island he helps himself to rich clothes, liquor, cordials, sweetmeats, and bags of doubloons and pieces of eight. He lugs the money home to his cave, adding it to what he has already stowed there, and dreams of coming back from England one day to fetch it. But, as his feet are itching, he stoutly protests that 'I would have given it all for three or four pairs of *English* Shoes and Stockings' (140). Here is Defoe's contradictory Englishman made flesh. To Crusoe the colonist, Crusoe the religious fanatic, and Crusoe the wanderer must be added Crusoe the whingeing Pom and home-grown humbug.

Histories of Rebellion: From 1688 to 1793

Once, when Mr Crawley asked what the young people were reading, the governess replied 'Smollett.' 'Oh, Smollett,' said Mr Crawley, quite satisfied. 'His history is more dull, but by no means so dangerous as that of Mr Hume. It is history you are reading?' 'Yes,' said Miss Rose; without, however, adding that it was the history of Mr Humphry Clinker.

(Thackeray, *Vanity Fair*)

IN this anecdote from Becky Sharp's life as a governess, Thackeray has managed to pick one of the few mid-eighteenth-century novels that did not contain the word 'history' in its title. Eighty years before *The Expedition of Humphry Clinker* (1771), Aphra Behn's *Oroonoko, or the Royal Slave* had been subtitled 'A True History'. The popular novels of Delarivier Manley (1670–1724) and Eliza Haywood (?1693–1756) were presented to the public as 'true histories', 'secret histories', or even 'true secret histories'. Richardson's *Pamela, or Virtue Rewarded* (1740–1) was followed by *Clarissa: or the History of a Young Lady* (1748–9) and *The History of Sir Charles Grandison* (1754), while Fielding's masterpiece was *The History of Tom Jones, a Foundling* (1749). Fielding repeatedly plays on the various meanings of 'history' in his novels. In *The History of the Adventures of Joseph Andrews* (1742) he ridicules 'those romance writers who entitle their books, "The History of England, the History of France, of Spain, & c." '.[1] In *The Journal of a Voyage to Lisbon* (1755) he calls romance the 'confounder and corrupter of true history'.[2] The narrator of *Tom Jones* pours scorn on 'some pages, which certain droll authors have been facetiously pleased to call *The History of England*'.[3] Here Fielding's target was the Jacobite historian Thomas Carte, and Fielding's writings in the anti-Jacobite cause included a brief pamphlet on *The History of the Present Rebellion in Scotland* (1745). His successors among the eighteenth-century novelists include Smollett, Oliver Goldsmith, and

William Godwin, each of whom was also a historian in something like the modern professional sense of the term. In November 1791 the 16-year-old Jane Austen made her own crisp comment on English history-writing with 'The History of England from the Reign of Henry the 4th to the Death of Charles the 1st, by a Partial, Prejudiced, and Ignorant Historian'.[4]

Histories of England, like English dictionaries, lives of the poets, and editions of Shakespeare, bear witness to the systematic construction of a 'republic of letters' or national literary culture in eighteenth-century Britain. For the first time, the modern nations of Western Europe could be identified by their possession of a separate syllabus of knowledge, a codified language, and a distinctive literary canon and library of books. The demand for patriotic reference works and textbooks was exploited to the full by the commercial booksellers, who competed fiercely to fill the vacant shelves of this putative national library. Beginning with White Kennett's *Complete History of England* (1706) there are over twenty separate works carrying the general title *History of England* during this period, often in multiple volumes, and with the title prefixed by adjectives such as *Chronological*, *Critical*, *General*, and *Impartial*, as well as *Complete*.[5] At a lower level than the encyclopedic histories were works for the schoolroom, from John Lockman's *History of England, by way of Question and Answer* (1735) to works by the novelists Oliver Goldsmith and Charlotte Smith. Goldsmith's *History of England, from the Earliest Times to the Death of George II* (1771) was confessedly an abridgement compiled from the works of Rapin, Carte, Smollett, and Hume. His choice of rival historians suggests an attempt at fair-mindedness, but Goldsmith was aware of the impossibility of pleasing all parties.[6] As Mr Crawley's comparison of Smollett and Hume implies, most eighteenth-century historiography was, and was seen to be, intensely partisan. The historians of the time are easily divisible into Whigs and Tories, Hanoverians and Jacobites, Anglicans and Dissenters, and Royalists and republicans. David Hume's *History of Great Britain* (1754–7) is condemned as dangerous by the Whiggish Mr Crawley even though its claim to be above party has stood the test of time better than any of its rivals.[7]

For history to be partisan, it must have something to be partisan about. Eighteenth- and nineteenth-century Whigs and Tories traced their ancestry back to the contending sides in the English Civil War, and the same is true of numerous fictional heroes beginning with Tristram Shandy and Goldsmith's Vicar of Wakefield. Two hundred and fifty years after Charles I had raised his standard at Nottingham, William Lecky could write in *The Political Value of History* (1892) that 'We are Cavaliers or

Roundheads before we are Conservatives or Liberals'.[8] For historians and
novelists alike, the Civil War and its aftermath was the pivotal moment in
the emergence of modern England. The Jacobite rebellions of 1715 and
1745 and the American and French revolutions confirmed the pressing
topical relevance of the great historical issues of the previous century. The
first volume of Hume's history ends with Charles I's execution in 1649,
while Jane Austen's playful historical essay terminates with a vindication of Charles I against the 'misconduct and Cruelty of his Parliament'
and especially the 'leaders of the Gang', Cromwell, Fairfax, Hampden
and Pym.[9]

The essentials of the Tory and Royalist creed had been magisterially set
out in the Earl of Clarendon's *History of the Rebellion*, completed
immediately before his death in 1674 but not published until 1702–4.
White Kennett's Whig history celebrated the defeat of popery and
absolutism in the Glorious Revolution of 1688, though the legacy of
Stuart tyranny lived on in the Tories and the High Church party.[10]
Fielding's *bête noire*, the Jacobite historian Thomas Carte, not only
described the Civil War as the great calamity of modern history but
viewed Whigs and Dissenters, like their Puritan and Parliamentary forebears, as secret republicans and regicides.[11] Oliver Goldsmith in his
History of England, in a Series of Letters from a Nobleman to his Son
(1764) divides the nation's history into three periods, with the middle
period running from the Norman Conquest to 1649. William Godwin in
an unpublished essay described the Stuart period as 'the only portion of
our history interesting to the heart of man', though its noblest virtues
were 'obscured with the vile jargon of fanaticism and hypocrisy'.[12]
Towards the end of his life Godwin wrote the first full-length history of
the Interregnum, the *History of the Commonwealth of England* (1824–8).
The obsession with the Civil War continued into the Victorian period,
when, as John Burrow has noted, no less than four leading Whig
politicians—Fox, Macaulay, Russell, and Sir James Mackintosh—wrote
histories of seventeenth-century England, while the Conservative Benjamin
Disraeli undertook a 'rehabilitation of the policies of Charles I, of whose
reign his father had written a sympathetic history'.[13]

The contending parties in the Civil War themselves appealed to
versions of the national past to justify their actions; thus the Civil War
and its outcome came to be viewed as the culmination of earlier historical
themes such as the Norman Conquest, Magna Carta, and the authority of
Parliament, all of which remained highly controversial.[14] Eighteenth-
century historians tended to believe that the relationship between the

crown and the people had been settled, for better or worse, by the sequence of rebellion, restoration, and deposition in the previous century. Hume's *History of Great Britain* keeps this firmly in view throughout his narrative of the reigns of the four Stuart kings. Parliaments, he observes, invariably arose from the 'consent of monarchs', but monarchies owed their existence to the 'voluntary submission of the people'.[15] The Civil War stemmed from Charles I's decision to treat the nation like a conquered province (278). The Parliamentary victory, however, destroyed the balance of powers necessary to a stable society:

No sooner had they subdued their sovereign, than their own servants rose up against them, and tumbled them from their slippery throne. The sacred boundaries of the laws being once violated, nothing remained to confine the wild projects of zeal and ambition. And every successive revolution became a precedent for that which followed it. (626)

Hume's use of the term 'revolution' here is closer to its modern sense than that of earlier political theorists such as Hobbes and Locke; but his vertiginous picture of successive revolutions consuming one another has only one likely end, which is eventual restoration—the wheel turning full circle, having accomplished a revolution in the old sense.[16] The effect of the 1688 constitutional settlement was to stop these imploding forces and, in the words of an anonymous writer of 1760, to turn political conflict into a 'transient dispute among friends, not an implacable feud that admits of no reconciliation'.[17] (It may be noted that in Parliament under the two-party system the bitterest opponents have to address each other as 'my honourable friend'.)

In the self-congratulatory vein that was to become known as the Whig interpretation of history, the English Civil War became a necessary bloodletting prior to an age of prosperity, political civility, and overseas expansion. Oliver Goldsmith wrote that the miseries of the Civil War were 'ultimately productive of domestic happiness and security; the laws became more precise, the monarchy's privileges better ascertained, and the subject's duty better delineated; all became more peaceable, as if a previous fermentation in the constitution was necessary for its subsequent refinement'.[18] The metaphor of fermentation combines the idea of popular turbulence with the settling and maturation necessary to produce a superior vintage. This quotation from Goldsmith's professedly monarchist history suggests how the nation could be seen to have undergone its period of rebellion and restoration like a stormy adolescent on the verge of adulthood. At such moments, the underlying patterns of English historiography and the patterns established by eighteenth-century fictional narrative can be seen to coalesce. Both historians and novelists were depicting a national rite of passage.

Goldsmith seeks to understand history as a natural process, and identifies the conflict between monarchy and republicanism as the central issue for an English historian (i, p. vi). Godwin, as a republican, condemned the post-1688 history of constitutional monarchy as a history of 'negotiations and tricks', 'revenues and debts', and 'corruption and profligacy'.[19] But he also condemned the 'vile jargon of fanaticism and hypocrisy' with which the seventeenth century sought to dress up its conflicts of natural appetite and rational principle. Both thinkers, in other words, were Enlightenment historians who would find it absurd to search for signs of supernatural intervention or guidance in the affairs of the nation, as Defoe and his Puritan forebears had done.[20] In 'Of History and Romance', Godwin argues that fiction, or 'romance', should be written from the same naturalistic standpoint as history. The writer of romance is 'to be considered as the writer of real history', and 'True history consists in a delineation of consistent, human character, in a display of the manner in which such a character acts under successive circumstances'.[21] As novelists, though, Goldsmith and Godwin do not confine themselves to naturalistic principles in constructing their plots. Like *Joseph Andrews* and *Tom Jones*, *The Vicar of Wakefield* relies flagrantly on coincidence and poetical justice, while Godwin altered the conclusion to *Caleb Williams* to bring about a final, providential reversal of fortunes.

If the novel according to eighteenth-century theorists should be a kind of history, history sometimes came disguised in the form of fiction. The origins of the historical novel and historical romance are complex, but one crucial factor is the resort to fictional allegory and to distant times and places in order to avoid possible censorship. This is seen in works such as *The Princess Cloria: or, The Royal Romance* and Behn's *Love-Letters*, both discussed in Chapter 2. Herbert's preface to the enlarged (1661) edition of *The Princess Cloria*, his Royalist allegory of the Civil War, explained that he had added 'several sorts of Invention and Fancies' to his historical narrative, partly for aesthetic reasons, and partly in the interests of historical completeness. There was a history of private, unrecorded passions as well as of public acts; moreover, 'the common Occurrances of the World, do not arrive alwayes at a pitch high enough for example, or to stir up the appetite of the Reader, which things feigned may do under the notion of a *Romance*'.[22] Romances could serve the interests of political propaganda, moral example, entertainment, and historical instruction all at once. The ostensible *roman à clef*, reporting 'secret' histories under the guise of fiction, became an increasingly popular mode of writing.

By the early eighteenth century, the 'true' or 'secret history' was normally a sensational love story drawing on the material of the gossip column and the crime report. Eliza Haywood's 'The Double Marriage' (1726), for example, is the 'True Secret History' of a bigamous liaison set in the merchant community of Plymouth. The principal characters' identity is hidden under such obviously made-up names as Bellcour, Alathia, and Mirtamene.[23] Whether or not the novel's events culminating in a double suicide actually took place at Plymouth (or elsewhere) hardly matters. Readers were expected to believe in them, and the borders between fiction and journalism have remained highly permeable from Haywood's day to ours.

If *The Princess Cloria* represents political allegory, and 'The Double Marriage' the sensational *roman à clef*, Aphra Behn's *Oroonoko, or the Royal Slave* (1688) is a more puzzling case. Beginning with a description of the native inhabitants of Surinam and an account of the slave trade, *Oroonoko* appears to be an eyewitness history of a slave rebellion in the former British colony which had subsequently been lost to the Dutch. (There are also episodes of a kind later to become familiar in colonial adventure fiction, such as the 'tiger' hunt and the fishing expedition to catch an electric eel.) Behn uses the colonial setting as pretext for some sensationally violent scenes, such as Oroonoko's murder of his wife and his attempt to disembowel himself (he is captured in the act and stitched up again by a doctor). Later, with the narrator's mother and sister looking on, he is mutilated, quartered, and burnt at the stake by British plantation owners.

According to Behn's narrator, this execution is illegal, since it took place in a kind of interregnum when Oroonoko's owner, who was also the governor of the colony, was absent. Before his transportation to Surinam Oroonoko had been a prince of Coramantien in West Africa, and his regal status and dignity were recognized both by his fellow slaves and by some of the white planters. He was given the slave-name of Caesar. Although he was the ringleader of the rebellion, his killing could be seen as an act of regicide. The narrator's friend Colonel Martin swears that 'he had rather see the quarters of [the prosecutors], than those of Caesar, on his plantations'.[24] This recalls the fate of the surviving English regicides who were tried and executed after the Restoration in 1660.

In general terms *Oroonoko* is unmistakably a Royalist allegory. Coramantien is represented as a pastoral and Orientalized version of a European court, and, thanks to his princely education there, Oroonoko 'had heard of the late Civil Wars in England, and the deplorable death of our great monarch, and would discourse of it with all the sense, and abhorrence of the injustice imaginable' (80). Recent scholars have also suggested that *Oroonoko* parallels the events of 1688, the year of its publication, as well as 1649 to which the hero's execution provides an explicit pointer. Thus Oroonoko's position as a 'royal slave' might suggest James II's dilemma as the Roman Catholic monarch of a Protestant country, while the fall of Surinam to the Dutch might anticipate the imminent fall of the Stuart kingdom to the Dutchman William of Orange.[25] But *Oroonoko* remains continuous with Behn's plays which insist on the moral, social, and sexual superiority of the 'Banished Cavaliers', and the cowardly tyranny and hypocrisy of the usurping Roundheads.[26]

What remains mysterious, however, is whether Behn herself visited the 'obscure world' of Surinam in the 1660s, and whether a slave rebellion actually took place there. Does *Oroonoko* combine elements of the 'true history' of imperial tyranny with a domestic political moral, or is the moral tacked onto a bloodcurdling exotic romance? And does this matter anyway? The story of *Oroonoko*'s narrator, who fails to prevent the hero's condemnation and punishment, is a crucial sub-theme in the story. Partly because of her status as a powerless female, she is torn between the rebellious Royal Martyr and his avenging enemies, but at least she can use her pen to tell Oroonoko's story. Behn's political romance offers a suggestive precedent for the innumerable eighteenth- and early nineteenth-century novels which would use the language of slavery and rebellion to describe the position of young women within the domestic household. If Behn's 'obscure world' was that of the colonies, Richardson, Fielding, and their successors would turn their attention to the obscure worlds of well-to-do families.

In the terms of Congreve's preface to *Incognita* (1692), *Oroonoko* is plainly a romance and not a novel. It tells of the 'constant love' and 'invincible courage' of a royal hero engaged in 'wholly unusual' and 'unprecedented' events; it lacks the 'more familiar nature' of modern fiction.[27] The first English historical novels according to Congreve's definition would seem to be Defoe's eyewitness narratives of the Civil War and the Restoration, *Memoirs of a Cavalier* and *A Journal of the Plague Year*. The *Memoirs*, which went through seven editions before 1800, were at first assumed to be an authentic contemporary document, sometimes attributed to Colonel Andrew Newport of Shropshire. Defoe's name first appeared as editor in 1784, but was later dropped. The book was not fully admitted to the Defoe canon until the twentieth century.[28] The narrator begins with a preface claiming to correct some errors in Clarendon's *History of the Rebellion*, a book from which Defoe had in fact freely plagiarized. In the text the Cavalier claims hitherto secret knowledge of such matters as the arguments in the Royalist camp before the Battle of Marston Moor, and Charles I's regrets after the defeat at Naseby. He includes an appendix of superstitious 'Remarks and Observations', advancing the theory that nemesis overtakes a king or statesman on the 'very same Day of the same Month' on which he committed his greatest crime (272), and revealing the conspicuous providential justice of the war and its outcome. As with *The Princess Cloria*, the narrative concludes with the Restoration, which puts an end to the ceaseless feuding on the Parliamentary side, so that 'the same party that began the war ended it' (279).

The texture of *Memoirs of a Cavalier*, and still more of *A Journal of the Plague Year*, is that of meticulously detailed documentary and eyewitness reporting. One text anticipates modern autobiography, the other modern journalism. Yet, unobtrusive as is Defoe's fictional shaping of these narratives, its purpose is to reveal the hand of Providence behind seemingly contingent events. His Cavalier memoir, therefore, paradoxically belongs to the Puritan tradition of narrative drawing on popular superstition and apocalyptic fantasy in order to testify to an order of divine justice hidden in the events of everyday life. This would eventually be transmuted into the 'poetical justice' of the classical English novel with its providential plot resolutions. It has its sublime counterpart in John Milton's post-Restoration verse epics, which transfer the pattern of a political rebellion succeeded by a restoration from Earth to Heaven. *Memoirs of a Cavalier* seems to argue that, regardless of political rights and wrongs, God will punish those whose actions on Earth amount to rebellion against the divine order. But what exactly does constitute a rebellion against the divine order? How far does God underwrite the authority of the monarch over his subjects, or of the patriarch over his family? These questions, hotly debated in political and moral philosophy, also stand behind the classic literary theme (which extends from ancient drama to the modern novel) of youthful rebellion against arbitrary authority.

Fathers and Children

Mikhail Bakhtin describes the world of the traditional epic as a 'heroic national past . . . a world of "beginnings" and "peak times" in the national history, a world of fathers and of founders of families'.[29] In contrast, the world of the eighteenth-century novel as exemplified by Fielding and Richardson is a world of sons and daughters who may or may not know their own fathers. Its characters are typically born with a dynastic identity, which is sometimes correct and sometimes mistaken; even Tom Jones gains such an identity by virtue of being found in Squire Allworthy's bed. Growing up in filial subordination, the protagonists are pulled in two directions by the need to rebel and the urge to conform—they must differ from their 'parents' and yet, in some sense, repeat what those parents have stood for. A remarkably high proportion of classical English novels centre on the crisis of generational change and the transfer of property by inheritance or marriage. In *Pamela* and *Joseph Andrews*, Richardson and Fielding pioneered the novel that ends with the settlement of a new generation, just as traditional history centres on the succession of kings and queens. Their protagonists are mostly still young and relatively innocent at the end of the narrative, mirroring the relationship between novel and epic which is also somewhat filial. Tom Jones's departure from his childhood home of Paradise-hall deliberately recalls the Fall of Man, yet to the end of his adventures Tom remains a child in experience compared with Milton's Adam.

Thanks to its quasi-filial relationship with the epic world, the English novel after Richardson and Fielding does not need to apologize for being domestic, provincial, and (to use George Eliot's term at the end of *Middlemarch*) 'unhistoric' in scope. The founders of nations and the great military heroes such as Caesar and Alexander belong to the distant past; the modern novel's virtue is its contemporaneity, so that its events usually take place at a specific, and very recent, date. If at the end the young hero and heroine have only just succeeded to an inheritance, they are free to make of it as much, or much more, than their predecessors did. Thus the novel shows its characters' early development and potential for mature action, rather than their maturity itself. There is no danger of our being invited to judge whether or not Tom Jones, for example, will come up to expectation in fulfilling what one critic has called his 'responsible place in the fabric of English national life'; the novel simply leaves him in the place he has won as the dynastic successor to Allworthy and Western.[30] The same quality of prematurity characterizes the relationship between family and state implied in the novels of Fielding, Richardson, and their successors. Family and state in traditional political theory are linked by the patriarchal analogy, exemplified by the quotation from Bakhtin above. The family both constitutes the origin of the state and provides a model of the state in miniature. Similarly, the family-oriented, domestic world of the English novel mirrors the larger political world and contains the essence out of which states are constructed. The fictional family represents the state both in miniature and in embryo.

When Thomas Hobbes in *Leviathan* (1651) described the family as a 'little Monarchy',[31] he was repeating a conception that can be traced back to Plato and Aristotle. Cicero, for example saw the family as 'the foundation of civil government, the nursery, as it were, of the state'.[32] Where some thinkers including Hobbes sought to distinguish between the governance of the state and the family, the seventeenth-century defence of absolutism came to derive political obligation from the father's authority over his family: if the family was in its nature an absolute monarchy, the same must be true of the state. James I at the end of the sixteenth century used the patriarchal analogy to assert that subjects could not legally rebel against their rulers. Fifty years later Sir Robert Filmer based his justification of absolutism on the obedience that all men supposedly owed to their father and first ancestor Adam.[33] Locke's *Two Treatises of Government* ridiculed Filmer's patriarchalist ideas while continuing to argue from the supposed origins of society in the 'voluntary Compact between Man and Woman' exemplified by Adam and Eve, the joint rulers of the first family.[34] Where Filmer held that the power of the father over his offspring was potentially lifelong, Locke and the Whig historian James Tyrrell asserted that children were only subject to their parents' absolute dominion during the period of 'nonage' which lasted, according to Tyrrell, to the age of 25 at most. By such means the patriarchal defence of absolute monarchy had been intellectually discredited by the end of the seventeenth century, but it had also been rendered largely irrelevant in England by the fall of the Stuarts.[35] After 1688, Locke's declaration that absolute monarchy was 'inconsistent with Civil Society' (369) could be regarded as a basis for national pride and as evidence of England's superiority over France and other European nations.

Walter Shandy, Tristram's father, is one of Sir Robert Filmer's last disciples and a believer in absolute monarchy both in the state and the home. Mrs Shandy is the victim of Walter's tyranny—she must stay at home to knit her husband a pair of breeches, for example, while the rest of the family go on the Grand Tour—but, so far as Tristram is concerned, Walter's authority is so feeble that his son has no need and no impulse to rebel. *The Life and Opinions of Tristram Shandy* (1759–67) undermines Walter's patriarchalism as surely as it stages the castration of Tristram and Uncle Toby. The result is a comprehensive defeat for the *jus paternum*, or Law of the Father, and an ironic victory for the idea of the novel as cock-and-bull narrative and scapegrace offspring of the ancient epic.

At the level of political debate the Law of the Father came under attack from writers such as the feminist Mary Astell, who discussed the scandal of women's subjection to 'private Tyranny' in marriage.[36] But the pious abstractions of political thought about the family had been subverted in literature, and especially in stage comedy, from the beginning. Aristophanes shows wives rebelling against their husbands, and Greek and Roman New Comedy pits the healthy desires of the young against the obstructive instincts of authoritarian fathers who refuse to accept that the period of nonage is over and the parental writ no longer runs. The conflict between wise children and foolish parents is a source of tragedy, as in *Romeo and Juliet* and *King Lear*, but it more often leads to farce as senile domestic tyrants struggle to lock up their daughters. The image of the family presented in traditional stage comedy is one of disorder, rebellion, and anarchy rather than the tidy monarchy envisaged by the political theorists. Wives, children, and household servants win the audience's support by challenging or simply ignoring patriarchal authority. At best, wives and husbands, or children and parents, may hope to be reconciled by the end of the play, with the aid of the servants whose interest lies in promoting a stable and prosperous household. The domestic conflicts in Fielding, Richardson, and their successors draw on the traditions of youthful rebellion on the stage and in popular culture, as well as on philosophical debates about the limits of patriarchal authority.

There is a direct line of descent from Greek and Roman New Comedy to Restoration comedy, which is full of metaphors of tyranny, slavery, rebellion, and liberty.[37] Like the institution of carnival, the notoriously licentious Restoration theatre can be regarded as a political safety valve simultaneously subverting and consolidating the restored Stuart monarchy. Modern scholars are apt to read the frivolous hedonism of late seventeenth-century drama as a cloak for national allegory.[38] The theatre's self-consciously aristocratic and anti-Puritan ethos brings into focus two different ideas of liberty which are at war both in the drama and in the fiction of seduction and courtship. On the one hand, there is the right of freedom from parental oppression traditionally demanded by young lovers who have passed the age of puberty and claim to have outgrown their nonage; but this is opposed by the unbounded aristocratic 'liberty' of libertines and Cavaliers, which—whatever it may mean in practice—in theory requires total submission to the tyranny of erotic desire which is freedom's logical opposite. Philander in Behn's *Love-Letters Between a Nobleman and His*

Sister imagines Cupid as a rebel leader who, after a 'thousand conflicts' with the 'tyrant' honour, now reigns 'absolute monarch' in his soul.[39] Mrs Marwood in Congreve's *The Way of the World* describes love as the 'lawful tyrant' who will 'resume his empire in our breasts'.[40] Libertine love combines its egotistical assertion of freedom with a debased form of power worship: the supposed slave to love is actually planning to enslave others. The conflict between orthodox liberty (or freedom from oppression) and coercive libertinism was a source of comedy both on the Restoration stage and, later, in Fielding's fiction—as in Lady Booby's attempted dalliance with Joseph Andrews. But the same conflict is tragically and exhaustively dwelt upon in Richardson's *Clarissa*, where Lovelace plans to liberate Clarissa from her oppressive family only to subject her to a still more brutal and imperious regime.

Samuel Richardson: Virtue and Rebellion

After thirty years of a business career which had taken him to the top of the London printing trade, Samuel Richardson claimed to have become a novelist by chance.[41] Born in 1689, he was a middle-class opponent of the aristocratic libertine ethos exemplified by the novels of Behn, Manley, and Haywood. At the age of 50, and with four surviving daughters, he wrote *Pamela* in order to 'cultivate the Principles of VIRTUE and RELIGION' in the minds of the young, and to provide an alternative to the 'pernicious novels, and idle romances' which he regarded as the 'poison of female minds'.[42] In the sequel that he produced in response to pressing public demand, the heroine recalls that as a young girl her reading was censored by her mistress, whose chief fear was that adolescent minds would be exposed to 'heightened and inflaming' descriptions.[43] Pamela and her author share the Puritan belief that all fiction should have the effect of a parable and pass the test of moral instruction; hence the novel's alternative title *Virtue Rewarded*. But Richardson went far beyond the limits of the Puritanical moral fable, developing an intensely melodramatic, emotionally charged mode of fiction whose domesticity was in sharp contrast to the '*marvellous* and *improbable*' settings of romance. His novels might be full of '*love* and *intrigue*' (P2 462), but they would not, like *The Princess Cloria* or the anonymous *Clorana* (1739) which has the words *Virtue Triumphant* in its subtitle, deal with complicated love affairs among the princes of fictitious countries.[44]

Richardson's protagonists are born with, or aspire to, inherited property or landed estates. Pamela's success in holding Mr B to his promise of marriage raises her into the gentry. Mr and Mrs Harlowe are a 'gentleman born and educated' and a viscount's daughter,[45] and their son James hopes to join the peerage. In Richardson's last novel Harriet Byron rises from the gentry to the aristocracy when she succeeds in marrying the hereditary baronet Sir Charles Grandison despite the latter's romantic involvement with Clementina Porretta, the 'noblest young lady in Italy'.[46] It could be argued that Richardson's concern with the upper classes is essential to his project of moral reformation and his polemic against libertinism. In *Pamela*, for example, he exposes the abuses of power which enable the rich to treat the poor as they please, and he satirizes upper-class boorishness in his portrayal of the drinking, whoring, 'hunting, racing, cock-fighting, and . . . swearing and cursing' of his spendthrift heirs and aristocratic rakes (P2 203). At the same time, the popularity of fictional romance suggested that it was the aristocracy and gentry that people wanted to read about, and Richardson was happy to go along with them. His ladies and gentlemen are, for better or worse, the backbone of the fictional nation—the only class whose breadth of knowledge and experience entitles them to speak for it.

One particular catchphrase, which bears his signature even though it is also frequently found in Fielding and Jane Austen, conveys Richardson's sense of the ruling class's right and duty to dictate the nation's values. When Pamela is a servant girl, she is reputed to be only the 'greatest beauty in the county'.[47] Wider geographical comparisons cannot be meaningfully offered in respect of a person of such subordinate status. But her employer Mr B, although the least socially elevated of Richardson's three male protagonists, is a Member of Parliament with estates in three counties, so that his standard of comparison is national not local. Once he takes a serious interest in Pamela she is entered, so to speak, in a nationwide rather than a county-wide beauty competition; she is running not for Miss Bedfordshire but for Miss England. Accordingly she becomes 'the loveliest maiden in England' (321) and, after her wedding, 'the finest lady in England' (P2 165); her humble parents are 'one of the happiest and honestest couple in England' (482) and she makes her husband 'the happiest man in England' (427). These careless hyperboles have the aristocratic ring of phrases accustomed to strut the national stage and to boast without fear of contradiction. Their (usually male) utterer, in flattering somebody else, also flatters himself. Richardson is remarkably fond of treacly superlatives of the 'loveliest woman in England' type, which tend to proliferate at points in his novels where his plots are sagging and his characters' rhetoric is at its most expostulatory. The implicit chauvinism of these phrases should not be overlooked. While Miss Bedfordshire must defer to Miss England, the 'loveliest woman in England' is, as *Sir Charles Grandison* shows, a far more fitting match for the hero than the beauties of other nations.[48]

Pamela's virtue is rewarded and her beauty validated by marriage to a landowner and Member of Parliament; but her virtue, as one critic has said, is in large measure the virtue of rebellion.[49] Her rebellion is that of a servant against a tyrannical master who claims the right of absolute government over her person. For her to withhold her sexual favours from him, Mr B claims at one point, is an act of theft. Pamela retorts that, as a Justice of the Peace, he has the right to send her to jail (91)—a sinister reminder of the extent to which Mr B and his like in eighteenth-century England might genuinely consider themselves to be above the law. But B understandably prefers to keep their conflict within the bounds of the family rather than invoking the corrupted powers of the state. He holds her under house arrest at his property in Lincolnshire, where her jailer, Mrs Jewkes, is a family retainer who loyally affirms her master's droit de seigneur: ' "And pray," said I ... "how came I to be his property? What right has he in me, but such as a thief may plead to stolen goods?" "Was ever the like heard!" says [Mrs Jewkes]. "This is downright rebellion, I protest!" '(163). Pamela is a 'rebel' in the terms of the libertine's code, but, though Mr B claims the prerogative of an absolute ruler, he has no title to his claim, and he knows it. He is no 'professed debauchee' (165) but an inexperienced opportunist. Fairly soon he will forgive Pamela's 'treasonable resistance' (265) and agree to marry her. In retrospect his accusations of treason and rebellion become part of the game of love in which Pamela, knowingly or not, so successfully plays her part. But, if her honour is to be saved in more than name, her conduct has to be judged by the standards of spiritual integrity as well as of amorous politics.

In refusing to comply with her oppressor's demands Pamela may act like a political rebel, but—since she believes that her suffering is sent to try her virtue and is, to that extent, divinely ordained—she cannot be seen to rebel against the fact of suffering. Instead, Richardson's focus on his female protagonist's ordeal allows him to portray a state of passive (but supremely articulate) victimhood. Pamela can do nothing apart from patiently and steadfastly resisting her oppressor's demands, but she can record everything. When she does act, as in her abortive escape attempt when she is tempted to commit suicide by drowning herself, she is in grave spiritual peril. On more than one occasion she is saved from Mr B's advances by 'Providence' in the shape of a timely fainting fit. Pamela's most successful and positive actions are those by which she is able to maintain her stores of ink and paper and, as she thinks, to conceal the minute-by-minute account of her ordeal that she is incessantly writing. Literature becomes her salvation as Mr B, the would-be rapist, becomes seduced in his turn by the power of her storytelling.

The novelist as Christian reformer may approve of political rebellion in the domestic sphere (in so far as resistance to a lawless tyrant is properly described as 'rebellion'), but will always condemn spiritual rebellion. This means that Richardson judges the question of rebellion from two opposing points of view, the temporal and the eternal, the one using political and military, and the other biblical, terms and analogies. Pamela emphatically places her suffering in a biblical context when she adapts Psalm 137 to fit the circumstances of her own imprisonment in Lincolnshire, thus putting herself in the position of the Jewish nation in Babylonian captivity.[50] The contradictory imperatives of political and spiritual rebellion are much more sharply juxtaposed in *Clarissa*, where the language of government and war is systematically ransacked for analogies to the heroine's domestic ordeal.

How far should we read Pamela's rebellion as a political allegory? Thomas Keymer, one of the novel's modern editors, has pointed out that, before becoming a respectable government printer under the Walpole ministry, Richardson had narrowly escaped charges of sedition for printing Jacobite propaganda in the 1720s. Mr B thus 'seems very much the embodiment of Walpole's oligarchy'.[51] At the same time, Pamela's implicit comparison of herself to the Jewish nation is one of many details which identify her predicament with that of seventeenth-century Puritanism. Her moral and sexual scruples, her filial and religious piety, and her humble social station are in sharp contrast to Mr B's Cavalier habits of careless generosity, sexual indiscretion, and haughty family pride. Mr B speaks of randy young squires such as himself as 'keen fox-hunters' (269) and boasts of being 'without disparagement to any man, the best fox-hunter in England' (342) once he has secured Pamela. What makes her such a challenging quarry is her beauty, her displays of piety—'thou art a perfect nun, I think' (117), he sneers on one occasion—and what, as an avid reader of her letters and journal, he comes to think of as her romanticism. The symbolism of clothes expresses the gulf between them. Mr B gives her a suit of her late mistress's fine silk, and then (to Pamela's great embarrassment) some stockings; but she retaliates by buying a length of cloth and making her own 'home-spun gown and petticoat' (43) worn with plain leather shoes, a Quakerish uniform that she steadfastly continues to wear until the eve of her marriage. Her plain clothes are the sign of a Puritanical renunciation of worldly display, yet, by a paradox that is entirely typical of the courtship novel, they also serve as a mark of coquetry. Her mentor Mrs Jervis tells her that ' "I never saw you look more lovely in my life than in that new dress of yours" ' (43).

Pamela for her part avows her interest in the state of Mr B's soul, regardless of his mockery of her 'unfashionable jargon' of piety (101). The more he persecutes her, the more her sexual awareness of him grows. This has led many readers to accept B's characterization of her as a Puritanical hypocrite, though it may also be viewed as the emotional transference of a kidnap victim. In the end, however, the sexual attraction of opposites prevails and the civil war between the two lovers subsides into a highly charged courtship. But their reconciliation cannot be staged without a grand religious conversion, as B renounces the errors of his past and agrees to marry his bride in the hastily refurbished chapel of his Lincolnshire retreat. (Pamela, meanwhile, has rejected the advances of the plain and virtuous Mr Williams, the clergyman who later performs her wedding ceremony.) As Pamela becomes a fine lady, not omitting to thank God for his mercies, Mr B has to undergo the indignity of his sister Lady Davers's ridicule: ' "Egregious preacher!" said she: "my brother already turned puritan!" ' (443). The opposing values for which the lovers once stood will continue to spice their relationship, as in the masquerade scene in *Pamela: II* where Pamela goes appropriately dressed as a Quaker, while Mr B is a Spanish Don or 'caballero'. (Things threaten to get out of hand when he is all but seduced by a masked Nun, offering an impious parody of the Cavalier–Puritan courtship which sustained the earlier volume.)

Reluctant Redcoats (i): Tom Jones

In *Pamela* a national allegory of rebellion leading to moral reformation is played out entirely at the level of the family. The heroine's imprisonment remains a private affair, and—though the eventual Cavalier–Puritan marriage is a public event—national politics and an awareness of his-torical events are conspicuously absent. By contrast, Fielding's sense of the novel's epic ancestry meant that he could never remain content with a simple fiction of courtship. His immediate response to Richardson's achievement was to ridicule it in the brief parody of *Shamela* (1741). *Tom*

Jones is the story of a foundling who, expelled from his family and forced to live by his wits, prepares to become a soldier. Not only was the army a respectable profession for younger sons of the gentry, but the portrayal of a military campaign was an easy way to bring the processes of history into fiction. Billy Booth, the male protagonist of Fielding's *Amelia* (1752), is also an army officer, though neither Jones nor Booth sees active service. In Tom's case, the supposed rebel against his family is put in a situation where he might have helped to put down the state rebellion of 1745—but, despite his professions of loyalty to the King, he chooses not to do so. Andrew Marvell's 'Horatian Ode', written a century earlier under the Commonwealth, had celebrated the 'forward youth' who in times of rebellion eagerly turns to 'adventurous war'. Tom Jones, we are told, 'has some heroic ingredients in his composition' (336), and in *Clarissa* Robert Lovelace boasts to his friend Belford that 'Had I been a military hero, I should have made gunpowder useless' (ii. 55). Yet, when it comes to marching to the colours, Tom, Lovelace, and most other male protagonists in eighteenth-century English fiction turn out to be remarkably backward youths.

Henry Fielding had made his literary debut at the age of 20 with odes on the coronation and the King's birthday. Later he wrote the original lyrics for 'The Roast Beef of Old England', a song in the *Grub-Street Opera* (1731). His fiercest writings as a political journalist date from the period of the Jacobite rebellion, when he edited *The True Patriot*, to be followed in 1747 by the ironically titled *Jacobite's Journal*. His 'Serious Address to the People of Great Britain' (1745) seeks to rouse his countrymen against invasion by 'a Banditti, a Rabble of Thieves or Outlaws' intent upon replacing English liberty with French slavery and the tortures of the Spanish Inquisition.[52] The 'Serious Address' calls on every able-bodied man to do 'his Duty in the defence of his Country' against the Jacobites (31), a call repeated in the *True Patriot* and the *History of the Present Rebellion in Scotland*. For a short time Tom Jones acts as if inspired by his author's political journalism, only to abandon the defence of his country at the first opportunity.

Both *Tom Jones* and *Sir Charles Grandison* offer contemporary accounts of England during and just after the 1745 rebellion. Grandison, however, is in Italy when the 'troubles, now so happily appeased' break out in Scotland (ii. 124). Tom, disgraced and penniless, is on the road in England. His initial intention is to seek his fortune at sea, but no sooner does he encounter a company of soldiers than he decides to join them as a gentleman volunteer. Fielding now confides, as a 'circumstance which we have not thought necessary to communicate before'—it is already book seven of the novel—that the Jacobite rebellion is at its height and that Tom is a 'hearty well-wisher to the glorious cause of liberty' and the Protestant monarchy (336). Tom's Hanoverian loyalties may come as a surprise to the reader, since we have seen him as the crony and drinking companion of the Tory Squire Western, a self-styled 'true Englishman' (308) given to drinking to the exiled 'King over the Water' and to patriotic outbursts against 'Roundheads and Hannover rats' (297). Western's ineffectual Jacobite bluster is counterbalanced by the testimony of the Man of the Hill, a recluse who has remained ignorant of public affairs since the Monmouth rebellion (in which he fought for the Protestant cause and narrowly escaped with his life) sixty years earlier. Strengthened by this encounter with a veteran of 1685, Tom's purpose of fighting in defence of the Protestant monarchy apparently remains firm despite the brutality and dishonesty of his brother officers, and despite the Jacobitism of his companion Partridge.[53] When Tom reaches Upton he is still on the road northwards to join the Duke of Cumberland, whose campaign would eventually culminate in the Battle of Culloden, and it is in the Upton episode—though the novelist's primary concern is with farcical battles 'of the amorous kind' (452)—that Fielding offers his principal representation of a country at war.

The inn at Upton seems to be full of rebels. We have earlier heard that 'the banditti were now marched into England' (336), and news arrives that they have given Cumberland's army the slip and advanced a day's march nearer London. A Jacobite squire comes to spread the rumour that the French have landed in Suffolk. Sophia and Mrs Honour are mistaken for Jacobite ladies travelling incognito. The landlady becomes 'in a moment a staunch Jacobite' (517), but the loyally Hanoverian Mrs Honour is out-raged that her mistress should be taken for Jenny Cameron, 'that nasty, stinking wh–re . . . that runs about the country with the Pretender' (538). The joke, of course, is that Sophia's flight to Upton results from her rebellion against her father's tyranny. Her escape from his imprisonment has been handled in the tradition of stage comedy, but her aunt's protests that 'we are not to be locked up like the Spanish and Italian wives' (296), and that 'English women are not to be treated like Circassian slaves' (496), underline its political meaning.

Next morning the principal characters all leave the inn, with Jones (who believes he has terminally offended Sophia) determined to pursue the course of glory: 'Come on, my brave lad, now for the army' (558). Instead, he encounters a beggar at a crossroads, whom he finds to be in possession of Sophia's pocket-book. He proceeds irresolutely in a north-easterly direction, losing his way between Upton and Coventry, and failing to find any horses for hire—which, at this moment of national crisis, is perhaps not surprising. When he and Partridge do get horses it becomes obvious that Tom has forgotten about the rebels, and is riding headlong to London in pursuit of Sophia. Once he has arrived there we see that the life of the aristocracy and their hangers-on goes on as normal. Tom gets into a fight and finds himself in prison and under threat of execution, but neither his military desertion nor the Pretender's retreat to Scotland are ever mentioned. *Tom Jones*, in effect, is an anti-historical novel in which the hero casually throws up his chance of becoming a contributor or at least an eyewitness to historical events, preferring to follow the circuitous road of his private fortunes in an instinctive gesture that no reader regrets, and few critics have questioned or even paused over. Fielding's chronological scheme implies that Tom and Sophia are eventually married in December 1745, well before the rebels' final defeat at Culloden.[54]

Nevertheless, *Tom Jones* is not without certain hints as to the relationship between family and state. Between Upton and Coventry, Tom and Partridge encounter a band of gipsies, self-confessed thieves or 'banditti' who seem to be living unobserved like wild beasts in a forest. But they are also a well-ordered society, 'subject to a formal government and laws of their own' (593), and Tom admires their king's political wisdom and skill as a magistrate. The gipsy camp is portrayed as an ideal commonwealth in subjection to an absolute monarch. This alludes to the legends of medieval outlaws living in the greenwood, but it also suggests the Stuart prince and his encampment not very much farther north. Fielding's narrator rather anxiously intervenes towards the end of the episode to warn against the dangers of absolute monarchy.[55]

At the level of the family, Squire Western attempts to play the role of absolute monarch. Squire Allworthy is shown as a wise and liberal magistrate, but his constitutional monarchy is no more successful than his neighbour's absolutism. Fielding, though hostile to political rebellion, is on the side of family rebellion, making us fully aware of Allworthy's folly and injustice in taking the advice of his 'ministers' (Blifil, Thwackum, and Square) and banishing Tom. When, finally, Allworthy begins to think better of his ward, Fielding writes that 'As a conquered rebellion strengthens a government ... danger, when removed, gives new life to affection' (829). This simile is the novel's sole hint as to the outcome of the '45. It also suggests the happy outcomes of Tom's exile and Sophia's rebellion, even though the analogy between the governance of family and state is less than exact. The novel ends with a form of restoration as both Tom and Sophia resubmit to parental authority. Western's motives for approving his daughter's marriage to Tom are in a sense dynastic (if not merely greedy); earlier he had favoured Blifil's suit when Blifil was Allworthy's heir. Allworthy seems indifferent to the union of their two estates, viewing it as a mere property transaction rather than as a symbolic reunification of Hanoverian and sentimentally Jacobite—or Whig and Tory—England.[56]

In old age, we are told, Western is distinguished for drunkenness and jollity, and Allworthy for 'discretion and prudence' (874). Tom and Sophia and their children, we must believe, will somehow combine these eternally conflicting qualities. Fielding's ecumenical poise—which involves consolidating the squirearchy rather than overturning its values—would have been difficult, if not impossible, to maintain had Tom played an active part in defeating the '45 rebellion. The plot of *Tom Jones* turns on danger and division which are on the point of tearing apart both family and state, but the conclusion—with its happy reunion of parents and children and, somewhere in the background, the retreat of the Jacobite rebels back to Scotland—reaffirms the sturdy, pluralistic, and basically benevolent nature of Fielding's England.

Reluctant Redcoats (ii); From 'Roderick Random' to 'The Old Manor House'

In 1746, before he became a novelist, Tobias Smollett had written a moving elegy for the Jacobites defeated at Culloden.[57] *The Adventures of Roderick Random* (1748), published the year before *Tom Jones*, traces the fortunes of a disinherited young Scot who joins the French Army, fighting against the English and Hanoverian forces at Dettingen in 1743. Roderick, however, is a soldier of fortune, not a political rebel. He bears no grudge for the racist insults to which he was subjected after arriving penniless in London. His service under the French King is as incidental as his other employments as a servant, an apprentice, a naval rating, a ship's surgeon, and a slave trader. Roderick is, in fact, a Unionist who astonishes his French comrades-in-arms by his advocacy of English freedom and independence. Smollett's next hero, the would-be knight-errant of *The Adventures of Peregrine Pickle* (1751), becomes involved in a pitched battle with French porters the moment he lands on the quayside at Calais.

Peregrine is careful to avoid a military career even though his patron
Hawser Trunnion is a retired naval officer and his best friend Godfrey
Gauntlet is an army lieutenant. He prefers to turn civil society into his
battlefield.

There could be no greater contrast between Peregrine Pickle's truculent
aggression and mindless roistering, and Laurence Sterne's gentle, retired
army captain. Sterne, a soldier's son born in Ireland, had first-hand
experience of life in barracks, but the only recognizable aspect of military
discipline in *Tristram Shandy* is Uncle Toby's relationship with the loyal
and ever-resourceful Corporal Trim. Quixotically, Toby and Trim have
turned the bowling green in the neighbourhood of Shandy Hall into a toy
battlefield. They fight through the Duke of Marlborough's campaigns
in chronological sequence until they reach the Treaty of Utrecht and the
long hobby-horse ride is over. Once the harbour and fortifications on
the bowling green have been demolished in accordance with the terms
of the treaty, Toby must awake from his dream: 'having done that,
corporal,' he says, 'we'll embark for England—We are there, quoth the
corporal, recollecting himself—Very true, said my uncle Toby—looking
at the church.'[58]

'O England! England! thou land of liberty, and climate of good sense,
thou tenderest of mothers—and gentlest of nurses,' exclaims Tristram
Shandy (501). What is the relationship between Tristram's nurturing,
village-green view of Englishness and his family's experience of past
wars? Is gentleness simply synonymous with rural retirement, redund-
ancy, and impotence, as in the story of the bull which Walter Shandy
keeps in vain 'for the service of the parish' (614)? Toby's instinctive
benevolence in releasing the fly he has caught in his hand, exclaiming that
'This world surely is wide enough to hold both thee and me' (131), must
be reconciled with his war-gaming obsession and his devotion to the
memory of the Protestant King William. His ancestor Sir Roger Shandy
fought, presumably in the Royalist cause, at the Battle of Marston Moor
in 1644. Then there are Tristram's embarrassed hints as to the destiny of
Mr Hammond Shandy, 'a little man—but of high fancy' who 'rushed into
the Duke of Monmouth's affair' in 1685 and was, apparently, hanged
during the period of the Bloody Assize shortly before the overthrow of the
Stuarts (180). Hammond Shandy's disastrous part in the Monmouth
rebellion and his allegiance to the Protestant cause cast an ironic shadow
over the peace and ecumenicalism of Shandy Hall, where the family's
spiritual and physical needs are respectively looked after by the Anglican
parson Yorick and the Catholic 'man-midwife' Dr Slop.[59]

It is to Yorick that Uncle Toby makes his apology for the military life:

For what is war? what is it, Yorick, when fought as ours has been, upon principles of *liberty*, and upon principles of *honour*—what is it, but the getting together of quiet and harmless people, with their swords in their hands, to keep the ambitious and the turbulent within bounds? (444)

Toby's idealized English militia has no bureaucratic structure or military chain of command. It is a spontaneous coming together of ordinary citizens and their neighbours, and in English history it resembles nothing so much as the legends of Monmouth's doomed campaign. Toby has been a regular soldier taking the King's shilling in a foreign war, but his ideal army is one that could only have been formed by free citizens upon their native soil. His reverence for the principles of liberty and honour links him to the rebel and martyr Hammond Shandy; but such reverence is comically undermined by the sentimental whimsy and unconscious hypocrisy of his pacifistic apology for militarism. Samuel Johnson, who celebrated 'The Bravery of the English Common Soldiers', wrote that 'their insolence in peace is bravery in war'.[60] Smollett—as if to justify the quarrelling and fighting of which his novels are full—observed in his *History of England* that there was an 'ingredient of savage ferocity mingled in the national character'.[61] If there is one generalization upon which all eighteenth-century observers agree, it is that the English are not a 'quiet and harmless people' when they have swords in their hands.

It is curious that *Tristram Shandy*, of all novels, should inaugurate the role of dynastic history and Civil War genealogies in English fiction down to the twentieth century. Goldsmith's *The Vicar of Wakefield*, contemporary with the later volumes of Sterne's masterpiece, reveals, as a passing detail, that the Vicar's father died with Lord Falkland at the Battle of Newbury. Harley, the hero of Henry Mackenzie's *The Man of Feeling* (1771), has the Royal Oak in his family crest, commemorating an ancestor who was a Royalist captain at the Battle of Worcester.[62] There is a still more extensive use of the Civil War as a picturesque background to family history in the works of Charlotte Smith, the radical novelist and poet who sympathized with the American War of Independence and the French Revolution; Smith, in turn, influenced Walter Scott's deployment of the same technique in *Waverley* and elsewhere. *The Old Manor House* (1793) centres around Rayland Hall, a house whose historical identity goes back to the Wars of the Roses. In the seventeenth century the Raylands were 'famous cavaliers in the great rebellion' and the Hall became the hiding-place for some of the King's followers after the Battle of

Edgehill, when it was besieged by Fairfax's army.[63] The protagonist of Smith's *Marchmont* (1796) has a Cavalier great-grandfather who was knighted in the field by Charles I, and who sheltered the future Charles II during his flight after Naseby. He was a friend of Falkland and the Cavalier poet Richard Lovelace. His country house was, once again, besieged by the Parliamentary army, and one of his sons was killed; meanwhile, a daughter loved the son of a neighbouring family who sided with Cromwell. One room in the old family house is haunted by the spirits of the defeated Cavaliers. *The Old Manor House*, too, uses Civil War history to create an English domestic version of the Gothic novel's French and Italian castles and fortresses. Rayland Hall is full of hidden doors, cellars, staircases, and secret passages, the architectural embodiments of its tortuous past.

Richardson in *Pamela* had introduced the protagonist as domestic rebel; *Tom Jones* had shown the foundling at odds with his family but willing (in principle at least) to take up arms against a political rebellion. Charlotte Smith in *The Old Manor House* locates domestic and national rebellion in the context of a 'great house' and its dynasty, anticipating nineteenth-century fiction such as Dickens's *Bleak House*. This 'political house' is a microcosm of an English nation torn between Royalist and republican values.[64] Republicanism, which Addison had tried to bury with his gentle mockery of Sir Andrew Freeport, was once more an issue following the American and French revolutions. In America the British Army had lost its first foreign war since the Treaty of Ryswick eighty years earlier. Orlando Somerive, the protagonist of *The Old Manor House*, is shipped to America in 1776 as an unwilling volunteer in the King's cause.

Orlando is both the heir presumptive of his distant relative Mrs Rayland and the clandestine lover of her ward Monimia, an orphan who is virtually imprisoned at Rayland Hall. During the daytime, Orlando pays his respects to the formidable owner of the Hall and dutifully does her bidding; at night he secretly returns to the Hall by the back stairs for his trysts with Monimia. He is at once the legitimate heir of Rayland and the chief subverter of its Royalist, ruling-class values. Eventually his friend General Tracy procures him an army commission to stop him hanging around the heiress and her ward, and the novel's focus shifts from the 'politics of Rayland Hall' (230) to British imperial politics.

The Somerives are not a military family, and Orlando and his friends assume that he will not actually have to serve abroad. But they have reckoned without the American colonists, and without Mrs Rayland who regards the colonists as 'the descendants of the Regicides, against whom her ancestors drew their swords' (136). To conquer these 'rebels and round heads' is 'not only a national cause, but one in which her family were particularly bound to engage' (329). The country gentry are unanimous that 'the rebellious colonists ought to be extirpated' (147), and General Tracy thinks it will be all over by Christmas. Orlando struggles to believe in the justice of the British cause until a conversation with an American prisoner of war arouses his pity and respect for the rebels. The War of Independence, he now sees, is an English civil war by proxy—a product of 'national pride' (246) and imperial arrogance. But, though he sympathizes with the King's enemies, Smith cannot allow him to join them. Instead he is captured by the Iroquois, and then freed in Canada only to be recaptured by the French. He returns to England penniless to find that Mrs Rayland is dead and he, apparently, has been disinherited. Predictably, after his hardships he is finally reunited with Monimia and—since Mrs Rayland has never suspected their liaison—he becomes master of Rayland Hall as well.

By this time, however, the focus of *The Old Manor House* has moved away from the allegory of national and family rebellion to other concerns. The novel is a 'property romance' which ends with Orlando frantically searching Rayland Hall for his patron's lost will.[65] It also turns on Monimia's unjust deprivation and prolonged suffering, and on Orlando's similar experiences on the run in America and England following the rout of the British Army. He is one of numerous eighteenth-century protagonists who has to lose everything and to share the fate of the victimized outlaw in order to gain his inheritance. Like many other English novels, *The Old Manor House* involves an experience of suffering and a pilgrimage towards grace modelled, in part, on the biblical story of Job.

The Novel of Suffering: Richardson, Fielding, and Goldsmith

IN his *History of England from the Revolution to the Death of George the Second*, Tobias Smollett digressed from the royal, political and diplomatic events of the year 1753 to give a surprisingly circumstantial report of an episode which, he says, 'could not deserve a place in a general history, if it did not serve to convey a characteristick idea of the English nation'.[1] The story he tells bears a close parallel to one of the greatest of eighteenth-century novels, Richardson's *Clarissa* published four year earlier; and it also bears all the hallmarks of tabloid journalism.

Elizabeth Canning, an 'obscure damsel of low degree', claimed to have been abducted by two men outside Bedlam hospital and taken to the house of a Mrs Wells at Enfield Wash, where she was robbed of her stays and kept on bread and water in a small cell because she refused to turn prostitute. After a month's imprisonment she escaped and 'ran home to her mother's house, almost naked' (iii. 357). Later she testified before the novelist and magistrate Henry Fielding, who was strongly convinced by her story and wrote a pamphlet in her defence. But her allegations were not sustained in court. Mrs Wells's maidservant, Virtue Hall, retracted evidence she had earlier given on Canning's behalf, while other witnesses were shown to have been intimidated by Canning's supporters. Mrs Squires, the 'old gipsey-woman' charged with removing Canning's stays, produced an alibi and eventually secured a royal pardon. Despite intense popular agitation on her behalf, Canning was eventually found guilty of perjury and transported.

Could Elizabeth Canning have been a reader of *Clarissa*? Her story was either a true deposition or, more likely, a fabricated or semi-fabricated account of an absence from home that she felt otherwise unable to explain. Its most intimate moment, the removal of her stays by the old gipsy woman, is either a criminal violation of her bodily integrity or the symbol of some kind of release of imprisoned libido. Canning is either a victim of kidnapping and the 'white slave' trade, or she is a fantasist describing a moment of intolerable freedom from the norms of respectable society. The story might have ended with her running home to her mother's house, but it did not end there because either she or her family were determined to obtain legal retribution for her unauthorized absence. Canning's sojourn in Enfield Wash represents a rebellion against or usurpation of domestic authority, with her return home as a kind of restoration. Mrs Wells's alleged tyranny took an oppressively parental form. Canning's punishment for refusing to submit to the loss of her virginity involved the loss of her stays and restrictions on her movement and diet, reducing her to the helpless status of a small child. Her escape and restoration to her family were only temporary, however, and in the end the legal process she had initiated tore her away from the maternal home and into exile.

For Smollett, the interest of the Canning case lay not in the commonplace details of teenage abduction or truancy, but in the intense popular agitation and partisanship surrounding her appearances in court. Her supporters refused to accept the verdict and sentence and, as Smollett reports, they 'supplied her with necessaries of all sorts, paid for her transportation in a private ship, where she enjoyed all the comforts and conveniences that could be afforded in that situation, and furnished her with such recommendations as secured to her a very agreeable reception in New-England' (iii. 359). Smollett saw these events as illustrating the inherent turbulence and restlessness of the English nation. Similarly, Oliver Goldsmith's Chinese philosopher in *The Citizen of the World* (1762) lists 'superior pride', 'impatience', and 'ferocity' among the characteristics of the 'vulgar English': their 'untameable spirit', he says, is such that English prisons have to be the most strongly built in the world.[2] Canning's supporters may have formed what historians of eighteenth-century England customarily refer to as a 'mob', but she also seems to have had wealthy and influential patrons. What is most significant about this episode is that the determination and depth of public feeling it aroused would not, in any previous age, have been attached to the criminal trial of an obscure young girl. It is as if the people's latent political passions, which a century earlier had been involved in the great issues of the Civil War and the fall of the Stuarts, had been excited by a story that belongs more in a novel than in the annals of national history. At the heart of this story was an experience of female imprisonment and sexual harassment.

In *Pamela* and *Clarissa*, Samuel Richardson had introduced a lurid, somewhat sadomasochistic element into English courtship fiction.

Clarissa's antecedents lie in the theatre rather than the novel: they include Charles Johnson's *Caelia* (1732), where the innocent heroine is seduced by a villain called Wronglove and imprisoned in Mrs Lupine's whore-house.[3] But the novel, unlike eighteenth-century drama, could invest a heroine's sufferings with spiritual dignity as well as prurient melodrama, heightening the reader's emotional identification to such an extent that it was said that all Europe cried over the death of Clarissa Harlowe. Richardson's second work of fiction set a fashion for novels wallowing in what one modern critic has called the 'unrelenting, irredeemable hope-lessness' of their heroines' histories.[4] Rejecting false comforts and con-solations, Clarissa can find true comfort only in the religious promise of heavenly rewards as compensation for earthly sufferings. Pamela comes through her relatively brief ordeal unscathed and triumphant, but the much darker-toned *Clarissa* leads inexorably to the heroine's passage from this world to the next. As Clarissa's meditations show, there was in English Protestant culture a recognized scriptural model for the course taken by the heroine's suffering, in the Old Testament story of Job. The Book of Job was the subject of intense theological debate in the very decades in which Richardson, Fielding, Goldsmith, and others found themselves rewriting aspects of the Job story.[5] By telling stories of female suffering within this biblical framework, Richardson was able to achieve his aim of 'enlisting the passions on the side of Virtue'.[6] Other novelists, however, entertained less high-minded notions of virtue. As the Gothic villain Montoni says to Emily St Aubert in Ann Radcliffe's *The Mysteries of Udolpho* (1794), ' "You speak like a heroine ... we shall see whether you can suffer like one." '[7]

Clarissa's Rebellion

The novel of modern courtship with a background of national allegory is Richardson's hallmark. The events of *Pamela* lead to the reconciliation of the Puritan and the Cavalier under the sign of moral reformation and middle-class family propriety. In *Sir Charles Grandison*, the well-travelled English aristocrat elects to marry a home-grown Protestant rather than an Italian Catholic bride. Clementina, his Italian lover, displays a refined spirituality which at last finds its appropriate home in a convent. In *Clarissa*, however, an outbreak of civil war between two families becomes an irreconcilable split, with tragic consequences for the female victim.

Clarissa's tragedy begins with her family's determination to make an arranged, political marriage for her; political in the sense of furthering the family's, rather than her own, material interests. Christopher Hill has explained the complicated reasons why the Harlowes prefer an alliance with Roger Solmes to one with Robert Lovelace, whose connections are likely to get Clarissa raised to the peerage.[8] The Harlowes' determination to marry her to a man who 'knows nothing but the value of estates and how to improve them' is the cause of Clarissa's suffering.[9] Her Aunt Hervey had thought that Clarissa and Lovelace were destined to become the 'finest couple in England' (i. 9), but it is not to be.

Solmes's father was Sir Oliver, recalling Oliver Cromwell, while Lovelace is named after England's most famous Cavalier poet. Richardson's later hero Sir Charles Grandison takes his family name from a leading seventeenth-century Royalist aristocrat and his first name from the Stuart kings.[10] The presence of a political subtext in the names of Richardson's characters was not lost on subsequent English novelists, including Jane Austen, as we shall see. Solmes, however, makes very few direct appearances and we are forced to reconstruct his mean and malicious nature from Clarissa's instinctive loathing. She finds him morally repugnant, just as her family's objections to Lovelace are invariably couched in moral terms. The civil war between the Harlowes and Lovelace begins with the so-called 'rencounter' in which hot-tempered James Harlowe draws his sword against his sister's suitor without provocation and without apology, apparently with the mistaken idea of defending his sister's honour. Jealous Arabella Harlowe is convinced that Lovelace is a 'roving' type, a rake with 'half a score [of] mistresses' (i. 11), and of course she is right. Their mother expostulates with Clarissa that 'a young creature of your virtuous and *pious* turn...cannot surely love a profligate' (i. 72), an assertion that Richardson's previous novel had disproved and that must seem absurd to romance readers everywhere.

Apart from his name, Lovelace is not given a political dynastic history of the kind that would become commonplace in English fiction one or two generations later. But there is no need for his Royalist antecedents to be specified, since he embodies the conception of absolute monarchy in his own person. He has no intention of going into Parliament, 'though nobody knows the interests of princes and courts better than he is said to do' (i. 50). He has learnt his manners at the French court, the model of absolute monarchy throughout Europe. As his fevered imagination turns his pursuit of Clarissa into a full-scale military campaign, he uses the terms 'king', 'emperor', 'tyrant', 'monarch', and 'conqueror' to describe himself, and models himself on Alexander, Hannibal, and Julius Caesar. After he has raped her he will be 'the greatest conqueror in the world', he thinks (ii. 250). His three passions, 'all imperial ones', are 'love, revenge, ambition, or a desire of conquest' (ii. 495). He is tireless in self-justifications and those who oppose his will are accused of rebellion, enmity, and high treason. At times his military vocabulary of love seems half-demented. Metaphors of world domination are used to justify a series of ultimately trivial pranks and escapades; his imperial ambitions become the excuse for a kind of permanent stag party. He represents a degenerate aristocracy whose hunger for power has been transmuted into a love of sport, with Clarissa as his quarry.

Lovelace's resort to physical violence to defend himself against James Harlowe is over almost before the novel has begun. Both here and in *Sir Charles Grandison* the Richardson hero demonstrates his physical prowess with occasional, highly effective, and very quickly stifled outbreaks of swordplay, but the hero's real game lies elsewhere. How serious, in the end, are Lovelace's crimes? The exaggerated rhetoric to which he is prone is easily turned against him, so that he can be viewed as a criminal psychopath and devil incarnate. One recent critic has described him as the 'archetypal enemy of society', which aligns him with the worst torturers and mass murderers of history.[11] It can, however, be said that his vampirish fastening onto Clarissa and the mental tortures he inflicts upon her are manifestations of a game that has gone wrong. He did not expect Clarissa and her family to resist him so fiercely, and his decision to drug and rape her since he cannot preside over a willing surrender is in fact a humiliating defeat. Beneath the mask of the Cavalier, Lovelace will stoop to anything rather than admit that his game is lost.

But for Lovelace as well as the Harlowes, patriarchy, or what Clarissa calls the 'prerogative of manhood' (i. 61), is more than a game. His will to dominate is confronted by her belief in sexual equality. Harriet Byron in *Sir Charles Grandison* protests to her abductor Sir Hargrave Pollexfen (a pale shadow of Lovelace) that she is a 'free person'.[12] Clarissa, too, demands the freedom which is her 'birthright as an English subject' (iii. 267). It is her fate, however, to be torn between the tyranny of her family and the tyranny of libertinism. Her civil rights and her rights within her own family should have been assured by the fact that she is an independent property owner, having been left a small estate by her grandfather. She owns a house that she is never allowed to occupy. Her financial independence has earned her the hatred of her brother and sister and her uncle Antony, despite the filial piety that has led her to place control of her estate in her father's hands. This voluntary renunciation of power marks the distance between Clarissa and Lovelace, and also between Clarissa and the rest of the Harlowes.

In volume one, Clarissa refuses to submit to her family's tyranny while insisting that she would be prepared to submit to an authority that is lawful. By definition, the Harlowes' determination to marry her off means that (in the Lockeian terms discussed in the previous chapter) she must have outgrown the period of nonage during which she owed unquestioning obedience to her parents. But her family defines her as a rebel and uses a rich vocabulary of terms such as 'opposition', 'defiance', 'sullenness', 'perverseness', 'obstinacy', and 'pervicacity' to condemn her resistance to an arranged marriage. Clarissa asserts her 'liberty of *refusal*' (i. 226), and resents all attempts to treat her as a 'child' or a 'slave'. 'My brother is not my sovereign', she asserts (i. 227), although she does acknowledge her father as legitimate sovereign. Mr Harlowe weakly delegates his authority to his other children, James and Arabella, but Clarissa refuses to accept such a delegated authority, complaining that her brother and sister are pursuing their own selfish interests and are not, therefore, entitled to obedience. During her month-long imprisonment at home (which takes up some 400 pages of Richardson's narrative) the novelist exercises extreme ingenuity in keeping Clarissa and her father physically apart, often with only a door between them. In this petty monarchy the headstrong and vindictive James takes on the role of day-to-day governor and prime minister, with communications flying back and forth via an endless series of deputies and intermediaries. Having failed to command her 'absolute obedience' (i. 36), Mr Harlowe eventually orders that 'the rebel' should be expelled from under his roof (i. 390). But she still refuses to define herself as a rebel, and it is James, not her father, whom she defies outright: 'If you govern everybody else, you shall not govern me,' she asserts (i. 381).

Clarissa tries for as long as she can to justify her behaviour as that of a loyal parliamentary opposition, attacking her father through his 'ministers' such as James.[13] Slowly we realize that she is more deeply involved in acts of rebellion than Pamela was. Although the novel is made up almost entirely of secret letters, nearly all her letters to Lovelace are edited out of the narrative. Were we allowed to see her perseverance in writing to him repeatedly once her family has forbidden it, we might take a different view of Clarissa, as Lovelace himself does. Her rebellion is inseparable from her pen, which 'roves' (i. 61) in ways that neither the reader nor her faithful correspondent Anna Howe are always privy to. Her elopement with Lovelace towards the end of volume one is, of course, voluntary despite Lovelace's trickery as to its likely consequences. Once she is with him, she can no longer be forced to marry Solmes. She has thought herself capable of loving her abductor, and only gradually comes to see their mutual incompatibility. Having rebelled against her family, she must now become what Lovelace calls a 'rebel to love' (ii. 328).

A contemporary reviewer called Lovelace 'the Cromwell of women'.[14] Once he has become what the language of gallantry calls Clarissa's 'protector', he has usurped Mr Harlowe's legitimate rule and may therefore be described as Cromwellian. His government of Clarissa is icily logical, being based on ruthless cunning and brute force rather than on headstrong but divinely sanctioned paternal rage. Lovelace's vindictive and illegal tyranny anticipates the 'reign of terror' theme in Godwin's *Caleb Williams* and in English Gothic fiction. Clarissa's path, by contrast, lies in passive submission to her abductor, as the theme of her rebellion gradually subsides. He is a demonic outlaw and 'fallen angel' (iii. 41), while she becomes less an apostle of self-determination than a Christian martyr. Lovelace and Clarissa stand at the head of all subsequent English novels—*Wuthering Heights*, *Tess of the d'Urbervilles*, and even *Frankenstein*—featuring a demonic and angelic pair of lovers whose conflict can only lead to mutual destruction. Clarissa alone, however, can turn death and defeat into a spiritual triumph.

In opposition to Lovelace's tyranny, Clarissa ceases to appear as the rebellious slave she had been at home and becomes, instead, both a queen and a saint. Lovelace compares her to Mary Queen of Scots at the mercy of Elizabeth I (iv. 31). Her 'renunciation' of Lovelace's passion is at once an act of imperious banishment and a Last Judgement sending him to damnation: ' "I renounce thee for ever, Lovelace! Abhorred of my soul! for ever I renounce thee! Seek thy fortunes wheresoever thou wilt!" ' (iii. 232). She renounces her father, too. When at the end she states that she is 'setting out with all diligence for my father's house' (iv. 157), the father she means to return to is God himself. Not only has she refused to allow Mr Harlowe to delegate his patriarchal authority to James, but she is no longer willing to recognize delegation from a heavenly to an earthly father. Clarissa's final 'coming of age', which is marked by her decision to devote herself to God alone, is the means of her victory over Lovelace, since the more she is beatified the more he is criminalized. Clarissa believes that his actions are 'really of a *capital nature*' (iii. 374) and merit hanging, though he will not be tried in a civil court. Dr Lewen tries to persuade her to testify against him, but she refuses on the grounds that a woman cannot get justice in a rape case (iv. 184–5, 189). This is why

Colonel Morden, her kinsman and eventual champion, is brought to the fore as Clarissa's life begins to ebb away. Lovelace and Morden are both aristocrats living by the code of honour. The former is 'one who knows how to defend his own cause as well as any man in England', while the latter, according to Mowbray who knows both of them, has 'a superiority which I know not how to allow to the best man in Europe' (iv. 226, 229). After Clarissa's death—and despite her posthumous instruction to Morden that duelling is both an 'insult upon magistracy and good government' and a 'usurpation of the Divine prerogative' (iv. 462)—the scene is set for Morden's challenge and the ensuing duel, which decorously takes place outside England. Lovelace expires gracefully with a compliment to his opponent: 'I fall by a man of honour' (iv. 529).

It is enormously gratifying for Richardson's unscrupulous Cavalier that he is allowed to perish by the aristocratic code, in a fight with a social equal rather than an upstart like James. But why should Colonel Morden have had to stake his life in somebody else's cause? Clarissa's final declaration to Morden is unexceptionable both in civil and religious terms—justice, she says, 'ought not to depend upon a private sword' (iv. 462)—and these were certainly Richardson's views. Yet, as a novelist, he must have realized that he could not possibly give Lovelace a fair trial in front of a British judge and jury. If Clarissa were still alive and virtually friendless, judge and jury would have been exposed to the various means of persuasion open to the defendant; but once she is dead, her evidence dies with her. And any verdict of legal acquittal would have amounted to an indictment of the whole governing class, which Richardson is clearly anxious to avoid. Every instance of aristocratic vice in his novels is matched by a parallel instance of virtue or virtuous potential. His resort in *Clarissa* to aristocratic trial by combat suggests that, however deep are the social divisions implied by the novel's plot, the ruling class is capable of applying its own remedies and that these can be reconciled with divine or providential justice. Colonel Morden's usurpation of the divine prerogative helps to assure us that there is such a prerogative, and that Clarissa's pious endurance of suffering will not, in the larger scheme of things, go unrewarded.[15]

Clarissa's Patience

Clarissa has been called 'the eighteenth century's ultimate example of a religious novel'.[16] After her abduction and rape, the heroine gradually

changes from a rebellious defender of her rights to a resigned and con-
templative victim, whose favourite reading is the Book of Job. 'Patience'
and 'comfort' (or 'comforter') are the keywords of the English novel's
allusions to Job. Richardson's readers may have been alerted to Job as
early as the opening sentence of *Pamela*, where the heroine tells her
parents that 'I have great trouble, and some comfort, to acquaint you
with'.[17] In *Clarissa* Lovelace is the Satan of the Job story, determined to
break down the virtue of an antagonist who like Job is 'perfect
and . . . upright', 'one that feareth God, and escheweth evil' (Job 1: 8). And
so long as Clarissa continues to express her opposition to him in terms of
rebellious impatience—'I have no patience, said she, to find myself a slave,
a prisoner, in this vile house' (iii. 267)—we know that her spiritual
development is still incomplete.

The Book of Job in eighteenth-century England was generally
acknowledged as the greatest and most ancient of poems.[18] Job's story
poses in the starkest terms the problems of divine justice (or injustice) and
the morality of rebellion against spiritual authority. Christian exegesis has
always struggled to reconcile the prose prologue and epilogue, regarded
by modern commentators as a folk tale, with the poetic core of the Book
of Job. That the book must have had at least two authors is a commonplace of biblical criticism. As one analyst has put it, 'The Job of the
poem is as bitterly in revolt as the Job of the tale is unquestioningly supine
and superlatively submissive. It is hard to imagine greater contrast.'[19]
Clarissa's meditations are all based on extracts from the poem, not the
surrounding folk tale, but the theological orthodoxy to which she adheres
sought a unified interpretation of the text in terms of submission and
patience rather than revolt. Nevertheless, in any reading of Job the
arguments of the 'Tempter' must be strong ones, and the challenge to
God's justice powerful and perplexing.

In the prologue in Heaven, God boasts of Job's virtue and steadfastness
and challenges Satan to undermine it if he can. When Satan has destroyed
his victim's possessions and killed his sons, God can still boast that Job
'holdeth fast his integrity' (2: 3). Satan is now permitted to attack Job's
person, sparing only his life, and so he is smitten with boils from head to
foot. At this point Job sits down 'among the ashes', while his wife exhorts
him to rebellion: 'Dost thou still retain thine integrity? Curse God, and
die' (2: 9). The comforters arrive and join Job in the ashpit, and after a
week of silent mourning their dialogue begins with Job 'cursing his day'.

Job at the beginning is a rich farmer and patriarch, master of a large
household, 'the greatest of all the men of the east' (1: 3). He is deposed

from his position of power, but finally restored. Because he never curses God in his heart, God accepts his repentance. Modern biblical scholarship acknowledges that there are two versions of the Hebrew God in the poem (Jahweh and Shaddai) whose words and behaviour are inconsistent, and, moreover, the poem seems to show that Job does in fact rebel; but in any case the divine experiment concludes with Job gaining a new family and another great estate, 'So the Lord blessed the latter end of Job more than his beginning' (42: 12). Two of the 'miserable comforters', Eliphaz and Bildad, argue that God will see that Job receives his just deserts in the long run, but Job rejects their assurances, since true religious faith cannot be based on the promise of earthly rewards. This is the doctrinal issue that gripped the eighteenth century. Belief in an 'unequal Providence' asserts that it is only in the afterlife that the manifest injustices and wrongs of this world can be righted. On earth, it is part of God's plan that the virtuous should suffer and the vicious should prosper.[20] An observer like Robinson Crusoe who marked down instances of 'providential justice' in earthly affairs would, therefore, be guilty of superstition rather than showing the abject humility demanded of Job.

At this point, the dominant view of eighteenth-century theologians contrasts sharply with the ethos of eighteenth-century fiction and drama, since in literature 'poetical justice' is normally dispensed at the moment of narrative denouement rather than being reserved for a future state. Richardson's novels show the full force of the tension between earthly and heavenly justice. In *Pamela* the heroine's prudence leads to an out-come celebrated in the novel's title as *Virtue Rewarded*, whereas the final volume of *Clarissa* turns into a prolonged elegy for a heroine deprived of any possibility of earthly reward.[21]

Richardson carefully manipulates the plot to keep Clarissa in solitary confinement, perpetually separated from her correspondent Miss Howe.[22] We are told that her Bible opens naturally at the Book of Job. In her will she orders a funeral sermon to be preached on a text from Job, and another text from the same book, along with two from the Psalms, is engraved on her coffin. Before this, as her bodily presence fades, the biblical texts begin to take the place of the reams of epistolary narrative she has earlier generated. A series of 'meditations', almost all of them taken from the words of her 'admired exclaimer' (iii. 578), fill up the space of her letters. Readers' interest in these meditations was so great that Richardson subsequently extracted them from the novel, added to them, and published them sepa-rately as *Meditations Collected from the Sacred Books* (1750).[23] The fact that Clarissa's meditations begin with Job's curses—so that Lovelace sees

her preoccupation with Job as an 'incitement to excessive complaints'—
must be reconciled with her use of the biblical story to help her to achieve
spiritual restoration and eventual triumph.[24]

Richardson's friend William Warburton, one of the principal eighteenth-
century Job commentators, both acknowledged that Clarissa's situation
was analogous to Job's and regarded the Job story itself as a national
allegory of the plight of the Jews in Babylonian captivity.[25] For a century
which regarded Job as the type of 'true Christian fortitude and faith
in adversity',[26] there were clearly temptations to apply the Job story to
episodes in English history. Charles I had compared himself to Job, as well
as to Samson and other biblical heroes;[27] Bunyan had invoked the Job story
in *Grace Abounding* and *The Holy War*; and it could evidently be applied
to the plight of English Puritanism after the collapse of the Commonwealth.
It is as if Job's suffering became an index of national self-pity and victimization among the English. The ideology of the Protestant nation was
confirmed by the fact that Job's enemy, against whom he eventually
triumphed, was Satan himself. Innumerable English novels before and
after *Clarissa* allude to Job's distress and final vindication, while being
content to repeat the biblical story's self-contradictions.[28]

The narrative elements common to these fictional versions of Job are,
first, the role either of Satan in subjecting the protagonist to excessive and
unreasonable punishments, or of a hidden God who permits the punishment but finally intervenes on the side of the protagonist; and, second,
the humiliations, including the loss of family, friends, and property,
to which the protagonist is subjected. Among the eighteenth-century
fictional characters unjustly or unluckily imprisoned are Fielding's
Mr Wilson (in *Joseph Andrews*), Heartfree (in *Jonathan Wild*), and Billy
Booth (in *Amelia*), as well as Tom Jones; Smollett's Roderick Random,
Peregrine Pickle, and Humphry Clinker; Goldsmith's Vicar of Wakefield;
Radcliffe's Emily St Aubert; Charlotte Smith's Marchmont; Godwin's
Caleb Williams; and Mary Raymond, the heroine of Mary Hays's *The
Victim of Prejudice* (1799). (Admittedly, not all of these protagonists
submit to their imprisonment with the proverbial Jobian fortitude.)
Robinson Crusoe sees his uninhabited island as a prison. The prison
became an inescapable port of call in the eighteenth-century novel partly
because, in the words of Moll Flanders (who was born in Newgate, and
who—inevitably though not, of course, innocently—finds her way back
there), it is an 'emblem of hell itself, and a kind of entrance into it'.[29]
Time and again, the protagonist is an accidental or arbitrary victim to be
rescued from the jaws of hell after coming into Satan's clutches.

From *Amelia* to *The Wrongs of Woman*: The Suffering Heroine and the Suffering Nation

Sir Richard Blackmore commented in 1716 on the 'Air of Contrivance' by which the Book of Job manages 'to sink a Man so suddenly from the most prosperous Condition, and to lay him under such grievous Sufferings and the very Extremity of Misery, and by a no less sudden and surprizing Revolution, in so short a space of time, to make him again the most happy Man in the World'.[30] Whether contrived or not, Blackmore had hit on the favourite fictional plot of the later eighteenth century, and one that has left a permanent impress on later English novelists. After *Clarissa* it soon became evident that the same basic plot could serve for domestic romance or Gothic melodrama, for a social-problem novel verging on political rebellion, or for a humorous pastoral. All that was certain, in the 'Age of Sensibility', was that tears would be shed during the narration by the bucketful, and that more tears—often, but not always, tears of joy—would be provoked by the sudden denouement.

Introducing the theme of his last novel *Amelia* (1753), Henry Fielding says of its protagonists that 'The distresses which they waded through were some of them so exquisite, and the incidents which produced these so extraordinary, that they seemed to require not only the utmost malice, but the utmost invention, which superstition hath ever attributed to Fortune'.[31] This is the formula for the novel of suffering. For a novelist close to Richardson in moral outlook, such a tale would teach the virtues of humility and submission to a higher power; but the same plot could be used to awaken discontent and inspire rebellion against what were seen as human and social, rather than divine, causes. *Amelia*, which has a foot in both camps, belongs halfway between the extremes marked by *Clarissa* and the feminist Jacobin novel such as Mary Wollstonecraft's *The Wrongs of Woman* (1798).

One of the earliest novels after *Clarissa* to draw its moral directly from the Book of Job was *The Adventures of David Simple* (1753) by Fielding's sister Sarah, a member of Richardson's circle. The first two volumes of *David Simple* are a kind of Pilgrim's Progress in which the hero goes to the metropolis to enquire into the 'Characters of Men', and, after numerous encounters, settles down with an idyllic group of friends. Volume three, however, is a Job story in which David, swindled out of his money by a Chancery suit, loses his family and companions and sinks into penury. Had he been an 'Infidel', we are told, 'He would have raved to

Madness, or wept himself to Death', but as a good Protestant he submits patiently, 'like *Job* ... to the temporary sufferings allotted him'.[32] Eventually a rich patron comes on the scene, too late to help David but in time, at least, to rescue his orphaned daughter.

Another novel of this kind, dedicated to the 'Author of Clarissa and Sir Charles Grandison', was Frances Sheridan's *Memoirs of Miss Sidney Bidulph* (1761), which went through numerous editions and was translated into French and German. Once again, the multiply unfortunate Miss Bidulph is summed up by her faithful friend Cecilia as a paragon of meek and submissive womanhood: 'Her natural disposition ever sweet and complying, was improved by her sufferings into a patience very rare in woman; and a resignation imbibed at first from a rigid education, was heightened by religion into an almost saint-like meekness and humility.'[33] Miss Bidulph, however, is more interesting, and her story more sensational, than this recital of Puritan virtues might suggest. The novel is one of adulterous passion culminating in bigamous marriage; the heroine, guilty in the eyes of the world, is nevertheless entirely innocent, though her innocence looks remarkably like guilt. There are grounds for suspecting Sidney Bidulph of a full-blown Puritan hypocrisy. Just a few pages before Cecilia delivers her final encomium on her friend's unblemished character, we find Sidney exclaiming against her fate in a very Job-like way: ' "Cecilia! have I been a murmurer at the decrees of providence? have I been an impious repiner when heaven has poured down its wrath upon my head? if not, why am I marked out for divine vengeance?" '(420). The novel's dedication to Richardson in 1761 (the year of his death) seems a species of opportunism, since it is unlikely that the fastidious author of *Clarissa* would have appreciated such a blatant demonstration of how to be a murmurer while claiming not to murmur. Sheridan's readers were surely meant to ask, why did God not do more to protect the innocent? And why was there so much female suffering in the world?

The same questions are addressed—not always very satisfactorily—in *Amelia*, Henry Fielding's least popular and least understood novel. Far from being the mature masterpiece that might have been expected of the author of *Tom Jones*, this is an obscure and transitional work which holds an intriguing place among the eighteenth-century rewritings of Job. Amelia's misfortunes begin in her youth, when a carriage accident leaves her with a badly broken nose—a rather grotesque fate to befall a beautiful heroine. The name of the biblical patriarch appears only once in the novel, in a reference to 'the patience of any Job in petticoats' (ii. 378), though Fielding frequently resorts to the language of patience and comfort.

Amelia suffers greatly as a result of the weakness and foolishness of her husband, Billy Booth, who finally becomes a Christian penitent; at the same time, the couple are the more or less helpless victims of legal injustice, jobbery, corruption, and a vicious and brutal aristocracy. Fielding's Dedication puts forward *Amelia* as a social-problem novel, perhaps the first in English literature, setting out to 'expose some of the most glaring evils, as well public as private, which at present infest the country'.[34] The novel begins with Booth being sent to prison (where he meets, and takes up with, a former mistress) on a trumped-up charge of assault. But Booth at the time of his arrest is already a fugitive confined within the 'verge of the court' (the area around Whitehall under the jurisdiction of the Lord High Steward) to avoid imprisonment for debt. He spends most of the novel in confinement of one sort or another.

Booth and Amelia have a somewhat fickle patron and protector, Dr Harrison, whose role resembles that of God in the Job story. Harrison, a clergyman, may be named after the regicide Thomas Harrison, since he holds that Oliver Cromwell 'carried the reputation of England higher than it ever was at any other time' (ii. 511). He embodies the Puritan virtues of piety, prudence, financial probity, and personal rectitude, while Booth, whose name suggests Sir George Booth, the Presbyterian turned Royalist general who assisted at the Restoration, is a down-at-heel Cavalier. When Booth first marries Amelia, Harrison helps him to set up as a farmer, but loses patience when he hears the follies that cause Booth to be nicknamed the 'Squire Farmer'. Booth becomes an army officer, is retired on half pay, and comes under the influence of unscrupulous comrades who lend him money that he cannot repay. Finally another false comforter persuades him to lay out his last fifty pounds in a bribe to a politician who 'received the money, not as a gudgeon doth a bait, but as a pike receives a poor gudgeon into his maw' (ii. 526). At this time Dr Harrison, whom Booth has described as ' "Of all mankind . . . the best of comforters" ' (i. 95), is absent abroad. When he comes back, he provokes the novel's crisis by having Booth rearrested for debt, causing even the loyal and passive Amelia to rebel. ' "Dr Harrison!" ' she exclaims when she finds out the identity of her husband's accuser, ' "Well, then, there is an end of all goodness in the world" ' (ii. 337). She has ' "no comfort, no hope, no friend left" ' (ii. 378). Later she denounces Booth as a 'wicked man' in front of her children and laments aloud, ' "Why did I bring these little wretches into the world?" ' (ii. 544). But by this time Harrison's benevolence and good intentions have been vindicated, and he and Booth are working together to secure the estate of which she has been unfairly disinherited. When, in fury, she abandons her children and drives to a magistrate's house only to find Booth and Harrison dining together in triumph, she is judged too confused and distraught to be told their good news at once. But soon they are complimenting her on her heroism while she readily accepts that she has passed her ordeal in the true Christian spirit: ' "If it had pleased Heaven . . . to have tried me, I think, at least I hope, I should have preserved my humility" ' (ii. 587). For much of *Amelia* Fielding's sense of humour seems to have deserted him, but the novel ends with what seems a sly joke at the expense of his Job-like heroine. Finally we are assured that Booth and his long-suffering wife will leave for the countryside to produce more children and live happily ever after, since 'Fortune seems to have made them large amends for the tricks she had played them in their youth' (ii. 593).

Shortly before this, Harrison has announced to Booth that ' "Your sufferings are all at an end, and Providence hath done you the justice at last which it will, one day or other, render to all men" ' (ii. 581). There is an air of temporizing, not to say outright casuistry, about Fielding's narrative interventions devoted to 'Fortune' and 'Providence' in *Amelia*. To what extent should a benefactor such as Harrison be expected to shoulder the burden of Providence? Booth somewhat implausibly takes advatage of his imprisonment in the bailiff's house to become a sincere Christian, studying the sermons of the seventeenth-century Royalist Isaac Barrow, which teach him to revere Harrison's benevolence and Amelia's self-sacrificing love.[35] His religious conversion makes him a fit object of Harrison's charity and the justice of Providence, a conclusion that suggests that coming to the aid of Booth and his family was a matter of less urgency while he remained a religious reprobate.

The other side of *Amelia*, barely compatible with its presentation as a religiously orthodox Job story, is Fielding's bitter onslaught on the ruling Whig aristocracy. The novel contains not just frequent references to the divinity ('Our Lord'), but no less than four peers who are not named but referred to as 'my lord'. One of these is the petty seducer, riddled with venereal disease, who attacks Amelia's chastity; the last that we hear of him is that he has 'become so rotten that he stunk above-ground' (ii. 592). Another is the nobleman whom Harrison approaches, in a chapter called 'Matters Political', to secure Booth's preferment in the army. 'My lord' is thoroughly amenable so long as Harrison promises, as a quid pro quo, to vote for his nominee in a local election. This attempted bargain, comparable (it might be suggested) to the position of a God who would only see earthly justice done for the devout, is angrily rejected by Harrison,

who delivers a long diatribe on political corruption. The lord complacently agrees that England is ' "as corrupt a nation as ever existed under
the sun" ' (ii. 509). Harrison's professions of high principle are, he says,
' "all mere Utopia... the chimerical system of Plato's commonwealth,
with which we amused ourselves at the university" ' (ii. 509). Harrison
laments that ' "The people sink into sloth and luxury and prostitution" '
(ii. 510), a heartfelt complaint for which the novel suggests no remedy
apart from the Christian virtues.[36] Fielding in some parts of *Amelia* voices
the hatred and suspicion of the eighteenth-century Whig oligarchy that we
shall later find in Godwin, Disraeli, and even Jane Austen. But Amelia, a
heroine who 'has great moral rectitude but little moral force',[37] cannot be
taken as an embodiment of England suffering under a corrupt regime,
whatever her individual virtues. The novel's greatest defect is that her
sufferings leave most readers cold.

One of the very few eighteenth-century repudiations of the book of
Job is to be found in a short tale and an unfinished novel by Mary
Wollstonecraft. In *Mary* (1788), Wollstonecraft undertook to display
'the mind of a woman, who has thinking powers', as opposed to such
heroines as Clarissa, Harriet Byron (in *Sir Charles Grandison*), and
Sophia Western.[38] *The Wrongs of Woman* begins with a preface recommending the 'delineation of finer sensations', as opposed to 'What are
termed great misfortunes, [which] may more forcefully impress the mind
of common readers' (74). Nevertheless, these are both tales of extreme
suffering. Mary is destined to experience 'almost every species of sorrow'
(17), while Maria in *The Wrongs of Woman* is lost in 'mazes of misery'
(92) and confined in a madhouse where, as she reflects, 'Was not the world
a vast prison, and women born slaves?' (79). Maria like Clarissa has
grown up in a cruel patriarchal family where her eldest brother acted as
'deputy-tyrant' (125). Her marriage is a trap in which she believes herself
to be 'caged for life' (144), and she escapes from the madhouse only to
suffer the loss of her baby and to be tried and found guilty of adultery.
Maria's indignation is directed not merely against her vicious husband
but against 'the laws of her country—if women have a country—[which]
afford her no protection or redress from her oppressor, unless she have
the plea of bodily fear' (159). In other words, to achieve redress she would
have to be able to prove an allegation of rape; but her husband is too
cunning for that, and has had her locked up on suspicion of insanity since
she is not meek and submissive like the standard eighteenth-century
heroine. Maria's imprisonment expresses the full power and logic of
social oppression, and her embodiment of female suffering is an index of

women's enslavement. In her passionate indignation she tries to speak for women everywhere, and, far from being a figure of national allegory, she implies that women are social and legal outcasts and, therefore, stateless. But Wollstonecraft's fiction was destined for nearly two centuries of neglect until rescued by late twentieth-century feminists, while the eighteenth century's experience of female suffering was handed down to succeeding generations in fiction of a very different kind. The suffering heroine never quite became the embodiment of a suffering nation.

From Gothic Victim to Golden Ass

Where the London of Fielding's *Amelia* is painstakingly realistic, the madhouse in *The Wrongs of Woman* is an altogether more Gothic setting, a 'huge pile of buildings', half in ruins, in which Maria contemplates the 'most terrific of ruins—that of a human soul' (77, 83). Landscape is a projection of psychic experience just as in the Gothic fiction exemplified by Radcliffe's *Mysteries of Udolpho*, where the bleak wildernesses of the Pyrenees and Apennines become a backdrop for the heroine's torments. Characteristically, Gothic novels take place in a vague and unspecified past and outside England. Horace Walpole's *The Castle of Otranto* (1764) is set in the time of the Crusades, while *The Mysteries of Udolpho* opens in the year 1584. Female virtue, in such settings, is at the mercy of ruthless medieval barons living in elaborate fortresses. Matthew Lewis's *The Monk* (1796) portrays the Spanish Inquisition, with Lucifer himself as one of the characters. The ideological gulf between Protestant and Catholic Europe had been explored much more even-handedly in Richardson's *Sir Charles Grandison*, with its highly sympathetic portrayal of an Italian Catholic nobility which Grandison, the ideal English gentleman, finds deeply attractive—though not so attractive as to be worth the sacrifice of his Protestant faith. For Richardson, England is superior to Italy not only as a Protestant stronghold but as the home of the female equality personified by Grandison's outspoken sister Charlotte. It is Charlotte who exclaims, 'How could Sir Charles, so thorough an Englishman, have been happy with an Italian wife?' (iii. 263). From her perspective Grandison's Italian lover, the long-suffering and chaste Clementina, appears slavish in her filial obedience and religious devotion. When Charlotte initiates a discussion of 'Man's usurpation and woman's natural independency', Sir Charles tactfully interrupts her with a patriotic effusion: 'O my Charlotte, said he, how I love my country! ENGLAND is the *only* spot in the world, in which this argument *can* be properly debated!' (iii. 242). The argument about female independence is a secondary matter; what is primary is the warm glow created by England's superiority. In the Gothic novel, English superiority is taken for granted and the supposed corruption, cruelty, and immorality of Catholic Europe provide lurid and thrilling entertainment. Radcliffe's and Lewis's sagas involving perverted monks and mad or debauched nuns offered their readers a satisfying definition of what could not happen in the Protestant homeland.

If the social-problem novel modelled on the Book of Job has a protagonist forcibly detained in the grim metropolis, while Gothic melodrama is usually set in an exotic southern Europe, the novel as humorous pastoral ought to begin and end in a lush English countryside. There was ample suffering in ordinary rural England, though it is recorded by late eighteenth-century poets (particularly George Crabbe) rather than in English fiction. A partial exception might be made for Oliver Goldsmith, the poet of *The Deserted Village* (1770) and author of a single classic novel, *The Vicar of Wakefield* published four years earlier. *The Vicar of Wakefield* is yet another rewriting of the Book of Job, though it also suggests another ancient literary model of the tale of suffering involving sudden and violent changes of fortune, *The Transformations of Lucius, otherwise known as the Golden Ass* by the second-century Latin writer Apuleius. In *The Golden Ass* Lord Lucius, led astray by his love for a slave girl and his interest in the black arts, is changed into a donkey and shown the underside of society through a series of horrifying but highly entertaining ordeals. Finally he prays to the Moon-Goddess and is released from his misery to become a rich and famous lawyer. Lucius looks back on his adventures as a donkey with considerable complacency, since, as he says, they have enormously enlarged his experience.[39]

In English fiction Defoe had pioneered the male adventure story with a moral loosely tacked on from the Book of Job. Goldsmith's great innovation was to centre his fiction on a clergyman and man of God who would naturally echo the Jobian sentiments, yet whose pious reflections were consistently subjected to gentle mockery. Beginning in a state of patriarchal complacency where he is 'happier ... than the greatest monarchs upon earth', Dr Primrose suffers calamitous misfortunes with what might seem undaunted good spirits.[40] He shares Job's human fallibility, but his impetuous outbursts are soon stilled either as a result of his angelic temperament, his Panglossian quality as a retrospective narrator, or sheer obstinacy. He loses his fortune, his house burns down, his daughters are abducted and apparently ravished, his son is arrested, and he is evicted by his landlord and imprisoned for debt, until finally he is lifted out of adversity by a mysterious benefactor. Goldsmith mocks the readers as well as the writers of novels, burlesquing some of Richardson's most familiar scenes and reminding us, for example, that 'every reader, however beggarly himself, is fond of high-lived dialogues, with anecdotes of Lords, Ladies, and Knights of the Garter' (56).

The avatars of God and Satan in this version of the Job story are two all-powerful rural landlords, the baronet Sir William Thornhill and his villainous nephew Squire Thornhill. Sir William, 'one of the most generous yet whimsical men in the kingdom' (15), goes in disguise as the 'poor Gentleman' Mr Burchell. He becomes the Primrose family's bosom friend, entertaining them with ballads and old folk tales, until Primrose's wife and daughters conclude that he is a 'low-lived fellow' (69) and turn him away. Squire Thornhill takes Burchell's place in their home, posing 'in the character of Alexander the Great' (85)—a probable allusion to Lovelace—in a pompous portrait of the Primrose family in fancy dress. Soon afterwards, Olivia Primrose is abducted by two gentlemen in a post-chaise, and, recalling Clarissa, is later reported to have died of grief. Mr Burchell valiantly rescues Primrose's other daughter Sophia from a second forcible abduction in a post-chaise, coming to the rescue much as Sir Charles Grandison saved Harriet Byron. When Dr Primrose hears of Olivia's disappearance he turns to Job-like complaints, but is instantly rebuked by his son Moses: ' "You should be my mother's comforter, and you increase her pain" ' (97). Later when he learns of Sophia's abduction and his son George's arrest, Primrose again breaks into curses and lamentations, and this time it is George who warns him not to 'fling those curses upward that must soon descend to crush thy own grey head with destruction!' (186). But Primrose has not forgotten his holy calling. When fifty of his poor parishioners band together to save him from eviction, he quells their show of force with a stern lecture and meekly goes off to prison. Here, where all is 'riot, laughter, and profaneness' (161), he preaches a sermon from his sickbed bidding his listeners to take comfort from the heavenly consolations promised for the poor and unfortunate. Mr Burchell (Sir William Thornhill) now reveals himself as a 'disguised spectator of [Primrose's] benevolence' (199). Returning like the disguised Duke in Shakespeare's *Measure for Measure*, he reveals that he has watched everything that has happened and then dispenses justice to all the protagonists. The conclusion, while modelled on stage comedy, is also a parody or pastiche of divine judgement.

The Primrose family has a Royalist pedigree, as we saw in Chapter Four.[41] In a rather comical political discourse delivered on the road, Dr Primrose describes himself as both Leveller and monarchist: ' "I would have all men kings! I would be a king myself" ' (106). Sir William Thornhill's return and the defeat of his usurping nephew not only repeats God's role in the Job story but serves as a restoration of the absolute authority invested in the just landlord. He judges his nephew to be 'as complete a villain as ever disgraced humanity' (208), yet they remain on cordial terms, like God and Satan in the Book of Job. The outcome of Sir William's high-handed manoeuvres is that Olivia and Sophia are both happily and advantageously married and that Sir William's nephew is now also his brother-in-law.

Sir William, then, exemplifies the capriciousness of the benefactor 'whose greatest pleasure was in doing good' (216). Primrose's last words are that 'It now remained, that my gratitude in good fortune should exceed my former submission in adversity' (222). The submissive humility exemplified by the story of Job is also an abject feeling of gratitude towards his human benefactor and the arbitrary power he has exercised. Among those whom Primrose must thank are Mr Jenkinson, apparently one of Sir William Thornhill's agents, who swindled Primrose and his son while he thought they were rich, but later befriended the Vicar and shared his bedding with him in prison. In terms of the Job story which is central to *The Vicar of Wakefield*, Dr Primrose has learned patience, meekness, and acceptance of apparent injustice, while his incipient rebellion has been suppressed and turned into its opposite.[42] But there are more subversive energies at work in this apparently counter-revolutionary pastoral tale, and in English eighteenth-century fiction more generally. These may be summed up in the figure of Jenkinson, the former horse dealer, fairground prankster, and benefactor to the poor and deserving. The title *The Vicar of Wakefield* apparently alludes to the ballad of 'Robin Hood and the Pinder of Wakefield', and not merely Jenkinson but Sir William Thornhill himself, in his double role as 'poor gentleman' and rich absentee landlord, have been seen as representing the legendary outlaw.[43]

The Benevolent Robber: From Fielding to the 1790s

At the beginning of *Tom Jones* Fielding presents Squire Allworthy in his glory, 'a human being replete with benevolence, meditating in what manner he might render himself most acceptable to his Creator, by doing most good to his creatures'.[1] The eighteenth century saw submission as the duty of the weak, and benevolence as the duty of the powerful and wealthy. Lord Shaftesbury in his *Characteristics* (1711) argued that human virtue was derived from the 'natural and good affections', following the example set by a loving and benevolent deity.[2] But benevolence has its dark side, as Bernard Mandeville pointed out in *The Fable of the Bees* (1714). For Mandeville, the 'disinterested' virtue that Shaftesbury idealized was an invitation to hypocrisy and a mask for pride. The dispute between Shaftesbury and Mandeville forms a background to the comedy of *Tom Jones*, since Allworthy's firm belief in Christian benevolence is contested on theological grounds by his brother-in-law Captain Blifil, the father of Tom's rival as Allworthy's heir. Blifil finds little to praise in acts of charity, even when they give pleasure to the benefactor, since we are 'liable to be imposed upon, and to confer our choicest favours often on the undeserving' (101). Whether or not Allworthy's benevolence is a mask for pride, it certainly proves an open invitation to the hypocrisy of the Blifils, father and son.

Shaftesbury's *Characteristics* represents a crucial moment in the emergence of the idea of the English gentleman, or, as he put it, the 'man of thorough good breeding' who is 'incapable of doing a rude or brutal action' (86). Shaftesbury was both a Whig and the grandson of a leading Royalist statesman, and his doctrine of natural goodness is arguably the old Cavalier ideal, sublimated and sanitized. He believed that '*Gravity* is of the very essence of imposture' and that the weapons of the gentleman are wit and raillery rather than the old Puritanical 'mill-stones' of pedantry and bigotry (10, 48). Social privilege, or what he calls the 'liberty of *the club*', should lead to freedom from prejudice and liberality of outlook: 'It belongs to men of slavish principles to affect a superiority over the vulgar, and to despise the multitude' (53). Shaftesbury's commitment to innate good breeding and mutual goodwill is fundamentally opposed by the conservative pessimism of Mandeville and, before him, Thomas Hobbes. For Hobbes we are all, in a sense, would-be criminals.

In Hobbes's *Leviathan*, as we saw in Chapter 2, the doctrine of human selfishness rests on the conception of a state of nature, coming before the institution of the social contract, in which justice has no place and life is a war of all against all. What every individual demands from life is the satisfaction of desires which are, in fact, insatiable, 'a perpetuall and restlesse desire of Power after power, that ceaseth onely in Death'.[3] Outside the social contract, robbery is a natural and justifiable means of satisfying one's desires—a point that Hobbes repeatedly makes—since 'where there is no Common-wealth, there is no Propriety; all men having Right to all things' (202). The institution of state power has necessarily brought an end to the licensed brigandage of feudal clans and robber barons, but still, according to Hobbes, it is a greater crime to rob a poor man than to rob a rich one (352). He must have known that English criminal justice, buttressed by the property qualification for jury service, took precisely the opposite view.[4]

For Hobbes and Mandeville, benevolence and robbery, giving and taking away, are not simple opposites. These writers are sceptical of the moral virtue of generosity and, in Mandeville's case, convinced of the social benefits of crime. Hobbes considers benevolence as a relationship between a giver and a receiver, which is as likely to end in hypocrisy and resentment as in gratitude and mutual love:

To have received from one, to whom we think our selves equall, greater benefits than there is hope to Requite, disposeth to counterfeit love; but really secret hatred; and puts a man into the estate of a desperate debtor, that in declining the sight of his creditor, tacitly wishes him there, where he might never see him more. For benefits oblige; and obligation is thraldome; and unrequitable obligation, perpetuall thraldome; which is to ones equall, hateful. But to have receivd benefit from one, whom we acknowledge for our superiour, enclines to love ... Also to receive benefits, though from an equall, or inferiour, as long as there is hope of requitall, disposeth to love: (162–3)

To Hobbes's moral calculus Mandeville cynically adds that, in economic terms, fair exchange and robbery have very similar effects, being equally productive of prosperity and trade. Hobbes had observed that money circulates around the Commonwealth with the same nourishing effect as the circulation of blood in the body, and that monopolies and the hoarding of wealth were a 'Disease' akin to physical inflammation or pleurisy (300, 374). Mandeville praises riotous sons and spendthrift heirs for 'refunding to the public what was robbed from it'. The whole nation stands to benefit when a miser is robbed:

A highwayman having met with a considerable booty, gives a poor common harlot he fancies, ten pounds to new rig her from top to toe . . . She must have shoes and stockings, gloves, the stay and mantomaker, the sempstress, the linen-draper, all must get something by her, and a hundred different tradesmen dependent on those she laid her money out with, may touch part of it before a month is at an end. The generous gentleman, in the mean time, his money being near spent, ventured again on the road, but the second day having committed a robbery near *Highgate*, he was taken with one of his accomplices, and the next Sessions both were condemned, and suffered the law. The money due on their conviction fell to three country fellows, on whom it was admirably well bestowed.[5]

Here the harlot is the first of the hundred different tradespeople to benefit from the highwayman's generosity, while the 'three country fellows' (whose circumstances Mandeville proceeds to describe) also receive a handsome reward. Mandeville's passage is not unlike one of Defoe's novels, reminding us how the novel itself, with its fluctuations of fortune, reproduces the tonic effects of circulation within the social body.

Mandeville's casual allusion to his highwayman as 'the generous gentleman' suggests the extent to which highway robbers, in the early eighteenth century, had inherited some of the glamour of the Cavalier blade and Restoration rake. The highwayman is naturally gallant towards the opposite sex, even if the object of his fancy is only a 'poor common harlot'. *The Fable of the Bees* was contemporaneous with the first edition of Captain Alexander Smith's *Complete History of the Lives and Robberies of the Most Notorious Highwaymen*, a classic compilation of criminal biographies (once wrongly attributed to Defoe) which went through several editions in the next few years. The popularity of the highwayman as a subject for criminal biography reflects the 'gentleman of the road's' position as an emblem of national character. The legendary English highwayman, in his temporary position of power over his victims, chooses to exercise that power benevolently, unlike the robbers and thugs bred by continental absolutism. Defoe's Cavalier reports that 'the Highway-Men in *France* do not always give a Traveller the Civility of bidding him Stand and Deliver his Money, but frequently Fire upon him first, and then take his Money'.[6] Oliver Goldsmith spent his first twenty-five years in Ireland, and presumably had some experience of Irish 'Tories' or bandits. Here is his Chinese philosopher, in *A Citizen of the World*, on the genteel English highwayman:

But the greatest eulogy of this people is the generosity of their miscreants, the tenderness in general of their robbers and highwaymen. Perhaps no people can produce instances of the same kind, where the desperate mix pity with injustice; still shew that they understand a distinction in crimes, and even, in acts of violence, have still some tincture of remaining virtue. In every other country robbery and murder go almost together, here it seldom happens upon ill-judged resistance or pursuit. The banditti of other countries are unmerciful to a supreme degree, the highwayman and robber here are generous at least to the public, and pretend even to virtues in their intercourse among each other.[7]

The murderousness of Italian and French *banditti* was highlighted in Richardson's *Sir Charles Grandison*. Sir Charles's pre-eminence as an English gentleman is partly based on amazing acts of physical prowess, overcoming armed (and mostly continental) opponents without drawing his weapon.[8] The genteel highwayman and the gentleman as super-highwayman are negative and positive versions of the same image. We may never know how far the behaviour and self-image of actual criminals was influenced by the extraordinary glamour that came to be attached to English highwaymanship.

The moral effect of the literary representation of crime was hotly debated after the success of John Gay's *The Beggar's Opera* (1728), when young men, it was alleged, were rushing to imitate the robber-hero Captain Macheath.[9] Virtually every canonical novel of the eighteenth century after Fielding's *Joseph Andrews* (1742) includes episodes of actual or pretended highway robbery, and the line separating fiction and criminal biography is not always easy to draw.[10] The highwayman's destiny of imprisonment, often in Newgate, followed by a public hanging also figures largely in the fiction of the period. One of the functions of the 'benefactor' plot in novels such as *Tom Jones*, *Amelia*, *Humphry Clinker*, and *The Vicar of Wakefield* is to provide a convenient means of rescuing the innocent protagonist from the jail to which the law has unjustly confined him.

Fielding's Highwaymen

Introducing his collection of highwaymen's lives in 1734, Captain Smith's successor Captain Charles Johnson asserted that a 'universal History of Robbers' would be little less than a 'general History of all Nations'.

Caesar, Alexander the Great, and the founders of all monarchies were notorious plunderers, and even in Great Britain, 'where Property is better secur'd than anywhere else in the Universe', robbery was endemic—but only the *'little Villains'* tended to get caught.[11] A very similar message is conveyed in *The Beggar's Opera*, and later in Fielding's *Jonathan Wild* (1743). In Gay's drama one of Macheath's gang speaks of the avaricious rich as the 'robbers of mankind', whose 'superfluities' it is the 'free-hearted and generous' highwayman's task to retrench. The 'gentleman of the road' whom the 'fine gentlemen' imitate, and vice versa,[12] is, however, only one of several contemporary versions of the highwayman figure in fiction and criminal biography. The robbers' gallery in Fielding's novels provides a much more varied and realistic picture of the eighteenth-century criminal fraternity. Fielding, after all, was an experienced and influential magistrate whose non-fictional writings include *An Enquiry into the Causes of the Late Increase of Robbers* (1751), designed to 'rouse the CIVIL Power from its present lethargic state'. In a single week in 1750, Fielding was reported to have sent nearly forty highwaymen and street robbers to prison.[13]

The causes of the perceived increase in highway robbery in the period 1600–1750 include the expansion of overland trade and commerce within Great Britain, the poor state of the nation's roads, the lack of a provincial banking system which meant that merchants and tradesmen had to carry their wealth around with them, and the displacement of the population by civil and foreign wars.[14] After 1750 there was much less need for money to be transferred physically from place to place. In the later eighteenth century not only were Fielding's fears for the safety of travellers in and to the metropolis unfulfilled, but forgers rather than robbers became the most celebrated contemporary criminals. By then, however, the glamour of the masked and mounted highwayman had become a seemingly permanent part of popular culture. The nostalgic romance of high-waymanship reached its culmination in the 'Newgate novels' of the 1830s, against which Dickens was to react in *Oliver Twist*. Dick Turpin, hanged in 1739, is the hero of Harrison Ainsworth's *Rookwood* (1834), while the protagonist of Bulwer-Lytton's *Paul Clifford* (1830) is first seen as a boy reading Turpin's life and adventures. In reality, the majority of highway robberies were committed by gangs of footpads[15]—a prosaic detail that had little impact on the legends although it is faithfully reflected in *Joseph Andrews*.

Fielding's first novel begins as a satire in which the supposed brother of Richardson's Pamela Andrews virtuously rejects the amorous advances of his employer Lady Booby and her maid Mrs Slipslop. Dismissed from their service in London, Joseph is returning to his family in Somerset when, walking alone down a dark, narrow lane (not the traditional open heath), he is robbed, beaten, stripped of his clothing, and left for dead by a gang of ruffians. As an unemployed servant Joseph is barely worthy of the thieves' notice, yet he insists on fighting them although they are armed with pistols and clubs. The episode is one of violent initiation comparable to the physical force and threats of rape that Pamela had to undergo. The robbers manage to relieve Joseph of the gold keepsake given to him by his sweetheart Fanny, something that Lady Booby and Mrs Slipslop have notably failed to do. Joseph's eventual rescue by a postilion leads to a second hold-up as the highwaymen rob the stagecoach, treating the middle-class passengers far more leniently than they have treated Joseph.[16] One member of the gang is later arrested, but soon escapes as a result of bribing the constable. The robbers play no further part in the story.

Once he has been robbed and stripped naked, Joseph's prospects are transformed by his chance encounters with two benefactor figures, first the quixotic traveller Parson Adams and then the reclusive Mr Wilson. Adams is a fervent believer in charity—defining it, unlike Captain Blifil, as a 'generous disposition to relieve the distressed'—although he never has any money.[17] Wilson as a young man wasted his inheritance in the City and then languished in a debtors' prison. Now, having failed in business as a wine merchant, he lives in rural retirement until Adams and Joseph find him out. The theme of robbery re-emerges to play a romantic part in the resolution of the plot, since it turns out that both Joseph and Fanny were stolen by gipsies in their infancy. Fanny is Pamela's sister; Joseph is Mr Wilson's son, and thus a gentleman fit to be entertained at Mr Booby's country house. The introduction of Mr Booby (who is, in effect, Pamela's Mr B) at the end constitutes a curious return on Fielding's part to the sub-Richardsonian parody with which, here and in *Shamela* (1741), he had begun. For the most part, thanks to the interruption provided by the robbers, *Joseph Andrews* occupies a much wider world symbolized by the open road and the hero's unpredictable and frequently hazardous journey.

Fielding would return to the open road in *Tom Jones*, but the year after *Joseph Andrews* he published his satirical fable *The Life of Jonathan Wild the Great*, in which the hero leads a gang of robbers. Wild, whom Fielding invariably represents in capital letters as a 'GREAT MAN', is a Caesar or Alexander among thieves, an aristocrat in command of subordinates who—apart from his youthful dexterity as a pickpocket—rarely gets his hands dirty. His gang may engage in 'that noble kind of Robbery which was executed on the Highway', but Wild, nobler still, is seen creaming off their takings, courting the ladies, and playing cards with a fellow criminal known as the Count.[18] He has a distinguished genealogy, being a descendant of the legendary seventeenth-century robber James Hind and of another ancestor who 'distinguished himself on both Sides the Question in the Civil Wars' (14). His gang are divided into two parties, one called 'Cavaliers and Tory Rory Ranter Boys', the other going by the names of 'Wags, Round-Heads, Shake-Boys, Old-Nolls, and several others' (276). Jonathan Wild, like The Beggar's Opera, is in one respect a satire on the rapacious prime minister Sir Robert Walpole, illustrating the roundabout tactics of the political allegorist. Fielding takes care to have one of his characters state that 'there is a nearer Connection between high and low Life than is generally imagined, and . . . a Highwayman is entitled to more Favour with the Great than he usually meets with' (28). But, though it is a Newgate novel, Wild's story is very different from those presented in the more straightforward criminal biographies.

Where we might have expected an episodic narrative illustrating the range, scope, and ingenuity of his hero's crimes, Jonathan Wild is in effect the story of a single obsession, Wild's pursuit of the harmless small tradesman Heartfree. The root of Wild's character is not, therefore, gallantry and dash, but the ruthless, scheming hatred and hypocrisy later to be associated with Mr Blifil in Tom Jones. Like a master politician (to use Fielding's own analogy) Wild knows how to 'play with the Passions of Men, and to set them at Variance with each other, and to work his own Purposes out of those Jealousies and Apprehensions, which he was wonderfully ready at creating' (92). The reverse of Fielding's benefactor figures, Wild is a deliberate malefactor who does not hesitate to use the instruments of corrupted justice to achieve his ends. When one of his gang tells him to ' "Take your Pistols yourself, and go out on the Highway, and don't lazily think to fatten yourself with the Dangers and Pains of other People" ' (178), Wild shows no compunction in turning him over to the constable and getting him hanged. The innocent Heartfree narrowly escapes a similar fate. Wild finally overreaches himself and is led in the cart through a cheering crowd to the 'Tree of Glory' (254). His last act at Tyburn is to steal a corkscrew from the parson's pocket, so he will be well provided for in the next world. He expires with a curse, not the traditional show of repentance, and his demonic apotheosis is complete.

Fielding's sympathies lay not with the robber as 'great man', and still less with the lower-class ruffians who beat up Joseph Andrews, but with the middle-class highwayman who might be reclaimed. The *Enquiry into the Causes of the Late Increase of Robbers* singles out the case of an indigent tradesman whose motive for turning to the highway was 'to pay a Bill that was shortly to become due' (78). In *Tom Jones*, Allworthy reveals that he has often pitied a highwayman's fate and looked for mitigating circumstances (862). Tom himself, who is 'certainly born to be hanged' (123), and who carries the same name as that of a highwayman executed at Launceston in 1702,[19] shares Allworthy's and Fielding's sympathies. His encounter with highwaymanship comes when Mr Anderson, a 'genteel-looking man, but upon a very shabby horse' (602), tries to rob him as they ride together from Barnet to London. Tom (who, unknown to Anderson, possesses Sophia's pocket-book containing a hundred-pound note) overpowers his adversary, confiscates his unloaded pistol, and then listens to his tale of hard luck—it is Anderson's first attempt on the highway, and he is desperate to feed his hungry children and pregnant wife—before tipping his hitherto respectable assailant two guineas and letting him go. The episode plays a part in restoring Tom's own fortunes, since Anderson turns out to be related to Mr Allworthy's London landlady. Tom's generosity towards the highwayman is to some extent based on a recognition of spiritual kinship; moreover, it turns out that their situations are significantly parallel since Anderson has had his goods distrained as a result of standing bail for a dishonest brother. Here Fielding approaches the problem of social justice, or the lack of it, from the opposite perspective to that of the robbery in *Joseph Andrews*. The money that a middle-class apprentice highwayman such as Anderson plans to steal is money that, under a fairer and more benign dispensation, he would already possess.

There is a comparable episode in Fanny Burney's *Evelina* (1778), where the heroine saves the debt-ridden poet Macartney from committing suicide. Macartney, who turns out to be her long-lost brother, is about to shoot himself with a pistol he has bought in order to rob a stagecoach. Like the poor tradesman in Fielding's *Enquiry*, he has decided to go on the highway in order to pay the rent. The leniency that Fielding and Burney show towards these middle-class unfortunates may be contrasted with Allworthy's verdict on the irredeemably proletarian Black George, the gamekeeper turned poacher who dishonestly appropriates the £500 that he has found in Tom's carelessly discarded pocket-book. When George's actions come to light, Allworthy observes that ' "a highwayman, compared to him, is an innocent person" ' (862); but all that George has done is to hold onto a piece of money found under a hedge. Would Anderson or

Macartney have returned a banknote in these circumstances? Happily, the question is not put to the test.

The Cavalier Highwayman

In *Tom Jones* there is, besides Anderson, a gallant highwayman whose cavalier insolence is sufficiently appealing to persuade Mrs Western, Sophia's maiden aunt, to break the law by not prosecuting him. He robs her of her earrings, 'at the same time d—ning her, and saying "such handsome b—s as you, don't want jewels to set them off, and be d—ned to you"' (326). This is the only one of Fielding's highwaymen who remotely resembles the pseudo-aristocratic 'gentleman of the road', whose fondly recalled behaviour suggests a kind of collusion—cultural and also, not infrequently, sexual—between the robber and his intended victim. This is the highwayman whose memory lives on in the phrases 'Stand and deliver' and 'Your money or your life'.

The legendary highwayman is mounted, reflecting the immemorial class division between horsemen and foot passengers, and is capable of outstanding feats of horsemanship such as the ride to York which was credited to at least two earlier figures before being attributed to Turpin and Black Bess. He is a prankster and confidence trickster, an adept of masks and disguises—an association that can be traced back to the Robin Hood ballads. It would be hard to name the first of the legendary highwaymen, though in the collections of eighteenth-century criminal biographies Robin Hood and Shakespeare's Sir John Falstaff take pride of place. By the time of Gamaliel Ratsey, hanged at Bedford in 1605, the conventions were well established. Contemporary pamphlets record that Ratsey posed as a gentleman with two accomplices as servants, and that on one occasion he 'knighted' two woolmen he had robbed, dubbing them Sir Samuel Sheepskinne and Sir Walter Woolsack.[20] Such a masquerade could be played out in reverse, since it was not unknown for a traveller to pass himself off as a rival highwayman in order to avoid being robbed. Captain Alexander Smith tells that when Whitney and his gang held up a gentleman on Bagshot Heath and ordered him to stand, the reply was, ' "*I was just going to say the same to you, gentlemen*" '. Whitney let the 'false' highwayman go, but ambushed him again the next day, telling him that he 'should know him for a black sheep another time'.[21]

Captain Smith and Captain Johnson, the principal early eighteenth-century criminal biographers, were both outspoken Royalists. Through

their work the story of political highwaymanship in England is
ineradicably linked to the memory of the Civil War. Periods of public
anxiety about highway robbery normally coincided with the ends of wars,
when there was popular displacement and high unemployment, and
Parliament in the years 1647–9 issued a series of proclamations against
burglars and robbers.[22] Charles I's tendency to pardon convicted
highwaymen had already attracted controversy.[23] Under the Commonwealth certain dispossessed Royalist gentlemen such as Captain Zachary
Howard returned from exile and took to the highway, and authors such
as Smith and Johnson later presented them as virtual guerrilla fighters in
the King's cause. At least three of them were credited with robbing the
'great villain' Cromwell in person, while Mary Frith was said to have
robbed Fairfax on Hounslow Heath, and Howard raped Fairfax's wife
and daughter. In his speech at the gallows (as quoted by Johnson)
Howard said that, were he at liberty, ' "*he would never leave off robbing
the Roundheads, so long as there were any of them left in England*" '. John
Cottington similarly reassured the frightened passengers in a convoy
carrying the soldier's pay for Cromwell's army that he came not for their
private purses but for the Commonwealth's money.[24]

A century later, the stereotyped masked and mounted highwayman
remained a recognizably Cavalier type. Richardson, Goldsmith, and
Burney all play on the associations between highway robbery and libertinism which can be traced back to the time of Aphra Behn.[25] Robert
Lovelace loiters in the woods near the Harlowes' estate in a 'horseman's
coat', and is described by the heroine's family as a 'desperate *ruffian*'
plotting to waylay her with a gang of armed men.[26] In *Sir Charles
Grandison* Harriet Byron is abducted by Sir Hargrave Pollexfen only to be
rescued by the saintly hero in a dexterous hold-up on Hounslow Heath,
one of the classical locations of criminal biography. Sir Hargrave tells the
turnpike men that he has been attacked by thieves on horseback, while a
witness claims to have seen ' "two young rakes in their chariots-and-six,
one robbing the other of a lady" '. Since Grandison is a paragon of
virtue he has removed Harriet from moral danger, yet he cannot resist
the libertine jibe that ' "Sir Hargrave... might well give out that he
was robbed" '.[27] In Burney's *Evelina*, Captain Mirvan and Sir Clement
Willoughby mask themselves as highwaymen to intercept Madame Duval
and the heroine on a country outing. Willoughby, who has already tried
to make love to Evelina in her carriage, seizes the opportunity to do so
once again. In two of these three scenes the cavalier pseudo-highwayman
plays what Ruth Bernard Yeazell has called the role of the 'disagreeable

suitor', but in all of them the female victim is subjected to theft and 'deliverance' like a piece of personal property.[28]

The links between robbery, theatricality, and sexual aggression in these episodes suggest that they might be considered in relation to the formal masquerade scenes in English fiction.[29] But while robberies in fiction frequently involve transgression, identity confusion, role reversal, and a manifest sexual symbolism, there are crucial differences between representations of public entertainment and violent crime. The normal range of eighteenth-century masquerade costumes does not seem to have included the dress of the 'gentlemen of the road' or even of Robin Hood and his men. (There are, however, reports of highwaymen being arrested at a London masquerade.[30]) For masqueraders to have dressed up as highwaymen, rather than vice versa, might have been uncomfortably reminiscent of the pickpockets and rogues who haunted the streets outside any public assembly.

Why, then, is the legendary highwayman masked? The obvious answer—to escape detection—is not entirely convincing, since at some point the highwayman needs to be discovered. To become famous, he must be unmasked. His masking, reminiscent of the domino and the knight's lowered visor, is as much theatrical as practical. It goes together with the rather intimate violation involved in forcing travellers to hand over their property. Unlike the clandestine thief or the ruffian armed with a cosh, the legendary highwayman openly confronts his victims, putting on a show of gallantry and striking up with them a relationship of sorts, which is why his command to 'stand and deliver' is so well remembered. If in the moment of self-revelation he ritualistically hides himself, this makes it easier for the victims to part with their money. Robbery becomes a fetishistic act, and the legendary highwayman is one 'by whom it would be delightful to have been robbed'.[31]

There is another element in the highwayman's masking, since he is asserting a double identity as 'gentleman' and thief. Wearing a mask, an unemployed tradesman might be able to convince his victims that he was a real gentleman down on his luck; or he might simply put on a deliberate travesty of genteel behaviour.[32] The highwayman's double identity was already explicit in the tales of Ratsey. So far as fictional highwaymen are concerned, the duality or duplicity that they express is a general feature of the novel's dealings with crime and its transgression of class boundaries.

'Without the appearance of the whore, the rogue, the cutpurse, the cheat, the thief, or the outsider', it has been said, 'it would be impossible to imagine the genre of the novel'.[33] This comment reveals both the middle-class reader's fascination with the criminal and the antisocial, and, more generally, the same reader's desire to live vicariously at both ends of the social scale, the high and the low. Hence the obsession with criminals posing as aristocrats and aristocrats behaving like criminals. The novel's power in eighteenth-century culture lay in its pretence of intimate knowledge of all levels of society from Newgate to the fashionable lady's boudoir. At the same time, the narrative journey involving criminal episodes almost invariably ends up in gentility. Epistolary fiction and the confessional first-person narrative gave to the novelist the means of aristocratic impersonation, while the image of the highwayman was yet another aspect of the novel's duplicity. What linked the wealthy to those who preyed upon them was, it goes without saying, the lure of property.

The historian Douglas Hay has written that the constitutional settlement of 1688–9 established the 'freedom, not of men, but of men of property'. The ruling class 'worshipped' property.[34] Recently the term 'gentrification' has been used to describe the bourgeois anxiety to acquire secured and, if possible, landed property in the eighteenth and nineteenth centuries. Notoriously, the successful middle classes tended to adopt what Martin J. Wiener has called a 'comparatively aloof and passive economic role'.[35] Whether or not gentrification is one of the peculiarities of British economic history, it is certainly commonplace in fiction. Moreover, it is opposed to the circulation of money that was championed by Defoe, Mandeville, and others. The 'aristocratic' highwayman embodies a get-rich-quick fantasy of robbing and spending while the gentrified merchant does his best to secure his capital and remove it from circulation.

The English novel's attachment to gentrification appears in the fact that the pursuit of economic individualism so often leads by accident or design to the acquisition of inherited wealth and a country estate. The fictional plot puts the protagonists and their wealth (or aspirations to wealth) into circulation, but the moment of narrative closure is the moment of genteel settlement and rural retirement. The experience of circulation usually involves a descent on the city and an episode of imprisonment in which the protagonist's identity becomes joined or confused with that of highwaymen and robbers. Moll Flanders and the other women prisoners in Newgate rush to get a sight of three 'brave topping gentlemen' arrested after a pursuit from Hounslow to Uxbridge; one of the three is Moll's Lancashire husband, and they are transported to America together. He might have preferred to face the gallows, since 'Servitude and hard Labour were things Gentlemen could never stoop to', but, once in America, Moll inherits a plantation from her mother.[36] Billy

Booth in *Amelia* is mistaken for a highwayman by the prison governor, who ' "know[s] no more genteeler Way than the road" '.[37] Smollett's Humphry Clinker, falsely charged with robbery on Blackheath, is locked up with ' "[t]wo or three as bold hearts as ever took the air upon Hounslow" ', and told to prepare to ' "make his exit like a true-born Englishman" ' at Tyburn.[38]

The convoluted plot of *Humphry Clinker* explores complex relations between gentlemen, servants, highwaymen, and the new middle classes. Clinker, an 'excellent horseman' (153), owes his release on bail from Clerkenwell Prison to the fact that he is Matthew Bramble's servant. The crime of which he is accused was actually committed by 'Mr' Martin, who later redeems himself by rescuing Bramble and his party when they are attacked by a rival gang of robbers near Hatfield. Described by the constable as 'the best qualified for business of all the gentleman of the road he had ever known', Martin is a master of disguise who is regularly seen smoking a pipe with the magistrate (148–9); but he applies successfully to be taken on as one of Bramble's servants, and is later found a place in the East India Company. Meanwhile, Humphry Clinker turns out to be Bramble's bastard son and is entrusted with the duties of a farm manager. Thus both the genteel highwayman and the falsely accused pseudo-highwayman are taken out of livery to join the lower-middle classes; Clinker's fate contrasts with the outright gentrification that was the destiny of Joseph Andrews and Tom Jones, while Martin's Cavaliership gives place to a humble clerkship. The Cavalier highwayman must choose between the glory of being hanged and the comfortable, humdrum way of life typical, perhaps, of the novelist himself, and certainly of his readers.

Robbin' the Rich

In England the 'Arch-thief'[39] and the uncanonized patron saint of footpads and highwaymen was the legendary Robin Hood. 'Free-hearted' and generous like the thieves in *The Beggar's Opera*, Robin could also claim to stand for a 'just partition of the world'.[40] Even Captain Smith, in whose history he figures as a 'Highwayman and Murderer', acknowledged that he was a benefactor who robbed the rich to feed the poor.[41] In legend (if not necessarily in fact) Robin's liberality was much imitated. Gamaliel Ratsey acknowledged a duty to 'pitie them that are poore, for the rich can helpe themselves'. When Ratsey held up a poor parson's daughter going to market to buy a new dress, he gallantly gave her the money for a petticoat as well. The ballad of 'Turpin's Appeal to the Judge' praised Dick Turpin for fulfilling the biblical commands to clothe the naked, feed the poor, and send the rich away empty.[42] Does the benevolent robber stand for 'true justice', or are his motives prudential rather than disinterested? The casuistical highwayman Luke Page, who told the Ordinary at Newgate that he thought robbing was 'no great sin' and that 'persons getting the unrighteous Mammon this way might be saved if they, out of it, be charitable to the poor', sounds more like a modern businessman than a rebel against society.[43] Some historians of eighteenth-century crime have argued that the highwayman's protest against social injustice is too self-serving to be taken seriously, while others maintain that the highwayman ballads helped to keep alive the radicalism of the Civil War and the Commonwealth.[44] Later in the century, the revival of revolutionary sentiments coincided with the scholarly editing of the Robin Hood ballads by the Jacobin supporter Joseph Ritson.

The Robin Hood of the ballads and legends is a political figure of a distinctly ambiguous kind. He is at once a fighter against tyranny and a loyal subject, a peer and a commoner, an outlaw and an upholder of the true law. Some say he was born at Locksley and is the dispossessed Earl of Huntingdon, others that he is the son of poor shepherds. The Robin Hood play acted at Nottingham on the day of Charles II's coronation in 1661 and 'alluding to the late rebellion, and the subject of the day' implied that Robin, as Earl of Huntingdon, was a direct ancestor of the banished Cavaliers and of the highwaymen who robbed the Common-wealth. To Captain Smith, however, the story of his aristocratic origins was a mere fiction.[45] As the century progressed Robin became both a hero of popular melodrama and a subject of learned discussion in Bishop Percy's *Reliques of Ancient English Poetry* (1765); meanwhile groups of urban radicals were forming Robin Hood Debating Societies, which attracted Fielding's scorn.[46] In Ritson's definitive edition of the ballads the plebeian bandit of the highwayman biographies, who stole the King's deer and robbed Richard I and his retinue on the Great North Road, became both a high-born revolutionary and the 'prince of all robbers'.[47] His legendary benevolence was now seen not as exhibiting the 'Grandeur and Hospitality' of his temperament but as a sign of innate political virtue.[48] Nevertheless, Robin Hood's political uses were always double-edged—was he Royalist or Roundhead, a champion of the people or a defender of hereditary rights?—and the more he came to be idealized and incorporated into English literature (as in the Ritson-influenced works of Scott, Peacock, Tennyson, and others), the less he resembled actual robbers.

While there was a prose narrative of Robin Hood at least as early as 1678, his first appearance as a character in English fiction was not until Scott's *Ivanhoe* (1819). Nevertheless, figures of the robber-cum-benefactor with traits reminiscent of Robin Hood can be found before *Ivanhoe*. Jenkinson and Mr Burchell in *The Vicar of Wakefield* have already been mentioned. Defoe's *History and Remarkable Life of the Truly Honourable Colonel Jack* (1722), the only canonical eighteenth-century novel which is indisputably a highwayman's tale, provides another example. Jack starts out as a highway robber, but gives up the trade when, having robbed an old nurse, he suffers acute remorse and seeks her out to give the money back. Realizing that he cannot make restitution to all his victims, he reflects that 'certainly this was not the life of a gentleman'.[49] Curiously, he has encountered the nurse on the fringes of north London near a place that he calls 'Pindar of Wakefield'— presumably the name of a public house in what is now the King's Cross area.[50] Notwithstanding Defoe's topographical realism, there is a flavour of romantic legend about Jack's kindness to the poor nurse, and the allusion to the ballad of 'Robin Hood and the Pinder of Wakefield' can hardly be accidental.

A fictional character truly modelled on Robin Hood, however, would not merely have to be a generous robber but a political outlaw and rebel. Even in the Jacobin novels of the 1790s, the ideal put before us is usually one of 'benevolent landlordism'—a more politically engaged version of Squire Allworthy and Sir Charles Grandison—rather than outright rebellion.[51] In Charlotte Smith's *The Old Manor House*, it is true, Orlando Somerive forms a secret compact in the cellars of Rayland Hall with Jonas Wilkins, a notorious smuggler. On another occasion, lurking outside the Hall at dawn, Orlando is collared as a suspected poacher, though in the end he will be vindicated as the true inheritor of the house. Only one of the Jacobin novelists went so far as to question the very institution of private property, taking up a theme that had been very little voiced in English writing since the revolutionary pamphlets of 1649. William Godwin's philosophical treatise *Political Justice* (1793) argues for a system of equal property based on need, since social inequality is the principal cause of crime. But the redistribution of wealth should be brought about by reason and benevolence, not by violence or legal expropriation, since, in Godwin's view, a law against amassing property would be incompatible with true social freedom. The paradoxes inherent in this view of justice are a minor theme in Godwin's principal contribution to English fiction, *Things as They Are or the Adventures of Caleb Williams* (1794).

Caleb's adventures hinge on his rejection and persecution by his guilty benefactor Falkland (named after the seventeenth-century Royalist general), who pursues him with unrelenting malice once Caleb has seen through his veneer of Grandison-like virtue. Falsely accused of burglary, Caleb is imprisoned on Falkland's orders. He escapes from prison only to be ambushed and beaten up by a gang of thieves, who take him to a ruined castle in the middle of a forest where he comes under the protection of Captain Raymond, their leader. Godwin had prepared himself to write *Caleb Williams* with a course of reading in the *Newgate Calendar* and also, we must suspect, in the literature surrounding Robin Hood, since his short-lived friendship with Joseph Ritson had begun the year before *Caleb Williams* was published.[52] Captain Raymond, evidently inspired by Ritson's 'prince of robbers', presents himself as a social rebel and a soldier in an unacknowledged civil war: ' "We, who are thieves without licence, are at open war with another set of men who are thieves according to law." '[53] Caleb acknowledges Raymond's 'fervent benevolence' (233), and a reader unfamiliar with the argument of *Political Justice* might expect Godwin's narrator to be a ready convert to the gang leader's Noble Robber philosophy. But Caleb rejects the outlook of this modern Robin Hood, arguing that the robbers' 'justice' is no better than vengeance, that their ends are merely selfish, and their energy is 'unassisted by liberal and enlightened views, and directed only to the most narrow and contemptible purposes' (227).

Shortly before he leaves the robber band, Caleb engages in open debate with Raymond. The robbers' purpose, Caleb maintains, is 'incompatible with the general welfare' and 'diametrically at war with the first interests of human society'. Raymond, used to 'arguments derived from religion and the sacredness of law', is taken aback by Caleb's 'missionary quixotism', though the details of the argument are left significantly vague. Caleb—rather surprisingly for a character who seems to be his author's mouthpiece—speaks of the 'necessary though atrociously exaggerated precautions of government in the matter of property' (235), implying that in a rational and peaceful society people should feel secure to enjoy their property if they want to. Godwin's opposition to the forcible redistribution of property necessarily leads him to reject the image of the highwayman as a champion of the oppressed proletariat.

Moreover, Caleb cannot respond to Captain Raymond because his hopes for genuine justice are all directed towards Falkland, his persecutor.

The intensity of the novel's central conflict and of Caleb's psychological torments is so great that the Raymond episode has generally been regarded as merely incidental. Falkland has distinguished himself in Italy like Sir Charles Grandison, and aims at the reputation of the perfect knight; his 'Ode to the Genius of Chivalry' has been read out at a public assembly (27). But Caleb, having stumbled on his secret papers, suspects him of having murdered his rival Barnabas Tyrrel, the 'true model of the English squire' (19) who has been found in the street stabbed in the back, a method of assassination associated with ruthless Italian *banditti* rather than with English criminals.[54] The struggle between Falkland and Caleb becomes one of haunted victimization and demonic pursuit, repeating the earlier relationship of Tyrrel and Falkland; but Caleb, unlike Falkland, does not ultimately revenge himself upon his tormentor. Instead, in the revised ending of the novel, Falkland's vendetta against Caleb gives way to a melodramatic recantation which suggests that he is still capable of the 'liberal and enlightened views' proper to a benefactor. But it is too late for him to resume his position as Caleb's patron; the novel concludes not with their reconciliation but with mutual remorse and self-incrimination. Nevertheless, Caleb's capacity for fanaticism and hero-worship responds far more strongly to his rich benefactor's godlike demeanour and demonic pursuit of vengeance than to the modern prince of thieves who idealizes robbery.

In popular culture the chief successors to the eighteenth-century English highwayman tales are the frontier legends of American and Australian outlaws. The highwayman represents an England of open heaths and treacherous roads, not yet criss-crossed by McAdam's highways, though much travelled by the growing numbers of merchants and property owners, as well as by fictional protagonists. The novel, not tied to the largely posthumous viewpoint of criminal biography, offers a spectrum of pseudo-aristocratic, bourgeois, and supposedly benevolent robbers. The fictional robber raises questions of justice and the circulation and distribution of property either through his affinity with the protagonist (as in *Tom Jones* and *Evelina*), or through a suppressed and usually secret affinity with the figure of the benefactor. Sir Charles Grandison, who sweeps Harriet Byron off her feet by a rescue that is tantamount to highway robbery, is the deliberate antithesis of *Clarissa*'s aristocratic rapist and robber. Falkland, the benefactor as robber, is a much more powerful and compelling inversion of Captain Raymond, the robber as would-be benefactor. Raymond's 'civil war' is not a credible threat to society, but Falkland's tyranny and persecution clearly do pose such a threat. The hidden link between robber and benefactor is the most subversive element in the discourse about the English highwayman, which in some other respects simply placed an acceptable gloss on the century's actual experiences of plebeian violence, and on the vengeful and retributive acts constituting 'British justice'.

The legendary highwayman is a marginal and nostalgic presence in some of Scott's novels, such as *Rob Roy* (1817) and *The Heart of Mid-Lothian* (1818). Francis Osbaldistone in *Rob Roy* hears 'the names of the Golden Farmer, the Flying Highwayman, Jack Needham, and other Beggar's Opera heroes' as he travels away from London on the Great North Road. Rob Roy himself, Scott writes, 'is still remembered in his country as the Robin Hood of Scotland, the dread of the wealthy, but the friend of the poor'.[55] When Jeanie Deans travels southwards in *The Heart of Mid-Lothian*, she hears Dick Ostler at York singing a snatch of a Robin Hood ballad, while her landlady warns her against highwaymen, ' "for ye are come into a more civilized, that is to say, a more roguish country" '.[56] *Rob Roy* is set in 1715, *The Heart of Mid-Lothian* in 1736. The highwayman continued to enjoy a nineteenth-century afterlife in the novels of Lytton and Ainsworth and in Robert Louis Stevenson's unfinished romance *The Great North Road*, as well as in children's writing and popular entertainment. In *Rookwood* Harrison Ainsworth speaks of Dick Turpin as *'ultimus Romanorum,* the last of a race', but offers no explanations for the 'decline and fall of the empire of the tobymen'.[57] Not only was the theme now confined to historical fiction, but the *coup de grâce* to the 'old English highwayman'[58] was surely administered by Dickens in his preface to *Oliver Twist* (1837–8): 'Here are no canterings on moonlit heaths, no merry-makings in the snuggest of all possible caverns, none of the attractions of dress, no embroidery, no lace, no jack-boots, no crimson coats and ruffles, none of the dash and freedom with which "the road" has been time out of mind invested.'[59] But for all Dickens's powerful defence of a new, more brutal, and sordid mode of criminal realism, *Oliver Twist* raises similar issues about crime, property, and benevolence to its eighteenth-century predecessors. The cruel benevolence of the Guardians of the Poor is openly contrasted with Oliver's deceptively free-hearted and generous reception in Fagin's den. As the hapless protagonist circulates back and forth between his two 'fathers' Fagin and Brownlow, our sense of the robber shadowing the benefactor and vice versa confirms the hidden affinity between the two figures. The Artful Dodger, a would-be fine gentleman, has earlier been sent out 'on the road', though with the task of recruiting new gang members rather than robbing rich travellers.

In a parting salute to the 'empire of the tobymen', he first falls in with Oliver on the Great North Road at Barnet. Since *Oliver Twist* may be regarded as the prototype of all Dickens's fiction, it is highly significant that the author surrounds his criminal gang with the figures of the robber as benefactor and the benefactor as robber.[60]

Romantic Toryism: Scott, Disraeli, and Others

'I T may be asked, it has been asked, "Have we no materials for romance in England? Must we look to Scotland for a supply of whatever is original and striking in this kind?"' wrote Hazlitt in his essay on Sir Walter Scott in *The Spirit of the Age* (1825). 'Every foot of soil is with us worked up; nearly every movement of the social machine is calculable. We have no room left for violent catastrophes; for grotesque quaintnesses; for wizard spells. The last skirts of ignorance and barbarism are seen hovering (in Sir Walter's pages) over the Border.' Hazlitt might have added that, like the Gothic novels to which they succeeded, Scott's romances were set in an increasingly remote past; and that Scott's fiction beginning with *Ivanhoe* (1819) had brought historical romance back to England. Nevertheless, the 'England' of Hazlitt's essay is a nation of rational economics and agri-business. Even the gipsies, he says, 'live under clipped hedges, and repose in camp-beds'.[1] England in the early nineteenth century had been pacified and brought to order; Scotland and Ireland had not.

The contrast between romance and realism implied by Hazlitt is a contrast between violent landscapes and peaceful ones. Ann Radcliffe's Gothic romance demands the most dramatic mountain scenery, and Mary Shelley's *Frankenstein* (1818) takes us to the highest Alps and the remote Arctic ice-fields; Radcliffe's *The Mysteries of Udolpho* (1794) begins and ends, however, in a 'happy valley', the lush valley of the Garonne, which is much closer to the well-tilled landscapes of English domestic fiction. Catherine Morland, Jane Austen's avid romance reader in *Northanger Abbey*, concludes (even as she is becoming somewhat disillusioned with her favourite Gothic authors) that 'human nature' is perhaps different in mountainous regions:

Charming as were all Mrs. Radcliffe's works, and charming even as were the works of all her imitators, it was not in them perhaps that human nature, at least in the midland counties of England, was to be looked for. Of the Alps and

Pyrenees, with their pine forests and their vices, they might give a faithful delineation; and Italy, Switzerland, and the south of France, might be as fruitful in horrors as they were there represented. Catherine dared not doubt beyond her own country, and even of that, if hard pressed, would have yielded the northern and western extremities.... Among the Alps and Pyrenees, perhaps, there were no mixed characters.... But in England it was not so; among the English, she believed, in their hearts and habits, there was a general though unequal mixture of good and bad.[2]

Here the 'mixed' English character matches the temperate English land-scape. Austen paid her best-known tribute to this landscape in the view of Donwell Abbey, the home of Mr Knightley, with its river and Abbey-Mill Farm, in *Emma*: 'It was a sweet view—sweet to the eye and the mind. English verdure, English culture, English comfort, seen under a sun bright, without being oppressive.'[3] What is missing from this little vignette, though presupposed by it, is what numerous eighteenth-century landed proprietors would have cleared away out of sight in order to preserve the green view from their windows: the cottages of Mr Knightley's farm labourers.

Washington Irving, Mary Russell Mitford, and the Rural Picturesque

The English village or hamlet became a subject for narrative verse long before it was taken into the novel. Eighteenth-century fiction is largely concerned with interrelationships between the gentry, and between the gentry and domestic servants, with walk-on parts for the gamekeeper and the village clergyman and for outlaws such as gipsies and highwaymen. The novelists showed far less interest in the ordinary people who worked the land than did poets such as Goldsmith in 'The Deserted Village', Thomas Gray in the 'Elegy written in a Country Church-Yard', and George Crabbe in 'The Village' and later verse tales, not to mention the line of so-called 'peasant poets' such as Robert Bloomfield and John Clare. By and large, the poets depicted an idealized communal village life, lamenting its disappearance as the land was enclosed. Goldsmith evoked the 'loveliest village of the plain' before it was devastated by rural depopulation, while Crabbe portrayed the squalid underside of rural capitalism. Eighteenth-century agricultural history is a history of enclos-ures, emparkments, clearances, the withdrawal of villagers' traditional rights, the persecution of poachers, and the loss of common land. Out of this history, however, came the image of the tranquil and picturesque English village that was perpetuated in prose fiction from the 1820s onwards.

Walter Scott was a true-blue Tory, but he had little to do with constructing this image of what was essentially a Tory England. In an anonymous review of his own Waverley novels, he praised them for 'conveying the genuine sentiments of the Scottish peasant in the genuine language of his native land'.[4] But he felt no such responsibility towards the English peasantry: his Berkshire village in *Kenilworth* (1821), for example, is almost deserted apart from an eccentric schoolmaster and a legendary rural spirit. It was, however, Scott's friend the American novelist and essayist Washington Irving who, more than any other writer, created the image of the stereotypical English village. In *The Sketch Book of Geoffrey Crayon* (1820) Irving offered a tourist's-eye view of contemporary England as, in Malcolm Bradbury's words, a 'half-mythic land of stage coaches and ivy-covered cottages, festive Christmases and forelocked peasants, high church spires and quaint crooked byways'.[5] The *Sketch Book* was, as Hazlitt remarked in *The Spirit of the Age*, a collection of 'literary *anachronisms*' (349), but it was also hugely popular. It would become a topic of conversation in novels ranging from Disraeli's *Vivian Grey* (1826) to Elizabeth Gaskell's *North and South* (1855), and it would move George Eliot's Maggie Tulliver to tears.

For Irving, rural England with its 'charms of storied and poetical association' was a refuge from the raw and imaginatively barren landscapes of his native America.[6] But he was also aware of the spread of industrialization in England, and of the ravages of war and revolution in neighbouring Europe. His *Sketch Book* portrays the victorious nation which had just defeated Napoleon and restored Europe's old monarchies. The signs of domestic conflict and class oppression are largely ignored by his narrator Geoffrey Crayon, a 'humble lover of the picturesque' who moves from one rural scene to the next like a stroller admiring the displays in print-shop windows (745). Conveniently, the very first object of the newly arriving traveller's gaze is a village landscape rather than the port of Liverpool where he is about to disembark:

As we sailed up the Mersey I reconnoitered the shores with a telescope. My eye dwelt with delight on neat cottages with their trim shrubberies and green grass plots. I saw the mouldering ruin of an abbey over run with ivy, and the taper spire of a village church rising from the brow of a neighbouring hill—all were characteristic of England. (750)

Characteristic of England, too, are its 'little home scenes of rural repose and sheltered quiet', where the 'lower orders' in their cottages nestle down next to the nobility and gentry in their castles and palaces. All gather together on the hunting field, where 'the sound of hound and horn blends all things into harmony' (799–800). The tourist idyll reaches its apotheosis in the English Christmas, which for Irving is an unmistakably Tory Christmas. The country gentleman presiding over these deliberately archaic festivities is a direct descendant of the old Cavaliers and Royalists.

Until the *Sketch Book* appeared, English writers since the Restoration had had remarkably little to say about Christmas customs.[7] Geoffrey Crayon reminded his readers that the Christmas holiday had been banned under the Commonwealth, and that Parliament sat on 25 December from 1652 onwards. Plum puddings were denounced as 'mere popery', roast beef as anti-Christian, and there was a 'fiery persecution of poor Mince-pie throughout the land' (943). Crayon's host, Squire Bracebridge of Bracebridge Hall, belatedly sets out to revive the old customs observed 'when England was itself' before the Puritan Revolution (925). His ancestors went into exile and returned with the Restoration, and now he has created a symbol of the lost 'merry England' of Elizabethan times; his is perhaps the 'only family in England' where the full English Christmas is punctiliously observed (961). The stagecoach on Christmas Eve is loaded with hampers and returning schoolboys, while Christmas dinner is eaten in front of a crackling log fire in the great hall, with minstrels singing carols, and a mummers' performance including a Robin Hood and a Maid Marian. These festivities provided the model for Dickens's Christmas at Dingley Dell in *The Pickwick Papers* some sixteen years later.

Irving's 'worthy old Cavalier' (929) is a portent in other ways, too, since he is necessarily opposed to the changes which were becoming increasingly obvious in the English countryside. *Bracebridge Hall* (1822) describes the Squire's resentment of Mr Faddy, a retired manufacturer who has abandoned his 'steam-engines and spinning jennies' for the life of a country gentleman:

In his warmth [the Squire] inveighed against the whole race of manufacturers, who, I found, were sore disturbers of his comfort. 'Sir,' said he, with emotion, 'it makes my heart bleed to see all our fine streams dammed up and bestrode by cotton mills; our villages smoking with steam-engines, and the din of the hammer and the loom scaring away all our rural delights. What's to become of merry old England, when its manor houses are all turned into manufactories, and its sturdy peasantry into pin-makers and stocking-weavers? I have looked in vain for merry Sherwood, and all the greenwood haunts of Robin Hood; the whole country is covered with manufacturing towns. I have stood on the ruins of Dudley Castle, and looked around, with an aching heart, on what were once its feudal domains of verdant and beautiful country. Sir, I beheld a mere campus phlegrae; a region of fire; reeking with coal-pits, and furnaces, and smelting-houses, vomiting forth flames and smoke. The pale and ghastly people, toiling among vile exhalations, looked more like demons than human beings; the clanking wheels and engines, seen through the murky atmosphere, looked like instruments of torture in this pandemonium. What is to become of the country with these evils rankling in its very core?' [8]

Here the imagery and topography anticipate Disraeli's portrayal of the Black Country in *Sybil*, which was to cause a literary sensation a quarter of a century later. Bracebridge's revival of the feudal custom of distributing alms at his gate anticipates the Conservative 'Young England' programme that Disraeli romanticized in *Coningsby* (1844). This is not without its problems, however, since in the *Sketch Book* the Squire admits that he now only invites the 'decent part' of the neighbouring peasantry into his home. He had once tried to keep open house, but found it overrun with beggars and vagrants. The ' "simple true-hearted peasantry" ', who would once have looked up to their simple true-hearted squire, are on the way out: ' "They have become too knowing, and begin to read newspapers, listen to ale house politicians, and talk of reform" ' (945–6).

For all his nostalgia for Merry England, the author of the *Sketch Book* remains an American tourist who has no intention of settling down amid the scenes he so much admires. He is proud of American democracy and even of his nation's Puritan heritage. Despite his affection for Squire Bracebridge, he knows that England's future lies with Mr Faddy and his like. (Christmas at Dingley Dell in deepest rural Kent is also a sentimental indulgence on Dickens's part, though no less enjoyable for that.) What is taken for granted in the *Sketch Book* is a nation divided between country and city, between agriculture and industry, between Cavalier and Roundhead, and between Tory and Whig. The Yankee outsider is free to indulge his emotional preferences without bearing any of the consequences of actually taking sides.

The form of the Geoffrey Crayon volumes—a miscellany of linked essays, travelogues, anecdotes, character sketches, and interpolated tales—represents a fictional innovation even if it has sometimes been mistaken for documentary writing. The looseness of structure in the *Sketch Book* and *Bracebridge Hall* was imitated by Mary Russell Mitford and, much later, by Elizabeth Gaskell in *Cranford* (1853). Mitford, initially a poet and playwright, set out to produce 'essays and characters and stories, chiefly of country life, in the manner of the "Sketch Book", but without sentimentality or pathos' in what became the five volumes of *Our Village* (1824–32).[9] The village and its history were 'half real and half imaginary', and it was not until the fifth volume that Mitford identified it as her home village of Three Mile Cross in Berkshire, divulging what must long have been an open secret.[10] Like Geoffrey Crayon, she is a connoisseur of English rural scenery. A landscape forms a 'pretty English picture',[11] and the village itself 'sits for its picture'.[12] For public consumption Mitford praised Washington Irving's 'delightful but somewhat fanciful writings' (144), although she privately dismissed them as 'maudlin trash'.[13] Jane Austen's portrayal of the English countryside was much more to her taste. *Our Village* begins with an effusive tribute to what can only be the portrayal of Highbury in *Emma* (it doesn't fit any of the other Austen novels): 'nothing is so delightful as to sit down in a country village in one of Miss Austen's delicious novels, quite sure before we leave it to become intimate with every spot and every person it contains' (2). This is disconcertingly inaccurate (we cannot be said to make a very wide acquaintance with the villagers of Highbury), but typically Mitfordian in its invocation of a kind of literary picturesque. On a walk in the meadows in 'The Cowslip-Ball', she feels 'out of this world' like 'Robinson Crusoe in his lonely island' (37). The landscape is experienced as if it were already a text from English fiction.

The countryside represented in Mitford's work is peaceful, unchanging, and uninterrupted even by the rumblings of reactionary squires. Its variety is that of the 'dappled things' Gerard Manley Hopkins would later celebrate in his sonnet 'Pied Beauty'. In 'shady and yet sunny' Berkshire, 'the scenery, without rising into grandeur or breaking into wildness, is so peaceful, so cheerful, so varied, and so thoroughly English' (131). The seasons roll round in their regular course and, for the most part, conflict and rivalry are confined to the annual cricket match with the next village. (Mitford is one of the earliest and best writers on village cricket.) The busy life of Reading, only three miles away, was the subject of a separate, long-forgotten book, *Belford Regis* (1835). There is no agricultural machinery in 'Our Village', despite the popular agitation in Berkshire which led to the so-called Captain Swing riots. In her 1832 volume, Mitford briefly outlines the riots which had disturbed the even tenor of 'peaceful and happy England', bringing home 'to our very household hearths' horrors normally connected with the 'sister island' of Ireland. Three Mile Cross is 'in the centre of the insurgents', Mitford alarmingly reports, though fortunately it has remained unaffected by political meetings, marches, or machine-wrecking.[14] Her story 'The Incendiary: A Country Tale' is powerfully reassuring, since what it describes is not a politically motivated rick-burning but a traditional rural comedy of errors in which a hayrick is accidentally set alight by a farmer's daughter fumbling around in search of a love letter in the dark. The rights and wrongs of the wider conflict are quickly forgotten in the story of this clumsy, lovelorn country girl.

Like the *Sketch Book*, *Our Village* was widely read throughout the nineteenth century, influencing poets such as Tennyson and Clough and novelists such as Gaskell, Eliot, and Trollope.[15] While it is ostensibly neutral in political terms, Mitford's image of a picturesque and timeless England is heavily committed to maintaining the illusion of social harmony. 'Fears that cannot be resolved are replaced by stories for which she can imagine a happy ending,' as one critic has written.[16] Everything in *Our Village* is consistent with Edmund Burke's view of English society as an 'old establishment', possessed by the current generation as a 'body and stock of inheritance' and devoid of alien influence.[17] Revolutionary upheavals, like Hazlitt's 'materials for romance', belong to other countries or the distant past. Mitford's vision of rural England is thus clearly aligned with the Romantic Toryism of Burke and Walter Scott, even though her Toryism is beneath the surface. The author of *Our Village* was also a successful historical dramatist, the author of plays on classical and Italian Renaissance themes. If one side of Romantic Toryism was its aspiration towards a timeless present in which history could be turned back or stopped in its tracks, the other side was its harking back to the civil strife and national divisions of a more or less remote past.

Walter Scott and English Romance

Walter Scott did not invent the historical romance. Rather, he was the first great writer to seize on its potential as a dramatic narration of national history, a modern commercial equivalent of the old national epic. Scott's Waverley novels started out as the romance of Scotland, but of a Scotland that was now part of the United Kingdom, so that the hero was generally a young adventurer from south of the border. But Scott soon broke with this pattern, and with *Ivanhoe* (1819), the tenth in the series, he turned the adventure tale into a 'foundation epic of England'.[18]

Scott's principal predecessor in English historical romance was the Suffolk-born Clara Reeve, author of *The Old English Baron* (1777), which portrays the struggles of Edmund Twyford, a fifteenth-century dispossessed nobleman, to regain his family estates. The theme of over-coming usurpation and restoring a lost inheritance had already been adapted to the novel by Fielding and Smollett; it would become the standard plot device of the Waverley novels. First the young hero must find out who he is, then he must show the courage and endurance needed to defeat the enemies who have traitorously dispossessed him. *The Old English Baron* copies the plot of Shakespeare's Hamlet in so far as Edmund Twyford learns from a ghost of his father's murder. Later Edmund must fight a trial by combat, but ultimately he is dependent on the national sense of fair play as represented by the old Baron Fitz-Owen, who voluntarily resigns the property which he discovers is not legally his.

Clara Reeve was, like Jane Austen and Charlotte Brontë, an Anglican vicar's daughter, and *The Old English Baron* was first published under the title *The Champion of Virtue*. Conceived as an 'English Gothic' tale in reaction to the foreign setting of Horace Walpole's *The Castle of Otranto*, Reeve's rather wooden narrative ends in a strong affirmation of Christian benevolence. Fitz-Owen is 'English', above all, in his liberality, righteousness, and respect for the law. In a rhapsodic deathscene, Reeve observes of Fitz-Owen that 'happy are the descendants of such a father!...they will remember him, and be ashamed to degenerate from their ancestor.'[19] This stress on the moral obligations conferred by one's ancestry is not found in earlier eighteenth-century fiction, though it is a major element in Charlotte Smith's *Marchmont* (discussed in Chapter 4), as well as in Scott's fiction beginning with *Waverley*. Scott's heroes in his Covenanting and 'Jacobite' novels, notably *Waverley; or 'Tis Sixty Years Since* (1814), *Old Mortality* (1816), *Rob Roy* (1817), and *Redgauntlet* (1824), are profoundly influenced by what their ancestors did in the Civil Wars one, two, or three generations earlier. Family history imposes an inherited, even racial loyalty on the individual, who becomes embroiled in an age-old political conflict regardless of his own wishes.

At the beginning of *Waverley* we learn that Charles II took refuge at the family mansion of Waverley-Honour after the Battle of Worcester, and that one of the sons of the family was killed in his defence. Some three generations later young Edward Waverley is brought up as a loyal Hanoverian, but he falls for the romance of Jacobitism and deserts from the British Army to join forces with Bonnie Prince Charlie. Thanks to his Cavalier lineage, his allegiance is highly prized. His subsequent ordeal leading to rehabilitation and a royal pardon makes him a symbol of the burial of Jacobite divisions and the strengthening of the United Kingdom after 1745. From his sixty years' retrospect, Scott's narrator judges that, once the 'romance' of Waverley's youth has ended, his historical role is to represent the resolution of inherited conflicts in the building of a new, modern Scotland.[20]

Scott believed that his native country had changed beyond recognition during the previous sixty years, but he would not have said the same of England. In the Dedicatory Epistle to *Ivanhoe* he compared the eighteenth-century Highlands to the world of the Iroquois and Mohawks, a barbaric society in need of colonial suppression. Scotland had now 'caught up' with England, moving from primordial savagery to the status of a modern bourgeois society. But Scott, the great national writer of modern bourgeois society, had no interest in describing his own times. His mission, instead, was to turn historical memory into the material of modern popular entertainment. In *Old Mortality* he begins by visiting the neglected graves of the Covenanters who had died fighting for freedom of worship against the forces of Charles II. The old man tending the graves is based on one Robert Paterson, whom Scott claimed to have met in the 1790s. History here is a matter of intimate tradition and of respect for the dead, though Scott recasts it as romantic adventure. When he turned to English history the novelist was prepared to look much further back, 'amidst the dust of antiquity', as he put it;[21] later he would move forward from the medieval chivalry of *Ivanhoe* to Queen Elizabeth's court and eventually, in *The Fortunes of Nigel* (1822), *Peveril of the Peak* (1823), and *Woodstock* (1826), to seventeenth-century England. Like the young Waverley, Scott believed that romantic fiction was 'of all themes the most fascinating to a youthful imagination' (76), and he offered nineteenth-century versions of the romances of Tasso and Spenser which his hero is shown devouring in his youth. Scott's antiquarianism in his English novels is manifestly faked, although his novels of eighteenth-century Scotland lay some claim to linguistic plausibility and historical accuracy. In the latter he could draw on living traditions and surviving dialects; but the English novels are comparatively superficial entertainments evoking the nation's aristocratic and Royalist past. They were the first of Scott's romances to fall out of critical favour after his death.

For the Victorian critic Archibald Allison, the period portrayed in *Ivanhoe* was 'one in which great national questions were at stake, and the conversations and characters afforded the means of bringing them prominently before the mind of the reader'; and the result was a novel which, like *Old Mortality*, exhibited 'the perfection of historical romance, so far as subject goes'. Yet Allison had to admit that the later English novels

from *Kenilworth* (1821) to *Woodstock* were often 'insupportably dull'.
The dialogue in these books was 'a jargon mixed up of scraps and
expressions from old plays or quaint tracts, such as no man on earth ever
did speak, and which it is only surprising a man of his sagacity should
have supposed they ever could'.[22] To Leslie Stephen, a slightly later critic,
the English novels were 'stucco-work of a highly crumbling and unstable
tendency', which had 'rightly descended from the library to the schoolroom'.[23] *Ivanhoe*'s reputation has never wholly recovered from strictures
like these.

Ivanhoe expresses Scott's belief that the union of the native Saxons
with the Norman invaders was the key to the formation of English
identity, just as the reconciliation of Highlanders and Lowlanders was the
key to modern Scotland. His portrayal of twelfth-century England as a
recently colonized province with an insurmountable cultural, political,
and linguistic barrier between the Norman overlords and their Saxon serfs
was to have a vast influence on later historiography, whether or not it is
good history.[24] In *Ivanhoe* Scott invites us to sympathize with the
oppressed peasants under the 'Norman yoke' (225) much as he sympathizes with the defeated Highlanders. In each case, he portrays a crisis
of instability and near-anarchy which can only be overcome by deliberate
moves to build national unity. But the issue of Saxons and Normans is for
the most part fully presented in the opening chapters of *Ivanhoe*. Scott's
romantic plot then leads in a rather different direction.

Chapter seven of *Ivanhoe* begins with a passage of scene-setting worthy
of a professional historian. It uses the sufferings of ordinary people to
define the state of the nation or, in Thomas Carlyle's famous phrase
which may have been inspired by Scott, the 'Condition of England'. In
Redgauntlet the revolutionary leader Hugh Redgauntlet describes the
'state of this nation' as being analogous to the 'florid colour of a feverish
patient'.[25] The same medical and diagnostic metaphor is present in
Ivanhoe:

The condition of the English nation was at this time sufficiently miserable. King
Richard was absent a prisoner, and in the power of the perfidious and cruel Duke
of Austria. Even the very place of his captivity was uncertain, and his fate but very
imperfectly known to the generality of his subjects, who were, in the meantime, a
prey to every species of subaltern oppression. . . . To augment their misery, a
contagious disorder of a dangerous nature spread through the land; and, rendered
more virulent by the uncleanness, the indifferent food, and the wretched lodging
of the lower classes, swept off many whose fate the survivors were tempted to
envy, as exempting them from the evils which were to come. (65–6)

Carlyle would later describe the condition of England in 1839 as one of 'sad social pestilence'. Scott's 'contagious disorder' plays much the same role in medieval England as the outbreak of typhus fever in Edinburgh that Carlyle traced to a 'poor Irish widow' who had infected seventeen of the fellow citizens who refused her appeal for charity. Carlyle attributes this disaster to the 'government of the Poor by the Rich' under the banner of 'laissez-faire'.[26] In *Ivanhoe* the King whose absence is blamed for many of England's miseries reappears under the banner of *Le Noir Faineant*, literally the 'do-nothing' black knight—a medieval anticipation of the nineteenth-century doctrine of laissez-faire.

Barely one paragraph after this, Scott switches into what he called the 'Big Bow-wow strain' of epic romance—the strain that prompts him to draw some of his chapter epigraphs from the *Iliad*.[27] The narrator transports us to the 'singularly romantic' scene of the tournament held in Prince John's presence at Ashby-de-la-Zouch, which has 'attracted universal attention'—it is as if the whole people, young and old alike, have joined this 'immense confluence of persons of all ranks'—and soon miraculous feats are being performed by the champions of the down-trodden Saxons (66). The crippling social tensions are temporarily relieved by a symbolic jousting-match in which Ivanhoe, the young and unknown Saxon hero who calls himself the Disinherited Knight, over-comes his Norman foes. The ethic of chivalry is manifestly inadequate to deal with the social injustices Scott has outlined, but, after all, he is writing an adventure romance and not a historical tract for his times.

Edmund Burke in *Reflections on the Revolution in France* had based the conservative idea of liberty on the idea of inheritance: 'The very idea of the fabrication of a new government is enough to fill us with disgust and horror. We wished at the period of the [English] Revolution, and do now wish, to derive all we possess as *an inheritance from our fore-fathers*.'[28] Scott's historical fiction puts an extraordinary emphasis upon inheritance and lineage, but his conservatism is significantly different from Burke's. Burke had written when it seemed possible that the con-tagion of revolutionary France might spread to England, but Scott's generation lived in the knowledge that Britain had defeated its continental enemies and that its monarchy and aristocracy remained intact. Victory over Napoleon might even be compared to the Crusade against the arch-infidel Saladin. It is, therefore, no accident that Ivanhoe is a returning crusader whose eyes are gradually opened to the ills of his native country. It is true that he belongs to the remnant of the Saxon nobility, grimly hanging on to what is left of their feudal possessions, but Scott sees that

their day is over. The imperial unity foreshadowed by the crusading
armies represents England's future. Cedric, the Saxon chief, believes he is
the representative of the old English nation, so that his kidnapping and
imprisonment in Front-de-Boeuf's castle ought to give him the status of
an important political prisoner. But all the Normans want is to extract
a ransom and to rape Rowena, his ward. Cedric, in any case, has divided
his followers by disowning Ivanhoe for going on the Crusades, thus
separating him from his beloved Rowena. Athelstane, her intended
bridegroom, is a renowned Saxon warrior but little else. Eventually he is
exposed as the cock that will not fight against its Norman masters.

The Normans, brought to England a century earlier by William the
Bastard, are still ruthless pillagers and conquerors. Prince John intends to
usurp his brother's throne. His followers are cynically contemptuous of
their own chivalric code, and only De Bracy, declining to take part in an
assassination attempt on the King, stands by his oath of knighthood and
draws the line at thuggery and 'highway practice' (299). There is virtual
gang warfare across the countryside, involving a group of robbers
who describe themselves as 'poor and disinherited' (105) as well as the
Sherwood Forest outlaws and the Templar Brian de Bois-Guilbert with
his gang of pretended outlaws. Scott draws on English eighteenth-century
fiction both in his scenes of highway robbery and in the attempted rape of
two young women, Rowena and Rebecca. When Bois-Guilbert tries to
rape Rebecca, the novel's interest shifts away from the Saxon-Norman
split to the 'disinherited and wandering' English Jews (97), of whom she
is one, and to the Templars with their 'immense possessions in every
kingdom of Europe' (202). The Templars, who acknowledge no ties
of family or state, are the harbingers of a new order looking beyond
the Middle Ages to Napoleon's attempted unification of Europe and
(perhaps) to the modern world of rapacious global capitalists and international civil servants.

So, although the Saxon–Norman conflict is the official national-
historical issue around which *Ivanhoe* revolves, Scott's interest in this
conflict seems perfunctory at best. He had described his heroes as 'very
amiable and very insipid sort of young men'; and, beginning with
Hazlitt's essay on 'Why the Heroes of Romance are Insipid', their passivity has been a perennial item of critical discussion.[29] We may say that
Scott's heroes are insipid because they are respectable nineteenth-century
young gentlemen (with whom his readers could easily identify) dressed up
as actors in history, but Ivanhoe seems like a burlesque even of the normal
Scott hero. So marked is his passivity that he is first discovered lying

prone, whether from exhaustion or depression, at the foot of a sunken cross near his father's house. He enters and leaves the house incognito and spends much of the remainder of the novel prostrate, carried from place to place in a litter as he is cured by Rebecca of the wound he receives at the tournament. It is true that we twice see him in his appointed role as a champion on horseback, as if he only comes to life when encased in steel from top to toe. The qualities which have brought him high in King Richard's counsels are never on display. In his second fight with Bois-Guilbert he is 'scarce able to support himself in the saddle' (390) and too weak to strike an effective blow. The day is saved, and Rebecca vindicated, by an act of God, since the Templar is seized by an apoplexy in the moment of combat.

Ivanhoe's subsequent marriage to the fair, blue-eyed Rowena, 'mild, timid, and gentle' (190) thanks to her Saxon blood, has also disappointed virtually every reader. The author felt obliged to defend himself in his 1830 Introduction for not pairing his hero off with Rebecca rather than Rowena. Ivanhoe's reconciliation with his father and his consequent marriage have the blessing of King Richard, just as the marriages in *Kenilworth*, *The Fortunes of Nigel*, *Peveril of the Peak*, and *Woodstock* all receive the blessing of an English king or queen. We are finally told that Ivanhoe distinguished himself in Richard's service and 'might have risen still higher, but for [the King's] premature death' (401)—so he is floored again, metaphorically speaking, just as in his first appearance at the sunken cross. His prosperity depends entirely on Richard's return from the Crusades, but this return is curiously muted, less as a matter of subtle policy than as a result of Richard's indolence. He saves Ivanhoe's life at the tournament by taking the field in disguise as the 'Black Sluggard' (114). Very late in the novel he unveils himself, refusing the label of Richard of Anjou that Cedric wants to pin on him and declaring himself Richard of England. But his statesmanlike attempts to reconcile Saxon and Norman are largely aborted by his own failures of leadership. The narrator offers a merciless analysis of the meteoric reign of the 'lion-hearted king' who was distinguished by the 'brilliant, but useless character, of a knight of romance' (365); for all Scott's outspoken Royalism, his fictions constantly expose the shortcomings of weak rulers. Richard's enemies act on the assumption that chivalry is dead and that 'These are not the days of King Arthur, when a champion could encounter an army' (134). Richard represents a brief but futile reversion to the world of Arthur. Ivanhoe, too, has left his Saxon forefathers behind in order to devote himself to useless chivalry. His heroism discredits the Saxon barons' Realpolitik and saves Rebecca from otherwise certain death; but this is only possible thanks to the way in which his life has been preserved by Rebecca, by the Saxon churls Gurth and Wamba, and by the stout English yeoman Locksley. Locksley, or Robin Hood, is acknowledged 'King of Outlaws' by Richard (360), and his management of his band of outlaws offers the real King a lesson in good government. But he too is a curiously muted figure. The burden of true heroism—heroism of character—in *Ivanhoe* falls entirely on the saintly Rebecca.

Rebecca comes into the novel together with her father Isaac, the Jew of York whose moneylending keeps Prince John and his minions afloat. The vehement anti-Semitism aimed at Isaac comes from 'Norman, Saxon, Dane, and Briton' alike (61). Scott clearly deprecates the 'despotism of religious prejudice' (195), though Isaac is portrayed as a stereotypically grasping and avaricious Jew who has come to England to make his fortune. What John Ruskin was to say rather dubiously of Scott's Puritans— that they are 'formal and slavish', whereas his Cavaliers are 'free and masterful'—is most certainly true of the contest between Isaac and the treacherous Norman knights.[30] Isaac frequently falls back on Old Testament invocations, and when he is called before the Grand Master of the Templars he shows 'all the submission of oriental slavery': 'No naked slave, ushered into the presence of some mighty prince, could approach his judgment-seat with more profound reverence and terror than that with which the Jew drew near to the presence of the Grand Master' (308). Here Scott's polished and flattering periods mock at Isaac's obsequiousness. In this scene, as in the torture scenes at Front-de-Boeuf's castle and in the sadistic preparations for Rebecca's death, the novelist seems to relish the sight of Jewish prostration and terror.

But Rebecca shows a spirit of heroism which rises above both her family inheritance and the Jewish religious forms. Faced with threats of rape, abduction, and execution over a slow fire she shows 'that strong reliance on heaven natural to great and generous characters' (196), something which Scott differentiates sharply from from Isaac's gabbled prayers and invocations. She has the moral authority to denounce the 'fantastic chivalry' of the Christian knights (250) and to tell Bois-Guilbert that a woman's endurance of suffering surpasses all the male's 'vaunted courage' (344). At the same time, she devotes herself to healing men wounded in combat and has to call on the ethic of chivalry to save her own life. But she has no belief in the restoration of order promised by Richard's return, and her eventual decision to leave England passes a final judgement on the nation. Richard's clash with the Templars is referred to the Pope for arbitration, making the point that even a king who believes in reconciling Saxons with Normans does not yet have full dominion in his own land. Rebecca decides to emigrate because, as a 'land of war and blood', England remains an unsafe place for her: ' "The people of England are a fierce race, quarreling ever with their neighbours or among themselves, and ready to plunge the sword into the bowels of each other. Such is no safe abode for the children of my people," ' she tells Rowena (399). The Jews could only prosper under the protection of a strong central authority, but Richard remains the ineffectual monarch who, when ambushed by his enemies, had to rely on the clown Wamba to blow the horn and summon the men of Sherwood to his assistance. W. M. Thackeray wrote a sequel to *Ivanhoe*, *Rebecca and Rowena* (1850), in which a dissatisfied and no longer passive Ivanhoe leaves England in search of his dark-haired siren. Thackeray had perceived how far Scott's epic romance of English national identity turns away from its ostensible subject in another direction. The pattern is repeated, as we shall see, in his seventeenth-century romance *Peveril of the Peak*.

Royal Costume Dramas

The heroine of *Kenilworth* is Amy Robsart, who has secretly married the Earl of Leicester. The events of the novel supposedly take place at the time of the Queen's progress to Kenilworth Castle in 1575, but a series of wild anachronisms emphasize the difference between this 'merry England' romp and Scott's earlier novels.[31] Robsart's marriage to the future Earl had been publicly acknowledged in 1549, and she had died in 1560; Leicester's possible marriage to the Queen had been discussed by the Privy Council in 1566; and Shakespeare, not born until 1564, appears in *Kenilworth* as a fashionable young playwright who had already written *A Midsummer Night's Dream* and (what we now know to have been one of his last plays) *The Winter's Tale*. Even setting aside the confusion of dates, *Kenilworth* takes episodes from proverbial English history, like that of Raleigh's cloak, and translates them into a melodramatic tale teetering always on the brink of absurdity.

Scott knew very well that he could only approach the romance of English history belatedly and at second hand. Just as Locksley in *Ivanhoe* represented the legendary Robin Hood, the pageant put on for the Queen's visit to Kenilworth Castle includes the figures of Merlin and the Lady of the Lake. A company of 'true-hearted men of Coventry' (362) portray the Saxons' defeat of the Danes, and Elizabeth moralizes on the attributes her people have inherited from the ancient Britons, Romans, Saxons, and Normans. Merlin in a sycophantic address to the Virgin Queen describes multiracial England as 'in some measure the muster of the perfections of the other nations' (351–2). But, while Scott celebrates Elizabethan England's imperial power and national pride, he shows it as being ridden with villainy and corruption, while the Queen is a control-freak whose diplomacy and cunning are at the mercy of her capricious vanity. *The Fortunes of Nigel* portrays her weak-minded, irresolute successor James I. In *Woodstock* both the debauched Cavalier Prince Charles and his arch-enemy Cromwell are shown as weak and vacillating. The latter novel ends with the old Royalist knight Sir Henry Lee and his faithful dog dying of happiness at the moment of Charles II's triumphant return to London at the Restoration; one reason for their happiness, we might think, is that they will not have to live through the dreary excesses of the Restoration monarchy. *Peveril of the Peak* begins at the Restoration and ends with a long and tedious outline of manoeuvrings at Court during the Popish Plot of 1678–9. None of these novels can be said to flatter the reigning monarch. Yet in each of them the protagonist's quest for a personal interview with the monarch is the hinge on which the plot turns.

Peveril of the Peak ends, predictably enough, with the King conferring his blessing on a 'roundheaded alliance'—the marriage of Julian Peveril, the descendant of an old Cavalier family, to the daughter of the staunch Puritan Major Bridgenorth.[32] The warring Derbyshire estates of Martindale (Cavalier) and Moultrassie (Puritan) are joined together by this marriage, but, as so often, Scott presents this final token of national reconciliation with offhand unconcern. He cares, and we care, remarkably little about the happiness of his insipid hero and dutiful but beautiful heroine. One reason for this is that in *Peveril*, as in *Waverley* and *Ivanhoe*, there is a dark heroine as well as a light heroine vying for the protagonist's affections.

In *The Hero of the Waverley Novels* Alexander Welsh argues that Scott's fiction typically balances the official hero against a 'dark hero', who is not to be confused with the villain—an outlaw whose 'intentions are "good", though fierce and mistaken'.[33] Vich Ian Vohr in *Waverley*, Burley in *Old Mortality*, Rob Roy, Hugh Redgauntlet, Richard the Black Knight and Locksley in *Ivanhoe*, Leicester in *Kenilworth*, and Bridgenorth in *Peveril* could be said to belong to this type. Then there is the 'light heroine' whom the official hero, the blond hero, must marry; she is usually a kind of sister to him, an adopted member of his own family.

This is true of Rowena, of Alice Lee in *Woodstock*, of Alice Bridgenorth, and several others. Amy and Tressilian have a similar relationship in *Kenilworth*—Tressilian obtains her father's power of attorney in order to plead Amy's case before Queen Elizabeth—but they are not able to marry. Scott's novels therefore run counter to traditional romance and aristocratic values in that they seem to favour inbreeding and endogamy. Scott did not invent the kind of plot that skirts the notion of incest by introducing a hero and heroine who are virtually brother and sister, but he did a great deal to popularize it.

Scott's acknowledged indebtedness to Maria Edgeworth's fiction is relevant here. Edgeworth's *The Absentee* (1812) may be read as a response to an earlier 'national tale' by Sydney Owenson (Lady Morgan), *The Wild Irish Girl* (1806), in which the hero, an Anglo-Irish landowner brought up in England, falls in love with and marries a Gaelic princess. Edgeworth's young Anglo-Irishman Lord Colambre can also be said to fall in love with Ireland, but his chosen bride is the woman he has been brought up to think of as his orphaned first cousin, Grace Nugent. Colambre's mother holds the traditional aristocratic belief that 'first cousins should never marry, because they form no new connections to strengthen the family interest, or raise its consequence'.[34] Grace, therefore, is forbidden territory, all the more so when it turns out that she is supposedly illegitimate. Edgeworth's hero eventually marries her, just as he would have done in one of Scott's romances, but in Scott we are usually aware of romantic exogamy—the spiritual and sexual attraction of opposites—as a force pulling the hero away from marriage to a member of his own family. Yet in Scott the sovereign power of romantic exogamy is almost always denied.

Waverley falls deeply in love with Flora MacIvor, the Celtic beauty who helps to lure him onto the side of the rebels, though she acknowledges no sexual interest in him and eventually retires to a nunnery in France to lament over her brother's political martyrdom. Ivanhoe is resolutely unmoved by the passionate, raven-haired Rebecca. Julian Peveril is loved both by Alice, a fair Englishwoman, and by the mysterious Zarah or Fenella who is both Celtic and Oriental—a combination, as it were, of Flora and Rebecca. Zarah, a character confessedly based on Goethe's Mignon, is a double agent inserted into the household of the Roman Catholic Countess of Derby under the pretence of being deaf and dumb. She is the daughter of a Manx father and an Oriental mother. At home on the Isle of Man she is associated with Celtic legend and regarded as a child of the elves. In London she exploits her sexuality by dancing before the King and ensnaring the Duke of Buckingham, whereas Alice, the light heroine, fails to captivate either the King or Buckingham despite the attempts of her kidnappers to prostitute her at court. Only the dark heroine has sexual magnetism, and only the hero (for whom she sacrifices everything) is impervious to it. Moreover, the light heroine confirms national identity and the dark heroine challenges it. By marrying the light heroine who belongs to an estranged branch of his own family, the hero does his duty for England, reclaiming his inheritance and unifying a divided estate. But the Scott of the English novels is bored by this very proper fable, and yearns for his Celtic-Semitic heroine who represents both the spirit of romance and the defeated subjects of imperial power.

At times Scott, like some of the male novelists who succeeded him (notably Thackeray and Trollope), affects not to care for the narrative of courtship. His readers demand a suitably romantic climax, and he is willing to provide one, but with an air of masculine unconcern that almost destroys the mood. He equivocates about Ivanhoe's prospect of marital happiness with Rowena, and at the end of *Old Mortality* he invents a frivolous female reader, Miss Martha Buskbody, whose persistent questioning elicits the details of the hero's marriage from a disengaged and supercilious narrator. Does this mean that the story Scott really cares about is that of his male protagonist's reintegration into the nobility and recovery of his hereditary rights?[35] (Naturally in the process he must acquire a trophy wife.) This may be so, but there is something faked in the very idea of nobility in Scott. He could celebrate aristocratic values, just as he could celebrate Scottish national difference, precisely because they seemed to be disappearing and could be invested with fondness and nostalgia. In one of his earliest pieces of writing he set out his aim of contributing to the history of his native country, 'the peculiar features of whose manners and character are daily melting and dissolving into those of her sister and ally'.[36]

The son of an Edinburgh advocate, Scott was quintessentially a middle-class writer, and there is much evidence that his main concern was with achieving commercial prosperity through appealing to readers who were both predominantly middle class and predominantly English. Heinrich Heine argued that, where Cervantes had introduced a democratic element into romance, Scott, writing for the 'prosaic *bourgeoisie*', had restored to romance its aristocratic element.[37] Thus the Waverley novels turn feudal Scotland into an adventure playground where his readers can imagine living a more colourful, a more strenuous, and a more exciting life. Martin Green has commented that 'There is a fatal gentility to the

Waverley enterprise; one aspect to it is a game with chivalric trappings for readers who make their money in trade—a literary equivalent for the social pursuit of titles and coats of arms'.[38] In *Guy Mannering* (1815) the young Harry Bertram, brought up in Holland, now a captain in the Indian Army, approaches his ancestral estate on the Solway Firth, and Scott, exaggerating his hero's sufferings, shamelessly pulls out all the stops:

And thus,—unconscious as the most absolute stranger, and in circumstances which, if not destitute, were for the present highly embarrassing; without the countenance of a friend within the circle of several hundred miles; accused of a heavy crime; and, what was as bad as all the rest, being nearly penniless,—did the harassed wanderer for the first time, after the interval of so many years, approach the remains of the castle where his ancestors had exercised all but regal dominion.[39]

'All but regal dominion': the dream, ultimately, is not one of aristocratic obligations and responsibilities but of absolute power. The downtrodden member of the middle classes hopes to become king of all he surveys.

Scott was an ardent monarchist. He had begun life as a successful poet, and in 1813, shortly before the publication of *Waverley*, he turned down the laureateship. But this did not prevent him from becoming a favourite of the Prince Regent, to whom he was presented two years later. He was made a baronet in 1820, the first novelist to receive a knighthood. His contemporary William Maginn wrote *Whitehall; or, The Days of George IV* (1827), a burlesque poking fun at Scott's eagerness to kowtow to royalty. George IV, for his part, donned the kilt (made fashionable by *Waverley*) on his sole visit to Scotland in 1822. After a state banquet in Edinburgh, Scott took home the wineglass in which the King had just pledged the health of his people, but the novelist accidentally broke the glass, and was thrown into despair. (Leslie Stephen commented on this incident that 'that wretched bit of mock loyalty amounts almost to a national misfortune'.[40]) Scott also asked for, and received, permission to dedicate the collected Waverley novels to George IV. The dedication is considerably more fulsome than the dedication to *Emma* that the King, as Prince Regent, had extracted from a manifestly embarrassed Jane Austen. It is, however, as an entertainer, not as a patriot or historian, that Scott puts himself forward as a candidate for royal patronage. Far from expressing servility, he offers himself as the people's choice, backed, like a modern prime minister, by the votes of ordinary readers:

The Author of this Collection of Works of Fiction would not have presumed to solicit for them your Majesty's August Patronage, were it not that the perusal has been supposed in some instances, to have succeeded in amusing hours of relaxation, or relieving those of languor, pain, or anxiety; and therefore must have so far aided the warmest wish of your Majesty's heart, by contributing in however small a degree to the happiness of your people. (1829)[41]

This dedication marks one of the very few significant instances of royal patronage in English prose fiction, but in literary history it is a dead end. We have seen that in each of Scott's English novels the plot leads up to a personal interview with the sovereign, who (for the moment at least) reaffirms his subject's liberties. The absence of comparable portraits of any contemporary monarch, or even of an ideological role for the monarchy, in fiction before and after Scott's time is very noticeable. Kings and queens could be openly presented in the historical romance, but not in English domestic fiction, where the reader is barely even conscious of their absence. But Scott's example suggests that, even for the novelist who is a monarchist and a Tory romantic, the fictional portrayal of royalty has certain dangers. Scott's show of loyalty towards George IV does not disguise the fact that he claims absolute dominion over his own fictional creation, and is confident of being a much wiser ruler than most English kings. As a novelist he is nobody's subject.

Disraeli and Bulwer-Lytton

Early in 1826, Scott made a famous entry in his journal after reading Jane Austen's *Pride and Prejudice* for the third time:

That young lady had a talent for describing the involvements and feelings and characters of ordinary life which is to me the most wonderful I ever met with. The Big Bow-wow strain I can do myself like any now going, but the exquisite touch which renders ordinary commonplace things and characters interesting from the truth of the description and the sentiment is denied to me.[42]

It was the 'Big Bow-wow strain' that ushered in the Victorian novel. According to the critic R. H. Horne, Scott's achievement in historical romance bred 'hundreds of imitators' throughout the civilized world: 'Everybody thought he could write an historical novel.'[43] Horne's contemporary Archibald Allison noted that since the advent of historical romance the sentimental fiction of Fanny Burney, Ann Radcliffe, Charlotte Smith, and even Samuel Richardson had become 'wellnigh unreadable'. Writing in 1845, Allison saw the historical romance as a contemporary political force, since Scott's conservatism had counteracted the democratic tendencies of sentimental romance and had even 'gone far to neutralise the dangers of the Reform Bill'.[44] Not surprisingly, Scott's English followers contained more than one outspoken Tory.

Edward Bulwer-Lytton, originally elected to Parliament in 1831 on a Reform ticket, later became a minister alongside Benjamin Disraeli in Lord Derby's Conservative government. Bulwer-Lytton's enormous literary output includes a study of the national character, *England and the English* (1833), mainly notable for its anticipations of Disraeli's political philosophy. Like his much greater contemporary, Bulwer-Lytton was a monarchist who warned against the power of an overweening aristocracy or property-holding class. The 'aristocracy of shopkeepers' that would come to power under a republic would be just as bad, he argued, as an oligarchy of nobles.[45] It needed a royal prerogative to keep the aristocracy in check; as Bulwer-Lytton put it in his unvarnished way, 'Better one despot, than a reign of robbers' (373). Thus Bulwer-Lytton, soon to be followed by Disraeli, neatly reversed the traditional Whig argument for a constitutional monarchy in which aristocratic government served to protect the nation from the absolutist tyranny it had suffered under the Stuarts. Bulwer-Lytton and Disraeli responded to the French Revolution and the British experience of parliamentary reform by reverting to the 'King versus Parliament' debates of the seventeenth century, but taking the Royalist side and warning against the power of the Whig House of Lords rather than the House of Commons. Bulwer-Lytton called on his readers to 'rally round the Throne' (373), while Disraeli argued that, despite all appearances, the real tendency of nineteenth-century political movements was towards a strengthening of the monarchy.

The new party alignments were foreseen by Disraeli in one of the most striking of nineteenth-century political texts, his *Vindication of the English Constitution* (1835). Here the Tories are the 'national party' while the Whigs are denounced as a 'small knot of great families, who have no other object but their own aggrandisement, and who seek to gratify it by all possible means'.[46] The Whigs had secured the Hanoverian succession by a *coup d'état* in 1714 just as their republican forebears in the Long Parliament had carried out a *coup d'état*. Only the monarchy could stand above class interests to represent the nation as a whole; and the monarchy would find its voice in a rejuvenated Tory party. Following the *Vindication*, large tracts of Disraeli's political novels would be given over to his rewriting of English history in the interests of Tory democracy. Behind his invocation of the royal prerogative as a counterweight to the Whig doctrine of civil and religious liberty is his sense of a broad crisis of nationhood, summed up in the title of his best-known novel, *Sybil or The Two Nations* (1845).

Both Disraeli and Bulwer-Lytton invoke the idea of national character, which had become a major concept of European political and social debate. Their sense of national character grows out of the much older analogy between the nation (or state) and the family. Disraeli in the *Vindication* echoes Burke in proclaiming that England's greatest statesmen had 'looked upon the nation as a family, and upon the country as a landed inheritance' (24). What happens, then, if there is manifest unfairness in the way the inheritance is shared out? Disraeli blamed the growing national unrest on the effects of a century and a half of Whig dominance.

But Disraeli was not much concerned with the English class structure in the modern sense of the term. Instead, the *Vindication* looks at the function and destiny of what he calls the 'great national institutions' (181). (Disraeli was one of the first writers to popularize this sense of the term 'institution'.) First, there are the political institutions deriving from the medieval model of the three estates of the realm. For Disraeli the three estates are the clergy, the lords, and the commons, each of which he describes as a 'class of the nation invested with political rights'. (Bulwer-Lytton had also started from the three estates, but his were the monarchy, aristocracy, and commons, implying that the monarchy was a sectional interest within the nation rather than the only body standing above class and sectional interests.) The three estates provide the structure of Disraeli's trilogy of 'Young England' novels: *Coningsby or the New Generation* (1844) concerned with the aristocracy, *Sybil or The Two Nations* concerned with the people, and *Tancred or The New Crusade* (1847) concerned, in a much looser sense, with the clergy.

According to Disraeli, the eighteenth-century Whigs had converted England into a 'Venetian republic' where the king was only a nominal head of state and the aristocracy held all the political power. This analysis remains influential, since it was repeated without acknowledgement in J. H. Plumb's seminal study of *The Growth of Political Stability in England 1675–1725* (1967). There was a largely ineffectual opposition led by the Tory country gentlemen in the House of Commons, sometimes with the King's backing. For the most part, the rotten boroughs and pocket boroughs in the gift of the great landed families allowed the Whigs to command a majority in both Houses of Parliament. But, though the Whigs dominated two of the nation's three political institutions, their 'object of establishing an oligarchical republic' amounted to a declaration of war against the nation as a whole, in Disraeli's view: 'The Whig party has ever been odious to the English people, and ... in the long run, the

English nation declares against them' (181). The 'nation' as Disraeli understood it was more than the apparatus of the state, but it was not to be arrived
at simply by counting heads among the population. Instead, it resided in the
'great national institutions' which it was the Tories' task to defend:

It is these institutions which make us a nation. Without our Crown, our Church,
our Universities, our great municipal and commercial corporations, our Magistracy, and its dependent scheme of provincial polity, the inhabitants of England,
instead of being a nation, would present only a mass of individuals governed by a
metropolis, whence an arbitrary senate would issue the stern decrees of its harsh
and heartless despotism. (181–2)

Here nationhood—that which gives England its 'national character'—is
something that intervenes between the Whigs' 'arbitrary senate', on the
one hand, and the people conceived as a 'mass of individuals' on the other.
Disraeli feared that senate and populace were headed for a disastrous
collision, akin to the French Revolution of 1789, unless the Tories, the
'really democratic party of England' (183), could come to the rescue.

Nothing, then, could be more misleading than the simple theory of
the 'two nations' announced in *Sybil* by the popular radical Stephen
Morley—though, as often as not, it has been held to sum up Disraeli's
legacy as a novelist. In this famous and eloquent passage from the novel,
the young Charles Egremont has complacently remarked to two strangers
he encounters in the ruins of Marney Abbey that Queen Victoria reigns
over 'the greatest nation that ever existed':

'Which nation?' asked the younger stranger, 'for she reigns over two.... Two
nations; between whom there is no intercourse and no sympathy; who are as
ignorant of each other's habits, thoughts, and feelings, as if they were dwellers in
different zones, or inhabitants of different planets; who are formed by a different
breeding, are fed by a different food, are ordered by different manners, and are
not governed by the same laws.'
   'You speak of—' said Egremont, hesitatingly.
   'THE RICH AND THE POOR.'
At this moment a sudden flush of rosy light, suffusing the grey ruins, indicated
that the sun had just fallen; and through a vacant arch that overlooked them,
alone in the resplendent sky, glittered the twilight star. The hour, the scene, the
solemn stillness and the softening beauty, repressed controversy, induced even
silence. The last words of the stranger lingered in the ear of Egremont; his
musing spirit was teeming with many thoughts, many emotions; when from the
Lady Chapel there rose the evening hymn to the Virgin. A single voice; but
tones of almost supernatural sweetness; tender and solemn, yet flexible and
thrilling.[47]

In Morley's outburst the two 'nations'—aristocracy and people or bourgeoisie and proletariat, it hardly matters—are segregated from one another as ominously as in the contemporary writings of Karl Marx. Morley's rhetoric draws upon Thomas Carlyle's social criticism in *Sartor Resartus*, *Chartism*, and *Past and Present*, rather than upon Disraeli's own writings. Egremont, at this point a political innocent, is learning about the depth of popular resentment from Morley, but Morley's vision is subtly undermined by a series of symbolic reminders of the three estates which, ultimately, make up one nation rather than two. The ruined abbey and the hymn to the Virgin link nineteenth-century class conflict to the splits in English Christianity going back to the Reformation: if the abbeys had not been ruined, Disraeli implies, there would be no such unbridgeable gap between rich and poor. The solemnity of the scene not only 'represses controversy' but points to a possible role both for the third estate, the clergy, and for the third volume of the trilogy Disraeli is writing. Meanwhile the figure of Queen Victoria reigning over a single but divided nation gives place to the 'single voice' of Sybil, the 'daughter of the people' who is (unknown to herself) a dispossessed aristocrat like one of Scott's protagonists. Metaphorically speaking, Disraeli's nun-like heroine hints at the potential reunification not only of the 'two nations' but of the three estates. Taken together, indeed, *Sybil* and *Tancred* seem to suggest that the bitter class divisions of the nineteenth century may prove a less intractable problem than the religious schisms embodied in England's identity as a Protestant nation.

We must wonder, then, why Disraeli's image of the 'two nations' became so resonant. In part this was due to the urgency of its historical context, in part to the repetition of a familiar fictional pattern. *Coningsby*, the first novel in the trilogy, had defined Carlyle's 'Condition of England Question' as the discrepancy between 'moral civilisation' and material wealth;[48] but *Sybil* portrays Chartism, the exploitation of the industrial workers, and the poverty caused by depression of trade in terms that would soon be echoed in the novels of Elizabeth Gaskell and Charles Kingsley. Disraeli's starving workers mount a plebeian insurrection that could be seen to presage a new Civil War. The rioters emerge from a kind of workers' republic ruled over by the despotic master-craftsman 'Bishop' Hatton, at Wodgate in the heart of the Black Country. Here there are no landlords, no churches, no large factories, no magistrates, no schools, and no political institutions, so that 'Labour reigns supreme' (203). It is the 'ugliest spot in England' (202). Even Stephen Morley is appalled by it. The plebeian insurrection soon collapses, however, and Wodgate is revealed as a plague-spot of anarchy and lawlessness rather than the capital of a separate 'nation'.

There are strong historical precedents for seeing England as having been divided into two 'nations' at earlier crises in its history, as Disraeli was well aware. There were the Puritan and Royalist Englands of the Civil War, which had given birth to the two-party system in which Disraeli was such a passionate partisan. Before the Civil War, there were the Catholic and Protestant Englands of the Reformation, and the Saxon and Norman Englands that Scott believed had persisted side by side after the Conquest. The novels of Disraeli's trilogy, especially *Sybil*, allude richly to each of these conflicts. The term 'Saxon', in particular, is used to evoke a cultural and racial stereotype that remains pertinent in the nineteenth century. In *Coningsby*, the manufacturer Oswald Millbank boasts of 'Saxon industry competing successfully with Norman manners' (165). His daughter Edith is the 'daughter of a Saxon', hence her Saxon name (162). In *Sybil* the preacher Aubrey St Lys possesses the 'beauty of the noble English blood', 'the Norman tempered by the Saxon' (140). Queen Victoria, on the other hand, is 'fair and serene, [with] the blood and beauty of the Saxon', and her historic task is to 'break the last link in the chain of Saxon thraldom' (67). Not only is Sybil herself shown reading Augustin Thierry's *History of the Conquest of England by the Normans* (1825), but her father, the Chartist Walter Gerard, insists upon its contemporary relevance: ' "It must interest all and all alike ... for we are divided between the conquerors and the conquered" ' (213). Sybil has inherited her father's convictions that the gap between the classes is as impassable as the ancient gulf between Saxon and Norman, and that the people in the nineteenth century are as brutalized as Saxon peasants. Gerard glories in the notion that his forebears were 'peasants and the sons of peasants' (416), one of whom was a bowman at Agincourt. But Gerard is not in fact of peasant stock, and in Disraeli's fiction, we soon realize, no family pedigree is what it seems.

The supposedly ancient Norman families of the Egremonts and de Mowbrays in *Sybil* are impostors, the possessors of stolen lands and faked armorial bearings. The Egremonts owe their wealth to a 'confidential domestic' or upper servant under Henry VIII, who came in for a share of the great land-grab caused by the dissolution of the monasteries in the 1530s. They changed their name from Greymount to the pseudo-French Egremont and in the Civil War, 'pricked by their Norman blood' as Disraeli mockingly says, they fought as Royalists (35). (Fearing that the Stuarts might be planning to repossess the Church lands, they later sided with the Whigs.) Lord de Mowbray, who styles himself as a 'descendant of the first crusaders' (143), is an even more recent creation. The pseudo-Norman aristocracy is opposed by the Gerards, whose pseudo-Saxon pretensions Disraeli punctures a good deal more gently. Thanks to Walter Gerard's aristocratic appearance and manner, it is no real surprise that he eventually turns out to be both the descendant of a medieval abbot and the rightful Lord de Mowbray. Immediately before Sybil speaks of the English people and claims to be the 'daughter of their blood' (160) we are introduced to her dog Harold, 'a young bloodhound of the ancient breed, such as are now found but in a few old halls and granges in the north of England' (156). This pedigree pet with a royal Saxon name is the embodiment of true social instincts. He snarls at the pacifistic villain Stephen Morley and rushes to rescue Charles Egremont from Morley's clutches. (Gerard, by contrast, has no suspicions of Morley.) Morley, possibly the novel's only genuine Saxon, is guilty not only of political chicanery but of attempted rape and attempted murder.

If Harold instinctively knows the difference between the base Morley and the noble Egremont, Egremont too is something of a bloodhound, as is shown by the powerful attraction he feels towards both Gerard and his daughter. The plot of *Sybil* thus works to undermine both the 'two nations' theory and the notion that the modern rich and poor are the descendants of Normans and Saxons respectively. Both theories are, in effect, myths subscribed to by Disraeli's Chartists and radicals rather than expressions of his own political faith. Sybil herself is apparently a reader of *Ivanhoe* as well as of histories of the Norman Conquest. When Morley tries to blackmail her with promises to save her father in exchange for sexual favours, she retorts that ' "I have read of something of this sort... this bargaining of blood, and shall I call it love? But that was ever between the oppressor and the oppressed" ' (368). She is, then, the descendant of Rebecca in the hands of Bois-Guilbert.[49] Her name is that of a mysterious prophetess, and the fact that Disraeli never says who her mother was (she is simply the 'daughter of the people') might suggest a dark heroine in the Scott mode, but she is at best a light heroine in disguise—an 'embodiment of pure value', in one critic's words, and an aristocrat in love with Charles Egremont.[50] Inevitably she must lose her belief in the doctrine of class struggle. Disraeli's earliest readers were aware that the marriage plot of *Sybil* had not, in fact, unified the two nations; it was meant, instead, to undermine the 'two nations' theory.[51] Sybil rejects Morley for Charles Egremont because she no longer views the split between the rich and poor in the light of 'that sentiment of unmingled hate and scorn which she associated with Norman conquerors and feudal laws' (349–50). She believes that the English nation can be saved (even as its class divisions are perpetuated) by one-nation Toryism.

From *Vivian Grey* to *Tancred*: Aristocracy and Empire

Disraeli, like Bulwer-Lytton, started out as a member of the so-called 'silver fork' school of novelists of the English upper class and fashionable metropolitan life. But he also looked passionately beyond England. After travelling to the Middle East he produced a prose version of the Byronic Grand Tour in his novel *Contarini Fleming* (1832). *Alroy* (1833) is a romance, complete with historical notes modelled on Scott's, in which a twelfth-century Jewish prince briefly creates a Middle Eastern empire. With the hero's pilgrimage to Jerusalem in *Tancred*, the third volume of the 'Young England' trilogy, Disraeli went beyond Byronic travel fiction to write—and, indeed, to invent—the political romance of nineteenth-century British imperialism.

Aristocratic settings are commonplace in the Gothic romance and even in the Jacobin novelists of the 1790s. Fielding, Smollett, and Richardson before *Sir Charles Grandison* rarely moved higher than the gentry, but the novels of Burney, Edgeworth, Charlotte Smith, and their contemporaries had depicted lords and baronets in ever-increasing numbers. With the French Revolution, the ethos and plight of the aristocracy came to the fore as the traditional social structure was overturned. The abolition of hereditary titles in France causes alarm in the breast of Smith's Miss Fairfax, in *Desmond* (1792): ' "Only suppose the English mob were to get such a notion, and . . . begin the same sort of thing here!" '[52] But the English mob never did get such a notion. Instead, the 'silver fork' fiction that arose after the victory of Waterloo and the restoration of the Bourbon monarchy showed a parvenu fascination with the smallest details of manners and dress, encouraging a slavish worship of aristocratic opulence. Disraeli's first novel, *Vivian Grey* (1826), told its readers that in order to enter high society, 'a man must either have blood, a million, or a genius'.[53] This was followed by *The Young Duke* (1829), a piece of fiction memorably deflated by Disraeli's father Isaac, who is said to have asked, ' "What does Ben know of dukes?" '[54] Vivian Grey nurses a Dick Whittington-like ambition, and when asked what he aims to become, he replies airily, ' "Oh! Lord Mayor of London, I suppose" ' (74). He turns to the study of politics, and wins the confidence of the Marquis of Carabas whom he persuades to head a parliamentary coalition grandly called 'The New Union'. But Vivian is a political impostor, and the second half of the novel sends him, unmasked and disgraced, into European exile. The Duke of St James's in *The Young Duke*, by contrast, is shown spending, gambling, and womanizing at great length before belatedly developing a social conscience. His maiden speech in the House of Lords, portrayed as the testament of a born-again idealist, is in favour of Catholic Emancipation. Disraeli never comments on the timeliness of his conversion to this cause, which comes at the height of his pecuniary embarrassments caused partly by the arrears of rent on his Irish estates.

In *Vivian Grey* Disraeli had outlined the formula for the fashionable novel of the time: 'three volumes, one half of which contain the adventures of a young gentleman in the country, and the other volume and a half the adventures of the same young gentleman in the metropolis' (24). For 'the country' Disraeli tends to substitute a portrayal of his young gentlemen first of all at boarding school, and then as participants in country weekends or shooting-season holidays. Nevertheless, each of his novels briefly alludes to the motif of the rural idyll which plays a significant role in *Coningsby* and *Sybil*. Vivian early displays his unscrupulous adroitness by faking Washington Irving's autograph at a young lady's request; later he is shown visiting a country cottage, 'the very model of the abode of an English husbandman' (55), when it has just been stripped by the bailiffs. Ruined abbeys provide the setting for emotional scenes in *The Young Duke* and *Contarini Fleming* as well as in *Sybil*. In the 'Young England' trilogy Disraeli varies his fiction of young politicians on the make with pictures of agricultural distress and of model industrial settlements framed by a pastoral landscape.

Coningsby marks the perfection of the political plot that Disraeli had begun to devise in *Vivian Grey* and would reuse in *Sybil*. The emergence of the young hero's capacity for leadership, his admission into the counsels of the aristocracy, his meeting with a powerful stranger, and his break with his political mentor are all part of the formula. In *Coningsby* and *Sybil* this plot becomes the vehicle for Disraeli to expound his political ideas and to show the energies of heroic youth turning to the cause of national relief and regeneration. Formally the plot is concerned with the maturation of the young hero, ending in a symbolic marriage; in fact, prematurity is the essential feature of Disraeli's novels, and the spiritual direction of 'Young England' remains as uncertain as that of Vivian and the Duke of St James's. The reappearance of Harry Coningsby and

Charles Egremont as married young politicians in *Tancred* is both disconcerting and disillusioning, since there is little or nothing to show that they have become potential future statesmen rather than Westminster lobby-fodder like the backstairs fixers Rigby, Tadpole, and Taper. Rigby, the author of 'slashing articles' and the man employed 'to do the dirty work' in *Coningsby*, is a man 'destitute of all imagination and noble sentiment' (10, 410). Coningsby, Egremont, and Tancred have imagination and noble sentiment in abundance, but its practical application remains entirely a matter of faith.

Much of the drama of *Coningsby* lies in the protagonist's struggle with his grandfather Lord Monmouth, a Regency buck who prefers actresses and prostitutes to fashionable society, and lives for preference in southern Italy rather than in his grand English mansions. But Monmouth, a cold, distant tyrant who greets his schoolboy grandson with a bow such as 'Louis Quatorze might have bestowed on the ambassador of the United Provinces' (18), cannot bear to relinquish his political power at home. Though a Tory, he embodies all the arrogance of Disraeli's 'Venetian' Whigs. His eventual decision to disinherit Coningsby arises from a family feud of which Coningsby had his first inklings when he saw his mother's portrait hanging in the house of the Whig manufacturer Oswald Millbank. (Dickens uses the same device of the mother's portrait discovered in a strange house in *Oliver Twist* and *Bleak House*.) Coningsby breaks with his grandfather by refusing to stand against Millbank, who is the sitting MP for the Darlford constituency where the Tory nomination is in Monmouth's gift. After Monmouth's death, his now disinherited grandson is free both to marry Edith Millbank and to succeed her father as Darlford's MP. Benefiting from a combination of good luck and sacrificial benevolence as miraculous as anything in Scott, Coningsby then regains his inheritance thanks to the generosity of Lord Monmouth's natural daughter.

We see Coningsby visiting his contemporaries in their various country houses, all of which make a favourable contrast with the soulless luxury of Lord Monmouth's country seat. The excursion to Eustace Lyle's estate of St Geneviève seems to allude to the visit to Sotherton in *Mansfield Park*, though Disraeli shows none of Austen's mastery of dramatic effect. St Geneviève was a Royalist house besieged by the Parliamentary forces in 1643, but Lyle, a Roman Catholic, reverts to a much earlier age, attempting to reconstruct feudal social relationships by means of a ceremonial almsgiving two days a week. Later in the novel Coningsby spends a merry Christmas at St Geneviève, a brief episode heavily reminiscent of

Bracebridge Hall. But this backward-looking paradise is set against a very different rural idyll, the model industrial settlement of Oswald Millbank.

Travelling across a Sherwood-like ancient forest, Coningsby meets the mysterious horseman Sidonia, who pronounces that ' "The Age of Ruins is past. Have you seen Manchester?" ' (113). Our hero arrives in the northern metropolis only to be told by a mill-owner that ' "Manchester is a dead letter" ' (155), and that he should see Millbank instead. Millbank is not a city but an industrial village in a 'green and silent valley' which remains unpolluted since Oswald Millbank ('Millbank of Millbank') uses an unspecified process to 'consume his own smoke' (158, 161). But Millbank is not satisfied with his soundless and odourless hive of industry surrounded by 'broad plains', 'green lanes', and 'running streams' (169), since he has also bought a Tudor mansion at Hellingsley, next door to Coningsby Castle, which in its lush Englishness pointedly recalls the world of the *Sketch Book* and Jane Austen's Donwell Abbey. As Disraeli writes, 'The beautiful light of summer had never shone on a scene and surrounding landscape which recalled happier images of English nature, and better recollections of English manners, than that to which we would now introduce our readers' (354). Eton, Westminster, Coningsby Castle, St Geneviève, Manchester, Millbank, Hellingsley: the England of *Coningsby* unfolds like one of Washington Irving's tourist itineraries, although the itinerary extends from the playgrounds of the upper classes to the manufacturing districts of Lancashire and the West Midlands.

These districts are no less compelling for being, as Lady Marney observes in *Sybil*, 'very disagreeable' (105). Disraeli's technique in *Sybil* is one of pastoral inflation followed by deflation. From Lord Marney's country seat he takes us upstream past the Abbey farm and Abbey mill (reminiscent of Donwell in *Emma* with its Abbey-Mill Farm) to the deserted ruins where Egremont meets Sybil and her companions; but he also takes us downstream to the town of Marney. The Abbey farm is the scene of a recent rick-burning, which Lord Marney is determined to regard as being purely accidental. (Mary Mitford's tale of 'The Incendiary' gives precisely the explanation of a rick-burning incident that Lord Marney would have wanted to hear.) The rick-burning is evidently an act of sabotage and the perpetrators have most likely come from the town. Marney provokes Disraeli's most openly rhetorical assault on the 'rural idyll' convention:

The situation of the rural town of Marney was one of the most delightful easily to be imagined. In a spreading dale, contiguous to the margin of a clear and lively stream, surrounded by meadows and gardens, and backed by lofty hills, undulating and richly wooded, the traveller on the opposite heights of the dale would often stop to admire the merry prospect, that recalled to him the traditional epithet of his country.

Beautiful illusion! For behind that laughing landscape, penury and disease fed upon the vitals of a miserable population! (80)

Does Charles Egremont carry within him the solution to the people's misery? Despite his quarrels with Lord Marney, his elder brother, he becomes MP for the family borough (which is at Marbury, not Marney). Not once is this apostle of social welfare shown visiting his constituency or taking any interest in the people who regularly re-elect him to Parliament. Instead, he studies social conditions in Mowedale, where Walter Gerard is employed at a model factory which, in its rural setting, is another Millbank. When Egremont eventually makes a 'beautiful speech' in the Commons on the subject of the 1839 Chartist petition, Sybil congratulates him but adds that ' "They will listen to you, they will cheer you, but they will never follow you" ' (354). This is said before her conversion to Egremont's 'one-nation' outlook, but it is a convincing prophecy which only a generously inclined and biographically minded reader is likely to dismiss. However honourable and sympathetic a character, Charles Egremont is no Benjamin Disraeli.

In any case, Disraeli's aristocratic young Tories lack the most crucial element in his own identity—his Jewishness. The banker Sidonia (whose name itself suggests 'Disraeli'[55]) serves as a cosmopolitan Jewish mentor for the 'Young England' heroes. Sidonia stems from an old Spanish family that financed the Peninsular War and the Waterloo campaign, he is master of the learning of every nation, and he holds opinions that Disraeli may have found too radical for his Tory heroes. In *Coningsby* he is described as a specialist in the 'secret history of the world', a history in which, so he claims, 'the Jewish mind exercises a vast influence' (215, 246). Although he sends Harry Coningsby to Manchester, he is also close to the 'Venetian' Lord Monmouth, whose executor he becomes. His presence in *Coningsby* means that the novel cannot just be concerned with England's Saxon and Norman legacy, any more than *Ivanhoe* was. If the pampered Disraeli hero is a potential English statesman, Sidonia stands for the necessary link between national governance and imperial politics. But his presence in *Coningsby* is largely symbolic,[56] and he does not reappear until *Tancred*, where he supports the hero's Middle Eastern venture.

In his role as political talent-spotter Sidonia sees that Tancred, though 'as ignorant of the world as a young monk', possesses 'all the latent qualities which in future would qualify him to control society', and he introduces Tancred to Egremont.[57] It is through Sidonia's eyes that we are encouraged to see Coningsby (who briefly studies for the Bar) as a potential Lord Chancellor, Egremont as a future prime minister, and Tancred as a future archbishop. But Sidonia's function is also to point his young admirers in a particular direction, as when he tells Tancred (who is obsessed with the idea of a religious pilgrimage) that ' "All is race; there is no other truth" ' (149).

In *Sybil*, where Sidonia is absent, the 'meeting with the stranger' is the scene at the ruined abbey already discussed. It is tempting to imagine that Sybil, the 'Saxon Rebecca',[58] has, if not Semitic, at least Mediterranean connotations: she is, after all, a Catholic convert whose nun-like beauty is never described as 'Saxon'. But this only emphasizes the mystery of her parentage, since as we have seen she is motherless. Walter Gerard laments that the 'daughter of the people' ' "cannot look to marriage: no man that she could marry would be worthy of her" ' (347). As a worshipper of the Virgin whose name is inherited from her father's, not her mother's 'race' (215), she herself seems to be almost of virgin birth. Disraeli could have solved the mystery of Sybil's own 'worth' by providing her with a foreign mother, as George Eliot would later do for Daniel Deronda. Instead, it is given to Disraeli's third hero, Tancred, to fall in love with a Jewess who represents the 'perfection of oriental beauty' (187–8).

Sidonia makes no attempt to initiate the Little Englander Harry Coningsby into the 'secret history of the world' of which he is master. But he seeks to awaken imperial ambitions in Tancred, Lord Montacute, who turns down a seat in Parliament in order to retrace the steps of his ancestor who was a Crusader. (The Montacutes are, apparently, of genuine Norman blood.) The novel's subtitle, 'The New Crusade', suggests that his mission to the Holy Land might be an imperial adventure in the grand tradition of Napoleon's opening-up of Egypt—a suggestion implied, if also burlesqued, by the presence in the opening pages of a French ex-army chef with the 'grand air of the Imperial kitchen' (6). But Tancred's actual deeds in the East bear little relation to his noble ambitions. The structure of the 'Young England' trilogy is eventually undermined by its third hero, who travels in search of a new Jerusalem which he finds but does not conquer.

The explicit aim of his pilgrimage is to seek religious enlightenment and a cure for Victorian England's spiritual blindness. Such a cure must be sought, he believes, in the Bible lands, and its basis is the idea of Hebrao-Christian unity that had earlier been preached in *Sybil* by the

Anglo-Catholic Aubrey St Lys. Tancred eventually experiences a religious revelation, not at the Church of the Holy Sepulchre in Jerusalem (with its exclusively Christian associations) but on Mount Sinai. Here, feverish from a recent battle-wound, he is spoken to by an angel. He never returns to the Anglican communion, and his mission to reunite all the 'people of the Book', including Jews and Muslims, must have posed a formidable challenge even to the broadest of Broad Churches. But the fact that he is engaged on something more than a merely spiritual pilgrimage is evident to Sidonia and his Eastern associates, if not to Tancred himself. Sidonia views it as an attempt to penetrate the 'great Asian mystery' (124), and Tancred's friend the Emir Fakredeen calls it a 'religious-politico-military adventure' (439)—and, he might have added, an erotic adventure as well.

In Jerusalem everyone assumes that the young tourist is on a diplomatic mission, if not a British spy. Among the Bedouin, he becomes known as Queen Victoria's brother. He is captured and imprisoned in the hope that his ransom will pay for English rifles to fight against the Turks, and then he is taken to Lebanon to preside over an alliance between Muslims and Maronite Christians. For reasons never wholly clear, he persuades Fakredeen to accompany him to the mountain redoubt of the warlike Ansarey, the last surviving worshippers of the ancient Greek pantheon ruled over by the exotic Queen Astarte. Here the Queen falls in love with Tancred, who finds himself organizing her defences against the Turkish army sent to free Eva, her captive, with whom he himself is in love. Fakredeen presents himself as the ally of Tancred, Astarte, and Eva, and apparently betrays all three; but finally Fakredeen, Tancred, and Eva are reunited. No wonder the confused hero continues to ask himself 'Why was he there? Why was he, the child of a northern isle, in the heart of the Stony Arabia ... ?'(264).

In the novel's final scene, Eva's challenge to Tancred seems to contain Disraeli's summing-up of his hero's hectic odyssey:

'Your feelings cannot be what they were before all this happened; when you thought only of a divine cause, of stars, of angels, and of our peculiar and gifted land. No, no; now it is all mixed up with intrigue, with politics, and management, and baffled schemes, and cunning arts of men. You may be, you are, free from all this, but your faith is not the same. You no longer believe in Arabia.' (485)

Tancred responds by making passionate love to Eva and saying that he has 'no kindred, no country' (486), a disavowal that is openly mocked when, in the novel's last line—and in a remarkable contrast to the upbeat endings of *Coningsby* and *Sybil*—we hear that his parents have just

arrived in Jerusalem.[59] Will he return with them to England? Have they
come to Jerusalem as pilgrims, tourists, or (as at least one recent critic
assumes) as imperial pro-consuls?[60] Does Disraeli mean to imply a symbolic marriage between the Christian hero and the Jewess? Will love or
filial obedience triumph? The novelist will not say.[61] Eva, who has all
along been engaged to her cousin, remains ambiguous and noncommittal,
while Tancred is still immature, unfulfilled, and possibly in leading-
strings to his provincial English origins. His new crusade, in Michael
Ragussis's words, 'can look like either the discovery of an ancient
genealogy or the renunciation and betrayal of European and Christian
values'.[62] Disraeli's later novel *Lothair* (1870) sends its hero to Jerusalem
on an equally muddled and puzzling quest.

Nevertheless, Tancred is clearly the precursor of British imperial
expansion. In *Alroy* Disraeli's twelfth-century hero had voiced the ideal
of a universal empire, which 'must not be founded on sectarian prejudices
and exclusive rights'.[63] Tancred's ecumenical quest for Hebrao-Christian
unity fits in with the political requirements of empire. Eva, who believes
that 'Asia and the North' must always be at war, is shown as being
adamantly opposed to the extension of European colonialism to the
Middle East (217); but probably she is another yielding heroine like Sybil,
whose opposition to sexual union and political alliance with the
Disraelian hero is stated only to be overcome. When her Machiavellian
stepbrother Fakredeen shows Tancred the ruined city of Petra (the last
vestige of an ancient empire), he tries to tempt Disraeli's hero with the
vision of an Asian Empire ruled over by Queen Victoria. Here we have
something like Disraeli's own ambition as the future world statesman
who would have Victoria declared Empress of India:

'[T]he game is in our hands, if we have energy. There is a combination which
would entirely change the whole face of the world, and bring back Empire to the
East. . . . Let the Queen of the English collect a great fleet, let her stow away all her
treasure, bullion, gold plate, and precious arms; be accompanied by all her court
and chief people, and transfer the seat of her empire from London to Delhi. There
she will find an immense empire ready-made, a firstrate army, and a large revenue. In the meantime I will arrange with Mehemet Ali. He shall have Bagdad and
Mesopotamia, and pour the Bedoueen cavalry into Persia. I will take care of Syria
and Asia Minor. The only way to manage the Affghans is by Persia and the Arabs.
We will acknowledge the Empress of India as our suzerain, and secure for her the
Levantine coast. If she like, she shall have Alexandria as she now has Malta: it
could be arranged. Your queen is young; she has an *avenir*. Aberdeen and Sir Peel
will never give her this advice; their habits are formed. They are too old, too
rusés.' (262–3)

Folie de grandeur is mixed here with a startling premonition of the 'Great Game' of Asian imperialism that would be played later in the century by Britain and Russia, and in our time by the United States. The passage seems less like the thoughts of Fakredeen or Tancred than a secret message from Disraeli to the Queen whom he doubtless thought of as one of his readers. He then sends Tancred and Fakredeen to the court of Astarte, who is a kind of displaced Queen Victoria. As a motif of imperial romance this would be repeated much later in the century, and at a more popular level, by H. Rider Haggard in *King Solomon's Mines* (1886) and *She* (1887). The ending of *Tancred* is cryptic and unsatisfactory because Disraeli can neither commit his hero to the 'great Asian mystery'—which, as we shall see later in *Daniel Deronda* and Kipling's *Kim*, would involve becoming a kind of double agent and losing his national identity—nor can he bring him back to the English world of Coningsby and Egremont.

Scott and Disraeli are both flawed novelists, but their Romantic Toryism had a lasting impact on the English novel's representation of national identity. The Romantic Tory begins by idealizing such 'true' or 'native' English qualities as a green and temperate English landscape, a feudal aristocracy and monarchy, or a sturdy Saxon peasantry. But these domestic idylls offer too little to the Romantic imagination, which must soon look for further fields to conquer. Hence the appeal of the overseas empire. The materials of romance, as Hazlitt observed, are once again sought outside England. The portrayal of the monarch—in Disraeli's case, the invisible Queen Victoria—is replaced by an exotic, erotic, and highly susceptible foreign queen. But imperial romance is a more complex process than the simple negation of Englishness that was found in the Gothic novelists. Will the Englishman abroad take part in the construction of a greater England, or will he (it is invariably he) become engulfed by the equivalent of Disraeli's Asiatic, Semitic mystery? The later classics of imperial fiction such as Kipling's *Kim* and Forster's *A Passage to India* explore this conflict of identity which was already anticipated in Disraeli's novels.

8

Tory Daughters and the Politics of Marriage: Jane Austen, Charlotte Brontë, and Elizabeth Gaskell

I N *Marriage* (1818) by the Scottish novelist Susan Ferrier, Lord Courtland demands that his daughter should make a traditional aristocratic marriage:

'She shall marry for the purpose for which matrimony was ordained amongst people of birth—that is, for the aggrandisement of her family, the extending of their political influence—for becoming, in short, the depository of their mutual interest. These are the only purposes for which persons of rank ever think of marriage.'[1]

Since this is a novel, we may be sure that Lord Courtland will be disappointed. The idea that young lovers are bound to defy social convention is one of the generic requirements of fictional romance, but the novels of Jane Austen and her contemporaries such as Maria Edgeworth and Susan Ferrier reflect specific anxieties about marriage in the early nineteenth century. The English aristocracy, having seen the flower of the French nobility sent to the guillotine in the Terror, was determined to defend its political power and to ensure its own survival. At the same time, the middle-class pattern of companionate marriage was becoming increasingly dominant, and novels did much to propagate this middle-class ideal.[2]

Although the novel and drama throughout history can be taken as advocating love matches and companionate marriage, such marriages in fiction invariably have an allegorical dimension. If literature asserts the right of two individuals to choose one another freely, it also tends to reveal the special appropriateness and poetic justice of the choices they make. Shakespeare's *Romeo and Juliet* is not merely an individual love tragedy; it tells us that family vendettas are evil, and would have done so even if the lovers had survived and ended happily. Aristocratic marriage is arranged, negotiated, and authorized, at least by the bride's parents;

fictional marriages involve either filial rebellion or, at the very least, the exercise of independent judgement by the hero and heroine. But the fact that novel heroines usually marry for love does not prevent these marriages from bearing a political as well as a moral significance. The normal pattern is one in which selfish and short-sighted family interests are set against the wider social interests that the lovers embody and the novelist implicitly or explicitly endorses.

Is there a 'national interest' in marriage? Before the Victorian period, the politics of marriage in English fiction mainly reflect internal divisions within the aristocracy and gentry. There were few successors to *Pamela*, in which the cavalier Mr B is redeemed by marrying his Puritanical serving-maid. Clarissa's rebellion is against a caste marriage dictated by the 'family fault', the Harlowes' greed to acquire more land. In *Tom Jones* Squire Western is a landed gentleman anxious to enlarge his estate and willing, therefore, to marry his daughter to Mr Allworthy's heir whoever that heir may be. Legal and economic changes in the eighteenth century gave increasing importance to the concentration and augmentation of landed estates.[3] The most successful practitioners of aristocratic marriage as recommended by Lord Courtland were perceived as being the ruling Whig dynasties, the 'small knot of great families' later to be lampooned by Disraeli.

For all their sympathies with the French Revolution, the English 'Jacobin' novelists of the 1790s such as Charlotte Smith, Thomas Holcroft, and Robert Bage produced parables of a reformed aristocracy rather than visions of an aristocracy overthrown by the people. In Smith's *The Old Manor House*, Orlando's marriage to Monimia and his inheritance of Rayland Hall represent the renewal of the estate which gives the book its title. Thomas Holcroft's *Anna St Ives* (1792) shows the heroine, a baronet's daughter, rejecting an arranged marriage with Coke Clifton, an unscrupulous libertine, who (as she complains) 'acts more from the love of his rank and family, that is of himself, than of me'.[4] Her preference is for the lower-class radical Frank Henley, a 'true liberty boy' for whom (in Clifton's colourful idiom) a 'Lord is a merry andrew', and 'a Duke a jack pudding' (94). But Anna refuses to disobey her father by eloping with Henley, and shoulders the burden of Clifton's moral rehabilitation, a task in which she finally succeeds. The hero of Robert Bage's *Hermsprong* (1796), by contrast, is a mysterious American republican, the owner of 60,000 acres on the Potomac, whose stay in England leads to suspicions that he is a Jacobin and a French spy. His chosen enemy is the tyrannical mine-owner Lord Grondale, who has him charged with sedition. All too predictably, Hermsprong turns out to be the rightful Lord Grondale. He marries his cousin and settles in England as a reformed, radical lord with a popular appeal that augurs well for the maintenance of the class system.

The Jacobin writers were without aristocratic connections, although their novels tend to suggest that an enlightened aristocracy could still form the backbone of the English nation. Charlotte Smith was born into the minor gentry and married a City merchant. Holcroft had worked as an actor, shoemaker, and stable boy, while Bage was a Quaker factory-owner. Jane Austen, who possessed a copy of *Hermsprong*,[5] came from a solidly genteel background and was strongly anti-Jacobin. Her characters are far more ill at ease in fashionable society than those of the Jacobin novelists whose radical politics she so disliked. The Jacobins remembered the anti-Royalist origins of the Whig party and dreamed of an alliance between radicals and reformed Whig aristocrats. For Austen, however, the eighteenth-century division between the Tory country gentry and the ruling Whig aristocracy was a deeply personal matter.

Austen has been described as the 'Tory daughter of a quiet Tory parson', and her novels as 'Tory pastorals'.[6] Although party names never appear in her fiction, the stinging portrayal of an aristocratic *grande dame* such as Lady Catherine de Bourgh implicitly involves party politics. Austen was a daughter of the clergy and a partisan of the devout, patriotic lower gentry, while Charlotte Brontë, who differs from her in so many respects, resembles her in being a Tory clergyman's daughter. Austen's Catherine Morland and Brontë's Caroline Helstone are the daughters of country parsons, as is Margaret Hale at the beginning of Elizabeth Gaskell's *North and South* (1855). Gaskell, Charlotte Brontë's friend and biographer, was the daughter of a Unitarian minister.

Austen's and Brontë's novels reflect their authors' rural and Anglican backgrounds in their concern with patriotism, paternalism, pastoralism, and the moral accountability of the individual. Patriotism is a stronger emotion in Austen and Brontë than in most English women novelists before or since. Austen lived through the Napoleonic Wars and had brothers in the navy; Charlotte Brontë, born in 1816, reflects some of the chauvinistic prejudices of a generation growing up in the aftermath of a successful war. There was an intense loyalist reaction to the French Revolution and the threat posed by Napoleon's armies, 'orchestrated by the rich', as one historian writes, but spreading to all classes.[7] Jacobin novelists like Charlotte Smith tried to warn their readers against the dangers of nationalism, balancing England against France and Royalism against republicanism. The heroine of Smith's *Marchmont* studies

English history and concludes that, for one who has gone beyond the abridged histories written for children, since the reign of Elizabeth I 'there is hardly an interval that can be read with pleasure'.[8] Jane Austen's outspokenly Royalist teenage *History of England*, admittedly a burlesque, reveals the 'strong political opinions' which later mellowed into her family's moderate Toryism.[9] Charlotte Brontë, the daughter of an Irish father and a Cornish mother, idolized the Anglo-Irish Duke of Wellington, the victor of Waterloo who later became Tory prime minister. Wellington and his sons are the central figures of the fantasy world of the Glass Town (later Angria) created by Charlotte and her brother Branwell in their youth. At the age of 13 Charlotte copied out Walter Scott's tribute to Wellington in his *Life of Napoleon Bonaparte*, adding the following exclamation: 'If he saved England in that hour of tremendous perils, shall he not save her again?'[10] The Victorian critic Leslie Stephen saw Charlotte Brontë as a typical example of the 'patriotism of the steeple'.[11]

As the phrase implies, the Church of England parson had a recognized duty to support the monarchy and the ruling class, and (at least in times of crisis) to preach patriotism and social obedience to his flock. Patriotism went with paternalism, the clergyman's duty to oversee the lives of his congregation and to act as its spiritual father. The priest's personal authority was also vested by proxy in his family—primarily his wife, but also his daughter. 'Clergyman's wife' is the role that the fashionable Mary Crawford in *Mansfield Park* will do almost anything to avoid, both in the play of *Lovers' Vows* and in reality. In *North and South*, Margaret Hale, returning from the metropolis to her father's parish of Helstone in the New Forest, anticipates the 'delight of filling the important post of only daughter in Helstone parsonage'.[12] The social standing and duties of a clerical family were taken very seriously by Victorian readers. The paternalism of the clergy was pastoral in two senses of the word: not merely caring and guiding, but, for these early nineteenth-century novelists, also essentially rural. Edmund Bertram ardently wishes for a country living, disregarding Mary Crawford's hints that it would be more suitable to become a celebrated preacher in a large town. Jane Austen was a child of Steventon Rectory, Charlotte Brontë of Haworth Parsonage, both of which have come to represent country idylls of a sort, though in very different kinds of rural landscape. Helstone in *North and South*, which Margaret makes sound 'like a village in a tale rather than in real life', is 'one of the most out-of-the-way places in England' (9, 17). Margaret also likens it to a 'village...in one of Tennyson's poems' (10), reminding us not only of the poetic tradition of the rural idyll but of Tennyson's experience as the son of a Lincolnshire rector. The word 'provincial' seems apt for the country villages of Austen, Brontë, and Gaskell (and also of Mary Russell Mitford), although provincialism as a geographical concept only gradually came to the fore in nineteenth-century fiction. The Dashwood family's move to Devonshire is the principal early event in *Sense and Sensibility* (1811), but the West Country setting has no impact on the novel's universalizing title or on its concern (like *Pride and Prejudice*) with 'truths universally acknowledged'. The case is very different with the Hales' move from deepest Hampshire to blackest 'Darkshire' (industrial Lancashire) in *North and South*, a novel written half a century later which has English provincial geography inscribed in its very title.

Traditionally the Church was a vocation open to the younger sons of the landed gentry. Members of the clergy were Oxford or Cambridge graduates, but increasingly the clergy formed a separate caste, recognizably genteel but often with very tenuous links to the owners of land. As eighteenth-century laxity gave way to nineteenth-century evangelical piety, there was a growing mental alienation between the parson and the lord of the manor. The clergyman's life came to be associated with genteel poverty and a lack of ruling-class privilege. A clergyman with marriageable daughters might find himself considerably embarrassed unless his daughters could themselves marry clergymen. Jane Austen remained single, Charlotte Brontë eventually married the Reverend Arthur Nicholls, and Elizabeth's Gaskell's husband was, like her father, a Unitarian minister.

The English courtship novel, with its strong appeal for female writers and readers, reflects the tension between the traditional definition of womanhood in terms of the marriage market, and women's demand for moral independence and self-respect. That marriage is a kind of market is rarely forgotten in these novels. A gentleman, it is assumed, must prefer a rich bride to a poor one, while for women a freely chosen marriage partner can bring about a dramatic fall in social status and family prospects. Jane Eyre's grandfather cuts her mother off without a shilling because of her impolitic marriage to Mr Eyre, a poor curate in a large manufacturing town; this is why, orphaned in early childhood, Jane is brought up as a despised outcast in the home of her well-to-do relations. Catherine Morland in *Northanger Abbey* is a clergyman's daughter who is mistaken for a rich heiress during her visit to Bath because she enjoys the Allens' patronage; when her real situation is discovered, she is immediately ostracized by her suitor's family. Margaret Hale in *North and South* is brought up by her Aunt Shaw in fashionable Harley Street, where she is expected to contract an advantageous marriage. Once she has found a wealthy suitor, however, the clergyman's daughter must remain on her guard. Jane Eyre is saved at the last minute from a bigamous marriage, and Catherine Morland must come to terms with her tyrannical father-in-law. The situation turns to tragedy in George Eliot's *Daniel Deronda* (1876), where Gwendolen Harleth, a poor clergyman's niece, is urged by her uncle to marry Henleigh Grandcourt, the heir of a family of Whig grandees. The name Grandcourt, an ironic echo of Richardson's Sir Charles Grandison, represents the collapse of the ideal of the perfect English gentleman: perfect in appearance, he is, as we quickly realize, rotten to the core, and he already has a clutch of illegitimate offspring. But in *Daniel Deronda*, as in the courtship novels of Austen, Brontë, and Gaskell, the focus is on the psychology of the heroine who emerges from a background of genteel poverty. For all their individual differences, these heroines resemble one another in being outside the charmed circle from which aristocratic brides are chosen. They have no obvious dynastic responsibilities, and the marital expectations that have been formed about them are of the vaguest. They are, therefore, relatively free, and conscious of their freedom; and, coming from staunch Protestant backgrounds, they possess a moral conscience and a desire to take personal responsibility for their own lives. The aim of the fictional plot in the courtship novel is not simply to portray the heroine's growth towards self-fulfilment and a settled happiness. The happy ending translates her moral assets into material ones, suggesting that—in fiction at least—virtue has its earthly reward.

In its simplest form, the happy ending of the courtship plot rewards the most morally deserving pair of lovers while thwarting all rival claimants. The politics of the happy ending depends upon its relationship to the conventional hierarchy of wealth and breeding. Most often, as we have already seen, the established social power is unexpectedly reaffirmed while the aristocracy is revitalized by an infusion of social responsibility and Christian virtue—the typical dowry, as it were, of a clergyman's daughter, even though the latter may be (like Jane Eyre) an heiress in disguise. Novelists like Austen and Charlotte Brontë lead us through romantic complications, intricate false alarms, and delicate misunderstandings to an endorsement of Tory England.

Jane Austen's Lessons in Englishness

Catherine Morland is a young girl bored with her parents—'plain matter-of-fact people'[13]—and disappointed with life in the rectory. She turns, instead, to the Gothic fiction of Ann Radcliffe and her successors, dreaming of sensational and romantic incidents in foreign settings. When she leaves her quiet country village for fashionable Bath, she laments that the journey is made in 'uneventful safety' with no highway robbers to enliven the route (6). From Bath she goes on, at Henry Tilney's invitation, to his family home of Northanger Abbey, described as 'one of the finest old places in England' (114); but she experiences Northanger as an exotic Gothic mansion of the kind she has read about in *The Myseries of Udolpho* and its imitators such as *Castle of Wolfenbach*, *Necromancer of the Black Forest*, and *Orphan of the Rhine*. When Henry Tilney learns of her suspicion that unspeakable atrocities are hidden at Northanger, he issues a magisterial rebuke, telling her, in effect, that she is lacking in patriotism as well as in good sense. She has forgotten her own identity:

'Dear Miss Morland, consider the dreadful nature of the suspicions you have entertained. What have you been judging from? Remember the country and the age in which we live. Remember that we are English, that we are Christians. Consult your own understanding, your own sense of the probable, your observation of what is passing around you—Does our education prepare us for such atrocities? Do our laws connive at them? Could they be perpetrated without being known, in a country like this, where social and literary intercourse is on such a footing; where every man is surrounded by a neighbourhood of voluntary spies and where roads and newspapers lay everything open?' (163)

Who, then, are the Tilneys? At Bath, Catherine is too inexperienced to be certain about them, but she, and we, learn a good deal from her selfish, scheming friend Isabella Thorpe and her brother. When Catherine believes herself to have been rebuffed by the Tilneys, Isabella leaps in to denounce them: 'It was all pride, pride, insufferable haughtiness and pride! She had long suspected the family to be very high, and this made it certain' (103). Similar feelings are expressed in almost all Austen's novels, suggesting the author's personal investment in this standard complaint against the wealthy and powerful. But the Thorpes also have a strong desire to be noticed by the Tilneys, thanks to Isabella's opinion that ' "after all that romancers may say, there is no doing without money" ' (116). John Thorpe, who calls General Tilney ' "A very fine fellow; as rich as a Jew" ' (76), cultivates his acquaintance over the billiard table. Since he aims to marry Catherine himself, he fills the General's ear with tales of her supposed wealth. General Tilney then invites her to Northanger, and encourages her interest in his son Henry.

The General boasts that he is the owner of 'as considerable a landed property as any private man in the county' (143). (Here the phrase 'private man' denotes that he is a commoner, not a member of the peerage, though it strongly hints that a peerage is what he deserves.) He stays up late at night poring over political pamphlets, being deeply concerned with national affairs. Henry, too, launches into a 'short disquisition on the state of the nation', presumably modelled on his father's views, but as his hearers are young women he finds it is a short step from politics to silence (90). There is a certain contradiction between the urgency of the General's pamphlets and Henry's complacency, in his rebuke to Catherine, about the liberty and benevolence enjoyed by the English people.

The question of Henry's credibility is of some moment in the novel, since—mistaken though Catherine was in concluding that General Tilney must have murdered his wife—Catherine later discovers that she has 'scarcely sinned against [the General's] character, or magnified his cruelty' (206). Both here and elsewhere the novelist is silent about the political parties her characters support, yet it is evident that General Tilney is a party man of one sort or another. In the light of Austen's later novels it will become evident that he represents the overbearing Whig oligarchy as against the Morlands' rural and clerical Toryism, and that the ruling Whigs stand in need of the moral reclamation that Catherine will bring by marrying Henry.

There is something very telling about the smoking-room camaraderie of the General and John Thorpe, who are in most respects natural enemies. Like parliamentary opponents in England's generally cosy two-party system, they prefer one another's company to the more complicated world outside in which life is something more than a game of billiards. At another level their man-to-man relationship is a recurring structural feature of Austen's plots. Thorpe, guilty of 'vanity and avarice' (204), is a rogue and an upstart whose careless irresponsibility causes Catherine a great deal of pain. General Tilney, for his part, exhibits several of the traditional Deadly Sins, including pride, wrath, and gluttony as well as avarice. If Thorpe is a bounder, the Tilneys are prigs—both the domineering father, and the pedantic son who is constantly correcting his sister's, and Catherine's, language and tastes. In a sequence that recurs in *Sense and Sensibility*, *Pride and Prejudice*, *Mansfield Park*, and *Emma*, the heroine is first wooed by the bounder but eventually gives her heart to the prig. The bounder and the prig were first joined as a pair in Austen's unfinished early novel 'The Watsons', where the notorious ladies' man and card-player Tom Musgrave goes about in company with the haughty, reserved Lord Osborne. It is Osborne of whom Emma Watson observes that 'He would be handsome enough even though he were *not* a lord, and, perhaps, better bred'—one of the more outspoken expressions of Austen's resentment against aristocratic manners.[14]

Unlike the novels of Charlotte Smith and Walter Scott, *Northanger Abbey* is silent about the Tilney family's history. This deliberate omission is typical of Austen's fiction. Stately homes with names like Northanger Abbey and Donwell Abbey invoke the medieval, monastic past, but only at Sotherton in *Mansfield Park*—a former Royalist house with a chapel built in the reign of James II—is the house's history spelt out. The Elliots in *Persuasion* are the only Austen family whose elaborate (and Royalist) ancestry is recounted, though not with the romantic expansiveness of similar passages in *Marchmont* or *Waverley*. Sir Walter Elliot could 'read his own history with an interest which never failed', we are told, but all that Austen's reader is offered is a tight-lipped summary of his entry in the Baronetage.[15]

Sir Walter's pompous obsession with aristocratic lineage is evident in his comment that the naval captain Frederick Wentworth ' "was nobody . . . quite unconnected; nothing to do with the Strafford family" ' (19). It would, however, be naive to think that Austen's choice of the name Wentworth for the hero of *Persuasion* had nothing to do with the Straffords. In her early *History of England* she ardently defended Thomas Wentworth, the first Earl of Strafford and the architect of Charles I's design for absolute government. The American scholar Donald Greene has shown that the Strafford connection in Austen's novels can be traced back to the thirteenth century, when one Robert Wentworth married an heiress called Emma Wodehous. Their grandest descendant was Charles Watson Wentworth of Wentworth Woodhouse, Marquess of Rockingham, Prime Minister, and political head of the Whig aristocracy, who died when Austen was seven.[16] Thus a single entry in the *Peerage of England* yields Wentworth, Woodhouse, and Watson as potential fictional names. Other Austen names with strong Whig associations are Bertram, Brandon, Churchill, Dashwood (though Sir Francis Dashwood of the Hell-Fire Club became a Tory), D'Arcy, Fitzwilliam, Russell, and Steele. Sir Walter Elliot's snobbish observation that Frederick Wentworth was not one of the Strafford family implies strongly that his friend Lady Russell must be one of the Whig Russells. And it is she who persuades Anne Elliot not to jeopardize her dynastic interest by marrying Wentworth, a decision that brings Austen's heroine years of unhappiness.

In Austen's novels, a critic has argued, 'the significance of marriage as a relationship between individuals . . . is always subordinate to its significance as a relationship between families'.[17] Austen's characters, though strongly individualized, are not carried away by the anarchy of romantic love. The Whig names mentioned above occur in *The Watsons*, *Sense and Sensibility*, *Pride and Prejudice*, *Mansfield Park*, *Emma*, and *Persuasion*—in all the novels, in fact, except *Northanger Abbey* and the unfinished *Sanditon*. At the same time, there is an important variation in Austen's marriage plots, some of which are (broadly speaking) endo-gamous—as in Edmund Bertram's union with his cousin Fanny—and some exogamous. Endogamous marriage implies the purification and consolidation of a house, a dynasty, or a community. It is a defensive, protective measure. Exogamous marriage is a union of opposites— political, social, and temperamental—injecting new blood into one of the nation's old or ruling families. After *Northanger Abbey*, it is in *Pride and Prejudice* and *Persuasion* that we find the most striking examples of exogamous marriages calculated to humanize the aristocracy.

The culminating marriages in Austen's fictions are socially and eco-nomically far more advantageous to the heroine than the hero. Moreover, exogamous marriage is fraught with danger in her novels. To marry openly for economic advantage like Charlotte Lucas in *Pride and Pre-judice* is to invite the novelist's withering scorn; and the bridegroom's choice of a low-ranking bride can signify moral weakness as well as moral strength. This is implied in the opening sentence of *Mansfield Park*, where Miss Maria Ward of Huntingdon, 'with only seven thousand pounds', has had 'the good luck to captivate Sir Thomas Bertram'.[18] The fact that Mr Bennet in *Pride and Prejudice* has also married beneath him (in every sense) as a result of being 'captivated by youth and beauty' suggests that a man or woman foolish enough to be easily 'captivated' by the opposite sex is headed for disappointment.[19] Austen's heroines must resist easy captivation and must appear to disregard material considerations, so that their ability to contract a wealthy marriage is a tribute to their integrity alone. The heroine who rejects the handsome cavalier (or bounder) in favour of the unbending man of virtue (or prig) is set to fulfil her destiny.

'Her knowledge of Richardson's works was such as no one is likely again to acquire,' wrote Austen's nephew.[20] But what characterizes Austen's masculine cavaliers is not the single-minded pursuit and diabolical persistence of a Robert Lovelace but vacillation, self-contradiction, and inconsistency. Neither Willoughby, Wickham, Henry Crawford, nor Frank Churchill is truly a dominant male. Willoughby's name suggests his plia-bility as well as alluding to the would-be rapist Sir Clement Willoughby in Burney's *Evelina*. In *Sense and Sensibility* Willoughby and Sir John Middleton are the Dashwood family's country neighbours in Devon, and

Donald Greene points out that Thomas Willoughby, the first Lord Middleton, was a distant relative of Austen's on her mother's side.[21] Sir John Middleton is a personification of the ideal country squire. John Willoughby, however, is a man-about-town who foresakes a love match for traditional aristocratic marriage.

Willoughby comes upon the impoverished Marianne Dashwood for the first time when she has fallen and twisted her ankle, so that she is literally swept off her feet and carried home. He is heir to a nearby property, one of several locations where he pursues his expensive tastes in horses, carriages, and guns. Sir John Middleton twice describes him in Richardsonian style as the 'boldest rider in England'.[22] He offers Marianne a horse, and is also a notable dancer, causing her to exclaim that ' "that is what a young man ought to be" ' (77). Unlike almost all previous novelists Austen does not give him the opportunity to attack her heroine's chastity, which is just as well since Marianne would certainly have succumbed. She fails to recognize that his careless extravagance with horses and women will force him in the end to marry for money. He is a landed gentleman in straitened circumstances and his behaviour is caste-determined rather than chivalrous.[23] In a heavily contrived sequence, he reappears at what he thinks is Marianne's deathbed and confesses his real motivation to her sister Elinor; the result is to reveal him as spoilt, weak, and selfish, but not wholly evil or unprincipled. He marries the wealthy and appropriately colourless Miss Grey, and lives (we are told) 'to exert, and frequently to enjoy himself. His wife was not always out of humour, nor his home always uncomfortable; and in his breed of horses and dogs, and in sporting of every kind, he found no inconsiderable degree of domestic felicity' (367). Austen feels no great animus against this young man who eventually retreats into the customary pursuits of the Tory country squire.

All that we are told of Willoughby's politics is that he is 'in the opposition' to Mr Palmer, a fashionable and haughty young man who is standing for Parliament. Palmer is 'always going about the country canvassing against the election' (136); he is an ardent newspaper reader, and has no interest in rural pursuits. Nevertheless, he moves in the same circles as the country squire Sir John Middleton, being brother-in-law to Lady Middleton. Willoughby is apparently the Tory and Palmer the Whig, although the novel (originally written before *Northanger Abbey*) lacks a clear party-political meaning. What is crucial, however, is the rivalry and enmity between Willoughby and Sir John Middleton's close friend Colonel Brandon. In the past Willoughby has seduced and abandoned Brandon's female ward, leading them to fight a duel, and now they are rivals for Marianne's love. If Willoughby is a cavalier rogue, Brandon (who is named after Charles I's executioner) is manifestly a Roundhead and a prig. Readers have usually felt cheated when Marianne Dashwood finds herself able to forget Willoughby and to love Colonel Brandon. There are, perhaps, political as well as emotional reasons why this plot resolution is unsatisfactory. Austen's determination to end the novel with a version of the Cavalier–Roundhead alliance cannot alter the fact that Brandon, Middleton, and (in his final incarnation) Willoughby are all country squires representing broadly similar values and interests. The social tension between Marianne and Brandon is not great enough to become a focus of romantic interest.

In contrast to *Sense and Sensibility* there is no mistaking the meaning of Elizabeth Bennet's exogamous marriage in *Pride and Prejudice*, since Mr Darcy and his aunt belong to the wealthiest section of the landed gentry. The sheer grandeur of Darcy's country seat is revealed when Elizabeth makes her tour into Derbyshire and reflects, in a moment of telling excitement, that 'to be mistress of Pemberley might be something!' (211). Until this point, Lady Catherine (a peeress in her own right as well as a baronet's widow) has received, in one critic's words, 'all of the opprobrium we are never permitted to aim directly at Darcy or his parents, or at great gentry families in general'.[24] As well as being a symbolic monster, she is at the centre of a knot of Whig dynasties. Her brother is 'Lord——' (149) and her sister was Lady Anne Darcy. Lord——'s younger son is Colonel Fitzwilliam, and—since it is also Mr Darcy's first name—we may deduce that the name that is left blank is Fitzwilliam. Austen could not have put it in her novel because William, Earl Fitzwilliam, a Whig cabinet minister in 1806, was still alive. Robert D'Arcy, Earl of Holdernesse, another Whig cabinet minister, had died in 1778.[25]

Pride and Prejudice begins with a mother anxious to marry off her daughters. Of the three eligible gentlemen who come on the scene, the cold, tongue-tied Darcy appears the least attractive. His friend Bingley is handsome, lively, fond of dancing, and will marry the heroine's sister; he is Tom Musgrave to Darcy's Lord Osborne. The third man is Wickham, the dashing young army officer whom even the sharp-eyed Elizabeth finds instantly captivating. Elizabeth is powerless to see through his insinuations, lies, and malice against Darcy, and she would surely have been hurled into an unsuitable match (like her father) had not Wickham been so easily diverted towards the heiress Miss King, who in due course rejects him. By this time he is clearly revealed as a cavalier rogue and an inveterate gambler, debt-bilker, and seducer. Lydia Bennet, however, not only marries but tames him, turning him into a harmless country squire whose greatest feat will be to ' "kill more birds on the first of September, than any body else in the country" ' (274). Once again the Cavalier's sting has been drawn.

Wickham is the son of the estate manager at Pemberley, and godson to Darcy's father who has supported him through school and university. The Darcys' patronage has produced in him not gratitude but an intense, almost fratricidal hatred of Fitzwilliam Darcy, the unchallenged heir to Pemberley. In fact, Wickham's profligacy together with his jealousy and resentment suggest that, in his own eyes, he too had a claim to the estate. A more melodramatic novelist than Austen would have made him a bastard offspring of the great estate and Darcy's unacknowledged half-brother. It is he, unsurprisingly, who alerts Elizabeth to the endogamous marriage that Darcy is expected to make with his cousin Miss de Bourgh.

Had Wickham been Darcy's half-brother, his very existence, let alone his conduct, would have suggested the aristocratic degeneracy of the Darcy-Fitzwilliams, and Lydia's marriage to him would have provided a direct symbolic parallel to Elizabeth's marriage to Darcy. But Austen is more subtle than this. Darcy's condemnation of Wickham's behaviour is thoroughly vindicated, and the threat to the future of Pemberley is represented instead by Lady Catherine and her daughter Miss de Bourgh, who exemplify the paradox of high-born ill-breeding and bad manners of which Austen was always sharply aware. In terms of literal 'breeding'—blood, or dynastic succession—Miss de Bourgh is evidently degenerate. Mr Collins sycophantically describes her as having 'that in her features which marks the young woman of distinguished birth' (58), but she strikes the sharp-eyed Elizabeth as being 'pale and sickly', 'thin and small' and, worst of all, 'insignificant-looking' (142). As for Lady Catherine, her bad manners have apparently rubbed off on her nephew Darcy. Elizabeth not only rejects his first proposal, but rebukes him for not making it in a 'more gentleman-like manner' (168)—as Wickham would presumably have done. Austen then introduces Darcy's long letter of explanation and self-justification—a fictional contrivance as transparent as Willoughby's confession—to allow him to exculpate himself. The purpose of the letter is to show that his faults of behaviour stem from priggish rectitude and not from aristocratic ill-breeding, since Elizabeth can learn to love priggish rectitude. But Elizabeth is also determined to force Darcy and his family to treat her on terms of equality.

Austen's greatest confrontation between the gentry and the Whig aristocracy comes when she states her right to marry Darcy, telling Lady

Catherine that ' "He is a gentleman; I am a gentleman's daughter; so far we are equal." ' Lady Catherine's reply is meant to be crushing: ' "True. You *are* a gentleman's daughter. But who was your mother? Who are your uncles and aunts? Do not imagine me ignorant of their condition." ' (308). Mr Bennet has lost caste by marrying beneath him; the Fitzwilliams, by implication, never do. But if Elizabeth feels the resentment of a humble squire's daughter against the arrogance of the great Whigs, she is also displaying the toughness and pride that fit her to become mistress of Pemberley. Something is rotten at the great estate, for reasons in the past that remain hidden. Darcy has responded to his father's failure with Wickham by becoming priggish, defensive, and reserved, but he instinctively responds to Elizabeth's integrity and submits to being teased by her sportive irreverence. She alone, it seems, can counteract the Whig Ascendancy's inbreeding and bring life back to Pemberley. For all her claims to equality, the point of her marriage is that it is splendidly unequal, and it is this that, of all Austen's novels, brings *Pride and Prejudice* closest to fairy tale.

Traditionally the courtship novel traces the heroine's life from an initial displacement, as she leaves her childhood home, to the final redisposition caused by her marriage. Jane Austen, whose plots are never predictable, plays subtle variations on this pattern. In *Pride and Prejudice* the heroine is not displaced initially, but—where Austen's other heroines are content to range around southern England—her social ascent into the aristocracy is paralleled by her geographical adventure northwards from the Home Counties to Pemberley in Derbyshire. *Mansfield Park* begins with Fanny Price's move from Portsmouth to Mansfield, but once there she will not be dislodged. The male characters in *Mansfield Park* and *Emma* travel widely but on the periphery of the narrative action, while the heroines stay put and finally contract endogamous marriages. Fanny at last makes her home in the parsonage just across the park from the main house at Mansfield, while Emma Woodhouse contrives to stay under her father's roof even after her marriage. *Persuasion*, Austen's last completed novel, constitutes a return to the story of movement, travel, and exogamous marriage. For this reason I will discuss it before *Mansfield Park* and *Emma*.

Broadly speaking, *Persuasion* reverses the situation of *Pride and Prejudice*. Anne Elliot is a baronet's daughter rather than the child of genteel poverty like Marianne Dashwood and Elizabeth Bennet, and it is the hero, not the heroine, who is socially ascendant. The Elliots' background is that of an old Royalist family of assiduous courtiers, 'serving the office of High Sheriff, representing a borough in three successive parliaments, exertions of loyalty, and dignity of baronet, in the first year of Charles II' (1–2). We may presume that they have subsequently become Whigs, since (as we have seen) the closest family friend, Lady Russell, bears the name of a great Whig dynasty. Sir Walter, however, is a degenerate knight and an ageing dandy who has squandered his family's once impressive political influence. In the middle of the Napoleonic Wars his haughty condescension towards Admiral Croft, the Trafalgar veteran who leases his bankrupt estate, suggests that his ancestors' dignity and 'exertions of loyalty' have given place to an overweening family pride.

We are told very little about Frederick Wentworth's family. His parents are dead, but since his elder brother was a curate it is very probable that, like Jane Austen's naval brothers and like Nelson, the hero of Trafalgar, he was a clergyman's son. In 1806 he proposed to Anne Elliot, who loved him but was persuaded to turn him down. At the time he may have seemed a penniless adventurer, but eight years later the opportunities of war and his own courage and skill have made him a wealthy commander. Wentworth is in some ways a stereotypical romantic idol—intelligent, generous, and considerate, but also handsome, ruthless, and masterful. His relationship with Anne is more sexually charged than any other in Jane Austen, and the revival of their love affair after eight years of bitter estrangement moves the novel towards a powerful emotional climax. Yet *Persuasion*'s final sentence balances the ideas of 'domestic virtue' and 'national importance' in reviewing Anne's future as a sailor's wife (219). Her marriage, it would seem, has national as well as domestic significance.

Yet this brings us up against the self-imposed limitations of Austen's fiction, since she can merely hint at the national importance of the fighting services. There is a strong awareness of social change, of a movement from 'the old English style' to 'the new' (33) in *Persuasion*; but while the naval officers symbolize this change, they cannot determine its direction. The fragment of *Sanditon*, which Austen did not live to finish, suggests that she may have been about to turn her attention to the commercial classes. In neither novel are the stately houses and their owners as formidable as they once were.[26] It would be fascinating to know whether *Sanditon*, like *Persuasion*, would have been a portrait of the hero as bounder rather than the hero as (like Edmund Bertram and Mr Knightley) gentlemanly prig. The last sentence of *Persuasion* observes that the drawback of being a sailor's wife is Anne Elliot's 'dread of a future war' (219), and the novelist could not have foreseen that the long peace after

Napoleon's defeat was likely to condemn Frederick Wentworth to a humdrum and largely inactive future. Perhaps, like those other would-be dominant males Willoughby and Wickham, he would have to settle for country sports.

Mansfield Park and *Emma*: Closing the Gates

It is in *Mansfield Park* and *Emma*, novels with a more didactic edge than *Pride and Prejudice* or *Persuasion*, that Austen most fully outlines the good principles and good manners that, in her view, should characterize the English gentry. The legend that *Mansfield Park* is 'about ordination' is apparently based on a misreading of one of Austen's letters, yet its persistence is revealing. The novel sets out the clergy's 'national importance' very deliberately, as may be seen from Edmund Bertram's observation that ' "it will . . . be every where found, that as the clergy are, or are not what they ought to be, so are the rest of the nation" '. Edmund contrasts the clergy, who are charged with embodying 'good principles', with the aristocracy who are the 'arbiters of good breeding' (121). For the most part, the aristocracy and gentry here and in *Emma* fail to live up to these ideals. There is a defensive aspect to these novels, the sense of a self-protective retreat behind park gates by the representatives of virtue, and this is largely due to Austen's decision to conclude each novel with an endogamous marriage. The good principles of Edmund and his bride Fanny Price have their effect within the family, but Edmund is not even shown exerting his influence over a congregation or a parish, let alone the nation at large.

In *Mansfield Park* the English ruling class is represented through the portrayal of three substantial landowning families and their failed mutual alliances. Maria Bertram marries Mr Rushworth for dynastic reasons but then elopes with Henry Crawford, bringing about a divorce between the Bertrams and the Rushworths and ruining the possibility of a double alliance between the Bertrams and the Crawfords. The Rushworths are the wealthiest of the three families, with an ancient and venerable Royalist history. Fanny Price is stirred by this history, but she finds to her disappointment that the built-in chapel of their house at Sotherton has no royal associations, being a last-ditch addition built just before the Glorious Revolution. In the seventeenth century the Rushworths would have been Jacobite Tories, but the change that has led to the desertion of the chapel and the abolition of family prayers has also apparently led to a change of party allegiance. Sir Thomas Bertram, a Member of Parliament, wants an alliance with Mr Rushworth because he is 'in the same interest' as well as residing in the same county; Rushworth, therefore, is the likely candidate for the pocket borough that Sir Thomas controls (73, 182).[27]

At the beginning of the novel the evidence suggests that the Bertrams, Rushworths, and Crawfords are all Whig families. The Bertrams inhabit a 'spacious modern-built house' (80), which we deduce must have been built out of the proceeds of the family's Antiguan sugar plantation. They are never described as an ancient family, so it is likely that the Mansfield estate, the baronetcy, and their seat in Parliament have all been bought by the same means. (It is because Mansfield Park is 'an estate without land' that Mary Crawford must resort to trying to hire a cart at harvest-time.)[28] Sir Thomas, or perhaps his father before him, is likely to have belonged to the 'West Indian' group of some sixty MPs inclined to the Whig interest.[29] Parliamentary duties take him regularly to London until the falling returns from Antigua force him to go out and take control of his plantation. Sir Thomas's heavy-handed sense of moral and commercial responsibility contrasts sharply with what we hear of Admiral Crawford, a libertine and 'man of vicious conduct' (174) who manifestly fits the stereotype of a freethinking, amoral Whig grandee. (His children regard the Church as a joke even though one of them, Mrs Grant, has married into it.)[30] Henry Crawford, described by his sister Mary as 'the most horrible flirt that can be imagined' (75), owns a large estate at Everingham in Norfolk, while it is Admiral Crawford's influence in high places that is needed to get William Price his naval promotion.

At the end of the novel Sir Thomas, 'sick of ambitious and mercenary connections' (455), has retired to Mansfield for good, thus concluding his long conversion from Whig parliamentarian, absentee landlord, and plantation owner to a gentle knight of the shires—though presumably he still draws the majority of his income from the West Indies. One recent critic has described Mansfield Park, with its gates metaphorically closed, as a little 'utopia of Tory reform'; the force of this description is that the Bertrams have thrown off the Crawfords and Rushworths and, with them, the corruptions of the Whig Ascendancy.[31]

It is true that the Bertrams' transformation in *Mansfield Park* is explicitly cast in moral and religious, rather than social and political, terms. Most of the novel's minor characters seem to have been constructed on the 'Seven Deadly Sins' principle.[32] Chapter one introduces Sir Thomas's 'pride' (42), Lady Bertram's sloth—she is 'remarkably easy and indolent' (42)—and Mrs Norris's avaricious 'love of money' (45); soon afterwards the gluttonous Dr Grant arrives at the parsonage. Julia's envy is manifest once Henry begins paying attention to her sister. Henry is the representative of lust. Wrath is possibly the exception among these medieval sins, since the Bible recognizes a righteous anger; not only are Christians meant to live in fear of the wrath of the Lord, but Fanny can justifiably display the 'dignity of angry virtue' (327). Fanny's ideal, much strengthened by her visit to her home at Portsmouth, is of Mansfield Park as a spacious, serene environment, yet it is often a quarrelsome, bad-tempered place, the setting for Maria's 'vexation and anger' (100), for Julia's 'vexed' and 'hasty' temper (128), and Mrs Norris's numerous appearances 'red with anger' (233), while the nearby parsonage resounds with Dr Grant's quarrels with his wife when the dinner is off. Fanny's self-repression also involves a good deal of anger management. We read of her as being 'almost vexed into displeasure and anger' against Edmund (414), and what (almost) arouses her righteous anger is the real or apparent failure of others to fulfil their moral obligations.

Moral imperatives, such as Edmund's pronouncement about the importance of the clergy being what they 'ought to be', echo even more resoundingly in *Mansfield Park* than in Austen's other novels. Fanny 'will be what [she] ought to be' to Mrs Norris (60); Mrs Grant's manners are 'just what they ought to be' (95); Fanny fears that 'Henry does not think as he ought, on serious subjects' (347); and Tom Bertram, the Regency buck and spendthrift heir, finally becomes 'what he ought to be, useful to his father' (447). The Prices' home in Portsmouth is an 'abode of noise, disorder, and impropriety' where 'nothing [is] done as it ought to be' (381). For those incapable of becoming what they ought to be, the novel's last chapter offers a small orgy of judgement and retribution. The evils finally brought to book have already been most amply revealed in *Mansfield Park*'s most celebrated episode, that of the amateur theatricals.

The link between upper-class immorality and the rage for private theatricals had been publicized by contemporary evangelicals, and it has been argued that Austen's fictional demonstration of this link shows her 'Tory preference for the soberer *mores* of the gentry against those of the Whig aristocracy'.[33] (Against this, however, we need to remember her comment that the 'itch for acting' is universal among young people (147), and the fact that there were theatricals in Austen's own family.) One of the main functions of the theatricals in *Mansfield Park* is to sharpen the opposition between thoughtless, gilded ruling-class youth and Fanny, the pious poor relation with stage fright, whose cramped, noisy home at

Portsmouth could never be converted into a theatre. Fanny during the theatricals at Mansfield appears like Richardson's Pamela, the lowly Puritanical member of the household who must always say no to her superiors however much pressure she is under. Her perception of profaneness and immorality is the traditional English Puritan objection to the stage. (She is also, like many Puritans, a consummate dissembler, so that nobody ever suspects her love for Edmund.) The theatricals are abruptly terminated by Sir Thomas's return so that, as the novelist puts it, 'Under his government, Mansfield Park was an altered place' (211); but it takes some time, and a series of melodramatic developments, for the reign of moral obligation over theatricality, of the pulpit over the stage, to finally assert itself. In the new climate Mansfield is thoroughly purged and Fanny achieves her aim of marriage to her cousin, but the wider destiny of the Bertram family must be taken on trust. They are dependent on their slave plantation in the West Indies, since the Bertrams have gained no new source of income either through business activity or marriage. Moreover, the yields from Caribbean plantations were in steep decline in the early nineteenth century.[34] Neither Sir Thomas nor his sons seem capable, at the end of the novel, of showing the enterprise and initiative needed to diversify the family fortunes. Unless unforeseen circumstances come to the rescue, this 'Tory utopia' can only stagnate.

Emma Woodhouse's pride, her delight in matchmaking, and her patronage of Harriet Smith help to disguise the fact that in *Emma* we are at a much greater distance from the ruling aristocracy than in *Mansfield Park*. The village of Highbury, less than half a day's ride from London, is perilously close to the world of 'trade'. Although Highbury contains the ancient manor of Donwell Abbey, its owner, George Knightley, lives off his own land without the conspicuous display that the Bertrams' colonial estate makes possible at Mansfield. It is one of Austen's sly jokes that the chivalrously named Mr Knightley keeps 'no horses' and rarely uses his carriage, 'having little spare money' (223). Aristocratic display is personified by Frank Churchill, the young, adopted heir who brings several horses with him on his visits to Highbury, and is always riding across country. Churchill represents worldliness, fine manners, and the rootlessness of a wealthy playboy, but his eventual choice of a bride shows his indifference to the idea of aristocratic marriage.

Mr Elton, the heroine's first suitor, angrily observes when his proposal is rejected that 'Every body has their level' (151). The comedy of *Emma* is that each of the young people eventually finds his or her level, which in Elton's case is that of trade and new-rich vulgarity. We should remember, however, that Emma's own fortune has presumably come from a similar source several generations back. Here is one critic's reconstruction of her family's probable origin:

we may assume that the progenitor of the Hartfield Woodhouses was a younger brother in a landed family, who entered trade, made his fortune, purchased the Hartfield estate (from the Knightleys, no doubt) and settled in Highbury...the Woodhouses in fact stand in almost the same position as the Westons, the Coles, and the Sucklings of Maple Grove.[35]

The Woodhouses' landed property is a 'sort of notch' in the Donwell estate, though it is large enough for stock-rearing (154–5). (Emma's bone-idle, valetudinarian father boasts of the quality of Hartfield pork, though it is impossible to imagine him as a pig farmer.) The handsome fortune that she stands to inherit comes from 'other sources' (155), but Mr Woodhouse in any case feels that there should be no marrying or giving in marriage; he wants to keep his remaining daughter for himself. Emma, in turn, rejects the prospect of marriage but uses matchmaking, or the fantasy of matchmaking, to exert control over her social inferiors. Meanwhile she attracts the attentions not just of the priggish Mr Elton, but of Frank Churchill, who flirts with her as cover for a secret alliance that he dares not reveal to his own family.

Frank is the product of a misalliance between Captain Weston, a young army officer, and Miss Churchill, 'of a great Yorkshire family', whose name suggests the Duke of Marlborough and his Whig dynasty. The Churchills, 'full of pride and importance', regard Captain Weston as an 'unsuitable connection'(46)—in effect, a bounder—but after his wife's death they spare no effort to adopt his son. Frank has been brought up by his grandmother, and has taken her name. Once Mr Elton is got out of the way, there is a sense in which *Emma* portrays the heroine's choice between the Knightleys and the Churchills, between the Toryism of Donwell Abbey and Whig cosmopolitanism, even though this choice of manners and values is not literally a choice between two suitors. The crisis comes during Emma's single venture outside Highbury—a very modest excursion to Box Hill—but it has been prepared for by Frank's offhand and infrequent visits to the village. He fritters away his life in parties of pleasure at what Knightley calls the 'idlest haunts in the king-dom', and in Knightley's eyes he is, like his mother's family, 'proud, luxurious, and selfish' (163). Emma, like the rest of Highbury, wishes to think well of such a dashing young man, but they only know him through his 'fine flourishing letter[s]' postponing his visits. Emma calls him amiable; Knightley disagrees: ' "No, Emma, your amiable young man can be amiable only in French, not in English. He may be very 'aimable', have very good manners, and be very agreeable, but he can have no English delicacy towards the feelings of other people; nothing really amiable about him" ' (166). 'English delicacy' here is the quality of the morally scrupulous, sympathetic, and socially aware English gentleman—a figure who is both a paragon in himself and an appropriate mentor for others. It is what Knightley has in common with Edmund Bertram. In fact, the phrase sounds so natural and so well-earned in George Knightley's mouth that we are apt to forget its novelty. Coming from a character who, in Emma's view, represents 'true gentility, untainted in blood and understanding' (353), it marks Jane Austen's standard of manners.

Some forty years before *Mansfield Park* and *Emma*, Lord Chesterfield's *Letters to His Son* (1774) had idealized the manners of the French aristocracy. For Chesterfield, to be 'both *respectable et aimable*' was 'the perfection of a human character'.[36] The Tory Samuel Johnson declared that the *Letters* taught 'the morals of a whore, and the manners of a dancing master'.[37] (Chesterfield, though he became a Tory, was brought up as a Whig grandee.) It might have been Austen's admiration for Johnson that led her to make Frank Churchill, who is determined to put on a ball at Highbury, appear in the novel as a kind of dancing master. Knightley refers to him with the slightest hint of a sneer as a 'gallant young man' (298) and, when Frank's secret understanding with Jane Fairfax begins to appear, it becomes a case of 'gallantry and trick' (344).

Knightley's praise of 'English delicacy' comes in a novel written at a period of intense English patriotism, in the year of the Battle of Waterloo. 'Delicacy' is not, perhaps, a word that is often associated with the English temperament, although delicacy of observation, humorous characterization, and moral discrimination are the hallmarks of Jane Austen's fiction. Her lightness of touch and the moral and social decorum surrounding her plots distinguishes her novels from most of the fiction of the later eighteenth century, heavily laden as it is with sexual melodrama and Gothic sensationalism. The 'gallantry' of Frank Churchill is a case in point, since he is evidently a sincere, generous-minded, and good-hearted young man even if his ardour and thoughtlessness tie him up in knots. He keeps his promise to marry Jane and, unlike the gallants who proliferate in eighteenth-century novels, he makes no attempt to seduce any of his female admirers. His 'French manners' are therefore harmless. He does, however, display a careless lack of respect for his elders that Austen perhaps associates with Jacobinism and French republicanism. When he patronizes the village shop he boasts that he is showing himself a 'true citizen of Highbury', a phrase with a suspiciously Gallic flourish even though Emma responds by praising his 'patriotism' (211). On the day that she admires Donwell Abbey with its embodiment of 'English verdure, English culture, English comfort', Frank quarrels with Jane Fairfax and announces that he is 'sick of England' (359).

Knightley, it goes without saying, is never sick of England; he is a country gentleman, not a cosmopolitan aristocrat, and nor does he ever appear (as Frank does) to be cross, heated, hasty of speech, or emotionally out of control. His 'English delicacy' is at one with the emotional reserve that would become a proverbial quality of the English gentleman, as we shall see in later chapters. His long-delayed proposal, delivered in what Austen calls his 'plain, unaffected, gentleman-like English' (432), begins with the words ' "I cannot make speeches, Emma" ' (417), an example of the national weakness for understatement that has so often upset foreign audiences. (The speech that follows includes his statement that 'I have blamed you, and lectured you, and you have borne it as no other woman in England would have borne it', an admission that he has in his time made many speeches.) What does Emma say in reply? 'Just what she ought, of course. A lady always does' (418). Her reply is a model of English propriety and 'amiability', but we are not told what she says. To divine it is left to the reader's own innate standard of delicacy.

In terms of a conventional upper-class alliance, that of George Knightley and Emma Woodhouse could hardly be bettered. The two leaders of Highbury society are joined together in a union that will restore the 'notch' that the Woodhouses have cut out of the Donwell estate. Yet the marriage is effectively endogamous, since the two families are already related by marriage and Knightley is an old and intimate friend of Emma's father. His brother is her brother-in-law, and he has been a kind of uncle to her. Their 'perfect happiness' (465) stands in tacit contrast to the destiny of Frank and Jane, passionate lovers whom nobody would expect to be perfectly happy. Even so, Mr Woodhouse will only agree to the marriage on condition that Knightley moves from Donwell to Hartfield, where his presence may help to deter the chicken-thieves who are plaguing the neighbourhood. The chicken-thieves may or may not be identified with the gypsies who earlier threatened Harriet Smith, giving Frank Churchill the chance to rescue her. Mr Woodhouse's timorousness represents the defensiveness of Highbury society, a society notable for its reluctance to admit even wealthy outsiders, though the latter eventually succeed in gaining entry. Emma's marriage thus confirms the image of

Highbury as a 'Tory utopia' and a citadel against change, even though its genteel society can only survive by constantly redrawing its boundaries.

Jane Eyre's Pilgrimage of Identity

Charlotte Brontë thought of herself as the antithesis of Jane Austen— passionate where Austen was restrained and decorous, plebeian where Austen was ladylike—and in some ways this is true. But the Brontë sisters were also the daughters of an Anglican vicar, and Charlotte, for all her sympathy with oppressed womanhood, was a political conservative and an ardent admirer of Walter Scott. It has been claimed that what happens in her novels is 'a marriage of identifiably bourgeois values with the values of the gentry or aristocracy'—a figurative political marriage, in fact.[38] Moreover, her writings are full of outspoken (though often ambivalent) patriotic feeling. Jane Eyre's chequered path leads towards emotional fulfilment in marriage with a reformed rake who has learned to prefer English domesticity and Christian penitence to foreign adventures and aristocratic libertinism. This most widely read of all English novels engages deeply with issues of English history and national identity.

Jane Eyre's whole life has been determined, as we gradually realize, by a series of rash and impolitic marriages in the preceding generation. Her mother, Jane Reed of Gateshead, married a poor curate. Jane as a displaced orphan came under the protection of her Uncle Reed, who in turn left her to his widow's tender mercies. Mrs Reed, who hated her husband's family, is ultimately punished by the fate of her three children, John Reed who falls into disgrace and commits suicide, Eliza who becomes a Catholic nun, and Georgiana who tries to elope with a young lord. If this were not enough, there is discord in Jane's father's family, since her Uncle John has failed in business and could not repay the capital invested by his brother-in-law Mr Rivers. Late in life, John Eyre becomes a successful Madeira merchant, but his quarrel with Rivers is never made up; hence he leaves all his money to Jane Eyre instead of dividing it equally between his nieces and his nephew St John Rivers. Jane's family history is blighted by family squabbles and disastrous alliances long before she becomes aware of the novel's most sensational example of a bad marriage, Edward Rochester's long-hidden union with the Jamaican Bertha Mason.

Edward Fairfax Rochester is named after a famous Restoration courtier and rake, and one of the leading Parliamentary generals. (At a different allegorical level, Rochester is the hard 'rock' for Jane to base her life on, not a breaking 'reed' or a 'river' for her to drown in.) His ancestor Damer de Rochester died on the Civil War battlefield of Marston Moor. The union of the Royalist Rochesters with the Fairfaxes has evidently come about more recently, since the housekeeper at Thornfield Hall, doubtless a poor relation, is Mrs Fairfax. The latter sees fit to remind Jane, Mr Rochester's newest employee, that 'Gentlemen in his station are not accustomed to marry their governesses'.[39] Jane soon jumps to the conclusion that he intends to marry Blanche Ingram (a peer's daughter with a fashionably French name) 'for family, perhaps political reasons; because her rank and connexions suited him' (215). Both partners are, she thinks, acting in conformity to ideas and principles instilled into them in childhood: 'All their class held these principles' (216). But the recklessness with which the Rochesters were prepared to apply the principle of aristocratic marriage is something of which Jane has no conception. Edward, a younger son, was sent out to Jamaica, where his father's old acquaintance Mr Mason was a sugar planter. Edward's marriage to Bertha Mason was encouraged by all parties, even though they knew that there was congenital insanity in Mason's family. (Bertha is a 'Creole', which means that she and her family would have been classed as white plantation owners, but her mixed-race background is blamed for her insanity.)[40] When Rochester first sees Bertha she is the belle of Jamaican society, and Brontë is notoriously vague about the process of mental degeneration after her marriage which leads to her virtual imprisonment at Thornfield. On separate occasions she tries to kill Jane, Rochester, and her brother Richard Mason, and eventually she succeeds in burning the house down. Before she learns of Bertha's existence, Jane remarks of the relationships among her master's guests at Thornfield that 'They generally run on the same theme—courtship; and promise to end in the same catastrophe—marriage' (227–8). Despite her light-hearted play on the innocent meaning of 'catastrophe' as the outcome of a dramatic plot, the moral is clear: marriage, it would seem, is invariably catastrophic.

No wonder, then, that Jane, the orphan child of the Eyres and the Reeds, enters the novel as a self-proclaimed outcast. When in *Northanger Abbey* Henry Tilney tells Catherine Morland to remember that she is English, he assumes her underlying conformity with the 'national character', a settled constitution temporarily obscured by her Gothic enthusiasms. According to Henry she need only consult her 'understanding' and 'observation' to see things in their right perspective again. But Catherine's Gothicism pales beside the tortured imagination of Jane Eyre, who hides herself away from her adopted family and questions her identity to its foundations. She feels herself to be a changeling, 'half fairy, half imp', she is the 'scapegoat of the nursery', and she is an 'uncongenial alien' both within the family circle and on her first arrival at Lowood school (46–8, 98). To the extent that *Jane Eyre* is a feminist novel, her sense of alienness recalls the argument, put forward half a century earlier in Mary Wollstonecraft's writings including her unfinished novel *The Wrongs of Woman* (1798), that since women have no political rights they have no country.[41] But Jane at the age of 10 is denied her rights within the family because she is a child, not a woman; and she is also a voracious, if unsophisticated, child reader whose knowledge of Oliver Goldsmith's *Roman History* enables her to cast her cousin John as Nero or Caligula, and herself as a rebel slave.[42] Behind the oppression and victimhood of the novel's opening pages we can just about glimpse the solidly middle-class upbringing, nourished by the classics on Mrs Reed's bookshelf and the servants' folk tales and fairy tales, that strengthens Jane's determination not to become poor or lose caste. (Had it not been for this determination, she would have been sent to join her Eyre relations in Madeira; Mrs Reed ignorantly assumes that they are beyond the pale of respectability.) Jane's childhood reading projects her into distant lands despite her refusal to go to Madeira. Hidden in the window-seat she sits 'cross-legged, like a Turk' (39) and absorbs the descriptions of Arctic seabirds in the second volume of Thomas Bewick's *History of British Birds*. The icy scenes of Norway and the Arctic Ocean in Bewick's engravings recur in her dreams and, later, in the desolate landscapes and seascapes of her watercolours.[43] Jane's watercolours could be described as self-portraits in a white, polar space, an imaginative geography so far removed from her native English countryside as to be barely capable of human settlement.

There is, however, another kind of geography in the novel that the young Jane does not yet understand. At every stage she is a chosen pilgrim following a predestined path, so that, while her imagination continues to construct fictional versions of herself, her true identity is gradually revealed. The sequence of place names in the narrative—Gateshead, Lowood, Thornfield, Whitcross and Ferndean—suggests a symbolic pilgrim's progress. At each stage she must undergo spiritual trials, beginning with her ordeal in the Red Room at Gateshead and culminating in the passionate temptation scenes of her courtships with Rochester and Rivers. Like the narrative of Bunyan's Pilgrim, Jane's story is set in an allegorical landscape which both is and is not England. Its dimensions of time and space are fictitious, since neither the novel's chronology nor its topography are consistent. The date of 1808, established by the fact that

St John Rivers presents Jane with a newly published first edition of Scott's *Marmion*, does not fit in with other parts of the action. When Jane is sent to Lowood she says that she 'brushed up [her] recollections of the map of England' (120), yet the novel's meticulous details of journey times and distances travelled by the stagecoach cannot be plotted on any map.[44]

Jane has her first lesson in English history soon after arriving at Lowood School. The girls are studying the reign of Charles I but Jane has, as yet, no opinion on the great question of the Civil Wars. Instead, she reports Helen Burns's measured but Royalist view:

'I was wondering how a man who wishes to do right could act so unjustly and unwisely as Charles the First sometimes did; and I thought what a pity it was that, with his integrity and conscientiousness, he could see no farther than the prerogatives of the Crown. If he had but been able to look to a distance, and see how what they call the spirit of the age was tending! Still, I like Charles—I respect him—I pity him, poor murdered king!... How dared they kill him!' (89)

Helen, who stands for stoical resignation and Christian forgiveness, takes a far more balanced view of the regicide than, say, Jane Austen in her *History of England*. The passage is a model of the capacity for judicious appraisal that Brontë's heroine needs to learn after her furious rebellion at Gateshead. But it seems like a digression until Jane comes under the spell of Rochester, whose full name (as we have seen) evokes both sides in the Civil Wars. The style of courtship that Rochester adopts with Blanche Ingram clearly belongs to a Cavalier hero: it is a style which 'if careless and choosing rather to be sought than to seek, was yet, in its very carelessness, captivating, and in its very pride, irresistible' (214). Blanche plays along in an equally cavalier style: 'She appeared to be on her high horse tonight; both her words and her air seemed intended to excite not only the admiration, but the excitement of her auditors: she was evidently bent on striking them as something very dashing and daring indeed' (208).

From a nineteenth-century point of view Blanche's manners, like her name, are those of the francophile Whig aristocracy. It is her wealth and breeding, not her conduct or morals, that distinguish her from Céline Varens, the actress who was Rochester's French mistress (he has had others in Germany and Italy) and mother of his ward Adèle. Jane finds in Adèle a 'superficiality of character, inherited probably from her mother, hardly congenial to the English mind' (176)—a distinction recalling Mr Knightley's 'English delicacy' but cast, as often in Charlotte Brontë, in invidiously racial terms. It could apply equally to Blanche Ingram, though Blanche appears at Thornfield not as a French orphan needing an English governess, but as one of a group of guests who between them comprise a peeress, a local magistrate, an army officer, and a Member of Parliament. Evidently they have shared political interests with their host, from which we are excluded: we hear only that 'Colonel Dent and Mr Eshton argue on politics; their wives listen' (205). Jane's mockery of Rochester's 'aristocratic tastes' and 'impetuous republican answers' make it evident that he and his friends represent the Whig aristocracy, a conclusion already implied by his West Indian connections (308).

The deepening love between Jane and Rochester is one of the English novel's crowning examples of an exogamous sexual romance based on the attraction of social and historical opposites. In a novel where the representation of otherness takes on a global and racial perspective— ranging from Rochester's first marriage in Jamaica to Jane's imaginary journeys to Turkey and the Arctic—the depth of apparent opposition between the lovers draws on Jane's sense of psychic displacement stemming from her childhood. The orphaned clergyman's daughter casts herself as Rochester's 'plebeian bride' (308). If he is a Cavalier, she is a Puritan with a 'plain, Quakerish' appearance and an 'earnest, religious energy' (287, 310). He likes dressing up, playing the parts of an Eastern emir and a condemned highwayman in charades with Blanche and then disguising himself as a fortune-teller, while her direct and unadorned gaze is 'the very sublime of faith, truth, and devotion' (310). He is an unscrupulous would-be bigamist who attempts to deceive her; she is a clairvoyant who sees through his disguises, although she cannot penetrate the secret of his marriage to Bertha. When, at last, she flees Thornfield she thinks of herself as going to the scaffold, as if—like Helen Burns's Charles I—not all her integrity and conscientiousness could open her eyes to what was coming.

Jane's departure from Thornfield, which is initiated by a supernatural voice and concluded by a miraculous reunion with her own family, is one of the most pilgrimage-like episodes in the novel. She escapes from Rochester only to find herself being endogamously courted by St John Rivers, the country vicar and Puritan saint who is also her cousin. Where Rochester would have lured her into a bigamous marriage, Rivers proposes a mere marriage of convenience, not a love match or a union likely to lead to offspring. Rochester's marriage to Bertha Mason was intended to carry colonial wealth back to England, while Rivers plans to export evangelical spirituality to India and tells Jane it is her duty to help him. Had Jane still felt herself 'a wanderer on the face of the earth' (256), she would surely have accepted.

What Jane detects in Rivers is the self-mortifying patriotism of the new breed of British imperialists. He hates the family Christmas that she prepares for her new-found cousins and, as she reflects, 'the Himalayan ridge, or Caffre bush, even the plague-cursed Guinea swamp, would suit him better' (419). He thinks of himself as an 'alien from his native country', but Jane's perception of his 'austere patriot's passion for his fatherland' (380, 426–7) is a sign of her own growing patriotism, which has its roots in Rochester's attempt to make her his English bride. The night of her (false) betrothal, when '[a] splendid Midsummer shone over England' (276) and she and Rochester embrace under an old chestnut tree to the sound of a nightingale, is a moment of emotional homecoming, even though the tree is split in two by lightning immediately afterwards. Rochester begins his proposal by threatening to send her away to become a governess with the O'Galls of Bitternutt Lodge, Ireland; Jane, not noticing that she is being teased, replies that the sea voyage would serve as a barrier '[f]rom England and from Thornfield', as well as from himself (279). The next day Rochester tells Adèle that Jane is from 'Elf-land' (296), but then asserts that he 'would not exchange this one little English girl for the Grand Turk's whole seraglio' (296–7).

It would seem that Rochester, having tired of European mistresses, is keen to replace his Creole wife with one of pure English race.[45] After coming back from Jamaica, he spent ten years travelling in Europe and making love among the continental aristocracy. He tells how Céline Varens charmed his 'English gold' out of his 'British breeches pocket' (170) and how he has brought her daughter back to grow up in the 'wholesome soil of an English country garden' (176), but he retains a villa in the south of France where he would like to keep Jane away from prying eyes. When she leaves Thornfield, she is convinced that he will return to his continental haunts; after all, travel and sexual licence are part of his way of life.[46] But he shuns the ruling-class company he has formerly kept, and (like Jane behind the window curtain at Mrs Reed's) shuts himself away in the isolated manor of Ferndean, a damp, low house in the middle of a gloomy forest. Jane finally joins her blind and maimed lover in a home where she cannot roam in the hills or even gaze out from the battlements over a wide landscape as she had done at Thornfield. The country whose geography had earlier been implausibly stretched is now contracted to a remote, self-enclosed hermitage where nobody (it seems) any longer cares about Mr Rochester and his bride.

Their life at Ferndean is, however, one of repatriation and restoration. Thanks to her Madeiran uncle who is closely linked to the Jamaican plantocracy, Jane brings Rochester a second Caribbean fortune. He has come to see his confinement at Ferndean as a form of divine punishment for his libertinism, and, before reaching a state of penitence, he has cursed and lamented like Job:

'Jane! you think me, I dare say, an irreligious dog . . . I did wrong: I would have sullied my innocent flower—breathed guilt on its purity: the Omnipotent snatched it from me. I, in my stiff-necked rebellion, almost cursed the dispensation: instead of bending to the decree, I defied it. Divine justice pursued its course; disasters came thick on me: I was forced to pass through the valley of the shadow of death. *His* chastisements are mighty; and one smote me which has humbled me for ever. You know I was proud of my strength: but what is it now, when I must give it over to foreign guidance, as a child does its weakness? Of late, Jane— only—only of late—I began to see and acknowledge the hand of God in my doom.' (471)

His blindness is the blindness of Samson, who also found himself under 'foreign guidance' (the guidance of strangers), but Jane's arrival at Ferndean puts him back into familiar English hands. As his nurse she restores him to happiness and the power of sight, and as his wife she bears his children, though the novel takes no interest in the children or their future. Yet, as is shown by the curiously dislocated tone of her confession, 'Reader, I married him' (474), Jane both enjoys her heart's desire— England and Mr Rochester—and remains somehow alienated in her enjoyment. She is mistress of Ferndean, but her world has manifestly diminished since the burning down of Thornfield, where she first dreamed of marrying her aristocratic lover. There is an ambivalence about the ending of *Jane Eyre* which looks forward to Brontë's last novel, *Villette* (to be discussed in Chapter 10), the confessional narrative of an English-woman who both remains single and chooses to live overseas.

The Cromwell of the North

Since Charlotte Brontë's first novel, *The Professor*, remained unpublished during her lifetime, we may say that Elizabeth Gaskell, six years older than Brontë, introduced the portrayal of the northern industrialist, as well as of the Manchester working class, into English fiction. Her first Manchester novel *Mary Barton* (1848) was followed by *North and South*, where the courtship plot suggests an allegorical healing of geographical and class divisions (though the title was invented by Charles Dickens when the novel was serialized in his journal *Household Words*).

The contrast between the rough world of northern industry and the genteel 'aristocratic' South is at the heart of Gaskell's liberal middle-class outlook.

Gaskell had earlier portrayed the genteel middle classes fallen on hard times in *Cranford,* her linked collection of stories reminiscent of Mitford's *Our Village.* Here there is no geographical opposition of North and South, but simply a group of respectable old ladies living on reduced incomes in a small town twenty miles from the city of Drumble, the centre of 'that "horrid cotton trade" ' and one of Gaskell's fictive incarnations of Manchester.[47] The Cranford ladies pride themselves on their high-born connections—'though some might be poor, we were all aristocratic' (3)— and their ideal of good manners is that of Lord Chesterfield's letters. The principal characters, Miss Jenkyns and Miss Matty, are the daughters of the deceased rector. When the bank in which Miss Matty has invested fails, she resorts to an upmarket form of trade, selling specialist teas, to make ends meet. But her long-lost brother comes back from India and saves her from this temporary descent into shopkeeping. He is by no means as 'rich as a nabob', but thanks to his mercantile activity in the East Miss Matty is once again able to 'live... "very genteelly" at Cranford' (217).

The quoted phrases illustrate how Gaskell turns the language of gentility into a defensive class idiom, fortified, as it were, with inverted commas. The utopia of the Cranford middle classes depends upon their refusal to acknowledge their lower-class neighbours, with the partial exception of shopkeepers and servants. In *North and South,* Margaret Hale has no such defences. At Helstone in Hampshire, where her father is rector, she relapses into solitude, failing (apart from her charitable visits to outlying cottages) to do anything to alleviate the village's wretched backwardness. She never acts on her resolution to become a teacher at the village school, despite her father's rebukes. When the family moves to Milton-Northern the bigoted matriarch Mrs Thornton regards her as an idle product of the 'aristocratic counties' who speaks like a 'duke's daughter' and is fit for nothing but to go 'angling after husbands' (89, 225).

Mrs Thornton, however, is the mother of Milton's most successful manufacturer, and the social distance between the Thorntons and the Hales—like similar class divisions in Charlotte Brontë's *Shirley* (1849)— is shown as being directly connected to the divisions of the Civil Wars and, before that, of the Saxons and Normans. In her *Life of Charlotte Brontë,* Elizabeth Gaskell noted that the West Riding of Yorkshire was full of descendants of those who 'served under Cromwell at Dunbar, liv[ing] on the same lands as their ancestors occupied then . . . there is no part of England where the traditional and fond recollections of the Commonwealth have lingered so long'.[48] Roundhead affiliations underlie the radical republicanism of Hiram Yorke, the hereditary landowner in *Shirley*, and Yorke Hunsden, the mill-owner in *The Professor*. Yorke and Hunsden boast of their Saxon roots, just as John Thornton in *North and South* speaks of his 'Teutonic blood' (407). Thornton openly declares his admiration for Oliver Cromwell, telling Margaret that ' "Cromwell would have made a capital mill-owner . . . I wish we had him to put down this strike for us" ' (146).[49] Thornton derives his political creed from his 'Teutonic' ancestry, supporting the regionalism of the Saxon Heptarchy against the remote London government introduced by the Normans.

When Thornton speaks of Cromwell as a capital mill-owner, Margaret coldly replies that ' "Cromwell is no hero of mine" ' (146). She is the granddaughter of Sir John Beresford, a knight of the shires identified as a Tory and a Royalist by his favourite toast of 'Church and King, and down with the Rump' (50). Margaret's Aunt Shaw has married an army general and lives a fashionable London life, while her mother has been condemned to rural shabby-gentility by her marriage to the Reverend Dr Hale. Having been brought up both in Helstone Parsonage and with her cousins in Harley Street, Margaret has experienced the two poles of genteel existence. Her cousin Edith marries a Scottish army captain, and Margaret receives a proposal from his brother, the ambitious barrister Henry Lennox. Her rejection of this potential second alliance registers her distaste for metropolitan values, but in defying class and family conventions she is retreading the path that her mother and brother have taken.

Mrs Hale has merely married a clergyman against her family's advice, but their son Frederick is an outlaw living in exile. A former naval officer convicted of mutiny, he is now serving with the Spanish army. Margaret's efforts to clear his name are unavailing, and in the end he renounces his English identity, marrying a Spanish Catholic and saying that he wishes to 'unnative himself' and would not take a pardon under any circumstances (413). Frederick's rebellion against the state is paralleled by Mr Hale's defection from the English Church, leaving the family's traditional Tory gentility in a state of utter collapse. A crisis of conscience leads him to resign his living and move to Milton, where he earns his living as tutor to John Thornton, who sees classical learning as a passport to the gentility from which he has been excluded.

The Thorntons and Hales, then, exemplify a process of class displacement and replacement. Margaret is deeply stirred by the sense of power that she finds in Thornton and his fellow factory-owners, while he and his mother pretend to believe that the gentry and aristocracy have outlived their usefulness. Mrs Thornton, in her middle-class pride, boasts that

'Go where you will—I don't say in England only, but in Europe—the name of John Thornton of Milton is known and respected amongst all men of business. Of course, it is unknown in fashionable circles,' she continued, scornfully. 'Idle gentlemen and ladies are not likely to know much of a Milton manufacturer, unless he gets into parliament, or marries a lord's daughter.' (134)

Despite his desire for classical learning, Thornton remains true to his creed that 'A man is to me a higher and a completer being than a gentleman' (195–6), yet neither he nor his mother would think it odd if he were to marry a lord's daughter.

When Margaret moves from the New Forest to Milton-Northern she feels a sense of physical affliction, a 'stupor of despair' that she breathes in with the polluted city air:

The heavy smoky air hung about her bedroom, which occupied the long narrow projection at the back of the house. The window, placed at the side of the oblong, looked to the blank wall of a similar projection, not above ten feet distant. It loomed through the fog like a great barrier to hope. (75)

The manufacturers, blinded by pride and their contempt for their factory hands, have ignored the human cost of their work and power. Margaret, however, becomes a kind of social worker, moving at ease (as she did not feel able to do in her Hampshire village) among the ordinary people. Her friendship with Jessy Higgins, the factory girl who is dying of an industrial lung disease, is based on a sense of equality and not of religious charity. People are dying all around her—during the eighteen months or so of narrative time there are, in true Victorian fictional style, no less than seven deaths—but Margaret grows in stature. When a crowd of striking workers storms the factory gates she alone shows heroism and presence of mind, although she also feels a 'deep sense of shame' at her public exposure to the 'unwinking glare of many eyes' (229). Her godfather, an Oxford don, jokes that Milton has turned her into a 'democrat', a 'red republican', and a 'socialist' (397). But what Milton-Northern actually finds in her is 'breeding', the traditional aristocratic fearlessness and integrity which inspires respect, not mockery. Dr Donaldson, the (presumably Scottish) doctor, describes her as a 'thoroughbred creature' (150), suggesting an inherited toughness which underlies her social position as a former clergyman's daughter. This discovery of identity provides the ground for her eventual marriage to Thornton.

North and South, unlike the novels of Austen and Brontë, is manifestly a tract for its times and a political parable. Necessarily it concludes with a political marriage calculated to resolve the national divisions that the novel has so fully expounded. By the time that Margaret is ready to accept Thornton's love, he has lost caste by being driven to the verge of bankruptcy while she has risen by inheriting a fortune, which includes slum property at Milton-Northern and the freehold of Thornton's mill. Margaret brings to the marriage 'breeding', a new injection of capital, and a concern for the welfare of all classes in society; Thornton brings the commercial initiative and ruthlessness that were driving Victorian England forward. The story, however, concludes before the marriage has actually taken place, and we are not told anything of the couple's future. One of Elizabeth Gaskell's friends 'remarked grimly to [her] that she doubted whether Margaret would ever be happy with Thornton, though she had no doubt as to his future bliss'.[50]

North and South has been called a 'Victorian *Pride and Prejudice*',[51] although Gaskell was far too intelligent to pretend that the social issues raised in her fiction could be easily laid to rest. Her novel *Sylvia's Lovers* (1863) is one of a number of later Victorian works which undermine any suggestion that the nation could be unified by marriage. After *Jane Eyre* and *North and South*, the great English courtship novels would end in frustration, bewilderment, and even tragedy. 'Reader, I married him' becomes an ominous refrain in the context of George Eliot's *Middlemarch* and *Daniel Deronda* and, still more, Thomas Hardy's novels.

'Turn Again, Dick Whittington!': Dickens and the Fiction of the City

I F any single writer has been said to embody the Englishness of the English novel it is Dickens. The novelist George Gissing wrote of his great predecessor that 'No man ever loved England more'.[1] G. K. Chesterton called him 'the most English of our great writers'.[2] Dickens's reputation rests above all on his characters, who are portrayed with marvellous vividness and symbolic power, and in a register that veers melodramatically between satire and sentiment. Their variety is that of a whole nation—of a nation centring on its metropolis—but the nation in Dickens's novels is sharply divided between public and private spheres, one of which inspires his mockery and the other his reverence. Many of his most famous satirical creations gleefully debunk the professional classes and holders of minor public office—beadles, midwives, lawyers, clerks, schoolteachers, and ministers of religion—and figures such as Bumble, Gradgrind, and Squeers have become proverbial monsters outliving the fictional contexts in which they first appeared. Their power over the lives of Dickens's ordinary heroes and heroines produces a sense of monstrous oppression and injustice. Dickens, then, is a radical novelist, but his reflection of national character has certain manifest limitations. Gissing wrote that 'his art, splendidly triumphant, made visible to all mankind the characteristic virtues, the typical shortcomings, of the homely English race'.[3] The key word here is 'homely'. He has no interest in the ceremonial aspects of English history or the national life, nor is his fiction international in outlook. What he wishes most for his protagonists is an untroubled, unambitious domestic happiness. He is the novelist as instinctive republican but also as Little Englander.

George Orwell contrasted Dickens's lack of 'vulgar nationalism' with the jingoism of his Victorian contemporaries:

never anywhere does he indulge in the typical English boasting, the 'island race', 'bulldog breed', 'right little, tight little island' style of talk....He is very much an Englishman, but he is hardly aware of it—certainly the thought of being an Englishman does not thrill him. He has no imperialist feeling, no discernible views on foreign politics, and is untouched by the military tradition.[4]

Orwell's generalization can only be applied to Dickens the novelist, since as a journalist he certainly expressed imperialist feelings. It has been said that his 'sympathy for the downtrodden poor at home is reversed abroad'.[5] He joined in the outcry against the perpetrators of the 1857 Indian Mutiny, and as a public figure he was prominent in recommending emigration to the white dominions such as Australia. Yet Dickens was also the author of A Child's History of England (1853), a work which became notorious for its exposure of the barbarities of past times and its mockery of the idiocies of English kings. Despite some dutiful praise of King Alfred and the sturdy Saxon race, the Child's History is English history written from a deliberately childlike point of view. Nothing could be less like an approved adult textbook for children.

The split between the public and the private spheres in Dickens's fiction can be related to a split in his own personality between the adult and the child. For all his greatness as a novelist, his fiction does not express his public persona as fully as Scott's or Fielding's does. Any biography of Charles Dickens will reveal his restlessness of spirit, his flair for publicity, his relentless ambition, and his capacity for overwork to the point of self-destruction. His novels, however, uphold the values of patience, humility, steadfastness, and, above all, of self-effacing retirement. David Copperfield, the one Dickens hero who becomes a successful novelist, is an amiable figure completely lacking his creator's driven and demonic temperament. Some of his other protagonists become prosperous businessmen, but none has any idea of serving the nation or taking public office. His novels set public vice against private virtue, so that typically they start in the mode of parody and end in the mode of romance.[6] Oliver Twist (1838) is the first example of the characteristic Dickens plot and, it has been argued, the 'one novel which he wrote over and over again' throughout his subsequent career.[7] Its opening chapters telling of Oliver's early childhood under the regime of the New Poor Law are one of the most savagely effective political satires ever written in the form of fiction. Yet Oliver at the end of the novel is still a child, and there is no reason to suspect that he will do anything spectacular or noteworthy in his adult life.

Citizens and 'Public Characters'

Many of Dickens's most famous characters are Londoners. For the staunch republican William Hazlitt, the citizens of a great city such as London were inherently more advanced and more progressive than their country cousins. Hazlitt rejected William Wordsworth's representation of men in cities as being anonymous and isolated from one another, like wild beasts; a Londoner was a sort of 'public creature', a member of a 'visible body-politic, a type and image of that huge Leviathan the State'. The Londoner in his view was a natural republican just as the country-dweller was a natural monarchist.[8] Hazlitt's essay 'On Londoners and Country People', from which these quotations are taken, was collected in *The Plain Speaker* (1826). It may be seen as anticipating the change from fiction largely dealing with the country gentry and their dependents (including those who, for one reason or another, move to the city) to the metropolitan novel of Dickens and his contemporaries with its wider and more demotic range of characters. The city is also the place where people can most easily change their status, leaving behind the stratum into which they were born.

Dickens did not envisage *The Pickwick Papers* (1836–7) as his first novel—though it certainly grew into that—but as letterpress to illustrate a series of comic prints. On a simplified view, his career as a novelist stretches from *Oliver Twist* and *Barnaby Rudge* (which was conceived, but not actually written, at the same time as *Pickwick*) to his last completed novel *Our Mutual Friend* some thirty years later. Young Oliver Twist begins as a mere 'item of mortality', an entry in the workhouse ledger in an unidentified country town, and makes what Dickens calls his 'first Entry into Public Life' when he is apprenticed to Mr Sowerberry the undertaker.[9] As a funeral attendant he becomes a familiar figure on the streets, standing on the lowest rung of the ladder leading to the giddy heights occupied by Mr Bumble the parish beadle, whose official 'stateliness and gravity' (as the narrator tersely informs us) far exceeds that of 'judges of the law, members of parliament, ministers of state, lord mayors, and other great public functionaries' (221). But Oliver's fortunes take a decisive turn when he runs away from Mr Sowerberry's and reaches a milestone which tells him he is seventy miles from London:

London—that great large place!—nobody—not even Mr Bumble—could ever find him there! He had often heard the old men in the workhouse, too, say that no lad of spirit need want in London; and that there were ways of living in that vast city, which those who had been bred up in country parts had no idea of. It was the very place for a homeless boy, who must die in the streets unless someone helped him. (97)

London, as the legendary Dick Whittington had found, is the place for the orphan, the 'lad of spirit', the restless adolescent who up to now has only been humiliated and downtrodden. Once in the city his public career can only flourish and broaden, yet the ideas of public life and citizenship have far more sinister connotations in Dickens than they do for a commentator such as Hazlitt.

When Noah Claypole follows Oliver Twist to London, adopts a false name, and joins Fagin's gang of thieves, Dickens sardonically describes him as having become a 'public Character in the Metropolis' (376). A 'public character' in his novels is as often as not someone with a police record, a notorious impostor, rogue, or confidence trickster. In *Our Mutual Friend* (1864–5) the Limehouse criminal Rogue Riderhood describes himself to Lawyer Lightwood as a 'Waterside character' (152), while the grave-robber in *A Tale of Two Cities* (1859) owns to being an 'Agricultooral character'.[10] Not surprisingly, Dickens's heroes and heroines do their best to shun publicity, so that the happy endings to most of his novels combine prosperity with complete obscurity. The phrase 'public character' in his fiction is tarnished by its association with crime even when it is applied to someone who is completely innocent. Thus Sir John Chester in *Barnaby Rudge* (1841) tells Gabriel Varden (whose name has been in the newspapers after giving evidence in court) that he has become 'quite a public character'.[11] When Mr Micawber, the Australian magistrate, is described by his wife as an 'important public character', we cannot but remember his past as an inveterate sponger and debt-bilker in London.[12] In *Our Mutual Friend* a book containing portraits of people of fashion is described as illustrating 'public characters' (410), hinting at the narrator's contempt for wealthy and fashionable society. The phrase occurs very naturally in a plot linking the pompous and respectable face of society to the criminal underworld. Dickens may be most renowned for his creation of characters, yet to be called, or to call oneself a 'character' in his novels is usually undesirable. Dickens's love of London must, therefore, be squared with his profound distrust of urban society and citizenship. What is most remarkable (as we shall see) is that in novel after novel he alludes to the legend of Dick Whittington, London's archetypal Lord Mayor who, above all, stands for Hazlitt's idea of the Londoner as a 'public creature'.

The English *Bildungsroman*

At least five of Dickens's novels, *Oliver Twist*, *Nicholas Nickleby*, *Martin Chuzzlewit*, *David Copperfield*, and *Great Expectations*, formally belong to the category of the male *Bildungsroman* or novel of education, typically the story of a young man from the provinces growing up and finding his way in society. The Dickensian *Bildungsroman* not only comes after Fielding and Smollett but after the great French novelists, Stendhal and Balzac, yet it is closer to folk tale and fairy tale than to the masterpieces of French realism. The typical Dickens hero (David Copperfield is the exception) is an orphan who inherits a fortune rather than using his character and abilities to secure a position in society, as the novelist himself had to do. Dickens's novels thus exhibit a 'recognition-inheritance pattern' like those of Fielding and Scott, a kind of plot that has been regarded as peculiarly English.[13] In English fiction the 'European' type of *Bildungsroman* is represented by the story of Thackeray's Arthur Pendennis (and of Charlotte Brontë's Lucy Snowe, to be discussed in the next chapter).

The hero of William Makepeace Thackeray's *Pendennis* (1850) is a gentleman's son, the heir to a country estate, and an Oxbridge graduate ('Oxbridge' seems to be a Thackerayan coinage) when he first moves to London. Like Lucien Chardon in Honoré de Balzac's *Illusions perdues* (1839), he is a provincial man of substance, not a friendless orphan. Like Lucien, too, he is a talented journalist but a morally tarnished human being, and he enters the metropolis in a state of intense excitement, as if he has reached the ultimate proving-ground both of his manhood and his ambitions. Driving into London on a stagecoach is a kind of initiation: 'from his place on the coach-roof the eager young fellow looked down upon the city, with the sort of longing desire which young soldiers feel on the eve of a campaign'.[14] Soon he has turned himself from an obscure provincial poet into a sketch writer and a fashionable novelist. Eventually he becomes a Member of Parliament. One might think that he has broken out of the rural gentry into a new world where class divisions are relatively fluid and reputations are made and broken overnight, but this is not the whole story.

It is Pendennis's friend George Warrington who takes him to a newspaper office and extols the revolutionary power of the press: ' "Look at that, Pen," Warrington said. "There she is—the great engine—she never sleeps. She has her ambassadors in every quarter of the world—her couriers upon every road. Her officers march along with armies, and her envoys walk into statesmen's cabinets"' (i. 313–14). The press with its 'ambassadors' and 'officers' is like an alternative state apparatus, a literary republic with global imperial ambitions. But Pendennis becomes a stylish belle-lettristic essayist, not a thunderous leader writer like Warrington. His job is to remind his paper's readers that it is 'written by gentlemen for gentlemen' (i. 330). Pendennis the fashionable essayist is seen from Thackeray's disillusioned perspective as a personification of opportunism and selfishness, not of stern ambition and a noble mission. He is a 'man and a brother' but not a 'hero' (ii. 394). His heavily auto-biographical first novel is the story of a prime minister's son whose rival is a young duke. (Doubtless Thackeray was cocking a snook at the more established Disraeli and his novel *The Young Duke*.) Pendennis's party allegiances change with the fluctuations of fashionable political opinion, and when Laura, his stepsister and future wife, innocently remarks that he must intend 'to do a great deal of good to the country' by going into Parliament, he covers his sense of shame with the remark that women should not meddle in politics (ii. 301).

Thackeray famously regretted the Victorian prudery that prevented him from portraying his hero's young manhood as explicitly as Fielding had done: 'Since the author of *Tom Jones* was buried, no writer of fiction among us has been permitted to depict to his utmost power a MAN. We must drape him, and give him a certain conventional simper' (i, p. xviii). So Pendennis is not actually allowed to make love to his lower-class inamorata Fanny Bolton, but this is not the only respect in which his military assault on London turns into something approaching a fiasco. He remains a country gentleman at heart, and, far from committing himself to the democracy of city life, he prefers to remain a prince in his family's eyes. Finally he marries the long-suffering Laura and returns to the values he once learned from his mother, a 'country bred woman' for whom the 'book of life' told 'a different story to that page which is read in cities' (i. 70). Pendennis's metropolitan adventures are only a detour. London for both Dickens and Thackeray was the 'modern Babylon',[15] but their protagonists often seem to languish there like the Israelites in captivity.

Pendennis's story may be viewed as either one of failure in the city or of exploiting the city, of taking its gifts of celebrity and riches while reserving oneself for a finer and more permanent life elsewhere. Subsequent English attempts at the form of the metropolitan *Bildungsroman* tend to explore one or the other of these alternatives, although H. G. Wells in *Tono-Bungay* (1909) and *The New Machiavelli* (1911) shares some of Thackeray's ambivalence. In *Tono-Bungay* (to be further discussed in

Chapter 12) the narrator, George Ponderevo, is jauntily shown London by his uncle Edward, the novel's principal spokesman for the 'Romance of Commerce':

'The richest town in the world, the biggest port, the greatest manufacturing town, the Imperial city—the centre of civilization, the heart of the world! See those sandwich men down there!...It's a wonderful place, George—a whirlpool, a maelstrom! whirls you up and whirls you down.'[16]

George works to build up his uncle's patent medicine business before devoting himself to technological invention and scientific research, a pursuit that enables him to survive the collapse of Edward's grossly inflated financial empire. George is neither a future Lord Mayor nor a prospective down-and-out wearing sandwich boards. His research takes him away from London and from England, but he has to acknowledge the truth that science and learning are, as his uncle tells him, luxuries ultimately paid for by 'Enterprising businessmen' (136). In Wells's œuvre *Tono-Bungay* had been preceded by *Love and Mr Lewisham* (1900), a story of metropolitan failure, and *Kipps* (1905), based on a Dickensian inheritance plot. It is, therefore, notable that George Ponderevo is an orphan who owes his chance in life to the accident of being an entrepreneur's nephew.

As we shall see in Chapter 11, the classical story in late Victorian English fiction is one of thwarted ambition in the English provinces. The provincial novelists include those, like George Eliot and Arnold Bennett, whose own lives present a tale of metropolitan success. Arnold Bennett's first novel, *A Man from the North* (1898), introduces its protagonist as the 'kind of youth of whom it may be said that he is born to be a Londoner'.[17] Richard Larch comes to the city in search of literary fame, but his projected book remains unwritten, as does his friend Aked's study of 'The Psychology of the Suburbs'. Bennett's best-known novels are set in the Potteries, but those with a London background such as *Riceyman Steps* (1923) are local and, as it were, suburban in character.

A different kind of transposition is seen in Thomas Hardy's *Jude the Obscure* (1895), where Christminster (Oxford), not London, is Jude Fawley's 'centre of civilization'. Hardy describes Jude with his dream of classical learning as 'a species of Dick Whittington whose spirit was touched to finer issues than a mere material gain'.[18] Jude's failure as a potential Dick Whittington is most abject, since his proletarian origins bar him even from entering the colleges of Christminster. But the idea that a material success like that of the legendary Lord Mayor would be unduly vulgar, and that the novelist should be concerned with 'finer issues', brings us back to Dickens's wrestling with the Whittington story.

Ragged Dick and the Master's Daughter

Dick Whittington is first of all a historical figure, one of innumerable country boys who have risen to become rich City merchants. Just why the third son of Sir William Whittington of Pauntley, Gloucestershire, should have achieved proverbial fame is not obvious, even though he was three times Lord Mayor at a time when the mayoralty was the only significant temporal office in the land not in the gift of the king. London since the beginning of the thirteenth century had been, in effect, a self-governing commune or miniature republic in which distinction was open to anyone on merit. Thomas Deloney's story of Simon Eyre, the penniless apprentice who tricked the master of a foreign ship into selling him his whole cargo on credit, has the authentic ring of mercantile capitalism, as we saw in Chapter 2. Eyre is a 'spiv' owing his success to quick thinking and con- fidence trickery, while Whittington's story radiates an essential innocence. A drooping boy (as Wordsworth described him in *The Prelude*)[19] rather than a self-made man, he turns his rags into riches thanks to good luck (the cat) and predestination (the message of the bells). By marrying his master's daughter he plays a part in the dynastic succession of an established mercantile family, the Fitzwarrens. Dickens rejects some aspects of the Whittington story while incorporating the legend into the recognition- inheritance pattern of his novels, a pattern in which it is the just distribution of existing wealth and not the creation of new wealth that matters.

There was a portrait of Whittington with cat in the Mercers' Hall as early as 1536, little more than a century after the death of the historical Sir Richard.[20] His story was embellished and retold in Elizabethan plays and ballads. Thomas Heywood's version of his *Famous and Remarkable History* (1636/7) speaks of his arrival in London: 'to beg he was ashamed, to steal he did abhor: two days he spent in gaping upon the shops and gazing upon the buildings feeding his eyes but starving his stomach.'[21] An eighteenth- century chapbook version of the same events turns him into the hero of a moral fable with obvious possibilities for fictional development:

He strolled about the country as ragged as a colt, till he met with a waggoner who was going to London, and who gave him leave to walk all the way by the side of his waggon without paying for his passage, which pleased little Whittington very much, as he wanted to see London sadly, for he had heard that the streets were paved with gold, and he was willing to get a bushel of it; but how great was his disappointment, poor boy! when he saw the streets covered with dirt instead of gold, and found himself in a strange place, without a friend, without food, and without money.[22]

From 'little Whittington's' ironic discoveries it is not a long step to Oliver Twist learning the realities of life in the metropolis.

If Whittington has no friends when he reaches the city, neither has he any real enemies. Although he is bullied by the kitchen maid, he is allowed to place his cat as a lucky investment in his master's argosy to the Barbary coast. It is Dick's impatience that moves him to run away. The message of Bow Bells that he heard on Highgate Hill was recalled by William Wordsworth in *The Prelude* (1805) and by Scott in *Rob Roy* (1817), as well as by Dickens on numerous occasions. At the beginning of *Rob Roy*, Francis Osbaldistone refuses to follow his father's profession as a City banker, deciding instead to try to reclaim his family's estate in Northumberland. As he climbs Highgate Hill he hears the 'admonitory "Turn again," erst heard by [the] future Lord Mayor', but takes no notice.[23] The destiny of the Scott hero lies in the Borders and Highlands, not in London, although it may involve shady metropolitan financial transactions. Osbaldistone's route up the Great North Road is travelled in reverse in a number of Scott's novels, including *The Heart of Mid-Lothian*, *The Fortunes of Nigel*, and *Peveril of the Peak*. But the protagonists go to London to plead for their established rights in Scotland or the North of England, not to seek new fortunes.

Dickens's heroes, like Scott's, despise the mercantile ambitions symbolized by the Whittington legend, although for very different reasons. Scott's heroes want to become romantic aristocrats, while the Dickensian protagonist wants to enjoy a simple private happiness. In Scott the inheritance to which the hero has been born takes the form of landownership, while Dickens's protagonists are rewarded with an income sufficient to make them persons of leisure. Members of the aristocracy and the criminal classes may be closely allied in plotting the protagonist's downfall. The reason why Dickens's allusions to the Whittington legend are so often facetious or satirical in tone is that its innocent aspirations have been irrevocably blocked by the modern reality of metropolitan corruption. For honest Joe Willet in *Barnaby Rudge*, for example, the message of the bells is not the simple negative that Scott's protagonist heard. In fact, there is no message:

He went out by Islington and so on to Highgate, and sat on many stones and gates, but there were no voices in the bells to bid him turn. Since the time of noble

Whittington, fair flower of merchants, bells have come to have less sympathy with humankind. They only ring for money and on state occasions. Wanderers have increased in number; ships leave the Thames for distant regions, carrying from stem to stern no other cargo; the bells are silent: they ring out no entreaties or regrets; they are used to it and have grown worldly. (237)

Most telling here is Dickens's sombre reference to the crowded emigrant ships, leaving London for more distant Eldorados. Dickens sends the Micawbers, the Peggottys, and Little Em'ly to Australia, and Martin Chuzzlewit and Mark Tapley in search of fool's gold to the United States. Little Nell and her grandfather in *The Old Curiosity Shop* (1841) also flee from London. Of these characters, only Joe Willet (who volunteers for the army and fights in the American War of Independence) and Martin Chuzzlewit are able to return to the city and come into an inheritance. It is the city slicker Montague Tigg, not anyone more creditable, who envisages Martin and his friend Tom Pinch as 'a pair of Whittingtons'.[24] Similarly, in *Oliver Twist* it is not Oliver but Bill Sikes, after the murder of Nancy, who finds himself powerless to escape from the environs of London once he has passed the 'stone in honour of Whittington' (424). In *The Old Curiosity Shop* Whittingtonian hopes are put in the mouth of the petty rogue Dick Swiveller, who thinks that if he goes to Highgate 'Perhaps the bells might strike up "Turn again, Swiveller, Lord Mayor of London" '.[25] Richard Carstone in *Bleak House* (1852–3) dreams idly of miraculous good fortune like that of his 'namesake Whittington'.[26] Oliver Twist's fate sums up what could be taken as Dickens's general advice to homeless orphans in his novels: whatever you do, steer clear of London. At Sowerberry's he has already been ill-treated in the kitchen by Noah and Charlotte. On the Great North Road at Barnet, some way before Highgate, he is accosted by the Artful Dodger, taken to the metropolis, and shown into the thieves' kitchen presided over by Fagin (where Nancy, however, does not ill-treat him). Oliver's career in crime reaches its logical ending when, wounded by a pistol shot after being forced to take part in an attempted burglary, he is left for dead in a ditch and disappears for six whole chapters. He is brought back to life thanks to the recognition-inheritance plot, and from this point on he is a country gentleman in the making.

Nicholas Nickleby, in Dickens's next novel, takes public employment as a Yorkshire schoolteacher and as secretary to a Member of Parliament, but gives up both positions in disgust. Eventually he finds complete satisfaction as a humble clerk to the Cheeryble brothers, who are ultra-benevolent London merchants. More to his surprise than ours, they entrust him with their fortune, but he moves to Somerset and runs their business from a great distance. It is not until Dickens's middle period that he seems able to dispense with the Cheeryble brothers' miraculous benevolence and to show characters relying on their own resources. His reckoning with the Whittington theme is summed up in his middle-period and later novels, beginning with *David Copperfield* and *Dombey and Son*.

David Copperfield (1849–50) is sufficiently autobiographical for it to have been rather awkward for its author to portray his hero as another Whittington. Nevertheless, David is constantly shown travelling the road to Highgate (the home of Steerforth, of Dr Strong and, for a time, of Betsy Trotwood) and looking down from its hill; moreover, his early sufferings as a 'ragged way-worn boy forsaken and neglected' (863) are never forgotten even though he finds a fairy godmother in his aunt. For most of the voluminous narrative David lives a life of gentility and growing prosperity. It is when he has become an established writer and an employer of servants that his domestic 'page', later to be transported for theft, is shown quarrelling with the cook like a 'perfect Whittington, without his cat, or the remotest chance of being made Lord Mayor' (691). Nevertheless, the young David is identified by Uriah Heep as a fellow 'upstart' (760), and David succeeds where Uriah fails in marrying their respective masters' daughters, Dora Spenlow and Agnes Wickfield. To add to his rival's sense of injury, David eventually takes Agnes for his second wife while Uriah languishes in prison. As a respected novelist, David also manages to achieve his ambition of becoming 'learned and distinguished' (155) while remaining wholly within the domestic sphere; Dickens does not show him as being in any respect a public figure. There are other possible Whittingtons in *David Copperfield*, since Tommy Traddles is finally about to become a judge, while Micawber's faith that 'something will turn up' has been duly rewarded in Australia. But when David comes back to England after three years abroad, he reflects that 'both England and the law appeared to me to be very difficult indeed to be taken by storm' (822).

Since Dickens increasingly saw the English state as a monstrously corrupt social organism, resistant to change—with its age-old corruption symbolized by institutions such as the Court of Chancery in *Bleak House*—it was the 'master's daughter' theme, rather than the hero's accession to public power and success, that continued to attract him to the Whittington story. The potential complexity of this theme is evident from the case of Estella in *Great Expectations* (1861): initially identified as the stepdaughter of Miss Havisham who is Pip's supposed patron, she is secretly a daughter to two of his 'masters', Magwitch (her actual father) and Jaggers (who lives with her mother). Pip's own story is a bleak negation of Whittington's, since the magical benefaction that makes him a London gentleman leads only to disillusionment and ruin, followed by many years of working overseas as a humble clerk. Finally Pip does, apparently, turn again, and Dickens notoriously revised his original ending to hint that his hero may at last succeed in marrying Estella.

The Dickens novel which returns most insistently to the Whittington theme is not, however, *Great Expectations* but *Dombey and Son* (1848), the story of a great City merchant told from the perspective of the master's daughter rather than of the outsider who aspires to marry her. It is here, almost uniquely, that Dickens tackles a City mercantile theme head-on. Once again, he is concerned with the problems of dynastic succession and not with making new money. Since (in the words of Whittington's Victorian biographers) the folk tale clearly implies that 'The children of successful men are rarely as energetic as their fathers',[27] Mr Dombey's misplaced determination to make his son his successor disregards the collective experience of the very entrepreneurial capitalism of which he is a figurehead. Had he been alive to the need for new blood in his family firm, he would have understood the value of his despised daughter Florence as the conduit for a potential son-in-law. Carker, who is Dombey's rival and would-be successor, is as blind as his master in that he targets his illicit desires at the latter's wife rather than his daughter. Carker for most of the novel seems a much more serious proposition than Walter Gay, the adopted son of the 'old-fashioned' (that is, near-bankrupt) shopkeeper Sol Gills. Walter's 'Whittingtonian hopes'[28] reflect the parental expectations of Gills and his friend Captain Cuttle rather than his own more modest ambitions. The fiction that he might be a future Lord Mayor is, as one critic says, 'shamelessly repeated' whenever his future is discussed or Florence's name is mentioned.[29] Moreover, the legend is twinned with a second, much more banal story, that of the coal-whipper who married the 'lovely Peg', daughter of the master of a Newcastle collier. As an office boy at Dombey and Son, Walter naturally falls in love with Florence although he is aware of the legend's apparent absurdity. But Dombey and Carker ship him off to the Caribbean in the ironically named *Son and Heir*, removing him from the action for a large part of the novel; and Dickens's original plan, in any case, was to disappoint all Walter's hopes in the manner of the Richard Carstone plot of *Bleak House*.[30] The novelist relented, at first allowing Walter to marry Florence without her father's knowledge once she has been cut out of the patriarchal succession, and then letting him succeed both in winning recognition as Dombey's son-in-law and in rebuilding the shattered family 'Edifice' (877). The problem here is that, like Nicholas Nickleby earlier, Walter has moved with his wife to the country while somehow controlling a new business in the heart of the city. He has more than his love for Florence in common with the unworldly Paul Dombey, who was his father's hoped-for successor. The ending of *Dombey and Son* reveals Dickens's extraordinary difficulties in reconciling his attachment to the Whittington legend with his rejection of the commercial enterprise culture. Nevertheless, he continued to produce ever more complex transmutations of the folk tale until his last completed novel, *Our Mutual Friend* (1864–5).

The Metropolitan Labyrinth

In modern times, Dickens had written in *Barnaby Rudge*, the bells only ring for money and on state occasions; but there are no state occasions in his novels, nor does he show much interest in the idea of the bells ringing for money. In Chapter 76 of *Barnaby Rudge* it is not Bow Bells but the bells of St Sepulchre Without Newgate that ring for Dickens's Londoners. St Sepulchre's bells, as a London historian writes, tolled 'with appalling frequency as the condemned from Newgate passed on their way to Tyburn'.[31] Their message to the condemned man is not 'Turn again!' but rather an incessant reminder that he is about to be, as Dennis the hangman would say, 'turn'd off'. That the bells tolling for ragged pilgrims to the metropolis might be those of St Sepulchre is clearly known to Harriet Carker in *Dombey and Son*, who watches helplessly as the 'stragglers' come wandering into London, passing her house at the city's edge on the Great North Road:

Day after day, such travellers crept past, but always, as she thought, in one direction—always towards the town. Swallowed up in one phase or other of its immensity, towards which they seemed impelled by a desperate fascination, they never returned. Food for the hospitals, the churchyards, the prisons, the river, fever, madness, vice, and death,—they passed on to the monster, roaring in the distance, and were lost. (480)

This passage seems almost out of place in *Dombey and Son*, evoking as it does the sombre worlds of *Oliver Twist*, *Barnaby Rudge*, and Dickens's last novels. The figuration of London as a cannibalistic 'monster', like the Minotaur at the heart of the labyrinth, suggests that those who enter the city do so only to become sacrificial victims. There is no escape, since the wanderers creep past in one direction only. The phrase (or cliché) 'a labyrinth of streets' proved irresistible to Dickens from *Oliver Twist* onwards.[32] The novels in which metropolitan labyrinths are evoked are themselves unprecedentedly labyrinthine, since any Dickens plot is full of complications, entanglements, obstructions, blind alleys, and doublings back. For Dickens, secrecy was of the essence of metropolitan living. A famous passage in *A Tale of Two Cities* (1859) describes the myriad of secrets enclosed in the 'darkly clustered houses' seen by a traveller entering a great city at night: 'Something of the awfulness, even of Death itself, is referable to this', the narrator adds (14–15). These are private secrets, the secrets of isolated individual hearts all hidden from one another, but as Dickens's characters gravitate towards 'the hospitals, the churchyards, the prisons', many private secrets are destined to be made public.

A city traditionally contains a walled citadel at its centre, but in Dickens's novels the centre of the metropolitan labyrinth is typically a prison or criminal underworld cut off from the ordinary urban life surrounding it. Mr Pickwick is sent to the Fleet Prison, and Fagin in *Oliver Twist* is last seen in the condemned cell, but the prison as the city's symbolic centre is first seen in *Barnaby Rudge*, where the main aim of the Gordon rioters is to liberate the inmates of Newgate and other jails. *Barnaby Rudge* grows out of the 'Newgate novels' of Dickens's contemporaries such as Bulwer-Lytton and Harrison Ainsworth, all of whom looked back to Scott, who had portrayed Edinburgh's Tolbooth prison as the 'Heart of Mid-Lothian' in the novel of that name. Scott in *The Fortunes of Nigel* portrays both imprisonment in the Tower, and the existence at the heart of Jacobean London of a criminal 'Alsatia' or no-go area such as we find in *Oliver Twist*. Dickens's later novels often surround a central prison with the labyrinthine apparatus of law and government, as in *Little Dorrit*, where the debtors in the Marshalsea Prison are subject to the do-nothing philosophy of the Circumlocution Office; *Great Expectations*, where entry and exit from Newgate and the hulks are controlled by the law business of Jaggers and Wemmick in Little Britain (the name of an actual London street); and *A Tale of Two Cities*, where the prison is the Bastille rather than Newgate. *Bleak House* may be added to this list, although the labyrinthine apparatus of the Court of Chancery belongs to the civil rather than the criminal law.

When George Gissing called Dickens the champion of the 'homely' English race, he will have had in mind that the novelist's most righteous characters are those who, like Harriet Carker and Esther Summerson, steer clear of the metropolis. The privacy of the family hearth is a sacred space for Dickens, although there are as many evil families as good ones in his fiction. And there are restless, unhappy individuals in Dickens's good families, like Richard Carstone in *Bleak House*, who head for the city and are sucked into its labyrinth. The bells hold no message for Richard, or, to put it another way, he lacks the Dickensian narrator's ability to see into the city's mysteries.

The narrator stands both inside and outside the labyrinth. Dickens himself was famously obsessed with pacing the London streets. Master Humphrey, the initial narrator of *The Old Curiosity Shop*, is a self-portrait whose 'constant pacing to and fro' and 'never-ending restlessness' (1) are at one with the city to which he belongs. It was said by Dickens's friend George Augustus Sala that he 'knew all about the back streets behind Holborn, the courts and alleys of the Borough, the shabby sidling streets of the remoter suburbs, the crooked little alleys of the City, the dank and oozy wharfs of the water-side'.[33] The novelist's walks brought him into contact with London's sordid, soulless, and criminal side but also with its endless repetitions, circularities, and, to use the Dickensian word, coincidences—for, as a character says in *Nicholas Nickleby*, there is not 'such a place in all the world for coincidence as London is' (530). The Dickens narrative is made of these coincidences, which both consolidate the city's labyrinthine structure and hint at a path of escape from it. The escape is triumphant in an early work such as *Nicholas Nickleby*, but in the later, darker novels it is increasingly subdued. Always it is an escape into an oasis of domestic privacy, offering no prospect of public recognition. Esther Summerson, the heroine of *Bleak House*, moves from her adopted family's home near St Albans—close enough to London for the city's glow to be visible at night—to a second 'Bleak House' which is smaller, more rural, more provincial, and more secure from intrusion. (Allan Woodcourt, the rising young metropolitan doctor who marries her, will surely find his gifts wasted in such an isolated spot.) Various critics of *Bleak House* have suggested that Esther represents the biblical Esther, who was also illegitimate and who married a king and saved her people.[34] But Esther cannot redeem the English nation any more than the novel's archetypal London waif, Jo the crossing-sweeper, is (as the rogue Harold Skimpole slimily predicts) 'reserved like Whittington to become Lord Mayor of London' (436).

The Phantom Merchant

Our Mutual Friend presents Dickens's most intricate transmutation of the Whittington theme at the same time that it portrays a city on the point of collapse. In this novel there are no massive institutions such as a prison, a government department, the Dombey 'Edifice', or a court of law. The lawyers, Lightwood and Wrayburn, have little or no work; fortunes are built out of dust; the upstart City merchant Veneering is a man of straw; and the novel's only 'prison' is the home of the dust-heaps—a dumping-point for the waste that the city continually produces but cannot expel—which is popularly known as 'Harmony Jail'. The novel's last chapter is called 'The Voice of Society', but society in effect has no voice.

With its array of small and large businesses, including a bone-shop, a doll's dressmaker, and a crooked moneylender, *Our Mutual Friend* constitutes a return to the mercantile city. But the novel's two large concerns, the 'drug-house' of Chicksey, Veneering, and Stobbles and old Harmon's dust-contracting business, are both eventually sold off. Veneering, once the traveller or commission-agent of the drug-house, has bought out his partners, set himself up in a 'bran-new house' and entered fashionable society. In due course he becomes a Member of Parliament, but his firm, his household, his circle of friends, and his pretensions as a public figure are all as insubstantial as his furniture: 'For, in the Veneering establishment...all things were in a state of high varnish and polish...the surface smelt a little too much of the workshop and was a trifle stickey' (17). By the end of the novel the Veneering establishment is ready for the rubbish heap.

Old Harmon has built what might seem a more durable fortune out of the city's waste. He dumps it at Battle Bridge just north of King's Cross, a 'tract of suburban Sahara, where tiles and bricks were burnt, bones were boiled, carpets were beat, rubbish was shot, dogs were fought, and dust was heaped by contractors' (42). The waste that Harmon collects is figured variously as dust, ashes, rags, bones, and waste paper. Other waste products are suggested by the scavenger's cart, used for street cleaning, into which Silas Wegg is finally deposited with a 'prodigious splash' (770), and by the drowned bodies salvaged by scavengers as they float down the Thames. There is, of course, money in dirt, and the novel can be read as, like the Whittington legend, a quest for the city's hidden gold. The principal (Harmon) plot hinges on disguise, multiple identity, and the confused destination of the Harmon fortune. The 'master's daughter' theme undergoes new complications as the story develops.

The question of what exactly London's streets are paved with is the subject of a dialogue between Mr Podsnap, the chauvinistic middle-class Englishman, and his French dinner guest:

'And Do You Find, Sir,' pursued Mr Podsnap, with dignity, 'Many Evidences that Strike You, of our British Constitution in the Streets Of The World's Metropolis, London, Londres, London?'

The foreign gentleman begged to be pardoned, but did not altogether understand....

'I Was Inquiring,' said Mr Podsnap...'Whether You Have Observed in our Streets as We should say, Upon our Pavvy as You would say, any Tokens—'

The foreign gentleman with patient courtesy entreated pardon; 'But what was tokenz?'

'Marks,' said Mr Podsnap; 'Signs, you know, Appearances—Traces.'

'Ah! Of a Orse?' inquired the foreign gentleman. (136)

Podsnap thinks that the streets might be paved with evidences of the British Constitution, but all that the French visitor can find there is horse manure, yet another component of the waste that has made Harmon's fortune. The British Constitution, notoriously unwritten, is a kind of gold standard for Podsnap: it applies everywhere, even though the Frenchman (and, by implication, Dickens) can find it nowhere. The city's gold, however, has been turned into paper, another incipient waste-product. Old Harmon's fortune is tied up in legal documents of doubtful worth—neither the will that has been made public nor the one that Wegg and Venus find on the dust-heap is actually valid. Bella Wilfer reads (significantly, in her evening paper) of gold being 'taken to the Bank' (666–7), but the City's actual financial medium is now 'scrip' or share certificates and receipts. Dickens's narrator grandiloquently informs us that 'As is well known to the wise in their generation, traffic in Shares is the one thing to have to do with in this world' (118). Veneering's business success earns him a place among the 'Fathers of the Scrip-Church' (610), a company doubtless including present and future Lord Mayors. The original dictionary meaning of 'scrip' is scrap or waste, as in a scrap of paper, and the city's scrip is constantly turned into scrap, producing '[t]hat mysterious paper currency which circulates in London when the wind blows' (147).

Among the other products blown about by the wind are sawdust, and, very likely, bran. Dickens refers to the Veneerings and their wealth as 'bran-new' (17) rather than 'brand-new,' probably because of the dictionary sense of 'bran' as 'muck, excrement, filth.' Then, no doubt, there are rags, since, as Mortimer Lightwood puts it, 'everything wears to rags' (96). Since rags and sawdust are used in paper-making it is no coincidence that the novel contains a paper mill, close to Plashwater Weir Mill Lock on the Thames. The rural reaches of the Thames ought to be well outside the city's reach, but they are not, since, as we are told, the towpath prowled by the murderous schoolmaster Bradley Headstone is marked out by posts bearing the City of London shield. The towpath is but an extension of the streets, while the paper mill helps to recirculate London's waste. Within this 'beleaguered city' (147), is there any gold to be found? Dickens's plot prepares a fairy-tale answer to this question. Mr Boffin, known as the Golden Dustman, turns out to be true gold in every sense—he is the legal inheritor, not merely the guardian, of old Harmon's wealth, yet he gives it all back to Harmon's son—and John Harmon marries his master's adopted daughter, Bella Wilfer, who is a 'most precious and sweet commodity that was always looking up, and that never was worth less than all the gold in the world' (667). The position of the master's daughter as a bargaining counter in what is essentially the process of commercial succession could not be more clearly put, yet Dickens's ostensible meaning is that Bella is anything but a commodity.

John Harmon as a young man quarrelled with his father and went out to farm in South Africa. At the age of 28 he returns to London in disguise, believing that his father's estate has been willed to him on condition that he marries a young lady whom he has never met. But he and the sailor with whom he has exchanged identity, George Radfoot, are kidnapped, drugged, and left for dead in London's docklands. Harmon manages to escape drowning in the Thames, but remains under cover, giving false testimony at the inquest into the death of Radfoot, who has been identified as the heir to the Harmon fortune due to the papers found on his body. He takes a position as clerk to Mr Boffin, while at the same time Bella Wilfer, whom old Harmon had designated as his daughter-in-law, enters the Boffin household as an adopted daughter. Harmon makes love to Bella and eventually succeeds in marrying her under a false name. Nevertheless, he has married his 'master's' adopted daughter while Bella, also an upstart, has married the master's son. She would never have knowingly married the man to whom she had been left 'in a will, like a dozen of spoons' (45).

Harmon's real identity remains hidden from his wife for several years (and for some 300 pages) even though, as we eventually learn, he was recognized by the Boffins almost from the start. He spends years pretending to commute every day from suburban Blackheath to a 'China house' in the City. Where Dick Whittington's future identity was known even to Bow Bells, John Harmon the phantom City merchant is not even known to his family lawyer. He is not so much a figure of doubtful identity as a virtual non-presence or nonentity—the perpetual third party or spiritual absentee implied by the phrase 'our mutual friend' itself.

By the end of the novel, the dust-heaps have been cleared away in exchange for a paper fortune, while the gold that was supposedly at the city's centre has disappeared. Veneering, the potential Lord Mayor, is on the brink of bankruptcy and will be forced to flee to Calais and live off his wife's diamonds. In *Our Mutual Friend*, written at the culmination of Dickens's dazzling career and at the height of his powers, mercantile ambitions are dismissed as so much chaff and the novelist seems to revel in the integrity of idleness. John Harmon clearly has no intention of engaging in business, so that his future existence is that of a gentleman of leisure like the briefless barrister Eugene Wrayburn. After his 'downward slide' from the house where he was drugged and kidnapped into the Thames, Harmon recalls that 'a heavy horrid unintelligible something vanished, and it was I who was struggling alone there in the water' (363). It is the aim of all Dickens's protagonists to shrug off the heavy, unintelligible weight of a city where the bells have 'grown worldly' and the noble merchant of the Whittington legend has given place to a phantom. The homeliness and domesticity of Dickens's family idylls is the result of his disillusionment with the effects of wealth and power on the England that idolized him.

At Home and Abroad in Victorian and Edwardian Fiction: From *Vanity Fair* to *The Secret Agent*

WILLIAM MAKEPEACE THACKERAY, born in Calcutta in 1811, might have become the first great novelist of Anglo-India. His father, an East India Company official, died when he was 3, and in 1817 he was sent back to England. In his early twenties he lost the money he had inherited from his father, partly as a result of the collapse of Indian investments, and he never returned to the East. Since Thackeray is a satirist who manifestly loves and admires what he pokes fun at, it is significant that his juvenilia includes *The Tremendous Adventures of Major Gahagan* (1838), a hilarious send-up of the military memoir which in some ways anticipates the *Boy's Own Paper* style of imperial romance. (Who can forget the siege of Futtyghur, when the gallant British officer commanding the defence takes off the trunks of 134 enemy elephants with a single cannon shot?) In *Vanity Fair* (1848) Jos Sedley, the Indian nabob with the 'honourable and lucrative post' of Collector of Boggley Wallah,[1] is another figure of fun even though Thackeray's father had held the title of Collector. Major Dobbin is posted to Madras, and plans to devote the rest of his life after retiring from the army to writing a history of the Punjab. But, out of more than sixty chapters, only one is set in India, and that is mainly devoted to home thoughts from abroad.

The Empire of the Novel

Although the action of *Vanity Fair* mostly takes place in and around London, we can never forget that Thackeray's London is the centre of a global economy and the capital of a large empire. Dobbin and his friend George Osborne have served in Canada, the West Indies, and Central America before taking part in the Battle of Waterloo. Jos Sedley brings back a black servant from India, as well as the curry and green chillis that so upset Becky Sharp. Becky's husband Rawdon Crawley becomes governor of Coventry Island, a tropical outpost supplying guava jelly and cayenne pepper to metropolitan dinner tables. The spoils of empire are most evident in the lavish and gaudy furnishings, the costumes, jewellery, and headwear of *Vanity Fair*, since of all male novelists Thackeray is the most alive to women's fashions. When Becky Sharp daydreams about Jos before their first meeting, she imagines herself riding an elephant and clothed in 'an infinity of shawls, turbans and diamond necklaces' (22). Turbans are sported by several of Thackeray's females, including the colonel's wife, Mrs O'Dowd, who wears a turban with a bird-of-paradise feather. The most showily dressed of all Thackeray's characters is the 'Hottentot Venus', Miss Swartz, who appears 'in her favourite amber-coloured satin with turquoise bracelets, countless rings, flowers, feathers, and all sorts of tags and gimcracks, about as elegantly decorated as a she chimney-sweep on May-day' (200). Old Mr Osborne regards her as one of the spoils of empire, although his son George is more choosy. George has in the past made love to a judge's daughter at Demerara and a beautiful quadroon at St Vincent. For his wife, however, he demands a white English girl, just as Amelia Sedley's parents are greatly relieved that their son Jos has not brought them an Indian daughter-in-law. The gorgeous visual display of empire has to be set against the characters'—and their author's—unremitting racism. Nobody sees anything wrong in the fact that Miss Swartz has to pay double fees to attend Miss Pinkerton's school. And old Mr Osborne's multi-cultural bluster—' "*I* ain't particular about a shade or two of tawny" ' (222)—is simply a manifestation of his mercantile vulgarity and greed.

Vanity Fair balances gentility against wealth, racial purity against empire, but also England against Europe. The European theme enters the novel with the stock-market panic following Napoleon's return from Elba in 1814, when Mr Sedley's investments are wiped out and Amelia is no longer regarded as a suitable match for George. But Europe is already present in the person of Becky Sharp, the daughter of a drawing master and a French opera singer with republican and Bonapartist tendencies. When Becky gets rid of her prize copy of Johnson's Dictionary as she leaves Miss Pinkerton's academy, it is Englishness as well as scholarship that she throws out of the carriage window. She will end up in exile in France and Germany, where she poses as an English lady before going to live among the wealthy ex-colonials of Bath and Cheltenham. Before that, however, her career as a courtesan brings her to the heights of English society at what Thackeray portrays as one of its greatest periods of profligacy, the period of England after Waterloo.

Thackeray wishes to be thought the least Puritanical of novelists, for all his vagueness about Becky's, and Arthur Pendennis's, presumed sexual misconduct. His first full-length novel, the Defoe-like *Memoirs of Barry Lyndon, Esq.* (1844), traces the adventures of a professional gamester across Europe, and the same gambling streak reappears in George Osborne and Becky Sharp. Their immorality is patent, yet Thackeray feels considerable admiration for them so long as they keep ahead of the game. His refusal to 'cajole the public into a sermon' and his insistence that 'sick-bed homilies and pious reflections are...out of place in mere story-books' (179) put him somewhere between the English moral allegorist—'Vanity Fair', after all, is an allusion to John Bunyan—and the 'cynical Frenchman' in the following quotation:

The observant reader, who has marked our young Lieutenant's previous beha-viour...has possibly come to certain conclusions regarding the character of Mr Osborne. Some cynical Frenchman has said that there are two parties to a love transaction: the one who loves, and the other who condescends to be so treated.... But this is certain, that Amelia believed her lover to be one of the most gallant and brilliant men in the empire: and it is possible Lieutenant Osborne thought so too. (115)

Here the French nation's wisdom in matters of love is acknowledged but immediately patronized to—and by a narrator who sounds as knowing and disillusioned as any Frenchman. But the image of George Osborne as 'one of the most gallant and brilliant men in the empire' resounds with imperial pride even if the 'empire' is an empire of vanities. Thackeray's romantic irony and narrative sleight of hand, as exhibited in this passage, are an essential part of *Vanity Fair*'s brilliant and compelling entertainment.

In some respects, the novel portrays England and its empire as manifestly a sham. Becky's opportunity to rise in society comes from her employment as a governess at Queen's Crawley in Sussex, but the family home of the Crawleys is more like a run-down colonial estate than a gentleman's park in the Home Counties. Seen through Becky's eyes, its rustic squalor is as outlandish as the ruined Irish estates of Maria Edge-worth's novels. Yet Sir Pitt Crawley, who is a high sheriff and rides in a golden coach, comes from a long line of time-servers whose very names— John Churchill Crawley, Walpole Crawley, and Bute Crawley—show how the family has always toadied to the party in power. Sir Pitt, though 'a dignitary of the land, and a pillar of the state' (82), is a mean, illiterate curmudgeon. He would have been bankrupted long ago were it not for the £1,500 a year he receives from the slave owner Mr Quadroon in exchange for a pocket borough. It is through Sir Pitt that Becky gains access to Rawdon Crawley and then to Lord Steyne, leading to her ascent to a level of society so august that Thackeray hardly dares to name it.

Lord Steyne, who is descended from the druids and owns castles and palaces all over the British Isles, stands for the bloated and degenerate Whig aristocracy. He is the provider of Becky's diamond earrings and the 'superb brilliant ornament' which adorns what Thackeray calls her 'famous frontal development' (481, 184), as if her bosom, suitably clad, were itself a sign of Britain's imperial splendour. But Lord Steyne is also Lord of the Powder Closet, 'one of the great dignitaries and illustrious defences of the throne of England' (481). Thanks to him, Becky is presented at court, giving her the opportunity of entering the royal apartments with a swagger that 'would have befitted an empress' (478). When the King or, as Thackeray calls him, the 'Imperial Master' briefly appears in the audience chamber, the usually ebullient narrative voice is cowed and silenced: 'The dazzled eyes close before that Magnificent Idea. Loyal respect and decency tell even the imagination not to look too keenly and audaciously.... but to back away rapidly, silently, and respectfully, making profound bows out of the August Presence' (482). Is Thackeray laughing behind his sleeve here? We cannot tell. Certainly he is unsparing about Mr Osborne, of whom he says that 'Whenever he met a great man he grovelled before him, and my-lorded him as only a free-born Briton can do' (119). Thackeray himself seems to grovel before royalty, yet a nation stuffed with power and self-satisfaction is transfixed under his gaze until we perceive it as no more than a freak show, a box full of puppets strutting their way through a pompous charade that presages the vanity of human life and the impermanence of empires. The death of the gallant, flawed George Osborne on the field of Waterloo is to some extent the novelist's retribution for his heartless flirtation with Becky, yet it also portends the eventual passing away of the British Empire, which will fall just as Napoleon fell. But there is life after such a bereavement, as Thackeray shows through Amelia's gradual return to happiness.

The certainty of eventual political decline is an implicit element in Thackeray's allegory, even though Sir Pitt Crawley's prophecy of the 'speedy ruin of the Empire' (696) when he loses his two pocket boroughs as a result of the 1832 Reform Bill is manifestly absurd. We may consider, for example, the complex irony of the novelist's allusion to Lady Hester Stanhope: 'Lady Hester once lived in Baker Street, and lies asleep in the wilderness' (504). Baker Street (slightly to the west of the Anglo-Indian quarter of London popularly known as the 'Black Hole') had recently

been rebuilt, much to Thackeray's disgust, while Lady Hester, a precursor
of Becky Sharp at her most magisterial, had kept house for William Pitt
when he was prime minister. Her subsequent adventures were familiar
to Thackeray and his readers from Alexander Kinglake's bestselling
Eōthen (1844), a romantic traveller's account of the ruined empires of the
East. Kinglake had visited her at Palmyra (Tadmor), once the home of
the legendary Queen Zenobia. All this lies behind Thackeray's observation that

Some day or other (but it will be after our time, thank goodness) Hyde Park
Gardens will be no better than the celebrated horticultural outskirts of Babylon,
and Belgrave Square will be as desolate as Baker Street, or Tadmor in the
wilderness.... It is all vanity to be sure: but who will not own to liking a little
of it? (503–4).

Baker Street, a construction site in Thackeray's time, will go full circle
until it becomes once again a waste of builder's rubble; and the very novel
that he is composing will be forgotten like waste paper. Thackeray's
amusement at the spectacle of English society is always tinged with
melancholy. The nation at the height of its power and prosperity after
Waterloo is like a gambler on a winning streak, but *Vanity Fair* is full of
reminders of the world beyond England. Jos's Indian servant goes back
to Calcutta; the author of a pious tract called the 'Washerwoman of
Finchley Common' becomes Lady Hornblower of Cape Town; Becky
Sharp becomes so notorious that her doings are reported in the *New York
Demagogue*; and Amelia and Dobbin are eventually reunited on the
quayside at Ostend. Thackeray writes of Becky's life in exile that 'Those
who know the English colonies abroad know that we carry with us our
pride, pills, prejudices, Harvey-sauces, cayenne-peppers, and other Lares,
making a little Britain wherever we settle down' (650). England in *Vanity
Fair* is a bubble that will one day burst, while Thackeray, in spite of
himself, seems to anticipate that the English novel may eventually become
a novel of uprooted and cosmopolitan Englishness.

Charlotte Brontë and Nationalities in Conflict

In 1852 when he visited the southern United States, Thackeray wrote of
the black slaves that 'They are not my men and brethren, these strange
people with retreating foreheads, with great obtruding lips and jaws: with
capacities for thought, pleasure, endurance, quite different to mine'.[2]
Yet Thackeray, while an imperial racist, treats the question of national

differences within Europe rather lightly. The same cannot be said of the major women novelists who were his contemporaries. Charlotte Brontë's strong feelings, not to say prejudices, about national character are evident throughout her writings. The narrator in 'Ashworth', an unfinished novel written in her mid-twenties, declares that 'Ferocity, treachery, and turbulence are strong characteristics' of the Irish and the French nations,[3] while in her last novel *Villette* (1853) both a place and a family are named Bretton (Britain). George Eliot contributed to the contemporary intellectual debate about national character in her late essay 'The Modern Hep! Hep! Hep!' (1879), which belongs with the statements of political thinkers and historians such as Mill, Bagehot, Ernest Renan, and J. R. Green. The essay reflects the commitment to the idea of Jewish nationality that inspired Eliot's *Daniel Deronda* (1876), while outlining her belief in the ultimate triumph of cosmopolitanism and the fusion of races and nationalities.[4] But the time is not yet ripe for cosmopolitanism, in Eliot's view. Instead, a 'too rapid effacement of those national traditions and customs which are the language of the national genius—the deep suckers of healthy sentiment' would lead to the moral degradation of society.[5] For this reason, Eliot warns against mass immigration, which would put the 'distinctive national characteristics' of a historic people such as the English 'in danger of obliteration by the predominating quality of foreign settlers' (283)—an early instance of the anti-immigration scaremongering that would become associated a century later with the Conservative politician Enoch Powell.

Even more strikingly, Eliot's idealistic rhetoric has the effect of elevating nationality into a kind of secular religion:

The eminence, the nobleness of a people, depends on its capability of being stirred by memories, and of striving for what we call spiritual ends—ends which consist not in immediate material possession, but in the satisfaction of a great feeling that animates the collective body as with one soul. . . . It is this living force of sentiment in common which makes a national consciousness. . . . A common humanity is not yet enough to feed the rich blood of various activity which makes a complete man. The time is not come for cosmopolitanism to be highly virtuous, any more than for communism to suffice for social energy. (264–5).

Here it may be that Eliot's anxiety to repudiate 'communism' as a source of social belief has led her to confuse nationalism with national consciousness—to confuse a conscious political ideology, that is, with an innate feeling of national solidarity or belonging. For if 'national consciousness' is to serve spiritual ends and to play its part in the making

of the 'complete man', then it must take on at least one characteristic of
a political ideology: it must be something that we are, in principle, free to
accept or not to accept. The supposed author of 'The Modern Hep! Hep!
Hep!' is Theophrastus Such, a metropolitan bachelor who speaks of his
Midland upbringing where he learnt the 'alphabet' of his native England.[6]
But he must be prepared to learn other languages beside his mother
tongue if he is to present himself as a disinterested observer of the 'varying
genius of nations' (286), rather than as a blinkered nationalist. This leaves
open the possibility that an individual like Eliot's protagonist Daniel
Deronda could be reared within one national consciousness but end up by
choosing another. Choice of nationality is one of the principal themes in
major novels by both Charlotte Brontë and George Eliot.

Charlotte Brontë's first novel to be published after *Jane Eyre* was
Shirley (1849), a historical novel of the West Riding set, like the early
chapters of *Vanity Fair*, in the period of the Napoleonic Wars. From one
point of view *Shirley* may be described as 'defiantly regional'.[7] The
Yorkshire manufacturers, infuriated by the disruption of trade caused by
the British naval blockade of European ports, support the anti-war party
and are bitterly hostile to the patriotic fervour sweeping across England in
response to Wellington's Peninsular campaign. The textile workers are so
ground down by economic hardship that 'For a morsel of meat they
would have sold their birthright', according to Brontë's narrator.[8]
Yorkshire independence is personified in the squire and mill-owner Hiram
Yorke, a radical republican whose family is the oldest in the district and
who denounces England as a 'king-ridden, priest-ridden, peer-ridden
land' (41). Yorke switches at will from standard English to 'Yorkshire
Doric' (289), while the workers who attack a mill belonging to his friend
Robert Moore announce their onslaught with a 'West Riding-clothing-
district-of-Yorkshire rioters' yell' (271–2).

Orthodox patriotism in *Shirley* is represented by the Anglican
clergyman Dr Helstone, who regards the Duke of Wellington as 'the soul
of England' (28). Helstone as the representative of the established Church
is naturally a Tory, while Moore and Yorke are 'bitter Whig[s]' (27),
and the weaver Mike Hartley, a leader of the rioting workers, is an
Antinomian, a Jacobin, and a would-be regicide. Thus the issue of
wartime patriotism sets London against Yorkshire, Anglican against
Dissenter, monarchist against republican, and Tory against Whig. But
Shirley is not simply a novel of domestic division, even though the
divisions will apparently be healed by the lifting of the blockade in 1812
and the subsequent Tory–Whig marriage of Caroline, Helstone's niece,

to Robert Moore. Brontë introduces a more international theme with the baiting of Malone, the Irish curate, in the opening chapter. The final resolution of the double courtship plot involves Robert and Louis Moore, two brothers of half-Belgian descent who speak French at home and who are shown hesitating between emigration to the United States and settlement in Yorkshire.

Shirley is, paradoxically, more cosmopolitan in outlook than a novel that was evidently influenced by it, Elizabeth Gaskell's *Sylvia's Lovers* (1863). Set in the 1790s in the East Yorkshire town of Monkshaven (Whitby), *Sylvia's Lovers* portrays the violent controversy aroused by the use of the pressgang to man British warships during the Napoleonic campaigns. Daniel Robson, the ringleader of an anti-pressgang riot, is an ex-whaler who has chopped off his own finger and thumb to avoid service in the American War twenty years earlier. Neither Robson nor his fellow townsmen are Jacobins or 'bitter Whigs', however; they are 'John Bullish' patriots, happy to support the war as long as they are not personally forced to fight in it.[9] Robson's daughter Sylvia, believing that her lover Charley Kinraid is dead at sea, agrees to marry Kinraid's rival Philip Hepburn, who has never told anyone that he saw Kinraid being seized by the pressgang. Kinraid reappears, exposing Hepburn's lying and cowardice, but then, in a Scott-like romantic sequence, Philip changes his name, joins the army, and saves Kinraid's life at the siege of Acre. Philip's penitent return to England is compared to the story of Guy of Warwick, who came back from the Crusades to live as a travelling hermit. Charley Kinraid rises in the navy to become an officer and a gentleman, so that both he and Philip may be said to have come to manhood as a result of being forced to fight for the nation. The narrative focus, however, remains on Sylvia, who stays at home in Monkshaven abandoned by both her lovers. The daughter born to Sylvia and Philip emigrates to America, just as Hiram Yorke's children end up scattered across the globe. Both novels, for all their defiant regionalism, seem to suggest that regionalism has little future.

When, in the opening scene of *Shirley*, the curates Donne and Sweeting turn on the Irishman Malone, their dispute is summarized as follows: 'He reviled them as Saxons and snobs at the very top pitch of his high Celtic voice; they taunted him with being the native of a conquered land. He menaced rebellion in the name of his "counthry," vented bitter hatred against English rule; they spoke of rags, beggary, and pestilence' (5). Here Malone's patriotic fury is reminiscent of Captain Macmorris's 'Who talks of my nation?' in Shakespeare's *Henry V*. The use of dialect spelling to represent Malone's speech suggests Brontë's concern to de-centre the 'English rule' that comes from the metropolis, since *Shirley* is also full of so-called 'Yorkshire Doric', and Yorkshire like Ireland is referred to as a country. As Robert Moore's foreman Joe Scott says, 'We allus speak our minds i' this country; and them young parsons and grand folks fro' London is shocked at wer "incivility"' (44). The 'young parsons' Donne and Sweeting are themselves notably uncivil, as we have seen, but as representatives of the Church they stand for the centralized state and the suppression of national and regional differences.

In the event, the future of Yorkshire separatism lies in the hands of Caroline Helstone, the Tory vicar's daughter, and the landowner Shirley Keeldar. Brontë's twin heroines, who are both Yorkshirewomen and, therefore, 'compatriots' (165), marry the immigrant brothers Robert and Louis Moore. The destiny of these two couples, however, is to become naturalized citizens of a new, industrialized England arising out of the ashes of the immemorial countryside. Caroline, Shirley, and Louis Moore take a mutual delight in the West Riding legends of Robin Hood; Louis's sense of affinity with the 'ghost of the Earl of Huntingdon' (408) almost leads him to seek his fortune in the virgin woods of America, but instead he settles down as a lord of the manor and local magistrate, more a Sheriff of Nottingham than a denizen of the greenwood. His brother Robert Moore, the mill-owner, apparently plans to cut down part of Nunnwood forest, one of Robin Hood's haunts. His plan to double the size of his mill involves the enclosure of Nunnely Common and the building of a housing estate in Fieldhead Hollow. The result of his new-found prosperity after the end of the blockade is that, as he boasts to Caroline, ' "The copse shall be firewood ere five years elapse: the beautiful wild ravine shall be a paved street"' (509). The workers who inhabit his new estate will doubtless be imported from elsewhere.

There is certainly no sentimental attachment to local independence in Charlotte Brontë's juvenilia, such as the interminable 'Glass Town Saga' written in collaboration with her brother Branwell. These stories reveal an imagination obsessed with urbanization, colonization, and empire-building. They tell of the construction in the heart of Africa of the Glass Town, capital of the English colony of Angria; of the appearance there of the Duke of Wellington and his sons; and of the rivalry between Angria and its rebellious offshoot Northangerland. Angria, with its English-style parliament, monarchy, and aristocracy, is half imperial fantasy and half a parallel-world fiction of an allegorical toy England. If Northangerland is Yorkshire, the wars that threaten to tear the colony apart specifically allude to the seventeenth-century Civil Wars and the Wars of the Roses. The Angrian saga was written before Charlotte Brontë's crucial residence in Brussels as a student and English teacher, which brought the themes of cosmopolitanism and the conflict of nationalities into her writing. Brussels is the setting of her rejected first novel *The Professor* as well as providing the model for the city in *Villette*, her mature masterpiece.

In *The Professor* William Crimsworth, the younger brother of a Yorkshire mill-owner, goes to Brussels to teach English on the advice of his mentor Yorke Hunsden, an industrialist and republican radical. Hunsden appears by turns as saviour, demonic tempter, 'Saxon' Englishman, and cosmopolitan wanderer, while Crimsworth ultimately aspires for recognition as an English gentleman. Where Hunsden claims to be a 'universal patriot' and world citizen, Crimsworth sees his Belgian hosts through a veil of racial prejudice and religious bigotry. His pupils' 'true Flamand physiognomy' betrays their intellectual inferiority, or so he thinks; and the continental climate is to blame for their 'deformity of person and imbecility of intellect'.[10] Brontë herself had expressed similar views in letters home, describing the 'national character of the Belgians' as 'a character singularly cold, selfish, animal and inferior'.[11] But the accusation of coldness is mutual, since Crimsworth's Belgian colleague M. Pelet describes him as a 'cold, frigid islander' (89). The same stereotype is present in *Villette*, where the English heroine Lucy Snowe—herself cold, secretive, and emotionally repressed—describes the Anglo-Scottish Graham Bretton as a 'cool young Briton' who is as impassive as the 'pale cliffs of his own England'.[12]

The idea of emotional reserve and self-suppression as defining features of the English character was implicitly present in Jane Austen's Mr Knightley. Maria Edgeworth had commented in *The Absentee* that 'however reserved the English may be in manner, they are warm at heart',[13] while Thackeray in *Pendennis* remarks on the 'Curious modesty, strange stoical decorum of English friendship!' (ii. 325). In *The Professor*, when Crimsworth and Hunsden are shown parting from one another after a meeting in Brussels, 'With a simultaneous movement each turned his back on the other. Neither said "God bless you," yet on the morrow the sea was to roll between us' (234). Elizabeth Gaskell writes of John Thornton and his mother in *North and South* that 'a stranger might have gone away and thought that he had never seen such frigid indifference of demeanour between such near relations' (252). In *Shirley*, Caroline Helstone's mother remarks on the 'reserve of English manners and the decorum of English families' (298). When in *Villette* Lucy and her

godmother Mrs Bretton are reunited after ten years, all that passes
between them is summed up as 'few words and a single salute' (249). The
phrase 'stiff upper lip' is mid-Victorian, though it is credited to the
American poet Phoebe Cary rather than to an English writer.

While often seen as a sign of emotional inadequacy—of the kind that
would lead Edwardian novelists such as E. M. Forster and D. H. Lawrence
to send their characters to the Catholic Mediterranean countries to find a
sensual awakening denied to them at home—the habit of English reserve is
also a form of power, an expression of the governing mystique of an
imperial elite or of the spiritual arrogance and superiority of successful
middle-class Puritans like Hunsden and Thornton. To show English reserve
means to refuse to betray emotional weakness or openness to persuasion by
subordinates, so that it is clearly linked to a habit of class decorum and
respectability ('Not in front of the servants'). In this vein Rudyard Kipling,
for example, could write of an effusive greeting between an Indian father
and son, both native officers who had served under the British, that 'they
embraced as do father and son in the East' (52).[14] This passing remark,
which embodies the very English reserve to which it silently alludes, is
a reminder of Kipling's intense suffering as a child who was sent back
from the warmth of India to the cold English schooling that was seen as
a prerequisite for a future imperialist.

Self-suppression is scarcely characteristic of the male protagonists
of eighteenth-century English fiction—of a Lovelace, a Tom Jones, or a
Roderick Random. It may be seen, rather, as a female attribute, the public
face of the suffering, endurance, and deprivation undergone by a heroine
such as Clarissa. Novels, however, reveal their protagonists' suppressed
feelings, and Charlotte Brontë above all develops the contrast between her
characters' outward mask and their raging inner life. At the same time,
she portrays self-suppression as a generalized code of conduct applicable
to the more Puritanical members of both sexes. Female stoicism and male
undemonstrativeness now look remarkably similar. As an indication of
national character, English self-suppression receives what is perhaps its
fullest statement in the early twentieth century, in the writings of Ford
Madox Ford. Ford's essay *The Spirit of the People* (1907) illustrates the
theme with two anecdotes, each concerning an inter-generational and
filial or quasi-filial relationship like the meeting between Lucy and her
estranged godmother in *Villette*. In the first anecdote, a young volunteer
comes back from the Boer War maimed and crippled, and is met at the
station by his father. The only words spoken are ' "Hullo, Bob!" . . .
"Hullo, Governor!" '. The second anecdote tells of an English gentleman's

frigid and virtually silent parting from his ward, with whom he has fallen in love and who is being sent on a round-the-world voyage in order to cover up their passion. Their parting, once again, is at a railway station.[15] This anecdote famously became the germ of Ford's novel *The Good Soldier* (1915), where the silent parting takes place between Edward Ashburnham, who has served in India, and Nancy Rufford, who is on her way there. Ford's view of English reserve, like Kipling's, suggests that it is part of the cultural apparatus of military and imperial power.

In *The Professor*, however, Crimsworth's outward coldness and silence is principally a sign of his Puritanical seriousness and the intensity of his inner life. He undergoes solitary spiritual struggles, hears angelic and demonic voices, and eventually finds his path to redemption when he meets a Swiss Protestant, Frances Henri, whom he marries and brings back to England. They settle down in a picturesque Yorkshire cottage close to Hunsden, who has retired from trade to a region unspoilt by 'the smoke of mills' (246). Frances rapidly turns into a conservative rural English housewife, rebuking Hunsden's cosmopolitanism in terms very like those later to be used by George Eliot's Theophrastus Such. ' "Sympathies so widely diffused must be very shallow" ' (230), she remarks. But Hunsden remains the novel's most intricate and disturbing character, a Yorkshire industrialist who is also a cosmopolitan intellectual, a hereditary landowner doubling as Mephistophilian outcast.

Where Crimsworth falls in love with a Protestant and moves back to England, *Villette* is a novel of expatriation in which the English heroine agrees to marry a continental Jesuit whose anglophobia has earlier roused her to fury. Harriet Martineau, in a contemporary review, described Brontë's portrayal of life in a foreign *pension* in a 'third-rate capital' as something new in English literature, while at the same time detecting a vein of religious zealotry in Lucy Snowe's gloomy Protestantism and her passionate hatred of the Catholic Church.[16] The difficulty of controlling the balance and tone of a first-person narrative, already apparent in *The Professor* and *Jane Eyre*, is exacerbated in *Villette* by Lucy's manifest duplicity and secretiveness. Lucy's vehement anti-Catholicism is at once a measure of the attractions of the Catholic faith, and a cover for her rejection of English identity. Or we could say that Lucy manages to separate the core of her national identity—her Protestant faith—from any sentimental or material attachment to England as a cultural or political nation.

Lucy's life, like Crimsworth's and Jane Eyre's, is a pilgrimage, but the pilgrimage cannot end in marriage to a Protestant since her love for

Graham Bretton is unrequited. Having arrived unknown and almost penniless in Labassecour (Belgium), she is taken on at Madame Beck's *pension* and, after a number of trials, promoted to the position of class teacher. Here she is entirely at the mercy of an employer who is advised (if not controlled), as she gradually discovers, by the fiery anti-English chauvinist M. Paul and the other members of a Jesuit 'junta' headed by the priest Père Silas. Lucy passes all the tests set for her by Madame Beck and her confederates, matching her employer's remorseless system of espionage with her own vigilant counter-espionage. She is a spy in enemy territory working only for herself and, perhaps, for her Protestant God. But her intense loneliness leads to a double crisis of loyalties. First, in an intensely dramatic scene, she turns to the Catholic confessional in search of spiritual comfort, but resists the tempting welcome offered by Père Silas. Then, reunited with her English godmother, she refuses the opportunity offered by the Comte de Bassompierre (formerly known to her as Mr Home, a plain Scotsman) to become governess to his daughter Paulina, whom Lucy has known as a child.

To become Paulina's governess would be to become 'British' again, but Lucy is not prepared to do this if it means living as a subordinate in someone else's household. She prefers her hard-won professional status at Madame Beck's, even though she is dependent on her tyrannical employer's favour. The choice is, admittedly, complicated by the fact that Paulina will eventually marry Graham Bretton; but Graham's coldness towards Lucy embodies a wider truth, which is that the Labassecour Jesuits take her more seriously than her reserved English friends do. To the Jesuits she is, at least, a spiritual prize worth capturing; to the English, however superficially kind they may appear, she remains (as she feels) ultimately negligible and insignificant.

Lucy's melodramatic confession to the priest is not without its unconscious comedy. Père Silas tells her that ' "You were made for our faith . . . Protestantism is altogether too dry, cold, prosaic for you" ' (234), but Lucy recognizes his flattery as the voice of Satan. Later her fellow teacher M. Paul becomes fascinated by her inner fire, but it is his candour and outspokenness, the reverse of priestly flattery or English nonchalance, that win her heart. Trained by the Jesuits, he is a 'religious little man, in his way', attracted to the 'self-denying and self-sacrificing part of the Catholic religion' (279), and since—like Lucy and Madame Beck—he is also a dedicated voyeur, he subjects her to obsessive, unremitting scrutiny. In his more dictatorial moods Lucy sees him as a petty Napoleon; she, by analogy, must be the Wellington whom the young Charlotte Brontë had idolized. It is because, unlike Graham, he regards her as fully his equal that his hostility slowly changes into love and true friendship. But then Brontë unexpectedly sends off M. Paul, as Jane Austen had sent Sir Thomas Bertram, to attend to a Caribbean estate, so that he stays in Guadeloupe for three years and is, apparently, drowned on the way home. The novelist tantalizes us with the potential political allegory of a cosmopolitan, Catholic–Protestant marriage, only to withdraw it.

Villette may, of course, be read as a feminist manifesto, since M. Paul has freed Lucy from Madame Beck's and set her up as an independent schoolmistress prior to his departure. In the view of one recent critic, 'it may not be entirely a tragedy if M. Paul *is* killed by a storm and does not return from dominating West Indian blacks to marry the Lucy he calls "sauvage" '.[17] But we must also consider that marriage to a subject of the monarchy of Labassecour (even allowing for M. Paul's professed republican and cosmopolitan sympathies) would involve a degree of personal commitment in the conflict of nationalities that Brontë is happy for her heroine to avoid. As a humble foreigner in Labassecour she has been free to mock the country's King and Queen (whom she sees at a concert) and to take no interest in politics or public life. She is present only as an uninvited spectator at the patriotic festival in the park—attended by the Brettons and her other English friends—which forms one of the novel's great closing scenes. Lucy can remain independent, separate, and effectively stateless as a Protestant expatriate, though at the cost of staying childless and unaffiliated even to a specific Protestant sect. (One reason why the 'junta' thought her susceptible to conversion to Catholicism was that she was observed as worshipping indiscriminately at the Presbyterian, Lutheran, and Episcopalian chapels in the city, denying herself even the support of church membership.) She tells M. Paul that 'doubtless there were errors in every Church, but I now perceived by contrast how severely pure was my own' (516); but strictly speaking she has no church, only an entirely subjective system of beliefs. She is a spiritual exile who needs no homeland and no alliances, so long as her inner Protestantism is preserved intact. Her personal faith, attested to by the references to *The Pilgrim's Progress* that frame her narrative, may be the last sign of her Englishness, but it is a sufficient one. Her unsectarian but rigidly Protestant pilgrimage corresponds closely to the neo-Puritan fiction of some of Brontë's successors, notably the early George Eliot, whose heroines do not confront Catholic Europe but stay in the English provinces that Lucy has long left behind.

Xenophobia and Liberalism: Anthony Trollope and George Eliot

Two major novels of the 1870s, Anthony Trollope's *The Way We Live Now* (1875) and George Eliot's *Daniel Deronda* (1876), convey diametrically opposed attitudes to the question of English identity. *The Way We Live Now* is a notably xenophobic moral fable, portraying a degenerate nation at the mercy of foreign crooks and speculators, many of whom are, or are rumoured to be, Jewish. *Daniel Deronda*, by contrast, is famous for its depiction of Jewish culture and heritage through the perspective of a protagonist brought up under the assumed identity of an English gentleman. In the former novel, London society and the British economy are in danger of being taken over by unscrupulous international capitalists thanks to the English aristocracy's loss of moral fibre. In the latter, the same aristocracy is shown as being aggressively outward-looking, exporting its best and worst qualities to other lands.

The central figure of *The Way We Live Now*, the financier Augustus Melmotte, is a rogue with no fixed identity who has come to England after the collapse of an earlier venture, a 'great continental assurance company' based in Paris and Vienna.[18] On his arrival Melmotte has declared 'that he had been born in England, and that he was an Englishman' (30), but nobody seems to believe him. He is accompanied by his Jewish wife, whom he met and married in Frankfurt, and by his daughter Marie, the child of an earlier relationship. Some say that he is Jewish, others that he is the son of a New York Irishman named Melmody. He and his wife were known as Jews at Frankfurt and as Christians in Paris. When he makes an impromptu speech to the electors of Westminster, Melmotte boasts that he is 'an Englishman and a Londoner' (484). It is an identity from which he cannot escape except by committing suicide.

In his portrayal of London society, Trollope surrounds Melmotte with a number of other foreign immigrants—Germans, Jews, and Americans—only two of whom settle down to English respectability. Frederick Alf, the newspaper owner, was born a German Jew but 'knew England as only an Englishman can know it' (13); he speaks of himself and Melmotte as 'brother adventurers' (38), though eventually they become bitter rivals. Brehgert, the Jewish banker, fails in his attempt to marry the well-born Georgiana Longestaffe and loses money in Melmotte's enterprises, but remains a comfortable denizen of English middle-class suburbia. Two of Melmotte's other fellow adventurers disappear altogether: Cohenlupe, the Jewish financier, swindler, and Member of Parliament, and Herr Vossner, the German manager of the Beargarden club. Croll, Melmotte's commercial secretary, who speaks with a German-Jewish accent, eventually moves with Mrs Melmotte to New York. Then there are Trollope's two American characters, Fisker, the San Francisco railway promoter, and Winifred Hurtle, who claims to be either widowed or divorced (though in fact she is neither) and comes to London to beg the Englishman Paul Montague to marry her. She returns to the United States with Fisker and Marie, Melmotte's daughter, and Trollope seems to feel that England is well rid of all of them.

The plot of *The Way We Live Now* hinges on two kinds of speculation, speculation in heiresses and speculation in railway shares, and these are shadowed by a third, purely wasteful form of speculation, the games of chance played every night by Trollope's young English aristocrats at the Beargarden Club. For these young sprigs gambling is 'an institution, like primogeniture', since matters can always be put right by marrying a commercial heiress (435). The Beargarden is full of gossip about 'the great Marie-Melmotte plate' (76), a metaphorical horse race in which the hoped-for prize is Marie's father's fortune. Predictably, the idea that mutual love or even mutual liking should enter into the calculations of aristocratic marriage is widely dismissed as absurd; and equally absurd is the idea that City investors should know anything of the reality (or otherwise) of the businesses in which they own shares. Trollope's accounts of the directors' meetings leave us in doubt as to whether the shares in Melmotte's South Central Pacific and Mexican Railway scheme actually exist, let alone whether a railway is being built. But this does not prevent Melmotte from being elected to Parliament.

Trollope's representative of traditional English integrity in *The Way We Live Now* is the squire and backwoodsman Roger Carbury, the owner of Carbury Hall in Suffolk and country cousin of Lady Carbury and her wastrel son Sir Felix. Lady Carbury belongs to the modern world of publicity, corruption, and self-advertisement, while Roger lives a comfortably old-fashioned life on what is apparently a flourishing estate. Roger, who has all the xenophobia of the traditional Tory squire, sees Melmotte as a self-evident fraud; but he is also an unwanted bachelor grown old before his time, a remnant of Old England manifestly irrelevant to the 'way we live now'. Nevertheless, his hatred of modernity finally bears fruit. Paul Montague, a native Englishman who has moved to California, comes back to London, escapes from his entanglement with Winifred Hurtle, and sells his interest in the railway just in time. A career in the City is his for the asking, but he prefers to marry Henrietta and settle at Carbury Hall. Above all, he patiently listens to Roger's final homily about the necessity of living within his income. Trollope, blithely overlooking the long history of rural capitalism, profit fluctuations, enclosures, property sales, evicted tenants, and bankrupted estates, represents speculative finance as an alien intrusion into the English countryside. His novel was published at the beginning of the great agri-cultural depression of the late nineteenth century, which fundamentally altered the way of life of most rural landowners. For its earliest readers as well as for later ones, *The Way We Live Now* offered the consolations of a vanished age.

In the opening scene of *Daniel Deronda*, the heroine Gwendolen Harleth is shown gambling in the casino of a German spa. Soon afterwards she, like Paul Montague, has to listen to lectures on the need for domestic economy. Her family's wealth, which is ultimately derived from the West Indies, has suddenly been lost in mining speculations. Gwendolen has earlier been asked by her cousin Rex Gascoigne what she wishes to do in life: her answer, that she may 'go to the North Pole, or ride steeplechases, or go to be a queen in the East like Lady Hester Stanhope', perfectly catches the recklessness of her character.[19] She is the spoilt child of a cosmopolitan upbringing who finds herself reduced to shabby-genteel poverty in a country cottage. From this she might be saved by a wealthy marriage, and the novel's allegory rests on the contrast between two possible male con-tenders for her hand, Daniel Deronda and Henleigh Grandcourt.

Daniel is the ward of Sir Hugo Mallinger, a prominent Whig baronet with Norman and crusading ancestors. Like Disraeli's young aristocrats, he is determined to broaden his social experience in the hope of dis-covering a political mission, but he rejects Sir Hugo's ossified Whiggism in order to become a Zionist, not a Disraelian Tory. Unaware of his Jewish identity, he finds a mentor in the unworldly religious fanatic Mordecai Cohen, and a potential bride in Mordecai's sister Mirah. Eventually he learns his own, hitherto secret, family history.

Daniel's story is what one critic has called a 'chivalric quest', a 'romantic search for a father, an identity, and a mission'.[20] Such a quest is reminiscent of the Scott romance, and it is no surprise that, when Daniel saves Mirah from drowning, his friends immediately link her to Rebecca in *Ivanhoe*. But Eliot portrays Deronda's quest as part of the late nine-teenth-century struggle between nationality and cosmopolitanism that she was to analyse in *Impressions of Theophrastus Such*. Georgiana Longestaffe in *The Way We Live Now* suggests that racially mixed marriages will soon become commonplace owing to the 'general heaving-up of society' (461), though she lacks the resolution to go through with one herself. *Daniel Deronda* contains a love affair leading to what is expected to be a successful mixed marriage between the heiress Catherine Arrowpoint and the musical maestro Klesmer, described as a 'felicitous combination of the German, the Sclave, and the Semite' (77). Klesmer's vision of the global future is one of a 'fusion of races' (284), though Eliot, doubtless, regarded the Klesmer–Arrowpoint marriage as courageous but premature. In any case, more than the logic of her own plot indicates that Daniel Deronda is likely to marry Mirah Cohen rather than Gwendolen Harleth. It was a bold enough step for an established Victorian novelist to create a hero who is brought up as an English gentleman but subsequently embraces his Jewish identity; but it would have been much bolder to allow the same hero to wed an English girl. Gwendolen may once have dreamed of being a 'queen in the East', but Daniel's choice of Mirah Cohen is as inevitable as Ivanhoe's rejection of the Jewish Rebecca for Saxon Rowena.

Daniel's Jewish odyssey takes him to Genoa to meet his dying mother (who is now a Russian princess) and then to Mainz for an encounter with Joseph Kalonymos, a friend of his grandfather. It is to Kalonymos that Daniel announces that he will take up his grandfather's mission of racial leadership, although in a secular, nationalist form. As he later tells Gwendolen, 'The idea that I am possessed with is that of restoring a political existence to my people, making them a nation again, giving them a national centre, such as the English have, though they too are scattered over the face of the globe' (875). Daniel has earlier urged Gwendolen to seek a refuge from her personal troubles in 'the higher, the religious life, which holds an enthusiasm for something more than our own appetites and vanities' (507–8). The implication is that, for him, Zionism offers the same resources of spiritual energy as the English Puritanism that Eliot had explored in her earlier novels (to be discussed in the next chapter). But his Zionism is a product of Eliot's political as well as her religious imagination, although it involves a projection of identity beyond any to which the novelist herself could lay claim.

It was only from the standpoint of a cosmopolitan liberal—a standpoint of whose shortcomings she was well aware—that George Eliot could call herself a Zionist; the cause of the Jews could never be that of her own people. (In this respect she is as close, perhaps closer, to Gwendolen Harleth than she is to Deronda.) Considered as an English novel, *Daniel Deronda* therefore belongs to the enterprise of what has been called 'positive orientalism', the romantic identification with the

East which had earlier inspired Kinglake's *Eōthen* and Disraeli's *Tancred*, and would later be pursued by Kipling and E. M. Forster.[21] Like other forms of 'positive orientalism', Daniel's proposed mission to the East is something of an imperial crusade as well as a journey of self-discovery. It is no accident that his adopted English family has crusading ancestors. Although the novel remains deliberately unspecific, Daniel's desire to restore a political existence to the Jewish people and to bring them back to nationhood can only be accomplished by liberating Jewish Palestine from Ottoman rule and from Muslim religious hegemony. Daniel learns to revere his grandfather who 'mingled all sorts of learning . . . like our Arabic writers in the golden time' (791), yet, like Lucy Snowe's expatriation, his renunciation of English identity is far from complete.

Daniel's Zionism, however, is set against the Englishness of Henleigh Grandcourt, an altogether stronger, crueller, and colder personality than Trollope's aristocratic playboys. Henry James described Grandcourt (who is a wealthy kinsman of Sir Hugo Mallinger) as a representation of 'the most detestable kind of Englishman', 'a consummate picture of English brutality refined and distilled';[22] these judgements, delivered at the time of the novel's first publication, suggest that he is both a symbol of national character and a figure whom James found unpleasantly realistic. Grandcourt is well travelled—he enjoys yachting in the Mediterranean and has gone tiger-hunting in India—and his dictatorial manner towards his subordinates suggests the corruptions of imperialist power rather than of a stagnant aristocracy. Gwendolen's uncle, an Anglican clergyman, considers that Grandcourt's rank exempts him from the 'ordinary standard of moral judgements': 'the almost certain baronet, the probable peer, was to be ranged with public personages, and was a match to be accepted on broad general grounds national and ecclesiastical' (176–7). This means that for Gwendolen to become Grandcourt's wife is a matter of patriotic duty rather than personal preference. Eliot's portrayal of 'English brutality' in *Daniel Deronda* lends weight to Daniel's renunciation of his English identity. Yet here, as in *The Way We Live Now*, the novelist's moral allegory considerably oversimplifies the issues involved in the choice of nationality.

James, Conrad, and Internal Exile

Although he lived in England for much of his adult life, it was only in his seventies, during the First World War, that Henry James took out British citizenship. The primary setting of his novels is usually outside England, and not all his works contain English characters. There is, at most, an 'English period' in James's career consisting of novels such as *The Princess Casamassima* (1886), *The Tragic Muse* (1890), *The Spoils of Poynton* (1897), and *The Turn of the Screw* (1898), together with numerous short stories. Perhaps more characteristically Jamesian is a novel such as *The Ambassadors* (1903), where England is merely a point of first contact for his naive American hero whose determination to 'prove the note of Europe' will inevitably take him to Paris.[23]

James, no doubt consciously remembering Dickens, wrote that 'The simplest account of the origin of *The Princess Casamassima* is . . . that this fiction proceeded quite directly, during the first year of a long residence in London, from the habit and the interest of walking the streets'.[24] The 'international theme' which is James's hallmark is represented in this novel by a group of violent anarchists, apparently made up of foreigners who have barely assimilated into English life, and by the two protagonists, the Princess Casamassima and Hyacinth Robinson. The Princess, whom Hyacinth sees as 'the most beautiful woman in England' (316), is an Italian-American separated from her Roman husband; and Hyacinth, the 'little bookbinder', is, in effect, a Parisian transported to England. Both characters tend to interpret English society with the help of the novels they have read. Hyacinth, for example, recognizes the saintly slum visitor Lady Aurora as an example of 'that "best breeding" which he had seen alluded to in novels portraying the aristocracy' (266), while the Princess Casamassima finds the idea of Lady Aurora alone in her 'great dull house' 'quaint and touching, like something in some English novel' (432). (It is not clear what novels they have been reading; the Princess's view of Lady Aurora suggests Dickens's Florence Dombey, but Florence is not, of course, an aristocrat.) James himself seems to draw on his reading of *Daniel Deronda* in his portrayal of another character, Captain Godfrey Sholto, who is a paler, less commanding version of Grandcourt:

Sholto was a curious and not particularly edifying English type (as the Princess further described him); one of those strange beings produced by old societies that have run to seed, corrupt, exhausted civilisations. He was a cumberer of the earth, and purely selfish, in spite of his devoted, disinterested airs. He was nothing whatever in himself, and had no character or merit save by tradition, reflection, imitation, superstition. . . . He had travelled all over the globe several times, 'for the shooting', in that brutal way of the English. That was a pursuit which was compatible with the greatest stupidity. (352)

If Lady Aurora represents the idea of good breeding, Sholto, together with the working-class revolutionary Paul Muniment, stands for English brutality. Muniment's sister regards her brother as a future prime minister, while the Princess's judgement that he must be a 'first-rate man' because he is 'such a brute' (579) expresses admiration as well as irony. Another character, the Cockney beauty Millicent Henning, is presented as a symbol of the 'vulgarities and curiosities', the 'brutality' and 'knowingness' of plebeian London (93). English brutality has its uses, however. We do not doubt Millicent's assertion that, given the chance, she would defend Hyacinth Robinson like a tiger. And Lady Aurora is of the opinion that the English aristocracy would not give up their privileges as readily as their French counterparts—they would 'stay at home and resist' rather than rushing to emigrate (140). The 'brutal way of the English' is an expression of their power.

That power is, of course, barely challenged by an underground anarchist movement which, here as in Joseph Conrad's *The Secret Agent*, is shown as consisting of a handful of cosmopolitan sentimentalists and malcontents. The leader is Diedrich Hoffendahl, a German who moves undercover from country to country and who may receive financial backing from the Princess. The movement's chief adherents in England, apart from Paul Muniment, are the French political exile Eustache Poupin and the German Schinkel. We are told of Poupin, to whom Hyacinth owes his entry into the London bookbinding trade, that his 'humanitary zeal was as unlimited as his English vocabulary was the reverse' (116). Madame Poupin speaks virtually no English, and has no friends among the 'cold insularies' (117). Poupin remains a French patriot—'If I suffer, I trust it may be for suffering humanity, but I trust it may also be for France', he declares (290)—and James wrily presents him as an example of the bittersweetness of exile. He would not welcome a political amnesty at home, since he would lose his character as a refugee and martyr. Poupin lives in a state of frozen identity, of identity that remains fixed and that forbids the openness to new experiences which James as a novelist values above all else. As the latter wrote in the preface to *The Princess Casamassima*, the agents in any drama 'are interesting only in proportion as they feel their respective situations', and it is those who possess 'the power to be finely aware and richly responsible' who feel most (35). Hyacinth possesses this fine awareness, but his capacity to act is almost paralysed by it. Paul Muniment, the political man of action, also has a good deal of awareness (which is why Hyacinth looks upon him as a friend), but is expert at suppressing it. Hyacinth's eventual tragedy stems from his inability to repress his sympathies as Muniment or Poupin would have done.

The dilemma posed by Hyacinth's dual national identity is a central though largely submerged theme in *The Princess Casamassima*. As the narrator says, 'He knew he looked like a Frenchman, he had often been told so before, and a large part of the time he felt like one—like one of those he had read about in Michelet and Carlyle' (102). Michelet and Carlyle were the two great popular historians of the French Revolution, in which Hyacinth's maternal grandfather, a watchmaker, was killed on the barricades. Hyacinth's paternity, however, remains mysterious. His English adoptive mother, 'Pinnie' the dressmaker, has supplied him with 'a hundred different theories of his identity' (166). What we know is that his mother came to England, took a lover from among the English aristocracy, and was later condemned to life imprisonment for murdering him. If Hyacinth is the child of this relationship, his English relatives have clearly repudiated him. Hyacinth, then, is a protagonist who 'didn't really know whether he were French or English, or which of the two he should prefer to be' (127).

What bulks more largely in the novel, however, is his uncertainty about whether or not he wishes to be taken for an aristocrat. Paul Muniment sees him as a 'duke in disguise' (445), and it is because he would not look out of place at a fashionable reception that the anarchists give him the task of publicly assassinating an English duke. Nevertheless, he is increasingly torn by the conflict between his democratic loyalties, which have led him to pledge his life to the anarchist underground, and his growing revulsion against the doctrine of material equality and the cult of plebeian revenge. James makes much of the ideological torment of the young man who is drawn to both sides in a violent class struggle, and all Hyacinth's friends are aware of his tergiversations. The tension between the 'English' and 'French' sides of his identity, however, is something that he keeps to himself. His grandfather's death as a political martyr and his mother's 'suffering in an alien land' and her 'unspeakable, irremediable misery' (127) give him a personal motive for carrying out the terrorist act for which he has been chosen. If he was caught and had to pay the extreme penalty, he could draw on the pride of his forebears and the exaltation of the suicide bomber. But he dreads 'the idea of a *repetition*' (582), of being seen to perform an act that could simply be blamed on a hereditary taint drawn from his French mother. It is because she, in her French way, has murdered an English aristocrat in a *crime passionnel* that he feels unable to murder an English duke in cold blood.

James's masterly unravelling of this drama makes much of the fact that Hyacinth's loyalty to the secret oath he has taken long outlives his belief in revolutionary politics. An unyielding sense of honour prevents him from accepting the pragmatic opt-outs offered by some of his English friends. The compromise that he arrives at is at once delicate and brutal. Delicate, because by committing suicide he ironically fulfils his mission of killing at least a spiritual adherent of the reactionary upper classes. We cannot say, therefore, that by refusing to take the life of an English duke he has chosen his English paternal inheritance as against the Frenchness that has earlier defined him. But the novel's denouement also has a shocking brutality, since what the Princess sees when she discovers his body is 'a horrible thing, a mess of blood, on the bed, in his side, in his heart' (590). The scene has echoes both of Henry Wallis's popular painting of *The Death of Chatterton* (1856) and of Jacques-Louis David's *The Assassination of Marat* (1793), but it is more disgusting and less heroic than either pictorial representation. Hyacinth's tragedy is that he is caught between opposing ideologies, incompatible ideas of honour, and contending national identities.

As the story of an international anarchist group planning a terrorist attempt in London, *The Princess Casamassima* invites comparison with the English masterpiece of another immigrant novelist, Joseph Conrad. *The Secret Agent* (1907) has a remarkably cosmopolitan cast of characters, including members of an international Red Committee, the personnel of a foreign embassy, and an Anglo-French pornography merchant, Adolf Verloc. Many of the novel's locations suggest the world of the new immigrant, rather than a settled community of political refugees: the embassy building, a police station, a bed-sitting room, an underground beer hall, an Italian restaurant, as well as a clandestine political meeting at Mr Verloc's shop. Conrad's revolutionaries are kept under surveillance by the police, an organization which as Verloc remarks is common to every country, as well as by the European governments lobbying for international action for the 'suppression of political crime'.[25] Nevertheless, the novel's pivotal event is the bomb explosion in Greenwich Park which the Assistant Commissioner in charge of the investigation memorably describes as a 'domestic drama' (181).

'Heredity' is as important in *The Secret Agent* as it was in *The Princess Casamassima*, but it is no longer the inheritance of supposed national characteristics such as the French penchant for revolutionary violence that is at stake. Instead, we are exposed to the universal pseudo-scientific discourse about human pathology favoured by the exiled anarchist Alexander Ossipon, who loftily classifies Verloc's English wife Winnie and her retarded brother Stevie as mental and moral 'degenerates'. Conrad, however, ironizes this universal language of science—which is the target of the otherwise meaningless attack on the Greenwich Observatory—while suggesting that the familiar English characteristics of reticence and self-suppression play an important part in the action. The Assistant Commissioner's idea of a 'domestic drama', as the context makes clear, is of a drama confined within the nation as well as within the family. Faced with an outrage that will be blamed by the press on mysterious 'foreign anarchists', his words are chosen to reassure the British government that what has taken place is entirely within the competence of the Metropolitan Police.

In the dramatis personae of *The Secret Agent*, the manifestly non-English characters such as Ossipon, Michaelis, Yundt, and Vladimir are counterbalanced by Winnie, Winnie's mother, her brother Stevie, and Inspector Heat. The other main characters cannot be so easily classified as 'foreign' or 'domestic'. The arch-terrorist bomb-maker known as the Professor is given no surname, and his parentage is described as 'obscure' (68). His diminutive stature, spectacles, and high domed forehead may suggest a stereotypical foreign intellectual, but there are reasons for doubting this, as we shall see. The Assistant Commissioner is technically British, but has made his name as a colonial official in the tropics. He has a 'foreign-looking' appearance (175) and, when he appears in her shop, Winnie Verloc instantly assumes that he is a newly arrived political refugee. Adolf Verloc has done military service in the French Army and is the 'obscure familiar of at least two Embassies' (46). In marrying Winnie he has taken one of the quickest routes to social integration available to an immigrant, that of the lodging-house tenant who weds his landlady's daughter. When confronted by Mr Vladimir, the shady foreign diplomat, he states forthrightly that he is 'English' and a 'natural-born British subject' (27).

Verloc's use of the term 'British subject' marks the transition from the nineteenth-century idea that nationality is a matter of 'national character' to the twentieth-century world in which identity may be conferred by a passport or other official document. Since he has the 'air of moral nihilism' common to those who live off the 'vices, the follies, or the baser fears of mankind' (21), it is by no means clear that Verloc's proclaimed legal status corresponds to his real identity. Nevertheless, his life as a secret agent fits in perfectly with what Conrad identifies as the 'prudence', 'respectability', and 'reticence' of the English middle classes. The novel's fullest statement about his and Winnie's married life takes the form of an ironic obituary tribute:

Except for the fact that Mrs Verloc breathed [she and her husband] would have been perfectly in accord: that accord of prudent reserve without superfluous words, and sparing of signs, which had been the foundation of their respectable home life. For it had been respectable, covering by a decent reticence the problems that may arise in the practice of a secret profession and the commerce of shady wares. To the last its decorum had remained undisturbed by unseemly shrieks and other misplaced sincerities of conduct. (213)

The decorum of the English family goes together with the English people's 'idealistic conception of legality' and their 'scrupulous prejudices', which both the terrorist Professor and the agent provocateur Mr Vladimir see as political obstacles (67). Verloc scorns these idealistic prejudices yet secretly shares them, so that he remains sublimely unaware that his wife could be capable of murdering him to avenge her brother's death. But the murder and Winnie's subsequent suicide are the acts of a woman who is, like her husband, a kind of secret agent. She does not go to the police or denounce her husband with 'unseemly shrieks', but keeps her revenge to herself. All that the world ever learns of the affair comes from the newspaper report of the 'Suicide of Lady Passenger from a cross-Channel Boat', which concludes that her 'act of madness or despair' is destined to remain mysterious (246).

Conrad himself was (as has often been remarked) a kind of secret agent. His English marriage to Jessie George and the start of his literary career both took place in 1895, after twenty years at sea. Born of Polish parents in the Ukraine, he had been a British subject since 1886. Conrad settled in England for the last three decades of his life, but England (as opposed to Englishmen) appears in his fiction only rarely, and usually as an alienated and sinister environment. *Heart of Darkness* (1902), the story of a journey to central Africa, begins on the Thames estuary with the reminder that 'this also ... has been one of the dark places on the earth'.[26] The London of *The Secret Agent* is still a dark place, a city where the façade of respectability can easily break down and nobody feels truly at home. In a powerful image of the dissolution of traditional family structures, Winnie's mother is ejected from Mr Verloc's residence and is put into an almshouse. Soon Winnie finds herself 'alone' in a city which 'rested at the bottom of a black abyss from which no unaided woman could hope to scramble out' (218). The novel's final image of metropolitan alienation is the meeting of two of the surviving revolutionaries, Ossipon and the

Professor, who share this condition of internal exile. Ossipon now seems destined for the 'black abyss' of unemployment, while the Professor moves unseen and unsuspected among the city crowd, a suicide bomber who might blow himself up at any moment.

Ossipon is a washed-up immigrant, and the Professor speaks of England and its social institutions with a cold detachment that suggests he is essentially stateless. Nevertheless, his roots are in provincial Puritanism of a recognizably English type:

His father, a delicate dark enthusiast with a sloping forehead, had been an itinerant and rousing preacher of some obscure but rigid Christian sect—a man supremely confident in the privileges of his righteousness. In the son, individualist by temperament, once the science of colleges had replaced thoroughly the faith of conventicles, this moral attitude translated itself into a frenzied puritanism of ambition. He nursed it as something secularly holy. (73)

In this passage the Professor appears as the perverse offspring of the spotless provincial idealists of Victorian fiction such as Eliot's Felix Holt and Hardy's Clym Yeobright, whom we shall consider in the next chapter. His secret, ruthless ambition recalls that of Godwin Peak in George Gissing's *Born in Exile* (1892). It is as if he has strayed into the cosmopolitan, nomadic world of the modern metropolis from a very different kind of novel, where the search for 'something secularly holy' would arise out of a much more traditional framework of English domestic life.

Puritan and Provincial Englands: From Emily Brontë to D. H. Lawrence

Thomas Carlyle, echoing the tones of a revivalist preacher, declared in 1845 that 'The Age of the Puritans is not extinct only and gone away from us, but it is as if fallen beyond the capabilities of memory herself... Its earnest Purport awakens now no resonance in our frivolous hearts.'[1] The 'Age of the Puritans' may be said to have ended with the birth of the modern English nation in 1688, the year of John Bunyan's death as well as of the Whig triumph which Thomas Babington Macaulay and others celebrated as the 'English Revolution'.[2] In Victorian England Macaulay's progressive or 'Whig' interpretation of history found at least as many adherents as Carlyle's harking-back to an epic past, yet Macaulay found it curiously difficult to shake off the memory of seventeenth-century Puritanism. His uncompleted *History of England* (1848–61) begins with a lengthy discussion of the 'State of England in 1685', and terminates less than twenty years later with William III's death in 1702. Looking for the beginnings of the two-party system, Macaulay suggests that the division of English politics between progressives and conservatives began with the meeting of the Long Parliament in October 1641.[3]

Carlyle as a young man had planned to write an essay on the Civil War and the Commonwealth as a reflection of 'some features of the national character'; what he eventually produced was his edition of *The Letters and Speeches of Oliver Cromwell* (1845), a work of biography rather than history.[4] The idea that history could be explained by 'character'—whether the character of individuals, a nation, or an age—was one of the great commonplaces of nineteenth-century thought. It joins political history to literary narrative, emphasizing history's relationship to the novel rather than to drama. Walter Bagehot, for example, found Macaulay's *History of England* too theatrical: brilliant in its portrayal of politics as spectacle, it was deficient in character analysis. For Bagehot the 'form and life' of the Civil War was that of the 'two great characters—the Puritan and the

Cavalier' to which no English historian had yet done justice. The Cavalier was eager, impulsive, 'open to every enjoyment', 'brave without discipline', 'noble without principle'; the essence of Puritanism lay in its 'passionate, deep, rich, religious organization'.[5] Later in the century John Richard Green's *Short History of the English People* (1874) included a highly influential analysis of 'Puritan England', while another English historian, W. E. H. Lecky, declared that 'We are Cavaliers or Roundheads before we are Conservatives or Liberals'.[6]

According to J. R. Green, the 'Puritan gentleman' was characterized by independence, moral fervour, social or at least spiritual egalitarianism, domestic tenderness, and sobriety of speech and costume.[7] This is an ideal type that consciously or unconsciously mirrors the Puritan protagonists of George Eliot's fiction, culminating with Dorothea Brooke in *Middlemarch* (1871–2). Dorothea, who is descended from a 'Puritan gentleman who served under Cromwell', displays a 'hereditary strain of Puritan energy'.[8] She is regarded with a mixture of awe and exasperation by her more conventional sister Celia, and—the unmistakable badge of the Puritan heroine—she has 'that kind of beauty which seems to be thrown into relief by poor dress' (1). (Less ceremoniously, one of the characters of Eliot's *The Mill on the Floss* (1860) observes of Maggie Tulliver that she looks best in 'shabby clothes'.[9]) In the scene where Dorothea and Celia try on their mother's jewels, Celia finds 'a strong assumption of superiority in [Dorothea's] Puritanic toleration, hardly less trying to the blond flesh of an unenthusiastic sister than a Puritanic persecution' (8). Eliot has no sooner identified Dorothea as a Puritan character than she stresses the contradictory and self-divided nature of Puritan beliefs.

A Puritan is always strung between extremes. This chapter began with Carlyle's contrast between Puritanism's 'earnest Purport' and 'our frivolous hearts', a passage exhibiting the necessary hypocrisy of revivalism or what is now called religious fundamentalism. The Puritan preacher is duty-bound to exaggerate, since the challenge he has accepted is to testify to the 'true faith' at a time of permanent crisis. He must convince his hearers that he shares their real or imagined mental struggles. The godly are engaged in battle with the ungodly, but they must also be perpetually on guard against ungodliness in themselves. The preacher's claim to speak the truth rests on his double assertion that, while he too is a sinner, anything that conflicts with his words must inevitably be false.

The true faith, for Protestants, has its source in the Bible; but the Bible had always needed to be supplemented both by the words of the preacher and, as literacy spread in England, by propagandist pamphlets and the growing genre of devotional fiction, especially fiction written for children. In a well-known scene in *Wuthering Heights*, the young Catherine and Heathcliff are shown hitting one another with the two devotional texts, *The Helmet of Salvation* and *The Broad Way to Destruction*, that they have been given to lighten their Sunday afternoon. It is possible that some of the greatest English nineteenth-century novels originated in their authors' rejection of the religious propaganda fed to children.

The Victorian novelists of Puritan England portray institutional Puritanism as an obsolete, dying culture, confronted by new and usually more frivolous influences but lingering on among the older generation throughout the English provinces. At the same time, the Puritan character or 'temper' remains alive and vital, as long as it can be separated from the religious dogma with which it was historically associated. What links the newer Puritanism to the old is often the tenacious genealogy of close-knit Puritan families. Many of the 'Puritan' novels show an antiquarianism verging on historical romance: for example, Dinah Morris, the young Methodist preacher in George Eliot's *Adam Bede* (1859), can only have flourished before 1803 when the Methodist Conference banned female preachers.

After 1688 Puritanism would always remain a minority element and oppositional force in English life, as the labels 'Dissent' and 'Nonconformity' indicate. Split into contending sects, with its leadership unsanctioned by the crown and its adherents debarred from the universities, Nonconformity could never succeed in disestablishing the Anglican Church. Nor, unlike English Catholicism, could it claim the support of an established (if defeated and marginalized) section of the aristocracy. At most, Dissenting congregations could build an alliance with Whig radicalism in order to exercise an influence far beyond their actual numbers. The latter were greatly increased by the Methodist secession from the Church of England in 1791, as Methodism spread rapidly among the urban poor. Soon Nonconformists were wrestling with the new breed of Anglican Evangelicals to save the souls of the new industrial classes. In Victorian England they had also to compete with a growing band of secular missionaries, such as teachers, doctors, social workers, trade unionists, and also novelists.

Poverty, or at least the appearance of poverty, has a general moral value in Christian teaching, since the poor man is closer to the kingdom of heaven. Nineteenth-century fiction portrays poverty as a spiritual ideal— as in Dickens's 'good poor men' like Mr Plornish and Stephen Blackpool— much more often than it shows the reality of poverty. In *Felix Holt, the Radical* (1866), for example, George Eliot portrays the generational gulf between an old-fashioned radical Nonconformist preacher, Rufus Lyon, and Felix Holt, his future son-in-law. Felix wants to improve the state of the workers through education, and he is willing to sacrifice his own moderate prosperity in order to go and live among them. Earlier English fictional heroines such as Pamela, Elizabeth Bennet, and Jane Eyre had had to prove their fitness for wealth and social position, but Esther Lyon, Rufus's stepdaughter, realizes that in order to marry Felix she must show that she is 'fit for poverty'.[10]

The choice of poverty is also a choice of provincialism. Even in *Middlemarch*, where Dorothea is born into the country gentry and eventually marries a young politician, the world of the novel is completely cut off from the metropolitan circles that Eliot herself inhabited. The novel is a self-conscious 'Study of Provincial Life', celebrating characters who live 'hidden lives' and perform 'unhistoric acts' (896). In the early George Eliot, as well as in Emily Brontë, Thomas Hardy, Arnold Bennett, and D. H. Lawrence, provinciality is indicated through the characters' varying use of regional dialects and also of biblical language. These novels are enlivened both by the directness of demotic speech and by the scriptural idioms familiar from clerical discourse. Novelists like Brontë and Hardy bring folk culture and biblical language into direct collision, giving rise to charges of barbarity and obscenity.

Wuthering Heights and *The Mill on the Floss*

Wuthering Heights (1847) has always been understood as a provincial novel, portraying violent and brutal extremes of behaviour and set in a wildly romantic landscape. Charlotte Brontë's preface to the second edition of her sister's work describes it as the 'rude and strange production' of a 'home-bred country girl': its language and manners must appear 'in a great measure unintelligible, and—where intelligible—repulsive', to those unacquainted with the West Riding.[11] The primitiveness of the Yorkshire moors is registered through the eyes of the southern-bred Lockwood, a gentleman who is free to come and go as he pleases. Brontë's characters, however, are lost to sight the moment that they stray beyond the moorland setting. The novel's confined topography is in sharp contrast to the cosmopolitan settings and incessant journeyings of the Gothic and Jacobin fiction to which it is indebted.

Wuthering Heights is, first and last, a ghost story. Lockwood, snowed in as a result of his uninvited social call at Wuthering Heights, fights (or dreams that he fights) with Catherine Earnshaw's ghost at the window pane. The novel's final paragraph depicts the graves of Catherine, Heathcliff, and Edgar Linton, with the narrator wondering how we could ever have imagined 'unquiet slumbers' for those buried there (300). It is his encounter with Catherine's ghost that makes Lockwood curious to hear her story from Brontë's principal narrator Nelly Dean; once the story is over, these tortured spirits can be laid to rest. The central figure of *Wuthering Heights* is Heathcliff, a man who—like the hero of such a Gothic novel as Matthew Lewis's *The Monk*—has allegedly sold his soul to the devil and become a fiend in human shape. But *The Monk* was set in seventeenth-century Germany and Spain and its plot involved a corrupt prioress, the tortures of the Inquisition, and the hero's discovery in his last agonies that he had raped his sister and murdered his mother. These things were not likely to happen (or so Catherine Morland was assured in *Northanger Abbey*) in the Midland counties of a respectable Protestant England. But could ghosts and fiends be roaming the moors of wildest Yorkshire?

The sensational Gothic material in *Wuthering Heights* is balanced by its status as a tale of courtship and domestic passion. The striking two-part structure, with bitter conflict in the first generation and gradual reconciliation in the second, had been anticipated in at least one earlier courtship novel, *A Simple Story* (1791) by Elizabeth Inchbald, the author of the English version of Kotzebue's *Lovers' Vows* which was performed at Mansfield Park. *A Simple Story* is set among the Catholic aristocracy, with a plot that moves between fashionable London, a large country house, and a lonely retreat in Northumberland. In the first part, the heroine falls in love with Dorriforth, a Catholic priest, and marries him when he succeeds to a peerage; but the marriage breaks down irretrievably. In the second part, the couple's daughter succeeds in gaining recognition from her father, who has disowned her. Much of the novel's drama hinges upon Dorriforth's Jesuitical self-righteousness and his emotional dependence on his confessor. In *Wuthering Heights*, provincial Puritanism to some extent takes the place of *A Simple Story*'s high-bred Catholic spirituality.

'Wuthering', glossed as a 'significant provincial adjective' (2), is the first of the numerous dialect words to be singled out by Brontë's narrator. Wuthering Heights is owned by gentleman farmers, as is shown by the standard English spoken by Heathcliff, the master of the house; the name Hareton Earnshaw and the date 1500 are carved over the front door. On his first visit Lockwood speaks to Heathcliff and then to Joseph, the misanthropic old servant whose 'pious ejaculation' (2) introduces the role he will play throughout the novel—that of a Puritan fundamentalist voicing his grumbling disapproval of everything that takes place. In the third chapter Joseph reappears as a lay preacher, caught in a pen-and-ink cartoon in Catherine Earnshaw's diary. The children have been forced to listen for three hours to Joseph's Sunday sermon.

On fine Sundays the family goes to Gimmerton chapel, where the preacher is the Reverend Jabes Branderham; on wet days they must make do with Joseph. Catherine's diary is written in the margins of one of Branderham's published sermons. When Lockwood falls asleep over the diary, he dreams that he is accompanying Joseph (who carries a pilgrim's staff) to hear Branderham preach. Seized by a 'sudden inspiration' in the church, Lockwood denounces Branderham as the 'sinner of the sin that no Christian need pardon' (19), while the minister responds by excommunicating his attacker. The sermon ends in fighting and uproar, until Lockwood is awoken by the rattling of a branch against his window, but the branch, in his next dream, becomes Catherine's ghost.

Joseph's sermon and Jabes Branderham's address to the chapel at Gimmerton thus set a Puritanical devotional context for the love story of *Wuthering Heights*. Catherine's diary records how she and Heathcliff, a castaway of Asian or American descent brought back from Liverpool by the late Mr Earnshaw, decided to rebel against the tyranny of her brother Hindley Earnshaw. Later, Catherine tells the housekeeper Nelly Dean of her love for Heathcliff—though her declaration is shadowed by her decision to abandon him for Edgar Linton:

'My love for Linton is like the foliage in the woods. Time will change it, I'm well aware, as winter changes the trees—my love for Heathcliff resembles the eternal rocks beneath: a source of little visible delight, but necessary. Nelly, I *am* Heathcliff—he's always, always in my mind—not as a pleasure, any more than I am always a pleasure to myself, but as my own being—' (73)

Catherine's words take *Wuthering Heights* beyond Puritanism to a kind of neo-paganism or romantic nature worship, but they are poetic metaphors rather than inspired truths, and at some level they are deeply false. Heathcliff, for his part, loves Catherine but never identifies his being with her.[12] Catherine is as cruel and, in the end, as self-destructive as her brother Hindley. She recklessly betrays both Heathcliff and Linton. Heathcliff, by contrast, reckons up everything, stores up his revenge, and in the end exacts every penny he is owed. Catherine learns to fear him as a 'fierce, pitiless, wolfish man' (90) as he takes control of Wuthering

Heights and becomes a 'cruel hard landlord' (174). He is the sinner against the Holy Ghost whom Joseph and Jabes Branderham wished to see excommunicated. This means that the romantic passion of Catherine and Heathcliff is not a bond between eternal soul-mates, as Catherine once thought, but a union of opposites, a Puritan–Cavalier love tragedy in which the vengeful Puritan outcast tries to drag his former lover down the 'broad way to destruction'.

This opposition between Heathcliff and Catherine is to some extent masked by the more obvious opposition between Wuthering Heights and Thrushcross Grange, between the savage, brutal, Earnshaws (including Heathcliff, who is an Earnshaw by adoption) and the polite, respectable, namby-pamby Lintons. The more that Catherine seems to identify with the family into which she has married, the more Heathcliff accepts his demonic role of eternal excommunication. When Nelly piously tells Heathcliff that it is for God to punish the wicked, he retorts that ' "God won't have the satisfaction that I shall" ' (53). After Catherine's death we are told that he has become a kind of Satanist, shutting himself up and 'praying like a methodist: only the deity he implore[s] is senseless dust and ashes; and God, when addressed, [i]s curiously confounded with his own black father!' (153). Nelly and Joseph think that conscience has 'turned his heart to an earthly hell' (289). He teaches Hindley's son to call him 'Devil daddy', but is himself haunted by Catherine's ghost.

But Heathcliff's elaborate plan of revenge cannot prevent a growing alliance between the Earnshaws, who are 'remnants of the old yeoman class of independent farmers', and the Lintons, who are genteel land-owners.[13] The Lintons inhabit a house and park rather than a farm kitchen, but Hindley Earnshaw's banishment of his servants to the 'back-kitchen' has already started his family on the path of gentrification. He is entirely in favour of his sister marrying Edgar Linton. Edgar seems to live in genteel idleness and doubtless employs a farm manager; he is delicate enough to catch pneumonia as a result of staying out late to see the end of the harvest. The Earnshaws' life is not wholly dissimilar, since neither Hindley nor Heathcliff, when master of Wuthering Heights, appears to engage in manual labour.

Heathcliff's death sums up the novel's themes of dynastic succession, sin and punishment, excommunication, and devil-worship. He has made arrangements for an un-Christian burial, with his body 'carried to the churchyard in the evening' (297) and no minister present. Lockwood's elegiac visit to the graveyard to view the three headstones is preceded by another, far more discordant oration spoken by Joseph over Heathcliff's dead body. Joseph has invariably called on God to 'spare the righteous, though he smote the ungodly' (75), and now he believes his prayers have been answered. His words, in broad dialect, are reported by Nelly, the peasant woman who has taught herself middle-class manners and speech:

'Th' divil's harried off his soul,' he cried, 'and he muh hev his carcass intuh t' bargin, for owt Aw care! Ech! what a wicked un he looks girnning at death!' and the old sinner grinned in mockery.

I thought he intended to cut a caper round the bed; but suddenly composing himself, he fell on his knees, and raised his hands, and returned thanks that the lawful master and the ancient stock were restored to their rights. (298)

Here Nelly effortlessly puts 'the old sinner' in his place, turning his moment of triumph into a grotesquely blasphemous outburst. Whether or not he really intended to 'cut a caper', the lay preacher and self-elected saint stands as a blatant example of Puritan hypocrisy. Emily Brontë, as we have seen, was an Anglican vicar's daughter who would have had little sympathy with Joseph's Nonconformity; Lockwood is tellingly vague about whether Joseph attends a Methodist or Baptist chapel at Gimmerton. Charlotte Brontë's warnings about the 'unintelligibility' and 'repulsiveness' of *Wuthering Heights* may be taken to apply to Hindley's brutality and Heathcliff's devilry, but they apply equally to the uncouth, curmudgeonly, and perpetually dissenting Joseph. He represents the novel's most extreme example of Yorkshire provincialism and hell-fire Puritanism.

Like *Wuthering Heights*, George Eliot's *The Mill on the Floss* is a tragic novel of overmastering passion set in a markedly provincial landscape. While the moors in *Wuthering Heights* form a passive, if bleak and forbidding, environment, the alluvial plain of the Floss finally takes command at the end of the novel when there is a devastating flood. St Ogg's and the river mouth, however, are based not on Eliot's native landscape of Warwickshire (the Loamshire of *Adam Bede*, *Felix Holt*, and *Middlemarch*) but on Gainsborough and the Humber estuary, with which she was much less familiar. Critics have noted the unreality of the flood episode.[14] The provincial world of *The Mill on the Floss* is, ultimately, a more artificial and less compelling literary creation than Emily Brontë's West Riding or Thomas Hardy's Wessex.

Eliot does not use a dramatized external narrator like Lockwood. Instead, there is a pervasive contrast between the provincial insider's viewpoint, represented by the nervous sensitivity and rural isolation of Maggie Tulliver's childhood, and the broader, more judicious perspective of the third-person narrative voice. The unsophisticated language and manners of the Tullivers and Dodsons are presented with wonderful comic intimacy, as if through Maggie's clear-eyed youthful perceptions; but at other times the narrator assumes a quasi-scientific, generalizing authority, alternately praising and disparaging, and always somewhat condescending. Maggie's story thus belongs to 'the history of unfashionable families' (272), and the scene of her childhood is one of 'oppressive narrowness' (254–5). It is as if Charlotte Brontë's preface to her sister's novel had got into the text. The tone of dispassionate social and ethnographic observation soon modulates into the personal impressions of Eliot the moralist:

Observing these people narrowly...one sees little trace of religion, still less of a distinctively Christian creed. Their belief in the Unseen, so far as it manifests itself at all, seems to be rather of a pagan kind; their moral notions, though held with strong tenacity, seem to have no standard beyond hereditary custom. You could not live among such people...you are irritated with these dull men and women, as a kind of population out of keeping with the earth on which they live—with this rich plain where the great river flows for ever onward, and links the small pulse of the old English town with the beating of the world's mighty heart. A vigorous superstition, that lashes its gods or lashes its own back, seems to be more congruous with the mystery of the human lot, than the mental condition of these emmet-like Dodsons and Tullivers. (254)

'You could not live among such people': after what has gone before, this has a startling vehemence. It leads to the classification of the Dodsons and Tullivers as 'emmet-like', a simile with scientific associations (since antlike creatures can only be closely observed through a microscope or magnifying-glass), but still strongly expressive of Eliot's impatience with provincial narrowness.

   The author of this passage was an agnostic intellectual who (as she wrote in a letter) sought to find the 'lasting meaning that lies in all religious doctrine'.[15] Her characterization of the Dodsons and Tullivers contrasts Christianity with paganism, and vigorous superstition with sluggish inertness. (Somewhere behind it lurks the distinction between a 'great river' flowing with its customary tranquillity, and a river in flood.) What is odd about this train of reflection is that, though it condemns the Tullivers for having 'no standard beyond hereditary custom', it functions as a commentary on one of the novel's decisive acts, which does indeed seem to be prompted by a 'vigorous superstition': Mr Tulliver's curse on his rival John Wakem, which he causes to be written down in the family Bible. The curse marks an obsession with vengeance which, as in *Wuthering Heights*, works itself out over two generations. Tom Tulliver's emotional life is entirely consumed by his determination to get back Dorlcote Mill and avenge his father, regardless of the suffering this brings to himself and his family.

In constructing her plot around a vendetta and a 'family curse', Eliot underlines her belief that the fiction of provincial realism ought to echo the great tragic themes of classical drama and myth—a belief shared by Thomas Hardy, and later by Arnold Bennett. The 'history of unfashionable families' possesses a tragic sublimity even if it is the 'unwept, hidden sort' of tragedy (183). The novel's tragic form also means that the continuity of its provincial world will be shattered, and the narrowness of the Dodsons and Tullivers changed beyond recognition. The first sign of this lies in the individual spiritual development undergone by both Maggie and Tom, for all their differences from one another.

Eliot has defined the Dodsons' and Tullivers' torpid religion as a hitherto uncharted variety of Protestantism.[16] Maggie's intense spirituality is entirely self-taught, emerging from her reading of an illustrated Bible in her infancy and, later, from her discovery of Thomas à Kempis's *Imitation of Christ* in a parcel of old books. Maggie dreams of a life of abject renunciation, self-denial, and self-humiliation, an ideal all too obviously reflecting her passionate attachment to her cruel and unfeeling brother. But her openness to sexual passion leads to her involvements with Philip Wakem, the son of the hated John Wakem, and with the unscrupulous Stephen Guest. Fittingly, she admires the 'dark unhappy' heroines of Scott such as Rebecca and Flora MacIvor (312), and Philip with some truth accuses her of self-torture and self-repression.

George Eliot, the daughter of an evangelical land agent, became a rationalist and agnostic in adult life, but her sense of supernatural sanctions never deserted her. Walking with the poet and critic F. W. H. Myers in a Cambridge college garden, she is said to have spoken 'with terrible earnestness' of the concepts of God, Immortality, and Duty—'how inconceivable was the *first*, how unbelievable the *second*, and yet how peremptory and absolute the *third*'.[17] If the element of self-punishment here suggests Maggie Tulliver, the need to cling to an idea of unquestioning rectitude suggests Tom. It is this that enables him to wipe out the memory of his father's bankruptcy and to return to Dorlcote Mill, rejecting what might have been a far more prosperous career in his uncle's expanding business. At the same time, he becomes an unloved and unlovable recluse who restores the family's good name while cutting himself off from the family itself. Maggie's weakness is that in the very moment of rebelling against Tom's rigid morality she has an irresistible need to humiliate herself before him, as if he were 'a reflection of her own conscience' (456). It is 'as if he were a prophetic voice predicting her future fallings' (370). Tom is a far more decisive figure in her life than either Philip or Stephen, not to mention the Anglican clergyman Dr Kenn who might have become her third lover. His self-righteousness and her urge towards submission and self-humiliation represent two warring but, in the end, inseparable aspects of English Puritanism.

Tom Tulliver is an embodiment of what E. M. Forster, in his 'Notes on the English Character' (1926), would call the 'undeveloped heart'. Forster said of the 'undeveloped heart' that 'it is not that the Englishman can't feel—it is that he is afraid to feel'.[18] Tom is like Heathcliff in becoming a ruthless, hard-headed businessman in order to achieve his private ends, yet he is a son and brother rather than a demonic, mysterious man from nowhere. His 'narrowness of imagination and intellect' (430) is a product of exactly the same upbringing as Maggie's. Maggie, who like her author believes in the 'Blessed influence of one true living soul on another',[19] repeatedly comes to Tom for an understanding and forgiveness which he cannot or will not provide. At one point she denounces him as a pitiless 'Pharisee' (326), but usually these scenes end with her in floods of tears. Maggie's tearfulness is, perhaps, easily aroused—she cries, as we have seen, over Washington Irving's *Sketch Book*—but it is a sign of her tenderness of conscience, the 'divine presentiment' that she has of the 'sacredness of life' (432). She becomes an outcast in St Ogg's as a result of her refusal to marry Stephen, and her final decision to renounce him on the night of the flood is sealed by her involuntary recollection of some words of Thomas à Kempis. She returns to Dorlcote and tries to rescue Tom, while he at last abandons the grinding Mill (the mechanical instrument of retribution) and submits himself to the flood of dammed-up feeling. Eliot's self-divided Puritanical soul-mates are, therefore, drowned together.

Two Victorian Job Stories

Loamshire and Barsetshire are the two 'bastard counties' added by the mid-Victorian novelists Eliot and Trollope to the map of England. Anthony Trollope's Barsetshire novels begin with *The Warden* (1855) and *Barchester Towers* (1857). Of one of the later novels in the series, *Framley Parsonage* (1861), he recalled that

as I wrote it I became more closely acquainted than ever with the new shire which I had added to the English counties. I had it all in my mind—its roads and railroads, its towns and parishes, its members of Parliament, and the different hunts which rode over it. I knew all the great lords and their castles, the squires and their parks, the rectors and their churches.[20]

As an Ordnance Survey map of the conventional English middle-class novel this could hardly be bettered. It also shows why, for all his attachment to locality, Trollope is not a genuinely provincial novelist. His subject is the ruling class, portrayed over a greater or more detailed sociological range than in Fielding or Jane Austen, and more soberly and realistically than in Disraeli's novels. Trollope follows Disraeli and Thackeray in reintroducing his cast of aristocrats and prominent public figures in novel after novel, creating a continuous social world in which the protagonist of one novel reappears as a background character in the next. Moreover, his 'new shire' could be almost anywhere in England's agricultural heartland even though Barchester, its cathedral city, has often been equated with Salisbury. His rural world is structured by familiar national oppositions—between the Broad Church and the Evangelicals, between the squires and the great lords, between Tories and Whigs—and Trollope is a master of the established conventions of English novel-land. In *Doctor Thorne* (1858) Frank Gresham, the young Tory heir, is 'every inch a Gresham', a member of a family that 'had from time immemorial been handsome': 'it is he who is to be our favourite young man, to do the love scenes, to have his trials and his difficulties, and to win through them or not, as the case may be', the narrator adds.[21] The novel is largely concerned with dynastic marriage, and, needless to say, Frank falls in love with, and finally marries, the one woman who can save his family's bankrupt estate.

George Eliot's fiction has its share of conventional English ladies and gentlemen, and of plots based on hidden identity and the mysteries of inheritance. But Eliot at the start of her career set out to widen the novel's social range, going beyond the 'boundaries of an ancestral park' to the 'midland villages and markets' where the narrator of her last book, *Impressions of Theophrastus Such* (1879), locates his 'native England'.[22] From *Scenes of Clerical Life* (1858) onwards, she frequently draws attention to the ordinariness of her characters and their low social standing. There is 'a pathos in their very insignificance'.[23] This discovery of complexity in simplicity is part of the democratization of the English novel, a movement to which Eliot signally contributed. But it is also characteristic of the traditional literary pastoral. Eliot is closest to pastoral in *Adam Bede* and in *Silas Marner* (1861), a brief tale which, like Trollope's *The Warden*, is manifestly based on the Job story.[24]

In Trollope's novel, the Reverend Septimus Harding, a humble and inoffensive widower, is denounced in the national press for holding the comfortable position of warden of Hiram's Hospital, a charitable institution intended to benefit the poor. He resigns his post although his ecclesiastical supporters, like false comforters, want him to put up a fight. Archdeacon Grantly, his worldly son-in-law, finds his meekness ' "enough to provoke Job" ' (161), as if Grantly, not Harding, were the Job figure. Harding is eventually restored to modest prosperity thanks to a second sinecure at St Cuthbert's, a tiny city parish consisting only of a few houses next to the cathedral. The roof-beams at St Cuthbert's have two gargoyles at each end, with 'two devils and an angel on one side, two angels and a devil on the other' (183), suggesting both the symmetry of Trollope's plot and the tug-of-war between God and Satan that initiated the story of Job.

Harding at the end of *The Warden* is a lesser man in material terms but greater in spirit. Similarly, the arrival of the foundling child Eppie serves to compensate Silas Marner, George Eliot's lonely cottager and handloom weaver, for the theft of a hoard of gold sovereigns. In each novel, the innocent love of a young girl softens the outlines of the Job story and leads to the hero's reconciliation with his enemies. Harding's daughter shares his sufferings, but eventually marries the Puritanical reformer who had inspired the press campaign against his wardenship. Eppie stays with Silas until her marriage despite an attempt by Godfrey Cass, a local gentleman farmer, to reclaim her as his daughter.

Where the Barchester of *The Warden* was manifestly a contemporary cathedral city, *Silas Marner* is set fifty years in the past in the 'rich, central plain of what we are pleased to call Merry England'.[25] The 'odour of Christmas cooking' is in the wind (119), and Eppie finds shelter with Silas on New Year's Eve; the fact that Eliot's tale is an example of the Victorian Christmas story adds to its pastoralism. Reversing the flow of history and the general movement of population in the Industrial Revolution,[26] Silas is a fugitive from a great city with 'currents of industrial energy and Puritan earnestness' (33). Unjustly expelled from the Dissenting congregation of Lantern yard in the 'city of destruction' (207), he comes to the village of Raveloe to pursue his livelihood as a handloom weaver, a profession that had effectively disappeared in the half-century separating the time of the story from its composition. Soon he becomes a miser and a recluse, cut off from his neighbours both by his occupation and by his Puritanical dedication to independence and self-sufficiency.

The God of Lantern Yard was a hard, 'unpropitious deity' (22), while Raveloe is a benighted village knowing little more than the primordial 'fetishism' of the 'gods of the hearth' (221). That it is a place of spiritual darkness is emphasized by the novel's brilliantly imagined night scenes, such as the New Year's Eve dance, the evening in the village pub, and the glimpse of Silas worshipping his gold by the light of his cottage hearth. Nevertheless, Raveloe enjoys the prosperity of 'Merry England', and the 'careless abundance' of its rich, fertile lands leads to good neighbourliness and a surplus available for charitable giving (22). When the Puritanical Silas enjoys a surplus, he hoards it up for himself until the hoard is stolen. It could be objected that his is not a true Job story since he loses his Lantern Yard faith and worships his own pagan 'gods of the hearth', first the gold and then Eppie. At last, thanks to Eppie, he becomes a full member of the village community, recovers his lost gold, and learns Christian charity. Only the sufferings of Godfrey Cass's abandoned wife and his unwanted child speak of the actual experiences of the poor in this patently idealized countryside.

Loamshire and the Puritan Temper

Like *Romola* (1863), her historical novel set in fifteenth-century Florence, *Silas Marner* was an eddy in the main current of George Eliot's fiction leading from *Scenes of Clerical Life* to *Middlemarch*. Her major novels all follow the programme of missionary realism that she had set out in her review-essay 'The Natural History of German Life' (1856). Here she attacks Dickens's novels for their romantic and melodramatic caricatures of the urban poor, and accuses socialist thinkers of stereotyping the proletariat whose interests they champion. The duty of the novelist is to portray 'the people as they are', not an ideal or sentimental travesty, so that the reader's 'sympathies' are extended to the actual plight of the poor.[27] Eliot's implied reader, then, is a potentially liberal-minded and socially conscious member of the middle class. Left to themselves, however, such readers would be liable to languish in an original condition of (individual or class) selfishness or 'egoism'; the novelist ought to further their moral development towards a state of altruism, or caring for others. To understand other people in the way that we understand the characters in a novel is (Eliot believes) necessarily to sympathize with them and care about their fate.

Sympathy-extension, however, is not merely an external duty imposed upon the novelist, since it is built into Eliot's narrative method. Her omniscient narrators move about from one character or social group to

the next, recording their private gossip, and overhearing what they have
to say about one another. Individual moral development is measured on a
scale ranging from egoism to altruism, so that the moments of greatest
psychological drama in her novels are moments in which her characters'
sympathies are unexpectedly extended. Typically this happens through
silent communication, mediated by eye-contact between two individuals.[28]
These mutual gazes in her novels vary greatly in openness and intensity,
ranging from the shifty, furtive, and superficial to the profoundly emotional
and direct. At the higher end of the range is the exchange of looks between
a spiritual mentor and a character assuming the humble position of dis-
cipleship. Usually mentor and disciple are of opposite sexes, so that the
scene is a sublimation of fiction's more conventional motifs of sexual
romance. What happens is a kind of seduction of the spirit.

The figure of the clergyman or religious mentor plays a major part in
Eliot's fiction, although most of her clergy fall far short of her altruistic
ideal. Perhaps the earliest of her characters to possess the gift of commu-
nicating sympathy is the evangelical Mr Tryan in 'Janet's Repentance', the
most substantial of the three tales that constitute *Scenes of Clerical Life*.
Tryan is regarded by Eliot's provincial Anglican community as a zealot and
a prig, but he is able to help Janet Dempster to achieve a reconciliation with
her brutal, dying husband. The evangelical clergyman has made the transition from Puritanical preacher to mentor and healer, a man whose
sympathetic nature can inspire sympathies in others. His role is a mirror
image of the role that Eliot claims for the novelist. Tryan's successors in her
fiction include Dinah Morris, the Methodist preacher in *Adam Bede*; the
Independent minister Rufus Lyon and his radical protégé Felix Holt; and
Dorothea in *Middlemarch*, who is married to a clergyman of the most
unsympathetic sort.

The farmhouse, not the country house, is at the centre of *Adam Bede*,
Eliot's first full-length novel, and this alone was a momentous departure
in English fiction. The Poysers are much lower on the social scale than the
Earnshaws of *Wuthering Heights*, and their farm kitchen brings together
Dinah Morris, a former mill-worker turned preacher, and the illiterate,
empty-headed Hetty Sorrel. The fact that Hetty has 'never read a novel'
means that she cannot understand the real meaning of the attentions that
Arthur Donnithorne, a young army captain, is paying to her;[29] moreover,
Eliot unsparingly describes her as a 'little trivial soul' who lacks the
maternal instinct and is indifferent to the 'joys and sorrows of foregone
generations' (340, 284). The Poysers of Hayslope are tenant-farmers who
regard their landlords, the Donnithornes, with a 'whispering awe' as they

ride by on horseback like gods in human shape (80). Dinah, however, speaks of the rich and poor as equals, since, as she asserts in her sermon on the village green, ' "God's love turns poverty into riches" ' (31). Her egalitarianism comes from her experience as a mill-worker, while she has turned to Methodism because it is the religion of the poor. She is at odds with the ingrained deference and subordination of the farming community, since, as Martin Poyser remarks, ' "It's on'y tradesfolks as turn methodists; you niver knew a farmer bitten wi' them maggots" ' (190).

But Dinah, as we have seen, is also a historical curiosity in a novel published nearly sixty years after the Methodist Church banned women preachers. She dresses with archaic plainness, and to Eliot's Victorian readers she must have seemed almost as old-fashioned as a seventeenth-century witch. Arthur Donnithorne, the Cavalier villain, is also something of a stock figure. As heir to the estate he is universally liked for his generosity, his jokes, and his 'free manners' (86). As an officer and sportsman he feels 'very heroic' as he strides towards the stables (124), and at first he is revered by his social inferiors such as the carpenter Adam Bede. But ultimately Arthur is a hero only to himself. He would like to be the 'model of an English gentleman', but his tragic flaw is his 'reliance on his own virtues' and his 'confidence that his faults were all of a generous kind' (124–5). Just as he enjoys an unearned income, he believes that he will always have a credit balance in the moral bank. Arthur is not a cold-hearted ladies' man, but he cannot resist temptation when it is offered to him.

Adam Bede, then, contains manifest representatives of the Cavalier and the Puritan tempers, but it is not a Cavalier-and-Puritan love story. Far from putting up a show of resistance, Hetty Sorrel is an eager and cooperating victim in her own seduction. Not only is she one of Eliot's rural pagans but she is represented as a hard, selfish young woman, more a sexual animal than a civilized human being. It is only after she has abandoned her baby and left it to die that she begins to learn a measure of sympathy for others.

The Bede family household provides an alternative focus to the Poysers' farm kitchen. Adam's father, like Hetty's, was a drunken good-for-nothing, but Adam is devoted to self-improvement and the gospel of work. Doctrinally, he is no Puritan but a Broad Church Anglican. But his development through the novel exemplifies the characteristics of J. R. Green's 'Puritan temper', and it is this that (once his infatuation with Hetty has run its painful course) makes him a suitable mate for Dinah. When he becomes Arthur Donnithorne's estate manager, he demonstrates his independence and sense of equality by standing up to his employer both physically and morally. Hetty, he tells Arthur, is ' "more nor everything else to me, all but my conscience and good name" ' (307); there is a Puritanical scrupulousness about these two exceptions. He has a 'devout mind' even if he is 'impatient of devout words', and, as Eliot puts it, 'his tenderness [lies] very close to his reverence' (392). His domesticity finds expression in his close attachment to a domineering mother, a relationship anticipating that of Paul and Mrs Morel in D. H. Lawrence's *Sons and Lovers* (1913).

Adam Bede ends, like *Silas Marner*, with the gradual healing of a broken rural community. The two most disruptive influences, Arthur and Hetty, are banished to the remotest reaches of the British Empire, Arthur as a regular army officer on an overseas posting and Hetty as a reprieved child-murderer sentenced to transportation. (Only Arthur, now a fever-shattered colonel, ever returns home.) Dinah stays in Hayslope but as a wife and mother, since she can no longer follow her vocation as a preacher. Mrs Bede has recommended her son to Dinah as a ' "husband . . . as isna just the cut o' thysen" ' (494), and for most of the novel they are apparently opposites, with Dinah devoted to her ministry and Adam content to be a good workman. But once their courtship is concluded they are one and the same, just as rural England's divisions have been mended. The novel is, as the title indicates, Adam's story—the narrator claims to have heard it from him in old age—and Adam reinstates the traditional rural order by eventually forgiving his former rival for Hetty's love. Arthur Donnithorne may have squandered his moral capital but he still owns the countryside.

Where *Adam Bede* differs from Eliot's later novels is that, for all its endorsement of the the Puritan temper, it ends with a withdrawal into private life. Arthur has had to give up his ambition of becoming a Member of Parliament, while Dinah's ministry is at an end. These characters' lives will henceforth only concern their immediate neighbours. But in *Felix Holt* Eliot wrote that 'there is no private life which has not been determined by a wider public life' (43), and her later protagonists, especially Felix Holt and Daniel Deronda, normally attempt to influence public life in their turn. Dorothea in *Middlemarch* marries Casaubon because she thinks she can help him in a piece of outstanding intellectual work. It is these characters' sense of duty, 'peremptory and absolute', that forces them to act in ways that confound expectations and help to destabilize traditional provincial society.

Returned to its context, Eliot's pronouncement about public and private life in *Felix Holt* refers not so much to broad social and historical relationships as to specific dirty deeds in the past. *Felix Holt* and *Middlemarch* have complicated and artificial plots involving an element of mysterious identity and petty crime; and they also offer a somewhat satirical view of political developments in the 1830s, the local manifestations of national history. In *Felix Holt*, Harold Transome's decision to stand for Parliament as a Radical candidate complicates the normal straight fight between Whigs and Tories. During the election campaign the Dissenting minister Rufus Lyon challenges his Anglican counterpart to a public debate on the 'Constitution of the true Church'. The result is to some extent a novel of ideas in the Disraeli tradition, an attempt to initiate a public debate beyond the confines of fiction. Eliot went on to write an 'Address to Working Men, by Felix Holt', published in *Blackwood's Magazine* the year after Disraeli's Second Reform Act.

Harold Transome, newly returned from the Middle East, is a political opportunist, a domestic tyrant, and a subtler representative of the careless immorality that Eliot had portrayed in Arthur Donnithorne. He is, however, a successful businessman rather than a dashing young heir, since he has the 'energetic will and muscle, the self-confidence, the quick perception, and the narrow imagination which make what is admiringly called the practical mind' (93). In politics, however, his tactical manoeuvring stands in sharp contrast to the principled radicalism of Rufus Lyon and Felix Holt, the respective embodiments of the old and the new versions of the Puritan temper. Lyon, an 'old-fashioned Puritan' (49), is a pedantic but lovable fundamentalist preacher. His stepdaughter Esther ignores her father's doctrines, refuses to become a member of his chapel, and is a devoted reader of Byron. But she is also a typical George Eliot heroine in being, in the critic Leslie Stephen's words, a 'woman in need of a confessor'.[30]

Felix Holt, though a political rather than a religious leader, lives a life of self-denial and Puritanical rectitude. He works as a watch-mender to support his widowed mother, since he refuses to profit from his father's pill-vending business, which he regards as dishonest. Felix, burdened with a spiritual independence that has led him to despise the 'new prosperity of Dissent' (45), is one of what George Gissing would later call the 'unclassed'. Eliot at one point shows him addressing a political meeting together with a working-class trade unionist, a stereotypical proletarian with an appearance of 'mere acuteness and rather hard-lipped antagonism'. Felix, by contrast, manifests the 'look of habitual meditative abstraction from objects of mere personal vanity or desire, which is the peculiar stamp of culture' (247). He is one of those 'men of culture' to whom Matthew Arnold would soon be appealing in *Culture and Anarchy* (1869). Whether, before *Culture and Anarchy*, Eliot's phrase 'the peculiar stamp of culture' had quite the snobbish ring it would later acquire is difficult to say; what is notable, however, is that in earlier times Felix's 'look of habitual meditative abstraction' would have been the sign of a religious vocation, so that the value put on 'culture' is part of the secularization of religion in Eliot's writing. Felix has told Esther that he aims to become a 'demagogue of a new sort; an honest one, if possible, who will tell the people they are blind and foolish, and neither flatter them nor fatten on them' (223). Here the message of the 'honest demagogue' resembles that of the fundamentalist preacher in everything except its appeal to reason rather than biblical authority. The preacher tells the people that they are miserable sinners; Felix's rather less acceptable message is that they are uneducated boors who do not deserve the vote. Rufus Lyon, an inveterate proponent of universal suffrage, is a more genuine democrat than his future son-in-law.

Felix's addresses to working men seem unlikely to have much practical effect, although he does prompt an 'inward revolution' (388) in Esther Lyon. He is sent to prison after a misguided attempt to take control of a Radical mob on election day. In the end he, Esther, and Rufus leave Loamshire for an unnamed industrial town, after Esther has turned down the Transome fortune to which it is revealed she is the legal heir. This ending, as one critic has written, combines the 'narrative pleasure of apparent change with the satisfying reassurance of the essential stability of things', since Loamshire is left to the Tories after the protagonists' departure.[31] Before they begin their new life, Felix marries Esther in the local Anglican church, in a remarkably implausible manifestation of ruling-class magnanimity and national solidarity. The narrator observes that 'Every one in those days was married at the parish church' (397), although Felix and Esther need only have waited two or three years for the passage of the 1837 Civil Marriages Act, after which, as the son and daughter of Dissenters, they would have been expected to marry at Rufus Lyon's chapel. But since it is an Anglican wedding 'Even very great people, like Sir Maximus [Debarry] and his family, went to the church to look at this bride, who had renounced wealth, and chosen to be the wife of a man who said he would always be poor' (397). Perhaps the Debarrys (the local Tories) might have been less complacent if the former watchmender had said he intended to get rich.

Neither *Middlemarch* nor *Daniel Deronda* has a fairy-tale ending like *Felix Holt*. *Middlemarch* is a great Victorian classic, and it is also, as its subtitle tells us, a 'Study of Provincial Life', but it portrays provincial life at a higher social level, and in a vein that is closer to the novels of Trollope than to Eliot's earlier fiction. Both Hayslope and the Treby Magna of *Felix Holt* are more topographically distinctive than the town of Middlemarch and its surrounding countryside. *Middlemarch* centres on the local gentry, the clergy, and the urban middle classes, with doctors, an industrialist, a banker, and a land agent among its characters. Puritan tenderness is represented by Dorothea Brooke, with her thwarted determination to make a success of her marriage to Casaubon, the unfeeling clergyman and desiccated scholar; her second husband will be Will Ladislaw, Casaubon's scapegrace and somewhat Cavalier relative. The banker Nicholas Bulstrode, by contrast, has followed what Eliot regarded as the typical itinerary of the rising Nonconformist businessman. Formerly a Dissenter and Calvinist, he cements his position in Middlemarch by joining the Church of England and supporting its militantly evangelical wing.[32] In the novel we see him trying to stage-manage the appointment of an evangelical candidate to the post of hospital chaplain, and ultimately he is unmasked as a fraud and a hypocrite and forced to leave Middlemarch. But, if provincial life no longer has a place for this pretended embodiment of Puritan rectitude, the other remaining principal characters—Lydgate the doctor, Dorothea, and Ladislaw—are like him in seeking their fortunes elsewhere. Casaubon, Lydgate, and Ladislaw have intellectual ambitions which, in any case, look beyond Loamshire, while Fred Vincy, the manufacturer's son who does fit easily into the provincial horizon, is roundly condescended to by the narrator. As in *The Mill on the Floss*, the 'provincial life' of *Middlemarch* never quite escapes the stigma of provincial narrowness.

Pilgrims and Preachers: Thomas Hardy

Of all major English novelists, Hardy is the most determinedly provincial. He is, unapologetically, a novelist not of England but of 'Wessex'—less the ancient Saxon kingdom than a fictional place which, as he wrote of Christminster in *Jude the Obscure* (1896), 'in its entirety existed nowhere else in the world but between the covers of [my novels]'.[33] Wessex is rural, old-fashioned, a last redoubt of folk customs, and full of enclaves like Egdon Heath and the forests around Hintock which at first sight seem hardly touched by the nineteenth century. Hardy often suggests that the people of Wessex represent elemental human nature, so that 'dramas of a grandeur and unity truly Sophoclean' are played out among them.[34] But they are also geographically isolated, with only the vaguest sense of what lies beyond Wessex. While the realm of nature in Hardy transcends the local and particular—it is 'conterminous with the universe in space, and with history in time'[35]—his more ambitious characters do not look to the nation or the national metropolis as the arena in which their desires might be satisfied. Tess Durbeyfield and Angel Clare accompany the milk churns to their local railway station, since London is the market to which the Vale of the Great Dairies sends its produce, but it never occurs to the lovers themselves to go there. Jude Fawley is a 'sort of Dick Whittington', but Christminster (or Oxford), not London, is his city of light. In *The Return of the Native* (1878) the great city where Clym Yeobright has lived, and where Eustacia Vye longs to go, is not London but Paris.

Nevertheless, Tess and Angel's trip to the station and Eustacia's dreams of Paris indicate Hardy's pervasive concern with the mobility and rootlessness of modern life. His most widely read novels do not verge on historical fiction, as George Eliot's do. Tess has passed the sixth standard in the National School (which should not be confused, however, with a post-1870 Board School) and has thought of becoming a teacher; Jude lives to see the birth of the university extension movement and the beginnings of mass higher education. Even Hardy's traditional rural crafts are not always what they seem. Diggory Venn the reddleman is, we are told, 'one of a class rapidly becoming extinct in Wessex, filling...the place which, during the last century, the dodo occupied in the world of animals'.[36] But Venn is a prosperous farmer who takes up the reddle trade for a time because he fancies a wandering life, not a traditional reddle-man. He is a bit like the weekend hobbyists of the late twentieth century who set out to reopen disused railway lines and to revive the age of steam.

If Venn is (once we penetrate his disguise) as modern as any of Hardy's characters, he is also presented as a countryman and, therefore, a natural antiquarian. Modern Wessex deliberately and self-consciously lags behind the modern city. This is why Clym Yeobright's return from Paris to Egdon creates such expectations—the local labourers talk about it 'as if it were of national importance' (128)—and why his relapse into the traditional and lowly occupation of furze-cutting is felt to be so disturbing. As Hardy says of Clym, 'Mentally he was in a provincial future, that is, he was in many points abreast with the central town thinkers of his date' (196), but until the end of the novel he fails to act like someone influenced by town thought. As for Hardy himself, he is manifestly not a metropolitan intellectual like George Eliot, but nor is he as countrified as Clym. His novels record the struggle between archaism and modernity in the countryside, and it is in this context that Puritanism, at first a rather marginal presence in Hardy's fiction, comes to the fore in his last novels *Tess* and *Jude*.

Hardy began with an unpublished novel, *The Poor Man and the Lady*, which he later described as a 'sweeping dramatic satire of the squirearchy and nobility, London society, the vulgarity of the middle class, and political and domestic morals in general'. His views at that time were 'obviously those of a young man with a passion for reforming the world'.[37] *Tess* and *Jude* show that he never lost his passionate hatred of social injustice, yet, compared to his predecessors in nineteenth-century fiction, Hardy the novelist is curiously unpolitical. His literary success began not with a social-problem novel but with a sentimental rural idyll, *Under the Greenwood Tree* (1872). This was followed by a metafictional romance, *A Pair of Blue Eyes* (1873)—metafictional in the sense that the heroine, Elfride Swancourt, is herself a romantic novelist—in which class politics are represented by the 'Saxon versus Norman' convention inherited from Disraeli and Scott. 'Elfride' is a Saxon-sounding name, while 'Swancourt' combines Anglo-Saxon and Norman roots. Elfride's two principal suitors are Henry Knight, a London barrister and journalist, and Stephen Smith, an architect's assistant whose father was a humble stonemason. (Hardy eventually revised the text to remove many of the dialect forms from the Smith family's speech.) The novel is set in Endelstow, 'a parish on the sea-swept outskirts of Lower Wessex'.[38] The local landowner is Lord Luxellian, a Cornish name, but the working people of Endelstow are represented as being of Saxon, not Celtic, origin, and the central confrontation between a Smith and a Knight reproduces the Saxon-Norman opposition almost too literally. Hardy's best-known invocation of Norman ancestry is in *Tess*, which begins with Parson Tringham, mounted on horseback, encountering John Durbeyfield the carter, who at this moment is symbolically on foot. Tringham, an antiquarian, addresses Durbeyfield as 'Sir John' and tells him he is the lineal descendant of Sir Pagan d'Urberville, a Norman knight. The family 'declined a little in Oliver Cromwell's time, but to no serious extent', and was rewarded for its Royalism by Charles II (14). Durbeyfield has no sooner listened to this genealogy than, spurred by an ancestral memory, he sends for a horse and cart and is driven round the village. Much more will be heard in the novel of the bloody legend of the 'd'Urberville coach', but Hardy, in one of his most sardonic asides, also indicates the pointlessness of Parson Tringham's revelation: 'So much for Norman blood unaided by Victorian lucre' (25).

As the name 'Sir Pagan' and the d'Urberville family history suggest, there is a theme of rural paganism (much more heavily emphasized here than in George Eliot) and also a contrast of Cavalier and Puritan types running through Hardy's novels. The Durbeyfields' marauding Norman ancestor may have been a pagan in the sense of following the unscrupulous, lawless conduct of one living in a Hobbesian state of nature, and there is a hint that the Victorian d'Urbervilles, who have bought the family name, are similarly disposed. But 'paganism' in Hardy usually means the pre-Christian superstitions of the Wessex countryside. His characters are closer to the land than those of any earlier English novelist, largely because they are shown working on the land. Tess, for example, mixes up the scriptures she has learnt at school with the '[p]agan fantasy of their remote forefathers' which Hardy says is natural to field labourers (124). Giles Winterbourne in *The Woodlanders* (1887) appears at harvest time as an emanation of nature, a 'fruit-god' or 'wood-god' who 'looked and smelt like Autumn's very brother' (305, 235). Hardy sometimes refers to pre-Christian religious practices and rites, as with the 'Druidical mistletoe' which persists in the primeval forest of the Chase where Tess is raped (47). On other occasions he portrays secular folk rituals such as the skimmington ride in *The Mayor of Casterbridge* (1886).

The contrasted sets of Cavalier and Puritan male characters in Hardy include Damon Wildeve and Clym in *The Return of the Native*, Henchard and Farfrae in *The Mayor of Casterbridge*, Fitzpiers and Winterbourne in *The Woodlanders*, and Alec d'Urberville and Angel Clare in *Tess*. 'Puritan' in this context does not necessarily mean a religious affiliation; in *Tess* it is Alec, not Angel, who briefly becomes a Puritan preacher. Angel Clare and Giles Winterbourne are identifiable as Puritans largely because of their sexual fastidiousness, as when Giles, ill with fever, refuses to share a cottage, let alone a bed, with his lover Grace Melbury when she flees to him for shelter in the depths of winter. One of Hardy's most distinctive character types, however, is the post-Puritan preacher in the style of Felix Holt. Clym Yeobright is the grandson of a curate and the son of a narrowly possessive, Puritanical mother; he comes back from Paris, fired with the brotherhood of man, to the remote community of Egdon, a heathen 'world's end' (417) where there is little or no churchgoing because the church is too far away. Eventually Clym announces his intention to 'keep a night-school' (413), and he becomes an 'itinerant open-air preacher and lecturer on morally unimpeachable subjects' throughout Wessex: 'He left alone creeds and systems of philosophy, finding enough and more than enough to occupy his tongue in the opinions and actions common to all good men' (423). Hardy has, perhaps, a Socratic ideal in mind, but Clym's avoidance of religious or political controversy suggests that the action of preaching is more important to him than any message he might have for his hearers.

Clym's successor as a secular preacher and lecturer is Jude Fawley; and one thing that both men have in common is their inability to dispense with religious language and, above all, the language of the Book of Job. They see themselves as reliving the story of Job.[39] Clym quotes the Book of Job at least once—' "I have made a covenant with mine eyes; why then should I think upon a maid?" ' (412)—and Jude does so repeatedly. Clym's life and preaching might suggest the possibility of a direct progression from the paganism of Egdon Heath to a provincial future of rational agnosticism, as if doctrinal Christianity had been superseded or sidelined. But *Jude the Obscure* (1896) permits no such conclusion.

Biblical texts play a crucial role in both *Tess* and *Jude*, most notably in the Pauline epigraph to *Jude*, 'The letter killeth', and in the work of the sign-painter in *Tess*, who puts the words 'THY, DAMNATION, SLUMBERETH, NOT' on a stile (97). When he turns to a nearby wall, he begins to write out the seventh commandment but hesitates over the word 'adultery'. Hardy's defence of Tess's moral innocence is evident from the novel's subtitle—'A Pure Woman'—although the concept of purity is naturally ambiguous. A 'pure woman' means, in one of its senses, the quintessence of womanhood, but the supposed purity of Nature is frequently called into question. Very early in *Tess* we encounter the name of one of the two public houses of Marlott, the Pure Drop, suggesting both the natural purity of water and the artificial purity of fermented and distilled liquors, but in any case carrying a warning against adulteration.

In *Tess of the d'Urbervilles* a standard of rigid Puritanism is represented by Angel Clare's father, the Reverend Mr Clare of Emminster, whose name we first hear from the sign-painter. He is an 'uncompromising Evangelical' and a strict Calvinist, a 'man of fixed ideas' (137), who punishes Angel for his loss of faith by refusing to allow him to follow his brothers to university. Alec d'Urberville, like the sign-painter, comes under his spell and becomes an unlicensed preacher. Hardy tells us that in Alec's conversion 'animalism had become fanaticism', and 'Paganism Paulinism', but it is all 'the mere freak of a careless man in search of a new sensation' (344, 364). Mr Clare, unlike his priggish elder sons and their friend Mercy Chant, is shown as being capable of human sympathy. It is unlikely, however, that—like the Broad Church vicar of Marlott—he would have accepted Tess's christening of her ailing infant Sorrow as possessing religious validity. Tess's do-it-yourself baptism is evidence of her struggle to reconcile pagan and Christian feelings, but she, like Alec and Angel, tends to vacillate unpredictably between paganism and Puritanism.

Tess's history in some respects recalls Hetty Sorrel's story in *Adam Bede*, although Tess is a devoted mother and her child dies from natural causes. Like Hetty, Tess is able to claim that she would have known how to defend herself against seduction had she been a lady, because ladies 'read novels that tell them of these tricks' (100). Tess's 'purity', that is, could have been defended had she known about trickery, but such knowledge would also have compromised her innocence. The tragedy of her marriage to Angel is that she stoops to the trickery of concealing her past. When she tells him on their wedding night of her rape by Alec, he rejects her in horror, yet when he sees her the next morning, 'She looked absolutely pure. Nature, in her fantastic trickery, had set such a seal of maidenhood upon Tess's countenance that he gazed at her with a stupefied air' (269). Hardy will, of course, have remembered the biblical text that 'To the pure all things are pure', yet his reference to Nature's 'fantastic trickery' is not simply ironic. The previous day, before Tess makes her confession, Angel notices Tess's resemblance to the seventeenth-century d'Urberville ladies whose portraits hang on the wall. In particular, he looks at the picture of a Cavalier dame with a low-cut bodice whose 'long pointed features, narrow eye, and smirk' are 'suggestive of merciless treachery' (247). Could she be implicated in the 'dreadful crime' (committed by one of the male d'Urbervilles) that lies behind the legend of the coach (244)? Hardy never wholly dismisses the superstition that Tess's fate is ultimately determined by her heredity, and that her purity is compromised by the guilt of her aristocratic forebears. In the end she murders Alec, as one of her Caroline ancestors might have done.

Angel Clare has rejected the doctrines of the established Church, yet he has all the scruples of the Puritan conscience. He is the prisoner of a rigid Pauline morality in his admiration of 'spotlessness' and hatred of 'impurity' (256). His infatuation with Tess is based on his misreading of her as a pagan Artemis or Demeter rather than a penitent 'Magdalen' (153). Once he learns her true history, his callous abandonment of her comes to seem repellent even to his father. Alec eventually gives up his preaching and comes to take Angel's place, blaming Tess for this spiritual somersault:

'Tess, ever since you told me of that child of ours, it is just as if my feelings, which have been flowing in a strong puritanical stream, had suddenly found a way open in the direction of you, and had all at once gushed through. The religious channel is left dry forthwith; and it is you who have done it!' (369–70)

Alec's hypocrisy has at least this element of truth, that in *Tess of the d'Urbervilles* Christianity is tried and found wanting. It is for this reason that Tess and Angel finally fetch up at Stonehenge, the legendary altar of pagan sacrifice, and that when his heroine is executed for murder Hardy concludes that ' "Justice" was done, and the President of the Immortals, in Aeschylean phrase, had ended his sport with Tess' (446). If *Tess* caused some disquiet among its early readers, it was because Hardy was so clearly saying that there was no just God.

Although *Jude the Obscure* provoked a still more savage outcry, it is ostensibly neo-paganism, or the attempt to go beyond Christianity, that is put on trial in Hardy's last novel. The representative of neo-paganism is Sue Bridehead, the intellectual who persuades Jude to drop his deep-rooted Christian piety and to give up his intention of training for the ministry. An older, more instinctive rural paganism is personified by Jude's wife Arabella, who cheerfully commits bigamy but then, after her second husband's death, becomes for a time a devout evangelical. Arabella, who originally seduced Jude and later reseduces him, is like a comic version of Alec d'Urberville. No sooner has she seen Jude again than she abandons her devout widowhood, announcing her apostasy by throwing her bundle of religious tracts into a hedge. In a novel even more full of spiritual vacillations than *Tess of the d'Urbervilles*, her apostasy is the cue for Sue Bridehead to return to a hysterical, self-denying form of religious faith.

It is, however, Jude who (as Sue remarks) knows his Bible intimately and is always quoting it. In his youth, Jude's capacity for religious devotion is manifested through his adulation of Christminster, which he sees as the 'heavenly Jerusalem'.[40] But there are two sides to Christminster, the Christian and the pagan, since it is at once an 'ecclesiastical romance in stone' and a centre for the study of pagan literature (43). Hence the ghosts that Jude summons up on his first arrival in the city include not only the great divines but the mockers of Christianity such as the historian Edward Gibbon. Christminster is the source of Sue's pagan statues of Greek gods and of the Voltairean rationalism that she has picked up during her relationship with a former undergraduate. When Jude arranges to meet her for the first time, their rendezvous is at the Martyrs' Cross, but Sue insists on moving further down the street; later, when Jude invites her to go and sit in Melchester cathedral, she prefers the railway station since the cathedral has 'had its day' (154). She thinks of

Jude as 'a man puzzling his way along a labyrinth from which one had one's self escaped' (157). But neither of them has in fact escaped. As Jude later laments, ' "Perhaps the world is not illuminated enough for such experiments as ours! Who were we, to think we could act as pioneers!" ' (372). As so often in Hardy, the failure of Sue's and Jude's neo-pagan experiment in free love is partly put down to their ill-omened family heredity. It is also due to the 'labyrinth' of Christminster, which they are unable to forget as they move disconsolately from one Wessex town to another in search of employment. When the couple try to make some money at Kennetbridge fair, they do it by selling 'Christminster cakes'. The colleges offer Jude his most skilled work as a stonemason even though they will not admit him as a student. His self-identification with the biblical Job is graphically announced when, having been summarily rejected by the Master of Bibliol College, he responds by chalking the following text on the college wall: ' "*I have understanding as well as you; I am not inferior to you: yea, who knoweth not such things as these?*"— Job, xii 3' (138). The moment of his arrival back in the city, on the day of the academic procession, is that in which he discovers his vocation as a public speaker on behalf of the working classes, like Felix Holt and Clym. Previously he was known as the 'Tutor of St Slums' (344); now Tinker Taylor, one of his old drinking companions, responds to his confession of spiritual despair with the words ' "Well preached!" ' (346). Finally Jude dies repeating a text from Job that has appeared once before in the novel: ' "*Let the day perish wherein I was born ... Wherefore is light given to him that is in misery, and life unto the bitter in soul?*" ' (423–4). These last words are not the sign of a return to the faith, but rather, as one critic has remarked, a 'blasphemous parody of Job's legend'.[41] Neither Puritanism nor paganism can comfort the modern Job, who dies without any hope of a redeemer.

Although Hardy's renunciation of prose fiction after *Jude* has been taken as a retreat in the face of the storm of protest that the novel aroused, it is hard to see how he could have continued with the plan of the Wessex novels. In *Jude*, provincialism like Puritanism had become an empty shell. The hero's ambitions, like Whittington's, were focused on a city, and at one point Hardy thought of naming him 'Jack England'. The characters no longer speak a pure Wessex dialect, like the Dorsetshire of *Tess*,[42] and their increased mobility is emphasized by their endless railway journeys. Their confinement to the region of Wessex is increasingly artificial, and Hardy has some difficulty in preventing Jude and Sue from going to seek anonymity in London. Of Jude as a boy we were told that 'his dreams were once as gigantic as his surroundings were small' (41). Logically such a protagonist ought to leave his province behind even if he was destined eventually to return to it.

Puritanism as an Anachronism

Puritanism in Thomas Hardy is represented by itinerant preachers and by Anglican evangelicals such as Mr Clare, but not by the Dissenting churches. The latter became a substantial political force in the late nineteenth century owing to the extension of the franchise. They were a mainstay of Gladstonian Liberalism and, later, of the Labour movement, and their influence remained strong in English provincial fiction down to Winifred Holtby's *South Riding* (1936), where one of the main characters is a local councillor and Methodist lay preacher. Yet the Puritan faith was held to be increasingly anachronistic. Its internal decay is memorably registered in the novels and autobiographical writings of William Hale White, the Bedford shopkeeper's son who wrote under the pseudonym 'Mark Rutherford'. As a young man White was expelled from theological college for questioning the authority of the scriptures, and in *The Autobiography of Mark Rutherford* (1881) he wrote that it took Wordsworth's *Lyrical Ballads* to show him what true religion might mean: 'Wordsworth unconsciously did for me what every religious reformer has done,—he re-created my Supreme Divinity; substituting a new and living spirit for the old deity, once alive, but gradually hardened into an idol.'[43] Mark Rutherford's novels include *The Revolution in Tanner's Lane* (1887), which begins in 1814 and has a second part set in the early 1840s, and *Clara Hopgood* (1896), also set in the 1840s. Zachariah Coleman, the protagonist of the earlier part of *The Revolution in Tanner's Lane*, is a descendant of the seventeenth-century Puritans who becomes involved in radical politics and eventually suffers imprisonment. His political beliefs grow naturally out of his membership of an Independent chapel, since the Independents were by tradition Cromwellian republicans. His minister, the Reverend Thomas Bradshaw, is related to Bradshaw the regicide. Zachariah is a democrat because he believes in the spirit of the people, not in deferring to the will of the majority; as Rutherford comments, 'He believed in the people, it is true, but it was a people of Cromwellian independents.'[44] The second part of the novel portrays the disillusionment of the next generation, when parliamentary reform has been achieved and a new kind of Dissenting minister begins to meddle in electoral politics.

Here the setting is the provincial town of Cowfold, where the Independent congregation of Tanner's Lane is headed by the Reverend Thomas Broad, whose name is clearly a satire on the Anglican 'Broad Church'. Broad doubts the wisdom of 'sermons against covetousness, or worldliness, or hypocrisy' (284), since they might upset the businessmen whose pew rents pay his salary. He refuses to support the radical candidate in a bitterly fought local election, leading to a riot in which (in an echo of *Felix Holt*) Rutherford's new protagonist, George Allen, becomes unwillingly caught up. George rejects the 'gospel according to Tanner's Lane' (296) and finally emigrates to America, while the protagonist of *Clara Hopgood* also leaves England to give her life in the struggle for Italian independence.

For most of the nineteenth century, the moral values affirmed by English novelists were largely synonymous with Christian values, however broadly interpreted. But authors born after 1850 brought a distinct air of secularism into their fiction. George Gissing, according to his friend Morley Roberts, 'had no religion', and regarded religious faith as 'a curious form of delusion almost ineradicable from the human mind'.[45] In Gissing's *The Unclassed* (1884) the protagonist, Osmond Waymark, is 'a student of ancient and modern literature, a free-thinker in religion, a lover of art in all its forms, a hater of conventionalism'.[46] Waymark's scepticism also extends to politics, since he is a disillusioned ex-socialist. Aestheticism is his new creed, so he writes a novel about the London poor which is intended to tell the 'absolute truth' no matter how hideous and repellent it may be (201). Unsurprisingly, it falls dead from the press, but, like the secular homilies of a Felix Holt or a Clym Yeobright, its most striking resemblance is to a Puritan sermon. One of Waymark's friends tells him that ' "It was horrible in many parts, but I was the better for reading it" ' (282), while another predicts that ' "Such a book will do more good than half a dozen religious societies" ' (201). Waymark has an unhappy relationship with the devout Maud Enderby, whose 'overpowering consciousness of sin' he regards as 'an anachronism in our time' (213); eventually he marries the reformed prostitute Ida Starr. Nevertheless, his own urge to bear witness to the full degradation of the working classes seems to reflect a transferred religious impulse.

Gissing's most influential exploration of the fate and function of the contemporary novel came in *New Grub Street* (1891). His major novel on religious themes, however, is *Born in Exile* (1892), where Godwin Peak, a declared secularist and freethinker, poses as a Christian apologist and prepares to train for the ministry as a result of his infatuation with Sidwell Warricombe, a provincial middle-class Anglican girl. Peak first sets eyes on Sidwell at a prize-giving ceremony at Whitelaw College, Kingsmill (based on Owens College, later Manchester University, which Gissing attended). He is the orphaned son of a radical father—hence his name Godwin—and arrives at Whitelaw on a scholarship. Although his social circle throughout the novel consists of his former fellow students from the college and their friends, he can never rid himself of his double sense of intellectual superiority and social inferiority: he is 'born in exile' from his true place in society, while they are not.[47] He leaves Whitelaw on a somewhat perverse matter of principle and goes to work as an industrial chemist, a vocation he evidently despises. When he meets Sidwell again he abandons his job and settles in her home town of Exeter, hoping that his metropolitan reputation as a freethinking intellectual will not have reached the distant cathedral city. Once again, his decision strikes the reader as perverse, and a contemporary reviewer pointed out that Peak 'was far more likely to attain the social position he coveted by persevering in his own work than by masquerading as a clergyman'.[48]

But Peak is not short of self-justifications for the path he has chosen. There is, he persuades himself, no other way in which he could have been allowed to share the 'benevolence' and 'gentle sympathies' of the wealthy and cultured middle classes (185). At the same time, he sees through the shallow self-deceptions resorted to by Christian believers unable to face up to the challenge of nineteenth-century biological discoveries. Peak helps Sidwell's father, Martin Warricombe, to retain his faith in creationism even though he himself believes in none of his own arguments. Since hypocrisy is normal in this society, he thinks, his own much more blatant hypocrisy is validated by the intellectual effort it takes to sustain it and the penalties attached to being found out. This gives an extra edge to the contempt he feels for the glib posturing of the fashionable Broad Churchman, the Reverend Bruno Chilvers, who maintains that ' "The results of science are the divine message of our age... Less of St Paul, and more of Darwin! Less of Luther and more of Herbert Spencer!" ' (377). As Peak tells Sidwell after his disgrace, ' "I criticise myself ceaselessly; expose without mercy all those characteristics which another man would keep out of sight" ' (437). It may be said that he has inherited the spiritual pride which was the besetting sin of the old Puritans, although his motto is not 'holier than thou' but 'cleverer than thou'. The novel's poignancy lies in the reader's gradual realization that Peak is a sentimentalist and something of a moral coward, not the exceptional person he believes himself to be. Forced to leave Exeter, he becomes an analyst in a chemical factory at St Helen's in Lancashire, soon to become one of the centres of modern industrial technology in Britain. But Peak has no place in this emerging world. No sooner has he inherited a small legacy than he gives up his job, leaves the country, and spends the remainder of his life in continental boarding houses, thus deserting the new professional and productive middle classes to follow the old ideal of gentlemanly idleness. If Christianity is an anachronism in *Born in Exile*, so ultimately is Godwin Peak.

Gissing's protagonists, it sometimes seems, will go to almost any lengths to protest against and defy their manifest social destiny. Their perversity contrasts sharply with the acts of submission and renunciation portrayed in the novels of Arnold Bennett, whose characters typically accept the limitations of circumstance and the lessons of duty and humility enjoined by provincial Nonconformity. The Bennett of *Anna of the Five Towns* (1902), *The Old Wives' Tale* (1909), and *Clayhanger* (1910) remains unsurpassed as a realistic novelist of industrial and commercial England. Heroism in his novels is largely the heroism of self-restraint. *The Old Wives' Tale* traces the lives of two sisters, Sophia and Constance Baines, the rebel and the stay-at-home. Sophia elopes to Paris while Constance spends all her life in the Staffordshire Potteries, but both, in the end, exemplify what Bennett in *Anna of the Five Towns* calls 'the profound truth that a woman's life is always a renunciation, greater or less'. This 'truth' is something that Anna Tellwright, in the earlier novel, has 'sucked in with her mother's milk'.[49] However offensive it may have seemed to the feminists of Bennett's time, it is fundamental to the provincial Methodist culture that the novelist portrays in great depth. Anna, born into the Methodist 'Old Guard', has a father whose 'holy valour for the pure doctrine' (31) is equalled only by his financial stinginess. The miser and the swindler are, in Bennett's view, typical products of a decaying Puritanism.

The Nonconformist minister, a crucial character in *Felix Holt* and *The Revolution in Tanner's Lane*, plays almost no role here. Religious feeling in *Anna of the Five Towns* is stirred up by a visiting revivalist—an evident mountebank—while the resident minister's address is summed up as 'vapid, perfunctory, and fatigued' (77). The only aspect of religious fervour that Bursley's Methodists seem to carry over into their working lives is an unflinching, unforgiving self-righteousness. Anna Tellwright falls from favour when she shows compassion for Willie Price, a manufacturer's son who admits to helping to forge the signature on a commercial bond. She finds Henry Mynors, Price's commercial and sexual rival, guilty of Phariseeism, yet she eventually marries Mynors. But Anna never becomes a chapel member, since the Methodists have no place for one who has 'fraternized with sinners, like Christ' (199). Their religion is idolatry.

D. H. Lawrence's provincial background was very similar to Bennett's, as he acknowledged in 1912 when he read *Anna of the Five Towns* during the first of his numerous periods of residence outside England. Bennett's attack on the Nonconformist tradition did not go far enough, according to Lawrence in one of his letters:

I am so used to the people going by outside, talking or singing some foreign language, always Italian now: but to-day, to be in Hanley, and to read almost my own dialect, makes me feel quite ill. I hate England and its hopelessness. I hate Bennett's resignation. Tragedy ought really to be a great kick at misery. But *Anna of the Five Towns* seems like an acceptance—so does all the modern stuff since Flaubert. I hate it. I want to wash again quickly, wash off England, the oldness and grubbiness and despair.[50]

Lawrence's fiction from *Sons and Lovers* (1913) to *Lady Chatterley's Lover* (1928) claims to reject the whole inheritance of English Puritanism, yet he was a prophetic novelist who saw the novel itself as a kind of Bible. The Puritan inheritance is what Paul Morel is born to in *Sons and Lovers*, since his mother Gertrude 'came of a good old burgher family, famous independents who had fought with Colonel Hutchinson, and who remained stout Congregationalists'.[51] Lawrence outlines the emotional gulf separating Gertrude from her coal-miner husband Walter Morel in a series of stereotypical Puritan–Cavalier contrasts. Gertrude's father George Coppard 'ignored all sensuous pleasure', while she is 'a puritan, like her father, high-minded, and really stern' (18). Walter Morel is a ladies' man of partly French ancestry who runs a dancing-class, notorious for its 'carryin's-on', in the mining village (22). In his youth he was 'a choir-boy with a beautiful voice, and had taken solos in Southwell Cathedral' (28); his background is Anglican where she is descended from Cromwellian Independents. Gertrude briefly, and disastrously, sees Walter as a chivalrous knight-errant who 'risked his life daily, and with gaiety' in the coal mine (19). But once they are married they quarrel bitterly over money, since Walter is a spendthrift with no scruples about borrowing and then telling lies about what he has done. Gertrude is a believer in scrimping and saving for deferred gratifications, but, as she says to herself, ' "I wait . . . I wait, and what I wait for can never come" ' (13).

In the first chapter of *Sons and Lovers* the history of the Morels' married life is framed within the story of a single weekend, that of the August fair known as the wakes, originally a religious festival. Walter spends all day at the fair serving at the bar to add to his wages, while Gertrude is reluctantly dragged there late in the afternoon by her children. The next day Walter goes off on a jaunt to Nottingham with a crony, comes back heavily drunk, and locks his pregnant wife out in the moonlight:

The moon was high and magnificent in the August night. Mrs Morel, seared with passion, shivered to find herself out there in a great white light, that fell cold on her, and gave a shock to her inflamed soul. . . . She became aware of something about her. With an effort she roused herself to see what it was that penetrated her consciousness. The tall white lilies were reeling in the moonlight, and the air was charged with their perfume, as with a presence. Mrs Morel gasped slightly in fear. She touched the big, pallid flowers on their petals, then shivered. . . . Except for a slight feeling of sickness, and her consciousness in the child, herself melted out like scent into the shiny, pale air. After a time the child, too, melted with her in the mixing-pot of moonlight, and she rested with the hills and lilies and houses, all swum together in a kind of swoon. (34–5)

This is Gertrude's own 'wake' in the religious sense of a watch or vigil at night. Paul, Lawrence's protagonist, is the unborn child in her womb, and the symbolism of the pollen, of which 'she drank a deep draught', almost suggests an immaculate conception. It is clear from this scene that Paul is to be his mother's, not his father's child. Gertrude is the bearer of the Puritan inheritance, but her sensations in the moonlight reveal that she is open to the neo-pagan nature mysticism which, for Lawrence, is destined to transcend and supersede orthodox Christianity. Paul Morel, the first of Lawrence's post-Christian heroes, grows up in the mining village, and it is from the Nottinghamshire landscape that he imbibes all his knowledge of nature. He hopes to make his name as a landscape painter and fabric designer, proving that he has wider horizons than the earlier generations who worked on or underneath the land. The novel's final scene shows him leaving for the city, his childhood at last over. Like the novelist himself, Paul both rejects the Puritan tradition and turns his back on the English provinces. There are signs in Lawrence's last works of a possible reconciliation with England and with his Puritan inheritance, but such a reconciliation could never come.

From Forster to Orwell: The Novel of England's Destiny

A T the end of the nineteenth century, Krishan Kumar has claimed, 'English intellectuals and artists—historians, political theorists, literary and cultural critics, composers, poets and novelists—for the first time began an inquiry into the character of the English people as a nation—as a collectivity, that is, with a distinct sense of its history, its traditions and its destiny'.[1] Such an inquiry was hardly unprecedented, as this book has shown. In early twentieth-century fiction it was pursued with greater self-consciousness than ever before, but also in an increasingly sceptical and critical spirit. If any novelist of the time was dedicated to investigating the English character it was E. M. Forster, but Forster wrote in 'What I Believe' (1939) that 'I hate the idea of causes, and if I had to choose between betraying my country and betraying my friend, I hope I should have the guts to betray my country'.[2]

Early in Forster's *The Longest Journey* (1907) the protagonist, Rickie Elliot, is being shown around Sawston School, a Jacobean foundation that is now a boarding school for the upper-middle classes. Rickie, who will become a teacher at Sawston, is deeply ambivalent about the public-school ethos. But as he looks reverentially at a fragment of Jacobean brickwork he and his guide, the schoolmaster Herbert Pembroke, are joined in a moment of sympathy:

The two men, who had so little in common, were thrilled with patriotism. They rejoiced that their country was great, noble, and old.

'Thank God I'm English,' said Rickie suddenly.

'Thank Him indeed,' said Mr Pembroke, laying a hand on his back.

'We've been nearly as great as the Greeks, I do believe. Greater, I'm sure, than the Italians, though they did get closer to beauty. Greater than the French, though we do take all their ideas. I can't help thinking that England is immense. English literature certainly.'[3]

This scene could not have appeared in a mid-Victorian novel, since characters in Victorian fiction do not feel the need to launch into patriotic rhapsodies. They might, like Lucy Snowe, defend their country in the heat of a passionate argument with foreigners, but they do not appraise and describe their Englishness as Rickie does. Herbert Pembroke, who is a conventional Victorian, quickly removes his hand from Rickie's back, since he 'found such a patriotism somewhat craven'. 'Genuine patriotism', he reflects, 'comes only from the heart' (51). What offends Herbert is Rickie's air of judicious, comparative judgement, as if the English were no more than temporary victors in a kind of European champions' league. The shadow of liberal internationalism lurks behind Rickie's words. In the very moment of affirming his national identity he is implicitly setting himself above the provinciality of petty nationalism.

It is true that Rickie's outburst of patriotism originates in a spontaneous, almost visceral feeling and that Herbert initially shares it. Herbert seems to view patriotism as being like religious faith in coming from the heart, while Rickie is experimenting with patriotism as a substitute for religion. He is an orthodox, undemonstrative Anglican who regards his faith as 'personal, and the secret of it useless to others' (51–2). His patriotism, on the other hand, is something he feels an urge to confess. Unlike the Puritan heroes and heroines of earlier novels, an early twentieth-century protagonist like Rickie feels driven to explore his patriotism rather than his religious beliefs.

In England before the First World War the power and wealth of the Empire were at their height, yet there was a new awareness of competition between the European powers. There was red all over the globe, but the German domination of Central Europe led the British government, for the first time, to enter into defensive alliances with France and Russia. What we find in the Edwardian novelists' view of England is often a sense of shrinkage. It is not just that (Kipling apart) they tend to be exclusively concerned with the national homeland, feeling little interest in or loyalty towards the outer reaches of empire. The homeland too seems small and fragile, something that can be protectively encircled by the imagination. The threat to England comes, in part, from cosmopolitanism and globalization, as George Eliot had foreseen; but it also comes from the emergence of rival great powers with its message of England's impending relative decline. Rickie, for example, is shown contemplating England's 'immensity', but all he feels certain about is the canon of English literature. The love of England that openly speaks its name in this manner is an anxious, protective love.

The fiction of the last decades of the nineteenth century includes a remarkable series of apocalyptic fantasies portraying England's future collapse. Some of these were scare stories warning of a possible German invasion, such as Sir George Chesney's *The Battle of Dorking* (1871). Others were more far-sighted. William Morris's *News from Nowhere* (1890) evokes a future Communist England in which industrialism, urbanization, and centralized government have miraculously been abolished. Morris's post-industrial pastoral utopia was a rejoinder to Richard Jefferies' *After London, or Wild England* (1885), a tale of semi-barbarous adventures in a future England shattered by natural disasters. Jefferies' well-born hero emerges from a series of feudal entanglements strongly reminiscent of Scott's *Ivanhoe* to embark on a solo voyage towards the ruins of London, a poisonous quagmire from which he escapes at the risk of his life. The idea of a future England as a hostile, strange, and terrifying environment is a reversal of the imperial adventure story in which intrepid explorers go out from the homeland to bring civilization to the uttermost ends of the earth. H. G. Wells's *The War of the Worlds* (1898) depicts a series of Martian landings in England as an act of imperial conquest, in which the 'natives' are overcome by the awesome firepower of extra-terrestrial invaders. Wells's most uncanny vision of a future England, however, came in his first scientific romance, *The Time Machine* (1895).

In his early drafts of *The Time Machine* Wells had thought of sending his explorers backwards as well as forwards in time. In one version his Time Traveller is attacked by a Puritan preacher and by one of Cromwell's Ironsides in the year 1645, while in another rejected draft the protagonist theorizes about the historical split in English society between the 'sombre, mechanically industrious, arithmetical, inartistic' Puritan type, and the 'pleasure-loving, witty and graceful type that gives us our clever artists... some of our gentry, and many an elegant rogue'.[4] The split between the Cavalier and the Puritan, as well as that between the leisured and the working classes, undoubtedly lies behind the two distinct post-human species, the Eloi and the Morlocks, in the published version of *The Time Machine*. The most striking feature of Wells's portrayal of an English landscape three-quarters of a million years in the future, however, is the biological degeneration of the inhabitants and the death of historical memory. The Eloi and Morlocks live among the ruins of a future civilization which had, apparently, reverted to a pastoralism not unlike that of Morris's utopia. The same myth of a somewhat sinister 'greening' of England in the coming centuries is found in W. H. Hudson's *A Crystal Age* (1887), set thousands of years in the future in a small, isolated community living in a dilapidated country house. Once again, historical memory has vanished. The plot hinges on the apparent sterility of the people of the future, for whom the means of reproduction has become a terrifying mystery. The need to counteract fears of species death and infertility may also underlie a cluster of well-known English social novels of the turn of the twentieth century, novels that conclude not with a marriage but with the achievement of parenthood. The child's arrival suggests the renewal of the evolutionary 'struggle for existence' in which the novel's protagonist has manifestly failed. These novels include Arnold Bennett's *A Man from the North*, H. G. Wells's *Love and Mr Lewisham* (1900), Forster's *The Longest Journey* and *Howards End* (1910), and, in the succeeding generation, George Orwell's *Keep the Aspidistra Flying* (1936). *Howards End*, the closest of these works to Hudson's *A Crystal Age*, uses the figures of a revitalized country house and a child born out of wedlock to symbolize the nation's future. *Howards End* is one of a series of Edwardian novels attempting to 'discern England's destiny'—its potential, that is, for further evolution.[5] Typically, these novels combine a moral critique of the nation's current prosperity with a sense of foreboding about its future.

The plot of *Howards End*, it has been observed, 'is about the rights of property, about a destroyed will-and-testament and rightful and wrongful heirs',[6] and in this it resembles innumerable English novels going back to the eighteenth century. In *Howards End*, however, Forster employs a kind of nature-mysticism that makes the house seem greater and more meaningful than the families who own and occupy it. During his last year as a pupil at Tonbridge School he had written a prize essay on 'The influence of climate and physical conditions upon national character',[7] and the narrator of *Howards End* speaks warmly of a Shropshire mansion, 'unintellectual but kindly', which is a product of the times when 'architecture was still an expression of the national character'.[8] Howards End, the house in Hertfordshire, also expresses an aspect of national character, one that Forster's heroine, Margaret Schlegel, hopes will become 'the future as well as the past' (316). It is an image of a true England constructed, as a critic has put it, 'on the basis of its aversion to the real one'.[9] Like other Edwardian novelists of England's destiny, Forster aims to strike a prophetic note without abandoning the conventions of fictional realism for those of utopian romance or futuristic fantasy.

The Progressive Theory of History

The Edwardian novelists' concern with England's destiny reflects the widespread consensus at the beginning of the twentieth century about the progressive nature of human history. Civilization, it was held, was perpetually moving forward, and England, thanks to the long period of peace, prosperity, and imperial expansion under Queen Victoria, was for the time being in civilization's vanguard. The keynote of English history was the peaceful reconciliation of tradition and progress.[10] In contrast to the tyrannous, bloodthirsty, and insurrectionary politics of mainland Europe, Ford Madox Ford wrote in *The Spirit of the People* (1907), 'the Englishman sees his history as a matter of a good-humoured broadening down of precedent to precedent, a broad and tranquil stream of popular advance to power in which a few negligible individuals have lost upon the block their forgotten heads'.[11] This was the 'evolutionary' view of English history, summed up for Ford's generation by J. R. Green's *Short History of the English People* and for a later generation by G. M. Trevelyan's *History of England* (1926). It was what the Tory historian Herbert Butterfield, in an influential critique, called the 'whig interpretation of history'.[12] Ford, a brilliant commentator on this view of English history, contrasted its complacency with the opinion of an unnamed German professor that 'One becomes almost ill in reading your history, with its records of murders and beheadings'.[13]

G. M. Trevelyan's English history, as we shall see later in this chapter, was read or reread by Virginia Woolf while she was writing her last novel, *Between the Acts* (1941). If any historian was able to give comfort to English hearts during the dark days of the Battle of Britain in 1940, it was surely Trevelyan. His theory of English history was of the gradual con-solidation of the British nation and the gradual transition from hereditary despotism to a healthy and prosperous democracy. Not only was Britain the 'mother of Parliaments', but the result of imperialism and sea-power was that the Englishman's outlook was 'universal' as well as insular.[14] That it was hard to disagree with such apparently self-evident proposi-tions was acknowledged by Butterfield, who wrote in 1944 that the 'whig interpretation' was effectively the 'English' interpretation of English history, since there was nothing 'worth considering on the other side'— there was no distinctively Tory version of England's history.[15] There was, of course, no shortage of attempts to write a Tory history, including two by well-known novelists: C. R. L. Fletcher and Rudyard Kipling's *A School History of England* (1911), and G. K. Chesterton's *A Short History of England* (1917). Butterfield's view was that the 'real tory alternative' was to write English history, as Sir John Seeley had done in *The Expansion of England* (1883), as the story of imperial conquest and set-tlement. Kipling and his collaborator had certainly done this, but the story of empire written from a British patriotic point of view was, according to

Butterfield, simply another version of the familiar celebration of freedom and constitutional democracy. (The chief beneficiaries of British rule in India, for example, were held to be the three hundred million people of the subcontinent.)[16] As Butterfield wrote without discernible irony, 'Perhaps only in the shock of 1940 did we realize to what a degree the British Empire had become an organization for the purpose of liberty.'[17] Butterfield's influence, however, was to spur later historians to mount precisely the kind of critique of the 'whig interpretation' that he had suggested was impossible.

At the beginning of the century the progressive theory of English history was, if not refuted, certainly brought into question by several Edwardian novelists. The first of these, chronologically speaking, was Ford Madox Ford, whose view of English history appears in his historical and topographical survey of *The Cinque Ports* (1900) as well as in his non-fiction trilogy *England and the English*, consisting of *The Soul of London* (1905), *The Heart of the Country* (1906), and *The Spirit of the People*. Ford, the son of a German immigrant, was known to Edwardian readers by his real name of Ford Madox Hueffer. He is hard to pin down, since he could put on a brilliant impersonation of an English country gentleman while claiming in *The Spirit of the People* to write of England as an outsider, 'a man of no race and few ties' (171). Later he would emigrate to France and to the United States, and it is his view of immigration and emigration that most strikingly contrasts with conventional patriotic history.

The progressive theory of national development was often also a racial theory, since Victorian historians liked to trace the English love of freedom back beyond Magna Carta to the institutions of the Teutonic tribes who became known as Anglo-Saxons. J. R. Green, for example, notoriously claimed that English history began after the departure of the Romans with the landing of the first band of Teutonic invaders at the 'sacred' spot of Ebbsfleet in Kent.[18] Trevelyan, a more conventional historian, begins with the 'Mingling of the Races', a process that, he claims, lasted from the dawn of history until the Norman Conquest. Both writers are mainly concerned with the story of a settled and (in ethnic terms) largely homogeneous nation; Green, for example, rejects Walter Scott's theory of the long separation between Saxons and Normans. Ford, by contrast, regards the English people as dynamic rather than stable, as a community forever in flux rather than rooted and settled. His conclusion in *The Heart of the Country* is that ' "change, change, change," is the note of all country-sides',[19] while in *The Soul of London* he argues that Londoners are not natives but temporary visitors. As for the Cinque Ports at the narrowest point of the English Channel, they were 'the door through which the course of empire had fared westward'; England itself was 'perhaps, but the door for a larger movement'.[20] In *The Spirit of the People* he describes the English as 'a people descended from Romans, from Britons, from Anglo-Saxons, from Danes, from Normans, from Poitevins, from Scotch, from Huguenots, from Irish, from Gaels, from modern Germans, and from Jews' (44), indicating that significant immigration had continued up to the time when he was writing. But his vision is of peoples finding in England 'no home, but a hotel' (54)—of a movement of continuous passage whose ultimate destination is apparently North America and the other lands open to white settlers. England is an island upon which 'the hordes of European mankind have rested during their secular flights westward in search of the Islands of the Blest' (46). The immigrants who have come to England are precisely the restless and adventurous types whose descendants are most likely to move on further. Ford's history is at once poetic and imperialist—he describes the Englishman as the 'eternal frontiersman of the world' (51)—but he celebrates England for the role it has played in the broad process of European expansion rather than for its peculiar national destiny.

If 'whig history' was inherently the history of a settled, largely Anglo-Saxon, people, it was also inherently Protestant. The Whigs owed their power to the constitutional monarchy established after 1688, while the Tories remained compromised by associations with Jacobitism and with the Stuart kings, the last of whom, James II, was a practising Catholic. In his trilogy of historical novels *The Fifth Queen* (1906–8), Ford became the first twentieth-century novelist to look at English history from an imagined Catholic perspective. The novels are set not in the time of the Stuarts but a century earlier, when the first of many failed attempts to reverse the English Reformation was supposedly inspired by Henry VIII's fifth wife Katharine Howard. Ford regarded Henry's chief minister Thomas Cromwell, rather than his descendant Oliver Cromwell, as England's greatest Protestant nation-builder. Katharine's antagonist, therefore, was the 'great man...who welded England into one formidable whole'.[21]

Unlike his later masterpieces *The Good Soldier* (1915) and *Parade's End* (1924–8), Ford's attempt to dramatize sixteenth-century power politics is, at best, of minor interest. Nevertheless, there is a memorable moment in *The Fifth Queen* when Katharine and Henry VIII share a vision of the 'blessed Utopia of the lost islands', a world that is not only lost to the papal realm but to the English people as well. The idea of a Utopia alludes to Henry's former chancellor Sir Thomas More, but this Utopia, Katharine tells the King, is not to be found in a distant ocean but 'hidden in this realm of England'.[22] Ford's image of the Fortunate Isles or 'Islands of the Blest' is, therefore, a symbol of what England has lost in its triumphant assertion of Protestantism and progress. It is, like Forster's Howards End, a glimpse of a true England constructed in opposition to the real England.

Forster and the 'Undeveloped Heart'

In general, the progressive theory of English history looks with favour on the physical transformation of the landscape in the process of urban and industrial development. To Forster, however, this was a negation of the true England. 'Into which country will it lead, England or suburbia?' the narrator of Howards End asks of a Hertfordshire railway station (16). His characters leave English suburbia for Italy in Where Angels Fear to Tread (1905) and A Room with a View (1908), while Rickie Elliot in The Longest Journey identifies rural Wiltshire as the 'heart' of England (132). The belief that England, ideally, consists of unspoilt countryside was expressed much more stridently in the two pageant plays that Forster later wrote, 'The Abinger Pageant' (1934) and 'England's Pleasant Land' (1940); the latter includes Jerry the Builder's derisive song 'Ripe for development'.[23] 'Development', in Forster's view, should be a spiritual and moral, not primarily a physical and mechanical, process, and it should begin with the individual. In his brief essay 'Notes on the National Character' (1926) he observed that middle-class Englishmen graduate from school and university with 'well-developed bodies, fairly developed minds, and undeveloped hearts'.[24] 'Development' here is not something imposed from the outside, nor does it consist in violent change from one state to another. It is a bringing-out of innate capacities.

Forster's tendency to blame the shortcomings of the English character on the practice of sexually segregating adolescents in boarding schools reflects twentieth-century notions of child psychology and sexual freedom. Manifestly it corroborates Ford's account of the English habit of emotional self-suppression, which was discussed in Chapter 10. Both writers seem to imply that 'Englishness' is largely a masculine condition. Thus the victory of the Schlegel sisters in Howards End has been seen as Forster's declaration that 'England must and shall return to the keeping of women, out of the custody of men'.[25]

The first two sections of The Longest Journey, 'Cambridge' and 'Sawston', represent the university and the public school respectively.

Sawston School, modelled on Tonbridge School which Forster himself attended, is represented as a breeding-ground for missionary imperialism rather than for genuine patriotism. In *Where Angels Fear to Tread* the protagonist, Philip Herriton, also lives in Sawston, suggesting that the names have a symbolic value (if Herriton indicates 'inheritance', then Sawston indicates 'source') and also pointing towards a more traditional explanation of English emotional inhibition. The novel concerns the Herritons' disastrous attempts to 'rescue' their widowed daughter-in-law Lilia, who falls in love with a penniless Italian, and her baby son. Philip's mother and sister are ironclad Protestants, while their friend Caroline Abbott, travelling to Italy to save a 'little soul' from a working-class Catholic upbringing, sees it as her duty to 'champion morality and purity, and the holy life of an English home'.[26] Philip, the supercilious aesthete, contrasts the two nations: 'There [in England] we plan and get on high moral horses. Here we find what asses we are, for things go off quite easily, all by themselves' (112). In fact, however, it is much worse than this, for Forster's melodramatic plot associates the Italians with warmth, directness, and vitality, and the Puritanical English with coldness, hypocrisy, and death. Sawston thus stands for the provincial Puritan mentality.

All Forster's early fiction involves violent deaths, which are arbitrary and undermotivated but carry a heavy thematic significance. *The Longest Journey* contrasts the deaths of Rickie and his crippled daughter with the survival of his illegitimate half-brother Stephen Wonham, a drunken but fertile Wiltshire yokel. Rickie's death in a railway accident in which he saves Stephen's life is modelled on a similar episode in a novel whose author Forster much admired, George Meredith's *Beauchamp's Career* (1875). Here Nevil Beauchamp, a naval officer, turns against his own class to become a quixotic champion of the proletariat and is eventually drowned while rescuing a working-class boy whom the narrator calls an 'insignificant bit of mudbank life'.[27] Stephen Wonham, however, is loaded with authorial significance. He is a product of Wiltshire, the novel's English heartland; he is untouched by Puritanism or by public-school discipline; he leaves the home of his genteel foster parents, the Failings, to work on the land; and he is a winner (as his name indicates) where Rickie is a loser in the evolutionary struggle for existence that the novel tacitly portrays. Although Stephen is uneducated and inarticulate he is credited with what in effect is the novel's final soliloquy:

He was alive, and had created life. By whose authority? Though he could not phrase it, he believed that he guided the future of our race, and that, century after century, his thoughts and passions would triumph in England. The dead who had evoked him, the unborn whom he would evoke—he governed the paths between them. By whose authority? (288)

The 'authority' is manifestly the novelist's, since Stephen, loved by Rickie and unspoilt by middle-class morality, is the chosen representative of England's destiny.

This passage from the end of *The Longest Journey* exemplifies Forster's technique of presenting his novels' intellectual and ideological message in a questioning, indirect manner. His narrative voice is much less obtrusive than George Eliot's air of moral and social omniscience or Meredith's bantering whimsy, though both survive as influences. Meredith's aim, as he wrote in *Beauchamp's Career*, was to appeal to the 'conscience residing in thoughtfulness' (443); Forster's unemphatic narrative presence does this much more successfully. H. G. Wells, a leading apologist for the novel of ideas, wrote that, in an age of shifting and unstable values, it was inevitable that the 'splintering frame' of the novel should 'get into the picture'.[28] Forster, unlike Wells or D. H. Lawrence, was remarkably skilful at presenting the frame as if it were the picture. He learned to disguise a didactic and thesis-ridden narrative as a simple record of his characters' thoughts and feelings.

In *Howards End* the masculine Wilcoxes, representatives of the 'undeveloped heart', are opposed to the Anglo-German Schlegel sisters, whose father was a Prussian military officer turned university lecturer. The Schlegels are financially independent thanks to the fortune left by their English mother. They stand for metropolitan culture and a certain degree of cosmopolitanism, while Henry Wilcox is a director of the Imperial and West African Rubber Company, a firm which also employs his two sons. Forster's epigraph 'Only connect . . .' and Margaret Schlegel's marriage to Henry Wilcox represent the symbolic conjunction of culture and business. Between the Schlegels and the Wilcoxes is the divisive presence of Leonard Bast, an insecure, oversensitive clerk who aims to better himself. *Howards End* is thus a novel with a programme, just as Disraeli's fiction had been. One question that it asks in remarkably rhapsodic terms is, 'To whom does England belong?':

England was alive, throbbing through all her estuaries, crying for joy through the mouths of all her gulls, and the north wind, with contrary motion, blew stronger against her rising seas. What did it mean? For what end are her fair complexities, her changes of soil, her sinuous coast? Does she belong to those who have moulded her and made her feared by other lands, or to those who have added nothing to her power, but have somehow seen her, seen the whole island at once, lying as a jewel in a silver sea, sailing as a ship of souls, with all the brave world's fleet accompanying her towards eternity? (165)

England here is a feminized national body whose ownership is disputed between two highly romanticized factions or castes, the nation-builders and those capable of imagining the nation—the soldiers, that is, and (as the Shakespearian cadences intimate) the poets. But this division not only simplifies but, in some respects, actually falsifies the national conflict that the novel presents.

The opposition between 'art' and 'commerce' is at the centre of a novel published shortly before *Howards End*, John Galsworthy's *The Man of Property* (1906), later incorporated into *The Forsyte Saga* (1922). Galsworthy's concern with national allegory was evident from the title of his first novel, *The Island Pharisees* (1904). Jolyon Forsyte, the patriarchal figure in *The Man of Property*, embodies 'all that unconscious soundness, balance and vitality of fibre that made of him and so many others of his class the core of the nation'.[29] The Forsytes are prosperous City men, solicitors, company directors, and estate agents. According to young Jolyon (here, as often, the author's mouthpiece), 'It's their wealth and security which makes everything possible; makes your art possible, science, even religion, possible' (202). Much the same function is assigned to the Wilcoxes in *Howards End*. In both novels, too, there is a crisis of inheritance coinciding with the passage from the Victorian era to the twentieth century. The younger generation lacks its predecessors' 'unconscious soundness' and 'balance', threatening to wreck the nation's harmony. Soames Forsyte, who abuses his wife and quarrels with the architect of his luxurious country mansion, plays a somewhat similar role to Forster's volatile Charles Wilcox, the elder son who is disgraced and imprisoned for manslaughter.

The Wilcoxes draw on the Kiplingesque, military values of empire although they have no military or civil service connections. Paul, the younger son, is sent out to Nigeria in accordance with his father's belief that ' "England will never keep her trade overseas unless she is prepared to make sacrifices" ' (123–4), but it is the family's investments in rubber plantations that are primarily at stake. Similarly, Henry Wilcox has been unfaithful to his wife 'in a garrison town in Cyprus' (230), but he must have been there on business since he is no soldier. (He has shares in a Greek currant farm.) He has married into an old gentry family which, rather curiously, has both Quaker and military connections. Ruth, his wife, had a brother who was killed overseas, and was herself expected to marry a soldier. Margaret Schlegel, the intellectual whose liberal guilt leads her to declare that 'More and more do I refuse to draw my income and sneer at those who guarantee it' (164), argues that the commercial Wilcoxes and the military caste are one and the same: ' "If Wilcoxes hadn't worked and died in England for thousands of years, you and I couldn't sit here without having our throats cut. There would be no trains, no ships to carry us literary people about in, no fields even. Just savagery" ' (164). The novel, however, implies that Margaret, the former Prussian officer's daughter, is attributing to the Wilcoxes qualities of honour and military discipline they do not possess. In Forster's melodramatic denouement, Charles Wilcox impetuously unsheathes the Schlegels' ancestral German sword to administer a horsewhipping to Leonard Bast, who promptly dies of heart failure. Charles's swordplay is apparently seen as cowardly and un-soldierlike by the jury who convict him of manslaughter.

If the Wilcoxes and Schlegels in *Howards End* sum up the division of the English middle class, the condition of the ordinary people is symbolized by Leonard Bast, 'one of the thousands who have lost the life of the body and failed to reach the life of the spirit' (109). He belongs to the third generation of a family who had to leave the land for the cities. Despite his admiration for George Meredith's *The Ordeal of Richard Feverel* (1859) in which, as he says, the hero finally 'gets back to the earth' (111), Leonard's weak heart reveals the extent to which he has 'lost the life of the body'. Forster's hopes for the future centre on the representative of the next generation of Basts, the child whom Leonard has fathered on Helen Schlegel and who is last seen growing up at Howards End. Howards End with its wych-elm tree set with pigs' teeth was the family home of Ruth Wilcox, whose reverence for the past, Forster writes, constitutes 'that wisdom to which we give the clumsy name of aristocracy' (22). But Howards End is no more than a modest farmhouse, and Ruth is the bearer of the spiritual essence, not the reality of aristocratic culture.[30] The house has passed through the hands of the Wilcoxes, who are described as 'destroyers' of the earth (301), but in the end it will be left to the Schlegels and Basts. Forster writes of the 'Imperial' type, a type that 'breeds as quickly as the yeoman, and as soundly', that 'the earth that he inherits will be grey' (301). *Howards End* concludes with a fragile and rather mawkish attempt to turn back imperial development thanks to the recovery of an England capable of restoring the life of the body and holding the suburbs at bay. There is, in the words of the Woodman in 'The Abinger Pageant', '*another England, green and eternal*'; a corner of Hertfordshire that is, so to speak, still Heartfordshire.[31]

Wells and Lawrence

The themes of destructive imperialism and a possible return to the land can be traced in two of Forster's contemporaries, H. G. Wells and D. H. Lawrence. Wells's *Tono-Bungay* (1909) ends with the hero, a scientist and engineer, leaving England behind on the first voyage of an experimental naval destroyer. His comic romance *The History of Mr Polly* (1910), however, shows the protagonist, a downtrodden small shopkeeper, escaping into a romance world of cakes and ale in an English country inn. The transition from satirical comedy to dream romance in *Mr Polly* influenced later English novelists, notably George Orwell in *Coming Up for Air* (1939), but there is no such escape on offer in *Tono-Bungay*.

In Wells's major novel of England's destiny, Edward and George Ponderevo, the patent-medicine tycoon and his nephew, are fugitives from the countryside who come to London to seek their fortunes. George, Wells's narrator, is a social observer who casts his observations in the scientific language he has learned as a biology student. His concern is with shapes and structures, with social anatomy and taxonomy. Pre-industrial England had a clearly articulated structure, which he calls the 'Bladesover system' after the great country house where his mother was housekeeper. The nation's commercial and industrial development has covered the land with hypertrophied and potentially cancerous urban sprawl, while many of the country estates have been bought up by a new, 'pseudomorphous' gentry, often of Jewish descent.[32] Edward Ponderevo, whose name implies foreign origins, also becomes the 'pseudomorphous' owner of a large country house.[33] When Edward's business collapses he flees to France to escape his creditors, while George at the end seems ready to emigrate to the United States, since (thanks to the Admiralty's lack of interest) his experimental warship 'isn't intended for the empire, or indeed for the hands of any European power' (389). *Tono-Bungay* began life as a serial in Ford Madox Ford's *English Review*, and it seems that George, like the European immigrants whom Ford described in *The Spirit of the People*, is following the course of empire westwards.

There is, then, a fluid indeterminacy about George's concern with England's future. Early in the novel he uses the analogy of an early form of slide projector:

The new order may have gone far towards shaping itself, but just as in that sort of lantern show that used to be known ... as the 'Dissolving Views', the scene that is going remains upon the mind, traceable and evident, and the newer picture is yet enigmatical long after the lines that are to replace those former ones have grown bright and strong, so that the new England of our children's children is still a riddle to me. . . . In the meantime the old shapes, the old attitudes remain, subtly changed and changing still, sheltering strange tenants. (15–16)

Wells's choice of the 'Bladesover system', the land tenure of the ruling classes (and specifically of the Whig aristocracy) as the foundation for this social model suggests that he views the commercial development and financial corruption of modern England in a similar way to Trollope in *The Way We Live Now*. George Ponderevo, however, lacks the basic soundness of Trollope's erring Paul Montague, let alone his straitlaced Roger Carbury. George's narrative begins with his offhand confession that, in the course of an illegal prospecting mission, he once murdered an African native. Later in a moment of introspection he comments that 'It may be I see decay all about me because I am, in a sense, decay' (382). As one critic has observed, 'it is difficult to guess where Wells's ostensible purpose in writing the book—exposure of the condition of England—leaves off, and a more uncanny, undiluted fascination with evil takes over'.[34] George is at once a Fellow of the Royal Society and a desperate adventurer, a devotee of impersonal scientific truth and a designer of warships. Both his marriage and his love affair with the aristocratic Beatrice Normandy are childless and sterile. He has little, if any, personal stake in the 'new England of our children's children' about which he speculates so freely.

The source of the Ponderevos' intoxicating rise to power and wealth is not a constructive scientific invention but a trashy patent medicine. The novel portrays a spectacle of unbridled capitalism which is, apparently, leading the nation to ruin. The name Bladesover suggests 'the poised sickle of Father Time', as one critic remarks, and also the flaming sword guarding a paradise to which modern humanity can never return.[35] The title of the penultimate chapter is 'Love among the Wreckage', and this is succeeded by the voyage of the destroyer down the Thames, a voyage which seems to George 'to be passing all England in review. . . . To run down the Thames so is to run one's hand over the pages in the book of England from end to end' (382–4). England here has become a history book or a museum, while the panorama seen from the river is a 'London symphony' (a phrase that inspired the London Symphony of the composer Ralph Vaughan Williams). The first movement of Wells's 'symphony' invokes the royal and religious associations of Kew and Hampton Court, while the second movement includes Parliament, New Scotland Yard, the Inns of Court, and the City. But the third part 'is beyond all law, order and precedence, it is the seaport and the sea'; it is the chaotic hub of modern global capitalism, and, beyond it, 'windy freedom and trackless ways' (386–7). So *Tono-Bungay* with its 'Dissolving Views' ends with an allegory suggesting England's dissolution.

D. H. Lawrence knew the novels of Forster and Wells, and his work alternates between Forsterian optimism and the pessimism of *Tono-Bungay*. The central symbol of *The Rainbow* (1915) consciously or unconsciously alludes to Forster's image in *Howards End* of the 'rainbow bridge' which connects the 'prose in us with the passion': 'Without it we are meaningless fragments, half monks, half beasts, unconnected arches that have never been joined into a man' (174). Lawrence uses the rainbow symbol primarily to signify the achievement of sexual connection between man and woman, but it also stands for the succession of generations and for an apocalyptic reconstruction of English society. So, at the novel's conclusion, his heroine Ursula Brangwen sees 'in the rainbow the earth's new architecture, the old, brittle corruption of houses and factories swept away, the world built up in a living fabric of Truth, fitting to the over-arching heaven'.[36] Lawrence embraces transcendental religion where Wells embraces social science, but both are prophetic novelists, as this passage suggests.

Lawrence wrote in an autobiographical essay that the countryside surrounding the Nottinghamshire mining district where he grew up was 'still the old England of the forest and agricultural past'. It was 'the old agricultural England of Shakespeare and Milton and Fielding and George Eliot'.[37] But in *The Rainbow* the immemorial rural past has been brought to an end by the building of a canal around 1840, to carry barges to and from the rapidly expanding collieries. In the next generation, Tom Brangwen of the Marsh Farm marries a Polish immigrant. Tom's marital happiness is largely inarticulate and instinctive, but in each succeeding generation there are greater obstacles to sexual and emotional fulfilment. Thus Will Brangwen is 'aware of some limit of himself, of something unformed in his very being, of some buds which were not ripe in him, some folded centres of darkness which would never develop and unfold whilst he was alive in the body' (210). When Will's daughter Ursula, at the age of 15, first meets the Anglo-Polish Anton Skrebensky, she feels that he is one of the 'Sons of God' (292), but they soon prove to be sexually, intellectually, and emotionally incompatible. Ursula is moved by her generation's feminism and by her experiences outside the home as a teacher and a university student; Anton, an orphan, becomes an army officer and transfers his affections from his family to his regiment. Ursula is in search of self-fulfilment, while Anton finds his fulfilment in devotion to the state. As he prepares to go out to India, Ursula foresees his role as a Kiplingesque servant of empire:

He would become again an aristocrat, invested with authority and responsibility, having a great helpless populace beneath him. One of the ruling class, his whole being would be given over to the fulfilling and the executing of the better idea of the state. And in India, there would be real work to do. The country did need the civilization which he himself represented: it did need his roads and bridges, and the enlightenment of which he was part. . . . But that was not her road. (443–4)

Ursula rejects Anton just as Jane Eyre rejects the missionary St John Rivers, and her final vision of the rainbow confirms that she has been right to do so. In Lawrence's sequel *Women in Love* (1920), Ursula finds personal fulfilment with Rupert Birkin, but the couple (a schoolteacher and a school inspector) give up their jobs, leave the country, and resign any responsibility for England's future. They 'want to be disinherited', Birkin says.[38]

Anton Skrebensky's spiritual successor in *Women in Love* is Gerald Crich, the ex-army officer who takes over his father's business and ruthlessly stamps his will and authority on the coal mines. Faced by a 'world of creeping democracy', he imposes a ruthlessly efficient, autocratic regime:

There was a new world, a new order, strict, terrible, inhuman, but satisfying in its very destructiveness. The men were satisfied to belong to the great and wonderful machine, even whilst it destroyed them. It was what they wanted. . . . Otherwise Gerald could never have done what he did. (244, 260)

It has been objected that this passage bears no relation to actual social history, since there was intense industrial militancy among the mineworkers in the early twentieth century.[39] But Lawrence was writing during the First World War, so that this aspect of the novel may be read as a displaced response to the mass self-sacrifice entailed in trench warfare. Gerald is a military officer transferring the lessons of military discipline to the coalfields (where they probably would not have worked), but the destructive social machinery that he creates has numerous twentieth-century parallels. And Gerald himself is a symbol of death, failing as a lover and eventually committing suicide.

The First World War kept Lawrence in England like a prisoner, and after 1918 his spiritual odyssey took him to Italy, Australia, and the United States. *The Lost Girl* (1920) and some of his stories depict English heroines who, like Forster's Lilia Herriton, take a one-way trip to Italy.

But in *Lady Chatterley's Lover* (1928) the novelist returned to England with a redemptive sexual romance of love in a modern Sherwood Forest. For Lawrence as a child, as he later recalled, 'the mines were, in a sense, an accident in the landscape, and Robin Hood and his merry men were not very far away'.[40] Mellors, the gamekeeper who makes love to Connie Chatterley in his woodland hut, is a kind of Robin Hood, with the maimed coal-owner Sir Clifford Chatterley as the Sheriff of Nottingham.

Lady Chatterley's Lover is, self-consciously, a novel written in the aftermath of the Great War. The sharp, brittle surface of Lawrence's later narrative style masks a crisis of language, since 'All the great words, it seemed to Connie, were cancelled for her generation: love, joy, happiness, home, mother, father, husband, all these great, dynamic words were half dead now, and dying from day to day'.[41] But the word 'England' carries a much greater emotional charge in *Lady Chatterley's Lover* than in *The Rainbow* or *Women in Love*: 'England my England! But which is *my* England?' the narrator asks (162). The Chatterleys of Wragby try to straddle agricultural and industrial England, preserving the old oak forest on their estate which Clifford sees as 'the old England, the heart of it' (44); but Clifford's father, who 'stood for England and Lloyd George as his forebears had stood for England and St George' (12), has been forced to fell much of the timber for trench-props. The novel shows Connie's return to the forest, where she becomes pregnant with Mellors's child; and it also endorses Mellors's prophecy of the coming death of the industrial system.

Connie Chatterley, daughter of a Fabian mother and a titled Royal Academician, has lived in Germany as a young woman. Like the Schlegel sisters she has what Lawrence calls 'the cosmopolitan provincialism of art that goes with pure social ideals' (6). Clifford Chatterley too is an intellectual, a younger son who has become the heir of Wragby after his brother's death; he is ill-suited to his role as a landowner even before he is crippled in the trenches. Lawrence's greatest difficulty, as he worked through the several successive drafts of *Lady Chatterley's Lover*, was with the character of Mellors. Like Robin Hood he is a gentleman in disguise, a former army officer who is content with his job as a servant on the Chatterley estate.[42] His reversion to Nottinghamshire dialect is a deliberate choice, since he has learnt to speak Standard English. In some respects he is a humanized, more potent version of Anton Skrebensky, since for all his sexual vitality and independence he subscribes, or part of him subscribes, to an ethic of service. He leaves the Wragby estate for a job that he has been given by an old army contact, working as a farm labourer in preparation for a future in which he and Connie will become smallholders.

In the family where Mellors is last seen lodging, there is a 'long gawky lass training for a school-teacher' (313) whom he helps with preparing her lessons, but Lawrence, himself a former teacher, cannot really imagine a constructive role for the schoolteacher in building the new England. The utopia of which Mellors dreams will find its salvation in the body rather than the mind, in aesthetics rather than education or politics; it will not be an educated England. Like the future imagined in William Morris's utopian romance, it will be a land of rich architecture, dignified manual labour, and beautifully dressed people—but not too many of them. Connie's right to experience sexual fulfilment and give birth to a child is part of the basic justification that Lawrence offers for her triumphant adultery, but sex in the future will be 'unnatural' in the sense of being separated from procreation. As Mellors says to Connie when they are naked together in the forest, ' "An' clean the country up again. An' not have many children, because the world is overcrowded" ' (229).

Virginia Woolf: The Splintering Frame

The social novels of Forster, Wells, and Lawrence pursue their questioning of England's destiny within the broad framework established by their predecessors in fiction. *Tono-Bungay* and *The Longest Journey* are examples of the *Bildungsroman*; *Howards End*, *The Rainbow*, and *Women in Love* are in large measure novels of courtship; and *Lady Chatterley's Lover* is Lawrence's attempt to defy the traditionally tragic outcome of the European novel of adultery. At the same time, the three authors were manifestly ill at ease with these inherited structures. Wells's case is the most blatant, since he quarrelled with Henry James over the art of fiction, and later wrote that *Tono-Bungay* was the nearest he had come to 'a deliberate attempt upon The Novel'.[43] Forster as a novelist relapsed into silence after *A Passage to India* (1924), while Lawrence's fiction like Wells's became increasingly propagandistic. Some of Lawrence's finest later work was in the form of fables and short stories. Meanwhile, the outspoken sexual vocabulary of *Lady Chatterley's Lover* cut it off from the English reading public for more than thirty years.

Forster, Wells, and Lawrence were anxious to avoid the leisurely historical retrospect of so many Victorian novels, which both begin and end in a world that the writers acknowledge has already disappeared. Virginia

Woolf shared her predecessors' explicit concern with 'the way we live now', but believed that only new and experimental fictional structures could render it adequately. Nevertheless, her early novels *The Voyage Out* (1915) and *Night and Day* (1919) are manifestly continuous with Edwardian fiction. Throughout her career she remained a literary intellectual appealing to Meredith's 'conscience residing in thoughtfulness', and she was as deeply concerned with national history and destiny as any of her contemporaries.

This concern, it is true, is one that both she and her characters sometimes seem inclined to repudiate. In her political essay *Three Guineas* (1938) Woolf affirmed that 'as a woman, I have no country.... As a woman my country is the whole world'.[44] English history and the English literary canon, she argued, were oppressively dominated by men. This may be why her characters find so little inspiration in the compulsory study of history. Rachel Vinrace in *The Voyage Out* is unenthusiastic about Gibbon's *Decline and Fall*, while in *Night and Day* (1919) a reluctant Cassandra Otway is told to read Macaulay's *History of England*. Miss Kilman is employed to teach history to Clarissa Dalloway's daughter in *Mrs Dalloway* (1925). Kitty Malone in *The Years* (1937) has a tutor whose *Constitutional History of England* is prescribed reading. Woolf evidently sympathizes with these bored and put-upon young minds. At Cambridge the protagonist of *Jacob's Room* (1922) is set an essay on whether history is the same thing as the biographies of great men, a question that doubtless meant more to him than to Woolf's young ladies. Woolf herself sometimes mocked the conventions of male biography, of which her father, Leslie Stephen, the editor of the *Dictionary of National Biography*, was an acknowledged master. And yet she makes her peace with historical writing in her last novel, *Between the Acts* (1941), where Lucy Swithin is an ardent student of history, and the plot is based on the performance of a pageant representing English history from its earliest times. Moreover, this pageant has a female author.

The Voyage Out satirizes conventional English patriotism in the person of Richard Dalloway, a Tory politician later to reappear in *Mrs Dalloway*. The Dalloways, shipboard companions of Rachel and her father, fondly contemplate 'the line of conservative policy, which went steadily [backwards] from Lord Salisbury to [King] Alfred'.[45] Richard is an ardent imperialist who can conceive 'no more exalted aim' than to be a citizen of the Empire. But his female listeners are unimpressed and, for his part, he complains that ' "I have never met a woman who even saw what is meant by statesmanship" ' (69). Richard and his ideology then smartly leave the ship, which is carrying a group of British settlers and holidaymakers to Brazil. The narrative 'voyage out' is one-way, and some of the passengers will never return.

But this is almost the only significant instance where one of Woolf's narratives ventures outside Great Britain. London and, specifically, Westminster, are 'the very centre of it all' in *Night and Day* and again in *Mrs Dalloway*.[46] *Orlando* (1928) begins in a great country house whose grounds contain a hill crowned by an oak tree from which 'thirty or perhaps forty' English counties and the peaks of Scotland and Snowdonia can be seen (a botanical and geographical impossibility).[47] In less whimsical vein, Kitty Malone climbs to a hilltop on her husband's estate in the spring of 1914 and lies there listening to 'the land itself, singing to itself, a chorus, alone'.[48] These scenes seem to confess what one critic has called Woolf's 'deep and perhaps helpless love of England'.[49] They prepare us for the social and historical panorama presented in microcosm in *Between the Acts*, which is Woolf's most direct exploration of national destiny.

Between the Acts is the story of a village pageant and a country house-party at Pointz Hall in the 'very heart of England'.[50] It sounds like a recipe for complacent nostalgia, and one contemporary critic, the American Malcolm Cowley, described it as a portrait of 'England under glass'.[51] But the date, June 1939, should give us pause, and Woolf's opening sentence ironizes her whole conception: 'It was a summer's night and they were talking, in the big room with the windows open to the garden, about the cesspool' (3). A new municipal cesspool or sewage works is being built to serve the expanding local population now that a car factory and an aerodrome have been sited nearby. (Luckily none of these things can be seen from the windows of Pointz Hall, but then the house is built in a hollow.) Mr Oliver, a retired Indian civil servant, observes that the site for the cesspool is 'on the Roman road': 'From an aeroplane, he said, you could still see, plainly marked, the scars made by the Britons; by the Romans; by the Elizabethan manor house; and by the plough, when they ploughed the hill to grow wheat in the Napoleonic wars' (3–4). This is the novel's first historical panorama, taking us from the ancient Britons to the Napoleonic Wars which enabled the newly rich Olivers to buy their country estate. It suggests a neatly stratified sequence of development, a series of 'scars' clearly marked out in time and space. The landscape seen from the aeroplane, the annual pageant (acted by villagers but watched by the local gentry), and the building of the cesspool all point to one thing: the progressive theory of English history.

Progressive history is implied by the biographies of Palmerston and Garibaldi in the library at Pointz Hall, although the twentieth-century Olivers are portrayed as hidebound reactionaries. It is present in the 'Outline of History' that Lucy Swithin is reading (10), and which enters the narrative through her interior monologue. This 'Outline' has been taken to suggest H. G. Wells's bestselling account of world history published in 1920. The passages that Lucy remarks, however, have a specifically English focus that can be traced to the early chapters of Trevelyan's *History of England*. Woolf's diaries and notebooks show that she was reading Trevelyan's history during the last months of 1940.

George Macaulay Trevelyan, to give him his full name, was six years older than Virginia Woolf. Both were born into almost exactly the same segment of the English upper-middle classes, the so-called 'intellectual aristocracy' grouped around London and Cambridge. Trevelyan was the great-nephew of Lord Macaulay and the son of Sir George Otto Trevelyan, a Liberal cabinet minister and Lord Macaulay's biographer. The 'whig interpretation of history' ran in Trevelyan's blood, but it did not endear him to English novelists. Wells in *The New Machiavelli* (1911) had called him 'one of those unimaginative men of letters who are the glory of latter-day England'.[52] Trevelyan and Woolf were slightly acquainted, and cordially disliked one another. When Trevelyan became Master of Trinity College, Cambridge, in 1940, Woolf wrote in her diary that he was the 'complete Insider', 'the perfect product of the Universities'. Her father had also been an 'Insider':

Insiders write a colourless English. They are turned out by the University machine. I respect them. Father was one variety. I dont love them. I dont savour them. Insiders are the glory of the 19th century. They do a great service like Roman roads. But they avoid the forests and the will o' the wisps.[53]

Three weeks later, when Coventry Cathedral had just been destroyed by German bombers and she was about to finish a draft of *Between the Acts*, she wrote more appreciatively of the *History of England*: 'And pin my faith still to Trevy's history. And now return to that' (339). Trevelyan, she thought, occupied a 'low rung' on the ladder of art, but nevertheless she copied passages from his history into her notebooks.

Woolf's comparison of the 'Insider' to a Roman road reminds us of the Roman road which is the site for the cesspool in *Between the Acts*. Woolf associates Roman roads with conventional male history and biography, as when Bernard in her novel *The Waves* (1931) speaks of the 'biographic style...laid like Roman roads across the tumult of our lives'.[54] Roman roads were laid across the primeval forest, or what Trevelyan calls the 'virgin woodland wilderness of all England',[55] which appeals to Lucy Swithin as she reads her 'Outline of History': ' "England," she was reading, "was then a swamp. Thick forests covered the land. On top of their matted branches birds sang . . . " ' (196). The pageant in *Between the Acts* is held on an open-air terrace framed with trees, and it begins with an empty stage and the producer, Miss La Trobe, hiding behind a tree. A small girl representing England emerges from behind the bushes. In *Between the Acts* the primordial essence of England is represented as a feminized virgin forest.

Village pageants had earlier appeared in John Cowper Powys's novel *A Glastonbury Romance* (1932) and Anthony Powell's *From a View to a Death* (1933), and, as we have seen, E. M. Forster had written two historical pageants. One of Woolf's working titles was simply 'The Pageant'. Her innovation was to imagine a pageant with a female author, Miss La Trobe, who presents a highly ambitious and implicitly feminist version of English history. Its principal episodes parody upper-class fiction and drama from the periods of the three great female reigns, those of Queen Elizabeth, Queen Anne, and Queen Victoria. The pageant's most dramatic and experimental moment comes at the end, with the scene described in the programme as 'Present time. Ourselves' (158). Some of the audience want a grand ensemble with the Union Jack and the army and navy, as in the popular Empire Day celebrations of the period.[56] But Miss La Trobe offers nothing of the kind. At first the stage is empty and the audience are left to their own devices, but then the actors suddenly reappear, holding up mirrors which are pointed at the audience. These offer a splintered, discordant, almost Cubist version of social reality, a vision of modern people as *'orts, scraps and fragments'* (169). There follows a well-meaning speech by the local vicar, rudely interrupted by a flight of warplanes roaring overheard. We are back amid the ominous uncertainties of June 1939.

Woolf's eventual title for her novel refers to the deceptive interlude between two world wars, as well as to what seems a brief intermission in the marital conflict of the young couple at Pointz Hall, Isa and Giles Oliver. The novel mirrors the play—the actors holding up mirrors to the audience suggest the troubled mutual gaze between the writer and her readers—while Miss La Trobe, the play's author and producer who is last seen beginning to devise her next drama, is also an important fictional character and symbol. Her name suggests a troubador or wandering minstrel, but like Lucy Swithin she retains a female connection to the primeval forest. (The words 'arboreal' and 'arboretum' are near-anagrams of La Trobe.) She first appears in the novel 'pacing to and fro between the leaning birch trees' (57), and by the end of the performance her fidgety anxiety and rootedness to one spot have worn a hole in the grass, rather as if she were a tree herself. Another female figure, Lady Haslip, is also connected to the forest. We are never told her maiden name, but she is described as 'indigenous' and 'prehistoric' (183) and compared to an 'uncouth, nocturnal animal, now nearly extinct'. Her marriage with the local peer has 'obliterated in his trashy title a name that had been a name when there were brambles and briars where the Church now stood' (84). Miss La Trobe and Lady Haslip are two of Woolf's 'Outsiders', women who—unlike the male builders of cesspools and Roman roads—have barely emerged from the forest.

Between the Acts, then, may be seen (as one recent critic has put it) as an attempt to re-establish a vision of national identity based on 'pastoral memory' in opposition to the nationalism of Britain's imperial mission.[57] To this extent it returns to the programme of *The Longest Journey* and *Howards End* and, to a certain extent, of *Lady Chatterley's Lover*. But *Between the Acts* is far from echoing the complacency of those twentieth-century historical pageants which 'managed to represent hundreds of years of English history by suggesting that all the important things had stayed the same'.[58] Far from being reassuring, the novel's natural symbolism is deeply unsettling, resisting any cosy or idealized version of the primeval forest. On the one hand, the warplanes fly overhead 'in perfect formation like a flight of wild duck' (174); on the other, 'nature' is represented by a chorus of birds 'attacking the dawn like so many choir boys attacking an iced cake' (7), by a snake which has been suffocated in the act of swallowing a toad, and by a flock of starlings whose 'quivering cacophony' (188–9) as they settle on a tree is as raucous and violent as a dive-bomber attack. The symbolism serves as a background to Isa Oliver's emotional turmoil as she considers her unfaithful husband, with whom she expects to end that day in an act of love from which 'another life might be born' (197).

What is implicit at the end of the novel is that any child about to be born to the Olivers will grow up in a very different world, since the genteel life of Pointz Hall has no immediate future. From late 1939 onwards some 2,000 English country houses were requisitioned by the War Ministry, mostly for the use of the Air Force, and Pointz Hall, being close to an aerodrome, is highly likely to be one of these.[59] The novel offers no intimations of this, but it shows Pointz Hall as being caught between the male brutality of impending war (including the report of the gang-rape of a girl in a London barracks and news of Nazi atrocities) and the primordial brutality of nature. The artificially prolonged serenity of the country-house weekend will soon be shattered. Meanwhile Miss La Trobe is planning her next play—not a historical pageant this time, but an elemental drama set in prehistoric times in a 'land merely, no land in particular' (189). *Between the Acts* thus ends by suggesting that the pageant of national history as seen by an 'Insider' such as Trevelyan is now effectively over. The nation has a future, but Woolf (who committed suicide immediately after finishing the novel) implies that the future will be nasty, brutish, and very likely short.

From England as a Family to England as Nightmare: George Orwell

George Orwell's early novels set in England are a mixture of nightmare and dream romance, of gloomy realism and quixotic rebellion. Gordon Comstock in *Keep the Aspidistra Flying* (1936) is at the mercy of the 'money-god' of bourgeois respectability symbolized by the aspidistra, the indestructible rubber plant that he calls the 'flower of England': 'It ought to be on our coat of arms instead of the lion and the unicorn. There will be no revolution in England while there are aspidistras in the windows.'[60] George Bowling in *Coming Up for Air* (1939) is possessed by the power of prophecy which turns him into a modern Cassandra, 'the only person awake in a city of sleep-walkers'. 'It seemed to me that I could see the whole of England', he writes, 'and all the people in it, and all the things that'll happen to all of them;' and what he foresees is war, Fascism, and destruction.[61] These pre-war novels prepared the ground for *Nineteen Eighty-Four* (1949), yet Orwell's most devastating vision of England and its destiny was also influenced by his experiences as a combatant in the Spanish Civil War and as a civilian in wartime England.

Homage to Catalonia (1938), his account of the Spanish War, ends with Orwell returning to his homeland disillusioned and physically shattered, the victim of political betrayal as well as a Fascist bullet. Landing at Dover, he travels through the Kent countryside, 'probably the sleekest landscape in the world', to

the huge peaceful wilderness of outer London, the barges on the miry river, the familiar streets, the posters telling of cricket matches and Royal weddings, the men in bowler hats, the pigeons in Trafalgar Square, the red buses, the blue policemen—all sleeping the deep, deep sleep of England, from which I sometimes fear that we shall never wake till we are jerked out of it by the roar of bombs.[62]

The language of sleep, dreaming, and waking is always significant in Orwell, so it is notable that, after two years of vehement opposition to the coming 'imperialist war', he himself awoke one morning in the summer of 1939 after a dream which revealed to him that he was really a loyal British patriot at heart. A year later he wrote the first of his two extended essays on Englishness and the national character, *The Lion and the Unicorn: Socialism and the English Genius* (1941). Early in this essay he relives the moment of re-entry into England that he had described in *Homage to Catalonia*: 'When you come back to England from any foreign country, you have immediately the sensation of breathing a different air.'[63] The air is soporific, but also gentle. The 'gentle manners' of the English are, Orwell says, common to all classes (57). He calls England 'the most class-ridden country under the sun' (67), but does not remark on the fact that, in earlier times, the phrase 'gentle manners' would have suggested a purely sociological observation of upper-class behaviour. Instead, England's gentleness leads him to say that 'the nation is bound together by an invisible chain' (67), and, in one of his most famous pronouncements, to reduce national tensions to a family quarrel (74).[64]

   Anthony D. Smith has remarked that the metaphor of the family is indispensable to nationalism,[65] and the fact that the family–state analogy was already a commonplace will have recommended it to Orwell as a political pamphleteer. But his development of the metaphor in *The Lion and the Unicorn* reveals the eye of the novelist, not the political theorist or propagandist. (Doubtless it is a sign of Orwell's republicanism that his national family has no father or mother, but orphans are commonplace in classic English novels.) The passage runs as follows:

England is not the jewelled isle of Shakespeare's much-quoted passage, nor is it the inferno depicted by Dr Goebbels. More than either it resembles a family, a rather stuffy Victorian family ... with all its cupboards bursting with skeletons. It has rich relations who have to be kow-towed to and poor relations who are horribly set upon, and there is a deep conspiracy of silence about the source of the family income. It is a family in which the young are generally thwarted and most of the power is in the hands of irresponsible uncles and bedridden aunts. Still, it is a family. It has its private language and its common memories, and at the approach of an enemy it closes its ranks. (68)

Searchlight Books, the series for which Orwell wrote his essay on the English character, was devised in response to the Battle of Britain, but earlier in 1940 he had used the same title, 'The Lion and the Unicorn' for a very different project. It is hard to read his picturesque account of the national family without recalling his unfulfilled plan, announced in letters to his friends in 1939 and 1940, to write a huge novel which he called a 'family saga'.[66]

Orwell scholars have been quite dismissive about this unwritten work, for which only a few notes survive. His biographer Bernard Crick calls it a 'socialist Forsyte Saga', while the editor of his *Complete Works* speculates that he must have planned it 'when time lay heavy on his hands' at Wallington, the remote Hertfordshire village where he lived in 1939–40.[67] Orwell's notes for the long novel that he abandoned describe a stuffy, shabby-genteel family in which his unnamed hero (referred to as 'H') is brought up by his elderly, conservative aunts. The stifling atmosphere of his childhood was to have been conveyed through a series of catchphrases, proverbs, and commonplaces, which Orwell carefully jotted down. The notes deal with H's sexual frustration and confinement within the family, but they also show him as being destined, like Orwell himself, to become a volunteer in the Spanish Civil War. There is a scene at Charing Cross Station in 1918 where H, presumably still a schoolboy (certainly he is too young to fight), catches sight of an older cousin in officer's uniform being brought back from France on a stretcher. He contrasts the soldier's lot with his own comfort, and the notes state that 'His death in Spain in 1937 is a direct result of this vision'.[68] There is very little more, though it is hard to believe that his death would have ended the story.

Orwell's unwritten novel has a bearing on a crucial contradiction in *The Lion and the Unicorn* and its successor *The English People* (1947)— the fact that these essays purport to describe a settled and permanent national character at a time not merely of domestic political change, but of invasions, foreign wars, and the mass displacement and emigration of peoples across Europe. Orwell is much less alive to the possible implications of mass immigration than Ford Madox Ford had been in *The Spirit of the People*, although Ford was writing in what came to be seen as the golden years of stability before the First World War. Admittedly, in *The English People* Orwell acknowledges that the 'chances of war' have 'brought to England, either as soldiers or as refugees, hundreds of thousands of foreigners who would not normally have come here, and forced them into intimate contact with ordinary people'.[69] But he plainly envisages these 'foreigners' as being like the US forces stationed in Britain—temporary visitors, that is, like himself and his fellow international volunteers in Spain, who would eventually depart having made no impact on the national character. The idea of national identity as involving voluntary identification and partial or temporary affiliation to a national community does not seem to occur to him. Instead, the 'English character' that he describes is organic and permanent. England, he writes in *The Lion and the Unicorn*, 'like all living things', has 'the power to change out of recognition and yet remain the same' (78).

But in *Nineteen Eighty-Four* England has not remained the same. Orwell's most influential novel is a dystopian satire in which the nation has been replaced by Airstrip One, the third most populous province of Oceania (a superpower formed by the absorption of the British Empire into the United States).[70] In theory Oceania should differ sharply from a traditional political empire, since the new state has no capital and none of its 300 million inhabitants feel that they are a 'colonial population' ruled from a distance (167). Thus Airstrip One has a manifestly British rather than American urban landscape, even though its currency is the dollar. But for all its size Oceania, with its leader called Big Brother, is a vast parody of the nuclear family. When Winston Smith, Orwell's hero, attempts to rebel against it he is caught, imprisoned, tortured, and re-educated by a single individual, who plays the role of a stern but understanding father. Oceania so far as Winston is concerned is a family with O'Brien in control.

Since it is designed to supplant both family and nation, Oceania systematically destroys conventional family and national structures. Children are taught to spy on and betray their parents, sex between married couples is overseen by the state, and the very name of England has been successfully expunged. Winston, aged 39, reflects that in his child-hood 'Even the names of countries, and their shapes on the map, had been different. Airstrip One, for instance, had not been so called in those days: it had been called England or Britain, though London, he felt fairly certain, had always been called London' (29). His uncertainty is telling. The lingua franca of Oceania is still called English, but is rapidly being replaced by Newspeak, and the original texts of English literature will be destroyed once they have been translated into the new language. The concept of a national origin is perpetuated only in the name of the state ideology, Ingsoc, which means English socialism. (One must wonder what the state ideology is called in Oceania's other provinces.)

Orwell in *The Lion and the Unicorn* had written blithely of an English socialist revolution in which 'the Stock Exchange will be pulled down, the horse plough will give way to the tractor, the country houses will be turned into children's holiday camps, the Eton and Harrow match will be forgotten, but England will still be England' (78). In *Nineteen Eighty-Four*, however, 'England' is like Winston's glass paperweight enclosing a fragment of coral, a 'tiny crinkle of pink' resembling a rosebud or a heart (177). At times Winston dreams that his whole life is inside the paperweight, but at the moment of his arrest the Thought Police smash it to pieces. 'England' survives as a place only in Winston's memory, but, as we soon discover, his innermost feelings and memories can be altered and tampered with by O'Brien. The destruction of the nation's military and ecclesiastical history is made evident when Winston visits Victory Square (formerly Trafalgar Square). The church of St Martin-in-the-Fields has become a propaganda museum, while the figure of Big Brother has been placed on what was formerly Nelson's column. Nearby is an equestrian statue which Winston is able to identify as that of Oliver Cromwell. Orwell's appendix on 'The Principles of Newspeak' states that 'Considerations of prestige made it desirable to preserve the memory of certain historical figures, while at the same time bringing their achievements into line with the philosophy of Ingsoc' (251). Cromwell's imposition of a Puritan tyranny in place of the British monarchy makes him an appropriate forerunner of Big Brother.

At least the names, if not the works, of the great English writers are expected to survive. Orwell's appendix mentions Shakespeare, Milton, Swift, Byron, and Dickens. The poet Ampleforth is imprisoned for failing to find a substitute for the word 'God' in his corrected version of one of Kipling's poems (it has to rhyme with 'rod'). After Winston dreams of the 'Golden Country'—a Home Counties rural landscape—he wakes up 'with the word "Shakespeare" on his lips' (28). The narrator offers no comment, but it is evident that Shakespeare here stands for Englishness.[71] Later, Orwell's protagonist enters one of 'the drinking-shops which the proles frequented ("pubs", they called them)' (71) and questions an old man about his memories of the past. To him, the old man's stream of personal recollections is 'nothing but a rubbish-heap of details' (77), although the reader is likely to judge otherwise. Winston at his most optimistic believes that the people must one day awaken and that 'If there was hope, it lay in the proles' (175). They are at least fecund, while his love for Julia is barren. O'Brien tells Winston that he is the 'last man', and that 'Your kind is extinct; we are the inheritors' (217). In fact, the national inheritance is left to be contested between the Machiavellian tyrants of the Inner Party and the despised, uneducated proles. If anything of the English nation remains undestroyed, it will have to be recovered from the 'rubbish-heap of details' (such as the old man's memories) that members of the Party have overlooked as insignificant. Among the fragments that have survived unnoticed both in the intellectual and the popular memory are snatches of an old nursery rhyme, 'Oranges and lemons', with its litany of London church bells. But the rhyme ends with 'Here comes a chopper to chop off your head' (82), which in itself symbolizes Orwell's gloomy prophecy of England's destiny.

Throughout his life he took a strong interest in what he called 'Utopia books', including the late nineteenth-century apocalyptic fantasies mentioned at the beginning of this chapter. Wells's *When the Sleeper Wakes* (1899), a vision of a twenty-first-century totalitarian state brutally suppressing an underclass of industrial workers, made a particularly strong impression. *Nineteen Eighty-Four* belongs in this tradition and, like some of its predecessors, it is awkwardly poised between imaginative fiction and a book of essays, between satire and political prediction or warning. At the same time, *Nineteen Eighty-Four* is a novel of England's destiny in a sense that is not true of its great dystopian rival, Aldous Huxley's *Brave New World* (1932). The latter, though mainly set in London, portrays a world state in which national loyalties have lost all meaning and global travel and interchange are frequent. In *Nineteen Eighty-Four*, however, the setting is claustrophobically confined to Airstrip One, to London, and then to a single cell in the heart of a vast Ministry building ('Room 101'). National loyalties still exist, but they have been perverted. The people of Oceania never mix with foreigners and are forbidden to learn foreign languages. England has undergone a traumatic revolutionary process—an atomic bomb has fallen on Colchester, and there has been street-fighting in London—and the common people are constantly whipped up into ecstasies of nationalist hysteria. Their assumed loyalty is to Oceania not to England, but the fact that this loyalty is purely synthetic may offer hope for the future. Winston reflects that 'They were not loyal to a party or a country or an idea, they were loyal to one another' (135). If this is true of the ordinary people, then what remains of England is still a family, with the Party and Inner Party as its jailers.

Orwell's gifts as a novelist have frequently been underestimated, but his promise was nevertheless unfulfilled. The example of *Nineteen Eighty-Four* suggests that the fiction of England's destiny could no longer be contained within the frame of the orthodox English novel, as Forster, the Wells of *Tono-Bungay*, Lawrence, and Woolf in *Between the Acts* had tried to do. There have been few, if any, fictional successors in this tradition. Visions of a future England have, instead, proliferated in the subgenres of science fiction and apocalyptic fantasy, including the novels of John Wyndham, J. G. Ballard, and many others. The moral seriousness of Orwellian satire gives place to a much lighter vein of futuristic farce in a more recent novel such as Julian Barnes's *England, England* (1998). The virtual demise of 'England's destiny' fiction is, however, a reflection of Britain's decline as a world power as well as of purely formal limitations. The idea that England's destiny must ultimately be decided elsewhere is, of course, hinted at in several of the novels discussed in this chapter, as well as in the fiction of empire to which Forster and Orwell also contributed. It was left, however, to one of Orwell's contemporaries, the critic and novelist V. S. Pritchett, to argue that the 'England's destiny' novel had ceased to be an adequate representation of 'the way we live now'. 'The great English subject, and at any rate the great subject which includes a picture of society,' Pritchett wrote in an essay collected in 1965, 'lies outside England, simply because English life itself has for long been parasitic on life abroad and does not wish to recognise the fact.'[72]

From Kipling to Independence:
Losing the Empire

I T was not until the British Empire was nearing its end that it became both a major presence in English fiction and a controversial topic in the discussion of English identity. Before Rudyard Kipling's birth in 1865 the English, in Sir John Seeley's words, had 'conquered and peopled half the world in a fit of absence of mind'.[1] There had been representations of British seafaring, trading, plantation-owning, and colonial administration in English novels since the seventeenth century, yet these activities were mostly taken for granted and nearly always kept in the background. The heroes of the early journey novels and rogue novels were likely to visit Britain's overseas settlements, but not to stay there except as fugitives from British justice. In the novel of courtship, the need to manage a colonial estate provided a convenient explanation for a lover's or father's absence. Early Victorian novels such as *David Copperfield*, *Mary Barton*, and Charles Kingsley's *Alton Locke* (1850) end with the emigration of characters who cannot find a suitable place in English society. By the end of the nineteenth century, the emphasis was no longer on the wealth to be garnered from colonial exploitation but on imperialism as an extension, or even a quintessence, of the national identity.

In 1869 John Seeley, formerly a professor of Latin at University College, London, was appointed Professor of Modern History at Cambridge. Seeley made little impact as a historian until 1883, when his lectures on *The Expansion of England* offered a fundamental challenge to the conception of the modern British nation put forward by Macaulay and his successors. The proper subject for English historians, in Seeley's view, was not the domestic politics of the British Isles but the 'Greater Britain' or 'vast English nation' spread all over the globe. England, Seeley argued, was now and in the future 'wherever English people are found' (88–9, 141). Seeley's confidence in the strength of imperial institutions makes him an intellectual forerunner of the twentieth-century Commonwealth; he was strongly opposed to the conventional liberal view that the white-settler colonies were likely to follow the United States in seeking a complete separation from the mother country. Jacques Turgot, the late eighteenth-century French statesman, had observed that colonies were 'fruits which cling to the tree only till they ripen'.[2] Seeley responded with his famous distinction between the first British empire, which culminated in the loss of the American colonies, and the second empire which had accrued since Britain's defeat of Napoleon. The second empire, including Australia, Canada, New Zealand, and South Africa, formed a single political unit that could be held together by modern communications, British naval supremacy, and the granting of dominion status and limited self-government. But Seeley saw a profound difference between the white-settler dominions and the most populous and, potentially, the wealthiest British possession—the Indian subcontinent. India, he concluded, was not and could not become part of 'Greater Britain'; it was a conquered territory that must always remain outside the limits of English nationality. Seeley was aware that British rule in India could not be sustained indefinitely, although he thought British influence there might be as long-lasting as Latin civilization in Europe.

The Expansion of England appeared just before the late nineteenth-century European 'scramble for Africa', which added further large 'non-English' territories to the British Empire. Within little more than a dozen years, the fictional representation of Central Africa passed from the epic romance of H. Rider Haggard's *King Solomon's Mines* (1886)—the prototype of the modern imperial adventure story based on a confrontation between barbaric and mysteriously glamorous natives and intrepid white explorers—to the withering disillusionment of Joseph Conrad's *Heart of Darkness* (1902). The Polish-born Conrad became deeply familiar with the Malay Archipelago during his years at sea, but made a single inland voyage into Central Africa. Haggard, born in Norfolk, spent six years in South Africa before returning home to establish himself as a popular novelist. His life story could be seen as a mirror image of that of the bestselling South African novelist Olive Schreiner, whose *The Story of an African Farm* (1883) was published during her eight-year residence in England. The contrast between the homeland and foreign territory is straightforward in Haggard, perhaps less so in Schreiner. Rudyard Kipling, who was born in Bombay, educated in England, and employed as a journalist in India until the age of 24, was a fervent British imperialist in the Seeley mode, as his *School History of England* (1911) shows. His emotional and imaginative loyalties, however, were more tangled than perhaps he was aware.

Anglo-Indian fiction begins with a thrilling adventure romance in the tradition of the earlier English rogue novel, Philip Meadows Taylor's *Confessions of a Thug* (1839). Kipling's first novel, *The Light That Failed* (1890), explicitly rejects the genre of the adventure romance even though its hero, Dick Heldar, is twice shown in the thick of imperial battles in the Sudan. Perhaps the strongest impression left by *The Light That Failed* is that of Heldar and his fellow war correspondents living bored, frustrated, drink-sodden lives in London, where they are subject to the wiles of cruel and deceitful women as they wait for their next imperial mission. Domesticity is for women, the novel implies, while masculine self-respect demands a life of overseas action. The deliberately outlandish names and nicknames of Kipling's male characters—Heldar, Torpenhow, Keneu, the Nilghai—imply their alienation from the English (or any other) mother-land. *Kim* (1901), too, is a very male book, and much closer to adventure romance than *The Light That Failed*. The novel of courtship was not a significant presence in Anglo-Indian fiction until Forster's *A Passage to India* (1924). Forster and his successors explore, but almost invariably reject, the possibility of a composite 'Indian English' identity which must be traced back to *Kim*; and the author of *Kim* is the only significant English writer from the period of empire who may also be classed as an Indian writer. Although he settled in Sussex from 1902 onwards, Kipling does not fit easily into the insular English literature of his time, and he remains a kind of test case for the complexity of national identities in colonial and postcolonial literature. His greatest contribution to English fiction takes the form of an 'Indian English' novel that is entirely set in India, and in which the hero, said to be an Englishman, is an orphan born and raised in India of Irish parentage.

Kim and 'Indian Englishness'

Almost the first thing we learn about Kipling's protagonist is that 'the English held the Punjab and Kim was English'.[3] Yet as a boy he lives in a purely Asian environment where he speaks Urdu and Hindustani as well as English, and is known as 'Little Friend of all the World'. Later, his career and prospects depend on his ability to pass as an Indian native. Kim knows nothing of England itself except what he hears from a drummer boy who has grown up in the suburbs of Liverpool, and this is so far outside his experience that he refuses to believe it. As an orphan brought up by an Indian woman, his only proofs of his Englishness are his birth certificate, his white skin, and two other mementoes left behind by his father. His nationality is confirmed when he shows these documents to the Catholic chaplain of his father's old regiment, but no sooner is his identity validated than he begins to question it, a questioning from which he will never escape.

In *Kim*, unlike traditional English fiction, race and nationality are therefore problematic from the start. Differences of identity are constantly highlighted and explained, and the narrative logic is one of inescapable hybridity and divided allegiances. The novel is full of ideological statements about Europeans and Orientals masquerading as truisms and commonplaces. Some of these reflect a callow European ignorance which the narrator uses to satirical effect—as when the Reverend Bennett pompously opines that 'one can never fathom the Oriental mind' (77)— but most carry Kipling's manifest endorsement. Kim's restlessness and impatience, his horror of snakes, and his dislike of a vegetarian diet are all, supposedly, inherited traits of the 'white man'. At the same time, his future lies among the elite of Anglo-Indian civil servants who combine strong ethnographic interests with a genius for secret intelligence work. Since their vocation is to fathom the 'Oriental mind' to its depths, they alone can fully appreciate the value of Kim's local knowledge and his Indian upbringing. The 'white man' as both secret agent and imperial master must not only recognize the alienness of the 'Indian' character: he must be able to assume that character, with none of the defects of imperfect imitation that Kipling exploits for comic effect when an Indian poses as a European.

The more Kim is trained to act like an imperial ruler, the more paradoxical his Englishness seems. But it was paradoxical at the outset, since the 'Little Friend of all the World' is the son of an Irish father, and Kipling makes several derogatory references to Kim's Irish blood. Nevertheless, the novelist was manifestly aware of the part played by the Irish in building the empire. In Thackeray's *Vanity Fair* the regimental commanding officer Major O'Dowd and his wife are Irish, and in 1830 Irish troops constituted over 40 per cent of the British Army.[4] The elite Anglo-Indian academy that Kim attends, St Xavier's at Lucknow, is a mission school run, we must assume, by Irish Catholics. Kim is recommended to go there by Father Victor, the Catholic priest of the Mavericks, whose regimental banner consists of a 'great Red Bull on a background of Irish green' (70). Kim has known the symbol of the Red Bull on a green field since his earliest childhood, and it may be taken to signify British imperial dominance over Ireland, though a bull was also the symbol of the Irish High Kings.[5] The ambiguity of Kim's parentage suggests a mirror image of this regimental device, with the colours reversed to represent his father Kimball O'Hara as an Irishman in British India. We do not know for certain whether Kim's mother, who is named as Annie Shott, was Irish, English, or (as Kim's stepmother somewhat unreliably claims) a half-caste Indian. But Kim, as a child with a British Army provenance and a white skin, is English by imperial definition.

The novel begins with a visit to the 'Wonder House' or ethnographic museum in Lahore, whose curator had been Kipling's own father. A passion for ethnography links the scholarly curator to such key figures in the British secret service as the spymaster Colonel Creighton, Kim's immediate mentor Hurree Babu, and his teacher Lurgan Sahib, whose house in Simla is another museum of native treasures. Kipling himself regarded his task as a journalist and author in India from 1882 to 1889 as a kind of ethnography. In a letter home written at the age of 20 he evokes the exoticism of Indian life:

Underneath our excellent administrative system; under the piles of reports and statistics; the thousands of troops; the doctors; and the civilian runs wholly untouched and unaffected the life of the peoples of the land—a life as full of impossibilities and wonders as the Arabian nights. . . . immediately outside of our own English life, is the dark and crooked and fantastic, and wicked, and awe inspiring life of the 'native'. Our rule, so long as no one steals too flagrantly or murders too openly, affects it in no way whatever—only fences it around and prevents it from being disturbed.[6]

From this there arises almost inevitably the fantasy of the imperial ruler as Haroun al-Raschid, the Caliph of the *Arabian Nights* who wanders in disguise among his subjects in order to find out what they will say and do when he is not watching them. Kipling's own experiences may have been 'only a queer jumble of opium-dens, night houses, night strolls with natives' and so forth, but they are a preparation for Kim, the small boy whose apparent insignificance is a new version of the Englishman in Oriental disguise, a role pioneered by the mid-Victorian Arabist Sir Richard Burton.[7] Like the curator of the museum, Kim seeks a knowledge of 'all India', the India he sees symbolically 'spread out to right and left' (56) as he travels on the Grand Trunk Road. In a novel that is (as Kipling himself confessed) 'nakedly picaresque and plotless', his survey of India takes shape as a pilgrimage.[8] It involves inevitable self-questioning and should lead to self-knowledge, but this knowledge eludes him, so that the English identity confidently announced at the beginning is finally left in limbo.

Kim's initial decision to leave Lahore in the service of the Tibetan Lama who is searching for the 'River of the Arrow' lays him open to the full variety and multitudinousness of Indian life, which is symbolized by the Grand Trunk Road, 'such a river of life as nowhere else exists in the world' (51). Soon he begins his self-questioning—' "This is the great world, and I am only Kim. Who is Kim?" ' (101)—and Kipling suggests that such freewheeling 'speculation as to what is called personal identity' (156) is an Asian, not a European characteristic, presumably because it fits the experience of hybrid and subject peoples. Elsewhere Kipling wrote that in India 'everyone is the son of some father—and writes his father's name down when he writes his own',[9] and Kim's journey becomes a search for surrogate parents on both sides. Four of his substitute fathers— the horse dealer Mahdud Ali, Creighton, Lurgan, and Hurree Babu—ease his way into the secret service, while the Lama pays for his European education at St Xavier's College out of monastic funds. The narrative skips very quickly over Kim's years at St Xavier's, concentrating on the school holidays and the six-month furlough he is allowed after leaving school, so that the influence of his European mentors and the character- forming effects of the mission school are largely hidden from the reader. At 17 Kim is much the same young trickster and scapegrace that he was at 13, although he has done well at school and has learnt that 'One must never forget that one is a Sahib, and that one day, when examinations are passed, one will command natives' (107). Already his exploits as an apprentice spy have earned him the 'Departmental praise' of which Kipling says that 'Earth has nothing on the same plane to compare with it', though it can also be a 'deadly pitfall' (184). So little are the effects of his schooling and of this 'ensnaring praise' allowed to interfere with our view of Kipling's protagonist that to the end of the novel it remains a shock to hear him addressed by his fellow Europeans as 'O'Hara', not 'Kim'.

Kim apparently spurns maternal ties. His mother died of cholera when he was 3, while his half-caste stepmother has been broken down by opium addiction; so little does he regard her that he never bids her goodbye or tries to contact her after leaving Lahore. The aged Rani from Kulu nurses him through his illness at the end of the novel and looks upon him as a son, although Mahdud Ali comments sardonically that 'Half Hind seems that way disposed' (235). It has been said that, allegorically at least, Kim is 'free to suckle, as it were, on Indian breasts',[10] yet it is possible that he harbours a deeply repressed desire for his lost birth mother. (The same may be said of Dick Heldar in *The Light That Failed*.) When in order to disguise his movements he acts the part of a sleepwalker, he gives out the 'terrible, bubbling, meaningless yell of the Asiatic roused by nightmare', shouting out the word '*churel*'. The narrator, having described the yell as meaningless, proceeds to explain what it means: 'A *churel* is the peculiarly malignant ghost of a woman who has died in child-bed' (117–18). Was Kim's mother pregnant when she died of cholera, and why was the 3-year-old boy left as an only child? Clearly the novel offers no answers to these questions, but Kim seems deeply irritated by women who offer him maternal attentions. 'How can a man follow the Way or the Great Game when he is so-always pestered by women?' he expostulates: 'When I was a child it was well enough, but now I am a man and they will not regard me as a man' (214). When he leaves the plains for the Himalayas the narrator reminds us of the proverb 'Who goes to the hills goes to his mother' (192), but in the hills he meets the Woman of Shamlegh, who makes him address her as 'Sister' rather than 'Mother'. The Woman of Shamlegh sees through his disguises and subjects him, for almost the first time, to female influence, but he ignores her sexual advances. (It is Hurree Babu rather than Kim who may have enjoyed her favours.) Kim has been described as learning the lesson of sexual self-denial necessary to an imperial ruler in this episode, but it is likely that he is not ready for sexual initiation, since his battle is still with the image of the mother.[11]

After nursing him back to health on his return to the plains, the Rani says, 'Let him go. I have done my share. Mother Earth must do the rest'. Still weak, he throws himself upon the breast of 'Mother Earth':

There stood an empty bullock-cart on a little knoll half a mile away . . . and his eyelids, bathed in soft air, grew heavy as he neared it. The ground was good clean dust—no new herbage that, living, is half-way to death already, but the hopeful dust that holds the seeds of all life. He felt it between his toes, patted it with his palms, and joint by joint, sighing luxuriously, laid him down full length along in the shadow of the wooden-pinned cart. And Mother Earth was as faithful as the Sahiba. . . . His head lay powerless upon her breast, and his opened hands surrendered to her strength. The many-rooted tree above him, and even the dead man-handled wood beside, knew what he sought, as he himself did not know. Hour upon hour he lay deeper than sleep. (235)

Kim is not yet weaned from the Indian motherland, from Indian earth. He is on the verge of adulthood, but no more. The symbolism of the empty bullock-cart reminds us of his father's regimental banner, but the brown Indian dust has replaced the banner's field of Irish green. The Lama, meanwhile, has found his 'River of the Arrow' and plunged into it, only to be saved from drowning and brought back to watch over Kim in his illness. In the novel's final sentence the Lama smiles 'as a man may who has won salvation for himself and his beloved' (240). The ending recalls *The Pilgrim's Progress*, where the pilgrims arrive on the river bank and have to wait to be ferried across to the Celestial City of their salvation. Whether or not the Lama believes that he and Kim will enter the river, Kim seems likely to be about to give him the slip (or, perhaps, to mourn his death) before distinguishing himself in the secret service. But Kipling cannot envisage Kim's life after the point where he must choose between the secret service and the Lama's service, so that the novel fails to turn into an adult *Bildungsroman* and remains a kind of children's literature.

As an 'Englishman' whose motherland is India Kim is like Strickland, the British agent who features in a number of Kipling's stories and who is proud of having had an Indian wet-nurse. Zohreh T. Sullivan detects a 'characteristic indecisiveness and glide' in Kipling's narrative voice, as it shifts from objective to subjective and from omniscience to lyrical impressionism, revealing 'a kind of evasiveness that raises issues and problems it does not intend to resolve',[12] and Kim's national identity is one of these problems. His 'Indian Englishness' is sharply but not always convincingly distinguished from that of the educated, Westernized Indian Hurree Babu, a graduate of Calcutta University whose (not necessarily unrealistic) ambition is to become a Fellow of 'the Royal Society, London, England' (219). Hurree comes from the Bengali middle class which was to lead the fight for national independence, but he is a loyal British agent and a reliable and resourceful player of the imperial 'Great Game'—in fact, he is a better and more experienced agent than Kim. But Kipling cannot resist laughing at him, since in Edward W. Said's words he is, in part, 'the ontologically funny man, hopelessly trying to be like "us"'.[13]

Does Kim's Irish or half-Irish birth make him more authentically English than the 'brown Englishman'[14] Hurree? If Kim becomes a Sahib who can pass as a native, Hurree is a skilled impersonator who completely deceives Kim with his disguise as a 'Dacca drug-vendor' (182). Unlike Kim, he does not have to dye his skin in order to pass as a 'native', but nor can he bring off the 'British' act to perfection, as the mission-educated Kim O'Hara presumably can. When Kim leaves school Hurree tells him that 'If you were Asiatic of birth you might be employed right off; but this half-year of leave is to make you de-Englishized, you see?' (155). It is also true that Kim is still only playing at the Great Game as a hero of schoolboy fiction might, while Hurree and his colleagues live in constant danger for little reward. When Kim asks agent E23 if the government offers no protection to its foot soldiers in the Great Game, the reply is conclusive: ' "We of the Game are beyond protection. If we die, we die. Our names are blotted from the book. That is all" ' (168). It has been said that Kipling's novel itself is a kind of Great Game, but this can only be true so long as the reader shares Kim's determinedly innocent perspective rather than that of his fellows.[15]

The general aim of East India Company officials was, reportedly, to 'make [their] lakhs of rupees and come home'. Later, the career officers of the Indian Civil Service went out 'not to settle but to serve their time'.[16] Southern England was full of retired colonials, and it was here that Kipling himself settled immediately after the publication of Kim. But the concept of 'Indian Englishness' implies that, in fiction at least, Kim and his Anglo-Indian mentors Lurgan and Creighton could never go back to Hampshire or Sussex. If the 'Indian English' ought to stay in India, the 'English Indian' Hurree Babu is inherently capable of emigrating to England and, by doing so, becoming English. Two generations later, he might well have done so, since there are many comparable figures in more recent English novels. Kim is thus a prototype, not merely of Anglo-Indian fiction, but of the multicultural English novel of the later twentieth century. At the same time, Kipling's inability to allow his protagonist to grow up (and also his own inability to develop as an adult novelist after The Light That Failed and Kim) arises from the parting of the ways represented by his decision to leave India, where Kim (whether or not he is true to the Lama) is bound to stay. Kim has been seen as a novel that 'announces, even as it laments, Kipling's choice of England over India', but as a novelist he never really came back to the English homeland.[17]

Forster, Personal Relationships, and Indian Nationalism

Only twenty-three years separate the publication of Kim and A Passage to India, but Forster's Anglo-India is sclerotic and verging on senility, a setting not for glad confident youth but the cynical middle-aged. Ronny Heaslop, the youngest of the Europeans in Forster's Chandrapore, is recognized by his elders as 'one of us', which is not surprising since he constantly defers to their seniority and parrots their words.[18] Ronny's assertion that 'No one can even begin to think of knowing this country until he has been in it twenty years' (29) pays lip-service to a wealth of experience like Kim's, while revealing that the imperial mind has no use for fresh approaches or new ideas. Ronny's code of behaviour is the opposite of the 'show of manly independence' (33) that, as he notes with considerable alarm, is becoming commonplace among educated Indians. Even Forster's liberal hero Cyril Fielding has come late to India, and is no longer a young man. There is a clear implication that India, the oppressed nation, represents youth, while its British rulers are hidebound, embittered, and old before their time. But Forster's principal symbol of the mystery of India is not the thronged and vibrant Grand Trunk Road but the Marabar Caves, dark, claustrophobic, indistinguishable from one another, and unquestionably very ancient.

There had always been anti-imperialist feeling among a liberal and radical minority in England. To hold down an empire by military force was felt to be demeaning; the overriding motive was material greed; and the freedoms taken for granted by British citizens were bought at the price of colonial oppression. The economist J. A. Hobson wrote in *Imperialism: A Study* (1902) that 'Not five per cent of the population of our Empire are possessed of any appreciable portion of the political and civil liberties which are the basis of British civilization'. English society at home was corrupted both by the spoils of empire and by the political influence of retired colonial officials, so that 'the spirit of Imperialism poisons the springs of democracy in the mind and character of the people'.[19] Hobson's Liberal 'Little Englandism'[20] was widely shared in the last years of the British Empire, and a number of English novelists after Kipling presented the imperial frame of mind as a distortion, even a debasement, of the national character. The growth of national independence movements all over the world suggested that the struggle to maintain the empire was both thankless and doomed.

The question whether liberal concessions or brutal repression will do more to avert an ultimate bloodbath is much on the minds of the characters of *A Passage to India* and George Orwell's *Burmese Days* (1934). *A Passage to India* begins ominously with a group of Indian Muslims arguing about whether it is possible to be friends with an Englishman. Ronny Heaslop tells Adela Quested, the young woman newly arrived from England, that 'We're not pleasant in India, and we don't intend to be pleasant' (50). The Indian Hamidullah observes that people like Ronny 'come out intending to be gentlemen, and are told it will not do' (13). In public, at least, the rules of English decency and gentlemanly conduct no longer apply, and *A Passage to India* asks whether they can still be maintained in the private sphere.

What have come to be known as 'Bloomsbury' ethics—the valuing of individual feeling and passionate commitment over group discipline and impersonal duty—grew out of the traditional idealism of literary culture and, especially, the novel. Forster's liberal beliefs do not substantially differ from the implicit values of earlier novels—even a novel such as *Kim*—which privilege unorthodoxy over orthodoxy, passion over self-interest, and loyalty to one's innermost convictions over loyalty imposed from outside. In fiction the unorthodox individual is almost invariably vindicated, proving to be more far-sighted—and ultimately, therefore, more public-spirited—than hidebound officialdom. The tragedy of Ronny and Adela is that at home they were liberal idealists who were initially drawn together by their mutual belief in the 'sanctity of personal relationships' (82). In India, however, where they are constantly on display and there is no space for private life, they are socially ill at ease, emotionally repressed, and frequently irritated with one another. The disintegration of their love affair (like that of Ursula Brangwen and Anton Skrebensky in Lawrence's *The Rainbow*) illustrates Hobson's thesis that imperialism was a 'depraved choice of national life'.[21] As for Fielding, 'He was not unpatriotic, he always got on with Englishmen in England, all his best friends were English' (61), but his disgust with the lack of privacy among the British colonial officials leads him to seek friendship among the Indians of Chandrapore. It may be said that Ronny, Adela, and Fielding are all products of the English middle class, and that what they lack is the training and conviction to act as members of a masterful, self-possessed ruling elite. Ronny Heaslop is a government officer who has set out, in his dogged and unappealing way, to acquire aristocratic mastery; Fielding, a schoolmaster, would like to remain a middle-class liberal. Neither is particularly successful, and Forster's novel tells of the failed courtship between Ronny and Adela and of the temporary intimacy between Fielding and a young Muslim, Dr Aziz.

The name Adela Quested denotes a heroine who is not only marriageable but should be destined for a politically and morally meaningful alliance; and Forster takes care to have Mrs Turton, Chandrapore's senior memsahib, remark on the peculiarity of her name (28). But 'Miss Quested' is a plain young woman, unattractive both to the Indian characters and to Fielding, who tries to befriend her when the English turn against her. It is her misfortune to suffer a hysterical delusion that Aziz has assaulted her in the Marabar Caves, while her refusal to sustain her accusation in court shows that she continues to put truth to her private feelings over the imperial ruling-class code which dictates that an Indian, having been accused of the attempted rape of a white woman, must be savagely punished. The possibility of sexual relations between the novel's

English and Indian characters is thus reduced to an isolated rape fantasy, although there is at least a pale reflection of Forster's own homosexuality in Fielding's Indian friendships. Adela, once abandoned by Ronny, is, apparently, no longer marriageable in Anglo-Indian terms. Her offence is to have imagined an interracial sex relationship that did not in fact take place. The supposed degradation involved in such a mixing of identities (whether actual or potential) became a standard topic of colonial fiction. Forster traces its impact on the entirely innocent Aziz, who is wrongly accused and imprisoned for assault. At a personal level he may feel able to forgive the English people he formerly considered his friends; politically, however, he abandons his position of benevolent neutrality and becomes an outspoken nationalist.

A Passage to India thus portrays Aziz's progress from 'English Indian' to Indian identity—'I am Indian at last' (288), he tells himself in the novel's final section—and, through him, foretells the failure and imminent collapse of the British Raj. But the novel also deflates the pieties of Indian nationhood, both through the world-weary ironies of the narrative voice and through Fielding's explicit mockery. Forster's message seems to be that India, like the Marabar Caves, can never be firmly grasped but must always lead to uncertainty, metaphysical confusion, and anticlimax. The Indian reality, though dazzling on the surface, is ultimately depressing. 'The fissures in the Indian soil are infinite' (288) the narrator observes, and, though Forster is not more critical of India than of England, his tone in writing about it is less affectionate. While much of the narrative is apparently told from Aziz's point of view, there is always an underlying sympathy for Fielding's deflating scepticism. Moreover, the two men's perspectives are more deeply irreconcilable than appears at first sight. Forster introduces their final confrontation by saying that 'Each had hardened since Chandrapore, and a good knock-about proved enjoyable', and the tone of their argument is friendly enough; but, unless we accuse Fielding of supercilious insincerity, their disagreement hardly leaves room for compromise:

India a nation! What an apotheosis! Last comer to the drab nineteenth-century sisterhood! Waddling in at this hour of the world to take her seat! She, whose only peer was the Holy Roman Empire, she shall rank with Guatemala and Belgium perhaps! Fielding mocked again. And Aziz in an awful rage danced this way and that, not knowing what to do, and cried: 'Down with the English anyhow. That's certain. Clear out, you fellows, double quick, I say. We may hate one another, but we hate you most. If I don't make you go, Ahmed and Karim will, if it's fifty five-hundred years we shall get rid of you, and then'—he rode against him furiously—'And then,' he concluded, half kissing him, 'you and I shall be friends.' (316–17)

For Forster, writing after the First World War as an admirer of H. G. Wells's *The Outline of History* (1920), nationhood may have seemed a jaded and tarnished political aspiration, a source of hatred, hypocrisy, and bloodshed rather than enlightened personal relationships. But Fielding after leaving Chandrapore has, we are told, 'thrown in his lot with Anglo-India' (314)—the Anglo-India in which 'God save the King' is the 'Anthem of the Army of Occupation', and Christianity is valued by someone like Ronny only 'as long as it endorsed the National Anthem' (26–7, 51). Through Fielding, Forster would certainly like to hint at the existence of a world beyond nationality, an overarching cosmic reality to which, he suggests, Hindu spirituality could give access, for all the quaintness of Hindu beliefs in both Western and Muslim eyes. Fielding and Aziz evidently share the narrator's half-mocking, half-admiring affection for Professor Godbole's other-worldly innocence, just as Kipling is careful to indulge Kim's reverence for the Lama. Mrs Moore, the dying English lady, becomes the vehicle of a European counterpart of Godbole's detachment from the life of politics and personal relationships, a detachment that is both sublime and manifestly frustrating.

'Would he to-day defy all his own people for the sake of a stray Indian?' (314), Fielding asks himself during his last meeting with Aziz. By now he is married to Mrs Moore's daughter and has perhaps acquired some of the mother's detachment. When he mocks Aziz's nationalism he chooses to ignore the gulf between the English, for whom nationhood is an established right, and Indians for whom it is a necessary aspiration. Both here and in *Burmese Days* the aspiration to nationhood is echoed in miniature by the middle-class Indians' desire to be admitted to the whites-only English Club. Since Fielding's belief in Aziz's innocence has led him to resign from the Club at Chandrapore, he is at liberty to despise the privilege of membership. Forster, too, seems to alternate between a search for significance beyond and above the political realm, and an occasional (if surely unthinking) reversion to national stereotypes. In the role of narrator he invokes the 'Oriental mind' to explain the behaviour of Aziz and his friends, sometimes explicitly but sometimes more insidiously. Thus he writes at the beginning of chapter 31 that 'Aziz had no sense of evidence. The sequence of his emotions decided his beliefs, and led to the tragic coolness between himself and his English friend' (265). Aziz may be jumping to a wrong conclusion (he thinks that Fielding's bride is Adela

Quested), but his supposed lack of a sense of evidence implies that his 'Asiatic' temperament negates his Western medical and scientific training.

A few pages later Forster takes on the role of cultural diagnostician, explaining Aziz's mistake with a resoundingly clinical metaphor: 'Suspicion in the Oriental is a sort of malignant tumour, a mental malady, that makes him self-conscious and unfriendly suddenly; he trusts and mistrusts at the same time in a way the Westerner cannot comprehend. It is his demon, as the Westerner's is hypocrisy' (272). One would guess that some experience of personal hurt might have led Forster to write this passage, but its even-handedness is only apparent and it has the effect of reducing Aziz and Fielding to well-meaning but blinkered representatives of their respective nations and races. Like George Eliot, Forster believes that the world is not yet ready for cosmopolitanism, and may never be so. After the final confrontation between Fielding and Aziz over the question of nationhood it is their horses, the earth, and even the Indian sky that force them apart, insisting that this is neither the time nor the place for cross-cultural friendship to ripen. In a novel whose plot hinges on Adela's disastrous passage to India and her ignominious return home, Forster leaves it to his readers to judge whether or not the English should go back to England.

Last Rites in the East

For Orwell in *Burmese Days*, the Indian Empire is a 'despotism with theft as its final object'.[22] His theme, unlike Forster's, is the corruption and despair brought about by colonial exile. Not only are his principal characters timber merchants rather than imperial civil servants, but they hate Burma a good deal more virulently than the Burmese hate the British. Flory, Orwell's protagonist, has been fifteen years in Burma and tells his friend Dr Veraswami that the imperialists' motto is ' "In India, do as the English do" ' (140); Veraswami comments with amused sympathy that ' "You English have the sense of smell almost too highly developed. What torments you must all suffer in our filthy East!" ' (138). In psychological terms, Orwell presents the experience of the colonist in terms of a sadomasochistic addiction; politically, he portrays a mutual stand-off leading to an explosion of violence and self-destruction. His own five years' service with the Indian Imperial Police offers some kind of guarantee that the bigotry, foul language, and race hatred of the English colonists in Kyauktada are historically authentic. The extent of Forster's decorousness and circumspection in *A Passage to India* becomes painfully evident.

Flory is a secret intellectual and a rebel, but his life is outwardly almost indistinguishable from that of his fellow countrymen. In between visits to his timber camp he spends his days drinking at the English Club and his nights with a native mistress whom he despises. He is anxious to impress Elizabeth Lackersteen, the young Englishwoman who comes to Burma in search of a husband, but mistakenly assumes that, like Adela Quested, she wants to be shown the 'real' East. Elizabeth, however, is for the most part frightened and disgusted by what she sees. She is mystified by Flory's enthusiasm for the Burmese people and their culture, though she does seem to detect that it is not entirely genuine. Despite the use of Burmese vocabulary to create a local atmosphere in the novel, neither Flory nor Orwell himself betrays any strong desire to experience or understand the country in depth. Compared with Aziz and his friends, the three main Burmese characters, Veraswami, U Po Kyin, and Ma Hla May, are all stereotypes. Flory's identification with Burma is a product of his self-hatred and hatred of his fellow countrymen rather than of any genuine love for the exotic. Coming back from England to Burma he realizes that 'This country which he hated was now his native country, his home' (68), but this is represented as the negative identification of a lonely exile rather than a statement of hybrid Englishness like Kim's.

The principal aim of Orwell's three Burmese characters is, more or less, the same: to get into the English Club. Flory unsuccessfully proposes Veraswami for membership in response to the new government policy intended to break down racial apartheid; Ma Hla May breaks into the club garden and later interrupts an English church service to press her claims to be recognized as Flory's wife; and U Po Kyin, by far the worst and most crooked of the three, finally secures election. Before this, the Club has been besieged by native rioters. Sacrosanct in *A Passage to India*, the imperial enclosure is threatened by a penetration that at least one of the English residents, Elizabeth's aunt Mrs Lackersteen, sees in explicitly sexual terms. Earlier we have been told that 'To her mind the words "sedition", "Nationalism", "rebellion", "Home Rule", conveyed one thing and one thing only, and that was a picture of herself being raped by a procession of jet-black coolies with rolling white eyeballs' (131); during the siege she gives way to uncontrolled hysteria. The fantasy of interracial rape is no longer a personal aberration, as it was for Adela Quested; with Mrs Lackersteen it becomes the acknowledged essence of the colonial relationship. In Orwell's novel there is no question of innocently discussing whether the Burmese and the English can be friends.

The relationship between Flory and Dr Veraswami is clearly modelled to some extent on that of Fielding and Aziz, but it is not a relationship between equals because Veraswami's passionate admiration for the English has, we are told, survived 'a thousand snubs from Englishmen' (38). His love for the colonial masters is essentially abject. Orwell offers a neat allegory of this when Elizabeth and Flory, out hunting together, succeed in slaughtering a pair of green pigeons even though, as Flory says, ' "It's murder to shoot them" ': ' "The Burmese say that when you kill one of these birds they vomit, meaning to say, 'Look, here is all I possess, and I've taken nothing of yours. Why do you kill me?' " ' (156–7). Veraswami, typically, promises that he would not actually come to the English Club if he were to be elected; simply to be allowed to pay the subscription would be privilege enough. The English, however, have more respect for the Macchiavellian U Po Kyin than for Veraswami who shows genuine goodwill towards them. It is taken for granted among Orwell's colonists that 'India is going to the dogs' and that the 'British Raj is finished' (28), and suicides in the Anglo-Indian community are, we are told, quite common. The novel ends on an appropriately self-destructive note with the murder of one of the English settlers followed by Flory's suicide.

The 'English character' is manifestly out of place in Orwell's Burma, where supposedly upright English gentlemen become brutal, cynical, foul-mouthed, and deceitful. Flory, however, continues to believe in an unspoilt and innocent form of Englishness to which he could have access by marrying Elizabeth, who is newly arrived from the homeland: 'She had brought back to him the air of England—dear England, where thought is free and one is not condemned forever to dance the *danse du pukka sahib* for the edification of the lower races. . . . Just by existing she had made it possible for him, she had even made it natural to him, to act decently' (144). Flory's self-deception here is blatant, since Elizabeth's ability to fit in as a 'burra memsahib' is never in doubt. She becomes the wife of the Deputy Commissioner and, Orwell writes, 'a certain hardness of manner that always belonged to her' becomes accentuated (272). Like the 'hardening' of Fielding and Aziz at the end of *A Passage to India*, this implies a loss of youthful sensitivity and openness, but it is also a hardening into the stereotypical national identities imposed by the conflict between the colonial rulers and their subjects. It is a hardening from which the young Kim remains protected throughout Kipling's novel. But in the very act of portraying the hardening of character Forster and Orwell keep alive the notion that national character could remain softer and more malleable, or at least more benign. The writing of *Burmese Days* can therefore be seen to have freed Orwell to leave his Burmese experience behind in writings such as *The Lion and the Unicorn* where he would invoke the ideas of English decency and the fresh English air as if they were eternal values, untarnished by Britain's imperial history. It needs some effort to remember that these ideas had first appeared in his fiction in the consciousness of a self-deceived, self-hating, and ultimately suicidal colonial exile.

Orwell and his contemporaries in the 1930s can have had no intimations of the impending conquest of South-East Asia by the Japanese, to be followed by the partition of the subcontinent and the founding of independent India and Pakistan in August 1947. But Forster's and Orwell's novels bear witness that the Indian Empire was manifestly failing and that the Englishness of the imperial ruling class was doomed to travesty and self-betrayal. Above all, the fear and disgust provoked by interracial sex in these novels reveals that there can be, politically speaking, no 'marriage' between English and Indian or other colonial identities during the period of British rule. The theme of interracial rape is replayed in post-war fiction such as Doris Lessing's *The Grass is Singing* (1950), set in southern Africa, and Paul Scott's melodramatic 'Raj Quartet' (1966–75) set in India. Western sexual indulgence is a prominent motif in Anthony Burgess's *Malayan Trilogy* (1956–9), with its final volume suggestively named *Beds in the East*. Lessing's portrayal of white farmers shows a society in which the attachment to England is purely sentimental. Her heroine thinks of herself as British although neither she nor her parents have ever been to England, and their true identity is 'white South African'.[23] Both the Burgess trilogy and Scott's finest novel, *Staying On* (1977), are deliberate elegies for the empire. Burgess's hero Victor Crabbe and Scott's Tusker Smalley exemplify a condition that was, perhaps, already implicit in the earlier colonial novels: their very 'Englishness' prevents them from taking the more sensible course and returning home. Obstinacy, eccentricity, self-indulgence, and a curious idealism all play a part in this. In Fielding, Flory, and now Crabbe and Smalley, permanent colonial and postcolonial exile becomes the last resort of a form of character seen by the novelist as typically or essentially English.

Many of the themes of Burgess's *Malayan Trilogy* are brought together in a long dialogue in the third volume between Victor Crabbe and the Chinese expatriate Lim Cheng Po, a dialogue in which Crabbe's sense of imperial responsibility is confronted by his adversary's world-weary cynicism. When Crabbe describes himself as a 'typical Englishman of my class—a crank idealist' and wonders what he is doing in Malaya, Cheng Po replies for him: ' "Deriving an exquisite pleasure out of being misunderstood. Doing as much as you can for the natives" (he minced the word like a stage memsahib) "so that you can rub your hands over a mounting hoard of no appreciation." [24] There is an element of play-acting here—the two men relaxing in wicker chairs feel themselves 'begin to enter a novel about the East' (418)—and Burgess, who spent six years in the colonial service, evidently sees Crabbe as a successor to Forster's Fielding. A schoolteacher who later becomes a provincial education officer, it is his love for Malaya that leads him to reject the prospect of a headmastership back in England although his wife Fenella longs to go home. Like Flory he has a native mistress, a Burmese dance hostess who makes him feel that he is 'somehow piercing to the heart of the country, of the East itself' (38). But he has come too late to the East. The Malayan jungle is in the grip of Communist insurgents, the British are preparing to leave (his task as Chief Education Officer is to hand over to his Malay deputy), and racial tension is growing as the Malays try to take back power from the Chinese, Sikh, and Tamil communities that have flourished under the empire. Crabbe's former college friend Hardman tells him that independence should be granted right away: ' "It's probably going to be a hell of a mess, but that's not the point. Whether the fruit's going to be good or rotten, the time is ripe" ' (288). In Crabbe's reflections the perception of imperial twilight becomes an occasion for self-pity: 'If you loved, your love was rarely returned. Malaya didn't want him' (325). But whether or not Malaya wants him, he is obstinately determined to stay in Malaya.

The reason he gives himself for staying is the classic justification for liberal imperialism: to help the development of a new nation. He holds an interracial 'bridge party' (another echo of Forster's Chandrapore) and tells his guests that nation-building requires the emergence of a secular state, intermarriage, and the creation of an indigenous culture capable of voicing the sense of nationhood. He discovers a young musical prodigy, Robert Loo, whose compositions, he believes, give expression to a 'national image' (417); but nobody else perceives this, and Loo goes on to write second-rate pastiches of Hollywood film music. Crabbe's other personal and political initiatives end in similar indignity and farce. His fate has been predicted very early in the trilogy by his Indian colleague Mr Raj: ' "The country will absorb you and you will cease to be Victor Crabbe. You will less and less find it possible to do the work for which you were sent here. You will lose function and identity. You will be swallowed up and become another kind of eccentric" ' (175). Burgess's achievement in the *Malayan Trilogy* is to have absorbed much of the linguistic and cultural profusion of the East into what remains very recognizably an English novel, but his hero in the end is almost literally swallowed up by Malaya. His undignified, accidental death stands as a symbol of the British imperium which was always doomed to dissolve, leaving barely a wrack behind. His character is memorable in proportion to its futility, and what Burgess calls the 'romantic dream' (334) of liberal imperialism dies with it.

In Paul Scott's *Staying On* the grand themes of Burgess's imperial lament are virtually forgotten. Compared to Victor Crabbe, Scott's hero Tusker Smalley, a retired colonel in the Indian Army, is a small-minded bigot. His death at Pankot in April 1972 from a massive coronary expresses the collective sclerosis of diehard Anglo-India, since Tusker's only real difference from his military contemporaries lies in his refusal to go home after independence. His growing perverseness and misanthropy are seen from several viewpoints, including those of his landlord and friend Mr Bhoolabhoy ('Billy-boy'), his wife Lucy, and their servant Ibrahim. The novel's pathos centres on the fate of Lucy, the daughter of an English clergyman who will be left to spend her widowhood isolated and poverty-stricken in a country for which she feels little affection despite having lived there for most of her adult life. She and Tusker are, as she says, 'people in shadow'.[25] Tusker, Lucy belatedly realizes, had never intended to go home: 'It was as though he bore a grudge against his own country and countrymen' (96). He was not an impressive man in his prime, but retirement a long way from England gives him the opportunity to act out a fantasy of cantankerous English eccentricity and to play the charade, as it were, of being the last Tory squire—for, however reduced his circumstances in India, he remains 'Tusker Sahib' and still has the glamour of being an ex-ruler.

With *Staying On* the colonial adventure that began as epic romance and foundered in disillusionment and despair had ended in a mixture of dark comedy and sentimental farce. Not only are Tusker and Lucy childless, but they do their best to ignore Pankot's small Eurasian community, who represent the hybrid identity produced by imperialism. For, Lucy reflects, the history of interracial sex that they represent was 'a physical connection between the races that had continually to be discouraged' (204–5). Her belief in racial purity is part of the fantasy of an 'English character' that could not easily be sustained in England itself, where (for example) Ibrahim's brother-in-law has settled as a slum landlord in Finsbury Park. *Staying On* is, perhaps, a novel of its time in implying that, in large part, Britain had simply washed its hands of the empire, with little consciousness of unfinished business left behind. Lucy, in the tradition of Sir John Seeley, would like to claim that the British have permanently altered India for the better—'There really wasn't a single aspect of the nice civilized things in India that didn't reflect something of British influence' (97), she consoles herself—but the novel seems to imply that 'Britishness' itself, and not just the remnants of Anglo-India, is rapidly dying out. When in the final sentence Lucy laments that Tusker has gone 'home' and left her stranded (255), the word signifies neither England nor India but simply the grave.

⤙ 14 ⤚

Round Tables: Chivalry and the Twentieth-Century English Novel-Sequence

IN twentieth-century English fiction there are novelists of expansion and novelists of contraction. D. H. Lawrence's œuvre after the First World War is an outstanding example of expansion through time and space. It reflects Lawrence's restlessness as he journeyed to Australia, New Mexico, and southern Italy; it explores his fascination with primitive cultures and ideas of prehistory, and hints at transcendental realities beyond the material world. Novels and stories like *The Plumed Serpent* (1926) and *The Woman Who Rode Away* (1928) are fantastic fables foretelling the defeat of Western civilization and European imperialism. No novelist has done more to distance himself from his beginnings in Victorian provincial realism, yet Lawrence in *Lady Chatterley's Lover* executes a final if rather hesitant return to England.

In the work of Lawrence and other 'expansionist' novelists—Aldous Huxley, Wyndham Lewis, H. G. Wells, and later in the century Doris Lessing—the novel form itself comes under intense strain. Their fiction is unstably poised between topical satire and dream romance, between the 'discussion novel' of ideas and visionary science fiction. But the majority of twentieth-century English novelists did not follow their lead. Far from representing an ever-widening circle of life and intelligence, their novels portray a distinctly diminished social circle. Theirs is the fiction of what one critic has called the 'shrinking island'.[1]

If the novelist's social range was shrinking, so was the novel itself as a physical object. In the 1890s the Victorian circulating libraries lost their virtual monopoly of the book market and the conventional three-volume novel was replaced by single volumes which were far more attractive to purchasers. Ambitious novelists continued to write long novels, and many bestsellers were extremely bulky, but the average novel became much shorter. By the middle of the twentieth century there was a striking uniformity in the design of new novels, which rarely exceeded 250 pages. The younger English novelists of the 1930s and after rarely seem to have questioned this format. Graham Greene, for example, was even more cosmopolitan than Lawrence in his choice of settings, but his fiction regularly falls back on the disciplined plotting and melodramatic conventions of the thriller and the detective story. Evelyn Waugh's early novels *Decline and Fall* (1928) and *Vile Bodies* (1930) are tightly knit social comedies set among the English gentry and aristocracy; the same is true of Anthony Powell's *Afternoon Men* (1931) and *From a View to a Death* (1933). Like many of their contemporaries, Waugh and Powell present English society on a deliberately limited scale, as a small upper-class clique living a virtually self-contained life in defiance of a wider, rapidly changing world.[2] The aristocracy, once feared and respected, is now a dying breed treasured for its very absurdity. Its manners have been reduced to mannerisms, its habits of command to helpless and impotent gestures. Far from seeking revenge on their ancient enemy, the middle-class reading public were content to see the former ruling class turned into figures of fun, as was supremely the case in the master-and-servant comedies of P. G. Wodehouse.

But more serious ideas of national identity were at stake. The American narrator of Ford Madox Ford's *The Good Soldier* (1915) states in his opening paragraph that 'Six months ago I had never been to England, and, certainly, I had never sounded the depths of an English heart. I had known the shallows.'[3] Ford's embodiment of the 'English heart' is Edward Ash-burnham, a member of the landed gentry and a captain in the Indian Army who eventually commits suicide. Ashburnham's successor in Ford's work is the much more likeable Christopher Tietjens, the protagonist of the *Parade's End* sequence, who observes in *No More Parades* (1925) that 'Our station in society naturally forms rather a close ring'.[4] The small circle or microcosm corresponds to the formal desire for a tight fictional plot at the same time that it appeals to a generation of novelists less curious about, and less confident in handling, the diversity of English society than their pre-decessors had been. The novel-sequences of Ford, Waugh, and Powell enable an extension of the timespan rather than a widening of the social range of single-volume fiction. Their novels suggest that England is run by an old-boy network based on 'private education, wealth, and pedigree'.[5] The novel-sequences tend to 'turn sequence into a cycle' through techniques of thematic repetition and temporal looping back.[6]

Nevertheless, the English upper classes as represented by Ford, Waugh, and Powell are not simply inward-looking. Protagonists like Tietjens and

Waugh's Guy Crouchback feel a kind of mission, if not to impose order, at least to bear witness to their inherited values. They are aware of living public lives in the sense that what they do is watched or noticed by the wider society, and they try to behave in their better moments like chivalrous English gentlemen. Mark Girouard has defined 'upper-class chivalry' in its early twentieth-century manifestations in the following terms: the chivalrous gentleman was brave, straightforward, true to his word, loyal to his friends and his country, and unfailingly protective of women, children, and animals.[7] Ford's Christopher Tietjens shows all these characteristics but is little appreciated for it, so that his loss of reputation is a measure of the corruption of the gentlemanly caste to which he belongs.

The Arthurian romances were the traditional source of ideas of chivalry for English writers. Throughout the nineteenth century poets and painters had popularized Arthurian themes, and Tennyson, the leading Victorian poet, devoted his major work to a reinterpretation of the Arthurian cycle. Malory's Le Morte d'Arthur (1485) and Tennyson's The Idylls of the King (1859–91) tell of the establishment of the Round Table with its fellowship, its ethic of chivalry, and its assertion of monarchical authority. The Round Table reaches its greatest glory in the Christian mission of the Grail, but at the same time the fellowship is being undermined by factionalism, infidelity, and betrayal. Once the Grail has been achieved, the story turns to tragedy as internal dissension leads to civil war, a disastrous last battle, and the death of Arthur. The Victorians, prompted by Tennyson, came to read the Arthurian cycle as a warning of Britain's possible destiny and, above all, of the dangers of imperial decay.

The Arthurian legends had been associated with Royalism ever since Henry VII, the first of the Tudor dynasty, had claimed to be descended from Arthur. Nevertheless, the principal source text, Malory's Le Morte d'Arthur, had long been out of favour. During the late seventeenth and eighteenth centuries—the period of the English Civil Wars, the Glorious Revolution, and the Jacobite rebellions—it languished unreprinted for more than a hundred years. Although Walter Scott in his youth made notes on Malory, Le Morte d'Arthur was not widely available to the reading public until the appearance of new editions during the period of Tennyson's boyhood.[8]

In fact, Tennyson was not the first laureate poet to consider rewriting the legends. Milton contemplated the story of Arthur as the subject for a proposed national epic.[9] Dryden wrote an Arthurian play, while the physician and courtier Sir Richard Blackmore produced two verse epics,

Prince Arthur (1695) and *King Arthur* (1697). Wordsworth once thought of writing 'on some British theme, some old | Romantic tale, by Milton left unsung'.[10] Scott's verse romances of sixteenth-century Scotland include the Arthurian-inspired *The Lady of the Lake* (1810). But prose fiction since Cervantes had prided itself on displacing the romances of chivalry, and before the twentieth century the Arthurian revival had very little impact on the novel. Smollett, who had translated the *History and Adventures of Don Quixote* (1755), went on to mock Arthurian feats of arms in *Sir Launcelot Greaves* seven years later. Tennyson's *Idylls of the King* was ridiculed in Mark Twain's *A Connecticut Yankee in King Arthur's Court* (1889), while chivalric romance was among Lewis Carroll's targets when, for example, he created the White Knight in *Alice's Adventures in Wonderland* (1865) and Tweedledum and Tweedledee in *Through the Looking-Glass* (1872). Bulwer-Lytton's *King Arthur* (1849) was not a novel but a much-ridiculed verse epic.[11] The one hero of Victorian prose fiction who seems indebted to Arthur is Charlotte M. Yonge's Sir Guy Morville in *The Heir of Redclyffe* (1853), who writes an Arthurian epic as a boy and later models for a picture of Sir Galahad; but his chivalry is confined to the domestic sphere. Yonge's novel was a favourite of William Morris and Edward Burne-Jones, two of the most influential figures in the tradition of Arthurian poetry and painting.[12] It was not until the twentieth century, long after the Arthurian legends had exhausted their poetic and pictorial appeal, that a significant body of Arthurian fiction began to appear. This ranges all the way from the modern rewriting of the legends as prose romance, most notably in T. H. White's tetralogy *The Once and Future King* (1938–58), to the diffused reflection of Arthurian themes in novels of contemporary life such as Virginia Woolf's *The Waves* (1931) and Iris Murdoch's *The Green Knight* (1993).

The long-delayed 'return of Arthur' in twentieth-century English fiction was by no means a purely literary phenomenon. Modern warfare and, above all, the introduction of conscription in 1916 brought the experience of soldiering home to everyone. Far from being absurdly antiquated, Arthurian romance became a symbol of all that was missing from the vast and deadly machinery of warfare which no longer discriminated between soldiers and civilians, or between brave fighters and expendable cannon fodder. At the same time, modern anthropological studies beginning with Sir James Frazer's *The Golden Bough* (1890–1915) revived interest in the Grail and other mystery elements of the Arthurian legends. The link between Arthurian romance and warfare is seen not just in novelists such as Ford and Waugh but in the flawed, ambiguous writer and adventurer T. E. Lawrence, who first visited the Middle East in connection with his undergraduate thesis on Crusader castles. Later he became a member of Lord Milner's imperialist pressure group known as the Round Table. Lawrence's whole life, it has been said, was inspired by his 'mystical and poetic conception of the Order of Knighthood' and by the personal ideal of the medieval knight as 'clean, strong, just and completely chaste'.[13] In *Seven Pillars of Wisdom* (1926) Lawrence recalls that, as he took part in the Arab Revolt of 1917, he kept a copy of the *Morte d'Arthur* in his saddlebags: 'It relieved my disgust.'[14] Lawrence distinguished between two kinds of Englishmen: one, 'the John Bull of the books', a 'complete Englishman' in his 'armoured certainty', is a kind of King Arthur. The other, 'subtle and insinuating', whose 'own nature lay hid' as he directed them secretly, is a Merlin-like magician and an evident self-portrait (354–5). It led to what he called the 'rankling fraudulence' of his 'daily posturing in alien dress, preaching in alien speech' (514). A British agent posing as a Bedouin Arab just as Kim was able to pass for an Indian, Lawrence represents the elements of imperialism, asceticism, and primitivism that had come to cluster around the Arthurian legend.

Lawrence, for all his self-dramatization and self-pity, deplored the betrayal of the Arabs by Britain and France; his ideal of chivalry was not simply confined to national identity and the 'matter of Britain'. By contrast, the need to identify the Arthurian legends with an approved version of national origins led to the consolidation of the 'English' Arthur, a figure who (as we saw in Chapter 2) was already present in Malory. By an extraordinary historical reversal, T. H. White, for example, portrays Arthur as a champion of the victorious Saxons instead of the defeated Celts.[15] The historical conflict between Celt and Saxon is a principal theme in the major twentieth-century novel to take the Arthurian legend as its explicit subject, John Cowper Powys's *A Glastonbury Romance* (1932). Powys (1872–1963) has recently been claimed as a Welsh writer, although he was born in Derbyshire in 1872 and brought up in the West Country. *A Glastonbury Romance* sets out to repossess not just the Arthurian legend but England itself as a land for Celts rather than Saxons.

This huge narrative saga, a kind of grotesque parody of the sexual obsessions, eccentric characterizations, and melodramatic confrontations of Hardy's Wessex novels, portrays Glastonbury in Somerset as the ancient refuge of the defeated Celts which has become, in modern times, a tourist attraction and pilgrimage centre. The novel begins in Norfolk, in the traditional heart of Saxon England, where the Crows are descended from generations of yeomen. In moving to Glastonbury, Powys's protagonist John Crow has been preceded by his cousin Philip, an industrialist and modernizer who declares war on heritage culture and the conservation of outdated values. Philip Crow would like to cover the West Country with industrial plants such as the dye-works and tin mine that he owns, but he finds to his disgust that the most successful local enterprise is a souvenir factory turning out cheap figures of Arthur and Merlin. The factory is the brainchild of 'Bloody Johnny' Geard, the mayor of Glastonbury and a religious maniac, who builds new shrines connected to the Grail legend and institutes an annual fair and Arthurian pageant. John Crow deserts his Saxon imperialist cousin and joins forces with Geard.

The characters of A Glastonbury Romance are not so much reincarnations of the Arthurian world as its modern exploiters and devotees. They range from the Welsh antiquarian Owen Evans, a reader of Malory first encountered by John Crow at Stonehenge, to Geard with his vision of an English Celtic Revival that will restore Glastonbury to a central place in the spiritual history of Europe. Geard, whose name is a possible corruption of Galahad, is less interested in King Arthur and his court than in the story of the Grail which Joseph of Arimathea brought from the Holy Land to Glastonbury. In Geard's hands the Grail myth, which Powys believes to be of pagan Celtic ancestry, becomes the basis of a modern Christian heresy. Another element in the story is a Communist conspiracy bent on exploiting Geard's revelation for its own ends, so that at one point Glastonbury is declared an independent republic or commune with the religious heretic as its nominal president. In repossessing the Arthurian legends for Celtic Britain, Powys also seems intent on destroying their Royalist associations. Finally Bloody Johnny and his followers are overwhelmed by a great flood, suggesting the pagan forces of nature and the nature goddess that must eventually destroy modern society with its welter of rival ideological, scientific, and mystical cults. Having comprehensively exposed the false prophets of industrialism, socialism, and Christian occultism, Powys's final paean to Cybele, the goddess of fertility, expresses his wish to emerge in D. H. Lawrence fashion as a follower of the old pagan deities.[16] The Glastonbury legend with its national allegory of Saxon England versus Celtic Britain is eventually overshadowed by this vaguer and more primitivist ambition. But Powys's vast and portentous fictional canvas is also notable for its prolixity, idiosyncrasy, and lack of narrative tension.

John Cowper Powys was almost alone in exploring the modern, democratic ramifications of a legend usually noted for its aristocratic, conservative, and archaic elements. Where his idea of a modern 'round table' consists of a popular religious cult or a subversive political conspiracy, other novelists stress the Arthurian concern with closed circles and privileged elites. In this respect the relatively small number of novels explicitly concerned with rewriting the legend, such as Anthony Powell's *The Fisher King* (1986) and Iris Murdoch's *The Green Knight*, typify a much broader tendency in the fictional representation of modern English society. *The Green Knight* alludes to the legends of the Grail, Excalibur, and Balin and Balan as well as to that named in its title. But it is also, in part, a summation of the novelist's whole œuvre, in which Arthurian allusions are sparse or non-existent. Seen from the perspective of this very late novel, most of her fiction pursues recognizably Arthurian themes of sexual competition, brotherly strife, magical or charismatic authority, and quest romance within a small circle of upper-middle-class characters joined together by occult links of one kind or another. This is a stylization of tendencies present in some of the most influential earlier twentieth-century English novelists, from Virginia Woolf to the novel-sequences of Ford, Waugh, and Powell. For these writers, the working-out of individual destinies within a charmed circle is not merely a necessity imposed by the conventions of fictional plotting. It reflects their understanding of upper and cultivated middle-class English society as a confined and small-scale community.

In E. M. Forster's *A Room with a View*, Lucy Honeychurch envisions the middle class (or what Forster calls suburbia) as 'a circle of rich, pleasant people, with identical interests and identical foes. In this circle one thought, married, and died.'[17] Forster is a novelist of inclusion and expansion, taking Lucy to Italy, prefacing *Howards End* with his motto 'Only connect', and finally portraying English imperialism defeated by the multitudinousness of India. But Lucy's formulation suggests that, even in the more contracted novels of middle or upper-class life, there is a built-in source of dramatic tension, since she suggests that people of 'identical interests' must also have 'identical foes'. The round table is, by definition, both surrounded and likely to be infiltrated by its enemies. However securely established its characters appear, the upper-class novel continually returns to the idea of a potential Last Battle.

Symbolic Knighthood in Virginia Woolf

In a telling moment in Virginia Woolf's *Night and Day*, Ralph Denham, a lower-middle-class parvenu from suburban Highgate, stands in the darkness outside Katherine Hilbery's house in Chelsea and looks up at its lighted windows. The Hilberys' drawing-room, Ralph thinks, is a 'little sanctuary' of people whose 'identity was dissolved in a general glory of something that might, perhaps, be called civilization'. He himself is 'one of those lost birds fascinated by the lighthouse and held to the glass by the splendour of the blaze'.[18] There are, broadly, two notions of the civilized elite in Woolf's fiction—the traditional idea of a social hierarchy presided over by wealth, political power, and masculine virtue, and an alternative centring on art, female sensitivity, and personal relationships. It is often hard to separate these notions, since so many of Woolf's female characters are drawn to the traditional hierarchy symbolized in her novels by the political centres of Westminster and Whitehall. Whitehall in her novels is more than simply a bastion of patriarchal authority.[19] Katherine Hilbery lives in earshot of Big Ben, forming part of 'that centre which was constantly in the minds of people in remote Canadian forests and on the plains of India, when their thoughts turned to England' (44). As the granddaughter of a famous Victorian poet she occupies a house which has become a cultural shrine and belongs, so to speak, to English literature. All this is doubtless in Ralph's mind as he gazes up at her windows.

Night and Day is Woolf's only conventional novel of courtship, but the accepted customs of aristocratic and upper-middle-class England prove remarkably resilient throughout her fiction. Her characters, by and large, are waited on by servants, they dress for dinner and leave the gentlemen alone to drink their port afterwards. New generations are shown experimenting and breaking the rules, but the rules remain in the background. Parents and grandparents play an ever-expanding role in Woolf's later, more retrospective novels. The young protagonists are rebels searching for a more liberal way of life, but for the most part they continue to observe established conventions. What the narrator of Night and Day calls the 'great make-believe game of English social life' (193) is still being played. Woolf's fiction thus presents a mythologized ruling class as the defining location of national identity.[20] This is nowhere more explicit than in the most avant-garde and experimental of her novels, The Waves (1931).

The image of the circle is ever-present in Woolf's fiction. She imagines the work of art as being spherical in shape, 'one of those globed compacted things over which thought lingers, and love plays'.[21] In Night and Day Ralph Denham's friend Mary Datchet works for a political campaign whose office is dominated by a huge wall-map 'dotted with little pins' (238). Ralph, however, is neither an expansionist and conqueror nor a maker of maps. His own sense of symbolic space is expressed by the doodle he does for Katherine at the end of the book, consisting of a 'little dot with . . . flames round it' (457). The little round dot stands for their love, as Katherine implicitly understands: ' "Yes, the world looks something like that to me too," ' she tells him (458). Having at first felt excluded from the centre of civilization that he identified with the Hilberys' drawing room, Ralph has at last penetrated the ring of fire and reached the centre. In doing so, however, he may have lost the reformist zeal he once shared with Mary Datchet, a fellow outsider. Ralph and Mary belong to 'the class which is conscious of having lost its birthright' in the ruling structures of society: 'They were alike . . . in believing that it behoved them to take in hand the repair and reconstruction of the fabric of England' (203). But we suspect that Ralph, like many ambitious out-siders, will be satisfied by his personal accession to the ruling class.

In *The Waves* there are no true outsiders, although Louis, one of the group of six childhood friends whose interwoven voices constitute Woolf's narrative, is marked out from the others by his Australian identity. For all their individual differences (and despite the fact that only two of them are described as the 'sons of gentlemen') from a purely sociological standpoint the six characters are virtually identical.[22] Their lifelong friendship grows out of their shared devotion to a seventh figure, Percival, who dies young and whose voice is never heard. The image that Woolf repeatedly uses for her group of six (Bernard, Jinny, Louis, Neville, Rhoda, and Susan) is that of the circle. As children they sit together in a ring, and Louis believes that by describing their union in words he can forge it into a 'ring of steel' (33). Twice in the novel they gather around a restaurant table, where they are like a 'seven-sided flower' (108), but also inside a 'globe whose walls are made of Percival, of youth and beauty' (124). These moments of union and temporary coalescence are set against their increasingly anguished experiences of separation, fragmentation, and fear of mental breakdown. The sense of order created by their self-identification as a group contrasts sharply with the solitude and unrest that they must undergo individually. Woolf's subject, inspired by her own episodes of mental illness, is the creation of a community of friends that can overcome individual isolation and terror.

At the centre of this most introverted and psychologically complex of Woolf's novels is the figure of Percival, who represents, quite explicitly, the hero of Arthurian legend. He is a modern version of Malory's Sir Percivale de Galis and of Wagner's Parsifal, just as Joyce's Leopold Bloom is a modern Ulysses. Percival is also a twentieth-century Crusader, a servant of the British Empire who goes out to India and dies, as he has lived (that is, as he has lived in his friends' imaginations) on horseback. Very early in the novel the group of six identify him as a man of action and a natural leader. For Louis, 'his magnificence is that of some medieval commander. . . . he will certainly attempt some forlorn enterprise and die in battle' (31). He is a 'hero' (105), a protagonist of romance who 'inspires poetry' (33). The weakness of the novel is that Percival manifestly has nothing in common with the six characters who are devoted to him, so that we cannot believe he would have chosen them as friends. But Woolf certainly intends to ironize the friends' hero-worship, since Percival is killed in a horse-racing accident and not in battle.

While Bernard compares Percival's fate to the inglorious death of King William III (who was thrown from his horse when it stumbled on a molehill), Neville paints it as a poignant scene of imperial self-sacrifice: 'They carried him to some pavilion, men in riding-boots, men in sun helmets; among unknown men he died' (129). These fellow sahibs and racing companions are unknown to Neville and his friends but not, one imagines, to Percival. The pathos of Percival's death as seen by the group of six back in England underwrites his transformation from a reckless and unfortunate subaltern to a knight permanently encased in shining armour. Hence Bernard's dying words at the end of the book: 'It is death against whom I ride with my spear couched and my hair flying back like a young man's, like Percival's, when he galloped in India' (256). Bernard's self-dramatization is in keeping with the rapt, poetic style of *The Waves*, but there is a thin line between the noble pathos that Woolf intends and the traditional English novel's mockery of chivalric romance. Bernard as a long-haired old buffer riding for a fall is a bit like Carroll's White Knight.

The Novel-Sequences

Ford Madox Ford's *Parade's End*, Evelyn Waugh's *Sword of Honour* (1952–61), and Anthony Powell's *A Dance to the Music of Time* (1951–75)—sequences of four, three, and twelve volumes respectively—are among the major achievements of twentieth-century English fiction. Central to each of them is the experience of participating in a world war, so that the narrow social circle of the principal characters is necessarily, even pitilessly exposed to modern global realities. The novel-sequence (reminiscent, in some ways, of Thackeray and Trollope) avoids the artificiality of modern single-volume fiction in which the social milieu is rigidly circumscribed, usually by a plot device such as a sea voyage—as in

Woolf's *The Voyage Out* and Powell's *The Fisher King*—or a country-house weekend. It is what distinguishes Waugh and Powell from authors sometimes compared to them such as Ivy Compton-Burnett, Henry Green, and Muriel Spark, in whose novels characters brought together by family relationship, similarity of situation, or pure accident are held rigidly in place within an institution such as a village, a school, a literary circle, or a residential building for young ladies. The characters may come and go from this campus or precinct, but the narrative itself rarely if ever steps outside it. Such novels make up in intensity of focus what they lack in rounded characterization, and they may, indeed, be written in the belief that a coherent and integrated personal identity is an anachronism in the modern novel. However well we think we know other people, these novels imply, they can only be known as they appear in particular contexts and particular roles. C. P. Snow in *Strangers and Brothers* (1940–70) showed how an eleven-volume sequence might be constructed out of a series of such deliberately circumscribed vignettes. Perhaps the most successful of Snow's individual volumes is *The Masters* (1951), a political thriller with a timespan of a few weeks during which the action never strays beyond the gates of a single Cambridge college.

What Snow offers, apart from simple entertainment, is social history (as underlined in an 'Appendix' to *The Masters*)[23] and a shrewd but limited form of worldly wisdom. But the title *Strangers and Brothers* at least hints at the romance roots of the modern English novel-sequence. The sequences by Ford, Waugh, and Powell have numerous preoccupations in common, all of them manifestly paralleling the themes of Arthurian legend. There is a band of two or more brothers-in-arms who are destined to grow apart and possibly fight with one another; a close link with a leader who is at once friend, father-substitute, protector, and enemy; a relationship with a harpy or powerfully evil woman involving emotional torment and sexual betrayal; devotion to a higher cause sanctioned by supernatural forces whether Christian or pagan; and a last battle in which the hero's legacy, and with it the 'matter of Britain', are determined. It is true that the 'last battle' is not portrayed in the apocalyptic terms found in Malory and Tennyson, or indeed in Bernard's final vision of death in *The Waves*. It is more likely to be presented as a conventional struggle over inheritance, succession, and the stewardship of property. Seen as a whole, this complex of themes takes shape as an elegy for a dying aristocracy.

The sequences of Ford, Waugh, and Powell are conservative and even diehard in their ideology. The novelists' social vision is nostalgic and somewhat alarmist, since they apparently failed to anticipate that distinctions of class and wealth would survive such twentieth-century developments as the break-up of country estates and the disappearance of live-in servants. They themselves belonged to the upper-middle class rather than the aristocracy, although Powell married into the aristocracy and Waugh had numerous aristocratic friends. Ford and Waugh shared a literary and artistic background. Ford, born in 1873, was the son of the music critic of *The Times* and grandson of the painter Ford Madox Brown; Waugh, born thirty years later, was the son of a publisher and was educated at a minor public school and Oxford. Powell, born into a military family and educated at Eton and Oxford, worked as a young man in the film industry. Most of all, their army service in early middle age links these three novelists together and strikingly differentiates them from most of their contemporaries and predecessors in English fiction. Ford enlisted in 1915, at the age of 42, when he could easily have found secure occupation on the home front; he was gassed and invalided out of the army two years later. Waugh and Powell were in their mid-thirties at the start of the Second World War. Waugh saw active service with the Royal Marines in Crete, Yugoslavia, and elsewhere, while Powell worked for the Intelligence Corps in London. In all three writers the broad social realities of modern England are set against the closed world of the army regiment with its rigid hierarchy, its proud traditions, its brutality and pettiness, and its all-male comradeship. The modern conscript army embodies a clash between aristocracy and democracy in which democracy might still be contained and held at bay.

It may have been his experience of army service that kept Evelyn Waugh—who was hardly one of nature's moderates—from joining the lunatic fringe of modern conservative thought that finds literary expression in non-realistic genres such as the mythological romance and the 'paranoid' thriller, where sinister and occult conspiracies are threatening to take over the nation. Nevertheless, the opposition between Christianity and Communism in Waugh's trilogy could be compared to such 'evil empire' fantasy fiction as J. R. R. Tolkien's immensely popular *The Lord of the Rings* (1954–5). Perhaps the most blatant example of paranoid conservative fantasy by a respected writer is to be found in *That Hideous Strength* (1945), the third novel in the 'space' trilogy by Tolkien's friend and associate C. S. Lewis. Where the earlier volumes in Lewis's trilogy had taken his hero to Malacandra and Perelandra (Mars and Venus), *That Hideous Strength* stages the battle to save England from a Satanic conspiracy entirely in the city of Oxford, where both Lewis and Tolkien taught English literature. In a novel based explicitly on the occult elements of Arthurian romance, the forces of scientific research, social planning, bio-engineering, and corporate enterprise—the agenda, more or less, of C. P. Snow and of post-war Labour governments—are opposed by the secret realm of Logres with its 'unbroken succession of Pendragons'.[24] Beginning with the discovery of Merlin's tomb, *That Hideous Strength* rewrites the whole of English history as a struggle between the preservers and destroyers of the Arthurian legacy. Ford, Waugh, and Powell also offer a view of England that is conservative, mystical, romantic, elegiac, and patriarchal to the point of misogyny. But in their worlds, unlike those of the thriller and the mythological romance, heroism is so compromised as to be virtually impossible. The reality of modern warfare replaces the delusion that salvation might be won by galloping into battle.

Ford Madox Ford and the Last of England

'Chivalry' is a word that plays little part in Ford Madox Ford's vocabulary, although critics instinctively reach for it to describe the character of his protagonist Christopher Tietjens. Malcolm Bradbury, for example, spoke of Tietjens's 'chivalric and ancient notions of male honour and nobility', of the ' "chivalric" act' he performs in marrying his wife Sylvia when she is pregnant by another man, and of his 'irritating chivalry' in refusing to divorce her once she has deserted him.[25] Tietjens, as we have seen, embodies the gentlemanly ideal defined by the historian Mark Girouard, but this does not make him a respected companion or a member of an order of contemporary knights dedicated to a common purpose. Instead, he becomes widely distrusted. His wife, the principal object of his chivalry, hates and despises him. In the army he proves to be a 'good soldier' but receives a series of humiliating postings and is frequently threatened with official disgrace. Hardly anyone except his lover Valentine Wannop believes in him or takes him at face value. To be a chivalrous gentleman in Ford's modern England is not to have a seat at the round table but to be, in Tietjens's words, 'a sort of lonely buffalo: outside the herd' (137).

But if Tietjens is a spiritual outsider, he is invariably represented as belonging to a tight social circle. In the opening sentence of *Parade's End* he is one of 'two young men ... of the English public official class' (3)—the other is his colleague Macmaster—setting off by train for a country weekend. Macmaster, a Scot, is of humble origins and owes his social position to a loan from Tietjens's mother; he is destined to become one of Tietjens's many betrayers. Tietjens is the youngest son of a Yorkshire country gentleman, but his wish is to be remembered as a kind of Anglican saint, one who was 'able to touch pitch and not be defiled': this, he high-mindedly assumes, has been the 'desire of every English gentleman from Colonel Hutchinson onwards' (200-1). (Colonel Hutchinson, the Parliamentary commander and regicide, was known from his wife's *Memoirs* first published in 1806.) Tietjens thus associates the idea of the gentleman with Puritanical moral integrity rather than inherited social rank. His eccentricity and unworldliness are the marks of a dying breed, since for a long time neither he nor his brothers seem to be capable of producing children. He likes to fancy himself 'the last surviving Tory', a member of an extinct species like the megatherium (527, 646).

Tietjens's Toryism is basic to his character. It is one of the first things we learn about him, and it fits his position as a scion of the Yorkshire squirearchy. Others define him as a Tory: Macmaster, for example, who is 'a Whig by conviction, by nation, by temperament' (61), and Valentine, the suffragette who tells him that ' "I've never met a Cambridge Tory man before. I thought they were all in museums and you work them up again out of bones" ' (145). It is typical of Ford to provide such confirmatory touches, but his pervasive use of interior monologue as a narrative device means that, for the most part, we must take Tietjens's Toryism at his own valuation. No one ever challenges the idea that Toryism like Tietjens's is virtually extinct and that he himself may be its last embodiment. His elder brother, Mark, is as dyed in the wool as he is. Ford's intense focus on his protagonist's private obsessions, together with the use of narrative flashbacks, foreshortening, and interior monologues, gives to Tietjens's isolation and his capacity to be generally misunderstood a pathos it does not always deserve. The myth of his being politically, socially, and morally a last survivor is essential to the spell he exerts over the reader.

Thanks to a series of radical time-compressions, each volume in the tetralogy comes to a relentlessly melodramatic climax of a kind more familiar on the stage than in the novel. The whole dramatic situation between the characters has substantially been outlined by the end of the first volume, *Some Do Not...* (1924), but events and assumptions are continually re-evaluated as Ford belatedly supplies the reader with crucial narrative information, which is gradually and somewhat artificially drip-fed into Tietjens's interor monologues, producing a jigsaw-puzzle effect. *Some Do Not...* brings the main characters together on a country-house weekend in Sussex at midsummer 1912, when Tietjens first meets

Valentine and Macmaster encounters his future wife, Mrs Duchemin. Tietjens and Valentine, driving a horse and cart in the early morning mist, are run into by a car driven by his godfather General Campion, an accident that reverberates throughout the succeeding volumes since Campion immediately concludes that Tietjens is conducting an adulterous affair. Meanwhile, Tietjens's estranged wife, Sylvia, is considering returning to her hated husband, since her Catholic principles forbid divorce.

The second part of *Some Do Not...* takes place on the last day of Tietjens's army leave in 1917 before being sent back to France. He has to sort out his personal affairs with Sylvia, to meet the banker whose refusal to honour one of his cheques threatens to ruin his social reputation, and to attend for an interview at the War Office. He asks Valentine to become his mistress on his last night before returning to the front but, as we learn much later, their desires are thwarted. *No More Parades* (1925) shows him at the base camp in France. Sylvia, on a highly irregular visit, tries to engineer a reunion with him but apparently becomes Campion's lover instead. Campion, Tietjens's commanding officer, orders him back to the front line, where his desperate experiences are recalled in *A Man Could Stand Up* (1926). The latter novel shows Tietjens's long-delayed reunion with Valentine on Armistice Day 1918, but it is not until *The Last Post* (1928) that we learn that on the same night Christopher was summoned to his brother Mark's bedside. *The Last Post* (which some editors have excluded from the sequence as not being part of Ford's original conception) brings the main characters together at a remote Sussex farmhouse on the day of Mark's death shortly after the war.

Even the briefest plot summary brings home the extent to which *Parade's End* is constructed, not around a 'band of brothers' or fellow officers, but in terms of relationships within a single extended family. There are wider social groupings on display, such as the Golf Club at Rye in *Some Do Not...* and the men under Tietjens's command at the base camp in *No More Parades*, but as often as not they simply lead back into the family. Moreover, the characters who do not belong to his circle never take on the individuality of Tietjens's own extended family members. Ford's organizing principle is thus one of filiation rather than the affiliation which is central to Waugh's *Sword of Honour* and Powell's *The Music of Time* as well as to the legendary Arthurian Round Table.[26] The apparent closeness of the Tietjens family circle is reinforced by Sylvia's malicious suggestion that Christopher's relationship with Valentine is incestuous. Both Christopher's brother Mark (a high-ranking civil servant) and his godfather Campion use their influence to get his army postings changed. After sending him to the front line, Campion—ostensibly to avoid any suspicion of favouritism—refuses Christopher the citation he has rightfully earned for bravery under fire. Ford's plot thus puts Tietjens at the mercy of a general who is at the same time his godfather, his commanding officer, and his wife's latest admirer.

For most of *Parade's End*, the family structure does little or nothing to mitigate Christopher Tietjens's isolation. Christopher, Mark, and their father barely communicate with one another, while Christopher's remaining two brothers and his sister are killed in the First World War. Both his father and his surviving brother are willing to credit the most damaging rumours about Christopher's behaviour. Christopher rarely sees his wife and never sees his son, while Sylvia's time is divided between adulterous liaisons and spiritual retreats organized by the Catholic Church. His attitude of old-fashioned chivalry cuts him off even more sharply from his fellows. In *Some Do Not . . .* he helps two militant suffragettes to escape from the outraged members of Rye Golf Club and from the police, thus earning himself a reputation as a philanderer and a secret radical. Instead of seeking to escape from his unhappy marriage, he tries to behave scrupulously towards both Sylvia and his new lover Valentine. One of the most convincing aspects of the novel is Sylvia's rage at finding herself the object of his elaborate knight-errantry. Perhaps he deserves, in his turn, to suffer her vindictive malice. If Christopher's battle against female enchantment recalls one of the major themes of Arthurian romance, it also seems at times a thinly disguised idealization of Ford's own sexual conduct; the scandalous rumours surrounding his protagonist were directly paralleled in Ford's own life. Yet, for all its suspicion of special pleading, *Parade's End* portrays its hero as a quixotic knight-errant embodying the noblest aspects of upper-class English identity.

In a moment of intense patriotism at the outbreak of war in 1914, Christopher foresees certain humiliation for the nation he loves: 'We were fitted neither for defeat nor for victory; we could be true to neither friend nor foe. Not even to ourselves' (200). Here his personal isolation is a reflection of England's plight. Nevertheless, the tetralogy works its way towards a certain kind of brotherhood and family reconciliation, since Christopher and Mark come closer together after the deaths of their father and brothers. But the cost of this reconciliation is the sense of national betrayal they both share. At the outbreak of war the two men are loyal and dedicated civil servants, but at its end they have resigned in disgust. In *The Last Post* we learn that Mark was paralysed by a stroke (or, alternatively, that he retreated into an oath of silence) in response to the supposed betrayal of France by Britain and America at the end of the war. Christopher resigns after discovering that his work as a government statistician has been used to double-cross the French. Mark's awareness of national disgrace finds expression in the phrase 'The last of England', and the Last Post, blown by a drunken bugler on Armistice Night, again makes him think of 'The Last of England' (234, 787).

'The Last of England' necessarily alludes to the famous painting by Ford Madox Brown, the novelist's grandfather, of emigrants leaving the English homeland. *Parade's End*, however, concludes with a withdrawal into the English countryside rather than an escape from it. Christopher's ideal is summed up in the seventeenth-century Anglican poet George Herbert and his retreat to a country parsonage, and he blames Disraeli, the 'jerry-building Jew', for inspiring England's imperial ambitions: '"Damn the Empire!"' he reflects. '"It was England! It was Bemerton Parsonage that mattered!"' (639). Mark also retreats to a cottage in Sussex. He takes no interest in the family estate to which he is the heir, although the fate of Groby and its Great Tree is much on Christopher's mind. Since one of the puzzles of *Parade's End* is the extent to which it appears to be at odds with Ford's earlier assertions, in *The Spirit of the People* and elsewhere, of the intrinsically changing and transient nature of English identity, it is important to note that neither the tree nor the Tietjenses themselves are native to England. The Great Tree is a cedar imported from Sardinia, not a Forsterian wych-elm or an English oak. The Tietjenses (as their name reveals) are Dutch opportunists who came to England with William III at the time of the Glorious Revolution. As Protestants who were able to dispossess the Stuart-supporting Catholic owners of Groby they became subject to an ancestral curse, laid down by the seventeenth-century author of 'Speldon on Sacrilege' who denounced the seizure of Catholic lands. Christopher's knight-errantry is rooted in guilt and superstition, since he believes that each of his ancestors who lived at Groby has 'died of a broken neck or a broken heart' (189). Moreover, the persecution of British and Irish Catholics continues in the twentieth century and is, Ford implies, part of the dark underside of British imperialism. Sylvia's mentor Father Consett is hanged during the Great War for refusing to divulge the confessions of Irish Republican prisoners. This atrocity plays its part in Sylvia's devastating rants against the Tietjenses and their values. It reflects the extraordinary ambivalence of Ford Madox Ford, a novelist who in *The Critical Attitude* (1911) had contrasted the 'insularly English novel' with the works of Joseph Conrad and Henry James which were, he said, in the 'mainstream of the current of

European literature'.[27] Ford's artistic affiliations were with Conrad and James, but *Parade's End*, for all its narrative experimentation and psychological complexity, is full of insularly Anglo-Saxon attitudes. It is hard to say whether or to what extent these are ironized. Ford's Irish contemporary Mary Colum suggestively remarked that *No More Parades* did not seem to be a 'thoroughgoing English book', but rather 'the work of one of those aliens in the British Empire, Celt or Semite, who in their souls resent what England stands for'.[28] Ford himself, when he wrote the novel, had already left England.

Had the sequence ended with *A Man Could Stand Up* as he originally intended, Ford's ambivalence would have remained entirely unresolved. *The Last Post* offers a kind of solution, since the object of Christopher's quixotic quest can now be seen as the return of Groby to Catholic hands and the lifting of the curse. Mark reflects on what would be needed to redeem England from 'ruin at home and foreign discredit':

The old governing class to which he and his belonged might never return to power but, whatever revolutions took place—and he did not care!—the country must return to exacting of whoever might be its governing class some semblance of personal probity and public honouring of pledges. . . . A state of war obviously favour[ed] the coming to the top of all kinds of devious storm petrels; that was inevitable and could not be helped. But in normal times a country—every country—was true to itself. (807–8)

England's finest hour, according to Mark in this remarkably optimistic passage, would be found in peace, not war. And the country, once true to itself, would no longer be seen as an oppressor. The condition of this romantic ideal is that the split between Catholic and Protestant, which has reigned since the Reformation, should at last have been healed. Mark tries to achieve this by marrying his Catholic mistress and by making Groby over to Christopher, who in turn allows Sylvia and his son to live there. But Sylvia rents out Groby to the rich Americans who promptly cut down the Great Tree. We are allowed to suppose that Mark's death may give Christopher the opportunity to repossess the estate and preserve it for his son or stepson (his paternity is never wholly clear). But Christopher's son, brought up as a Catholic, has become a Communist at university, while Sylvia may still be capable of springing some nasty surprises.

W. H. Auden, in a (not always reliable) summary of the plot of *Parade's End*, saw the ending of *The Last Post* in remarkably positive terms:

Yet, at the end of the tetralogy, one feels the curse has been lifted. Sylvia can do no more harm, Christopher knows that he is the father of her child, a nice boy who will make a good heir to Groby, and that his father did not, as it had been believed, commit suicide, and Valentine is about to have a child. His honor remains unimpaired, but his sufferings have made him humble; the one real defect in his character as a young man, his arrogance, is gone.[29]

One reason for distrusting this account is that *The Last Post* is structured around Mark's dying monologue and Christopher is absent until the end. It is significant that he has redeemed himself in his elder brother's eyes, but the final verdict on the beleaguered Tory gentleman and soldier striving to make his peace with England's Catholic past remains as uncertain as ever. In *No More Parades* Christopher was shown trying to look after the 2,000 men in his care at the base camp in France as if they were an extended family, but after the Armistice he rejects any kind of public-service role and becomes a private entrepreneur exporting antique furniture. We cannot exactly describe the England of *Parade's End* as a family with the wrong members in control, since the dour, introspective Tietjenses seem largely unfitted to exercise any kind of control. Their record in the civil service is less impressive than the stubborn eccentricity of their withdrawal from society in order to preserve their integrity and honour.

Mark reflects in *The Last Post* that 'All the Tietjenses were born with some sort of kink. It came from the solitude maybe, on the moors, that hard climate, the rough neighbours—possibly even from the fact that Groby Great Tree overshadowed the house' (797). It would seem, however, that the Tietjens 'kink' owes little or nothing to these ostensible causes. Mark and Christopher were very easily recruited into the upper echelons of the civil service, and their idiosyncrasies do not seem to spring from the Yorkshire locality which, throughout the tetralogy, Ford only represents by hearsay. Their 'solitude', perhaps, is that of the Dutch Protestant family who uprooted themselves with William III and took over land which did not belong to them. Mark and Christopher have spent their working lives in Whitehall and appear to be at home there, but somehow—as we see from the obsessive recirculation and recall of private memories and feelings in their interior monologues—they have gone on speaking in their own private language regardless of their neighbours. It is this instinctive inbreeding that constitutes Ford's critique of the English ruling class. Meanwhile the threat to Groby and what it represents is brought home by the ludicrous proposal of Sylvia's American (and presumably Catholic) tenants, the de Bray Papes, to turn the Yorkshire estate into a Regency theme park with powdered footmen and the tenants' children kneeling in reverence as the lady of the manor passes by in her coach and six. Despite the vague hopes of redemption placed on Christopher and his son, this Marie Antoinette-style fantasy is the novel's only detailed suggestion of a possible future for the landed gentry.

Evelyn Waugh: Dishonouring the Sword

The theme of the Catholic aristocracy winning back one of the great English estates provides the underlying plot of Evelyn Waugh's *Brideshead Revisited* (1945). Although Brideshead at the beginning and end of the book has been requisitioned by the army during the Second World War, the flame in the house's private chapel is kept burning just as—to paraphrase the novel's final descriptive paragraph—it burned for the medieval knights who went on the Crusades. There is none of Ford's tentativeness and uncertainty in this novel, which Waugh in his 1959 preface memorably described as a 'panegyric preached over an empty coffin'. He had anticipated that after the war 'the ancestral seats which were our chief national artistic achievement were doomed to decay and spoliation like the monasteries in the sixteenth century', and so had written a novel deliberately defying this trend. In later life Waugh half disowned *Brideshead Revisited* with its blatant contribution to the late twentieth-century cult of the English country house.[30]

The palatial mansion of Brideshead is not, like Groby, a gloomy product of civil war and Catholic dispossession. Instead, it is the seventeenth-century home of the Flyte family, Marquises of Marchmain, who were Anglicans until the current Lord Marchmain's marriage into the Catholic aristocracy.[31] It is Lady Marchmain's family who are connected to the old world of chivalry and whose flame burns in the Brideshead chapel. The house is a curious mixture of real and fake traditions. The novel's prologue shows it being revisited by Captain Charles Ryder, Waugh's protagonist, and his sidekick Lieutenant Hooper who is a symbol of the new lower-middle-class world. Ryder and Hooper are, at one level, obvious representatives of a nation divided between Cavaliers and Roundheads, as their names indicate. Yet Hooper is no New Model zealot but a lazy, unprofessional soldier, while Ryder is a 'romantic', a parvenu would-be aristocrat, and (now that the war has come) a self-appointed representative of ancient military tradition. In a kind of threnody for a vanished order he contrasts his boyhood dreams with what he takes to have been Hooper's: 'The history they taught [Hooper] had had few battles in it but, instead, a profusion of detail about humane legislation and recent industrial change. Gallipoli, Balaclava, Quebec, Lepanto, Bannockburn, Roncevales, and Marathon—these, and the Battle in the West where Arthur fell . . . sounded in vain to Hooper' (15). Ryder's list of battles starts with names that might feature on a regimental banner but ends with the death of Arthur, invoked in Tennysonian cadences.

Waugh and his characters look back to the world of chivalric romance and legend through nineteenth-century spectacles. Just as Ford Madox Ford wrote a life of Ford Madox Brown, one of Waugh's early books was his biography of Brown's fellow Pre-Raphaelite D. G. Rossetti. Rossetti's paintings of Arthurian scenes, including his series of murals for the Oxford Union in 1856, are burlesqued in Waugh's *A Handful of Dust* (1934), where Tony Last's ruinous divorce leads to his expulsion from Hetton Abbey, a neo-Gothic mansion built in 1864 with gaudily decorated bedrooms named 'Morgan le Fay', 'Guinevere', and the like. Tony has been told that 'Big houses are a thing of the past in England'. Belatedly he is forced to realize that his battle with his estranged wife leaves no room for chivalry. As Waugh writes in a characteristic passage of medievalist fantasy, 'A whole Gothic world had come to grief . . . there was now no armour glittering through the forest glades, no embroidered feet on the green sward; the cream and dappled unicorns had fled'.[32] Finally Tony retreats to the Amazon jungle, where he has a vision of a lost medieval city and is taken prisoner by a mad Englishman who makes him read aloud the complete works of Dickens from end to end. Waugh's hero goes full circle back, not to the Middle Ages, but to 1864.

In *Brideshead Revisited* Charles Ryder meets Sebastian Flyte at Oxford and falls in love, as he thinks, with Brideshead and everything it represents. He finds his *métier* as an architectural painter and undergoes an aesthetic conversion from the functionalist 'puritanism' of those arbiters of modern English taste, John Ruskin and Roger Fry, to the Baroque extravagance of the Flytes' family mansion (79). The opposition between Puritanism and the Cavalier ethic in the novel is, however, far more entangled than it appears from the initial contrast of Hooper and Ryder. When Ryder begins an adulterous affair with Julia, Sebastian's sister, he is shocked and incredulous at the sudden reawakening of her Catholic piety. Later on he objects to the parish priest's attempts to secure Lord Marchmain's deathbed repentance. His rationalistic fervour has more than a hint of the Protestant denunciation of Popery. Julia deserts him, but when he revisits Brideshead as an army captain he says a prayer in the chapel, 'an ancient, newly-learned form of words' (370), implying that he has undergone a belated Catholic conversion. Waugh frequently suggests that there is an inner spirituality to the Catholic faith to which his protagonist, for all his love of Brideshead, has been impervious. This final twist in which the 'Cavalier' Ryder rejects both modern rationalism—seen as belonging to the Philistine, destructive world of Hooper—and his inherited Protestantism illustrates the romantic unreality of *Brideshead Revisited*, a novel which (for all its fascination) is much inferior to the later *Sword of Honour* trilogy as a chronicle of aristocratic England's decline and fall.

Sword of Honour, too, has had its detractors. Waugh's friend Lady Diana Cooper wrote to him after the first volume that ' "I thought that you were going to give us a modern *War and Peace*, but it's much more like *Mrs Dale's Diary*" '.[33] This is unfair (*Mrs Dale's Diary* was a popular radio serial) but not irrelevant. Waugh's own explanation of the novel was that it was 'a description of the Second World War as it was seen and experienced by a single, uncharacteristic Englishman'.[34] The epic sweep and historical vision of Leo Tolstoy's masterpiece (a historical novel written from a fifty-year retrospect and describing events that took place before the author was born) were not, perhaps, available to Waugh, who drew directly on his own service with the Royal Marines. But *Sword of Honour* is more than a fictionalized memoir thanks to its complex, unfolding moral theme. An essential part of Waugh's plan is the background of literary romance involving the idea of medieval chivalry in general and the Arthurian legends in particular. Waugh's 'uncharacteristic Englishman' is Guy Crouchback, a self-effacing Catholic who has spent the pre-war years living in exile, and apparently at a loose end, in Italy. His soul, as we learn at the beginning of *Men at Arms* (1952), has been a 'wasteland' for years, but, aged 35, he responds instantly to the announcement of the Nazi-Soviet pact in 1939: 'The enemy at last was plain in view, huge and hateful, all disguise cast off. It was the Modern Age in arms.'[35] Before leaving for England he visits the tomb of the English Crusader Sir Roger de Waybroke and runs his finger along the knight's sword. This is the trilogy's 'sword of honour' (a phrase which normally signifies the award made to the best cadet in the annual passing-out parade at the military academy of Sandhurst). Guy's house in Italy is known as the Castello Crouchback, while his family home, abandoned during his childhood, is a medieval fortified mansion built around two quadrangles with a collection of swords and other weapons hanging in the great hall. He is, then, a modern knight whose personal Holy Grail is his religious and ideological war against Communism and (to a considerably lesser extent) Nazism.

There are many parallels between Guy Crouchback and Christopher Tietjens—their naivety and occasional childishness, their cuckoldry and failed marriages, their Christian piety, their dedication to obsolete ideals—but Guy is much more clearly identified as a modern Knight of the Round Table than Ford's protagonist. The 1965 'final version' of the trilogy goes so far as to retitle book three of *Unconditional Surrender* (1961) 'The Last Battle'.[36] In *Men at Arms* Guy's first social circle is Bellamy's, the London club to which his family have always belonged and which he periodically revisits throughout the trilogy; but Bellamy's is linked to his pre-war state, and his closest associate there is Ian Kilbannock, the journalist and Scottish peer whose aim is to become 'one of the soft-faced men who did well out of the war' (*M* 26). Guy's military initiation comes with his first regiment, the Halberdiers, whose officers' mess is Waugh's closest equivalent to the Arthurian Round Table. At the same time, there is a farcical discrepancy between Guy's dream of belonging to a high company of warriors and the reality. As a volunteer in his mid-thirties he soon becomes known as 'Uncle', an old crock and a potential invalid. During the horseplay which is part of his first guest night in the officers' mess he sustains a knee injury which puts him out of action for weeks. Apthorpe, the other middle-aged subaltern in his company, represents an even more surreal version of Guy's military fantasy. But Apthorpe's comic battle with his brigadier which enlivens the tedium of military training is succeeded by the pointlessness of his death in a West African hospital, where he is killed, apparently, by the effects of a bottle of whisky thoughtlessly smuggled in by Guy. The mission that has taken them to West Africa—the 1940 commando assault on Dakar—is a military fiasco. Guy, who has approached it in the manner of a *Boy's Own*-style adventure, displays bravery under fire and saves his brigadier's life, but the night raid for which he has volunteered is an unofficial sideshow, and it leads to his expulsion from the Halberdiers.

There is a narrative of belated growing-up throughout *Men at Arms*. The Halberdiers are shown training at a requisitioned preparatory school under the command of Brigadier Ben Ritchie-Hook, recognizably a mad headmaster. At Dakar Ritchie-Hook joins the men on Guy's landing-craft and uses the occasion to collect a scalp or 'coconut', the head of an unfortunate Negro soldier. (This immoral and illegal expedition recalls the dark side of the medieval Crusades, commemorated across the centuries in English pub signs like the Turk's Head and the Saracen's Head.) Guy cannot be blamed for Ritchie-Hook's atrocity, and when he smuggles the whisky in to Apthorpe he does so with the encouragement of a superior officer; both incidents, however, reflect the gathering sense of dishonour surrounding his personal mission. A narrative model tacitly underlying the trilogy is the Arthurian story of Sir Gawain and the Green Knight, with the three tests that Gawain has to pass to escape execution. (He passes, but somewhat equivocally, so that one of the Green Knight's three sword strokes cuts open the skin of his neck.) Guy's first test, in effect a double test, takes place at the end of *Men at Arms*. His second test comes during the withdrawal from Crete at the end of *Officers and Gentlemen* (1955). The third and most serious test comes towards the climax of the final volume, *Unconditional Surrender*. Early in this volume Waugh writes that 'In the recesses of Guy's conscience there lay the belief that somewhere, somehow, something would be required of him; that he must be attentive to the summons when it came. . . . All that mattered was to recognize the chance when it offered.'[37] Once again there is a double test, as we shall see. Guy's conduct falls short of the standards of perfect heroism, but he is not dishonoured.

In general, Waugh's moral commentary is remarkably sparing. In a narrative that uses none of the experimental technical devices of Ford Madox Ford, the work of discrimination is nevertheless left to the reader. After Apthorpe's death, for example, Guy is harangued by a senior officer, but feels no sense of shame:

He felt shaken, as though he had seen a road accident in which he was not concerned. His fingers shook but it was nerves not conscience which troubled him; he was familiar with shame; this trembling, hopeless sense of disaster was something of quite another order; something that would pass and leave no mark. (*M* 242).

A Victorian novelist could not have described an incident such as this in third-person narrative without passing judgement on it, but how far we may trust Guy's intuitions at such moments is never made clear. Doubtless he has encouraged Apthorpe's dipsomania, but is he or is he not his brother's keeper? Where Ford Madox Ford seems tacitly to endorse his misunderstood hero, Waugh's laconic style suggests a world of moral uncertainty in which traditional notions of authority—whether that of a military commander or an omniscient fictional narrator—no longer apply. Such uncertainty has a precedent in the medieval romances in which the hero is plunged into a world of evil enchantments where nothing is what it seems.

There is another kind of evil enchantment in war fiction, when writers attempt to convey the physical experience of coming under fire. Ford's evocation of the impact of shelling in *No More Parades* is a tour de force of impressionist style. Waugh is at his most virtuoso in the extraordinary cluster of images used to describe a bombing raid on central London in the Blitz:

The sky over London was glorious, ochre and madder, as though a dozen tropic suns were simultaneously setting round the horizon; everywhere the searchlights clustered and hovered, then swept apart; here and there pitchy clouds drifted and billowed; now and then a huge flash momentarily froze the serene fireside glow. Everywhere the shells sparkled like Christmas baubles. . . .

Guy was momentarily reminded of Holy Saturday at Downside; early gusty March mornings of boyhood; the doors wide open in the unfinished butt of the Abbey; half the school coughing; fluttering linen; the glowing brazier and the priest with his hyssop, paradoxically blessing fire with water. . . .

A crescent scream immediately, it seemed, over their heads; a thud which raised the paving-stones under their feet; a tremendous incandescence just north of Piccadilly; a pentecostal wind; the remaining panes of glass above them scattered in lethal splinters about the street.[38]

These passages are interspersed with nonchalant, tight-lipped dialogue, as Guy and Ian Kilbannock do their best to dissemble the experience of awe and terror in the middle of the bombing. They are officers and gentlemen displaying what Ford had called the 'peculiarly English habit of self-suppression in matters of emotion' to the point of caricature. The dialogue expresses schoolboy one-upmanship and a literary class code, uniting Guy and Ian against inferior breeds such as 'progressive novelists in firemen's uniform' and air raid wardens: when the two men disagree over which Romantic painter would have caught the scene best, Guy 'would not accept correction on matters of art from this former sporting-journalist' (O 9). The series of descriptive images in the passage clearly begins with the pictorial—'ochre and madder' are artists' colours—but it proceeds through memories of Guy's Catholic public school (about which we otherwise hear very little) and an evocation of the Christian year from Christmas to Pentecost, the day of the descent of the Holy Ghost. The half-submerged images of the congregation, the open doors, and the passing of the holy fire through the church suggest not just the Catholic ritual but Malory's description of the coming of the Grail to Camelot:

Then anon they heard cracking and crying of thunder, that then thought the place should all to drive. In the midst of this blast entered a sunbeam more clearer by seven times than ever they saw day, and all they were alighted at the grace of the Holy Ghost. . . . Then there entered into the hall the Holy Greal covered with white samite, but there was none might see it, nor who bore it. . . . And when the

Holy Greal had been born through the hall, then the Holy Vessel departed suddenly, that they wist not where it became: then had they all breath to speak.³⁹

Waugh was, no doubt, aware that T. S. Eliot in his poem 'Little Gidding' (1944) had used mystical Christian symbolism to evoke the bombing of London. Beneath the superficial jokiness of this opening scene of *Officers and Gentlemen* is the sense of Guy's rededication to his spiritual quest. (From his later perspective, as we shall see, he is still living in a 'Holy Land of illusion' (*O* 240) or enchantment.)

As if reflecting both the terror of war and its banality, *Sword of Honour* blends its moments of almost visionary solemnity with long episodes of broad farce. The first section of *Officers and Gentlemen*, featuring Ritchie-Hook as the leader of the commando unit Hookforce, is titled 'Happy Warriors'. While Guy is training in the Hebrides and waiting for action in Egypt the narrative turns aside to pursue the adventures of Trimmer, a war hero invented entirely by the media (represented here by the 'former sporting-journalist' Kilbannock). British propaganda requires a dashing, lower-class commando leader, and Trimmer, on the strength of one botched and shameful episode, becomes a national celebrity. Even Guy's saintly father is taken in by the newspaper stories about the former hairdresser. As Mr Crouchback naively reflects, 'When the country needs them, the right men come to the fore. . . . He downs his scissors and without any fuss carries out one of the most daring exploits in military history' (*O* 152). In *Officers and Gentlemen* not only is the 'hero' not a real hero, but constant transformations of identity mean that nobody is what he seems to be. Apthorpe's old African comrade 'Chatty' Corner becomes King Kong, while Guy, as he approaches Corner's Hebridean lair, becomes Browning's medieval knight Childe Roland. But at the end of the novel the make-believe world of Hookforce is exposed to an unsparing test of reality, in the doomed Cretan adventure which ends in headlong retreat.

Waugh's Cretan narrative has been criticized for its inexplicitness,⁴⁰ but the moral judgements passed on the characters, though cryptic, can hardly be missed. Major Hound tells Colonel Tickeridge that ' "They say it's *sauve qui peut* now" ', to which Tickeridge, every inch a Halberdier, replies ' "Don't know the expression" ' (*O* 179). Hound is manifestly a 'lost soul' (177), whether or not he is one of two people murdered by the ruthless *sauve qui peut* expert Ludovic. Then there is Ivor Claire, the dashing commando whom Guy hero-worships in the earlier part of *Officers and Gentlemen*: 'Ivor Claire, Guy thought, was the fine flower of them all. He was quintessential England, the man Hitler had not taken into account, Guy thought' (O 114). In his 1965 revision Waugh cut out the final 'Guy thought' which he doubtless found overemphatic, but it underlines the extent to which his protagonist has been taken in by an officer whose civilian avocation, appropriately enough, was showjumping. Claire leaves his men to their fate in Crete in order to avoid being taken prisoner himself, abandoning the 'path of honour' (O 221) while Guy, who also escapes back to Egypt, manages to preserve his honour. During the battle of Crete Guy comes upon the body of a dead Catholic soldier, who reminds him of Sir Roger de Waybroke and whose identity tag he secures, intending to return it to headquarters. But in Cairo he entrusts it to the socialite Julia Stitch, who destroys it under the impression that it is a deposition concerning Ivor Claire.

Guy is unaware of Julia's treachery—his disenchantment proceeds at a different pace from the reader's—but his recuperation in Cairo coincides with a momentous world event, Hitler's invasion of Russia, which all but destroys his personal crusade. During the two years (1939–41) of the Nazi-Soviet Pact, Guy has sought to defend Christendom against the 'Modern Age in arms', but once Britain is allied with the Soviet Union his sense of being part of a national crusade disappears: 'he was back after less than two years' pilgrimage in a Holy Land of illusion in the old ambiguous world, where priests were spies and gallant friends proved traitors and his country was led blundering into dishonour' (O 240). The happy warrior is now disenchanted. His growing detestation of the wartime alliance is suggested in book one of *Unconditional Surrender*, 'State Sword', where the central symbol is an actual sword manufactured at the King's command in 1943 for presentation to Stalin as a gift to the people of Stalingrad.[41] This 'sword of honour', put on display in Westminster Abbey, is supposed to have been suggested to the King by Trimmer. But, whatever the moral fate of the nation, in *Unconditional Surrender* Guy's personal honour is once again (almost) vindicated.

Guy was most closely identified with the nation's war aims when Britain was fighting alone against the Axis powers. He reflects (in a passage that Waugh deleted in 1965) that 'There was in romance great virtue in unequal odds' (M 174). Once Russia and America have joined in on Britain's side victory is certain, but Guy's Catholic chivalry makes him increasingly isolated. He is no longer a Halberdier and cannot rejoin his old battalion even when he comes across them fighting a rearguard action in Crete. Like most of the British land forces he is condemned to long years of tedium and inactivity. Soldiers, he reflects, 'should be laid away in their boxes in the nursery cupboard' between engagements; they should

'repose among the briar like the knights of the Sleeping Beauty' (O 84). In
Unconditional Surrender his romantic reveries are contrasted with the
dark romanticism of Ludovic, the increasingly paranoid officer who
becomes a bestselling novelist. Ludovic's childhood has 'furnished few
models of chivalry' (U 37), but he makes his name with *The Death Wish*, a
melodramatic tale of the pre-war cosmopolitan aristocracy. (According to
Waugh's friend and biographer Christopher Sykes, the novel and its
success are a send-up of *Brideshead Revisited*.)[42] Another crucial character in *Unconditional Surrender* is Guy's estranged wife, Virginia, who
finds herself pregnant with Trimmer's child and, having failed to procure
an abortion, decides to go through with the birth. Guy, as a Catholic, will
not divorce his wife and, to his friends' dismay, he agrees to a reconciliation. After he has been posted to Yugoslavia Virginia converts to the
Catholic faith, gives birth, and is promptly killed by a flying bomb. Guy's
legal son and heir escapes uninjured. As Guy's brother-in-law resentfully
concludes somewhat later, ' "things have turned out very conveniently" '
for Waugh's protagonist (239).

At the time of his reconciliation with Virginia, he is forced to defend his
actions by a friend who finds his behaviour foolish and deluded. To her
charge that ' "men aren't chivalrous any more" ', he replies that

'Knights errant . . . used to go out looking for noble deeds. I don't think I've ever
in my life done a single, positively unselfish action. I certainly haven't gone out of
my way to find opportunities. Here was something most unwelcome, put into my
hands; something which I believe the Americans describe as "beyond the call of
duty"; not the normal behaviour of an officer and a gentleman; something they'll
laugh about in Bellamy's.' (U 151)

If chivalry sets Guy apart from his fellow clubmen and brother officers, it
also compensates for the virtual impotence of which Virginia accuses him.
In an outburst reminiscent of Sylvia Tietjens she denounces his whole 'over-
bred and under-sexed' race: ' "You're dying out as a family," she continued. . . . "Why do you Crouchbacks do so little——ing?" ' (U 146). At the
end of *Unconditional Surrender* Guy has fathered two more sons after the
war, although in the 1965 revision of the text Waugh significantly removed
this detail. Guy has found a successor without actually begetting one.

Guy's chivalry is put to a different kind of test in Yugoslavia. As in his
previous military exploits his success is equivocal and he is shown to be
well intentioned but blundering and naive. He flies from the Italian city of
Bari (a port that he associates with the Crusades) to take up his post as
liaison officer with the Communist partisans, who constitute a new kind

of secret society or round table from which he is firmly excluded. His old regimental colleague Frank de Souza arrives on a short visit and achieves a level of access to the partisan leaders that Guy can only envy: 'They trusted him and treated his advice with a respect they would not have accorded to Guy or even Brigadier Cape; or for that matter to General Alexander or Mr Winston Churchill' (U 207). De Souza, of course, is a Communist Party member, and other British officers—like the major at Bari who is shown 'dispatching royalist officers—though he did not know it—to certain execution' (U 234) do the Communists' bidding. Guy, however, tries to save the lives of a group of Jewish refugees whom the partisans allege to be guilty of collaboration and class treachery. He saves all but two of them since, led astray by personal kindliness, he foolishly compromises their spokeswoman Madame Kanyi and her husband.

Guy's thoughtlessness in this case, like his chivalry in taking on Virginia's child, should be judged according to the spiritual principle expressed by his devout Catholic father in his last letter to his son. 'Quantitative judgements don't apply,' Mr Crouchback wrote. 'If only one soul was saved that is full compensation for any amount of loss of "face"' (U 17). If this principle applies positively in Guy's reconciliation with Virginia it also applies negatively, so that the rescue of the vast majority of the Jewish refugees is no compensation for his failure to protect the Kanyis. Doubtless Guy is a victim of his times and of the death of chivalry in the modern world, a conclusion that is reinforced by the novel's ironic final scene of a commando reunion at the time of the Festival of Britain. Waugh's comment on the state of the nation at the beginning of this scene—'In 1951, to celebrate the opening of a happier decade, the government decreed a Festival' (U 237)—is commendably restrained. But the mid-century celebrations of an ageing group of happy warriors are overshadowed by our memory of Madame Kanyi's last words to Guy, a speech that once again illustrates Waugh's deft modulation from melodrama and farce to romantic moral seriousness.

Shortly before Guy's last meeting with the Jewish refugee, Ritchie-Hook has been killed leading a suicidal attack on an enemy strongpoint in an operation which, as he well knows, is only a publicity stunt put on by the partisans to impress visiting dignitaries. Now Guy's moment of self-understanding is prompted by the words of a woman who knows him only slightly:

'It seems to me there was a will to war, a death wish, everywhere. Even good men thought their private honour would be satisfied by war. They could assert their manhood by killing and being killed. They would accept hardships in recompense for having been selfish and lazy. Danger justified privilege. I knew Italians—not very many perhaps—who felt this. Were there none in England?'

'God forgive me,' said Guy. 'I was one of them.' (*U* 232)

It does not matter that Guy has not actually killed anyone. In Mr Crouchback's dogmatic moral terms, what must really count is that, although Guy's attempts to rescue two damsels in distress (Virginia and Madame Kanyi) both failed, one of the women died in the Catholic faith. Catholic and non-Catholic readers may differ sharply as to whether this affects the value of his actions, but, as we have seen, Guy's knight-errantry is surrounded by ambiguities from beginning to end. Waugh allows the actions and events of the trilogy to speak for themselves, and his only attempt to enforce a final verdict comes through the words of Madame Kanyi. Her judgement applies to the whole history of aristocratic chivalry and the romance of the knight in shining armour, not simply to one uncharacteristic Englishman's battle against the 'Modern Age'.

Anthony Powell: A Guest at the Arthurian Table

The twelve volumes of *A Dance to the Music of Time* follow the changing fortunes of a largely aristocratic circle of young men growing up in the 1920s, and of their older counterparts who have fought in the First World War. The sequence traces their lives through to the beginnings of old age, bringing them into contact with the hippy generation of the 1960s. The narrator Nicholas Jenkins remains fascinated by his Etonian contemporaries Peter Templer, Charles Stringham, and Kenneth Widmerpool, the first two of whom perish in the Second World War. Further links are made through Jenkins's father (an army officer), at Oxford, at the dances and balls of 1920s London, and in the bohemian and artistic world where Jenkins finds employment. Out of these overlapping circles come the sequence's epic talkers—the alcoholic Stringham, the composer Hugh Moreland, and the failed novelist X. Trapnel—together with the women who haunt them, above all Pamela Flitton who marries Widmerpool and destroys the manuscript of Trapnel's last novel. Widmerpool himself, the 'Frog Footman' whose unstoppable rise to power and fame is unaffected by farcical episodes of humiliation and self-abasement, is the great comic figure of the series. From volume to volume his metamorphoses provide an endless supply of gossip reported to us by the self-effacing but wonderfully observant narrator.

Powell creates a conspectus of English upper-class eccentricity while at the same time portraying a feature of the national culture rather little emphasized by earlier novelists: its endemic revivalism. The atmosphere of the novels is deeply literary, with allusions to classical and neoclassical sources, to Robert Burton's seventeenth-century *Anatomy of Melancholy* (from which the later volumes in the sequence occasionally take long quotations), and to medieval romances of various kinds. Nicholas Jenkins has a mythical ancestor, the Celtic warlord Llywarch the Old who is described as 'a discontented guest at the Arthurian table'.[43] Llywarch's discontent suggests that of his fellow Welshman Perceval, the archetypal hero at the centre of Powell's later novel *The Fisher King*, which is a deliberate rewriting of Arthurian myth. In *The Fisher King* Valentine Beals, a popular novelist whose latest work is *Lancelot's Love Feast*, explains that Perceval was turned down for the Round Table because he was 'too young, too uncouth, too lacking in the sort of chic required of an Arthurian knight'.[44] It may be pressing too hard to insist on a parallel with the self-effacing and generally underestimated narrator of *The Music of Time*. More striking is Powell's very detailed allusion in the final volume of the sequence, *Hearing Secret Harmonies* (1975), to another of the classic romances of chivalry, Ariosto's epic poem *Orlando Furioso* (1532).

In *Hearing Secret Harmonies* it is Widmerpool, in his last incarnation as the follower of a magic cult, whose madness is likened to that of Orlando, one of Charlemagne's knights. Orlando 'drops out', as Powell puts it, and roams naked through the countryside after he has been abandoned by his beloved Angelica. Widmerpool, similarly, is found 'waging war against a society he had renounced' after his wife's suicide.[45] Orlando is eventually rescued thanks to the persistence of Astolpho, an English duke, who travels to the moon and retrieves his comrade's wits from what Powell calls the Valley of Lost Things. There are various possible candidates for the role of Astolpho in *Hearing Secret Harmonies* (and in any case Widmerpool's wits are irretrievably lost), but the English peer rummaging through the Valley of Lost Things—a kind of planetary junk-shop—suggests the patient, almost scholarly restorative acts of Powell the novelist and his narrator. What the dance of time has taken away from us can be recovered through the medium of fiction. The image suggests eternal recurrence and a cyclical view of history, but it also suggests the retrieval, almost the resurrection, of a lost aristocratic England. *The Music of Time* is itself cyclical, with its final images of a winter bonfire and workmen standing round a brazier returning us to the opening pages of *A Question of Upbringing* (1951) written a quarter of a century earlier. Within the fifty-year timespan of his story Powell also portrays the cycle of artistic taste and cultural consumption, as the forgotten novelists and painters of Jenkins's youth come back into fashion, a process described by the narrator as 'not so much a Resurrection as a Second Coming' (*HSH* 227).

Powell's characters give the impression of forming a well-defined social circle although on closer inspection it may seem that this circle exists only in the mind of Jenkins, the narrator. The idea of a community held together by the mysterious and fantastic conjunctions thrown up by the 'music of time', and not just by sociological proximity, is both a structural necessity of the sequence and a recurring Jenkinsian hobby horse. The image of a tournament or chivalric competition involving Jenkins and his contemporaries is first used by Sillery, the Oxford tutor, who speaks of the 'glittering prizes' open to 'those with stout hearts and sharp swords' (*AW* 120). Sillery takes it for granted that the young knights in this competition will also be his protégés; and in Powell's world a stout heart and sharp sword count for little unless one is born with, or can acquire, the credentials necessary to enter the contest in the first place. Except in childhood, adolescence, and old age, the world of *The Music of Time* is largely metropolitan. Within it, the narrator observes how people in certain professions, notably politicians, writers, and musicians, tend to form small cliques or 'charmed circles'.[46] Jenkins is adept at penetrating into or at least overhearing the talk in such circles, which are bound together by the mysterious quality of 'influence' first identified by the dottily eccentric Uncle Giles: 'It was an article of faith with [my uncle] that all material advancement in the world was a result of influence, a mysterious attribute with which he invested, to a greater or lesser degree, every human being on earth except himself.'[47] Giles's philosophy is endorsed by the single-minded careerist Widmerpool, who patronizingly declares that ' "Brains and hard work are of very little avail, Jenkins, unless you know the right people" ' (*QU* 133).

In Powell's narrative the 'right people' keep on encountering and re-encountering one another, sometimes at large social gatherings such as country-house weekends, fashionable parties, and public dinners, but also as a result of chance proximity during an air raid or in the street. Evelyn Waugh believed that the often fortuitous narrative connections in *The Music of Time* were a kind of 'genuine social realism', as well as satisfying the artificial necessities of the novelist's art: the degree of personal interplay between the characters would not have been possible, he thought, either in the 'looser society' of the United States or the 'tighter society' of Western Europe.[48] The connections are, of course, all made by Jenkins the narrator, and their prominence results from his usually very rigorous selection and foreshortening of the details of his experience. The more unlikely his encounters, the greater their occult resonance. In *Hearing Secret Harmonies* the Reverend Paul Fenneau tells Jenkins of his 'deeply held conviction...as to the repetitive contacts of certain individual souls in the earthly lives of other individual souls' (*HSH* 120). Fenneau is a figure specially invented for Powell's final volume—though he claims to have been a contemporary of Jenkins's at university, we have never heard of him previously—and we might therefore view him with suspicion as a medium for authorial self-justification. But he is also the last in a series of recurring characters—notably Myra Erdleigh, Dr Trelawney, and Scorpio Murtlock—who appear in the sequence as Merlin-like wizards and mages, aware of the workings of destiny that determine the recurrence of individual characters and events. Thus, on the one hand, we have the sociological shrewdness of Kucherman, the Belgian liaison officer in *The Military Philosophers* (1968), who instantly understands the extent to which the British ruling class is a closed circle: ' "Your fathers were in the War Office too," ' he tells Jenkins, who seems almost dumbfounded by this observation.[49] On the other hand there is Myra Erdleigh casting Pamela Flitton's horoscope, identifying her as being 'under Scorpio' and as possessing 'many of the scorpion's cruellest traits'. ' "I fear she loves disaster and death," ' Mrs Erdleigh adds (*MP* 136), thus setting out the plot line for the next two novels and preparing the ground for Pamela's eventual successor, Scorpio Murtlock.

Although *The Music of Time* cannot be reduced to Arthurian allegory—its characters and situations are much too various for that—in the early novels Powell's Camelot is Stourwater, the country mansion of the tycoon Sir Magnus Donners where Jenkins is an infrequent and marginal guest. Stringham and Widmerpool are quick to join Donners's circle. The house itself is a neo-Gothic folly which strikes Jenkins as a 'Hollywood film set' rather than a home: 'Here was the Middle Age, from the pages of Tennyson or Scott, at its most elegant.'[50] Donners likes to take his friends on a tour of the 'dungeons' and to tie up some unsuspecting young lady guest; Widmerpool, on Jenkins's first visit, confesses that he has just rescued a damsel in distress (he has paid for Gipsy Jones's abortion) and then backs his car, an unruly charger, into a Gothic flowerpot. At Stourwater Jenkins meets Jean Templer, his first love, who is 'like a great lady in a medieval triptych or carving' (*AW* 141), while her admirers—her victims, as he comes to think—are 'gothic too, beings carved on the niches and corbels of a medieval cathedral to arouse at once laughter and horror'.[51] During Jenkins's second visit to Stourwater in *The Kindly Ones* (1962), his wife Isobel is reminded of the *Morte d'Arthur*'s Castle of Joyous Gard with its associations of Arthur and Guinevere. On this occasion in the summer of 1939 Sir Magnus's guests dress up in a game of charades based on the medieval Seven Deadly Sins, a game that is finally broken up by the sudden arrival of Widmerpool in battledress, 'a sinister, threatening figure, calling the world to arms' (*KO* 136). With the onset of war, both Donners and, in due course, Widmerpool move to Whitehall, which now takes over the position of Camelot. Soon Widmerpool rather than Donners appears as the sequence's representative of worldly power, in effect its King Arthur.

Widmerpool is initially a social outsider, despised at Eton for his physical awkwardness but also because he is the son of a liquid manure merchant. His almost manic determination to succeed, first manifested at school in his indomitable cross-country running in all weathers, is finally encapsulated in the reported circumstances of his death: he is struck down by a heart attack while out jogging with the other members of Murtlock's commune, his last words being ' "I'm leading, I'm leading now" ' (*HSH* 249). If Widmerpool must always fight his way to the front of the pack, he is also, in Jenkins's words, 'an archetypal figure, one of those fabulous monsters that haunt the recesses of the individual imagination' (*MP* 202). He of all Powell's characters is, in the terms set out in the eleventh volume, a 'temporary king' or carnivalesque figure whose absurd coronation is a sign of the world having been turned upside down.[52]

Powell's achievement has been seen as to some extent an imitation of Proust's *A la recherche du temps perdu*, to which Jenkins pays generous tribute in *The Military Philosophers*. But the comparison is at best superficial.[53] Powell's subject is not the recovery of Proustian lost time, but the tragicomedy of repetition and recurrence as seen in the English governing class across half a century. He is self-consciously in the English tradition, despite his disparaging remarks about such predecessors as Trollope, Woolf, and D. H. Lawrence. From the moment when Jenkins, as a would-be novelist, begins to 'brood on the complexity of writing a novel about English life', we are aware that the society he is describing has a national idiosyncrasy quite as marked as that of Proust's French aristocracy. Jenkins continues with the reflection that 'Intricacies of social life make English habits unyielding to simplification, while understatement and irony—in which all classes of this island converse—upset the normal emphasis of reported speech' (*AW* 38). The opacity of English life meets its match in Powell's scrupulously elaborate, often ponderous style, with its air of self-mockery which exerts an irresistible hold over the novelist's devotees.

Consider the opening of *The Soldier's Art* (1966)—to do Powell justice he must be quoted at length:

When, at the start of the whole business, I bought an army greatcoat, it was at one of those places in the neighbourhood of Shaftesbury Avenue, where, as well as officers' kit and outfits for sport, they hire or sell theatrical costume. [...] The deal was negotiated in an upper room, dark and mysterious, draped with skiing gear and riding breeches, in the background of which, behind the glass windows of a high display case, two headless trunks stood rigidly at attention. One of these effigies wore Harlequin's diagonally spangled tights; the other, scarlet full-dress uniform of some infantry regiment, allegorical figures, so it seemed, symbolising dualisms of the antithetical stock-in trade surrounding them...Civil and Military...Work and Play...Detachment and Involvement...Tragedy and Comedy...War and Peace...Life and Death...

An assistant, bent, elderly, bearded, with the congruous demeanour of a Levantine trader, bore the greatcoat out of a secret recess in the shadows and reverently invested me with its double-breasted, brass-buttoned, stiffly pleated khaki folds. [...] In a three-sided full-length looking-glass nearby I [...] critically examined the back view of the coat's shot-at-dawn cut, aware at the same time that soon, like Alice, I was to pass, as it were by virtue of these habiliments, through its panes into a world no less enigmatic.

'How's that, sir?'

'All right, I think.'

'Might be made for you.'

'Not a bad fit.'

Loosening now quite slowly the buttons, one by one, he paused as if considering some matter, and gazed intently.

'I believe I know your face,' he said.

'You do?'

'Was it *The Middle Watch*?'

'Was what the middle watch?'

'The show I saw you in.'

I have absolutely no histrionic talent, none at all, a constitutional handicap in almost all the undertakings of life; but then, after all, plenty of actors possess little enough. There was no reason why he should not suppose the Stage to be my profession as well as any other. [...] Accepting the classification, however sobering, I did no more than deny having played in that particular knockabout. He helped me out of the sleeves, gravely shaking straight their creases.

'What's this one for?' he asked.

'Which one?'
'The overcoat—if I might make bold to enquire?'
'Just the war.'
'Ah,' he said attentively, '*The War*...'[54]

We notice in this lovingly drawn-out scene the blatancy of the symbolism of the tailor's dummies, the element of literary fantasy introduced by the allusion to Lewis Carroll, and the orotund narrative phrasing set off against drably monosyllabic dialogue. The latter's effect of comic understatement depends entirely on the presence and absence of italics (*The Middle Watch*, *The War*) to suggest inflections of the spoken voice. This passage bears on one of Powell's great themes, the extent to which the life of the English ruling class has become a charade or costume drama whose real significance remains hidden. Jenkins claims to be disdainful of Sir Magnus's playacting at Stourwater, but he spends much of the 1930s writing filmscripts and is an unfailing guide to the roles played by his contemporaries and the disguises in which they appear.

With Powell's war trilogy (*The Valley of Bones*, *The Soldier's Art*, and *The Military Philosophers*) the costume drama becomes more ominous. Going through his deceased uncle's effects in 1939, Jenkins discovers Uncle Giles's officer's commission from Queen Victoria, and wonders what sort of figure he himself will cut as a soldier. In the event he undergoes regimental training but spends most of his time as a staff officer in intelligence and Allied liaison in London. He witnesses the rapid rise of Widmerpool, whose position as a colonel attached to the prime minister's office leads directly to his post-war career as a Member of Parliament, knight, and life peer. Widmerpool uses his position in the army to determine the fates of Jenkins's other schoolfriends Templer and Stringham, each of whom becomes, in his way, a hero.

We hear little about Templer's fate, killed on a secret mission in Eastern Europe after a change of political alliance at headquarters. He was apparently sacrificed, with Widmerpool's knowledge, in accordance with what Powell calls the 'military philosophy' of victory at all costs—the cynical reverse of Guy Crouchback's moral code. Needless to say, Widmerpool's unscrupulousness serves his own interests as well as the nation's. His betrayal of the chivalric ideal contrasts with the humility and saintliness of Stringham, the last scion of an old aristocratic family and by now a reformed alcoholic. Stringham joins up in the ranks, and Widmerpool has him posted to the Far East where he will no longer be an embarrassment to his old schoolfellows. Jenkins tries to persuade him not to go, but Stringham, who identifies with Browning's doomed knight-errant Childe Roland, is adamant in accepting his destiny. He is captured at Singapore and dies in a Japanese prison camp; all that we learn from Powell's deliberately restrained presentation is that he 'behaved very well there' (*TK* 215). Stringham is the Christian hero of *The Music of Time*, whose forgiveness of his fellows extends even to Widmerpool. This makes it all the more ironic that Pamela Flitton, the evil woman of the later parts of the trilogy, is his niece.

In the novels of Ford, Waugh, and Powell the male companionship of the army is set against the machinations of a *femme fatale* from whom the protagonist finds it difficult if not impossible to extricate himself. Sylvia tortures and rails against Tietjens; Guy Crouchback is heartlessly betrayed by Virginia; and Nicholas Jenkins suffers deeply from the duplicity of Jean Templer. It is true that Tietjens and Jenkins eventually find happiness with somewhat more pallid 'good women'—Valentine and Isobel—reminding us of the contrast of Scott's dark and light heroines. Jenkins then employs all his powers of literary mythologization to describe the impact of Pamela, the sequence's second dark heroine, on Widmerpool (whom she eventually marries) and her other victims. Pamela is compared to Circe, Judith, Delilah, Salome, and Le Belle Dame sans Merci,[55] but above all she is portrayed as Morgan le Fay, the sister and inveterate enemy of King Arthur and the Round Table.

The last three novels of *The Music of Time* are dominated by Pamela and another new character, the novelist X. Trapnel who appears in person only in *Books Do Furnish a Room* (1971). Trapnel is never seen without a theatrical prop, his swordstick with its knob carved in the shape of a skull. His seduction of Pamela makes him Launcelot to Widmerpool's King Arthur, and to this extent Pamela is his Guinevere. The swordstick is a magical sceptre like Excalibur—while Trapnel holds it, he is an up-and-coming novelist, but without it he is lost—and Pamela increasingly appears not just as a vengeful mistress but as the evil sister of Arthurian legend. She appears at a funeral early in the novel as an 'appropriate attendant on death', and her wartime sex life is described as 'gladiatorial'.[56] Unforgettably, Trapnel tells Jenkins what Pamela is like in bed: ' "She wants it all the time, yet doesn't want it. She goes rigid like a corpse" ' (*BFR* 239). At the culmination of *Books Do Furnish a Room* she throws the manuscript of Trapnel's new novel into the Regent's Canal, claiming that it is not worthy of him, and Trapnel throws in his swordstick after it: 'A mystic arm should certainly have risen from the dark waters of the mere to receive it. That did not happen' (*BFR* 237). Trapnel, it seems, is essentially a second-rate novelist, a poseur who was at his best holding court in the Hero of Acre pub in Fitzrovia, the district that had taken over from Bloomsbury as the post-war headquarters of literary London. He is one of the 'great egoists' (*BFR* 167) of *The Music of Time*, an actor or role-player rather than an artist. After his death he becomes a literary legend and the subject of the biography that the American Gothic scholar Russell Gwinnett eventually publishes as *Death's-Head Swordsman*. He is present in spirit at Pamela's death in Gwinnett's arms in *Temporary Kings* and, perhaps, at the death of Widmerpool in *Hearing Secret Harmonies*.

Pamela as sadist and necrophiliac initiates both Trapnel and Widmerpool into what one critic calls 'The Abyss of Carnality', a darker costume drama hidden beneath the social surface.[57] This corrupt sexual masquerade (which parallels Proust's portrayal of the French aristocracy) is a sign of what Jenkins calls 'the general disintegration of society in its traditional form' (*AW* 128). In one of his numerous Gothic similes, he compares both society between the wars and (by extension) his own narrative to a ride on a ghost train rushing headlong past frightening obstacles towards a 'shape that lay across the line' (*CCR* 221). The image suggests the decadent, gaudy unreality of fashionable upper-class society while leaving it ambiguous whether the corpse on the line portends a final apocalyptic collision, or simply one more macabre element in the charade. Nevertheless, from the point of view of Jenkins's sanity, moral scruple, and good humour, the energies unleashed by Pamela and Widmerpool are self-destructive and do not in the end prevail. Jenkins is fully aware of the absurdity of his old schoolfellow's final incarnation as the populist Lord 'Ken' Widmerpool, a 'man in a life-and-death grapple with the decadent society round him' (*TK* 20). Jenkins, too, sees revival and resurrection as features of late twentieth-century English life, alongside its undeniable decay.

In *Hearing Secret Harmonies* Scorpio Murtlock and his followers form a 'sacred circle' (*HSH* 156) so that they can indulge in group sex at an ancient monument known as the Devil's Fingers. Nearby is another prehistoric site, the Whispering Knights, where a group of treacherous knights were turned to stone by a witch. The two images sum up the more sinister side of *The Music of Time*. But against them should be put the elements of rebirth in Powell's final volume, such as the revival of Trelawneyism, the rediscovery of Edgar Deacon's pictures, and the publication of Gwinnett's biography of Trapnel. New characters from the young generation, like Murtlock and the Quiggin twins, take up roles left vacant by those who have gone before. If death and, above all, the death of Widmerpool is the inevitable outcome, the novels also harbour eccentric mystics such as Trelawney and Murtlock who deny the reality of death. Jenkins's own narrative quest is inconclusive, since the full truth beneath the costume drama can, it is hinted, never be known. With his insatiable appetite for gossip he has apparently penetrated the scandalous sexual secrets of most of his fellows, proving himself to be, in his way, as much of a voyeur as Widmerpool at his most debauched. At the same time, his observation that, while 'few subjects are more fascinating than other people's sexual habits from the outside', most people's sex life remains mysterious—especially that of those who 'seem to make most parade of it'—remains valid (MP 113–14). Jenkins is obsessed with recording these past events which, on his own account, can never be fully understood, while he seems completely uninterested in the future and in his own family—traits which suggest, as one critic has sharply observed, that 'all is not quite right with his world'.[58]

Nevertheless, Powell's achievement is more subtle in one crucial respect than those of Ford and Waugh, since Jenkins, his 'uncharacteristic Englishman', is not himself the centre of the fictional circle. That place must be ceded to Widmerpool, the self-absorbed 'man of the will' who is the most protean of Powell's characters since he seems to sum up the whole costume drama in his own person. Finally he becomes a deluded and cheated holy man, a King Arthur who has voluntarily thrown away his sword by putting himself in the power of Pamela's successor Scorpio Murtlock. Unlovable, gauche, self-destructive, and unstoppable, Widmerpool is not merely Powell's crazed knight and carnival king but, perhaps, the English novel's most telling embodiment of post-imperial, post-aristocratic national delusions. In the moment of his death he is still out in front, so he thinks, and holding the torch for a new generation to whom he is little more than a laughing stock.

Inward Migrations: Multiculturalism, Anglicization, and Internal Exile

KARIM AMIR, the narrator of Hanif Kureishi's *The Buddha of Suburbia* (1990), introduces himself as 'an Englishman born and bred, almost. I am often considered to be a funny kind of Englishman, a new breed as it were, having emerged from two old histories. But I don't care—Englishman I am (though not proud of it), from the South London suburbs and going somewhere.'[1] As critics have noted, the much-quoted opening passage of Kureishi's novel has the quality of a mission statement for a new world in which cultures and traditions are intermingled and hybrid fusion is the norm.[2] Nevertheless Karim, born in London of an Indian father and an English mother, is an Englishman by any standards except those of the racial extremist. His Englishness, as he acknowledges, is a given identity, not a matter of choice. Writing for an American readership in 1964, the novelist John Fowles set out to distinguish English from British identity, describing the latter as 'an organizational convenience, a political advisability, a passport word'. His definition of Englishness, though conservative and racially exclusive in its orientation, clearly includes Karim: 'It is having at least two grandparents out of four English; having lived at least half one's life in England; having been educated at an English school; and of course having English as a mother tongue.'[3] Fowles's stipulation of two grandparents out of four introduces a racial element while allowing for the possibility of mixed parenthood which must be part of any healthy and dynamic community. What are we to make, however, of first-generation immigrants for whom England must necessarily be a country of adoption? According to Fowles, only their children or grandchildren may become English. Is the 'organizational convenience' of Britishness the most to which they can aspire, or do people become English by self-identification? The novel of immigration—now recognized as the most vital form of English fiction at the beginning of the twenty-first century—considers these questions.

The 'Buddha of suburbia' in Kureishi's novel is not Karim but his father Haroon, who meets none of Fowles's conditions but is more proud of his Englishness than his son is. Haroon and his brother Anwar have chosen Britain over India, living, so far as they could, 'like Englishmen' (64) in the South London suburbs for some twenty years. Haroon, with an English wife and an English mistress, brings up his children to consider themselves English despite the hostility of their racist neighbours. At the same time, he trades on his Indian origins by setting up as a guru expounding Eastern religion and philosophy to the inhabitants of sub-urbia. His desire to be English is inseparable from his ambivalence about being English. We may say, perhaps, that for Haroon and other members of post-imperial immigrant groups national and racial origins are a source of local identification, since he willingly accepts that Indians and English are destined to live side by side in the wider society to which he now belongs. His residual anti-English feeling is not unlike the forms of class, caste, and regional hostility that English society has long learned to accommodate.

Throughout his childhood in India Haroon was convinced of his superiority to the British rulers, a feeling that was confirmed when he came to their home country and saw, for the first time, English people doing menial jobs and living in poverty. He wants both to be Indian and to make a better job of being English than most of the English do. His son has inherited his belief that the British were 'exhausted now; their Empire was gone; their day was done and it was our turn' (250). Haroon, an office worker, could move to England easily because there was a demand for his labour there; and he inhabits modern London which, in the words of one recent literary historian, is 'no longer the centre of an empire', but 'an international city of racial and cultural mixtures'.[4]

Hanif Kureishi emerged as a critic of traditional ideas of English national identity in The Rainbow Sign (1986), an essay published at the height of Margaret Thatcher's Conservative revival and just a few years after rioting devastated the poorest areas of Britain's inner cities. According to Kureishi, the racism and xenophobia of ordinary people gave the lie to George Orwell's praise of English gentleness and tolerance. Black British people wanted the social justice they were denied, not a show of tolerance and condescension. Most of British society, in Kureishi's view, had yet to learn that 'being British isn't what it was. Now it is a more complex thing, involving new elements'.[5] In terms of public debate, the acceptance of multiculturalism soon became part of the liberal orthodoxy of British society, although the 'mainstream' English novel was slow to register much change. In 1996 the critic James Wood noted a turn towards 'novels of Englishness—rather than English novels', but judged that 'what most of these books proved was that English writing in the last thirty years has largely failed to tell convincing national stories'. Wood blamed this failure on 'the weight of tradition'.[6] It could be argued that he was looking in the wrong place and that the fiction of immigrant communities in England deserved far more attention than it was then receiving. By the time that Wood was writing there was already a century-old tradition of novels about immigration into Britain.

Earlier generations had had a rather different idea of the 'new England' of the twentieth century that was waiting to be discovered and recorded in literature. A significant example is J. B. Priestley's *English Journey* (1934), published six years before Orwell's celebration of Englishness in *The Lion and the Unicorn*. Like Orwell, Priestley was both a successful novelist and a lover of 'little England'—that is, of non-expansionist, non-imperial England.[7] But much of what he noted in his tour of the country was neither the legacy of traditional England nor of the empire. Its 'real birthplace', instead, was America:

This is the England of arterial and by-pass roads, of filling stations and factories that look like exhibition buildings, of giant cinemas and dance-halls and cafés, bungalows with tiny garages, cocktail bars, Woolworths, motor-coaches, wireless, hiking, factory-girls looking like actresses, greyhound racing and dirt tracks, swimming pools, and everything given away for cigarette coupons. (401)

Predictably Priestley complains that the new England of global capitalism, the internal combustion engine, and Art Deco is 'lacking in character' (405). The people in this mechanized landscape are dwarfed by the buildings, and, whether dolled up 'like actresses' or hidden away in their cars, they do not inspire patriotic feeling. Set beside the poverty and industrial depression that Priestley described in Lancashire and the North-East, the prosperous London suburbs, 'built-up areas', and dormitory towns are featureless and bland, a cheap, tasteless mixture of imported styles spreading like a blight across the countryside.

Priestley begins *English Journey* with a trip to Southampton, but while he notes the romance of the great ocean liners he could have no intimation that, fifteen years later, this would be the port of disembarkation for thousands of first-time immigrants into Britain. Instead, he refers disparagingly to cheap stores selling 'the brittle spoils of Czecho-Slovakia and Japan', and to gramophones playing 'tunes concocted by Polish Jews fifteen stories above Broadway' (16–17). It is not until he reaches his home town of Bradford in Yorkshire that Priestley reminds us that cheapness of manufacture is essential to the success of any industrial and trading nation. Moreover, imitation and immigration go together. Bradford in the nineteenth century underwent a 'friendly invasion' of 'intelligent aliens', German and German-Jewish merchants, so that 'in those days a Londoner was a stranger sight than a German' (158, 160).[8] But in the twentieth century, Priestley reports, the city has become more provincial and less cosmopolitan. Priestley never reconciles his admiration for the 'leavening process' of immigration with his professed Little Englandism. Nor does his concern with the decay and demoralization of the old industrial centres lead him to analyse the relationship of the regions to the metro-polis. His journey begins and ends in London, but he cannot wait to get out of the city. Priestley, unlike Ford Madox Ford in *England and the English*, does full justice to provincial England, especially England north of the Trent; and he implies very strongly that the heart of the country is to be found not in the metropolis, nor in suburbia, but in the provinces.

Both Priestley and Ford are writers whose ideas of national identity are intimately tied up with geography and symbolic space. Priestley's journey round England is, very roughly, a circle described clockwise; it is a way of defining the territorial limits or beating the bounds of a country sur-rounded on three sides by water. Ford's interests are not so much territ-orial as atmospheric. He is in search of a series of auras, of evanescent presences: the 'soul of London', the 'heart of the country', the 'spirit of the people'. Both approaches take for granted a feeling of ownership. There is, apparently, nothing provisional or precarious about the writers' claim to be English, although Ford, as the son of a German father, could easily have aligned himself with Priestley's 'intelligent aliens'. As for Priestley, he described himself in 1973 as 'an Englishman writing about the English',[9] and few men have better embodied the popular image of the born-and-bred Yorkshireman. Nevertheless, he was brought up by a stepmother and one of the few things we know about his real mother is that she grew up among Irish immigrants.[10] The most influential twentieth-century writers on Englishness display a security of possession that it is possible they do not entirely feel. They have more in common than at first appears with Kureishi's Karim Amir, that 'Englishman born and bred, almost'.

In the fiction of immigration there is a logical distinction between the novel of the first generation, focusing on new immigrants, and the work of second-generation novelists like Kureishi whose experience is at first sight more thoroughly multicultural. But although there are clear examples of 'first generation' and 'second generation' novels, in most cases the distinction collapses. The children of immigrants reimagine the lives of their parents; many novels share an equal focus on parents and children, or on the established immigrant community and new arrivals; and only the Caribbean community has produced an extensive literature of direct testimony about the first-generation immigrant experience. What most novels of immigration have in common, however, is their sense of spatial confinement. Sometimes the passage to England is described, but there is little or no sense of geographical exploration within England. The characters are held within a highly specific local space, or what the language of imperialism would call a settlement or outpost. One of the most striking features of the fiction of immigration into Britain is the overwhelming presence of working-class London as a setting, including the recurrence, over more than a century, of particular areas such as Whitechapel and Spitalfields in the East End. This is the setting of parts of Israel Zangwill's *Children of the Ghetto: A Study of a Peculiar People* (1892) and Salman Rushdie's *The Satanic Verses* (1988), as well as of more local fiction such as Farrukh Dondy's *Come to Mecca* (1978) and Monica Ali's *Brick Lane* (2003). The long history of Spitalfields as an immigrant space is evident when Rushdie describes the Jamme Masjid mosque in the 'borough of Brickhall', a building 'which used to be the Machzikel HaDath synagogue which had in its turn replaced the Huguenots' Calvinist church'.[11]

The history of the streets around Petticoat Lane and Brick Lane is not that of a ghetto in the strict sense of the word—an area to which Jews or other ethnic groups are forcibly restricted—but rather what Zangwill termed an 'Alsatia', a terra incognita or no-go area confounding the expectations of conventional English society.[12] At the same time, the area is necessarily a forcing-house for the process that Zangwill calls Anglicization. It is where the imported norms of immigrant culture begin to break down since, as one character asserts in Monica Ali's novel about 1980s Bengali immigrants, ' "This is England...You can do whatever you like" '.[13] But 'Anglicization' is a controversial and contested idea which has different meanings for different immigrant groups. In the vocabulary of imperialism it was normally applied to the attempts of the colonizers to stamp out indigenous culture, and for this reason 'de-Anglicization' became a rallying cry for nationalists in Ireland and elsewhere. Colonial immigrants to Britain were mostly impervious to the rhetoric of 'de-Anglicization', otherwise they would not have come. For them, Anglicization often meant a painful adjustment of their high expectations, as overseas British subjects, to the sordid domestic reality.

There are, however, well-documented contrasts between the experience of Caribbean and other immigrant communities whose whole existence was a result of the British Empire, and those like the Whitechapel Jews whose traditional way of life owed little or nothing to British influence. Nevertheless, all these immigrant groups faced a common enemy in the white racism which tried to prevent their assimilation into British life.

Israel Zangwill: The Trauma of Anglicization and the Conflict of Loyalties

To Israel Zangwill's contemporaries at the end of the nineteenth century, the idea of Whitechapel as an Alsatia or terra incognita would have suggested a new variety of the 'slum novel' of the London proletariat. *Children of the Ghetto* came after the East End novels of Walter Besant and George Gissing, which focus on relations between the urban poor and the conscience-ridden middle classes. In Besant and Gissing, as later in Rushdie, there is a degree of spatial overlapping, with the middle-class characters entering the East End as welfare workers, slum landlords, or novelists in search of copy, while the East Enders make occasional riotous and destructive forays into the more fashionable parts of the city. *Children of the Ghetto* was succeeded by the novels of the so-called 'Cockney school', in which the denizens of particular parts of East London (although ethnically indistinguishable from the rest of the English working class) are treated as virtual ghetto-dwellers because of their poverty and cultural isolation. Arthur Morrison's *A Child of the Jago* (1896) identifies a small area in Shoreditch as the centre of criminal London, a site of moral darkness such as Dickens had portrayed in *Oliver Twist*. The heroine of Somerset Maugham's melodramatic first novel *Liza of Lambeth* (1897) is an archetypal daughter of the slums. Dialect is a crucial element of the working-class 'reality' presented in these novels, which did much to pioneer the modern transcription of Cockney speech.[14] Morrison used Cockney phonetic distortion in the title of one of his earliest stories, 'Lizerunt' (Eliza Hunt) in *Tales of Mean Streets* (1894). He presented himself as a social explorer revealing the shocking truths of an area of society completely unknown to middle-class readers. Such readers needed to be reminded that 'For the existence of this [the Jago], and for the evils it engendered, the community was, and is, responsible; so that every member of the community was, and is, responsible in his degree'.[15] The ideas of community and responsibility are much less straightforward in *Children of the Ghetto*, where, despite the novel's emphasis on new generations growing up in London, the majority of the characters are not and do not claim to be English.

In *Children of the Ghetto* Zangwill's appeal is not to the national conscience but, first and foremost, to that of the established Jewish community in Britain. His narrative is divided into two parts, 'The Children of the Ghetto' and 'The Grandchildren of the Ghetto', with the grandchildren's history being defined as 'mainly a history of the middle-classes' (323). Among immigrant groups, this split between an affluent middle class and a new population languishing in desperate poverty is highly unusual. The long history of Jewish settlement in Britain, with its well-established presence in industries such as banking and tailoring, was disrupted in the late nineteenth century by the flood of new immigrants from Central and Eastern Europe. Many of the new arrivals, unlike Gissing's and Morrison's Cockney East Enders, were skilled workers who could expect a relatively swift transition to steady employment and respectability. Those who remained unsettled frequently moved on to the United States. This means that, like the Caribbean immigrants of Samuel Selvon's *The Lonely Londoners* (1956), Zangwill's Whitechapel Jews are economic migrants drawn by their belief in the 'auriferous character of London pavements'.[16] There are distant echoes of the Whittington story in *Children of the Ghetto*, which ends with its heroine, Esther Ansell, forced to decide whether to rejoin her family (who have moved from the Whitechapel slums to Chicago) or to marry her wealthy, Oxford-educated, middle-class Jewish suitor in London.

Zangwill's fiction has a strongly ethnographic dimension, but it also confronts the immigrants' mixture of love and hate, pride and shame, in their ethnicity. Above all, Zangwill is concerned with conflicts within the immigrant community and the way that these are stirred up by the community's representation in realistic fiction. The very people who would welcome an outsider paying tribute to their cultural 'peculiarity' (as George Eliot had done for the East End Jews in *Daniel Deronda*) are ready to persecute one of their own number who does the same thing. Zangwill's earliest fictional work was the anonymous, privately pub-lished *Motso Kleis, or the Green Chinee* (*c*.1882) which, he later said, was 'widely denounced by Jews, and widely bought by them'; in particular it was denounced for its use of 'jargon' (Yiddish), which was thought to expose the immigrants' barbarity and illiteracy.[17] Language and the authority of narration are again central issues in *Children of the Ghetto*. Esther Ansell, brought up in Whitechapel but later 'rescued' by a Jewish philanthropist, publishes an anonymous novel, *Mordecai Josephs*, which scandalizes 'West-End Judaism' (325). ' "It's plain treachery and disloyalty, this putting of weapons into the hands of our enemies" ' (329), is a typical response to Esther's faithful reproduction of the multilingual Whitechapel idiom. In creating Esther, Zangwill was drawing both on the fate of his earlier novel and on the tragic life of the novelist and poet Amy Levy (a product not of the ghetto but of Newnham College, Cambridge), who committed suicide after her novel *Reuben Sachs* (1888) was attacked by Jewish critics, including Zangwill himself. *Children of the Ghetto* was written immediately after these disturbing events, and it became part of the process by which they could be conveniently forgotten. It rapidly became a bestseller, making Zangwill's reputation with a wider public while encountering only mild criticism in the Jewish press.[18]

Children of the Ghetto was commissioned by the Jewish Publication Society of America, which wanted a Jewish counterpart to Mrs Humphry Ward's popular study of East End philanthropy and religious doubt in *Robert Elsmere* (1888). Much to Zangwill's annoyance, the Jewish Publication Society added a glossary to the first American edition of the novel; but he was soon reluctantly forced to create his own glossary for subsequent editions, and he also revised the text, cutting down on the use of Yiddish vocabulary.[19] Zangwill's approach to fiction reflects his journalistic background and his intention of documenting typical phases of Jewish London life. The plot is based on a series of family melodramas like a modern soap opera, and chapter-titles such as 'The Purim Ball', 'Sugarman's Bar-mitzvah Party', and 'The Hebrew's Friday Night' suggest the author's investment in the more picturesque aspects of Jewish culture. Book two with its portrait of middle-class Jewry opens controversially with a Christmas dinner party rather than a Jewish festival. Esther's position as a clandestine novelist living quietly and demurely with the wealthy Goldsmith family reflects the 'double life' she has led and the 'two tongues' she has spoken ever since she first went to school in Whitechapel. As a girl she not only reads her brother's *Boys of England* comic, but secretly obtains a New Testament. Her Jewish identity is 'always at the back of her consciousness', yet she becomes a patriotic English girl happy in her knowledge that 'the English language was the noblest in the world' and that her ancestors have 'always beaten the French' (151–2). Her crime as an adult is to use the form of the English novel to portray a generation of new immigrants who have yet to become as Anglicized as she is.

Apart from Esther's story, two of the other plot lines in *Children of the Ghetto* are concerned with religious fundamentalism, which would become one of the most sensitive issues in the novels of Rushdie and Kureishi a century later. Esther's suitor Raphael Leon edits a paper, *The Flag of Judah*, partly financed by Henry Goldsmith (the host at the Christmas dinner party) with a paradoxical mission to defend Jewish orthodoxy. In the earlier part of the novel Hannah Shemuel, a rabbi's daughter, finds her happiness in love thwarted by an obscure but draconian provision of Jewish religious law. Her lover wants her to elope to America so that they can get married under a more liberal dispensation, but at the last minute she remains true to her father's faith. This sentimental tragedy of non-assimilation became central to the dramatized version of the novel.

In itself, *Children of the Ghetto* cannot be described as a neglected literary classic, but it is a pioneering work of extraordinary interest and continuing relevance. The controversies within the Jewish community that it reflects were paralleled more than a century later when Monica Ali's bestselling *Brick Lane*, set in the same part of Whitechapel, was condemned by Muslim community representatives for its 'insulting and shameful' depiction of Bengali immigrants.[20] The author, it was claimed, knew little of the community represented in her 400-page novel; equally relevant, perhaps, was the fact that the novel's strongly feminist and integrationist values clearly challenged fundamentalist orthodoxy. Probably the *Brick Lane* controversy would have attracted little notice had it not been for the precedent of *The Satanic Verses*, which was denounced all over the world and burnt by Muslim protesters in Britain once its author had received a religious death sentence in 1989. (The opening sequence of *The Satanic Verses* shows its two protagonists, Gibreel Farishta and Saladin Chamcha, suffering a kind of fall from the heavens and fetching up in contemporary London, but Rushdie is not an immigrant novelist, influential as his London scenes have been. The controversy over the novel relates to its dream sequences set in the Arabian peninsula.) The motives of the British anti-Rushdie protesters in London were portrayed with a certain sympathy in Hanif Kureishi's immigrant novel *The Black Album* (1995). It seems likely that immigrant fiction will always retain the capacity to disturb some of its readers, since it explores issues of national and cultural identity which give rise to profound and passionate disagreement. The example of *Children of the Ghetto* is a reminder that fiction dealing with the trauma of migration and resettlement has a long history.

Metropolitan Alienation

When Esther belatedly confesses to Raphael that she is the author of *Mordecai Josephs*, she declares that

'I wrote it and I glory in it. Though all Jewry cry out "The picture is false," I say it is true. So now you know the truth. Proclaim it to all Hyde Park and Maida Vale, tell it to all your narrow-minded friends and acquaintances, and let them turn and rend me. I can live without them or their praise. Too long they have cramped my soul. Now at last I am going to cut myself free.' (428)

The city here is the place of judgement, but also the place of freedom. Even if 'all Hyde Park and Maida Vale' point the finger of censure at her, Esther can survive their condemnation. The figure of the writer in the metropolis has long been a central trope in immigrant fiction: the writer as truthful witness and potential betrayer of her community's secrets, but also as a solitary outcast cherishing her loneliness amid the city's anonymity. The freedom the city offers is, as often as not, the freedom to fantasize, and the fantasies it breeds are often outrageous, from visions of drugged hallucination, unlimited sexual possibility, and mental break-down to those of terrorist violence and civil war. While Esther's defiance of her own community in the above quotation suggests the extent to which she has become Anglicized, we may suspect that it is Anglicization as a negative identification, the product of disillusionment and disgust rather than a genuine reaching out towards a non-Jewish mode of life. Her confession is made privately to Raphael—a dissident intellectual who takes a strong interest in her—and her moment of defiance leads to a renewed discovery of love and comradeship within the Jewish community, which proves to be less narrow-minded than she had feared. This senti-mental ending suggests that Esther's rebellion is, in the end, little more than a family quarrel. She does not suffer permanent intellectual isolation of the kind depicted in the novels of Zangwill's contemporary George Gissing.

Gissing in his time was a much less popular writer than Zangwill, but his presentation of metropolitan alienation and the separation of the intellectual from the community anticipates the artistic introversion and solipsism of some of the most famous twentieth-century fiction: the novel as, first and foremost, a 'portrait of the artist'. Any artist who is, in Gissing's sense, 'unclassed'—who has turned against the section of society from which he or she came—is by definition a kind of migrant, whose work is likely to be either a record or, at least, a product of the experience of displacement. Such displacement is an individual act, in sharp contrast to the fates of 'displaced persons', refugees, economic migrants, and the like. At times, however—as with the movement of Caribbean writers to Britain after the Second World War—it takes on the appearance of a group phenomenon. In such cases, the fiction of individual isolation influences, and is influenced by, the fiction of immigration. It becomes hard to distinguish between the portrayal of London, for example, as a city of the uprooted, the bewildered, and the lost, and novels of immigrant communities where (as one critic has said of first-generation Caribbean immigrant fiction) there is a 'notable absence of women, successful love relationships, or any organic family life'.[21]

In the twentieth century, both the novel as 'portrait of the artist' and the fiction of immigration tended to emphasize the cultural, economic, and political centrality of the metropolis. The collapse of the British and other European empires barely affected the global dominance of cities such as London, Paris, and New York. V. S. Naipaul, who came as a student from Trinidad, wrote retrospectively that

in 1950 in London I was at the beginning of that great movement of peoples that was to take place in the second half of the twentieth century—a movement and a cultural mixing greater than the peopling of the United States, which was essentially a movement of Europeans to the New World. . . . Cities like London were to change. They were to cease being more or less national cities; they were to become cities of the world, modern-day Romes, establishing the pattern of what great cities should be, in the eyes of islanders like myself and people even more remote in language and culture.[22]

For Naipaul the immigrant's sense of failure as he shivers in a cold, damp, and unwelcoming London bedsit leads to self-examination rather than to disillusionment with the city. He and his fellow immigrants are Dick Whittingtons drawn to the metropolis, and it is here that he discovers his identity as a writer, an identity that has nothing to do with Bow Bells. He remains an outsider in the city, he does not settle in it, but he returns again and again in his work to the moment of arrival and his bewilderment there.

One of the most remarkable novelists of metropolitan alienation in a London setting is Jean Rhys, who first came to England from Dominica as a teenager in 1907. Rhys's lonely heroines endlessly lament that they have no money. Rebelling against a background of family poverty and narrow horizons, they have succeeded only in bringing failure and degradation upon themselves. Julia Martin in *After Leaving Mr Mackenzie* (1930) rejects her family, survives a broken marriage in Germany and a series of failed liaisons in Paris, and returns to England to see her dying mother. The memory of her childhood in tropical South America takes on the quality of a lost paradise in contrast with her disconnected, dysfunctional, and emotionally paralysed life in London. Julia is defeated and goes back to Paris, but Anna Morgan, the first-person narrator of *Voyage in the Dark* (1934), retreats into drunkenness, illness, sleep, and inertia. Once again, she is obsessed by memories of the tropics. As a child growing up in colonial luxury, she rebelled against her family's Puritanical code of order and self-discipline and 'wanted to be black'. But now she is lonely, miserable, and unemployed in London, a city of greasy pavements, tasteless food, sordid lodging houses, and (two years before George Orwell's *Keep the Aspidistra Flying*) aspidistras in the hallway. 'Being black is warm and gay, being white is cold and sad,' she reflects during her downward slide towards prostitution and an illegal abortion.[23]

In the fiction of some of Rhys's successors, not only the displaced and tormented first-person narrator but the city itself is disintegrating and falling apart. The heroine of Anna Kavan's story 'Our City' (1945) is an immigrant 'from the other side of the world' (though Kavan herself was a British novelist born in France). The city, evidently wartime London, is 'full of the troops of a foreign army', while the protagonist, a mental patient in remission, is 'the city's outcast and prisoner'. She is, like Lazarus, risen from the dead—but still mentally half-dead—and ultimately she foresees an apocalypse of 'fire and brimstone from above' which will bring the city to an end.[24] Doris Lessing's *The Memoirs of a Survivor* (1974), a vision of a violent, anarchic future London, is similarly apocalyptic. Lessing, who described her arrival in London from southern Africa in *In Pursuit of the English* (1960) and elsewhere, shows a heroine who at the end is miraculously transported to another place, which may represent a world beyond the grave or a new stage in her spiritual migration.

Lessing and Kavan are writers whose concern with unusual psychic experience has led them from time to time into the realms of science fiction. For a more orthodox realist like the West Indian-born Caryl Phillips, there is no escape from the predicament of metropolitan alienation in 1950s London. Phillips has identified himself as a firm believer in the 'melting pot' idea of English cultural diversity,[25] but his first novel, *The Final Passage* (1985), portrays the suffering and delirium of an immigrant who cannot come to terms with her new environment. The small Caribbean island where Leila and her feckless husband grew up offered an intimate communal life shadowed by economic stagnation and endemic unemployment; the metropolis, by contrast, is a pitiless waste-land condemning its weaker inhabitants to self-destructive isolation. Leila, a born victim like Rhys's heroines, turns away the offers of help she receives and is last seen alone and destitute on Christmas Eve, locking the door of her bleak London flat against the world outside and burning her baby's clothes in the grate in a last attempt to keep warm. *The Final Passage* has been described as a novel about Phillips's parents, so his decision to end the story at this point may be seen as a deliberate turning of the narrative towards tragedy and away from the self-absorption of the 'portrait of the artist'. It leaves us with a numbing sense of the heroine's 'voicelessness' and her failure to discover or refashion her identity.[26]

V. S. Naipaul's career began with comic novels set in his native Trinidad and notable for their characters' rich fantasy lives. In 1967, however, he published *The Mimic Men*, which soon became notorious for its denunciation of the culture and politics of newly independent Caribbean states. The political memoirs of Naipaul's first-person narrator Ralph Singh are bracketed by lengthy descriptions of his life in London, first as a student and later as a deposed national leader in exile. He has come back to 'the final emptiness: London and the home counties' to take up the vocation of writing, but what he writes is a self-obsessed memoir rather than the broad history of the impact of European imperialism that he had originally planned.[27] Singh, who is, he says, 'too much a victim of that restlessness which was to have been my subject' (38), is rather evidently a thinly veiled projection of Naipaul himself at a particularly bleak stage of his literary odyssey. He is shown living alone in a suburban hotel amid the featureless twentieth-century landscape described by J. B. Priestley. He has no sense of belonging or membership of a community, nor any goal beyond that of completing his memoirs. But he does record with some pride that he is toasted as 'our overseas guest' by the landlady at the hotel's Christmas dinner (297).

Descended from Indian immigrant labourers (his name has been anglicized from Ranjit Kripalsingh), Ralph Singh in his final incarna-tion has fulfilled the 'fourfold division of life' prescribed by his Aryan ancestors, having been 'student, householder and man of affairs, recluse' (300). As a student he at first followed 'the god of the city' (22), walking London's streets and remembering its famous names much as Jude Fawley did at Christminster. But as the 'gold of the imagination' turned to the 'lead of reality' (13) he sought solace in sexual promiscuity. Next comes the narrative of his marriage to an English girl and his eventual divorce, together with his rapid rise as a populist leader on his home island of Isabella. Finally, overcome with self-disgust and world-weariness, he throws in his hand as a politician and retires to London. He turns into a secular, Westernized version of the Hindu 'Holy Man', but his message is that the migration of peoples is unnatural and fundamentally wrong. Like Rhys's heroines, Naipaul's introspective, self-pitying prot-agonist remains defined by his restlessness. An immigrant who is content to stay on as an 'overseas guest', he has found only a disconnected artistic identity in Britain.

Metropolitan Fantasies

In *The Pleasures of Exile* (1960) the novelist George Lamming spoke of the tension between the West Indian writer's need to 'win the approval of Headquarters' (England) and his responsibility to his own people.[28] Naipaul's Olympian prose in *The Mimic Men* and later books has secured his ready acceptance as a master of English fiction, but it is the novels of his compatriot Samuel Selvon that give expression to what Lamming called 'the people's speech'—a compound of Trinidadian and other dialects that constitutes the earliest literary form of black British English.[29] Naipaul's early novels of Trinidad life, *The Mystic Masseur* (1957) and *A House for Mr Biswas* (1961), are based on a 'trickster' hero, an ingenious and resourceful self-made man whose imagination is nour-ished by the distant influence of the metropolis. Selvon in *The Lonely Londoners* (1956) introduced a rather similar figure, Moses Aloetta, a Caribbean immigrant undergoing the transition from metropolitan alienation to belonging. The hero of Selvon's humorous, anecdotal third-person narrative bounces back after innumerable defeats, valiantly maintaining his vision of London as the immigrant's promised land. In the end, like Ralph Singh, he settles on the goal of writing his memoirs. Selvon's two sequels, *Moses Ascending* (1975) and *Moses Migrating* (1983), are instalments of these memoirs, portraying the hero's progress from homesick outsider to absurdly ultra-loyal black Englishman.

The folk-tale roots, both English and Caribbean, of Selvon's storytelling are never far from the surface. At the start of *The Lonely Londoners* Moses is hanging out at Waterloo Station—'Perhaps he was thinking is time to go back to the tropics, that's why he feeling sort of lonely and miserable'[30] — when he meets the newly arrived Henry Oliver, who immediately acquires the name of the quest-hero Sir Galahad. Moses warns Galahad that

Londoners will view him as a greedy, upstart Dick Whittington who has
come to the city in search of wealth and women: 'So don't expect they will
treat you like anybody special—to them you will be just another one of
them black Jamaicans who coming to London thinking that the streets
paved with gold' (25). Moses and Galahad soon become members of a
mixed West Indian group known as 'the boys', and Selvon (who was
himself of Asian descent) is studiously vague about his characters' racial
identities.[31]

According to Moses, 'if it was that we didn't get together now and then
to talk about things back home, we would suffer like hell. . . . Nobody in
London does really accept you. They tolerate you, yes, but you can't go
in their house and eat or sit down and talk. It ain't have no sort of family
life for us here' (114). But while Moses acknowledges the poverty and
exploitation of immigrant 'Brit'n', the fantasy life of 'the boys' as they
come together to drink, joke, and exchange stories is at the heart of *The
Lonely Londoners*. Moses becomes the 'master of ceremonies' (98) at their
regular get-togethers, and his ten years in London are seen as a small epic
of survival and adaptation.

Moses Ascending and *Moses Migrating* lack some of the casual,
improvised grace of *The Lonely Londoners*. Moses becomes a property-
owning British patriot and slum landlord, but is virtually imprisoned in
his own basement after being outwitted by Bob, the white immigrant to
London from Leicestershire whom he first employed as his Man Friday.
By the end of the trilogy Moses is on the run from the police in both
England and Trinidad. Selvon thus puts an abrupt end to the career of a
hero who was able to boast in *Moses Ascending* that 'I have weathered
many a storm in Brit'n, and men will tell you that in my own way I am as
much part of the London landscape as little Eros with his bow and arrow
in Piccadilly, or one-eye Nelson with his column in Trafalgar Square,
not counting colour'.[32]

'Colour' is, of course, made to count throughout Selvon's trilogy,
which aims to dissolve the cruelty and prejudice of British institutional
racism into laughter. In *Moses Ascending* Galahad and some of the other
'boys' join the Black Panthers, challenging Moses, now a self-conscious
memoirist, to show whether he is cut out to be a campaigning writer like
the American James Baldwin or, as always seems more likely, a British
Uncle Tom. When Moses puts up the bail money to get the Black Panther
leaders out of prison, he declares with splendid absurdity that 'No
Englishman with black blood in his veins can stand aside and see innocent
victims hang' (96). His 'black Englishman' persona reaches its apotheosis

at the Trinidad carnival in *Moses Migrating*, where he appears in state as a black Britannia with Bob and his wife Jeannie as his white slaves.

Selvon's comedy is set against the background of Britain's changing relationship with its ex-colonies, as highlighted in the 1960s by the country's economic crises and by the racist speeches of the Conservative politician Enoch Powell. Moses as a loyal black Englishman is torn between responding to Powell's call for the immigrants to return home, and a reluctance to desert 'Brit'n' in its hour of need: 'How would the country survive with all these blacks returning to the islands? When the streets were paved with gold they came a-running: now that the humble potato was princely they were rushing out to the Third World to eat rice instead, having made their kill in the British Isles'.[33] So Moses returns to Trinidad as a self-appointed ambassador for his adopted country, proclaiming that 'Johnny Walker was still going strong, that the British bulldog still had teeth, that Britannia still ruled the waves' (30). He wins a silver cup with his carnival float, but the reality is that, far from Bob and Jeannie being his slaves, he has become theirs. His fantasy of Britishness is just that—a fantasy—and, since he deserts his Trinidadian fiancée, a sterile one; it is not Moses who will be producing the next generation of black Englishmen. His glory, however, has been his ability to persuade himself, not just that he belongs in London, but that London belongs to him.

Fantasies of metropolitan assimilation and political resistance are presented in much more extreme terms in Hanif Kureishi's *The Black Album*, a novel of London in the late 1980s. On the one hand there are orgies of sex, rock music, and drug-taking, which Kureishi suggests might be the common experience of London teenagers; on the other hand, militant Islamic sects embody a much more fiercely Puritanical opposition to the metropolitan blurring of identities than Selvon's Black Panthers had done. Kureishi's protagonist Shahid Hasan is torn between his sexual infatuation with Deedee Osgood, his white teacher and girlfriend, and his involvement with a fundamentalist group. Shahid is also a writer whose intensity of observation fills Kureishi's third-person narrative with a poetry of imaginatively transformed urban spaces. Here he is waiting on an Underground platform:

Beneath the banality and repetition of this ordinary day there ran, like the warm inhabited tube tunnels under the city, flirtation, passion and the deepest curi- osities. . . . Skirts, shoes, haircuts, looks, gestures: enticement and fascination were everywhere, while the world went to work. And such allure wasn't a preliminary to real sex, it was sex itself. Out there it was not innocent. People yearned for romance, desire, feeling. They wanted to be kissed, stroked, sucked, held and penetrated more than they could say. The platform of Baker Street Station was Arcadia itself.[34]

But the sexual pastoral is indulged only to be repudiated: 'What torrents of drug-inspired debris he had allowed to stream through his head! What banal fantasies he believed were visions! And on Baker Street Station too!' (130). Soon afterwards Shahid goes to a mosque, which is so full of different types and nationalities of men (we note that they are all men) that it could be anywhere. The mosque and its adherents stand apart from their profane locality, while Shahid's vision of a sexual Arcadia is tied to a particular place in the metropolis. His co-religionists may accuse him of sexual enslavement to Deedee, but it is because he is a would-be novelist with a passion for the details and fullness of experience that his commitment to the metropolis must win out, in the end, over his attempts at religious devotion. He comes to take pride in the 'seedy variety' of his part of the city, which in Cockney style he calls his 'manor': 'In London, if you found the right place, you could consider yourself a citizen the moment you went to the same local shop twice' (193). London offers the glamour of sex, drugs, and consumerism, of art and self-display, but it is also a place of belonging. It offers anonymity and local knowledge at the same time.

But also fear. Ralph Singh in *The Mimic Men* had sensed that London was a 'conglomeration of private cells', but Shahid is aware of a new degree of social breakdown, of which the street gangs and poverty-stricken housing estates are only symptoms. The world is 'breaking up into political and religious tribes', he thinks, so that even previously stable societies may be threatened with civil war (133–4). Shahid, split between two identities, himself embodies the conflict that he detects around him. Civil violence, hitherto mainly confined to futuristic fiction such as Lessing's *The Memoirs of a Survivor*, is always a possible dimension of metropolitan fantasy.

Immigrants in the 'Heart of England'

Until recently there was a remarkable shortage of novels of immigration set outside London. The attraction of the Whittington theme for writers and intellectuals remained as powerful as it was in the time of Thackeray and Dickens. In traditional English fiction the lure of the city was balanced by the representation of the English countryside as the place from which the novel's male protagonists came and to which most of them would eventually return. The countryside was associated with childhood, the city with the excitement and disillusionment of young adulthood, but the hero's reward repeatedly took the form of a country mansion, a wife and children, and a landed estate. Since the countryside in fiction is so often a place of absence, it is significant that the immigrant's remembered countryside is far away from England: hence the tropical landscapes of reverie in Jean Rhys's novels, and the cryptic, embittered childhood memories of Ralph Singh.

There is also the residual but strongly persistent idea, sanctioned by literature since the time of the Romantic poets, that the English countryside is the heartland of national identity. In the twentieth century it was most strongly expressed by the Georgian poets—an early example is Edward Thomas's *The Heart of England* (1906)—and their successors.[35] The 'unspoilt' countryside is opposed to the new England of suburban development and industrial sprawl—as in Forster and J. B. Priestley—but it is also seen as standing apart from the mixing of cultures in the cities. The more rural England is mythologized, the more it is likely to be feared or avoided by the immigrant writer. Thus the urbane, sophisticated V. S. Naipaul speaks in *The Enigma of Arrival* (1987) of Wiltshire, the 'ancient heart of England', as an 'unlikely setting' for what he calls his 'new life' (96). The 'ancient heart' is more than a historical and geographical metaphor. It implies the seat of patriotic emotions, and also the supposed stability and homogeneity of the rural population. *The Enigma of Arrival* deliberately sets out to dispel this view of the countryside. By contrast, Caryl Phillips's novel *A Distant Shore* (2003) is set in a former mining village where an illegal African immigrant is brutally murdered. The novel is at once an indictment of the racism and violence to be found outside the big cities, and an evocation of a changing England where the old division between town and country no longer applies. Novels of immigration set in the countryside can, indeed, be linked to an older kind of English writing summed up in the title of George Sturt ('George Bourne')'s classic memoir *Change in the Village* (1912). As Phillips's white narrator remarks, 'These days it's difficult to tell who's from around here and who's not. Who belongs and who's a stranger.'[36]

But if the countryside is the traditional English heartland, it is also a place where, to use Forster's term, the Englishman's 'undeveloped heart' may be cruelly exposed. Novelists in the English pastoral tradition tend to adopt the perspective of the misunderstood country people; thus Hardy in *Tess* and *The Woodlanders* contrasts the tragic nobility of his rural labourers with the careless insensitivity of the incoming middle classes. At the other extreme, recent immigrant novelists such as Phillips and Meera Syal portray the inbred racism of the English provinces. One of the first major novels touching on overseas immigration into the English countryside is D. H. Lawrence's *The Rainbow*, where the first chapter is entitled 'How Tom Brangwen married a Polish Lady'. The Brangwens, we are told in the novel's opening sentence, 'had lived for generations on the Marsh Farm', but it is Tom Brangwen, the youngest son, who takes over the farm.[37] His three elder brothers preferred to seek opportunities elsewhere. As a bachelor farmer, Tom is the last of his line until he meets Lydia Lensky, the Polish immigrant with whom he forms an almost wordless relationship. Their marriage is the start of a new dynasty whose fortunes are traced in *The Rainbow* and *Women in Love*, although the search for emotional and intellectual fulfilment that Lawrence traces in each generation inevitably takes Tom Brangwen's progeny away from the land, never to return.

Lydia Lensky's role in *The Rainbow* is symbolic but somehow incidental. Her Polish background apparently means nothing to her granddaughter Ursula, who is Lawrence's primary heroine and the spiritual heir of the Brangwens. The narrative of Ursula's unhappy love affair with Anton Skrebensky does not include any analysis of their shared immigrant heritage. Anton's dedication to his acquired British identity as an army officer and imperial servant is seen as an indictment of his undeveloped heart; Lawrence has little sympathy for his situation as an orphan child of Anglo-Polish parents. Ursula's own capacity for development towards emotional richness is, in effect, the sign of her passionate if inarticulate Brangwen ancestry.

What Lawrence did not and perhaps could not write is the story of the Brangwens as seen from the standpoint of the Lenskys and Skrebenskys. Not many English-born novelists have elected to portray the English from an 'alien' point of view, as Ford does in *The Good Soldier* and Forster to a lesser extent in *Howards End*. A distinguished mid-century example of immigrant fiction by an English-born writer is Philip Larkin's second novel *A Girl in Winter* (1947). In *Jill* (1946), a pioneering example of post-war campus fiction, Larkin had satirized the life of Oxford under-graduates as seen by a northern working-class freshman. Katherine Lind, the protagonist of *A Girl in Winter*, is a wartime (presumably Jewish) refugee working as a library assistant in a provincial city. This memorable novel suggests the potential loss to English fiction resulting from Larkin's decision to become a professional librarian and poet.

Larkin is vague and perhaps deliberately reticent about Katherine's origins. Her name sounds Nordic or Germanic, but her hosts during a

schoolgirl visit to England before the war thought that she might be
Catholic, implying German or Austrian nationality, and there is a hint
that she comes from the Rhineland. A German refugee at liberty in
wartime England must certainly be Jewish, but Larkin carefully avoids
giving her this label. The novel's formal structure traces her life on a
single winter day, with her pre-war visit to the family of her English 'pen
pal', Robin Fennel, being recalled in a long retrospect. Larkin hints
without actually stating that the upper-middle-class Fennels, who are not
a religious family, were dismayed by their belated realization that they
were entertaining a Jewish guest. Robin's future brother-in-law, an Aryan
type with 'cold blue eyes', does his best to ignore her, while her unguarded
response to being told that she is 'almost one of the family' evokes the
latent anti-Semitism in Robin:

'It would be amusing if I were,' said Katherine absently. 'Don't you think families
with a foreign side are more interesting? They become much stronger. And the
one branch can help the other.'
    'That's what the Jews think, isn't it,' he said rather distantly.[38]

This is the novel's sole reference to 'the Jews'.

    Robin Fennel, supposedly destined for the Diplomatic Service, is the
cool young Briton, mocked by his sister Jane for his meticulously planned
career leading to marriage at the age of 30 and a decoration from the King.
Katherine thinks that 'he had puzzled her at first, because he was so very
English—how English she never realized till she met more English people—
but once she had got used to him he had been rather dull' (180). But Robin
is not what he seems. When he visits Katherine five years later he is a
common soldier absent without leave from his unit; he is on the verge of
an overseas posting and has turned into a boorish alcoholic. He is like
Powell's Charles Stringham (in *The Music of Time*), only much less
sympathetically presented. He has no appreciation of Katherine's difficulties, or of her own social displacement, which is much greater than his.
When Katherine first visited the Fennels she believed she was moving into
a 'world that might have been a country dance' (216), but Robin's English
gentlemanliness was cruelly deceptive. Katherine's summer of girlish
illusion has given place to the bleakest of realities, and Larkin's novel is
starkly at variance with the official mood of relief and self-congratulation
after the Second World War.

    While Robin Fennel is not openly identified as anti-Semitic, Anita
Rutter, the heroine's best friend in Meera Syal's *Anita and Me* (1996), is
an English working-class teenager who becomes a 'Paki-bashing' racist.

At the same time, the novel depicts class hostility and resentment as the underlying forces fuelling racial antagonism. Meena Kumar's parents decided to settle in a terraced house in Tollington, a former Black Country mining village, because it was all they could afford when they first came to England in search of what Meena calls 'the promised gold beneath the dog shit on the streets'.[39] But the Kumars are plainly destined for the middle class: Meena's father works in an office, her mother is an infant teacher, and she eventually passes the eleven-plus to go to the local grammar school. The novel is an autobiographical account of Meena's pre-teenage years when she attends the village school (subsequently bulldozed by a property developer) and lives in what seems to her in retrospect to have been an idyllic, self-enclosed working-class community. Tollington, 'a forgotten village in no-man's land between a ten-shop town and an amorphous industrial sprawl' (135), is in a state of transition. The men are mostly out of work, while the local engineering factory takes on women only. At first Tollington is still just rural enough to remind Meena's mother of her Indian homeland, but by the end of the novel it has become part of the new England that Priestley foresaw, with new housing estates, bored teenagers, a supermarket, and a motorway.

Meena, caught between her upwardly mobile parents and their working-class neighbours, is 'a freak of some kind, too mouthy, clumsy and scabby to be a real Indian, too Indian to be a real Tollington wench' (149–50). She is not allowed to speak the Tollington dialect at home: ' "Just because the English can't speak English themselves, does not mean you have to talk like an urchin. You take the best from their culture, not the worst" ' (53), her mother tells her. As a 'Junglee' or wild, naughty child she is deeply attracted to Anita, the glamorous older girl who eventually falls for Sam Lowbridge, the leader of a gang of skinheads. But Anita and Sam are abused and deprived youths, while Meena's loving, supportive parents makes her realize that 'there was a corner of me that would be forever not England' (112). When Sam repeats the notorious racist political slogan of the 1960s—' "If You Want A Nigger For A Neighbour, Vote Labour!" ' (273)—and beats up a visiting Asian businessman, he earns Meena's hatred and contempt; but her relationship to Tollington can never be one of simple antagonism, since Tollington, she discovers, is as much part of England's imperial history as her own family is. A white neighbour suddenly addresses Meena's grandmother in Punjabi, while the last owner of the local coal mine, now a notorious recluse, turns out to be a Sikh like her own family. Meena eventually comes to a deliberately staged, somewhat unlikely understanding with

Sam, who gives her her first kiss and excuses his hostility to her as a matter of class, not race: ' "You've always been the best wench in Tollington. . . . But yow wos never gonna look at me, yow won't be stayin will ya? You can move on. How come? How come I can't?" ' (314). Sam and Anita can develop no further and must remain in Tollington, while Meena and her family prepare for the 'next reincarnation in our English life-cycle' (327)—a suburban house close to the grammar school, with plenty of Hindu neighbours. We could say that, like Israel Zangwill's novel, *Anita and Me* is a sentimental romance about the problems of Anglicization and leaving the ghetto. But Meena's ghetto, the 'tiny, teeming and intimate world' (250) that she recalls so vividly, is that of the beleaguered white rural working class.

V. S. Naipaul's Indian Summer

George Ponderevo, Wells's narrator in *Tono-Bungay*, compares the state of the English countryside to 'an early day in a fine October': 'The hand of change rests on it all, unfelt, unseen; resting for awhile, as it were half reluctantly, before it grips and ends the thing for ever.' Later in the novel he shows a village clergyman suddenly gripped by the realization that 'all his world lay open and defenceless, conquered and surrendered, doomed so far as he could see, root and branch, scale and form alike, to change'.[40] Yet Wells's countryside is also curiously slow to recognize change, and the same sense of artificially prolonged stagnation can be found in writing throughout the century. V. S. Naipaul's *The Enigma of Arrival* is set on a decaying Wiltshire estate which, as the narrator very clearly understands, has no future. The splendid manor house, underwritten by the wealth of empire, is an Arts and Crafts Movement creation dating from the time that Edwardian novelists such as Wells and Galsworthy depicted as the final Indian summer of the old rural order.

The narrator of *The Mimic Men* tells us that he once dreamed of retiring to an abandoned colonial plantation to write his planned history of modern imperialism. In this setting, Ralph Singh suggests, the reality of slavery and exploitation would have receded and the word 'agriculture' would have 'acquired its classical associations and lost its harsher island significance' (41). But this pastoral vision is a self-delusion—identified as such in *The Mimic Men* and, still more harshly, in Naipaul's later Caribbean novel *Guerrillas* (1975)—since the island's colonial history continues to fester. Nevertheless, it would seem that the Naipaul of

The Enigma of Arrival has succeeded in living out a pastoral fantasy very like Singh's.[41] The name of the Wiltshire village in which the narrator resides, Waldenshaw (a reminiscence of Thoreau's *Walden*), is an obvious pastoral touch. One of the difficulties in referring to *The Enigma of Arrival* as a pastoral, however, is its strongly autobiographical content. The novel's form recalls an earlier example of the fictional literary memoir, George Gissing's *The Private Papers of Henry Ryecroft* (1903)—originally to have been titled 'An Author at Grass'—but Naipaul, unlike Gissing, actually lived in the setting he describes. For much of the time it seems an excessive delicacy not to refer to the narrator as Naipaul, although the book is labelled a novel on its title-page.

When Naipaul first moves into his cottage on a Wiltshire estate he tends to read the landscape through literary spectacles, describing an old labourer as a 'Wordsworthian figure' and the seasonal rhythms of agriculture as being like a 'Book of Hours' (20). But these are naive perceptions, and the self-conscious literariness of his vision recedes as his intellectual and emotional intimacy with Waldenshaw grows. At a deeper level, the indebtedness to literary modes of vision remains. The Conradian idea of the 'secret sharer' underlies the affinities that the solitary, reclusive narrator feels for the neighbours he observes with such fascinated concentration: the garden-loving Jack, Pitton the groundsman, Les and Brenda the unhappily married couple, and, above all, the lord of the manor, a last decayed representative of the class of imperial rulers.

The landlord and the colonial immigrant are opposites, but each is to some extent the other's creation, and, moreover, both Naipaul and his landlord are writers of sorts. The landlord once had a reputation as a promising poet. In middle age Naipaul represents artistic success and his landlord artistic failure, so that the one travels the world on literary and journalistic assignments while the other shuns all mental activity and human contact, rarely stepping outside his mansion. One of the literary precedents shadowing Naipaul's characterization of his landlord is Yeats's poem 'Ancestral Houses', about the last days of the British ascendancy in Ireland. Yeats (who is never quoted in *The Enigma of Arrival*) contrasts the 'Bitter and violent men' who built the great estates with their puny, contemptible successors:

> O what if levelled lawns and gravelled ways
> Where slippered Contemplation finds his ease
> And Childhood a delight for every sense,
> But take our greatness with our violence?[42]

The neglected and shrunken Waldenshaw estate also becomes the source of the narrator's childlike sensual delight, a setting for imaginative rebirth as well as a symbol of post-imperial decrepitude.[43]

As he ponders the mystery of the manor and its landlord's inactivity, Naipaul turns to that central (if covert) obsession of traditional pastoral, the presence of death in Arcadia. His landlord has perhaps 'stalled in what might be considered a state of perfection' (254), and this may be equated with what, taking the longest possible view of English history, Naipaul calls the 'plateau of historical light' (50) stretching from the Saxons to the present. The idea of a new impending English dark age is written into the novel's rural landscape, since Waldenshaw is close to Amesbury, and 'It was to a nunnery in Amesbury that Guinevere, Arthur's queen, the lover of Lancelot, had retired when the Round Table had vanished from Camelot' (50). But for the work of change—including Naipaul's own immigrant presence there—Waldenshaw might be a place of refuge from impending barbarism as secluded and peaceful as Guinevere's nunnery.

For Naipaul, however, the immigrant rather than the slippered recluse is a universal figure, an Everyman, as we see in his reflections on the Giorgio de Chirico painting which gives the novel its title. Sometime in the classical period a traveller arrives by ship at an unknown Mediterranean port. He disembarks and plunges into the streets:

The mission he had come on—family business, study, religious initiation—would give him encounters and adventures. He would enter interiors, of houses and temples. Gradually there would come to him a feeling that he was getting nowhere; he would lose his sense of mission; he would begin to know only that he was lost. His feeling of adventure would give way to panic.

Finally the traveller returns to the 'quayside of arrival', but the ship has gone: 'The traveller has lived out his life' (92).

As it happens, this allegory of the 'enigma of arrival' strongly recalls the plot of George Lamming's *The Emigrants* (1954), an early novel of immigration to Britain by a Trinidadian novelist whom Naipaul considered an inferior rival.[44] *The Emigrants* begins with a ship arriving at a strange port in the French Caribbean. The transit passengers disembark, go into the town, and later rejoin their ship, which takes them to England. Lamming's account of their adventures in London conveys a strong sense of the city's strange and rather sinister interiors—those of an immigrant hostel, a workshop, an unlicensed hairdressing saloon, an Englishman's suburban house, and so on. In the end, the characters' sense of bewilderment is acute.

The symbol of this bewilderment is the narrator's fellow passenger Dickson, who becomes a down-and-out:

I had no great liking for Dickson, but I suddenly felt that Dickson's fate might in a way have been awaiting me, or any man who chose one country rather than another in the illusion that it was only a larger extension of the home which he had left. For it would be a lie to deny that on the ship and even in the hostel, there was a feeling, more conscious in some than others, that England was not only a place, but a heritage. Some of us might have expressed a certain hostility to that heritage, but it remained, nevertheless, a hostility to something that was already part of us.

But all that was now coming to an end. England was simply a world which we had moved about at random, and on occasions encountered by chance. It was just there like nature, drifting vaguely beyond our reach.[45]

Settlement at Waldenshaw is what saves Naipaul from this nightmare of displacement, so that England for him becomes 'a heritage' rather than a world in which he moves about at random. Near the end of *The Enigma of Arrival* there is a moving scene in which he receives the gift of an old neighbour's walking-stick. 'I will keep it as long as I live' (303), he declares, leaving us to wonder to whom he might, in his turn, pass it on. *The Enigma of Arrival* is itself a kind of legacy, a part of England left by an immigrant writer to his readers.

So far from being a deliberate move, V. S. Naipaul's arrival in Wiltshire was apparently an accident, caused by the failure of his plans to leave England altogether.[46] In 1969 he sold his London house, but a year later he came back. The narrator of *The Enigma of Arrival* begins to feel at home in Waldenshaw when he realizes that many of the other figures in his landscape are also incomers, who have no difficulty in accepting him as one of themselves. To the estate servants, he thinks, the manor house is a strange survival from more opulent times, 'like a barbarian coming upon an ancient Roman villa': 'on the manor Pitton, like the Phillipses, like me, was a camper in the ruins, living with what he found, delighted by the evidence of the life of the past' (212). The sense of camping among ruins, like so much else here, can be traced to earlier twentieth-century fiction: Lawrence, for example, begins *Lady Chatterley's Lover* with the sentiment that 'The cataclysm has happened, we are among the ruins, we start to build up new little habitats, to have new little hopes'.[47] Foremost among Lawrence's new hopes (as we saw in Chapter 12) was a renewal of sexual tenderness, whereas Salman Rushdie has alleged that the word 'love' does not appear in *The Enigma of Arrival*.[48] What Naipaul finds, instead, is a defiance of death and the sense of a new mission—no longer the wasted life of his allegorical traveller.

When Jack, the garden-lover (the term seems appropriate), knows that he is dying, he drives to his favourite pub on Christmas Eve for a last, determined public appearance. The narrator also describes the funeral observances for his sister in Trinidad, so that the novel's final section, 'The Ceremony of Farewell', balances the 'enigma of arrival'. The book's dedication—'In loving memory of my brother Shiva Naipaul' (here at least is the word 'love')—records a still more deeply felt loss: Shiva Naipaul, a novelist and journalist living like his older brother in England, died at the age of 40. Within this sombre perspective we can more fully appreciate the narrator's own joy at what he calls 'this gift of the second life in Wiltshire, the second, happier childhood as it were' (83), a rebirth all the sweeter for being necessarily transient. Waldenshaw for him is the happy valley, one of the traditional locations, together with the garden and the island, of utopia or paradise. The 'second chance' he has found there is a 'miracle' (96). It is in this countryside that Naipaul claims (in one critic's words) 'to have come, eventually taken root, and in his own way conquered'.[49]

Naipaul's way is more than a highly individual writer's eccentric odyssey, although as a first-generation immigrant he cannot speak directly for younger British-born writers. *The Enigma of Arrival* is his version of the dialectic of assimilation, self-assertion, and hybrid inheritance suggested by the following passage from Zadie Smith's *White Teeth* (2000), in which a British Asian teenager records her fascination with a middle-class white London family, the Chalfens:

She just wanted to, well, kind of, *merge* with them. She wanted their Englishness. Their Chalfishness. The *purity* of it. It didn't occur to her that the Chalfens were, after a fashion, immigrants too (third generation, by way of Germany and Poland, née Chalfenovsky) or that they might be as needy of her as she was of them. To Irie, the Chalfens were more English than the English.[50]

Englishness, as in so many novels about immigration, is at once a façade or sham and a deeply desirable, ever elusive goal for the incomer. And yet it could very easily be said of the narrator of *The Enigma of Arrival*, beating the bounds of his Wiltshire valley with an ancestral walking-stick, that he is 'more English than the English'. The creation of new identities and the surprising prolongation, or perhaps even usurpation, of older ones is at the heart of immigrant fiction. In the work of these writers the implicit subject matter of the whole tradition of the English novel—the creation, maintenance, decay, and cross-fertilization of the national identity—is at last made explicit.

Conclusion: On Englishness and the Twenty-First-Century Novel

I N 2001 Ian McEwan's novel *Atonement* was shortlisted for the annual Booker Prize. Starting with an epigraph from Jane Austen ('Remember that we are English . . .') and a long episode portraying a 1930s country-house party, it was the story of the childhood and youth of an English novelist—a novelist, moreover, of the generation before McEwan's own. *Atonement* proceeds to evoke the retreat to Dunkirk in 1940 and the arrival of the casualties from Dunkirk at St Thomas's Hospital in London. Apart from a brief concluding section dated 'London, 1999', all the narrated events take place well before McEwan's own birth in 1948.[1] Critics found nothing unusual in this degree of retrospective vision. Historical reconstruction had become such a regular feature of late twentieth-century English fiction that *Atonement* was not generally classed as a historical novel.

With the exception of some little-understood foreigners encountered by the British soldiers near Dunkirk, all McEwan's characters are English. *Atonement* was published at a time when self-consciously Anglocentric fiction (including a number of novels with 'England' or 'English' in their titles) was back in fashion. McEwan was concerned with class conflict within his country-house society, and with the contrast between the private world of upper-class manners and regimented mass institutions such as the army and the hospital. Dunkirk and its aftermath were presented as a time of national crisis successfully surmounted by most of his characters. One of *Atonement*'s few direct acknowledgements of the vast social changes that took place subsequently was the bare information that, in 1999, the country house of the opening section had been turned into a hotel. Presumably it would have been staffed by members of Britain's recent immigrant population, but that was not one of the novelist's concerns.

Lamenting the death of the American novelist Saul Bellow in 2005, McEwan wrote that 'In Britain we no longer seem able to write across the crass and subtle distortions of class—or rather, we can't do it gracefully, without seeming to strain or without caricature'.[2] It is equally true that in the half-century before the publication of *Atonement* much of the most celebrated English fiction had become inward-looking. It was concerned with revisiting the earlier tradition of the novel as well as the national past. What came to be known as 'historiographic metafiction' surrounded historical romance with reflexive commentaries on the nature of fiction and history, usually parodic in spirit. The historical pageant at the centre of Virginia Woolf's *Between the Acts* is an early forerunner of this trend, which became the basis of bestselling fiction in, for example, John Fowles's Victorian melodrama *The French Lieutenant's Woman* (1969) and Graham Swift's family saga *Waterland* (1983). But a novel need not be set in the past to be retrospective in temper. Many narratives of contemporary life reproduce familiar settings of 'English novel-land' such as the country house, or repeat the plot structures of classic English novels, or openly allude to the earlier tradition.

Novelists like Fowles, McEwan, and Swift write what has come to be known as 'literary fiction' as opposed to popular generic novels and romances. Paperback sales, film, television, and radio adaptations, and extended copyrights make the worldwide marketing of successful literary fiction as profitable today as it has ever been. The authors of modern literary fiction have themselves often had a literary education, and a significant number of them either start out as, or later become, teachers of literature or creative writing. An ever-increasing proportion of their potential readers have studied literature or other humanities subjects. Not surprisingly, there have long been allegations that the climate of literariness and the 'burden of the past' were stifling new fictional creation. The novelist A. S. Byatt, an acute commentator on the contemporary scene, discussed modern English novelists' uneasy relationship to tradition in her essay 'People in Paper Houses' (1979). She concluded with the admonition that 'to be [a good writer], whatever form you use, takes more primitive gifts of curiosity and greed, about things other than literature'.[3] But literariness is not so easily avoided. A case in point is the career of Kingsley Amis, whose first popular success was *Lucky Jim* (1954), a campus comedy in which the hero is a rebellious lecturer in medieval history.

Amis's public stance was relentlessly anti-academic and hostile to what he called literary self-consciousness. A champion of science fiction and other popular forms, he wrote in his introduction to *The Golden Age of Science Fiction* (1981) that literary self-consciousness means that your purpose ceases to be, say, just telling your story as effectively as you can; it comes to include doing what other people have decided you should be doing. A close and intricate relationship between novelists and academics means that the novelists are writing for the academics, not for anything as vulgar as fans. . . . the link with the readership is impaired.[4]

Before he became a successful novelist Amis taught for many years at University College, Swansea, and then at Cambridge. Philip Larkin, the poet and former novelist who was Librarian of Hull University, was one of his closest friends. Amis rejects a close and intricate relationship with academics, whom he regards, more or less, as parasites upon the creative artist; but his novels are deeply versed in earlier literature and his characters are sometimes enthusiastic readers. *Take a Girl Like You* (1960), the most ambitious of his early works, is a self-conscious rewriting of the Richardsonian novel of seduction. The heroine, Jenny Bunn, is a schoolteacher; the rakish Patrick Standish is a college lecturer. Jenny defends herself against Patrick's first attempt at seduction with the remark that ' "I've read about you in books" '. Her education puts her in a different category from an illiterate Victorian heroine such as Eliot's Hetty Sorrel, but she loses her virginity all the same. The novel's comic conclusion shows the couple, still unmarried, happily agreeing that 'those old Bible-class ideas have certainly taken a knocking'.[5] Jenny and Patrick embody a series of stereotypical Puritan–Cavalier oppositions— monogamy versus promiscuity, northern provincial versus southern metropolitan, honest sobriety versus drunken playacting, and so on—so naturally they find one another irresistible. The passionate and romantic conflicts of earlier English fiction have given way to an amusing and frivolous pastiche.

It is not only English novelists writing about English characters who feel the urge to rewrite the English tradition. V. S. Naipaul's *Guerrillas* (1975), for example, portrays a modern Heathcliff who—having taken a writing course and studied *Wuthering Heights*—sets up a Caribbean agricultural commune which he names Thrushcross Grange. Asya, the heroine of *In the Eye of the Sun* (1992) by the Egyptian-born novelist Ahdaf Soueif, is the daughter of a female English professor in Cairo. When she comes to England to write her doctorate at a northern provincial university, she sees herself as a successor to George Eliot's and Charlotte Brontë's heroines. She becomes involved with a sinister Englishman, Gerald Stone, whose name indicates the state of his heart as surely as it would in a Victorian melodrama. Asya, who is already married, realizes that she has stepped outside the English tradition to join Tolstoy's and Flaubert's heroines once she starts making love to Gerald—but she cannot entirely shake off the legacy of Maggie Tulliver and Dorothea Brooke. As an adulteress, she tells herself, 'you've joined Anna and Emma and parted company for ever with Dorothea and Maggie—although Dorothea would have understood—would she?' *In the Eye of the Sun* is not a novel of immigration, since after her doctorate Asya returns to Egypt to teach literature to a new generation of students, including Islamic fundamentalists whose declared motive is to learn the 'language of [the] enemy'.[6] Soueif's narrative spans the period of decolonization in the Middle East including the Nasser regime, the Suez invasion, the oil boom, and the Arab-Israeli wars. Asya's mother was originally inspired to study English literature by the sight of British women volunteers driving lorries for the Eighth Army in Cairo during the Second World War. That was a passing historical phase; so, we might conclude, is the 'postcolonial' world which has brought about her daughter's deep love for the English novel and her self-identification with its heroines.

The literariness of recent English fiction may also be a strictly temporary phenomenon. For many writers and critics it is associated with Postmodernism, an international style affecting all the arts which came to dominate cultural theory and critique from about 1970 onwards. But, although Postmodernism builds on the self-referentiality which is a perennial aspect of artistic forms, the English novel has been affected by specific local circumstances as national politics and the national economy have undergone profound and continuing changes. The agricultural and manufacturing base declined, the heritage and tourist industries grew in importance, and fiction often seemed to reinforce an essentially backward-looking national image. A novel like *Atonement* which revisits the English country house and the events of May 1940 is to a certain extent complicit in Patrick Wright's description of 'National Heritage' as 'the extraction of history—of the idea of historical significance and potential—from a denigrated everyday life and its restaging or display in certain sanctioned sites, events, images and conceptions'.[7] Novelists, however, are equally capable of satirizing the heritage industry, as Julian Barnes does in *England, England* (1998) where an entrepreneur buys up the Isle of Wight and converts it into 'England', a hugely successful tourist theme park, while the rest of the country, now known as Albion, is left to rot. Barnes's satire does not make economic sense (as was shown, for example, by the financial disaster of London's vaunted Millennium Dome in the year 2000) and so perhaps invites dismissal as a mere fantasy. But there is a danger for the English novel—as Barnes, for one, was evidently aware—in a self-conscious pursuit of Englishness that leads to the spiritual evacuation of ordinary, everyday England.

In more recent essays A. S. Byatt has defined a second major strand in modern English fiction, a strand that is metaphysical in its ambitions and that draws on the whole of human history and geography in tales which often specialize in 'tricks of consciousness, dreams, illusions'. The authors are 'fabulists' and their works, rather than dwelling on the English class system or the decline of the British Empire, are 'European fables'.[8] The novels that Byatt cites are often historical, with settings that include medieval Italy, fifteenth-century Cairo, eighteenth-century Germany, and elsewhere. They are 'European' in that they reflect the influence of European writers such as Italo Calvino, Albert Camus, Isak Dinesen, Günter Grass, Milan Kundera, and others. But Byatt might equally have mentioned the impact in Britain of Latin American 'magic realism' and of Postmodernist fiction from the United States.

In the British context, what Byatt and others call fable or 'fabulation' might also be seen as a revival of the romance. The romance tradition with its preference for the marvellous over the mundane is strongly present in such post-Second World War English novelists as William Golding, Iris Murdoch, Muriel Spark, and the later Doris Lessing. Broadly interpreted, most successful modern romances are fables about identity, some of which address issues of national identity. William Golding's early novels, for example, include two tales of castaways—*Lord of the Flies* (1954) and *Pincher Martin* (1958)—and a prehistoric romance, *The Inheritors* (1955). All three have been widely understood and analysed as moral parables about universal human nature, with the Englishness of Pincher Martin and the boys in *Lord of the Flies* being seen as a major contributing factor. 'Englishness' here, though not always in Golding's later work, is an end-of-Empire phenomenon reflecting the author's own Royal Navy experience; it is, therefore, in sharp contrast with the work of Byatt's 'European fabulists' (including Angela Carter, Penelope Fitzgerald, and Jeanette Winterson as well as Murdoch and Spark) who may be seen as reflecting a new sense of post-imperial national identity. The more recent novelists are writing in the context of Britain's membership of the European Union, a context which, if it does not mean the erasure of national identity, certainly entails its possible reduction to something like regional identity.

The revival of romance, and especially the recent popularity of historical romance, might be dismissed as simple escapism. The critic

Jason Cowley wrote in a review of Byatt's essays that the 'retreat into history' is evidence of a 'powerful loss of confidence in the fictional possibilities of England, particularly beyond the metropolis. One struggles to think of a handful of novelists who bring urgent news of our contemporary condition, in the way that Dickens must have done.' (But—for all his wealth of journalistic experience—Dickens in his own time was more often seen as a fabulist than as a faithful reporter on contemporary conditions.) Cowley concedes that one way of writing about the modern world is to 'write about the present through the aspect of the past, so that the novel becomes a kind of palimpsest'.[9] Among modern novelists, Angela Carter had a lifelong concern with rewriting the corpus of traditional folk tales and fairy tales; this is seen at its purest in *The Bloody Chamber* (1979). Her fiction continually returns to the contemporary, though in ways that are wholly different from the world of newspaper reporting.

Where Cowley was undoubtedly right was in urging that novelists should not lose sight of the 'fictional possibilities of England' and the changing nature of English identity. The work of a number of recent novelists, as well as historians and literary critics, points towards a much more open and hospitable definition of national identity than was found, for example, two or three generations ago in the writings of George Orwell and J. B. Priestley. The novelist and critic Peter Ackroyd—who is often seen as a conservative figure—acknowledges Ford Madox Ford as a precursor in his sketch of *Albion: The Origins of the English Imagination* (2002). Ackroyd defines Englishness as 'the principle of appropriation. It relies upon constant immigration, of people or ideas or styles, in order to survive.'[10] A new style of historiography is exemplified by Norman Davies in *The Isles: A History* (1999), a work whose very title bypasses the genre of histories of 'England' and 'Britain' to which it nevertheless belongs. Crudely summarized, Davies's theme is both the construction of a United Kingdom comprising the major part of what are sometimes called 'these islands', and the losses (and, to a lesser extent, gains) resulting from that kingdom's severance from Europe. For Davies, Britain's severance from Europe was not an inevitable consequence of geography or the national temperament, but—more or less—the chance outcome of the Hundred Years War and the Reformation. Henry VIII's adoption of Protestantism as the English state religion, in Davies's words, 'cut England off from the cultural and intellectual community to which she had belonged for nearly a thousand years; and it forced her to develop along isolated, eccentric lines. The English have had little chance but to take pride in their isolation and eccentricity.'[11] Davies seems to believe that the severance from Europe is almost over, with popular hostility to the European Union constituting a last rearguard action on behalf of an outdated national pride.

Davies is in full-scale reaction against the triumphalism of former British imperialism, but in some respects *The Isles* perhaps falls short of its best insights. Not only is 'England' in the above quotation still resolutely female, but national development is implicitly presented as a species of individual development leading to the emergence of a pronounced national character: insular, eccentric, and full of pride. We need to remember that Davies has suggested that this was largely accidental— less a matter of inbuilt 'character' than the emergence and, in the end, the conscious adoption of a particular identity. *The Isles*, unlike most previous national histories, is at bottom a story of changing identities rather than of the consolidation of the English character. In this book I have argued that the movement from 'character' to 'identity' as a framework for analysis reflects certain tendencies that had long been present in the tradition of English fiction, including the work of novelists who are well known for their commitment to the ideas of fictional character and characterization.

Virginia Woolf, for example, vowed in her essay 'Mr Bennett and Mrs Brown' (1924) 'never, never to desert Mrs Brown', whom she imagined as an ordinary old lady in a railway carriage and, therefore, as 'the spirit we live by, life itself'.[12] It is only by sticking to Mrs Brown that writers, apparently, can overcome the social stratification and compartmentalization that Woolf in her later essay 'The Niece of an Earl' (1932) saw as typifying English society. For Woolf, the idea that 'We are enclosed, and separate, and cut off' is a structural and sociological fact, which creates the multi-textured social reality that novelists delight in:

We are enclosed, and separate, and cut off. Directly we see ourselves in the looking-glass of fiction we know that this is so. The novelist, and the English novelist in particular, knows and delights, it seems, to know that Society is a nest of glass boxes one separate from another, each housing a group with special habits and qualities of its own.[13]

Woolf's example of such a little group, or groups, is contained in her rather whimsical phrase 'the nieces of Earls and the cousins of Generals' (216). This means that her notion of 'Society' as a 'nest of glass boxes' is double-edged, since at one level it removes any obligation for the novelist to write across the cruder boundaries of class and caste in search of a 'vision of plurality' such as Ian McEwan has attributed to recent

American fiction.[14] Woolf seems to have half hoped and half feared that the advance of democracy would trample down all minor social distinctions, rendering the 'English novelist' obsolete: 'Novels may be written as seldom and as unsuccessfully by our descendants as the poetic drama by ourselves' (219).

Woolf's doubts about the immediate future of the English novel were manifestly misplaced. At the same time, her reference to the 'looking-glass of fiction' is a reminder that what we recognize when we look in a mirror is identity, not character. The identities that she chose to highlight in her 1932 essay were already vanishing, yet it can be argued that her intuition about English society as represented in the novel is still largely correct. It is the contents of the 'glass boxes' that have changed, so that instead of the subtle class divisions of Woolf's world we now have 'identity boxes'. That is, they house the cultural, ethnic, regional, and gender identities of the mixed and changing English population that is charted, most notably, in the novel of immigration. The England of many recent novels is less a network of different kinds of character (despite the continuing importance of characterization in fiction) than a chequerwork of increasingly deliberate and self-conscious identities. While many of the novels referred to in Chapter 15 were essentially realistic reports bringing news of contemporary experience, the modes of romance and fable are equally able to represent an England in which conflicts of identity and intricate problems of self-recognition have become part of the social and cultural fabric.

Two recent novels by Marina Warner, *Indigo, or Mapping the Waters* (1992) and *The Leto Bundle* (2001), offer an imaginatively reworked and slightly askew version of English society as the backdrop for fables of identity, colonial and postcolonial in the case of *Indigo* and international and stateless (in the sense that modern refugees and asylum seekers are perceived as stateless) in *The Leto Bundle*. In the former novel, the imperial summer game is not cricket but 'Flinders', while in the latter England has become, once again, 'Albion', and one of the protagonists sits on a government committee in the newly created Department of Cultural Identities. ' "Some of us are mongrels, yes. Some of us aren't. Some of those don't wish to entertain the mongrelisation of the nation," ' Kim McQuy tells his fellow committee members.[15] Kim is the son of Leto, an adopted child from a war-torn part of the world who is also the age-old goddess of migrants and an outcast member of the classical mythological pantheon. Her arrival on the shores of Albion joins universal history to the strictly contemporary. Warner is a student of mythology and an intellectual commentator whose use of the term 'mongrelisation' explicitly alludes to postcolonial debates about multi-culturalism and hybrid identities. Her novel has a political edge in its protest against right-wing propaganda and popular hostility towards immigrants and asylum seekers.

In the development of the English novel, the concept of national character has given way to national identity and the questioning of identity has become increasingly explicit. That national identity is (at least) problematic is part of the burden of many of the great English nineteenth-century novels, from *Northanger Abbey* and *Jane Eyre* to *Kim*. The term itself, however, did not become current until more recently, and it is possible that its first appearances were in immigrant fiction. In Andrew Salkey's *Escape to an Autumn Pavement* (1960), the Jamaican narrator laments to his English girlfriend that ' "Can't you see that I don't belong anywhere? . . . Where does anybody actually come face to face with his national identity?" '[16] The idea that national identity is problematic is now very widespread, if not universal. We may be con-fident that twenty-first-century novelists will continue to participate in the making and remaking of English identity.

Notes

Introduction

1. E. P. Thompson, 'The Peculiarities of the English', in *The Poverty of Theory and Other Essays* (London: Merlin, 1978), 35–91.
2. Peter Brooks, *Reading for the Plot: Design and Intention in Narrative* (Cambridge, Mass., and London: Harvard University Press, 1992), 130.
3. Florence Noiville, 'Jonathan Coe, l'homme-orchestre', *Le Monde* (23 July 2004), p. viii: 'Que les "anglo-addicts" se rassurent. Le roman "made in England"—une appelation originale aussi authentique que le Pim's ou le Stilton—ne s'est jamais, lui, aussi bien porté' [' "Anglo-addicts" should take heart. The novel "made in England"—a label of origin as unmistakable as Pimm's or Stilton—is stronger than ever'].
4. Henry James, *Letters*, vol. iii: *1883–1895*, ed. Leon Edel (London: Macmillan, 1981), 244; Milan Kundera, 'Wisdom of Being', *Guardian*, 27 January 1994, ii. 8.
5. Quoted in Ulick O'Connor, ed., *The Joyce We Knew* (Cork: Mercier, 1967), 97.
6. Cf. Jed Esty, *A Shrinking Island: Modernism and National Culture in England* (Princeton and Oxford: Princeton University Press, 2004), 1.
7. Bertrand Russell, *Autobiography* (London and New York: Routledge, 1998), 394.
8. Margaret Drabble, *The Ice Age* (New York: Popular Library, 1977), 15.
9. See Esty, *A Shrinking Island*, passim.
10. See e.g. Paul Langford, *Englishness Identified: Manners and Character 1650–1850* (Oxford: Oxford University Press, 2000).
11. Brooks, *Reading for the Plot*, 10.
12. Ibid. 26.
13. Krishan Kumar, *The Making of English National Identity* (Cambridge: Cambridge University Press, 2003).
14. Antony Easthope, *Englishness and National Culture* (London and New York: Routledge, 1999), 28.
15. See Linda Colley, *Britons: Forging the Nation 1707–1837* (New Haven and London: Yale University Press, 1992); and Gerald Newman, *The Rise of English Nationalism: A Cultural History 1740–1830* (London: Weidenfeld, 1987).

Chapter 1. The Novel and the Nation

1. The case is argued at length by Margaret Anne Doody, *The True Story of the Novel* (London: HarperCollins, 1997).
2. William Congreve, *Incognita*, in Paul Salzman, ed., *An Anthology of Seventeenth-Century Fiction* (Oxford and New York: Oxford University Press, 1991), 474.

3. Walter Scott, 'Essay on Romance' (1822), quoted in Alexander Welsh, *The Hero of the Waverley Novels* (New Haven and London: Yale University Press, 1963), 13.

4. Simon During, 'Literature—Nationalism's Other? The Case for Revision', in Homi K. Bhabha, ed., *Nation and Narration* (London and New York: Routledge, 1990), 144.

5. Ian Watt, *The Rise of the Novel: Studies in Defoe, Richardson and Fielding* (Harmondsworth: Penguin, 1963), 14.

6. *The Diary of Samuel Pepys*, ed. Robert Latham and William Matthews (London: Bell, 1976), ix. 313.

7. Walter Bagehot, *The English Constitution* (London: Watts, 1964), 248.

8. Virginia Woolf, 'The Niece of an Earl', in *The Common Reader*, vol. ii, ed. Andrew McNeillie (London: Vintage, 2003), 218.

9. Bagehot, *The English Constitution*, 266 n.

10. Virginia Woolf, 'The Reader', in ' "Anon" and "The Reader": Virginia Woolf's Last Essays', ed. Brenda R. Silver, *Twentieth Century Literature* 25: 3/4 (Fall/Winter 1979), 429.

11. J. B. Priestley, *Margin Released: A Writer's Reminiscences and Reflections* (London: Heinemann, 1962), 138.

12. Robert Louis Stevenson, 'A Gossip on Romance', in *Memories and Portraits* (London: Chatto, 1920), 151–67.

13. William Hazlitt, 'Standard Novels and Romances', in *Complete Works*, ed. P. P. Howe (London and Toronto: Dent, 1933), xvi. 9. Subsequent page references in the text are to this (earlier) version of Hazlitt's essay.

14. William Hazlitt, *Lectures on the English Comic Writers* (London: Oxford University Press, 1920), 138. These words do not appear in the earlier version.

15. George Eliot, 'The Natural History of German Life: Riehl', in *Works*, Warwick edn. (Edinburgh and London: Blackwood, 1891), xii. 490–1.

16. See especially Benedict Anderson, *Imagined Communities: Reflections on the Origin and Spread of Nationalism* (London and New York: Verso, 1983).

17. Franco Moretti, *Atlas of the European Novel 1800–1900* (London and New York: Verso, 1998), 20.

18. Paul Gilbert, 'The Idea of a National Literature', in John Horton and Andrea T. Baumeister, eds., *Literature and the Political Imagination* (London and New York: Routledge, 1996), 206, 211.

19. Krishan Kumar, *The Making of English National Identity* (Cambridge: Cambridge University Press, 2003), 22–3.

20. Ibid. 34.

21. Jonathan Swift, *Gulliver's Travels* (1726; London: Folio Society, 1965), 174.

22. Caryl Phillips, ed., *Extravagant Strangers: A Literature of Belonging* (London: Faber, 1998), p. xiv.

23. William Hazlitt, 'Wilson's Life and Times of Daniel Defoe' (*Edinburgh Review*, January 1830), in *Complete Works*, ed. P. P. Howe, xvi. 381.

24. Edmund Burke, *Reflections on the Revolution in France and on the Proceedings in Certain Societies in London Relative to that Event*, ed. Conor Cruise O'Brien (Harmondsworth: Penguin, 1968), 117, 285, 376.

25. Sir Walter Scott, *The Lives of the Novelists* (London: Dent, and New York: Dutton, 1910), 385.

26. Edward W. Said, *The World, the Text, and the Critic* (London: Faber, 1984), 16–22, esp. 20.

27. David Hume, 'Of National Characters' in *Political Essays*, ed. Knud Haakansson (Cambridge: Cambridge University Press, 1994), 78.

28. Perry Anderson, 'Nation-States and National Identity', *London Review of Books* 13: 9 (9 May 1991), 7.

29. See e.g. Paul Langford, *Englishness Identified: Manners and Character 1650–1850* (Oxford: Oxford University Press, 2000), 10.

30. Anderson, 'Nation-States', 7.

31. George Eliot, *Middlemarch: A Study of Provincial Life*, World's Classics edn. (London: Oxford University Press, 1947), 157.

32. Daniel Defoe, *The True-Born Englishman and Other Writings*, ed. P. N. Furbank and W. R. Owens (London: Penguin, 1997), 36.

33. Hume, 'Of National Characters', 85–6.

34. Langford, *Englishness Identified*, 300–1.

35. Anderson, 'Nation-States', 7.

36. Anthony D. Smith, *National Identity* (London: Penguin, 1991), 4, 71.

37. Anderson, 'Nation-States', 8.

38. John Stuart Mill, 'Representative Government' (1861), in *Utilitarianism, On Liberty, Considerations on Representative Government, Remarks on Bentham's Philosophy*, ed. Geraint Williams (London: Dent, and North Clarendon, Vt.: Tuttle, 1993), 391, 395.

39. Walter Bagehot, *Physics and Politics: or Thoughts on the Application of the Principles of 'Natural Selection' and 'Inheritance' to Political Society*, 6th edn. (London: Kegan Paul, 1881), esp. 37, 100, 147.

40. Ibid. 21.

41. Ibid. 40, 150.

42. Henry Fielding, *Joseph Andrews and Shamela*, ed. Arthur Humphreys, rev. edn. (London: Dent, and North Clarendon, Vt.: Tuttle, 1993), 47, 218.

43. The phrase was used by a contemporary German critic of Fanny Burney's fiction; Langford, *Englishness Identified*, 10.

44. Scott, *The Lives of the Novelists*, 46.

45. See Katie Trumpener, *Bardic Nationalism: The Romantic Novel and the British Empire* (Princeton: Princeton University Press, 1997), *passim*. The term 'national allegory' is specifically associated with the cultural theory of Fredric Jameson. See e.g. his *Fables of Aggression: Wyndham Lewis, the Modernist as Fascist* (Berkeley: University of California Press, 1979), 87–104.

46. Gerry Smyth, *The Novel and the Nation: Studies in the New Irish Fiction* (London and Chicago: Pluto, 1997), 20. Smyth is explicating Jameson's notion of national allegory.

47. H. G. Wells, *Tono-Bungay* (London: Macmillan, 1909), 3. Subsequent page references in text.

48. Woolf, 'The Niece of an Earl', 214–15, 216.

49. D. H. Lawrence, *Women in Love*, ed. Charles L. Ross (Harmondsworth: Penguin, 1986), 108–9.

50. Hazlitt, 'Standard Novels and Romances', 8.
51. The vexed question of Jonathan Swift's relationship to the novel form turns, in part, on the extent to which in book four of *Gulliver's Travels* he seems to be debunking the rational horses and the ideal of (so to speak) horsemanship.
52. Matheo Aleman, *The Rogue, or The Life of Guzman de Alfarache*, trans. James Mabbe (1623) (London: Constable, and New York: Knopf, 1924), i. 92, 242.
53. Claudio Guillén, *Literature as System: Essays toward the Theory of Literary History* (Princeton: Princeton University Press, 1971), 79–81.
54. See A. L. Blackburn, 'The Picaresque Novel' (unpublished Ph.D. thesis: University of Cambridge, 1963), 162.
55. These questions are further pursued in e.g. Nancy Armstrong, *Desire and Domestic Fiction: A Political History of the Novel* (New York and Oxford: Oxford University Press, 1987), and Ruth Bernard Yeazell, *Fictions of Modesty: Women and Courtship in the English Novel* (Chicago and London: University of Chicago Press, 1991). On English vs. continental fiction see ibid. 78–9.
56. Bagehot, *The English Constitution*, 248.
57. Jane Austen, *Mansfield Park*, ed. Tony Tanner (Harmondsworth: Penguin, 1966), 434.
58. Brian W. Downs, *Richardson* (London: Routledge, and New York: Dutton, 1928), 109.
59. For this term see Trumpener, *Bardic Nationalism*, 137.
60. Orwell, *The Lion and the Unicorn: Socialism and the English Genius*, in *Collected Essays, Journalism and Letters*, ii. 68, 84.
61. Woolf, 'The Niece of an Earl', 216–17.
62. Bagehot, *The English Constitution*, 94.
63. E. T. (Jessie Chambers), *D. H. Lawrence: A Personal Record*, ed. J. D. Chambers (London: Cass, 1965), 103.
64. Martin Green, *Dreams of Adventure, Deeds of Empire* (London and Henley: Routledge, 1980), 61.

Chapter 2. Cavaliers, Puritans, and Rogues

1. See William Baldwin, *Beware the Cat: The First English Novel*, ed. William A. Ringler, Jr., and Michael Flachmann (San Marino, Calif: Huntington Library, 1988), 75, 84.
2. Ibid. 77.
3. Geoffrey of Monmouth, *The History of the Kings of Britain*, trans. Lewis Thorpe (London: Folio Society, 1969), 189.
4. Eugène Vinaver, ed., *The Works of Sir Thomas Malory*, 3 vols. (Oxford: Clarendon Press, 1947), i, p. v.
5. Sir Thomas Malory, *Le Morte d'Arthur*, Everyman edn., 2 vols. (London: Dent, and New York: Dutton, 1906), i. 3. Subsequent page references in text.
6. Jane Austen, *Northanger Abbey*, Everyman edn. (London: Dent, and New York: Dutton, 1970), 22.

7. On Sidney's sources see Sir Philip Sidney, *The Countess of Pembroke's Arcadia (The Old Arcadia)*, ed. Katherine Duncan-Jones, World's Classics edn. (Oxford: Oxford University Press, 1994), pp. xi–xiii. Subsequent page references in text.

8. See David Margolies, *Novel and Society in Elizabethan England* (London and Sydney: Croom Helm, 1985), 46–63, for an extended analysis of Lyly's position.

9. Cf. ibid. 55.

10. John Lyly, *Euphues: The Anatomy of Wit and Euphues and His England*, ed. Edward Arber (London: Constable, 1904), 431, 451. Subsequent page references in text.

11. Thomas Nashe, *The Unfortunate Traveller*, in *Shorter Novels: Elizabethan*, Everyman edn. (London: Dent, and New York: Dutton, 1929), 265, 267. Subsequent page references in text.

12. Thomas Hobbes, *Leviathan*, ed. C. B. Macpherson (Harmondsworth: Penguin, 1968), 186, 188. Subsequent page references in text.

13. *The Unfortunate Traveller* remained unreprinted until 1883. On Deloney and Puritanism see Thomas Deloney, *Works*, ed. Francis Oscar Mann (Oxford: Clarendon Press, 1912), pp. ix–xi.

14. Cf. Robert Mayer, *History and the Early English Novel: Matters of Fact from Bacon to Defoe* (Cambridge: Cambridge University Press, 1987), 148–9.

15. On the merchant caste cf. Martin Green, *Dreams of Adventure, Deeds of Empire* (London and Henley: Routledge, 1980), esp. 20, 62.

16. The tale also appears in Boccaccio. See Baldwin, *Beware the Cat*, 89.

17. Thomas Deloney, *Jack of Newbury*, in Paul Salzman, ed. *An Anthology of Elizabethan Prose Fiction* (Oxford and New York: Oxford University Press, 1987), 356. Cf. Margolies, *Novel and Society*, 131.

18. Thomas Deloney, *Thomas of Reading*, in *Shorter Novels: Elizabethan*, 83. Subsequent page references in text.

19. Ernest A. Baker suggests that the industry's golden age was in the reign of Henry VIII a mere sixty years before Deloney was writing, but the novelist backdated it by some three centuries in order to make the clothiers' dependence on royal protection seem part of the ancient English constitution. Baker, *The History of the English Novel*, vol. ii: *The Elizabethan Age and After* (London: Witherby, 1929), 187.

20. Paul Salzman, *English Prose Fiction 1558–1700: A Critical History* (Oxford: Clarendon Press, 1985), 114.

21. *The Princess Cloria: or, The Royal Romance. ... Written by a Person of Honour* (London: Wood, 1661), 'To the Reader'.

22. Quoted in James Sutherland, ed., *The Oxford Book of English Talk* (Oxford: Clarendon Press, 1953), 108–9.

23. John Locke, *Two Treatises of Government*, ed. Peter Laslett (New York: New American Library, 1965), 467.

24. Quoted in Salzman, *English Prose Fiction 1558–1700*, 209.

25. Matheo Aleman, *The Rogue, or The Life of Guzman de Alfarache*, trans. James Mabbe (London: Constable, and New York: Knopf, 1924), 93.

26. Thomas Dangerfield, *Don Tomazo, Or the Juvenile Rambles of Thomas Dangerfield*, in Paul Salzman, ed., *An Anthology of Seventeenth-Century Fiction*, (Oxford and New York: Oxford University Press, 1991), 364. Subsequent page references in text.

27. Spiro Peterson, ed., *The Counterfeit Lady Unveiled and Other Criminal Fiction of Seventeenth-Century England* (Garden City, NY: Doubleday, 1961), 184.

28. See Ernest Bernbaum, *The Mary Carleton Narratives, 1663–1673: A Missing Chapter in the History of the Novel* (Cambridge: Cambridge University Press, 1914); and, for a recent account, Josephine Donovan, *Women and the Rise of the Novel, 1405–1726* (New York: St Martin's, 2000), 72–3.

29. Salzman, *English Prose Fiction 1558–1700*, 238.

30. Richard Head and Francis Kirkman, *The English Rogue, Described in the Life of Meriton Latroon* (New York: Dodd, Mead, 1928), 21–2, 142. Subsequent page references in text.

31. Salzman, *English Prose Fiction 1558–1700*, 239.

32. Ibid. 228–9.

33. Aphra Behn, *The Plays, Histories, and Novels*, 6 vols. (London: Pearson, 1871), i. 346–7.

34. John Bunyan, *The Holy War*, ed. Roger Sharrock and James F. Forrest (Oxford: Clarendon Press, 1980), 121. Subsequent page references in text.

35. Aphra Behn, *Oroonoko, The Rover and Other Works*, ed. Janet Todd (London: Penguin, 1992), 108.

36. See Maureen Duffy's introduction to Aphra Behn, *Love-Letters Between a Nobleman and His Sister* (London: Virago, 1987), p. vii. Subsequent page references in the text to *Love-Letters* are to this edition.

37. See Miranda J. Burgess, *British Fiction and the Production of Social Order, 1740–1830* (Cambridge: Cambridge University Press, 2000), 47. According to Josephine Donovan, however, *Love-Letters* 'remains largely in the vein of the *chronique scandaleuse*'. Donovan, *Women and the Rise of the Novel*, 91.

38. Richardson's *Clarissa* would later begin with what is invariably described as the 'rencounter' between Lovelace and the hot-tempered James Harlowe, in which the latter draws his sword without provocation.

39. Virginia Woolf, *Women and Writing*, ed. Michèle Barrett (London: Women's Press, 1979), 91.

40. See e.g. A. A. Parker, *Literature and the Delinquent: The Picaresque Novel in Spain and Europe 1599–1753* (Edinburgh: Edinburgh University Press, 1977), 100–1.

41. John Bunyan, *The Life and Death of Mr Badman*, ed. James F. Forrest and Roger Sharrock (Oxford: Clarendon Press, 1988), 87. Subsequent page references in text.

42. Mercy's courtship by Mr Brisk in part two of *The Pilgrim's Progress* is (unusually for Bunyan) rather more fully dramatized, but Mercy rejects her hypocritical suitor.

43. For example, in *The Holy War* Wet-eyes is the son of Mr Repentance; his mother gave him his name in his cradle when she saw what he was like (101).

44. Wilton House was the home of Mary Herbert, Countess of Pembroke, sister of Sir Philip Sidney and niece to the Earl of Leicester. By naming his scabrous page Wilton, Nashe seems to express his hostility to Herbert and her literary circle. Robinson Crusoe is, as Defoe's character explains, Anglo-German, and Crusoe almost rhymes with Defoe. Moreover, Defoe plays on the association between Crusoe and crusade, as will be seen in Ch. 3.

45. See Franco Moretti, *The Way of the World: The Bildungsroman in European Culture* (London: Verso, 1987), esp. 185–6, 213–14.

46. John Bunyan, *The Pilgrim's Progress*, ed. Roger Sharrock (Harmondsworth: Penguin, 1965), 362. Subsequent page references in text.

47. According to Leopold Damrosch, Jr., his name represents human free will, 'fickle' but 'active and powerful', and he changes sides during the conflict. See Damrosch, *God's Plot and Man's Stories: Studies in the Fictional Imagination from Milton to Fielding* (Chicago and London: University of Chicago Press, 1985), 142, 146.

48. Bunyan, *The Holy War*, 256 n.

49. Damrosch, *God's Plot and Man's Stories*, 143, 149.

50. John Bunyan, *Grace Abounding to the Chief of Sinners*, ed. Roger Sharrock (Oxford: Clarendon Press, 1962), 93. Subsequent page references in text.

51. There is a Valley of the Shadow of Death in both books. The 'land of *Darkness*' in *The Holy War* (227) might be identified with Darkland in *The Pilgrim's Progress* (350).

52. See Christopher Hill, *Liberty Against the Law: Some Seventeenth-Century Controversies* (London: Penguin, 1997), 39–40.

53. William III's census found that in England in the 1690s there were only 108,000 male Nonconformists as against nearly 2.5 million Anglicans. Ernest Barker, *National Character and the Factors in Its Formation* (London: Methuen, 1927), 202.

Chapter 3. Cross-Grained Crusoe: Defoe and the Contradictions of Englishness

1. Linda Colley, *Britons: Forging the Nation 1701–1837* (New Haven and London: Yale University Press, 1992), 1.

2. Joseph Addison, Sir Richard Steele, and Eustace Budgell, *Sir Roger de Coverly*, ed. John Hampden (London: Folio Society, 1967), 35. Subsequent page references in text.

3. John Arbuthnot, *The History of John Bull*, ed. Alan W. Bower and Robert A. Erickson (Oxford: Clarendon Press, 1976), p. cii.

4. Ibid. 9.

5. See Jeannine Surel, 'John Bull', in Raphael Samuel, ed., *Patriotism: The Making and Unmaking of British National Identity*, vol. iii: *National Fictions* (London and New York: Routledge, 1989), esp. 6–7, 9.

6. James Joyce, *Ulysses: the Corrected Text*, ed. Hans Walter Gabler with Wolfhard Steppe and Claus Melchior (New York: Vintage, 1986), 346.

7. Claudio Guillén, *Literature as System: Essays toward the Theory of Literary History* (Princeton: Princeton University Press, 1971), 79–81. See Ch. 1 above.

8. Daniel Defoe, *The Farther Adventures of Robinson Crusoe, Being the Second and Last Part of his Life*, ed. George A. Aitken (London: Dent, 1895), 319. Subsequent page references in text.

9. Daniel Defoe, *The Life of Captain Singleton* (London: Dent, 1906), 6. Subsequent page references in text.

10. Daniel Defoe, *Memoirs of a Cavalier*, ed. James T. Boulton (London: Oxford University Press, 1972), 125. Subsequent page references in text.

11. See e.g. *Defoe's Review*, ed. Arthur Wellesley Secord (New York: Columbia University Press, 1938), 14, 167. Quoted in David Trotter, *Circulation: Defoe, Dickens, and the Economies of the Novel* (Basingstoke: Macmillan, 1988), 4.

12. Daniel Defoe, *The Complete English Tradesman* (Gloucester: Sutton, 1987), 212. Subsequent page references in text.

13. Daniel Defoe, *The Consolidator*, in Henry Morley, ed., *The Earlier Life and Chief Earlier Works of Daniel Defoe* (London: Routledge, 1889), 298.

14. Daniel Defoe, *The True-Born Englishman and Other Writings*, ed. P. N. Furbank and W. R. Owens (London: Penguin, 1997), 30, 36. Subsequent page references in text.

15. Daniel Defoe, 'Explanatory Preface' to *The True-Born Englishman* in *The Shortest Way With the Dissenters and Other Pamphlets* (Oxford: Blackwell, 1927), 23.

16. Ibid. 24.

17. Britannia's Song properly consists of lines 893–956 of the current Penguin text edited by Furbank and Owens, which however omits to begin a new paragraph when Satire resumes at line 957.

18. Daniel Defoe, *The Original Power of the Collective Body of the people of England*, in *The True-Born Englishman and Other Writings*, 92. Subsequent page references in text.

19. Daniel Defoe, *Serious Reflections during the Life and Surprising Adventures of Robinson Crusoe, With his Vision of the Angelic World*, ed. George A. Aitken (London: Dent, 1895), p. ix. Subsequent page references in text. This is the third volume in the Robinson Crusoe 'trilogy', following the *Life and Surprising Adventures*—the *Robinson Crusoe* that everyone knows—and the *Farther Adventures*.

20. Daniel Defoe, *Moll Flanders* (London: Dent, and New York: Dutton, 1930), 236.

21. Daniel Defoe, *Roxana: The Fortunate Mistress*, ed. Jane Jack (Oxford and New York: Oxford University Press, 1981), 260.

22. Daniel Defoe, *The History and Remarkable Life of the Truly Honourable Colonel Jack* (London: Folio Society, 1967), 317.

23. See e.g. Alan Downie, '*Robinson Crusoe*'s Eighteenth-Century Contexts', in Lieve Spaas and Brian Stimpson, eds., *Robinson Crusoe: Myths and Metamorphoses* (Basingstoke and London: Macmillan, 1996), 20.

24. Daniel Defoe, *Robinson Crusoe: An Authoritative Text, Contexts, Criticism*, ed. Michael Shinagel, 2nd edn. (New York and London: Norton, 1994), 31. Subsequent page references in text.

25. See David Fausett, *The Strange Surprizing Sources of Robinson Crusoe* (Amsterdam and Atlanta, Ga.: Rodopi, 1994), 167.

26. Cf. ibid.

27. Daniel Defoe, *A Journal of the Plague Year*, ed. Anthony Burgess and Christopher Bristow (Harmondsworth: Penguin, 1966), 119, 249. Subsequent page references in text.

28. Martin Green notes that 'Defoe or his characters *disguise* themselves as Quakers, in costume or dialect; but they also clearly regard Quakerism as the purest of moral positions'. Green, *Dreams of Adventure, Deeds of Empire* (London and Henley: Routledge, 1980), 87.

29. A. L. Morton, *The English Utopia* (London: Lawrence & Wishart, 1969), 131; Ian Watt, '*Robinson Crusoe* as a Myth', in *Robinson Crusoe*, ed. Shinagel, 299.

30. For a relevant discussion see Michael Seidel, 'Crusoe's Island Exile', in Richard Kroll, ed., *The English Novel*, vol. i: *1700 to Fielding* (London and New York: Longman, 1998), esp. 197. Seidel implies that, through his absence from England, Crusoe is able to sustain the capitalist and expansionist ideals of the Commonwealth.

31. Paul J. Korshin, *Typologies in England 1650 1820* (Princeton: Princeton University Press, 1982), 220. For a comparable argument see Tom Paulin, 'Fugitive Crusoe', *London Review of Books* 23: 14 (19 July 2001), 15–20.

32. Walter Raleigh, *The English Novel: A Short Sketch . . .*, 5th edn. (London: Murray, 1911), 133. Cf. James Joyce, 'Daniel Defoe', in *Robinson Crusoe*, ed. Shinagel, 323.

33. Leslie Stephen, 'Defoe's Novels' (1868), in Pat Rogers, ed., *Daniel Defoe: The Critical Heritage* (London and New York: Routledge, 1972), 176.

34. Ibid. 177.

35. Defoe, *The True-Born Englishman*, 36.

36. Coleridge's marginalia quoted in *Daniel Defoe: The Critical Heritage*, 85.

37. Cited in Harvey Swados, '*Robinson Crusoe*: The Man Alone', in Daniel Defoe, *Robinson Crusoe*, Signet edn. (New York: New American Library, 1961), 307–8.

38. Louis James, 'Unwrapping Crusoe: Retrospective and Prospective Views', in Spaas and Stimpson, eds., *Robinson Crusoe*, 6–7.

39. Samar Attar, 'Serving God or Mammon?', ibid. 91–2.

40. Quoted in Swados, '*Robinson Crusoe*: The Man Alone', 312.

41. Ibid. 307.

42. Manuel Schonhorn, *Defoe's Politics: Parliament, Power, Kingship, and 'Robinson Crusoe'* (Cambridge: Cambridge University Press, 1991), 154, 162.

43. Trotter, *Circulation*, 37.

44. This point is made by Sara Sancini, 'The Island as Social Experiment', in Marialuisa Bignami, ed., *Wrestling with Defoe: Approaches from a Workshop on Defoe's Prose* (Milan: Cisalpino, 1997), 40.

45. Cf. Ian Watt, '*Robinson Crusoe* as a Myth', 296: 'For Crusoe hard work seems to be a condition of life itself, and we notice that the arrival of Friday is a signal, not for increased leisure, but for expanded production.'

Chapter 4. Histories of Rebellion: From 1688 to 1793

1. Henry Fielding, *Joseph Andrews and Shamela*, ed. Arthur Humphreys, revised edn. (London: Dent, and North Clarendon, Vt.: Tuttle, 1993), 216.
2. Henry Fielding, *The Journal of a Voyage to Lisbon*, ed. Tom Keymer (London: Penguin, 1996), 7.
3. Henry Fielding, *The History of Tom Jones*, ed. R. P. C. Mutter (Harmondsworth: Penguin, 1966), 7. Subsequent page references in text.
4. Jane Austen, *The History of England* (London: Penguin, 1995).
5. For the fullest survey of these works see Laird Okie, *Augustan Historical Writing: Histories of England in the English Enlightenment* (Lanham, Md.: University Press of America, 1991).
6. Oliver Goldsmith, 'Preface to *The History of England*', in *Collected Works*, ed. Arthur Friedman (Oxford: Clarendon Press, 1966), v. 338, 339.
7. Thomas Babington Macaulay, like his near-namesake Mr Crawley, condemned Hume as a cunning advocate of Stuart absolutism and an opponent of liberty. See Duncan Forbes, 'Introduction', in David Hume, *The History of Great Britain: The Reigns of James I and Charles I* (Harmondsworth: Penguin, 1970), 49. On Hume's claim to impartiality see ibid. 44.
8. Quoted in J. W. Burrow, *A Liberal Descent: Victorian Historians and the English Past* (Cambridge: Cambridge University Press, 1981), 14.
9. Austen, *The History of England*, 15–16.
10. Okie, *Augustan Historical Writing*, 21, 32.
11. Ibid. 32, 20, 137.
12. William Godwin, 'Of History and Romance', in *Things As They Are or the Adventures of Caleb Williams*, ed. Maurice Hindle (London: Penguin, 1988), 367.
13. Burrow, *A Liberal Descent*, 18.
14. See ibid.
15. Hume, *The History of Great Britain*, 183–4. Subsequent page references in text.
16. On 'revolution' in Hobbes and Locke see R. C. Richardson, *The Debate on the English Revolution* (London: Methuen, 1977), 146.
17. 'Of National Concord', reprinted from the *British Magazine* (December 1760) in Oliver Goldsmith, *Works*, ed. Peter Cunningham (London: Murray, 1854), i. 288. This essay was attributed to Goldsmith posthumously, but the attribution is no longer accepted. Smollett has been suggested as its possible author.
18. Oliver Goldsmith, *The History of England, from the Earliest Times to the Death of George the Second*, 11th edn., 4 vols. (London, 1812), ii. 446–7.
19. Godwin, 'Of History and Romance', 367.
20. The search for the hand of God in political events was one of the principal means of consolation for the defeated Puritans after 1660. See Christopher Hill, *God's Englishman: Oliver Cromwell and the English Revolution* (Harmondsworth: Penguin, 1972), 228, 239–40.
21. Godwin, 'Of History and Romance', 372.

22. *The Princess Cloria: or, The Royal Romance...Written by a Person of Honour* (London: Wood, 1661), 'To the Reader'.

23. 'The Double Marriage: or, the Fatal Release. A True Secret History', in Eliza Haywood, *Three Novellas*, ed. Earla A. Wilputte (East Lansing, Mich.: Colleagues, 1995), 105–41.

24. Aphra Behn, *Oroonoko, The Rover and Other Works*, ed. Janet Todd (London: Penguin, 1992), 140. Subsequent page references in text.

25. See S. J. Wiseman, *Aphra Behn* (Plymouth: Northcote, 1996), 85; and Janet Todd, 'Introduction' to Behn, *Oroonoko, The Rover and Other Works*, 19.

26. S. J. Wiseman argues that the plays 'increasingly invite the audience to take pleasure in the staged defeat of republicanism', a defeat expressed largely in terms of sexual humiliation and which indicates the 'powerful frisson' that the fascinating but repellent Puritan cause held for Behn and her contemporaries. Wiseman, *Aphra Behn*, 45.

27. See Ch. 1, n. 2 above.

28. Colonel Newport, born in 1623, was too young to have won his spurs in the Swedish Army, as Defoe's narrator does before returning to England in 1635. See Daniel Defoe, *Memoirs of a Cavalier*, ed. James T. Boulton (London: Oxford University Press, 1972), pp. vii–viii. Subsequent page references in text.

29. M. M. Bakhtin, 'Epic and Novel', in *The Dialogic Imagination: Four Essays*, ed. Michael Holquist, (Austin, Tex: University of Texas Press, 1981), 13.

30. Paul Hunter, quoted in Homer Obed Brown, '*Tom Jones*: The "Bastard" of History', *Boundary* 2 7: 2 (1979), 210.

31. Thomas Hobbes, *Leviathan*, ed. C. B. Macpherson (Harmondsworth: Penguin, 1968), 257.

32. Quoted in Gordon J. Schochet, *Patriarchalism in Political Thought: The Authoritarian Family and Political Speculation and Attitudes Especially in Seventeenth-Century England* (Oxford: Blackwell, 1975), 24.

33. Perez Zagorin, *A History of Political Thought in the English Revolution* (London: Routledge, 1954), 199.

34. John Locke, *Two Treatises of Government*, ed. Peter Laslett, revised edn. (New York: New American Library, 1965), 362. Subsequent page references in text.

35. See Schochet, *Patriarchalism in Political Thought*, 148–9, 198–9, 274.

36. Mary Astell's work is discussed in relation to Richardson in Jocelyn Harris, *Samuel Richardson* (Cambridge: Cambridge University Press, 1987), 18.

37. On dramatic metaphors see ibid.

38. Congreve's *The Way of the World* (1700), for example, has been described as a displaced representation of the Whig interpretation of the fall of the Stuarts; see Richard Braverman, *Plots and Counterplots: Sexual Politics and the Body Politic in English Literature, 1660–1830* (Cambridge: Cambridge University Press, 1993), 213.

39. Aphra Behn, *Love-Letters Between a Nobleman and His Sister* (London: Virago, 1987), 3.

40. William Congreve, *The Way of the World*, in *Restoration Plays*, Everyman's Library edn. (London: Dent, and New York: Dutton, 1968), 180.

41. Samuel Richardson, *Selected Letters*, ed. John Carroll (Oxford: Clarendon Press, 1964), 85–6.
42. Samuel Richardson, title-page to *Pamela; or, Virtue Rewarded*, ed. Thomas Keymer and Alice Wakely (Oxford: Oxford University Press, 2001), 1; and Richardson, *Familiar Letters on Important Occasions* (London: Routledge, 1928), p. 187.
43. Samuel Richardson, *Pamela*, vol. ii, Everyman's Library edn. (London: Dent, and New York: Dutton, 1914), 458. Subsequent page references in text as 'P2'.
44. Brian W. Downs, *Richardson* (London: Routledge, and New York: Dutton, 1928), 159. *Clorana* contains characters called Clarissa and Clementina, so that it may be a source for the names of two of Richardson's four heroines.
45. Samuel Richardson, *Clarissa*, 4 vols., Everyman's Library edn. (London: Dent, and New York: Dutton, 1932), i. 23. Subsequent page references in text.
46. Samuel Richardson, *The History of Sir Charles Grandison*, ed. Jocelyn Harris, 3 vols. (London: Oxford University Press, 1972), ii. 199. Subsequent page references in text.
47. Samuel Richardson, *Pamela, or Virtue Rewarded*, ed. Peter Sabor (Harmondsworth: Penguin, 1980), 82. Subsequent page references in text.
48. For an interpretation of *Sir Charles Grandison* as national allegory reflecting Richardson's Anglican and anti-Catholic bias see Ewha Chung, *Samuel Richardson's New Nation: Paragons of the Domestic Sphere and 'Native' Virtue* (New York: Lang, 1998), *passim*.
49. Margaret A. Doody, 'Introduction', in *Pamela, or Virtue Rewarded*, ed. Sabor, 9.
50. On this point see Michael Austin, 'Lincolnshire Babylon: Competing Typologies in Pamela's 137th Psalm', *Eighteenth-Century Fiction* 12: 4 (2000), 501–14.
51. Thomas Keymer, 'Introduction' to *Pamela*, ed. Keymer and Wakely, pp. x–xi, xix–xx.
52. Henry Fielding, *The True Patriot and Related Writings*, ed. W. B. Coley (Oxford: Clarendon, 1987), 13, 23, 31.
53. In *Natural Masques: Gender and Identity in Fielding's Plays and Novels* (Stanford: Stanford University Press, 1995), 162, Jill Campbell argues that Fielding's portrayal of the King's army as 'unruly, inchoate, and divided' implies that there is little to choose between the two sides. But there is no suggestion in *Tom Jones* that the King's cause is not just.
54. Thomas Cleary draws attention to the allusions to the War of Austrian Succession early and late in the novel, and concludes that its reference to the '45 must result from a hasty, last-minute revision of the book's central chapters. But the War of Austrian Succession had ended in 1748, the year before *Tom Jones* was published, and it seems equally possible that it was the early and late parts of the novel that were updated. We do not know whether the sub-theme of the '45 was belatedly added or whether material on the rebellion was actually removed from the story. See Thomas Cleary, 'Jacobitism in *Tom Jones*: The Basis for an Hypothesis', *Philological Quarterly* 52: 2 (1973), 239–51, esp. 239, 241.

55. See Martin C. Battestin, 'Tom Jones and "His Egyptian Majesty": Fielding's Parable of Government', *PMLA* 82: 1 (1967), 68–77.

56. Peter J. Carlton, however, argues that Tom's and Sophia's marriage represents the 'reconciliation of England's Stuart past with her Whig-Hanoverian present'. See '*Tom Jones* and the '45 Once Again', *Studies in the Novel* 20: 4 (1988), 371.

57. See John Barrell, *English Literature in History 1730–80: An Equal, Wide Survey* (London: Hutchinson, 1983), 199–200.

58. Laurence Sterne, *The Life and Opinions of Tristram Shandy, Gentleman*, ed. Graham Petrie (Harmondsworth: Penguin, 1967), 447. Subsequent page references in text.

59. Graham Petrie notes that Slop is a caricature of Dr John Burton, who was imprisoned during the 1745 rebellion at the instigation of Sterne's rigorously anti-Catholic uncle. See *Tristram Shandy*, 626 n.

60. Samuel Johnson, 'The Bravery of the English Common Soldiers', in *Johnson: Prose and Poetry*, ed. Mona Wilson (London: Hart-Davis, 1963), 627. An early text praising the bravery of English soldiers is Richard Hawkins's *A Discourse on the National Excellencies of England* (1658). See Peter Furtado, 'National Pride in Seventeenth-Century England', in Raphael Samuel, ed., *Patriotism: The Making and Unmaking of British National Identity*, vol i: *History and Politics* (London and New York: Routledge, 1989), 48.

61. T. Smollett, *The History of England from the Restoration to the Death of George the Second*, iv. 475.

62. Henry Mackenzie, *The Man of Feeling*, ed. Brian Vickers (London: Oxford University Press, 1970), 109.

63. Charlotte Smith, *The Old Manor House*, ed. Anne Henry Ehrenpreis (London: Oxford University Press, 1969), 523. Subsequent page references in text.

64. Cf. Loraine Fletcher, 'Four Jacobin Women Novelists', in John Lucas, ed., *Writing and Radicalism* (London and New York: Longman, 1996), 123.

65. See Jacqueline M. Labbe, 'Metaphoricity and the Romance of Property in *The Old Manor House*', *Novel* 34: 2 (2001), 216–31.

Chapter 5. The Novel of Suffering: Richardson, Fielding, and Goldsmith

1. T. Smollett, M.D., *The History of England from the Revolution to the Death of George the Second (Designed as a Continuation of Mr Hume's History)*, 5 vols. (London, 1796), iii. 357. Subsequent page references in text.

2. Oliver Goldsmith, *The Citizen of the World: or Letters from a Chinese Philosopher residing in London to his friends in the East* (London: Folio Society, 1969), 271–2.

3. See Laura Brown, *English Dramatic Form, 1660–1760: An Essay in Generic History* (New Haven and London: Yale University Press, 1981), 195–6.

4. Margaret Anne Doody, quoted in Miranda J. Burgess, *British Fiction and the Production of Social Order, 1740–1830* (Cambridge: Cambridge University Press, 2000), 77.

5. See Jonathan Lamb, *The Rhetoric of Suffering: Reading the Book of Job in the Eighteenth Century* (Oxford: Clarendon Press, 1995), esp. 4.

6. Smollett, *The History of England*, v. 381–2.

7. Ann Radcliffe, *The Mysteries of Udolpho*, Everyman edn., 2 vols. (London: Dent, and New York: Dutton, 1931), ii. 51.

8. Christopher Hill, 'Clarissa Harlowe and Her Times', in *Puritanism and Revolution* (London: Panther, 1968), esp. 351–5.

9. Samuel Richardson, *Clarissa*, 4 vols., Everyman edn. (London: Dent, and New York: Dutton, 1932), i. 33. Subsequent page references in text.

10. Among the critics who have commentated on Richardson's naming are Margaret Anne Doody, 'Richardson's Politics', *Eighteenth-Century Fiction* 2: 2 (1990), 121–4. Carol Kay considers that James Harlowe's name implies an association with Stuart tyranny: Kay, *Political Constructions: Defoe, Richardson, and Sterne in Relation to Hobbes, Hume and Burke* (Ithaca, NY, and London: Cornell University Press, 1988), 167. Paul J. Korshin, by contrast, sees Clarissa and Lovelace as theological 'type names'—Clarissa is 'the superlative of perfection', while Lovelace means 'bereft of the love of God': Korshin, *Typologies in England 1650–1820* (Princeton: Princeton University Press, 1982), 246.

11. Tom Keymer, *Richardson's 'Clarissa' and the Eighteenth-Century Reader* (Cambridge: Cambridge University Press, 1992), 157.

12. Samuel Richardson, *The History of Sir Charles Grandison*, ed. Jocelyn Harris, 3 vols. (London: Oxford University Press, 1972), i. 84. Subsequent page references in text.

13. Kay, *Political Constructions*, 170.

14. Quoted in Keymer, *Richardson's 'Clarissa'*, 119.

15. Recent criticism of *Clarissa* has largely avoided discussing this episode. According to Terry Eagleton, for example, Lovelace is a 'reactionary throwback, an old-style libertine or Restoration relic', and the 'mechanism of his downfall' shows the 'triumph of bourgeois patriarchy'. In that case Richardson should not have found it necessary to fall back on the reactionary aristocratic code to ensure Lovelace's punishment. Eagleton, *The Rape of Clarissa: Writing, Sexuality and Class Struggle in Samuel Richardson* (Oxford: Blackwell, 1982), 76.

16. Korshin, *Typologies in England*, 245.

17. Samuel Richardson, *Pamela, or Virtue Rewarded*, ed. Peter Sabor (Harmondsworth: Penguin, 1980), 43.

18. Martin C. Battestin, *The Providence of Wit: Aspects of Form in Augustan Literature and the Arts* (Oxford: Clarendon Press, 1974), 201.

19. I. A. Richards, *Beyond* (New York and London: Harcourt Brace, 1974), 48.

20. Battestin, *The Providence of Wit*, 199, 208.

21. Nevertheless the divine justice which Clarissa may expect is expressed by Lovelace's friend Belford in terms of an earthly metaphor. Warning that 'thou wilt certainly meet thy punishment . . . as she will her reward, HEREAFTER', he adds, '*It must* be so, if there really be such a thing as *future remuneration*' (iii. 456).

22. See Hill, 'Clarissa Harlowe and Her Times', 364.

23. See Korshin, *Typologies in England*, 250 n. A number of critics have analysed the role of the Job story in the plot of *Clarissa*. Lovelace, as Lois E. Bueler observes, explicitly identifies with Satan and pretends that his testing of the heroine's virtue is actually in her own interest; Bueler, *Clarissa's Plots* (Newark, Del.: University of Delaware Press, and London: Associated University Presses, 1994), 55–6. Both the Harlowes and Anna Howe (who urges Clarissa to enter into a marriage of expediency with Lovelace after the rape) can be regarded as false comforters; see ibid. 67, and Tom Keymer, 'Richardson's *Meditations*: Clarissa's *Clarissa*', in Margaret Anne Doody and Peter Sabor, eds., *Samuel Richardson: Tercentenary Essays* (Cambridge: Cambridge University Press, 1989), 98–9.

24. Lamb, *The Rhetoric of Suffering*, 230; Robert A. Erickson, ' "Written in the Heart": *Clarissa* and Scripture', *Eighteenth-Century Fiction* 2: 1 (1989), 41.

25. Keymer, *Richardson's 'Clarissa'*, 212; Lamb, *The Rhetoric of Suffering*, 112.

26. Korshin, *Typologies in England*, 249.

27. Christopher Hill, *The English Bible and the Seventeenth-Century Revolution* (London: Allen Lane, 1993), 262.

28. Lamb, *The Rhetoric of Suffering*, 230.

29. Daniel Defoe, *Moll Flanders* (London: Dent, and New York: Dutton, 1930), 236.

30. Cited in Battestin, *The Providence of Wit*, 209.

31. Henry Fielding, *Amelia*, 2 vols. (London: Bell, 1914), i. 3. Subsequent page references in text.

32. Sarah Fielding, *The Adventures of David Simple*, ed. Malcolm Kelsall (Oxford: Oxford University Press, 1994), 334, 415.

33. Frances Sheridan, *Memoirs of Miss Sidney Bidulph, Extracted from her own Journal, and now first published* (London and New York: Pandora, 1987), 429. Subsequent page references in text.

34. Henry Fielding, *Amelia*, Everyman edn., 2 vols. (London and Toronto: Dent, and New York: Dutton, 1930), i, p. xv.

35. On the implausibility of the novel's denouement see Patricia Meyer Spacks, *Imagining a Self: Autobiography and Novel in Eighteenth-Century England* (Cambridge, Mass., and London: Harvard University Press, 1976), esp. 281, 285–6.

36. Brian McCrea comments on the improbability of this scene, though doubtless in Fielding's experience the necessity of kowtowing before the great was all too familiar. McCrea also remarks of Amelia that 'her virtue is lame because Fielding will not permit it to combat the vice it encounters'. See McCrea, *Henry Fielding and the Politics of Mid-Eighteenth-Century England* (Athens, Ga.: University of Georgia Press, 1981), 186–7.

37. Ibid. 187.

38. Mary Wollstonecraft, *Mary, A Fiction and The Wrongs of Woman*, ed. Gary Kelly (London: Oxford University Press, 1976), p. xxxi. Subsequent page references in text.

39. Lucius Apuleius, *The Transformations of Lucius, otherwise known as the Golden Ass*, trans. Robert Graves (Harmondsworth: Penguin, 1950), 214.

40. Oliver Goldsmith, *The Vicar of Wakefield*, Everyman edn. (London: Dent, and New York: Dutton, 1962), 56. Subsequent page references in text.

41. The fact that the Vicar's father was killed with Lord Falkland at the Battle of Newbury in 1643 means that Goldsmith's novel is set very early in the eighteenth century, at least fifty or sixty years before its publication date. Primrose is a contemporary of the controversialist William Whiston (1667–1752), some of whose opinions he shares.

42. For other accounts of Goldsmith's use of Job in *The Vicar of Wakefield* see Battestin, *The Providence of Wit*, esp. 198–9, 214; Korshin, *Typologies in England*, esp. 256; and Ronald J. Paulson, *Satire and the Novel in Eighteenth-Century England* (New Haven and London: Yale University Press, 1967), 270–4.

43. See Frank Morley, *Literary Britain: A Reader's Guide to Writers and Landmarks* (London: Hutchinson, 1980), 390–1.

Chapter 6. The Benevolent Robber: from Fielding to the 1790s

1. Henry Fielding, *The History of Tom Jones*, ed. R. P. C. Mutter (Harmondsworth: Penguin, 1966), 59. Subsequent page references in text.

2. Anthony, Earl of Shaftesbury, *Characteristics of Men, Manners, Opinions, Times*, ed. John M. Robertson (Indianapolis and New York: Bobbs-Merrill, 1964), 268, 317. Subsequent page references in text.

3. Thomas Hobbes, *Leviathan*, ed. C. B. Macpherson (Harmondsworth: Penguin, 1968), 161. Subsequent page references in text.

4. Cf. Douglas Hay, 'Property, Authority and the Criminal Law', in Hay et al., *Albion's Fatal Tree: Crime and Society in Eighteenth-Century England* (London: Allen Lane, 1975), 38. Hay argues that the property qualification existed to exclude ordinary people, who would inevitably have been of Hobbes's opinion, from jury service.

5. Bernard Mandeville, *The Fable of the Bees, or Private Vices, Public Benefits*, ed. Douglas Garman (London: Wishart, 1934), 88, 77.

6. Daniel Defoe, *Memoirs of a Cavalier*, ed. James T. Boulton (London: Oxford University Press, 1972), 12–13.

7. Oliver Goldsmith, *The Citizen of the World: or Letters from a Chinese Philosopher residing in London to his friends in the East* (London: Folio Society, 1969), 273.

8. Cf. Laura Brown, *English Dramatic Form, 1660–1760: An Essay in Generic History* (New Haven and London: Yale University Press, 1981), 198.

9. Patricia Meyer Spacks, *Imagining a Self: Autobiography and Novel in Eighteenth-Century England* (Cambridge, Mass., and London: Harvard University Press, 1976), 12.

10. Not only were the criminal biographies full of tall tales and inventions, but they incorporated such things as the life of Colonel Jack 'as written by himself'—a summary of Defoe's novel. See Capt. Charles Johnson, *A General History of the Lives and Adventures of the Most Famous Highwaymen, Murderers, Street-Robbers, & C.* (London, 1734), 117.

11. Johnson, *General History*, 1. The *Newgate Calendar* first published in five volumes in 1773 was a collation of Smith, Johnson, and some later publications. See J. L. Rayner and G. T. Crook, eds., *The Complete Newgate Calendar*, 5 vols. (London: Navarre Society, 1926).

12. John Gay, *The Beggar's Opera*, in John Hampden, ed., *The Beggar's Opera and Other Eighteenth-Century Plays* (London: Dent, and New York: Dutton, 1964), 127, 158.

13. Henry Fielding, *An Enquiry into the Causes of the Late Increase of Robbers and Related Writings*, ed. Malvin R. Zirker (Oxford: Clarendon Press, 1988), 73, p. lv (where the editor cites the *Whitehall Evening-Post*, 3–6 February 1750). For an exploration of Fielding's complex attitudes to crime see also Ian A. Bell, *Literature and Crime in Augustan England* (London and New York: Routledge, 1991), esp. 183–9.

14. Defoe in *An Essay upon Projects* advocates provincial banking and the improvement of the road system. His pamphlet *Street-Robberies Consider'd* (1728) advises people not to carry too much money around with them; see Peter Linebaugh, *The London Hanged: Crime and Civil Society in the Eighteenth Century* (London: Allen Lane, 1991), 211–12. Fielding wrote that the 'Wandering' of the poor was one cause of the 'Increase of Robbers'. Another reason for his somewhat alarmist view of the problem in 1751 was that, three years earlier, 54,000 men had been discharged from the army and navy after the Peace of Aix-la-Chapelle. Fielding, *Enquiry*, 75 n., 138.

15. Lincoln B. Faller, *Turned to Account: The Forms and Functions of Criminal Biography in Late Seventeenth- and Early Eighteenth-Century England* (Cambridge: Cambridge University Press, 1987), 178.

16. The highwayman's traditional show of gallantry towards his wealthy victims may be related to the fact that only the rich were likely to initiate the private prosecution needed to bring a thief to trial. See Hay, 'Property, Authority and the Criminal Law', 41–2.

17. Henry Fielding, *The History of the Adventures of Joseph Andrews and His Friend Mr Abraham Adams*, Signet edn. (New York: New American Library, 1960), 326. Subsequent page references in text.

18. Henry Fielding, *The History of the Life of the Late Mr Jonathan Wild the Great*, World's Classics edn. (London: Oxford University Press, 1932), 133. Subsequent page references in text.

19. For the real-life Tom Jones see Captain Alexander Smith, *A Complete History of the Lives and Robberies of the Most Notorious Highwaymen, Footpads, Shoplifts, and Cheats of Both Sexes*, ed. Arthur L. Hayward (London: Routledge, 1926), 177–80.

20. *The Life and Death of Gamaliel Ratsey*, Shakespeare Association Facsimiles 10 (London: Oxford University Press, 1935) (unnumbered pages). Ratsey also makes use of the classic phrase 'Stand and deliver'.

21. Smith, *Complete History*, 44.

22. See Joan Parkes, *Travel in England in the Seventeenth Century* (London: Oxford University Press, 1925), 154.

23. Edward Hyde, Earl of Clarendon, *The History of the Great Rebellion*, ed. Roger Lockyer (London: Oxford University Press, 1967), 456.

24. For Howard, see Johnson, *General History*, 160; for Cottington see Smith, *Complete History*, 325. Other Royalist highwaymen whose reputations survived into the eighteenth century include Nevison, Hind, Stafford, Frith, and Gilder-Roy. On the targeting of Cromwell Captain Johnson comments that 'the Writers of that Time...have probably made this Usurper and his Friends to be serv'd in this Manner much oftener than they really were' (311).

25. See for example Aphra Behn, *Love-Letters Between a Nobleman and His Sister* (London: Virago, 1987), 438: ' "you have attacked me on the King's high-way, and have robbed me of a heart." '

26. Samuel Richardson, *Clarissa*, ed. Angus Ross (Harmondsworth: Penguin, 1985), 165, 337.

27. Samuel Richardson, *The History of Sir Charles Grandison*, ed. Jocelyn Harris, 3 vols. (London: Oxford University Press, 1972), i. 197.

28. See Ruth Bernard Yeazell, *Fictions of Modesty: Women and Courtship in the English Novel* (Chicago and London: University of Chicago Press, 1991), 104–5.

29. According to Terry Castle in her study of this topic, the masquerade offers the 'image of an ecstatic anti-society' pervaded by a 'World-Upside-Down ambience' and threatening to undermine the dominant narrative ideology. Castle, *Masquerade and Civilization: The Carnivalesque in Eighteenth-Century English Culture and Fiction* (London: Methuen, 1986), esp. 92–3, 106, 120–1.

30. Ibid. 31, citing the *Gentleman's Magazine* of 1753. The culprits appeared before Justice Fielding.

31. Rt. Hon. Lord Lytton, *Paul Clifford*, Stevenage edn. (London: Routledge, n.d.), 217.

32. See Linebaugh, *The London Hanged*, esp. 184–9, for evidence that the highwaymen of the late 1730s were mostly unemployed tradesmen. By contrast, a number of the earlier figures celebrated in the criminal biographies were university graduates and/or younger sons of the gentry.

33. Lennard J. Davis, *Factual Fictions: The Origins of the English Novel* (New York: Columbia University Press, 1983), 123–5. See also Frederick R. Karl, *A Reader's Guide to the Development of the English Novel in the Eighteenth Century* (London: Thames & Hudson, 1974), 48–9.

34. Douglas Hay, 'Property, Authority and the Criminal Law', 18, 53.

35. Martin J. Wiener, *English Culture and the Decline of the Industrial Spirit 1850–1980* (Cambridge: Cambridge University Press, 1981), 8.

36. Daniel Defoe, *The Fortunes and Misfortunes of the Famous Moll Flanders*, ed. G. A. Starr, World's Classics edn. (Oxford: Oxford University Press, 1981), 280, 301.

37. Henry Fielding, *Amelia*, ed. Martin C. Battestin (Oxford: Clarendon Press, 1983), 97.

38. Tobias Smollett, *The Expedition of Humphry Clinker*, ed. Louis M. Knapp and Paul Gabriel Boucé (Oxford and New York: Oxford University Press, 1984), 150. Subsequent page references in text.

39. Fielding, *Enquiry*, 136.

40. Gay, *Beggar's Opera*, 127.

41. Smith, *Complete History*, 412.
42. Quoted in Linebaugh, *The London Hanged*, 203–4.
43. Smith, *Complete History*, 360.
44. See e.g. Faller, *Turned to Account*, 188; Linebaugh, *The London Hanged*, 217. Another writer who argues that the robber stands for 'true justice' is Graham Seal, *The Outlaw Legend: A Cultural Tradition in Britain, America and Australia* (Cambridge: Cambridge University Press, 1996), 200–1.
45. Smith, *Complete History*, 408.
46. [Thomas Percy, ed.], *Percy's Reliques of Ancient English Poetry*, Everyman edn., 2 vols. (London and Toronto: Dent, and New York: Dutton, 1906), esp. i. 115–16. On Robin Hood societies, see H. T. Dickinson, *The Politics of the People in Eighteenth-Century Britain* (Basingstoke and London: Macmillan, 1995), 98. Fielding satirized the semi-literate 'Robinhoodians' in the *Covent-Garden Journal*, in 1752; *The Works of Henry Fielding, Esq.*, ed. Leslie Stephen, vol. vi (London: Smith, Elder, 1882), esp. 31–6.
47. 'Prince of all robbers' is Ritson's phrase. [Joseph Ritson, ed.], *Robin Hood: A Collection of all the Ancient Poems, Songs and Ballads, Now Extant …* [1823] (Wakefield, Yorks: EP, 1972), p. x.
48. For 'Grandeur and Hospitality' see Johnson, *General History*, 19. It has been argued that the eighteenth-century versions of the legend show Robin's liberality as deriving less from a notion of social redistribution than from the 'aristocratic virtues of largesse and display'. In other words, his generosity towards the poor and deserving reflected a plebeian fantasy of how the rich and successful ought to behave. See R. D. Dobson and J. Taylor, *Rymes of Robin Hood: An Introduction to the English Outlaw* (London: Book Club Associates, 1976), 55.
49. Daniel Defoe, *The History and Remarkable Life of the Truly Honourable Colonel Jack* (London: Folio Society, 1967), 78, 98–9.
50. According to Colonel Jack, Pindar of Wakefield is on the road from Gray's Inn Lane to Kentish Town (ibid. 74). There is a Wakefield Street close to the modern Gray's Inn Road.
51. Gary Kelly, *The English Jacobin Novel 1780–1805* (Oxford: Clarendon Press, 1976), 38–40.
52. Ritson, understandably, strongly disliked *Caleb Williams*. On his relationship with Godwin see Bertrand H. Bronson, *Joseph Ritson: Scholar-at-Arms*, 2 vols. (Berkeley: University of California Press, 1938), i. 146. Godwin speaks of his research for *Caleb Williams* in his 1832 preface to *Fleetwood*. See William Godwin, *Things as They Are or the Adventures of Caleb Williams*, ed. Maurice Hindle (London: Penguin, 1988), 351–2.
53. Ibid. 224. Subsequent page references in text.
54. Pamela Clemit, *The Godwinian Novel: The Rational Fictions of Godwin, Brockden Brown, Mary Shelley* (Oxford: Clarendon Press, 1993), 53.
55. Sir Walter Scott, *Rob Roy*, ed. John Sutherland, Everyman edn. (London: Dent, and North Clarendon, Vt.: Tuttle, 1995), 24, 384.
56. Sir Walter Scott, *The Heart of Mid-Lothian*, ed. Tony Inglis (London: Penguin, 1994), 288.

57. W. Harrison Ainsworth, *Rookwood: A Romance* (London and New York: Routledge, n.d.), 163–4.

58. Ibid., p. xxxiii.

59. Charles Dickens, *Oliver Twist*, ed. Peter Fairclough (London: Penguin, 1985), 34–5. The preface first appeared in the third edition of the novel.

60. On *Oliver Twist* as Dickensian prototype see Anny Sadrin, *Parentage and Inheritance in the Novels of Charles Dickens* (Cambridge: Cambridge University Press, 1994), 146.

Chapter 7. Romantic Toryism: Scott, Disraeli, and Others

1. William Hazlitt, *Lectures on the English Poets and The Spirit of the Age* (London: Dent, and New York: Dutton, 1910), 228. Subsequent page references in text.

2. Jane Austen, *Northanger Abbey*, Everyman edn. (London: Dent, and New York: Dutton, 1970), 165. Subsequent page references in text.

3. Jane Austen, *Emma*, ed. Ronald Blythe (Harmondsworth: Penguin, 1966), 355. Subsequent page references in text.

4. Walter Scott, review of *Tales of My Landlord* in Scott, *On Novelists and Fiction*, ed. Ioan Williams (London: Routledge, 1968), 259.

5. See Malcolm Bradbury, *Dangerous Pilgrimages: Trans-Atlantic Mythologies and the Novel* (London: Secker, 1995), 69–73.

6. Washington Irving, *The Sketch Book of Geoffrey Crayon, Gent.* in *Washington Irving: History, Tales and Sketches* (New York: Library of America, 1983), 744. Subsequent page references in text.

7. See J. A. R. Pimlott, *The Englishman's Christmas: A Social History* (Sussex: Harvester, 1978), 79, 194.

8. Geoffrey Crayon, Gent., *Bracebridge Hall; or The Humorists*, 2 vols. (London: Murray, 1822), ii. 25, 28. Subsequent page references in text.

9. Mary Russell Mitford, letter of 16 January 1824 quoted in P. D. Edwards, *Idyllic Realism from Mary Russell Mitford to Hardy* (Basingstoke: Macmillan, 1988), 157.

10. Mary Russell Mitford, 'Introduction', in *Our Village: Sketches of Rural Character and Scenery*, 5th ser. (London: Whittaker, 1832), 3–4.

11. Mary Russell Mitford, *Our Village*, ed. Ernest Rhys (London and Felling-on-Tyne: Walter Scott, [1891]), 58. Subsequent page references in text are to this selection.

12. Mitford, *Our Village: Sketches of Rural Character and Scenery* (London: Whittaker, 1824), 273. P. D. Edwards notes the frequency with which Mitford evokes painters and paintings, especially of the Dutch school (*Idyllic Realism*, 8).

13. Quoted in Edwards, *Idyllic Realism*, 157.

14. Mitford, *Our Village*, 5th ser., 6–7.

15. See Edwards, *Idyllic Realism*, 2

16. Elizabeth K. Helsinger, *Rural Scenes and National Representation: Britain, 1815–1850* (Princeton: Princeton University Press, 1997), 129, 131.

17. Edmund Burke, *Reflections on the Revolution in France and on the Proceedings in Certain Societies in London Relative to that Event*, ed. Conor Cruise O'Brien (Harmondsworth: Penguin, 1968), 117, 285.

18. Martin Green, *Dreams of Adventure, Deeds of Empire* (London and Henley: Routledge, 1980), 128.

19. Clara Reeve, *The Old English Baron: A Gothic Story*, ed. James Trainer (London: Oxford University Press, 1967), 152.

20. Sir Walter Scott, *Waverley*, Everyman's Library edn. (London: Dent, and New York: Dutton, 1969), 406. Subsequent page references in text.

21. Sir Walter Scott, *Ivanhoe*, ed. Graham Tulloch (Edinburgh: Edinburgh University Press, 1998), 7. Subsequent page references in text.

22. [Archibald Allison], 'The Historical Romance', in *Blackwood's Edinburgh Magazine* 58: 359 (September 1845), 349, 352, 355.

23. Leslie Stephen, 'Some Words about Sir Walter Scott', in John O. Hayden, ed., *Scott: The Critical Heritage* (London: Routledge, 1970), 453, 457.

24. For a recent discussion see Norman Davies, *The Isles: A History* (London: Macmillan, 2000), 335–7.

25. Sir Walter Scott, *Redgauntlet: A Tale of the Eighteenth Century* (London: Black, 1932), 365.

26. Quotations from *Chartism* and *Past and Present* in Thomas Carlyle, *Selected Writings*, ed. Alan Shelston (Harmondsworth: Penguin, 1971), 156, 280. Carlyle alludes to Gurth the swineherd in *Ivanhoe* in order to illustrate the exploitation of the poorest workers. *Past and Present* (London: Chapman & Hall, 1889), 19.

27. *The Journal of Sir Walter Scott 1825–26* (Edinburgh and London: Oliver & Boyd, 1939), 135.

28. Burke, *Reflections on the Revolution in France*, 117.

29. Scott, review of *Tales of My Landlord* in *On Novelists and Fiction*, 240; Alexander Welsh, *The Hero of the Waverley Novels* (New Haven and London: Yale University Press, 1963), 53 and *passim*.

30. John Ruskin, *Modern Painters*, 5 vols. (London: Allen, 1906), iii. 288.

31. Walter Scott, *Kenilworth: A Romance*, ed. J. H. Alexander (London: Penguin, 1999), 1. Subsequent page references in text.

32. Sir Walter Scott, *Peveril of the Peak*, ed. Andrew Lang (London: Macmillan, 1910), 820.

33. Welsh, *The Hero of the Waverley Novels*, 59.

34. Maria Edgeworth, *Castle Rackrent and The Absentee*, Everyman's Library edn. (London: Dent, and New York: Dutton, 1910), 124.

35. Cf. Daniel Cottam, *The Civilized Imagination: A Study of Ann Radcliffe, Jane Austen, and Sir Walter Scott* (Cambridge: Cambridge University Press, 1985), 168. Cottam's general discussion of the clash of aristocratic and middle-class values in Scott and his contemporaries is richly suggestive.

36. Walter Scott, Introduction to *Minstrelsy of the Scottish Border*, quoted in David Daiches, 'Scott's Achievement as a Novelist', in D. D. Devlin, ed., *Walter Scott: Modern Judgements* (Nashville and London: Aurora, 1970), 39.

37. Heinrich Heine, Introduction to *Don Quixote* (1837), in Hayden, ed., *Scott: The Critical Heritage*, 304–5.

38. Green, *Dreams of Adventure, Deeds of Empire*, 104.

39. Sir Walter Scott, *Guy Mannering, or The Astrologer*, ed. Andrew Lang (London: Nimmo, 1898), 404.

40. Stephen, 'Some Words about Sir Walter Scott', in Hayden, ed., *Scott: The Critical Heritage*, 452. For Stendhal's account of the wineglass incident see ibid. 320–1.

41. Scott, *Waverley*, 1.

42. *The Journal of Sir Walter Scott 1825–26*, 135.

43. Richard Hengist Horne, ed., *A New Spirit of the Age* (1844) (London: Oxford University Press, 1907), 156.

44. [Allison], 'The Historical Romance', 345, 347.

45. Edward Lytton Bulwer, *England and the English*, ed. Standish Meacham (Chicago and London: University of Chicago Press, 1970), 372. Subsequent page references in text.

46. Disraeli the Younger, *Vindication of the English Constitution in a Letter to a Noble and Learned Lord* (1835) (Farnborough, Hants: Gregg International, 1969), 172–3. Subsequent page references in text.

47. Benjamin Disraeli, *Sybil or The Two Nations*, ed. Thom Braun (Harmondsworth: Penguin, 1980), 96. Subsequent page references in text.

48. Benjamin Disraeli, *Coningsby*, World's Classics edn. (London: Oxford University Press, 1931), 68. Subsequent page references in text.

49. Catherine Gallagher notes that Sybil has Jewish overtones, though by virtue of her association with the Blessed Virgin rather than with Rebecca; Gallagher, *The Industrial Reformation of English Fiction: Social Discourse and Narrative Form 1832–1867* (Chicago and London: University of Chicago Press, 1985), 213. See also n. 58 below.

50. Ibid. 214.

51. See e.g. Rosemarie Bodenheimer, *The Politics of Story in Victorian Social Fiction* (Ithaca, NY, and London: Cornell University Press, 1988), esp. 173–5.

52. Charlotte Smith, *Desmond*, ed. Antje Blank and Janet Todd (Peterborough, Ont.: Broadview, 2001), 73.

53. Rt. Hon. B. Disraeli, *Vivian Grey*, new edn. (London: Longmans, n.d.), 16. Subsequent page references in text.

54. Robert Blake, *Disraeli* (London: Eyre & Spottiswoode, 1966), 57.

55. Daniel R. Schwarz, 'Disraeli's Romanticism: Self-fashioning in the Novels', in Charles Richmond and Paul Smith, eds., *The Self-Fashioning of Disraeli 1818–1851* (Cambridge: Cambridge University Press, 1998), 62.

56. Michael Ragussis, *Figures of Conversion: 'The Jewish Question' and English National Identity* (Durham, NC, and London: Duke University Press, 1995), 188.

57. Rt. Hon. B. Disraeli, *Tancred or the New Crusade*, new edn. (London: Longmans, n.d.), 124. Subsequent page references in text.

58. Ragussis, *Figures of Conversion*, 190.

59. Cf. Blake, *Disraeli*, 205.

60. Daniel Bivona, *Desire and Contradiction: Imperial Visions and Domestic Debates in Victorian Literature* (Manchester and New York: Manchester University Press, 1990), 18, 24.

61. Cf. Bernard Semmel, *George Eliot and the Politics of National Inheritance* (New York and Oxford: Oxford University Press, 1994), 119.

62. Ragussis, *Figures of Conversion*, 199.

63. Rt. Hon. B. Disraeli, *Alroy. Ixion in Heaven. The Infernal Marriage. Popanilla*, new edn. (London: Longmans, n.d.), 141.

Chapter 8. Tory Daughters and the Politics of Marriage

1. Susan Ferrier, *Marriage, A Novel*, ed. Herbert Feltinek (London: Oxford University Press, 1971), 2.

2. See Robert Miles, *Jane Austen* (Tavistock: Northcote House, 2003), 23, 121. On companionate marriage see Lawrence Stone, *The Family, Sex and Marriage in England 1500–1800* (London: Penguin, 1990), 217–53.

3. Christopher Hill, *Puritanism and Revolution* (London: Panther, 1968), 352, citing H. J. Habakkuk.

4. Thomas Holcroft, *Anna St. Ives*, ed. Peter Faulkner (London: Oxford University Press, 1970), 158. Subsequent page references in text.

5. See Marilyn Butler, *Jane Austen and the War of Ideas* (Oxford: Clarendon, 1975), 85.

6. See Donald J. Greene, 'Jane Austen and the Peerage', in Ian Watt, ed., *Jane Austen: A Collection of Critical Essays* (Englewood Cliffs, NJ: Prentice-Hall, 1963), 161–3; Miles, *Jane Austen*, 148.

7. Gerald Newman, *The Rise of English Nationalism: A Cultural History 1740–1830* (London: Weidenfeld, 1987), 231.

8. Charlotte Smith, *Marchmont*, 3 vols. (Delmar, NY: Scholars' Facsimiles, 1989), ii. 45.

9. This is on the testimony of her nephew: J. E. Austen-Leigh, *A Memoir of Jane Austen* (London: Macmillan, 1906), 83–4.

10. Christine Alexander, ed. *An Edition of the Early Writings of Charlotte Brontë*, vol. i: *The Glass Town Saga, 1826–1832* (Oxford: Blackwell, 1987), 90, 124.

11. Leslie Stephen, 'Charlotte Brontë', in Barbara Timm Gates, ed., *Critical Essays on Charlotte Brontë*, (Boston: Hall, 1990), 26.

12. Elizabeth C. Gaskell, *North and South*, World's Classics edn. (London: Oxford University Press, 1923), 2. Subsequent page references in text.

13. Jane Austen, *Northanger Abbey*, Everyman edn. (London: Dent, and New York: Dutton, 1970), 48. Subsequent page references in text.

14. Jane Austen, 'The Watsons', in Austen-Leigh, *A Memoir*, 333.

15. Jane Austen, *Persuasion*, Everyman edn. (London: Dent, and New York: Dutton, 1970), 219. Subsequent page references in text.

16. Greene, 'Jane Austen and the Peerage', 155.

17. Daniel Cottam, *The Civilized Imagination: A Study of Ann Radcliffe, Jane Austen, and Sir Walter Scott* (Cambridge: Cambridge University Press, 1985), 99.

18. Jane Austen, *Mansfield Park*, ed. Tony Tanner (Harmondsworth: Penguin, 1966), 41. Subsequent page references in text.

19. Jane Austen, *Pride and Prejudice*, Everyman edn. (London: Dent, and New York: Dutton, 1960), 205. Subsequent page references in text.
20. Austen-Leigh, *A Memoir*, 54.
21. Greene, 'Jane Austen and the Peerage', 156. This Lord Middleton was unrelated to John Middleton, the seventeenth-century cavalry commander who joined the Royalists and was ennobled by Charles II.
22. Jane Austen, *Sense and Sensibility*, ed. Tony Tanner (Harmondsworth: Penguin, 1969), 76, 223. Subsequent page references in text.
23. See Claudia L. Johnson, *Jane Austen: Women, Politics, and the Novel* (Chicago and London: University of Chicago Press, 1988), 56.
24. Ibid. 89.
25. Greene, 'Jane Austen and the Peerage', 155.
26. Cf. Johnson, *Jane Austen*, 165.
27. The phrase 'the same interest' has been strangely misunderstood by some of *Mansfield Park*'s editors, including Tony Tanner (458); its normal application is to party politics. See Igor Webb's discussion of *Mansfield Park* in *From Custom to Capital: The English Novel and the Industrial Revolution* (Ithaca, NY, and London: Cornell University Press, 1981), esp. 102–4.
28. See Miles, *Jane Austen*, 98.
29. See Webb, *From Custom to Capital*, 104.
30. Loraine Fletcher points out that Henry and Mary Crawford 'are never allowed to argue a sceptical point of view in religion or politics, though to speak and act as they do, they would have to have one'. Fanny blames Mary's frivolous impiety on her upbringing. Loraine Fletcher, *Charlotte Smith: A Critical Biography* (Basingstoke and London: Macmillan, 1998), 313.
31. See Ann Banfield, 'The Influence of Place: Jane Austen and the Novel of Social Consciousness', in David Monaghan, ed., *Jane Austen in a Social Context* (Basingstoke: Macmillan, 1981), 44; and Claudia Johnson, *Jane Austen*, 119.
32. For a general discussion of Austen's fictional use of the Deadly Sins see Donald Greene, 'Jane Austen's Monsters', in John Halperin, ed., *Jane Austen: Bicentenary Essays* (Cambridge: Cambridge University Press, 1975), 262–78.
33. Butler, *Jane Austen and the War of Ideas*, 231, 231 n.
34. Sugar prices plummeted in 1807, for example, at the time when the slave trade was outlawed. See Katie Trumpener, *Bardic Nationalism: The Romantic Novel and the British Empire* (Princeton: Princeton University Press, 1997), 177.
35. Shinobu Minma, 'Self-Deception and Superiority Complex: Derangement of Hierarchy in Jane Austen's *Emma*', *Eighteenth-Century Fiction* 14: 1 (October 2001), 62.
36. See Frank W. Bradbrook, *Jane Austen and Her Predecessors* (Cambridge: Cambridge University Press, 1966), 32.
37. *Boswell's Life of Johnson* (London: Oxford University Press, 1953), 188.
38. Terry Eagleton, 'Class, Power and Charlotte Brontë', in Gates, ed., *Critical Essays on Charlotte Brontë*, 54.
39. Charlotte Brontë, *Jane Eyre*, ed. Q. D. Leavis (Harmondsworth: Penguin, 1966) 294. Subsequent page references in text.

40. For discussion of these issues see Jenny Sharpe, *Allegories of Empire: The Figure of Woman in the Colonial Text* (Minneapolis and London: University of Minnesota Press, 1993), esp. 45–7.

41. Mary Wollstonecraft, *Mary, A Fiction and The Wrongs of Women*, ed. Gary Kelly (London: Oxford University Press, 1976), 159.

42. On the complexity of Jane's childhood self-identifications see Cora Kaplan, ' "A Heterogeneous Thing": Female Childhood and the Rise of Racial Thinking in Victorian Britain', in Diana Fuss, ed., *Human, All Too Human* (New York and London: Routledge, 1996), esp. 181–8.

43. Chapter 1 of *Jane Eyre* incorporates verbatim quotations from Bewick. See Thomas Bewick, *History of British Birds*, vol. ii: *Water Birds* (Newcastle, 1804), p. xii.

44. Kathleen Tillotson writes that 'though everyone thinks of *Jane Eyre* as a Yorkshire novel, no district is specified and the name Yorkshire never appears.' Tillotson, *Novels of the Eighteen-Forties* (London: Oxford University Press, 1961), 90. We do know that the Gytrash is a 'north-of-England spirit' (143) and that Jane hears about it from Bessie, a native of Gateshead, which is presumably in the north. Lowood and Whitcross are cold, hilly, Pennine regions; Leeds and Sheffield seem to lurk behind the large towns of 'L——' between Lowood and Gateshead, and 'S——' close to Whitcross; but the distances between these places and Thornfield mean that England north of the Trent is simply not large enough to contain them all.

45. Cf. Sharpe, *Allegories of Empire*, 46.

46. Cf. Enid L. Duthie, *The Foreign Vision of Charlotte Brontë* (London and Basingstoke: Macmillan, 1975), 128–30. We are told that after their marriage Jane does travel, presumably with Rochester, to France and Germany.

47. Elizabeth Gaskell, *Cranford* (London: Hamish Hamilton, and New York: Pantheon, 1951), 87. Subsequent page references in text.

48. Elizabeth Gaskell, *The Life of Charlotte Brontë* (London: Smith, Elder, 1889), 23.

49. Blair Worden suggests that Thornton's 'iron' and 'rough' figure, bent on ' "justice" and a "wise despotism" ', is modelled on Thomas Carlyle's heroic view of the Protector in *Oliver Cromwell's Letters and Speeches* (1845). Worden, *Roundhead Reputations: The English Civil Wars and the Passions of Posterity* (London: Penguin, 2001), 286.

50. Cited by Coral Lansbury, *Elizabeth Gaskell: The Novel of Social Crisis* (London: Elek, 1975), 114.

51. Gaskell's biographer A. B. Hopkins, quoted by Rosemarie Bodenheimer, *The Politics of Story in Victorian Social Fiction* (Ithaca, NY, and London: Cornell University Press, 1988), 53 n.

Chapter 9. 'Turn Again, Dick Whittington!': Dickens and the Fiction of the City

1. George Gissing, *Charles Dickens: A Critical Study* (London: Blackie, 1898), 180.

2. G. K. Chesterton, *Charles Dickens*, 12th edn. (London: Methuen, 1919), 185.

3. Gissing, *Charles Dickens*, 84.
4. George Orwell, 'Charles Dickens', in *Collected Essays, Journalism and Letters*, 4 vols., ed. Sonia Orwell and Ian Angus (Harmondsworth: Penguin, 1970), i. 473–5.
5. Patrick Brantlinger, *Rule of Darkness: British Literature and Imperialism, 1830–1914* (Ithaca, NY, and London: Cornell University Press, 1988), 207.
6. On parody and romance see John Kucich, *Excess and Restraint in the Novels of Charles Dickens* (Athens, Ga.: University of Georgia Press, 1981), 245.
7. Anny Sadrin, *Parentage and Inheritance in the Novels of Charles Dickens* (Cambridge: Cambridge University Press, 1994), 146.
8. William Hazlitt, 'On Londoners and Country People', in *Complete Works*, ed. P. P. Howe (London and Toronto: Dent, 1933), xii. 77.
9. The quoted phrase is part of the title of chapter 4. Charles Dickens, *Oliver Twist*, ed. Peter Fairclough (London: Penguin, 1985), 68. Subsequent page references in text.
10. Charles Dickens, *Our Mutual Friend*, ed. Adrian Poole (London: Penguin, 1997), 152; Charles Dickens, *A Tale of Two Cities*, ed. Richard Maxwell (London: Penguin, 2000), 318. Subsequent page references to both novels in text.
11. Charles Dickens, *Barnaby Rudge: A Tale of the Riots of 'Eighty* (London: Oxford University Press, 1954), 577. Subsequent page references in text.
12. Charles Dickens, *The Personal History of David Copperfield* (London: Oxford University Press, 1948), 808–9. Subsequent page references in text.
13. See Franco Moretti, *The Way of the World: The 'Bildungsroman' in European Culture* (London: Verso, 1987), 205 and *passim*.
14. William Makepeace Thackeray, *Pendennis*, 2 vols., Everyman edn. (London and Toronto: Dent, and New York: Dutton, 1910), i. 283. Subsequent page references in text.
15. Dickens, *David Copperfield*, 530. Chapter 28 of *Pendennis* is entitled 'Babylon'.
16. H. G. Wells, *Tono-Bungay*, ed. Patrick Parrinder (London: Penguin, 2005), 90–1. Subsequent page references in text.
17. Arnold Bennett, *A Man from the North* (London: Methuen, 1912), 1.
18. Thomas Hardy, *Jude the Obscure*, ed. P. N. Furbank (London: Macmillan, 1974), 97.
19. William Wordsworth, *The Prelude or Growth of a Poet's Mind (Text of 1805)*, ed. Ernest de Selincourt (London: Oxford University Press, 1960), book vii, line 116.
20. Walter Besant and James Rice, *Sir Richard Whittington: Lord Mayor of London* (London: Wood, 1881), 134.
21. Henry B. Wheatley, ed., *The History of Sir Richard Whittington, by T. H.* (London: Villon Society, 1885), 6.
22. Ibid., p. xxxiii.
23. Sir Walter Scott, *Rob Roy*, ed. John Sutherland, Everyman edn. (London: Dent, and North Clarendon, Vt.: Tuttle, 1995), 23. Subsequent page references in text.
24. Charles Dickens, *The Life and Adventures of Martin Chuzzlewit*, ed. P. N. Furbank (London: Penguin, 1986), 157.

25. Charles Dickens, *The Old Curiosity Shop* (London: Panther, 1964), 333. Subsequent page references in text.
26. Charles Dickens, *Bleak House* (London: Oxford University Press, 1948), 60. Subsequent page references in text.
27. Besant and Rice, *Sir Richard Whittington*, 87.
28. Charles Dickens, *Dealings with the Firm of Dombey and Son: Wholesale, Retail and for Exportation* (London: Oxford University Press, 1950), 135. Subsequent page references in text.
29. Sadrin, *Parentage and Inheritance*, 51.
30. Based on a letter of Dickens to John Forster (July 1846). See Gissing, *Charles Dickens*, 78.
31. David Piper, *The Companion Guide to London* (London: Fontana, 1970), 386.
32. Numerous critics have written on Dickens's uses of the labyrinth topos. See e.g. J. Hillis Miller, *Charles Dickens: The World of his Novels* (Cambridge, Mass.: Harvard University Press, 1958); and Richard Maxwell, *The Mysteries of Paris and London* (Charlottesville, Va., and London: University Press of Virginia, 1992), both *passim*.
33. George Augustus Sala, *Charles Dickens* (London: Routledge, [1870]), 27.
34. See e.g. John Lucas, *Charles Dickens: The Major Novels* (London: Penguin, 1972), 99; and James Buzard, ' "Anywhere's Nowhere": *Bleak House* as Autoethnography', *Yale Journal of Criticism* 12: 1 (1999), 30–4.

Chapter 10. At Home and Abroad in Victorian and Edwardian Fiction

1. W. M. Thackeray, *Vanity Fair*, Everyman edn. (London: Dent, and New York: Dutton, 1963), 23. Subsequent page references in text.
2. Quoted in John Carey, *Thackeray: Prodigal Genius* (London: Faber, 1977), 24.
3. Charlotte Brontë, *Unfinished Novels* (Stroud: Sutton, 1993), 32–3.
4. On George Eliot and the idea of historical progress see Neil McCaw, *George Eliot and Victorian Historiography: Imagining the National Past* (Basingstoke: Macmillan, 2000), esp. 52.
5. George Eliot, 'The Modern Hep! Hep! Hep!' in *Impressions of Theophrastus Such*, *Works*, Warwick edn. (Edinburgh and London: Blackwood, 1901), xii. 285. Subsequent page references in text.
6. Eliot, *Impressions of Theophrastus Such*, 36.
7. Kathleen Tillotson, *Novels of the Eighteen-Forties* (London: Oxford University Press, 1961), 90.
8. Charlotte Brontë, *Shirley*, Everyman edn. (London: Dent, and New York: Dutton, 1969), 21. Subsequent page references in text.
9. Elizabeth Gaskell, *Sylvia's Lovers*, ed. Andrew Sanders, World's Classics edn. (Oxford: Oxford University Press, 1982), 95.
10. Charlotte Brontë, *The Professor* (London: Classics Book Club, 1951), 64, 95. Subsequent page references in text.
11. Charlotte Brontë, letter of July 1842, quoted in Enid L. Duthie, *The Foreign Vision of Charlotte Brontë* (London and Basingstoke: Macmillan, 1975), 30.

12. Charlotte Brontë, *Villette*, ed. Mark Lilly (Harmondsworth: Penguin, 1979), 73, 341. Subsequent page references in text.
13. Edgeworth, *Castle Rackrent and The Absentee*, Everyman edn. (London: Dent, and New York: Dutton, 1910), 88.
14. Rudyard Kipling, *Kim*, ed. Zohreh T. Sullivan, Norton Critical edn. (New York and London: Norton, 2002), 52.
15. Ford Madox Hueffer, *The Spirit of the People: An Analysis of the English Mind* (London: Alston Rivers, 1907), 148–50.
16. Harriet Martineau, review of *Villette* (1853) in Barbara Timm Gates, ed., *Critical Essays on Charlotte Brontë* (Boston: Hall, 1990), 254.
17. Susan Meyer, 'Colonialism and the Figurative Strategy of *Jane Eyre*', in Jonathan Arac and Harriet Ritvo, eds., *Macropolitics of Nineteenth-Century Literature: Nationalism, Exoticism, Imperialism* (Durham, NC, and London: Duke University Press, 1995), 160.
18. Anthony Trollope, *The Way We Live Now*, ed. Sir Frank Kermode (London: Penguin, 1994), 414. Subsequent page references in text.
19. George Eliot, *Daniel Deronda*, ed. Barbara Hardy (Harmondsworth: Penguin, 1967), 101. Subsequent page references in text.
20. Bernard Semmel, *George Eliot and the Politics of National Inheritance* (New York and Oxford: Oxford University Press, 1994), 18.
21. See Patrick Brantlinger, *Rule of Darkness: British Literature and Imperialism, 1830–1914* (Ithaca, NY, and London: Cornell University Press, 1988), esp. 178, 182.
22. '*Daniel Deronda*: A Conversation' [1876], in Henry James, *Selected Literary Criticism*, ed. Morris Shapira (London: Heinemann, 1963), 36–7, 46.
23. Henry James, *The Ambassadors* (Harmondsworth: Penguin, 1973), 5.
24. Henry James, 'Preface' (1909) to *The Princess Casamassima*, ed. Derek Brewer (London: Penguin, 1987), 33. Subsequent page references in the text are to this edition.
25. Joseph Conrad, *The Secret Agent* (Harmondsworth: Penguin, 1963), 23, 33. Subsequent page references in text.
26. Joseph Conrad, 'Heart of Darkness' in *Three Short Novels* (New York: Bantam, 1960), 4.

Chapter 11. Puritan and Provincial Englands: From Emily Brontë to D. H. Lawrence

1. Thomas Carlyle, *The Letters and Speeches of Oliver Cromwell*, ed. S. C. Lomas, 3 vols. (London: Methuen, 1904), i. 8.
2. Thomas Babington Macaulay, *The History of England from the Accession of James II*, 3 vols. (London and Toronto: Dent, and New York: Dutton, 1906), ii. 208.
3. Ibid. i. 82.
4. Carlyle, *Letters and Speeches of Oliver Cromwell*, p. xxi.
5. Walter Bagehot, 'Thomas Babington Macaulay' (1856), in *Selected Essays* (London: Nelson, n.d.), 309–17.

6. W. E. H. Lecky, *The Political Value of History* (1892), quoted in J. W. Burrow, *A Liberal Descent: Victorian Historians and the English Past* (Cambridge: Cambridge University Press, 1981), 14.

7. John Richard Green, *History of the English People* (London: Macmillan, 1879), iii. 13–19. This is a slightly extended version of the discussion which had appeared in the *Short History* five years earlier.

8. George Eliot, *Middlemarch: A Study of Provincial Life*, World's Classics edn. (London: Oxford University Press, 1947), 1, 3. Subsequent page references in text.

9. George Eliot, *The Mill on the Floss*, Everyman edn. (London: Dent, and New York: Dutton, 1908), 350. Subsequent page references in text.

10. George Eliot, *Felix Holt, the Radical*, ed. Fred C. Thomson (Oxford: Oxford University Press, 1988), 303. Subsequent page references in text.

11. Emily Brontë, *Wuthering Heights*, ed. Ian Jack (Oxford: Oxford University Press, 1955), 324–5. Subsequent page references in text.

12. Elizabeth K. Helsinger, *Rural Scenes and National Representation: Britain, 1815–1850* (Princeton: Princeton University Press, 1997), 175.

13. Ibid. 210–11.

14. On the problems of the flood episode, see George Eliot, *The Mill on the Floss*, ed. Gordon S. Haight (Oxford: Clarendon Press, 1980), 466–7.

15. Quoted in Basil Willey, 'George Eliot', in Gordon S. Haight, ed., *A Century of George Eliot Criticism* (London: Methuen, 1966), 263.

16. Book iv, chapter 1 of *The Mill on the Floss* is titled 'A Variation of Protestantism Unknown to Bossuet'.

17. Quoted in Willey, 'George Eliot', 259.

18. E. M. Forster, 'Notes on the English Character' in *Abinger Harvest and England's Pleasant Land*, ed. Elizabeth Heine (London: Deutsch, 1996), 5.

19. George Eliot, *Scenes of Clerical Life*, ed. Thomas A. Noble (Oxford: Oxford University Press, 1988), 263. Subsequent page references in text.

20. Anthony Trollope, *An Autobiography*, ed. Michael Sadleir and Frederick Page, World's Classics edn. (Oxford: Oxford University Press, 1992), 154.

21. Anthony Trollope, *Doctor Thorne*, ed. David Skilton, World's Classics edn. (Oxford: Oxford University Press, 1980), 7–8.

22. George Eliot, *Impressions of Theophrastus Such*, in *Works*, Warwick edn., 12 vols. (Edinburgh and London: Blackwood, 1901), xii. 36.

23. George Eliot, 'Amos Barton' in *Scenes of Clerical Life*, 37.

24. The contemporary *Times* reviewer E. S. Dallas was the first to identify Silas Marner as a Job figure: 'He is surrounded with comforters, most of whom are even less sympathizing than the comforters of Job, and he sinks into a deeper despair than that of the most patient of men, for, as we have said, he cursed and denied God in his affliction.' [Eneas Sweetland Dallas], review of *Silas Marner* [1861] in Haight, ed., *A Century of George Eliot Criticism*, 20.

25. George Eliot, *Silas Marner* (London: Nelson, n.d.), 119. Subsequent page references in text.

26. See Sally Shuttleworth, *George Eliot and Nineteenth-Century Science: The Make-Believe of a Beginning* (Cambridge: Cambridge University Press, 1986), 79.

27. George Eliot, 'The Natural History of German Life: Riehl', in *Works*, xii. 490–1. Subsequent page references in text.

28. See Patrick Parrinder, 'The Look of Sympathy: Communication and Moral Purpose in the Realistic Novel', *Novel* 5 (1972), 135–47.

29. George Eliot, *Adam Bede*, ed. Valentine Cunningham, World's Classics edn. (Oxford: Oxford University Press, 1996), 136. Subsequent page references in text.

30. Stephen, 'George Eliot', 142.

31. Ruth Bernard Yeazell, 'Why Political Novels Have Heroines: *Sybil*, *Mary Barton*, and *Felix Holt*', *Novel*, 18: 2 (1985), 140.

32. Cf. Martin J. Svaglic, 'Religion in the Novels of George Eliot', in Haight, ed., *A Century of George Eliot Criticism*, 291–2.

33. Florence Emily Hardy, *The Life of Thomas Hardy 1840–1928* (London: Macmillan, 1962), 278.

34. Thomas Hardy, *The Woodlanders*, ed. David Lodge (London: Macmillan, 1974), 38. Subsequent page references in text.

35. Thomas Hardy, *Tess of the d'Urbervilles* (London: Macmillan, 1968), 41. Subsequent page references in text.

36. Thomas Hardy, *The Return of the Native*, ed. Derwent May (London: Macmillan, 1974), 37–8. Subsequent page references in text.

37. Florence Emily Hardy, *Life*, 61.

38. Thomas Hardy, *A Pair of Blue Eyes*, ed. Alan Monford, World's Classics edn. (Oxford: Oxford University Press, 1985), 8.

39. Book v, chapter 1 of *The Return of the Native*, describing Clym's despair after his mother's death, is titled ' "Wherefore is Light given to him that is in Misery?" ' (Job 3: 20).

40. Thomas Hardy, *Jude the Obscure*, ed. P. N. Furbank (London: Macmillan, 1974), 97. Subsequent page references in text.

41. Joss Marsh, *Word Crimes: Blasphemy, Culture, and Literature in Nineteenth-Century England* (Chicago and London: University of Chicago Press, 1998), 318.

42. See ibid. 295, 321.

43. *The Autobiography of Mark Rutherford, Edited by his friend Reuben Shapcott* (London: Hodder & Stoughton, n.d.), 19.

44. Mark Rutherford, *The Revolution in Tanner's Lane* (London: Cape, 1927), 37. Subsequent page references in text.

45. Morley Roberts, ed., *The Private Life of Henry Maitland*, 2nd edn. (London: Eveleigh Nash, 1923), 112–13.

46. George Gissing, *The Unclassed* (London: Benn, 1930), 41. Subsequent page references in text.

47. George Gissing, *Born in Exile* (London: Nelson, n.d.), 266. Subsequent page references in text.

48. Unsigned review of *Born in Exile* in *The Times*, 1 July 1892, in Pierre Coustillas and Colin Partridge, eds., *Gissing: The Critical Heritage* (London and Boston: Routledge & Kegan Paul, 1972), 204.

49. Arnold Bennett, *Anna of the Five Towns* (Harmondsworth: Penguin, 1967), 235. Subsequent page references in text.

50. D. H. Lawrence, letter to A. W. McLeod, 6 October 1912, in Aldous Huxley, ed., *The Letters of D. H. Lawrence* (London: Heinemann, 1934), 64–5.
51. D. H. Lawrence, *Sons and Lovers* (Harmondsworth: Penguin, 1948), 14. Subsequent page references in text.

Chapter 12. From Forster to Orwell: The Novel of England's Destiny

1. Krishan Kumar, *The Making of English National Identity* (Cambridge: Cambridge University Press, 2003), 224.
2. E. M. Forster, *What I Believe* (London: Hogarth, 1939), 8.
3. E. M. Forster, *The Longest Journey* (Harmondsworth: Penguin, 1960), 50–1. Subsequent page references in text.
4. H. G. Wells, 'The *National Observer Time Machine*', in Harry M. Geduld, ed., *The Definitive Time Machine* (Bloomington and Indianapolis: Indiana University Press, 1987), 171.
5. The quotation is from Noel Annan, 'Kipling's Place in the History of Ideas', in Andrew Rutherford, ed., *Kipling's Mind and Art* (Edinburgh and London: Oliver & Boyd, 1964), 115. See also Richard Gill, *Happy Rural Seat: The English Country House and the Literary Imagination* (New Haven and London: Yale University Press, 1972), esp. 95–131; and Patrick Parrinder, 'Historical Imagination and Political Reality: A Study in Edwardian Attitudes', *Clio* 4: 1 (1974), 5–25.
6. Lionel Trilling, *E. M. Forster: A Study*, 2nd edn. (London: Hogarth, 1967), 102.
7. P. N. Furbank, *E. M. Forster: A Life*, vol. i: *The Growth of the Novelist (1879–1914)* (London: Secker & Warburg, 1977), 47.
8. E. M. Forster, *Howards End* (Harmondsworth: Penguin, 1941), 198. Subsequent page references in text.
9. David Gervais, *Literary Englands: Versions of 'Englishness' in Modern Writing* (Cambridge: Cambridge University Press, 1993), 76.
10. Cf. J. W. Burrow, *A Liberal Descent: Victorian Historians and the English Past* (Cambridge: Cambridge University Press, 1981), 297.
11. Ford Madox Hueffer, *The Spirit of the People: An Analysis of the English Mind* (London: Alston Rivers, 1907), 8. Subsequent page references in text.
12. H. Butterfield, *The Englishman and his History* (Cambridge: Cambridge University Press, 1944), 1–2.
13. Hueffer, *The Spirit of the People*, 3.
14. G. M. Trevelyan, *History of England* (London: Longmans, 1927), pp. xvii, xx.
15. Butterfield, *The Englishman and his History*, 2.
16. C. R. L. Fletcher and Rudyard Kipling, *A School History of England* (Oxford: Clarendon Press, 1911), 241.
17. Butterfield, *The Englishman and his History*, 81–2.
18. John Richard Green, *A Short History of the English People*, 2 vols. (London and Toronto: Dent, and New York: Dutton, 1915), i. 7.
19. Ford Madox Hueffer, *The Heart of the Country: A Survey of a Modern Land* (London: Alston Rivers, 1906), 211.

20. Ford Madox Hueffer, *The Cinque Ports: A Historical and Descriptive Record* (Edinburgh and London: Blackwood, 1900), 20.

21. Hueffer, *The Spirit of the People*, 71.

22. Ford Madox Ford, *The Fifth Queen* (Oxford: Oxford University Press, 1984), 163–4, 191.

23. E. M. Forster, *Abinger Harvest and England's Pleasant Land*, ed. Elizabeth Heine (London: Deutsch, 1996), 399.

24. E. M. Forster, 'Notes on the English Character', in *Abinger Harvest and England's Pleasant Land*, 4–5.

25. Martin Green, *The English Novel in the Twentieth Century [The Doom of Empire]* (London: Routledge & Kegan Paul, 1984), 56. Forster himself, however, happily spent the last two decades of his life in what was then the all-male institution of King's College, Cambridge.

26. E. M. Forster, *Where Angels Fear to Tread*, ed. Oliver Stallybrass (London: Penguin, 2001), 113. Subsequent page references in text.

27. George Meredith, *Beauchamp's Career* (London: Chapman & Hall, 1894), 506. Subsequent page references in text.

28. H. G. Wells, *Experiment in Autobiography: Discoveries and Conclusions of a Very Ordinary Brain (since 1866)*, 2 vols. (London: Gollancz and Cresset Press, 1966), ii. 495.

29. John Galsworthy, *The Man of Property* (Harmondsworth: Penguin, 1967), 85. Subsequent page references in text.

30. See Len Platt, *Aristocracies of Fiction*, 53.

31. Forster, *Abinger Harvest and England's Pleasant Land*, 349.

32. H. G. Wells, *Tono-Bungay*, ed. Patrick Parrinder (London: Penguin, 2005), 16. Subsequent page references in text.

33. See Bryan Cheyette, 'Introduction' to *Tono-Bungay*, ed. Cheyette (New York: Oxford University Press, 1997), pp. xxxi–xxxiv. Cheyette also discusses Wells's 'use of the language of socialist anti-Semitism' and observes that George's uncle is 'named after the reigning monarch, Edward the Seventh, who was ... said to be in the hands of plutocrats which embodied the "Semitic" corruption of old England' (p. xxxiv). George is named after the Prince of Wales, who became King in 1911.

34. Daniel Born, *The Birth of Liberal Guilt in the English Novel: Charles Dickens to H. G. Wells* (Chapel Hill, NC, and London: University of North Carolina Press, 1995), 163.

35. Michael Draper, *H. G. Wells* (Basingstoke: Macmillan, 1987), 89.

36. D. H. Lawrence, *The Rainbow* (Harmondsworth: Penguin, 1949), 496. Subsequent page references in text.

37. D. H. Lawrence, 'Nottingham and the Mining Countryside', in *A Selection from Phoenix*, ed. A. A. H. Inglis (Harmondsworth; Penguin, 1971), 103, 106.

38. D. H. Lawrence, *Women in Love* (Harmondsworth: Penguin, 1960), 408. Subsequent page references in text.

39. See David Craig, *The Real Foundations: Literature and Social Change* (London: Chatto, 1973), 144–54.

40. Lawrence, 'Nottingham and the Mining Countryside', 103.

41. D. H. Lawrence, *Lady Chatterley's Lover* (Harmondsworth: Penguin, 1960), 64. Subsequent page references in text.

42. Cf. Scott Sanders, *D. H. Lawrence: The World of the Major Novels* (London: Vision, 1973), 181.

43. Wells, *Experiment in Autobiography*, ii. 503.

44. Virginia Woolf, *Three Guineas* (Harmondsworth: Penguin, 1977), 125.

45. Virginia Woolf, *The Voyage Out*, ed. Lorna Sage (Oxford: Oxford University Press, 1992), 51. Subsequent page references in text.

46. Virginia Woolf, *Night and Day* (Harmondsworth: Penguin, 1969), 44. Subsequent page references in text. The chimes of Big Ben are heard in both *Night and Day* and *Mrs Dalloway*.

47. Virginia Woolf, *Orlando: A Biography* (Harmondsworth: Penguin, 1967), 12–13, 230.

48. Virginia Woolf, *The Years*, ed. Hermione Lee (Oxford: Oxford University Press, 1992), 265.

49. Patricia Klindienst Joplin, 'The Authority of Illusion: Feminism and Fascism in Virginia Woolf's *Between the Acts*', in Margaret Homans, ed., *Virginia Woolf: A Collection of Critical Essays* (Englewood Cliffs, NJ: Prentice-Hall, 1993), 213.

50. Virginia Woolf, *Between the Acts*, ed. Frank Kermode (Oxford: Oxford University Press, 1992), 15. Subsequent page references in text.

51. Malcolm Cowley, review of *Between the Acts* reprinted in Robin Majumdar and Allen McLaurin, eds., *Virginia Woolf: The Critical Heritage* (London and Boston: Routledge, 1975), 448.

52. H. G. Wells, *The New Machiavelli* (London: John Lane, 1911), 254.

53. Anne Olivier Bell and Andrew McNeillie, eds., *The Diary of Virginia Woolf*, vol. v: 1936–1941 (London: Hogarth, 1984), 333, 337. Subsequent page references in text.

54. Virginia Woolf, *The Waves* (Harmondsworth: Penguin, 1964), 222–3. Subsequent page references in text.

55. Trevelyan, *History of England*, 87.

56. See Gillian Beer, 'Introduction' to Woolf, *Between the Acts*, ed. Beer and Stella McNichol (London: Penguin, 1992), p. xxxii.

57. Jed Esty, *A Shrinking Island: Modernism and National Culture in England* (Princeton and Oxford: Princeton University Press, 2004), 90.

58. Ibid. 59.

59. Christopher Woodward, *In Ruins* (London: Vintage, 2002), 235.

60. George Orwell, *Keep the Aspidistra Flying* (Harmondsworth: Penguin, 1962), 49.

61. George Orwell, *Coming Up for Air* (Harmondsworth: Penguin, 1962), 28–9, 224.

62. George Orwell, *Homage to Catalonia* (Harmondsworth: Penguin, 1962), 46.

63. George Orwell, *The Lion and the Unicorn: Socialism and the English Genius* in *Collected Essays, Journalism and Letters*, ed. Sonia Orwell and Ian Angus, 4 vols. (London: Secker, 1968), ii. 57. Subsequent page references in text.

64. In an earlier article Orwell had described parliamentary democracy and the two-party system as a family quarrel. See George Orwell, 'Caesarean Section

in Spain' [March 1939], in *Complete Works*, ed. Peter Davison, 20 vols. (London: Secker, 1998), xi. 332.

65. Anthony D. Smith, *National Identity* (London: Penguin, 1991), 79.
66. Orwell, *Collected Essays, Journalism and Letters*, i. 410.
67. Bernard Crick, *George Orwell: A Life* (Harmondsworth: Penguin, 1982), 389; Orwell, *Complete Works*. xv. 360.
68. Orwell, *Complete Works*. xv. 366.
69. George Orwell, *The English People*, in *Collected Essays, Journalism and Letters*, iii. 1.
70. George Orwell, *Nineteen Eighty-Four: A Novel* (Harmondsworth: Penguin, 1954), 150. Subsequent page references in text.
71. In *The English People* Orwell links Shakespeare to the nation's 'profound, almost unconscious patriotism'. *Collected Essays, Journalism and Letters*, iii. 7.
72. V. S. Pritchett, 'Conrad', in *The Working Novelist* (London: Chatto, 1965), 195.

Chapter 13. From Kipling to Independence: Losing the Empire

1. Sir J. R. Seeley, *The Expansion of England: Two Courses of Lectures*, 2nd edn. (London: Macmillan, 1897), 10. Subsequent page references in text.
2. Quoted ibid. 17.
3. Rudyard Kipling, *Kim*, ed. Zohreh T. Sullivan, Norton Critical edn. (New York and London: Norton, 2002), 3. Subsequent page references in text.
4. Peter Vansittart, *In Memory of England: A Novelist's View of History* (London: Murray, 1998), 142.
5. See Zohreh T. Sullivan, *Narratives of Empire: The Fictions of Rudyard Kipling* (Cambridge: Cambridge University Press, 1993), 149.
6. Letter of 1885–6, in *Kim*, ed. Sullivan, 267–8.
7. Ibid. 268. On Burton and *Kim* see e.g. Parama Roy, *Indian Traffic: Identities in Question in Colonial and Postcolonial India* (Berkeley: University of California Press, 1998), esp. 25.
8. Rudyard Kipling, *Something of Myself*, in *Kim*, ed. Sullivan, 277.
9. Letter of 1885–6, in *Kim*, ed. Sullivan, 269.
10. Suvir Kaul, '*Kim*, or How to Be Young, Male and British in Kipling's India', in *Kim*, ed. Sullivan, 429.
11. Sullivan, *Narratives of Empire*, 176.
12. Ibid. 173.
13. Edward W. Said, '[*Kim* as Imperialist Novel]', in *Kim*, ed. Sullivan, 340.
14. Blair B. Kling, '*Kim* in Historical Context', in *Kim*, ed. Sullivan, 300.
15. Edward W. Said, *Culture and Imperialism* (London: Vintage, 1994), 187–8.
16. Angus Wilson, quoted in Roy, *Indian Traffic*, 86.
17. Sullivan, *Narratives of Empire*, 148.
18. E. M. Forster, *A Passage to India* (Harmondsworth: Penguin, 1961), 26. Subsequent page references in text.
19. J. A. Hobson, *Imperialism: A Study* (London: Allen & Unwin, 1968), 116, 150.
20. See Jed Esty, *A Shrinking Island: Modernism and National Culture in England* (Princeton and Oxford: Princeton University Press, 2004), 25.

21. Hobson, *Imperialism*, 368.
22. George Orwell, *Burmese Days* (Harmondsworth: Penguin, 1967), 65. Subsequent page references in text. E. M. Forster had written of foreign residents in Egypt that 'in all cases they are aliens in Egypt and have come to exploit it'. Forster, *Government of Egypt* (Labour Research Department, 1919), quoted in Mohammad Shaheen, *E. M. Forster and the Politics of Imperialism* (London: Palgrave Macmillan, 2004), 62.
23. Doris Lessing, *The Grass is Singing* (London: Heinemann, 1973), 140.
24. Anthony Burgess, *The Long Day Wanes: A Malayan Trilogy* (London: Heinemann, 1984), 417. Subsequent page references in text.
25. Paul Scott, *Staying On* (St Albans: Granada, 1978), 40. Subsequent page references in text.

Chapter 14. Round Tables: Chivalry and the Twentieth-Century English Novel Sequence

1. Jed Esty, *A Shrinking Island: Modernism and National Culture in England* (Princeton and Oxford: Princeton University Press, 2004), *passim*.
2. Cf. Randall Stevenson, *The Last of England? The Oxford English Literary History*, vol. xii: *1960–2000* (Oxford: Oxford University Press, 2004), 398.
3. Ford Madox Ford, *The Good Soldier: A Tale of Passion* (Harmondsworth: Penguin, 1972), 11.
4. Ford Madox Ford, *Parade's End* (London: Everyman's Library, 1992), 373. Subsequent page references in text.
5. Stevenson, *The Last of England?*, 398.
6. Steven Connor, *The English Novel in History 1950–1885* (London and New York: Routledge, 1996), 139.
7. Mark Girouard, *The Return to Camelot: Chivalry and the English Gentleman* (New Haven and London: Yale University Press, 1981), 260.
8. There were new editions in 1816 and 1817. See ibid. 18, 42, 178.
9. See Stephanie L. Barczewski, *Myth and National Identity in Nineteenth-Century Britain: The Legends of King Arthur and Robin Hood* (Oxford: Oxford University Press, 2000), 17–18.
10. William Wordsworth, *The Prelude or Growth of a Poet's Mind (Text of 1805)*, ed. Ernest de Selincourt (London: Oxford University Press, 1960), book i, lines 179–80.
11. Barczewski, *Myth and National Identity*, 213.
12. Girouard, *The Return to Camelot*, 148.
13. Philip Knightley and Colin Simpson, *The Secret Lives of Lawrence of Arabia* (London: Nelson, 1969), 28.
14. T. E. Lawrence, *Seven Pillars of Wisdom: A Triumph* (Harmondsworth: Penguin, 1962), 495. Subsequent page references in text.
15. Barczewski, *Myth and National Identity*, 234.
16. John Cowper Powys, *A Glastonbury Romance* (Woodstock, NY: Overlook, 1996), 1118–20.
17. E. M. Forster, *A Room with a View* (Harmondsworth: Penguin, 1955), 117–18.

18. Virginia Woolf, *Night and Day* (Harmondsworth: Penguin, 1969), 366. Subsequent page references in text.

19. Contrast Rachel Bowlby, *Virginia Woolf: Feminist Destinations* (Oxford: Blackwell, 1988), 112.

20. Cf. Len Platt, *Aristocracies of Fiction: The Idea of Aristocracy in Late Nineteenth-Century and Early-Twentieth-Century Literary Culture* (Westport, Conn., and London: Greenwood, 2001), 116, 121.

21. Virginia Woolf, *To the Lighthouse* (Harmondsworth: Penguin, 1964), 218.

22. Virginia Woolf, *The Waves* (Harmondsworth: Penguin, 1964), 16. Subsequent page references in text. Compare Powell's *The Acceptance World*, where Nicholas Jenkins says of himself and Mark Members that 'Viewed from some distance off, Members and I might reasonably be considered almost identical units of the same organism, scarcely to be differentiated even by the sociological expert'. Anthony Powell, *The Acceptance World* (London: Fontana, 1974), 39. Subsequent page references in text are prefixed '*AW*'.

23. C. P. Snow, *The Masters* (Harmondsworth: Penguin, 1956), 300–12.

24. C. S. Lewis, *That Hideous Strength* (London: Pan, 1955), 241.

25. Malcolm Bradbury, 'Introduction' to Ford Madox Ford, *Parade's End* (London: Everyman's Library, 1992), p. xxi.

26. During the ten years covered by *Parade's End*, Tietjens's father possibly commits suicide after listening to malicious gossip which leads him to believe that his son Christopher has disgraced himself. Christopher's saintly mother also dies, but he finds a substitute mother in the widow of his father's oldest friend, who is also Valentine's mother. Valentine herself is alleged by Sylvia to be Christopher's illegitimate half-sister, though it is also suggested that Christopher is actually Campion's son.

27. Ford Madox Hueffer, *The Critical Attitude* (London: Duckworth, 1911), 88–9.

28. Quoted in Max Saunders, *Ford Madox Ford: A Dual Life*, 2 vols. (Oxford: Oxford University Press, 1996), ii. 288.

29. W. H. Auden, 'Il faut payer', *Mid-Century* 22 (1961), 9.

30. Evelyn Waugh, *Brideshead Revisited: The Sacred and Profane Memories of Captain Charles Ryder* (Harmondsworth: Penguin, 1962), 8. Subsequent page references in text.

31. Christopher Sykes, *Evelyn Waugh: A Biography* (Harmondsworth: Penguin, 1977), 336.

32. Evelyn Waugh, *A Handful of Dust* (Harmondsworth: Penguin, 1951), 149, 151.

33. Sykes, *Evelyn Waugh*, 474.

34. Evelyn Waugh, Preface to *Sword of Honour: A Final Version of the Novels* (London: Chapman & Hall, 1965), 9.

35. Evelyn Waugh, *Men at Arms* (Harmondsworth: Penguin, 1964), 12. Subsequent page references in text are prefixed '*M*'.

36. The status of the 1965 version is controversial, since Waugh made some savage and (many have thought) unnecessary cuts. For this reason I have generally preferred to make reference to the three novels as originally published; see notes 35, 37, and 38.

37. Evelyn Waugh, *Unconditional Surrender* (Harmondsworth: Penguin, 1964), 66. Subsequent page references in text are prefixed 'U'.
38. Evelyn Waugh, *Officers and Gentlemen* (Harmondsworth: Penguin, 1964), 9–10. Subsequent page references in text are prefixed 'O'.
39. Sir Thomas Malory, *Le Morte d'Arthur*, Everyman edn., 2 vols. (London: Dent, and New York: Dutton, 1906), ii. 171.
40. See Sykes, *Evelyn Waugh*, 560–1.
41. See ibid. 554.
42. Ibid. 567.
43. Anthony Powell, *The Valley of Bones* (London: Fontana, 1973), 7.
44. Anthony Powell, *The Fisher King* (London: Sceptre, 1987), 21.
45. Anthony Powell, *Hearing Secret Harmonies: A Novel* (London: Fontana, 1977), 32. Subsequent page references in text are prefixed 'HSH'.
46. Anthony Powell, *Casanova's Chinese Restaurant* (London: Fontana, 1974), 19. Subsequent page references in text are prefixed 'CCR'.
47. Anthony Powell, *A Question of Upbringing* (London: Fontana, 1974), 67. Subsequent page references in text are prefixed 'QU'.
48. Quoted in Isabelle Joyau, *Investigating Powell's 'A Dance to the Music of Time'* (Basingstoke: Macmillan, 1994), 78.
49. Anthony Powell, *The Military Philosophers* (London: Fontana, 1971), 151. Subsequent page references in text are prefixed 'MP'.
50. Anthony Powell, *A Buyer's Market* (London: Fontana, 1974), 194–5.
51. Anthony Powell, *The Kindly Ones* (London: Fontana, 1971), 183. Subsequent page references in text are prefixed 'KO'.
52. Anthony Powell, *Temporary Kings: A Novel* (London: Fontana, 1974), 11. Subsequent page references in text are prefixed 'TK'.
53. See Joyau, *Investigating Powell's 'A Dance to the Music of Time'*, 30.
54. Anthony Powell, *The Soldier's Art* (London: Fontana, 1968), 5–6.
55. See Joyau, *Investigating Powell's 'A Dance to the Music of Time'*, 130–1.
56. Anthony Powell, *Books Do Furnish a Room* (London: Fontana, 1972), 53, 69. Subsequent page references in text are prefixed 'BFR'.
57. Joyau, *Investigating Powell's 'A Dance to the Music of Time'*, 124.
58. Christopher Harvie, *The Centre of Things: Political Fiction in Britain from Disraeli to the Present* (London: Unwin, 1991), 211.

Chapter 15. Inward Migrations: Multiculturalism, Anglicization, and Internal Exile

1. Hanif Kureishi, *The Buddha of Suburbia* (London: Faber, 1990), 3. Subsequent page references in text.
2. See Susheila Nasta, *Home Truths: Fictions of the South Asian Diaspora in Britain* (Basingstoke: Palgrave, 2002), 199.
3. John Fowles, 'On Being English but Not British', *Texas Quarterly* 7: 3 (Autumn 1964), 154.
4. Bruce King, *The Internationalization of English Literature: The Oxford English Literary History*, vol. 13: *1948–2000* (Oxford: Oxford University Press, 2004), 2.

5. Hanif Kureishi, 'The Rainbow Sign', in *My Beautiful Laundrette and The Rainbow Sign* (London: Faber, 1986), 38.
6. James Wood, 'England', in John Sturrock, ed., *The Oxford Guide to Contemporary Writing* (Oxford: Oxford University Press, 1996), 140.
7. J. B. Priestley, *English Journey* (London: Heinemann, 1937), 416. Subsequent page references in text.
8. Cf. James Procter, *Dwelling Places: Postwar Black British Writing* (Manchester and New York: Manchester University Press, 2003), 175.
9. J. B. Priestley, *The English* (London: Heinemann, and Haarlem: Gottmer, 1973), 11.
10. J. B. Priestley, *Margin Released: A Writer's Reminiscences and Reflections* (London: Heinemann, 1962), 91.
11. Salman Rushdie, *The Satanic Verses* (London: Viking, 1988), 285, 461.
12. Israel Zangwill, *Children of the Ghetto: A Study of a Peculiar People*, ed. Mari-Jane Rochelson (Detroit: Wayne State University Press, 1998), 66. Subsequent page references in text.
13. Monica Ali, *Brick Lane* (London: Doubleday, 2003), 413.
14. See P. J. Keating, *The Working Classes in Victorian Fiction* (London: Routledge, 1971).
15. Arthur Morrison, 'Preface to the Third Edition' [1897], in *A Child of the Jago*, ed. P. J. Keating (London: MacGibbon & Kee, 1969), 39.
16. Zangwill, *Children of the Ghetto*, 85.
17. Mari-Jane Rochelson, 'Introduction' to *Children of the Ghetto*, 23–4.
18. See ibid. 26–7.
19. Ibid. 24.
20. See e.g. Ian Jack, 'It's only a novel . . .', *Guardian*, 20 December 2003, Review, 7. The condemnation was issued in the name of the Greater Sylhet Welfare and Development Council.
21. Nasta, *Home Truths*, 63.
22. V. S. Naipaul, *The Enigma of Arrival: A Novel in Five Sections* (Harmondsworth: Viking, 1987), 130. Subsequent page references in text.
23. Jean Rhys, *Voyage in the Dark* (London: Deutsch, 1967), 31.
24. Anna Kavan, *I am Lazarus: Short Stories* (London: Cape, 1945), 123, 134, 136.
25. See Caryl Phillips, ed., *Extravagant Strangers: A Literature of Belonging* (London: Faber, 1998), p. xiv.
26. C. L. Innes, 'Wintering: Making a Home in Britain', in A. Robert Lee, ed., *Other Britain, Other British: Contemporary Multicultural Fiction* (London and East Haven, Conn.: Pluto, 1995), 25.
27. V. S. Naipaul, *The Mimic Men* (London: Readers Union, 1968), 11. Subsequent page references in text.
28. George Lamming, *The Pleasures of Exile* (London: Joseph, 1960), 24.
29. Ibid. 45; King, *The Internationalization of English Literature*, 42.
30. Samuel Selvon, *The Lonely Londoners* (London: Longman Drumbeat, 1979), 10. Subsequent page references in text.
31. Nasta, *Home Truths*, 72.

32. Sam Selvon, *Moses Ascending* (London: Heinemann, 1984), 44. Subsequent page references in text.

33. Sam Selvon, *Moses Migrating* (London: Longman, 1983), 25. Subsequent page references in text.

34. Hanif Kureishi, *The Black Album* (London: Faber, 2000), 124. Subsequent page references in text.

35. See e.g. Judy Giles and Tim Middleton, eds., *Writing Englishness 1900–1950: An Introductory Sourcebook on National Identity* (London and New York: Routledge, 1995).

36. Caryl Phillips, *A Distant Shore* (London: Vintage, 2004), 3.

37. D. H. Lawrence, *The Rainbow* (Harmondsworth: Penguin, 1949), 7.

38. Philip Larkin, *A Girl in Winter* (London and Boston: Faber, 1975), 158, 160. Subsequent page references in text.

39. Meera Syal, *Anita and Me* (London: Flamingo, 1997), 31. Subsequent page references in text.

40. H. G. Wells, *Tono-Bungay*, ed. Patrick Parrinder (London: Penguin, 2005), 15, 274.

41. See e.g. Nasta, *Home Truths*, 120; Timothy F. Weiss, *On the Margins: The Art of Exile in V. S. Naipaul* (Amherst, Mass.. University of Massachusetts Press, 1992), 213. Selwyn R. Cudjoe in *V. S. Naipaul: A Materialist Reading* (Amherst, Mass.: University of Massachusetts Press, 1988), 213, calls *The Enigma of Arrival* 'the most intense of all [Naipaul's] fantasies'.

42. W. B. Yeats, *Collected Poems* (London: Macmillan, 1950), 225–6.

43. Contrast Salman Rushdie's assessment of the 'tiny world' in which *The Enigma of Arrival* is set as a mirror for its author's 'exhaustion and turning-towards-death'. Salman Rushdie, *Imaginary Homelands: Essays and Criticism 1981–1991* (London: Granta, 1991), 150.

44. Bruce King is one critic who has endorsed this judgement. King, *The Internationalization of English Literature*, 47.

45. George Lamming, *The Emigrants* (London and New York: Allison & Busby, 1980), 228–9.

46. Landeg White, *V. S. Naipaul: A Critical Introduction* (London and Basingstoke: Macmillan, 1975), 189.

47. D. H. Lawrence, *Lady Chatterley's Lover* (Harmondsworth: Penguin, 1960), 5.

48. Rushdie, *Imaginary Homelands*, 151.

49. Bruce King, *V. S. Naipaul* (Basingstoke and London: Macmillan, 1993), 148.

50. Zadie Smith, *White Teeth* (London: Penguin, 2001), 328.

Conclusion: On Englishness and the Twenty-First-Century Novel

1. Ian McEwan, *Atonement* (London: Cape, 2001), 351–72.

2. Ian McEwan, 'The Master', *Guardian*, 7 April 2005, G2, 2.

3. A. S. Byatt, 'People in Paper Houses: Attitudes to "Realism" and "Experiment" in English Postwar Fiction', in Malcolm Bradbury and David Palmer, eds., *The Contemporary English Novel* (London: Arnold, 1979), 41.

4. Kingsley Amis, 'Introduction' to *The Golden Age of Science Fiction*, ed. Amis (London: Hutchinson, 1981), 20.

5. Kingsley Amis, *Take a Girl Like You* (Harmondsworth: Penguin, 1962), 59, 317.

6. Ahdaf Soueif, *In the Eye of the Sun* (London: Bloomsbury, 1999), 723, 754.

7. Patrick Wright, *On Living in an Old Country: The National Past in Contemporary Britain* (London: Verso, 1985), 69.

8. A. S. Byatt, 'Parmenides and the Contemporary British Novel', *Literature Matters* 21 (December 1996), 6–8. See also Byatt's *On Histories and Stories: Selected Essays* (London: Chatto, 2000), *passim*.

9. Jason Cowley, 'How the Dead Live', review of *On Histories and Stories* by A. S. Byatt, *New Statesman* (4 December 2000), 51–2.

10. Peter Ackroyd, *Albion: The Origins of the English Imagination* (London: Chatto, 2002), 237. On Ackroyd's conservatism see Mette Bollerup Doyle, ' "The Mystical City Universal": Peter Ackroyd's London', *European English Messenger* 11: 1 (Spring 2002), 29–32.

11. Norman Davies, *The Isles: A History* (London: Macmillan, 2000), 434. Subsequent page references in text.

12. Virginia Woolf, 'Mr Bennett and Mrs Brown', in Woolf, *The Captain's Death-Bed and Other Essays* (London: Hogarth, 1950), 111.

13. Virginia Woolf, 'The Niece of an Earl', in Woolf, *The Common Reader*, vol. ii, ed. Andrew McNeillie (London: Vintage, 2003), 215. Subsequent page references in text.

14. See n. 2 above.

15. Marina Warner, *The Leto Bundle* (London: Chatto, 2001), 93.

16. Andrew Salkey, *Escape to an Autumn Pavement* (London: Four Square, 1966), 41.

Author Biographies

ACKROYD, PETER (1949–), biographer and historical novelist, born in London. He is the author of *Hawksmoor* (1985), *Chatterton* (1987), and many other novels, and his non-fiction includes *London* (2000) and *Albion* (2002).

ADDISON, JOSEPH (1672–1719), essayist. As Member of Parliament for Malmesbury from 1710 he held office under the Whigs. His papers on Sir Roger de Coverly and his friends were contributed to the *Spectator* (1711–12, 1714) while the Tories were in power.

AINSWORTH, WILLIAM HARRISON (1805–82), novelist, born in Manchester. His 'Newgate novel' *Rookwood* (1834) was followed by many other historical romances. A friend of Thackeray and Dickens, his popularity declined in later years.

ALI, MONICA (1967–), novelist, born in Bangladesh, resident in England since the age of 3, author of *Brick Lane* (2003).

AMIS, KINGSLEY (1922–95), novelist, born in London. His first novel *Lucky Jim* (1954) was written while he was a university lecturer at Swansea. Later works include *Take a Girl Like You* (1960), *The Anti-Death League* (1966), *The Alteration* (1976), *Russian Hide-and-Seek* (1980), and *The Old Devils* (1986), which won the Booker Prize. His son Martin Amis (b. 1949) is also a celebrated novelist.

ARBUTHNOT, JOHN (1667–1735), Scottish satirist and personal physician to Queen Anne. An associate of Pope and Swift in the Scriblerus Club, his series of pamphlets on 'the History of John Bull' was isued in 1712.

ARNOLD, MATTHEW (1822–88), poet, critic, and educationist, whose works include *Culture and Anarchy* (1869).

ASTELL, MARY (1666–1731), philosopher and feminist. Her most influential work was *A Serious Proposal to the Ladies* (1694), an argument for women's education.

AUSTEN, JANE (1775–1817), novelist, born in Hampshire, the daughter of an Anglican clergyman. Her principal novels are *Sense and Sensibility* (1811), *Pride and Prejudice* (1813), *Mansfield Park* (1814), *Emma* (1816), *Northanger Abbey* (1818), and *Persuasion* (1818). She began the unfinished *Sanditon* in 1817. Her juvenilia includes *A History of England*.

BAGE, ROBERT (1728–1801), novelist and paper manufacturer, born near Derby, best known for his 'Jacobin novels' *Man As He Is* (1792) and *Hermsprong; or, Man As He Is Not* (1796).

BAGEHOT, WALTER (1826–77), banker, political writer, and journalist who became editor of the *Economist* in 1860. He was author of *The English Constitution*

(1867) and *Physics and Politics* (1872). His essays on Dickens, Macaulay, Scott, and others were collected in *Literary Studies* (1879).

BALLARD, JAMES GRAHAM (1930–), novelist, born in Shanghai, China, resident in England from 1946. His novels include *The Drowned World* (1962), *Crash* (1973), *Concrete Island* (1974), and *Empire of the Sun* (1984).

BARNES, JULIAN (1946–), novelist, born in Leicester, author of *Metroland* (1980), *Flaubert's Parrot* (1984), *Staring at the Sun* (1986), *England, England* (1998), and other works.

BEHN, APHRA (1640–89), novelist, playwright, and outspoken Royalist. Her early life is obscure, but it is thought that she was born in Kent and visited Surinam. In 1666 she was sent to Antwerp as a government agent. From 1670 she was a leading writer for the London stage. Her principal novels are *Love-Letters Between a Nobleman and his Sister* (1684–7) and *Oroonoko* (1688).

BENNETT, ARNOLD (1867–1931), novelist, born in Staffordshire. He was author of *A Man from the North* (1898), *Anna of the Five Towns* (1902), *The Old Wives' Tale* (1908), *Clayhanger* (1910), *Riceyman Steps* (1923), and many other works. His criticism includes *Literary Taste* (1909).

BESANT, WALTER (1836–1901), novelist and historian of London, born in Portsmouth. Much of his fiction, beginning with *Ready Money Mortiboy* (1872), was produced in collaboration with James Rice (1844–82), with whom he also wrote a biography of *Sir Richard Whittington* (1881). His best-known solo novel is *All Sorts and Conditions of Men* (1882). He helped found the Society of Authors in 1883, and was knighted in 1895.

BLACKMORE, SIR RICHARD (1654–1729), physician and poet, author of *Prince Arthur* (1695) and *King Arthur* (1697), epics which have been seen as allegorical representations of the Glorious Revolution and the expulsion of the Stuarts.

BRADBURY, MALCOLM (1930–2000), novelist and critic, born in Sheffield, author of *Eating People is Wrong* (1959), *The History Man* (1975), and other novels. His non-fiction includes *The Modern British Novel* (1993) and *Dangerous Pilgrimages* (1994).

BRONTË, ANNE (1820–49), novelist, sister of Charlotte and Emily, author of *Agnes Grey* (1847) and *The Tenant of Wildfell Hall* (1848), both published under the pseudonym 'Acton Bell'.

BRONTË, CHARLOTTE (1816–55), novelist, sister of Emily and Anne, born near Bradford, Yorkshire, the daughter of an evangelical clergyman. In 1820 the family moved to Haworth parsonage. Charlotte was a pupil and, later, a teacher at Roe Head, and then studied French and taught English in Brussels (1842–3). She spent her remaining years at Haworth. During her lifetime she published *Jane Eyre* (1847), *Shirley* (1849), and *Villette* (1853) under the pseudonym 'Currer Bell'. Her first novel *The Professor* was published posthumously in 1857.

BRONTË, EMILY (1818–48), novelist and poet, sister of Charlotte and Anne, author of *Wuthering Heights* (1847) published under the pseudonym 'Ellis Bell'. She accompanied Charlotte to Brussels in 1842, but soon returned home and spent the rest of her life at Haworth.

BUNYAN, JOHN (1628–88), author and Nonconformist preacher, born near Bedford. He served in the New Model Army (1644–6), and was imprisoned in 1661 for denouncing the Church of England. He was not released until 1672. He wrote several books in Bedford Jail, including his spiritual autobiography *Grace Abounding* (1666) and *The Pilgrim's Progress* (1678). His later works include *The Life and Death of Mr Badman* (1680) and *The Holy War* (1682).

BURGESS, ANTHONY (John Burgess Wilson) (1917–93), novelist and critic, born in Manchester. His 'Malayan trilogy' *The Long Day Wanes*, consisting of *Time for a Tiger* (1958), *The Enemy in the Blanket* (1958), and *Beds in the East* (1959), was written while he was an education officer in Malaya and Brunei. His many later novels include *A Clockwork Orange* (1962) and *Earthly Powers* (1981).

BURKE, EDMUND (1729/30–97), Anglo-Irish politician and author, born in Dublin. A Member of Parliament from 1766, he expounded his political philosophy in *Reflections on the Revolution in France* (1790) and other works.

BURNEY, FRANCES (FANNY) (1752–1840), novelist, born in Norfolk. She was the author of *Evelina* (1778), *Cecilia* (1782), *Camilla* (1796), and *The Wanderer* (1814). She served as a keeper of the robes to Queen Charlotte (1786–91).

BUTTERFIELD, HERBERT (1900–79), historian, author of *The Whig Interpretation of History* (1931) and *The Englishman and his History* (1944). He was knighted in 1968.

BYATT, ANTONIA SUSAN (1936–), novelist and critic, born in Sheffield, sister of Margaret Drabble, author of *The Virgin in the Garden* (1978), *Still Life* (1986), and *Possession* (1990), which won the Booker Prize.

CARLYLE, THOMAS (1795–1881), Scottish biographer, historian, and social critic, author of *Chartism* (1839), *On Heroes, Hero-Worship and the Heroic in History* (1841), and *Past and Present* (1843), and editor of *Oliver Cromwell's Letters and Speeches* (1845).

CARROLL, LEWIS (Charles Lutwidge Dodgson) (1832–98), lecturer in mathematics at Oxford and author of *Alice's Adventures in Wonderland* (1865) and *Through the Looking-Glass* (1872).

CARTER, ANGELA (1940–92), novelist, born in Sussex, author of *The Magic Toyshop* (1967), *Heroes and Villains* (1969), *The Passion of New Eve* (1977), *The Bloody Chamber* (1979), *Nights at the Circus* (1984), and other works.

CAXTON, WILLIAM (c.1421–91), editor, translator, and printer, who established the first English printing press at Westminster in 1476. His edition of Malory's *Le Morte d'Arthur* was published in 1485.

CHESNEY, GEORGE TOMKYNS (1833–95), soldier and novelist, author of *The Battle of Dorking* (1871). He was knighted in 1890.

CHESTERFIELD, PHILIP DORMER STANFIELD, 4TH EARL OF (1694–1773), politician, author, and sometime patron of Samuel Johnson, whose *Letters* to his son were published posthumously in 1774.

CHESTERTON, GILBERT KEITH (1874–1936), political journalist, novelist, and poet, born in London. His books include *The Napoleon of Notting Hill* (1904), *Charles Dickens* (1906), and *A Short History of England* (1917).

CLARENDON, EDWARD HYDE, 1ST EARL OF (1609–74), Royalist politician, lord chancellor to Charles II from 1658 until his impeachment in 1667. His *History of the Rebellion and Civil Wars in England*, begun in the 1640s, was completed in exile in 1672 and published posthumously in 1702–4.

COLLINS, WILKIE (1824–89), novelist, born in London, author of *The Woman in White* (1860), *Armadale* (1866), *The Moonstone* (1868), and other 'sensation novels'.

COMPTON-BURNETT, IVY (1884–1969), novelist, born in Middlesex, author of *A House and Its Head* (1935), *Parents and Children* (1941), and many other works.

CONGREVE, WILLIAM (1670–1729), dramatist, born in Yorkshire and educated in Ireland. His novel *Incognita* (1692) was written before his success as a playwright, which began with *The Old Bachelor* (1693).

CONRAD, JOSEPH (Józef Teodor Konrad Nalecz Korzeniowski) (1857–1924), novelist, born in the Polish Ukraine. He joined the Merchant Navy in 1878, became a naturalized British subject in 1886, and settled in England from 1894. His novels include *Almayer's Folly* (1896), *Lord Jim* (1900), *Heart of Darkness* (1902), *Nostromo* (1904), *The Secret Agent* (1907), and *Under Western Eyes* (1911). He also wrote two novels in collaboration with Ford Madox Ford (q.v.).

DANGERFIELD, THOMAS (1654–85), informer and thief, born in Essex, probable author of *Don Tomazo, or The Juvenile Rambles of Thomas Dangerfield* (1680).

DEFOE, DANIEL (*c.*1660–1731), novelist, journalist, and satirist, born in London and educated for the Nonconformist ministry. He was the author of *The True-Born Englishman* (1701), *Robinson Crusoe* (1719), *Captain Singleton* (1720), *Moll Flanders* (1722), *Colonel Jack* (1722), *A Journal of the Plague Year* (1722), *Roxana* (1724), *Memoirs of a Cavalier* (1724), and numerous other works. The exact extent of his authorship is still debated among scholars.

DELONEY, THOMAS (*c.*1543–*c.*1600), novelist and balladeer, probably born in Norwich. He was the author of *Jack of Newbury* (1597), *The Gentle Craft* (1597–8), and *Thomas of Reading* (*c.*1598).

DHONDY, FARRUKH (1944–), novelist and short-story writer, born in India, resident in England since 1964. His collections of stories include *East End at Your Feet* (1976), *Siege of Babylon* (1977), and *Come to Mecca* (1978).

DICKENS, CHARLES (1812–70), novelist and journalist, born in Portsmouth. His works include *Sketches by Boz* (1836–7), *The Pickwick Papers* (1837), *Oliver Twist* (1837–8), *Nicholas Nickleby* (1838–9), *The Old Curiosity Shop* (1840–1), *Barnaby Rudge* (1841), *Martin Chuzzlewit* (1843–4), *Dombey and Son* (1848), *David Copperfield* (1849–50), *Bleak House* (1852–3), *A Child's History of England* (1851–3), *Little Dorrit* (1855–7), *A Tale of Two Cities* (1859), *Great Expectations* (1860–1), and *Our Mutual Friend* (1864–5). Most of his novels were serialized in monthly parts, although he also edited the weekly journals *Household Words* (1850–9) and *All the Year Round* (1859–70).

DISRAELI, BENJAMIN (1804–81), novelist and Conservative prime minister, born in London, author of *Vivian Grey* (1826–7), *The Young Duke* (1831), *Contarini Fleming* (1832), *Alroy* (1833), *Coningsby* (1844), *Sybil* (1845), *Tancred* (1847), *Lothair* (1870), and other works. He set out his political philosophy in *A Vindication of the English Constitution* (1835). Queen Victoria made him Earl of Beaconsfield in 1876.

DOYLE, ARTHUR CONAN (1859–1930), Scottish novelist and physician, resident in England from 1882. The detective Sherlock Holmes and his accomplice Dr Watson appeared in *A Study in Scarlet* (1887) and many later stories. He was knighted in 1902.

DRABBLE, MARGARET (1939–), novelist, born in Sheffield, sister of Antonia Byatt, and author of *The Garrick Year* (1965), *The Needle's Eye* (1972), *The Ice Age* (1977), *The Radiant Way* (1987), and other novels. She is editor of the 5th edition of *The Oxford Companion to English Literature* (1985).

EDGEWORTH, MARIA (1767–1849), Anglo-Irish novelist, born in Oxfordshire and educated in England, author of *Castle Rackrent* (1800), *Belinda* (1802), *Ennui* (1809), *The Absentee* (1812), and *Ormond* (1817). She spent much of her life in the family home at Edgeworthstown, County Longford.

ELIOT, GEORGE (Mary Ann Evans) (1819–80), novelist, born near Nuneaton, Warwickshire, author of *Scenes of Clerical Life* (1858), *Adam Bede* (1859), *The Mill on the Floss* (1860), *Silas Marner* (1861), *Romola* (1863), *Felix Holt the Radical* (1866), *Middlemarch* (1871–2), *Daniel Deronda* (1874–6), and *Impressions of Theophrastus Such* (1879). She lived together with the critic George Henry Lewes (1817–78).

FERRIER, SUSAN (1782–1854), Scottish novelist, author of *Marriage* (1818) and other works.

FIELDING, HENRY (1707–54), novelist, playwright, and London magistrate, brother of Sarah, born in Somerset. His career as a successful dramatist was terminated by the introduction of theatrical censorship in 1737. *Shamela* (1741), his burlesque of Samuel Richardson's *Pamela*, was followed by *Joseph Andrews* (1742), *Miscellanies* (1743) (including *Jonathan Wild the Great*), *Tom Jones* (1749), *Amelia* (1751), and the posthumous *Journal of a Voyage to Lisbon* (1755). His social and political tracts included *An Enquiry into the Causes of the Late Increase of Robbers* (1751).

FIELDING, SARAH (1710–68), novelist, sister of Henry, author of *The Adventures of David Simple* (1744–53) and other works.

FILMER, SIR ROBERT (*c*.1588–1653), political writer, whose *Patriarcha* was published posthumously in 1680.

FITZGERALD, PENELOPE (1916–2000), novelist, born in Lincoln. Her first novel was *The Golden Child* (1977). *Offshore* (1979) won the Booker Prize.

FORD, FORD MADOX (Ford Madox Hueffer) (1873–1939), novelist and essayist, born in Surrey. He collaborated with Joseph Conrad on *The Inheritors* (1901) and *Romance* (1903). His many novels include *The Fifth Queen* trilogy (1906–8), *The Good Soldier* (1915), and the *Parade's End* tetralogy (1924–8), in which he drew on his wartime service as an army officer. Among his non-fiction are the *England and the English* trilogy (1905–7) and *The Critical Attitude* (1911). He founded and edited the *English Review* (1908–9).

FORSTER, EDWARD MORGAN (1879–1970), novelist and essayist, born in London, author of *Where Angels Fear to Tread* (1905), *The Longest Journey* (1907), *A Room with a View* (1908), *Howards End* (1910), *A Passage to India* (1924), and the posthumously published *Maurice* (1971). His other works include two collections of essays, *Abinger Harvest* (1936) (including 'The Abinger Pageant') and *Two Cheers for Democracy* (1951). The second of his pageant plays was published as *England's Pleasant Land* (1940).

FOWLES, JOHN (1926–2005), novelist, born in Essex, author of *The Magus* (1966), *The French Lieutenant's Woman* (1969), and other works.

GALSWORTHY, JOHN (1867–1933), novelist and playwright, born in Surrey. His novels include *The Island Pharisees* (1904), *Fraternity* (1909), and *The Man of Property* (1906), the first of his Forsyte novels. He wrote the remaining eight volumes of the 'Forsyte Saga' after the First World War.

GASCOIGNE, GEORGE (*c*.1535–77), author and courtier, who wrote *The Adventures of Master F. J.* (1573) as well as poems, plays, and tracts.

GASKELL, ELIZABETH (1810–65), novelist, born in London but raised by her aunt in Cheshire. The daughter of a Unitarian minister, from 1832 she was a minister's wife in Manchester. Her works include *Mary Barton* (1848), *Cranford* (1851–3), *Ruth* (1853), *North and South* (1855), *Sylvia's Lovers* (1863–4), and *Wives and Daughters* (1864–6). She also wrote *The Life of Charlotte Brontë* (1857), and numerous short stories.

GAY, JOHN (1685–1732), poet and dramatist, author of *The Beggar's Opera* (1728).

GIBBON, EDWARD (1737–94), historian, author of *The History of the Decline and Fall of the Roman Empire* (1776–88).

GISSING, GEORGE (1857–1903), novelist, born in Wakefield, author of *The Unclassed* (1884), *Demos* (1886), *The Nether World* (1889), *New Grub Street* (1891), *Born in Exile* (1892), *The Whirlpool* (1897), *The Private Papers of Henry Ryecroft* (1903), and other works. His non-fiction includes a study of *Charles Dickens* (1898).

GODWIN, WILLIAM (1756–1836), novelist and political philosopher, husband of Mary Wollstonecraft and father of Mary Shelley, born in Cambridgeshire. He was the author of *An Enquiry Concerning Political Justice* (1793), *Things As They Are, or The Adventures of Caleb Williams* (1794), *St Leon* (1799), and *Fleetwood* (1805). His later works include a *History of the Commonwealth of England* (1824–8).

GOLDING, WILLIAM (1911–93), novelist, born in Cornwall. His novels include *Lord of the Flies* (1954), *The Inheritors* (1955), *Pincher Martin* (1956), *The Spire* (1964), and *Darkness Visible* (1979). He was awarded the Nobel Prize for Literature in 1983 and was knighted in 1988.

GOLDSMITH, OLIVER (*c.*1728–1774), Irish novelist, poet, and playwright, resident in London from 1756, author of *The Citizen of the World* (1762), *The Vicar of Wakefield* (1766), and of two histories of England (1764, 1771).

GREEN, HENRY (Henry Yorke) (1905–73), novelist, born in Gloucestershire, author of *Living* (1929), *Party Going* (1939), *Loving* (1945), and other works.

GREEN, JOHN RICHARD (1837–83), historian, author of *A Short History of the English People* (1874; expanded in later editions).

GREENE, GRAHAM (1904–91), novelist, born in Hertfordshire, author of *England Made Me* (1935), *Brighton Rock* (1938), *The Heart of the Matter* (1948), and many other works. He travelled extensively, and during his later years lived mainly in France.

HAGGARD, HENRY RIDER (1856–1925), novelist, born in Norfolk. He spent the years 1875–81 in South Africa, and later published *King Solomon's Mines* (1885) and *She* (1887). He was knighted in 1912.

HARDY, THOMAS (1840–1928), novelist and poet, born in Dorset. His novels include *Under the Greenwood Tree* (1872), *A Pair of Blue Eyes* (1873), *Far from the Madding Crowd* (1874), *The Return of the Native* (1878), *The Mayor of Casterbridge* (1886), *The Woodlanders* (1887), *Tess of the d'Urbervilles* (1891), and *Jude the Obscure* (1896).

HAYS, MARY (1759–1843), novelist, born in Southwark, author of *Memoirs of Emma Courtney* (1796) and *The Victim of Prejudice* (1799).

HAYWOOD, ELIZA (1693?–1756), novelist and playwright, probably born in Shropshire, author of *Love in Excess* (1719), *Anti-Pamela* (1741), *The History of Miss Betsy Thoughtless* (1751), and numerous other works.

HAZLITT, WILLIAM (1778–1830), critic and essayist, author of *Lectures on the English Poets* (1818), *Lectures on the English Comic Writers* (1819), *The Spirit of the Age* (1824), and many other works.

HEAD, RICHARD (*c.*1637–86?), writer and bookseller, born in Ireland, author of *The English Rogue* (1665) and *Jackson's Recantation* (1674). Later parts of *The English Rogue* were written by or in collaboration with Francis Kirkman (q.v.).

HERBERT, PERCY, 2nd BARON POWIS (1598–1667), politician and author of *Cloria and Narcissus* (1653–61). A Royalist Member of Parliament from 1620, his estates were confiscated in 1652–3.

HEYWOOD, THOMAS (*c.*1573–1641), playwright and poet, born in Lincolnshire, whose prose works include *The Famous and Remarkable History of Sir Richard Whittington* (1636/7). He also wrote several lord mayors' pageants in the 1630s.

HOBBES, THOMAS (1588–1679), philosopher, author of *Leviathan* (1651).

HOBSON, JOHN ATKINSON (1858–1940), economist and social theorist, author of *Imperialism* (1902).

HOLCROFT, THOMAS (1745–1809), novelist, playwright, and political radical, author of *Anna St Ives* (1792).

HOLTBY, WINIFRED (1898–1935), novelist and feminist, born in Yorkshire. Her novel *South Riding* was published posthumously in 1936.

HORNE, RICHARD HENGIST (1802–84), poet, playwright, and critic, author of *A New Spirit of the Age* (1844).

HUDSON, WILLIAM HENRY (1841–1922), author and naturalist, born in Argentina, resident in England from 1874 and naturalized as a British subject in 1900. His fiction includes *The Purple Land* (1885), *A Crystal Age* (1887), and *Green Mansions* (1904).

HUME, DAVID (1711–76), Scottish philosopher and historian, author of *A Treatise of Human Nature* (1739–40), *Essays, Moral and Political* (1741–8), and *The History of Great Britain* (1754–61).

HUXLEY, ALDOUS (1894–1963), novelist and essayist, born in Surrey. His novels include *Point Counter Point* (1928), *Brave New World* (1932), and *Eyeless in Gaza* (1936). He emigrated to California in 1937.

INCHBALD, ELIZABETH (1753–1821), novelist and playwright, born in Suffolk, author of *A Simple Story* (1791), *Nature and Art* (1796), and of the drama *Lovers' Vows* (1798), an adaptation from Kotzebue.

IRVING, WASHINGTON (1783–1859), American essayist and short-story writer, author of *The Sketch Book of Geoffrey Crayon* (1820), *Bracebridge Hall* (1822), and other works.

JAMES, HENRY (1843–1916), American novelist, resident in England from 1876 and naturalized as a British subject in 1915. His novels with English settings include *The Princess Casamassima* (1886), *The Tragic Muse* (1890), *The Spoils of Poynton* (1897), and *The Turn of the Screw* (1898).

JEFFERIES, RICHARD (1848–87), rural writer and novelist, born in Wiltshire, author of *Bevis* (1882), *The Story of My Heart* (1883), and *After London* (1885).

JOHNSON, CHARLES (fl.1724–34), criminal biographer, author of *A General History of the Robberies and Murders of the Most Notorious Pirates* (1724), and of a 1734 reprint of the highwayman biographies published by Alexander Smith (q.v.).

JOHNSON, SAMUEL (1709–84), poet, critic, lexicographer, and biographer, whose *History of Rasselas, Prince of Abyssinia* (1759) is his principal contribution to prose fiction.

KAVAN, ANNA (Helen Ferguson) (1901–68), novelist, born in France, author of *Let Me Alone* (1930), *A Stranger Still* (1935), *Ice* (1967), and other works. She lived continuously in London from about 1942.

KINGLAKE, ALEXANDER WILLIAM (1809–91), author of *Eōthen* (1844), a narrative of his travels in the Near East.

KINGSLEY, CHARLES (1819–75), novelist and Christian socialist, born in Devon. His novels include *Alton Locke* (1850), *The Water Babies* (1863), and *Hereward the Wake* (1865).

KIPLING, RUDYARD (1865–1936), novelist and poet, born in India, whose works include *Plain Tales from the Hills* (1888), *The Light That Failed* (1890), *Kim* (1901), *Puck of Pook's Hill* (1906), and (with C. R. L. Fletcher) *A School History of England* (1911). He lived in England continuously from 1899 and was awarded the Nobel Prize for Literature in 1907.

KIRKMAN, FRANCIS (1632–c.1680), bookseller and writer, author of *The Counterfeit Lady Unveiled* (1673) and author or co-author of the later parts of Richard Head's *The English Rogue*.

KUREISHI, HANIF (1954–), novelist and screenwriter, born in London, author of *The Buddha of Suburbia* (1990), *The Black Album* (1995), and the screenplays *My Beautiful Laundrette* (1986) and *Sammy and Rosie Get Laid* (1988).

LAMMING, GEORGE (1927–), Barbadian novelist and essayist, author of *In the Castle of My Skin* (1953), *The Emigrants* (1954), and *The Pleasures of Exile* (1960).

LARKIN, PHILIP (1922–85), poet, novelist, and librarian, born in Coventry. His novels *Jill* (1946) and *A Girl in Winter* (1947) preceded his recognition as a poet.

LAWRENCE, DAVID HERBERT (1885–1930), novelist, essayist, and poet, born in Nottinghamshire. His novels include *The White Peacock* (1911), *Sons and Lovers* (1913), *The Rainbow* (1915), *Women in Love* (1920), *The Lost Girl* (1920), *Aaron's Rod* (1922), and *Lady Chatterley's Lover* (1929). After 1919 he lived mainly in Italy, Australia, and New Mexico.

LAWRENCE, THOMAS EDWARD (1888–1935), soldier and author, who took part in the Arab Revolt in 1916–18 and described his adventures in *Seven Pillars of Wisdom* (1926).

LECKY, WILLIAM EDWARD HARTPOLE (1838–1903), Irish historian, author of *The History of England in the Eighteenth Century* (1878–90).

LENNOX, CHARLOTTE (c.1730–1804), novelist, born in Gibraltar, author of *The Female Quixote* (1752).

LESSING, DORIS (1919–), novelist, born in Iran and brought up in Southern Rhodesia. Her novels include *The Grass is Singing* (1950), the *Children of Violence* quintet (1952–69), *The Golden Notebook* (1962), *The Memoirs of a Survivor* (1975), and *The Good Terrorist* (1985). She also wrote *In Pursuit of the English* (1960).

LEVY, AMY (1861–89), poet and novelist, born in London, author of *Romance of a Shop* (1888) and *Reuben Sachs* (1888).

LEWIS, CLIVE STAPLES (1898–1963), writer, scholar, and Christian propagandist, born in Belfast. His fiction includes *Out of the Silent Planet* (1938), *Perelandra* (1943), *That Hideous Strength* (1945), and *The Chronicles of Narnia* (1950–6).

LEWIS, MATTHEW GREGORY (1775–1818), novelist, born in London, author of *The Monk* (1795).

LEWIS, PERCY WYNDHAM (1882–1957), artist and writer, born in Canada and raised in England, whose novels include *Tarr* (1918), *The Childermass* (1928), and *The Apes of God* (1930).

LOCKE, JOHN (1632–1704), philosopher, author of *Two Treatises on Government* (1689) and *An Essay Concerning Human Understanding* (1690). A political exile under the Stuarts, he returned to England in 1689.

LYLY, JOHN (1554–1606), author and playwright, whose prose fiction includes *Euphues, the Anatomy of Wit* (1578), which originated the style known as 'Euphuism', and *Euphues and His England* (1580).

LYTTON, EDWARD GEORGE EARLE LYTTON BULWER-, 1st BARON (1803–73), novelist and politician, born in London. His many novels include *Pelham* (1828), *Paul Clifford* (1830), and *Eugene Aram* (1832). He also published *England and the English* (1833), and served as a Member of Parliament (1831–41, 1852–66). He was raised to the peerage in 1866.

MABBE, JAMES (1571/2–1642?), translator, whose version of Alémán's *Guzman de Alfarache* appeared as *The Rogue* (1622).

Author Biographies   465

MACAULAY, THOMAS BABINGTON, 1ST BARON (1800–59), historian, essayist, and politician. After serving as a Whig cabinet minister he wrote *The History of England* (1848–55). He was raised to the peerage in 1857.

McEWAN, IAN (1948–), novelist, born in Hampshire. His fiction includes *The Cement Garden* (1978), *The Child in Time* (1987), *Amsterdam* (1998), and *Atonement* (2001). *Amsterdam* won the Booker Prize.

MACKENZIE, HENRY (1745–1831), Scottish novelist, author of *The Man of Feeling* (1771).

MAGINN, WILLIAM (1794–1842), Irish journalist and poet, author of *Whitehall, or The Days of George IV* (1827).

MALORY, SIR THOMAS (*c*.1415–71), author and Member of Parliament from 1445, who was several times imprisoned. *Le Morte d'Arthur*, possibly written in the Tower of London (1468–70), was printed by William Caxton in 1485.

MANDEVILLE, BERNARD (1670–1733), philosopher, author of *The Fable of the Bees* (1714).

MANLEY, DELARIVIER (1670–1724), romancer and playwright, born in Jersey, author of the *Secret History of Queen Zarah and the Zarazians* (1705), *Secret Memoirs* (1709), and many other works.

MAUGHAM, WILLIAM SOMERSET (1874–1965), novelist and playwright, born in Paris, author of *Liza of Lambeth* (1897) and *Of Human Bondage* (1915). He qualified as a doctor in London but spent much of his life in France.

MEREDITH, GEORGE (1828–1909), novelist, born in Portsmouth, author of *The Ordeal of Richard Feverel* (1859), *Beauchamp's Career* (1876), *The Egoist* (1879), and many other works.

MILL, JOHN STUART (1806–73), philosopher and political theorist, author of *On Liberty* (1859) and *Representative Government* (1861).

MITFORD, MARY RUSSELL (1787–1855), writer and playwright, born in Hampshire, author of *Our Village* (1824–32) and *Belford Regis* (1835).

MORE, SIR THOMAS (1478–1535), author and statesman, executed for high treason under Henry VIII. His *Utopia*, begun while he was an envoy in Flanders, was published in Latin in 1516.

MORGAN, LADY (Sydney Owenson) (1776–1859), Irish novelist, author of *The Wild Irish Girl* (1806) and *O'Donnel: A National Tale* (1814).

MORRIS, WILLIAM (1834–96), author and designer, born in Essex, whose prose works include a number of historical romances and the utopian romance *News from Nowhere* (1891).

MORRISON, ARTHUR (1863–1945), novelist, born in London. His fiction set in the East End includes *Tales of Mean Streets* (1894), *A Child of the Jago* (1896), and *The Hole in the Wall* (1902).

MURDOCH, IRIS (1919–99), novelist and philosopher, born in Dublin, author of *Under the Net* (1954), *The Flight from the Enchanter* (1955), *The Bell* (1958), *The Red and the Green* (1965), *The Green Knight* (1993), and many other works. She became a DBE in 1987.

NAIPAUL, SHIVA (1945–85), novelist and journalist, born in Trinidad, brother of V. S. Naipaul, author of *Fireflies* (1970), *The Chip-Chip Gatherers* (1973), and other works.

NAIPAUL, VIDIADHAR SURAJPRASAD (1932–), novelist and essayist, born in Trinidad, since 1950 mainly resident in England. His novels include *The Mystic Masseur* (1957), *A House for Mr Biswas* (1961), *Mr Stone and the Knights Companion* (1963), *The Mimic Men* (1967), *Guerrillas* (1975), *A Bend in the River* (1979), *The Enigma of Arrival* (1987), and *Half a Life* (2001). He was knighted in 1990 and awarded the Nobel Prize for Literature in 2001.

NASHE, THOMAS (1567–1601), novelist, satirist, and playwright, born in Suffolk, author of *The Unfortunate Traveller* (1594).

ORWELL, GEORGE (Eric Blair) (1903–50), novelist and political writer, born in Bengal, resident in England from 1904, author of *Burmese Days* (1934), *A Clergyman's Daughter* (1935), *Keep the Aspidistra Flying* (1936), *Coming Up for Air* (1939), *Animal Farm* (1945), and *Nineteen Eighty-Four* (1949). His non-fiction includes *The Road to Wigan Pier* (1937), *Homage to Catalonia* (1937), and *The Lion and the Unicorn* (1941).

PEACOCK, THOMAS LOVE (1785–1866), novelist and satirist, born in Dorset, author of *Headlong Hall* (1815), *Melincourt* (1817), *Nightmare Abbey* (1818), *Maid Marian* (1822), and other works.

PEPYS, SAMUEL (1633–1703), diarist and civil servant, whose *Diary* written in 1659–69 was first published in 1825.

PERCY, THOMAS (1729–1811), author of *Reliques of Ancient English Poetry* (1765). He was ordained in 1751 and became a Church of Ireland bishop in 1782.

PHILLIPS, CARYL (1958–), novelist and playwright, born in St Kitts and brought up in England. His novels include *The Final Passage* (1985), *Cambridge* (1991), and *A Distant Shore* (2003), and he has edited the anthology *Extravagant Strangers* (1997).

POWELL, ANTHONY (1905–2000), novelist, born in London, author of *Afternoon Men* (1931), *Venusberg* (1932), *From a View to a Death* (1933), *Agents and Patients* (1936), and the twelve-volume sequence *A Dance to the Music of Time* (1951–75). His last novel was *The Fisher King* (1986).

POWYS, JOHN COWPER (1872–1963), novelist, born in Derbyshire, author of *Wolf Solent* (1929), *A Glastonbury Romance* (1932), *Weymouth Sands* (1934), and many other works.

PRIESTLEY, JOHN BOYNTON (1894–1984), novelist and playwright, born in Bradford, author of *The Good Companions* (1929), *Angel Pavement* (1930), *The Image Makers* (1968), and other novels. His non-fiction includes *The English Novel* (1927), *English Journey* (1933), *The English* (1973), and an autobiography, *Margin Released* (1962).

RADCLIFFE, ANN (1764–1823), novelist, born in London, author of *The Romance of the Forest* (1791), *The Mysteries of Udolpho* (1794), *The Italian* (1797), and other Gothic romances.

REEVE, CLARA (1729–1807), novelist, born in Suffolk, author of *The Champion of Virtue* (1777), which was republished in the following year as *The Old English Baron: A Gothic Story*.

RHYS, JEAN (Ella Gwendoline Rees Williams) (1890–1979), novelist, born in Dominica, educated in England, where she resided from 1928 onwards. She was the author of *Quartet* (1928), *After Leaving Mr Mackenzie* (1930), *Voyage in the Dark* (1934), *Good Morning, Midnight* (1939), and *Wide Sargasso Sea* (1966).

RICHARDSON, SAMUEL (1689–1761), printer and novelist, born in Derbyshire. He was the author of a letter-writing manual, *Letters Written to and for Particular Friends* (1741), and of three novels, *Pamela* (1740–1), *Clarissa* (1747–8), and *Sir Charles Grandison* (1753–4).

RITSON, JOSEPH (1752–1803), antiquarian, whose collection of the Robin Hood ballads was published in 1795.

RUSHDIE, SALMAN (1947–), novelist, born in India, educated and subsequently resident in England, whose works include *Midnight's Children* (1981), which won the Booker Prize, *Shame* (1983), *The Satanic Verses* (1988), *The Moor's Last Sigh* (1995), and a collection of essays, *Imaginary Homelands* (1991).

'RUTHERFORD, MARK' (William Hale White) (1831–1913), novelist, born in Bedford, author of *The Autobiography of Mark Rutherford* (1881), *Mark Rutherford's Deliverance* (1885), *The Revolution in Tanner's Lane* (1887), *Clara Hopgood* (1896), and other works. In 1852 he was expelled from theological college, thus abandoning his planned career in the Nonconformist ministry.

SALKEY, ANDREW (1928–95), Jamaican novelist and poet who studied in England. His novels include *Escape to an Autumn Pavement* (1960).

SCHREINER, OLIVE (1855–1920), South African novelist and social theorist, author of *The Story of an African Farm* (1883). She was resident in England from 1881 to 1889.

SCOTT, PAUL (1920–78), novelist, born in London, whose fiction includes *Johnny Sahib* (1952), the *Raj Quartet* (1966–75), and *Staying On* (1977), which won the Booker Prize. He served in the Army in India from 1943 to 1946.

SCOTT, WALTER (1771–1832), Scottish novelist and poet. *Waverley* (1814) was published anonymously. Its successors, known as the 'Waverley novels', include *Guy Mannering* (1815), *Old Mortality* (1816), *Rob Roy* (1817), *The Heart of Mid-Lothian* (1818), *Ivanhoe* (1819), *Kenilworth* (1821), *The Fortunes of Nigel* (1822), *Peveril of the Peak* (1823), *Redgauntlet* (1824), and *Woodstock* (1826). His *Lives of the Novelists* (1821–4) were prefixed to Ballantyne's Novelist's Library. He was knighted in 1818.

SEELEY, JOHN ROBERT (1834–95), historian, author of *The Expansion of England* (1883). He was knighted in 1894.

SELVON, SAMUEL (1923–94), Trinidadian novelist who lived in England from 1950 to 1975, author of *The Lonely Londoners* (1956), *Moses Ascending* (1975), *Moses Migrating* (1983), and other works.

SHAFTESBURY, ANTHONY ASHLEY COOPER, 3rd EARL OF (1671–1713), philosopher and author, whose *Characteristics* was first published in 1711.

SHELLEY, MARY (1797–1851), novelist and romancer, born in London, daughter of William Godwin and Mary Wollstonecraft. Her fiction includes *Frankenstein* (1818) and *The Last Man* (1826).

SHERIDAN, FRANCES (1724–66), Irish novelist and playwright, resident in London from 1754. She was the author of *Memoirs of Miss Sidney Bidulph* (1761).

SIDNEY, SIR PHILIP (1554–86), poet and courtier, born in Kent, whose prose romance *Arcadia* was published posthumously in 1590.

SMITH, ALEXANDER (fl.1714–26), criminal biographer, whose *History of the Lives of the Most Noted Highwaymen* was first published in 1714.

SMITH, CHARLOTTE (1749–1806), poet and novelist, born in London, author of *Emmeline, the Orphan of the Castle* (1788), *Desmond* (1792), *The Old Manor House* (1793), *Marchmont* (1796), and other works.

SMITH, ZADIE (1975–), novelist, born in London, author of *White Teeth* (2000), *The Autograph Man* (2002), and *On Beauty* (2005).

SMOLLETT, TOBIAS (1721–71), Scottish novelist, resident in England from 1744 to 1768, when he moved to Italy. He was the author of *Roderick Random* (1748), *Peregrine Pickle* (1751), *Ferdinand Count Fathom* (1753), *Sir Launcelot Greaves* (1760–2), and *Humphry Clinker* (1771). He translated Cervantes's *Don Quixote* (1755), and wrote a *Complete History of England* (1757).

SNOW, CHARLES PERCY, BARON (1905–80), novelist, scientist, and politician, author of the eleven-novel sequence *Strangers and Brothers* (1940–70). He was knighted in 1957 and made a life peer in 1964.

SOUEIF, AHDAF (1950–), novelist, born in Cairo, resident in England since 1981, author of *In the Eye of the Sun* (1992), *The Map of Love* (1999), and other novels.

Spark, Muriel (1918–), Scottish novelist, resident in Italy since 1966. Among her many novels are *The Comforters* (1957), *Memento Mori* (1959), *The Ballad of Peckham Rye* (1960), *The Prime of Miss Jean Brodie* (1961), *The Girls of Slender Means* (1963), and *Loitering with Intent* (1981). She became a DBE in 1993.

Stephen, Leslie (1832–1904), biographer and critic, father of Virginia Woolf, founding editor of the *Dictionary of National Biography*. His literary essays were collected as *Hours in a Library* (1874–9). His later works included a study of George Eliot (1902).

Sterne, Laurence (1713–68), novelist and Church of England clergyman, born in Ireland, resident in England from 1724. He was the author of *Tristram Shandy* (1759–67) and *A Sentimental Journey through France and Italy* (1768).

Stevenson, Robert Louis (1850–94), Scottish romancer and novelist, whose works include *Treasure Island* (1883), *The Strange Case of Dr Jekyll and Mr Hyde* (1886), *The Master of Ballantrae* (1889), *The Ebb-Tide* (1894), and *Weir of Hermiston* (1896). His unfinished romance *The Great North Road* was written in 1884–5. He lived in England for three years (1884–7), and made his home in Samoa in 1890.

Sturt, George ('George Bourne') (1863–1927), rural writer, author of *Memoirs of a Surrey Labourer* (1927), *Change in the Village* (1912), and *The Wheelwright's Shop* (1923).

Swift, Graham (1949–), novelist, born in London, author of *The Sweetshop Owner* (1980), *Shuttlecock* (1981), *Waterland* (1983), *Last Orders* (1996), *The Light of Day* (2003), and other works.

Swift, Jonathan (1667–1745), Anglo-Irish satirist and clergyman, born in Dublin, frequently resident in England between 1689 and 1714. His works include *A Tale of a Tub* (1704) and *Gulliver's Travels* (1726).

Syal, Meera (1963–), novelist, actor, and screenwriter, born near Wolverhampton, author of *Anita and Me* (1996) and *Life Isn't All Ha Ha Hee Hee* (1999).

Taylor, Philip Meadows (1808–76), army officer and novelist, born in Liverpool, resident in India from 1823 to 1860. He was the author of *The Confessions of a Thug* (1839).

Thackeray, William Makepeace (1811–63), novelist and satirist, born in India, resident in England from 1816. His fiction includes *The Tremendous Adventures of Major Gahagan* (1838), *The Luck of Barry Lyndon* (1844), *Vanity Fair* (1847–8), *Pendennis* (1848–50), *Rebecca and Rowena* (1850), *The History of Henry Esmond, Esq* (1852), *The Newcomes* (1853–5), *The Virginians* (1857–9), and many other works.

Tolkien, John Richard Reuel (1892–1973), romancer and philologist, author of *The Hobbit* (1937) and *The Lord of the Rings* (1954–5). *The Silmarillion* (1977) was published posthumously.

TREVELYAN, GEORGE MACAULAY (1876–1962), historian, whose works include a *History of England* (1926) and *English Social History* (1944).

TROLLOPE, ANTHONY (1815–82), novelist, born in London. His fiction includes *The Warden* (1855), *Barchester Towers* (1857), *Doctor Thorne* (1858), *Framley Parsonage* (1861), *Phineas Finn* (1869), *The Way We Live Now* (1874–5), *The Prime Minister* (1876), *Is He Popenjoy?* (1878), and many other works. He also wrote *An Autobiography* (1875–6).

WALPOLE, HORACE, 4th EARL OF ORFORD (1717–97), author and politician, born in London. He wrote the first Gothic novel, *The Castle of Otranto* (1764), and was a Member of Parliament from 1741 to 1767.

WARD, MARY AUGUSTA (Mrs Humphry) (1851–1920), novelist and philanthropist, born in Tasmania, resident in England from 1856, author of *Robert Elsmere* (1888), *Marcella* (1894), and other works. She was a niece of Matthew Arnold.

WARNER, MARINA (1946–), novelist and cultural historian, author of *The Lost Father* (1988), *Indigo* (1992), and *The Leto Bundle* (2001).

WAUGH, EVELYN (1903–66), novelist, born in London. His fiction includes *Decline and Fall* (1928), *Vile Bodies* (1930), *Black Mischief* (1932), *A Handful of Dust* (1934), *Brideshead Revisited* (1945), the *Sword of Honour* trilogy (1952–61), and *The Ordeal of Gilbert Pinfold* (1957).

WELLS, HERBERT GEORGE (1866–1946), novelist and social prophet, born in Kent. His fiction includes *The Time Machine* (1895), *The Island of Doctor Moreau* (1896), *The War of the Worlds* (1898), *Love and Mr Lewisham* (1900), *Kipps* (1905), *Tono-Bungay* (1909), *The History of Mr Polly* (1910), and *The New Machiavelli* (1911). He also wrote *The Outline of History* (1920), *A Short History of the World* (1922), and *Experiment in Autobiography* (1934).

WHITE, TERENCE HANBURY (1906–64), novelist, born in India, resident in England from 1911, author of the Arthurian tetralogy *The Once and Future King* (1938–58).

WINTERSON, JEANETTE (1959–), novelist, born in Lancashire, author of *Oranges Are Not the Only Fruit* (1985), *Sexing the Cherry* (1989), *Written on the Body* (1992), and other works.

WODEHOUSE, PELHAM GRENVILLE (1881–1975), novelist, born in Surrey, author of *Mike* (1909), *Psmith in the City* (1910), *Something Fresh* (1915), and of fourteen novels featuring Jeeves and his master Bertie Wooster (1917–74). He was interned in Belgium and Germany in 1940–1, and lived in the United States after the war. He was knighted in 1975.

WOLLSTONECRAFT, MARY (1759–97), author and feminist, born in London, wife of William Godwin and mother of Mary Shelley. Her works include *A Vindication of the Rights of Woman* (1792), *A Short Residence in Sweden,*

Norway and Denmark (1796), and the novels *Mary: A Fiction* (1788) and the unfinished *The Wrongs of Woman, or Maria* (1798).

WOOLF, VIRGINIA (1882–1941), novelist and essayist, born in London, daughter of Leslie Stephen, author of *The Voyage Out* (1915), *Night and Day* (1919), *Jacob's Room* (1922), *Mrs Dalloway* (1925), *To the Lighthouse* (1927), *Orlando* (1928), *The Waves* (1931), *The Years* (1937), and *Between the Acts* (1941). Her literary essays were collected in *The Common Reader* (1925–32); many others have been published posthumously.

WYNDHAM, JOHN (John Wyndham Parkes Lucas Beynon Harris) (1903–69), science-fiction writer, born in Warwickshire, author of *The Day of the Triffids* (1951), *The Kraken Wakes* (1953), *The Midwich Cuckoos* (1957), and many other works.

YONGE, CHARLOTTE MARY (1823–1901), novelist, born in Hampshire, author of *The Heir of Redclyffe* (1853), *The Daisy Chain* (1856), and many other works.

ZANGWILL, ISRAEL (1864–1926), novelist and Zionist, born in London, whose works include *Children of the Ghetto* (1892), *Ghetto Tragedies* (1893), *The Master* (1895), and the play *The Melting Pot* (1908).

Further Reading

This guide to further reading focuses on modern scholarship on the English novel and its history, excluding original editions, earlier collections, and simple reprints such as the early twentieth-century volumes of Everyman's Library and World's Classics (invaluable as many of these still are). For the sake of simplicity, books are in general only listed once, without cross-referencing even though they may be relevant to more than one chapter. The place of publication given is the first place mentioned on the title-page.

INTRODUCTION AND CHAPTER 1: THE NOVEL AND THE NATION

No history of the English novel from its beginnings can ignore earlier accounts such as Ernest A. Baker's ten-volume *History of the English Novel* (London, 1924–39) and Walter Allen's *The English Novel* (London, 1954). Still worth consulting, though manifestly partial and polemical, are Ford Madox Ford's *The English Novel from the Earliest Days to the Death of Joseph Conrad* (London, 1930), Ralph Fox's *The Novel and the People* (London, 1937), and Arnold Kettle's *Introduction to the English Novel* (2 vols., London, 1951). V. S. Pritchett's fine essays on English and European novelists were collected in *The Living Novel* (London, 1946) and *The Working Novelist* (London, 1965). Margaret Anne Doody's *The True Story of the Novel* (London, 1997) attempts to assimilate the history of the novel to that of prose fiction in general. Among numerous accounts of the nature of modern fictional interpretation, the best to my mind is Peter Brooks's *Reading for the Plot: Design and Intention in Narrative* (Cambridge, Mass., 1992). The novel's relationship to other literary genres is explored in Georg Lukács, *The Historical Novel* (London, 1962), and M. M. Bakhtin, *The Dialogic Imagination: Four Essays* (Austin, Tex., 1981).

The quotations from Shakespeare in this chapter are from *The Complete Works*, ed. Peter Alexander (London, 1951). David Hume's 1748 essay 'Of National Character' is collected in his *Political Essays*, ed. Knud Haakanson (Cambridge, 1994). John Stuart Mill's *Considerations on Representative Government* (1861) exists in many editions, although Walter Bagehot's essay on national character, *Physics and Politics* (1872), remains comparatively little known; see, however, Bagehot's *Collected Works*, 15 vols. (London, 1965–86). Anthony D. Smith's *National Identity* (London, 1991) is an authoritative recent study of its subject. Edward W. Said contrasts 'filiation' and affiliation' in *The World, the Text, and the Critic* (London, 1984). Perry Anderson foregrounds the concepts of national character and national identity in his review-article on 'Nation-States and National Identity', *London Review of Books* 13: 9 (9 May 1991), 3–8. Almost all recent scholarly discussions of nationhood have been influenced by Benedict Anderson's *Imagined Communities: Reflections on the Origin and Spread of Nationalism* (London, 1983).

Of the many recent books on Englishness, the most stimulating, wide-ranging, and controversial academic study is Krishan Kumar's *The Making of English National Identity* (Cambridge, 2003). Anthony Easthope's *Englishness and National Culture* (London, 1999) and Roger Scruton's *England: An Elegy* (London, 2000) are challenging and polemical accounts from opposing political perspectives. They should be contrasted with such largely empirical studies as Paul Langford's *Englishness Identified: Manners and Character 1650–1850* (Oxford, 2000), Robert Colls's *Identity of England* (Oxford, 2002), and Peter Ackroyd's *Albion: The Origins of the English Imagination* (London, 2002), each of which has some of the virtues of a good anthology. For more traditional ideas of Englishness, the best sources remain Daniel Defoe's *The True-Born Englishman and Other Writings*, ed. P. N. Furbank and W. R. Owens (London, 1997), Edmund Burke's *Reflections on the Revolution in France*, ed. Conor Cruise O'Brien (Harmondsworth, 1968), Walter Bagehot's *The English Constitution*, with an introduction by R. H. S. Crossman (London, 1964), and George Orwell's essays (see below under Early Twentieth-Century Fiction). See also J. B. Priestley, *English Journey* (London, 1934) and *The English* (London, 1973), and Peter Vansittart, *In Memory of England* (London, 1998).

Relations between the nation, nationalism, and fiction are explored in a collection of essays edited by Homi K. Bhabha, *Nation and Narration* (London, 1990); see also Bhabha's *The Location of Culture* (London, 1994), and Pericles Lewis's *Modernism, Nationalism, and the Novel* (Cambridge, 2000). Fredric Jameson discusses the novel as 'national allegory' in his analysis of Wyndham Lewis's fiction, *Fables of Aggression* (Berkeley, 1979). Among the classic studies of other nations' fictional traditions are Leslie A. Fiedler, *Love and Death in the American Novel* (2nd edn., New York, 1966); Richard Chase, *The American Novel and its Tradition* (New York, 1957); and Margaret Atwood, *Survival: A Thematic Guide to Canadian Literature* (Toronto, 1972). More recently, I would especially recommend Gerry Smyth's *The Novel and the Nation: Studies in the New Irish Fiction* (London and Chicago, 1997). Paul Gilbert reflects on 'The Idea of a National Literature' in John Horton and Andrea T. Baumeister, eds., *Literature and the Political Imagination* (London, 1996).

There have been influential discussions of Englishness in relation to other art forms, notably Nikolaus Pevsner's *The Englishness of English Art* (London, 1956), and to other literary genres: poetry, for example, is the principal concern of John Lucas's *England and Englishness* (London, 1990) and of David Gervais's *Literary Englands* (Cambridge, 1993). For seminal insights into English poetry and fiction across the centuries see Raymond Williams's *The Country and the City* (London, 1973). Q. D. Leavis, however, is virtually alone along important twentieth-century critics in discussing 'The Englishness of the English Novel', *English Studies* 62: 2 (1981), 128–45. William Hazlitt's course of *Lectures on the*

English Comic Writers (1819) has been much reprinted, while the earlier version of his essay on the English novelists is 'Standard Novels and Romances', in *Complete Works*, ed. P. P. Howe (London, 1933), xvi. 5–24. Walter Scott's prefaces to Ballantyne's *Novelist's Library* (1821) were collected as *Lives of the Novelists* (London, 1910).

Studies of particular fictional forms include Claudio Guillén's 'Toward a Definition of the Picaresque' in *Literature as System* (Princeton, 1971), 71–106; Walter L. Reed's *An Exemplary History of the Novel: The Quixotic versus the Picaresque* (Chicago, 1981); and Franco Moretti's essay on the *Bildungsroman*, *The Way of the World* (London, 1987). English courtship fiction is the subject of Nancy Armstrong's *Desire and Domestic Fiction: A Political History of the Novel* (New York, 1987), Joseph Allen Boone's *Tradition Counter Tradition* (Chicago, 1987), and Ruth Bernard Yeazell's *Fictions of Modesty: Women and Courtship in the English Novel* (Chicago, 1991). Lionel Trilling's reflections on the 'young man from the provinces' are found in his essay on Henry James's *The Princess Casamassima* in *The Liberal Imagination* (London, 1951). Martin Green contrasts domestic fiction with the imperial adventure novel in his brilliant and provocative study *Dreams of Adventure, Deeds of Empire* (London, 1980).

Chapter 2: Cavaliers, Puritans, and Rogues

The history of English prose fiction before 1558 is the subject of an appendix to William A. Ringler, Jr., and Michael Flachmann's edition of *Beware the Cat: The First English Novel* (San Marino, Calif., 1988), 75–90. The standard edition of *The Works of Sir Thomas Malory* is edited by Eugene Vinaver (3 vols., Oxford, 1947). Stephen Knight's *Arthurian Literature and Society* (London, 1983) includes discussion of *Le Morte d'Arthur* as an allegory of the Wars of the Roses. All students of Elizabethan and seventeenth-century English fiction are indebted to the work of Paul Salzman, author of *English Prose Fiction 1558–1700: A Critical History* (Oxford, 1985) and editor of two World's Classics anthologies, *Elizabethan Prose Fiction* (Oxford, 1987) and *Seventeenth-Century Fiction* (Oxford, 1991). The most significant supplement to Salzman's work is to be found in the earlier chapters of Josephine Donovan's *Women and the Rise of the Novel, 1405–1726* (New York, 2000). For the Elizabethan period I have also drawn on Katherine Duncan-Jones's edition of Sidney's *Arcadia* (Oxford, 1994); David Margolies's *Novel and Society in Elizabethan England* (London, 1985); Robert Mayer's *History and the Early English Novel* (Cambridge, 1987); and Gamini Salgādo's anthology of Elizabethan low life, *Cony-Catchers and Bawdy Baskets* (Harmondsworth, 1972). Spiro Peterson has edited an anthology of seventeenth-century criminal fiction, *The Counterfeit Lady Unveiled* (Garden City, New York, 1961).

Janet Todd has edited a valuable selection of Aphra Behn's *Oroonoko, The Rover and Other Works* (London, 1992), while the Virago reprint of *Love-Letters*

Between a Nobleman and His Sister (London, 1987) has an introduction by Maureen Duffy. S. J. Wiseman's *Aphra Behn* (Plymouth, 1996) is a useful introductory survey of Behn's writings. Bunyan's principal modern editor, Roger Sharrock, has published editions of *Grace Abounding* (Oxford, 1962), *The Pilgrim's Progress* (Harmondsworth, 1965), and, with James F. Forrest, of *The Holy War* (Oxford, 1980) and *The Life and Death of Mr Badman* (Oxford, 1988). A. A. Parker discusses Bunyan, Defoe, and Fielding in relation to the Spanish picaresque in *Literature and the Delinquent* (Edinburgh, 1977), while Leopold Damrosch, Jr., considers Bunyan's place in the fictional tradition in *God's Plot and Man's Stories: Studies in the Fictional Imagination from Milton to Fielding* (Chicago, 1985).

CHAPTERS 3, 4, 5, AND 6: EIGHTEENTH-CENTURY FICTION

Among recent histories of eighteenth-century England, those most concerned with national identities are Linda Colley's *Britons: Forging the Nation 1701–1837* (New Haven, 1992), H. T. Dickinson's *The Politics of the People in Eighteenth-Century Britain* (Basingstoke, 1995), and Gerald Newman's *The Rise of English Nationalism* (London, 1987). Raphael Samuel is editor of an important collection of essays, *Patriotism: The Making and Unmaking of British National Identity* (3 vols., London, 1989). Laird Okie surveys eighteenth-century histories of England in *Augustan Historical Writing* (Lanham, Md., 1991), while R. C. Richardson has summarized *The Debate on the English Revolution* (London, 1977).

Every modern scholar of eighteenth-century fiction is indebted to Ian Watt's classic study of Defoe, Richardson, and Fielding, *The Rise of the Novel* (London, 1957). Among the numerous revisions and rewritings of Watt's thesis are Michael McKeon's *The Origins of the English Novel, 1600–1740* (London, 1988), Lennard J. Davis's *Factual Fictions: The Origins of the English Novel* (New York, 1983), Marthe Robert's *Origins of the Novel* (Brighton, 1980), and Jane Spencer's *The Rise of the Woman Novelist* (Oxford, 1986). Other accounts of the novel's emergence as a distinct genre in the eighteenth century include Geoffrey Day, *From Fiction to the Novel* (London, 1987); J. Paul Hunter, *Before Novels* (New York, 1990); and John J. Richetti, *Popular Fiction Before Richardson* (Oxford, 1969). Aspects of the eighteenth-century novel as a 'social institution' are discussed in Deirdre Lynch and William B. Warner, eds., *Cultural Institutions of the Novel* (Durham, NC, 1996); Clifford Siskin, *The Work of Writing* (Baltimore, 1998); and Diana Spearman, *The Novel and Society* (London, 1966). A number of readers' guides to eighteenth-century fiction contain valuable essays: mention should be made of *The English Novel*, ed. Richard Kroll (2 vols., London, 1998), and *The Cambridge Companion to the Eighteenth-Century Novel*, ed. John Richetti (Cambridge, 1996). The journal *Eighteenth-Century Fiction* is indispensable reading if one wishes to keep up with recent scholarship on the novel in the 'long eighteenth century' (that is, including Austen and Scott). Among more general literary histories, John Barrell's *English Literature in*

History 1730–80 (London, 1983) and Laura Brown's *English Dramatic Form, 1660–1760* (New Haven, 1981) are particularly notable.

Studies of the eighteenth-century novel in relation to other contemporary genres include Martin C. Battestin, *The Providence of Wit* (Oxford, 1974); Terry Castle, *Masquerade and Civilization* (London, 1986); Paul J. Korshin, *Typologies in England 1650–1820* (Princeton, 1982); Ronald J. Paulson, *Satire and the Novel in Eighteenth-Century England* (New Haven, 1967); and, on fiction and auto-biography, Patricia Meyer Spacks's *Imagining a Self* (Cambridge, Mass., 1976). Jonathan Lamb surveys eighteenth-century readings of the Book of Job in *The Rhetoric of Suffering* (Oxford, 1995).

Modern editions of the political classics of the period include C. B. Macpherson's edition of Hobbes's *Leviathan* (Harmondsworth, 1968); Locke's *Two Treatises of Government*, ed. Peter Laslett (revised edn., New York, 1965); and Shaftesbury's *Characteristics*, ed. John M. Robertson (Indianapolis, 1964). Gordon J. Schochet discusses versions of the 'authoritarian family' in *Patriarchalism in Political Thought* (Oxford, 1975). Carol Kay's *Political Constructions* (Ithaca, NY, 1988) and Everett Zimmerman's *The Boundaries of Fiction* (Ithaca, NY, 1996) are studies of the novel in relation to political thought, while Richard Braverman's *Plots and Counterplots* (Cambridge, 1993) is concerned with 'sexual politics and the body politic' in the literature of the period 1660–1830. Other studies of literature in relation to politics are Miranda J. Burgess, *British Fiction and the Production of Social Order, 1740–1830* (Cambridge, 2000); W. Austin Flanders, *Structures of Experience* (Columbia, SC, 1984); Christine Gerrard, *The Patriot Opposition to Walpole* (Oxford, 1994); and Howard D. Weinbrot, *Britannia's Issue* (Cambridge, 1993).

On crime and society in the eighteenth century, two classic studies are Douglas Hay and others, *Albion's Fatal Tree* (London, 1975) and Peter Linebaugh, *The London Hanged* (London, 1991). Lincoln B. Faller discusses the criminal biographies in *Turned to Account* (London, 1987), while Ian A. Bell's *Literature and Crime in Augustan England* (London, 1991) includes a notable analysis of Fielding. More generally, Bertrand H. Bronson published a biography of *Joseph Ritson* (2 vols., Berkeley, 1938), while Graham Seal relates the English highwayman to American and Australian outlaws in *The Outlaw Legend* (Cambridge, 1996). Among the vast popular literature on Robin Hood and other outlaws, the only title that need be mentioned here is E. J. Hobsbawm's *Bandits* (London, 1958).

Modern editions of Defoe include *A Journal of the Plague Year*, ed. Anthony Burgess and Christopher Bristow (Harmondsworth, 1966); *Memoirs of a Cavalier*, ed. James T. Boulton (London, 1972); *Moll Flanders*, ed. G. A. Starr (Oxford, 1981); *Robinson Crusoe*, ed. Michael Shinagel (2nd edn., New York, 1994); *Roxana*, ed. Jane Jack (Oxford, 1981); and *A Tour through the Whole Island of Great Britain*, ed. Pat Rogers (Harmondsworth, 1971). Rogers has also edited *Daniel Defoe: The Critical Heritage* (London, 1972), while David Fausett gives an excellent account of *The Strange Surprizing Sources of Robinson Crusoe* (Amsterdam, 1994). The other critical books on Defoe that I have drawn on are Lincoln B. Faller, *Crime and Defoe* (Cambridge, 1993); Maximillian E. Novak, *Realism, Myth, and History in Defoe's Fiction* (Lincoln, Nebr., 1983); Manuel Schonhorn, *Defoe's Politics* (Cambridge, 1991); Lieve Spaas and Brian Stimpson, eds., *Robinson Crusoe: Myths and Metamorphoses* (Basingstoke, 1996); and David Trotter, *Circulation: Defoe, Dickens, and the Economies of the Novel* (Basingstoke, 1988).

Fielding's *Amelia* has been edited by Martin C. Battestin (Oxford, 1983); *An Enquiry into the Causes of the Late Increase of Robbers*, ed. Malvin R. Zirker (Oxford, 1988); *Joseph Andrews and Shamela*, ed. Arthur Humphreys (revised edn., London, 1993); *The Journal of a Voyage to Lisbon*, ed. Tom Keymer (London, 1996); *Tom Jones*, ed. R. P. C. Mutter (Harmondsworth, 1966); and *The True Patriot and Related Writings*, ed. W. B. Coley (Oxford, 1987). A classic article on Fielding and the politics of his time is Homer Obed Brown, '*Tom Jones*: The "Bastard" of History', *Boundary 2*, 7: 2 (1979), 201–33; see also Brian McCrea's *Henry Fielding and the Politics of Mid-Eighteenth-Century England* (Athens, G., 1981). The debate over Jacobitism in criticism of *Tom Jones* is reviewed in Peter J. Carlton, '*Tom Jones* and the '45 Once Again', *Studies in the Novel* 20: 4 (1988), 361–73. The standard modern biography is Martin C. Battestin with Ruthe R. Battestin, *Henry Fielding: A Life* (London, 1989). Two other general critical studies are Robert Alter's *Fielding and the Nature of the Novel* (Cambridge, Mass., 1968) and Jill Campbell's *Natural Masques: Gender and Identity in Fielding's Plays and Novels* (Stanford, 1995).

Recent editions of Richardson include *Clarissa*, ed. Angus Ross (Harmondsworth, 1985); *The History of Sir Charles Grandison*, ed. Jocelyn Harris (3 vols., London, 1972); *Pamela*, ed. Peter Sabor (Harmondsworth, 1980), and ed. Thomas Keymer and Alice Wakely (Oxford, 2001); and *Selected Letters*, ed. John Carroll (Oxford, 1964). Carroll has also edited *Samuel Richardson: A Collection of Critical Essays* (Englewood Cliffs, NJ, 1969); a more recent collection is *Samuel Richardson: Tercentenary Essays*, ed. Margaret Anne Doody and Peter Sabor (Cambridge, 1989). Other general studies of Richardson include Ewha Chung, *Samuel Richardson's New Nation* (New York, 1998); Jocelyn Harris, *Samuel Richardson* (Cambridge, 1987); and Cynthia Griffin Wolff, *Samuel Richardson and the Eighteenth-Century Puritan Character* (Hamden, Conn., 1972). For a classic discussion of *Clarissa*, see Christopher Hill's essay 'Clarissa Harlowe and her Times' in *Puritanism and Revolution* (London, 1958). Other studies of Richardson's masterpiece are Lois E. Bueler, *Clarissa's Plots* (Newark, Del., 1994); Terry Eagleton, *The Rape of Clarissa* (Oxford, 1982); and Tom Keymer, *Richardson's 'Clarissa' and the Eighteenth-Century Reader* (Cambridge, 1992).

Tobias Smollett's *The Expedition of Humphry Clinker* is edited by Louis M. Knapp and Paul-Gabriel Boucé (Oxford, 1984). Smollett criticism has been collected in *Tobias Smollett: The Critical Heritage*, ed. Lionel Kelly (London, 1987) and *Tobias Smollett: Bicentennial Essays*, ed. G. S. Rousseau and P.-G. Boucé (New York, 1971). Among modern editions of other eighteenth-century fiction, I have used the following: Joseph Addison, Sir Richard Steele and Eustace Budgell, *Sir Roger de Coverly*, ed. John Hampden (London, 1967); John Arbuthnot, *The History of John Bull*, ed. Alan W. Bower and Robert A. Erickson (Oxford, 1976); Fanny Burney, *Evelina*, ed. Edward A. Bloom and Lillian D. Bloom (Oxford, 1982); Sarah Fielding, *The Adventures of David Simple*, ed. Malcolm Kelsall (Oxford, 1994); William Godwin, *Things As They Are or the Adventures of Caleb Williams*, ed. Maurice Hindle (London, 1988); Oliver Goldsmith, *Collected Works*, ed. Arthur Friedman (Oxford, 1966); Eliza Haywood, *Three Novellas*, ed. Earla A. Wilputte (East Lansing, Mich., 1995); Henry Mackenzie, *The Man of Feeling*, ed. Brian Vickers (London, 1970); Charlotte Smith, *The Old Manor House*, ed. Anne Henry Ehrenpreis (London, 1969); Laurence Sterne, *The Life and Opinions of Tristram Shandy*, ed. Graham Petrie (Harmondsworth, 1967); Horace Walpole, *The Castle of Otranto*, ed. W. S. Lewis (Oxford, 1964); and Mary Wollstonecraft, *Mary, A Fiction and The Wrongs of Woman*, ed. Gary Kelly (London, 1976). Kelly is the author of *The English Jacobin Novel 1780–1805* (Oxford, 1976); other studies of Jacobin fiction are Pamela Clemit, *The Godwinian Novel* (Oxford, 1993) and Loraine Fletcher, 'Four Jacobin Women Novelists' in John Lucas, ed., *Writing and Radicalism* (London, 1996), 102–27.

CHAPTERS 7 AND 8 (i): SCOTT, JANE AUSTEN, AND THEIR CONTEMPORARIES

Some further examples of Jacobin fiction and other late eighteenth-century modes are referred to in these chapters, notably Thomas Holcroft, *Anna St. Ives*, ed. Peter Faulkner (London, 1970); Elizabeth Inchbald, *A Simple Story*, ed. J. M. S. Tompkins (London, 1967); Clara Reeve, *The Old English Baron*, ed. James Trainer (London, 1967); and Charlotte Smith, *Desmond*, ed. Antje Blank and Janet Todd (Peterborough, Ont., 2001), and *Emmeline*, ed. Anne Henry Ehrenpreis (London, 1971). See also Loraine Fletcher, *Charlotte Smith: A Critical Biography* (Basingstoke, 1998).

Novels contemporary with Austen and Scott include Frances Burney, *The Wanderer*, ed. Margaret Anne Doody, Robert L. Mack, and Peter Sabor (Oxford, 1991); Maria Edgeworth, *Castle Rackrent and Ennui*, ed. Marilyn Butler (London, 1992); and Susan Ferrier, *Marriage*, ed. Herbert Feltinek (London, 1971).

Two major general studies are Igor Webb, *From Custom to Capital* (Ithaca, NY, 1981), on English fiction and the industrial revolution, and Katie Trumpener, *Bardic Nationalism* (Princeton, 1997), on the Romantic novel and the British Empire. Daniel Cottam looks at Austen, Scott, and Gothic fiction in *The Civilized Imagination* (Cambridge, 1985), while Cannon Schmitt's *Alien Nation* (Philadelphia, 1997) is a study of the Gothic in relation to English nationality. Scott and the Gothic are the subject of two further studies, Ian

Duncan's *Modern Romance and the Transformations of the Novel* (Cambridge, 1992) and Fiona Robertson's *Legitimate Histories* (Oxford, 1994). David Kaufmann's *The Business of Common Life* (Baltimore, 1995) looks at the Romantic novelists in relation to classical economics. Scott's relationship to later historical fiction is discussed in Avrom Fleishman, *The English Historical Novel* (Baltimore, 1971) and Andrew Sanders, *The Victorian Historical Novel 1840–1880* (London, 1978). Criticism of Mary Russell Mitford and her successors is to be found in P. D. Edwards, *Idyllic Realism from Mary Russell Mitford to Hardy* (Basingstoke, 1988) and Elizabeth K. Helsinger, *Rural Scenes and National Representation* (Princeton, 1997). Washington Irving is one of the subjects of Malcolm Bradbury's account of Anglo-American literary relations, *Dangerous Pilgrimages* (London, 1995).

Among the innumerable editions of Scott, I am indebted to *The Heart of Mid-Lothian*, ed. Tony Inglis (London, 1994); *Ivanhoe*, ed. Graham Tulloch (Edinburgh, 1998); *Kenilworth*, ed. J. H. Alexander (London, 1999); *On Novelists and Fiction*, ed. Ioan Williams (London, 1968); and *Rob Roy*, ed. John Sutherland (London, 1995). Scott's 1830 'Introduction' to *Ivanhoe*, omitted from Tulloch's edition, is found in many other reprints of the novel. Critical responses to Scott's work are collected in John O. Hayden, ed., *Scott: The Critical Heritage* (London, 1970) and D. D. Devlin, ed., *Walter Scott: Modern Judgements* (Nashville, 1970). Alexander Welsh's *The Hero of the Waverley Novels* (New Haven, 1963) is a critical classic, and I am also indebted to Cairns Craig's *Out of History* (Edinburgh, 1996), James Kerr's *Fiction against History: Scott as Storyteller* (Cambridge, 1989), and Graham McMaster's *Scott and Society* (Cambridge, 1981).

Editions of Jane Austen include *Catharine and Other Writings*, ed. Margaret Anne Doody and Douglas Murray (Oxford, 1998); *Emma*, ed. Ronald Blythe (Harmondsworth, 1966); *Mansfield Park*, ed. Tony Tanner (Harmondsworth, 1966); *Northanger Abbey, Lady Susan, The Watsons, and Sanditon*, ed. John Davis (Oxford, 1990); and *Sense and Sensibility*, ed. Tony Tanner (Harmondsworth, 1969). Among collections of critical essays are *Jane Austen*, ed. Ian Watt (Englewood Cliffs, NJ, 1963), which reprints Donald J. Greene's important essay on 'Jane Austen and the Peerage', *Jane Austen: Bicentenary Essays*, ed. John Halperin (Cambridge, 1975), and *Jane Austen in a Social Context*, ed. David Monaghan (Basingstoke, 1981). An excellent recent introduction is Robert Miles's *Jane Austen* (Tavistock, 2003). For political readings of the novels see Marilyn Butler, *Jane Austen and the War of Ideas* (Oxford, 1975); Claudia L. Johnson, *Jane Austen: Women, Politics and the Novel* (Chicago, 1988); and Edward Neill, *The Politics of Jane Austen* (Basingstoke, 1999). Edward W. Said discusses slavery in *Mansfield Park* in his *Culture and Imperialism* (London, 1993). Other thematic studies include Frank W. Bradbrook, *Jane Austen and Her Predecessors* (Cambridge, 1966); Jocelyn Harris, *Jane Austen's Art of Memory* (Cambridge, 1989); and Margaret Kirkham, *Jane Austen, Feminism and Fiction* (Sussex, 1983). See also Shinobu Minma, 'Self-Deception and Superiority

Complex: Derangement of Hierarchy in Jane Austen's *Emma*', *Eighteenth-Century Fiction* 14: 1 (2001), 49–65.

CHAPTERS 7 AND 8 (ii), 9, 10, AND 11: VICTORIAN FICTION

Thomas Carlyle's *Selected Writings* are edited by Alan Shelston (Harmondsworth, 1971), while Bulwer-Lytton's *England and the English* has been edited by Standish Meacham (Chicago, 1970). J. W. Burrow's *A Liberal Descent* (Cambridge, 1981) is a major study of Victorian historiography; Martin J. Wiener's *English Culture and the Decline of the Industrial Spirit* (Cambridge, 1981) is a provocative and influential account of Victorian attitudes to class. See also the essays collected in Herbert F. Tucker, ed., *A Companion to Victorian Literature and Culture* (Oxford, 1999).

Like his earlier *The Way of the World*, Franco Moretti's *Atlas of the European Novel 1800–1900* (London, 1998) looks at English fiction in a European context. Two starting points for the study of Victorian political fiction are Kathleen Tillotson, *Novels of the Eighteen-Forties* (Oxford, 1954), and John Lucas, ed., *Literature and Politics in the Nineteenth Century* (London, 1971). More recent criticism includes Rosemarie Bodenheimer, *The Politics of Story in Victorian Social Fiction* (Ithaca, NY, 1988); Catherine Gallagher, *The Industrial Reformation of English Fiction* (Chicago, 1985); and, among gender studies, Patricia Ingham's *The Language of Gender and Class* (London, 1996), Mary Poovey's *Uneven Developments* (London, 1989), and Ruth Bernard Yeazell's 'Why Political Novels Have Heroines', *Novel* 18: 2 (1985), 126–44. English national identity is a specific concern of Michael Ragussis' study of the 'Jewish question' in Disraeli and others, *Figures of Conversion* (Durham, NC, 1995), and of Julian Wolfreys' *Being English* (Albany, NY, 1994). The novel's relation to empire is at the forefront of Patrick Brantlinger's *Rule of Darkness* (Ithaca, NY, 1988) and a number of more recent books such as Jonathan Arac and Harriet Ritvo, eds., *Macropolitics of Nineteenth-Century Literature* (Durham, NC, 1995); Daniel Bivona, *Desire and Contradiction: Imperial Visions and Domestic Debates in Victorian Literature* (Manchester, 1990); Terry Eagleton's essays on Irish culture, *Heathcliff and the Great Hunger* (London, 1995); Susan Meyer, *Imperialism at Home* (Ithaca, NY, 1996); and Jenny Sharpe's study of 'women in the colonial text', *Allegories of Empire* (Minneapolis, 1993). Joss Marsh's *Word Crimes* (Chicago, 1998) is an outstanding account of anticlericalism and Victorian literature. Among more formalistic approaches, particularly notable are Peter K. Garrett, *The Victorian Multiplot Novel* (New Haven, 1980) and John R. Reed, *Victorian Conventions* (Athens, Ohio, 1975). Peter Keating's *The Haunted Study* (London, 1989) is a social history of the novel at the turn of the twentieth century; this may be supplemented by Keating's earlier study of *The Working Classes in Victorian Fiction* (London, 1971), and by Sally Ledger's *The New Woman* (Manchester, 1997). Daniel Born's *The Birth of Liberal Guilt in the English Novel* (Chapel Hill, NC, 1995) looks at a series of novelists from Dickens to Wells.

Recent editions of Dickens's novels that I have consulted include *Bleak House*, ed. Norman Page (London, 1985) and ed. Nicola Bradbury (London, 1996); *Martin Chuzzlewit*, ed. P. N. Furbank (London, 1986) and ed. Patricia Ingham (London, 1999); *Oliver Twist*, ed. Peter Fairclough (London, 1985); *Our Mutual Friend*, ed. Adrian Poole (London, 1997); and *A Tale of Two Cities*, ed. Richard Maxwell (London, 2000). Among Dickens criticism, I particularly recommend James Buzard, ' "Anywhere's Nowhere": *Bleak House* as Autoethnography', *Yale Journal of Criticism* 12: 1 (1999), 7–39; J. Hillis Miller, *Charles Dickens: The World of his Novels* (Cambridge, Mass., 1958); John Kucich, *Excess and Restraint in the Novels of Charles Dickens* (Athens, Ga., 1981); John Lucas, *Charles Dickens: The Major Novels* (London, 1972); Richard Maxwell, *The Mysteries of Paris and London* (Charlottesville, Va., 1992); William J. Palmer, *Dickens and New Historicism* (Basingstoke, 1997); Anny Sadrin, *Parentage and Inheritance in the Novels of Charles Dickens* (Cambridge, 1994); and two books by Alexander Welsh, *The City of Dickens* (Oxford, 1971) and *From Copyright to Copperfield* (Cambridge, Mass., 1987).

Disraeli's *Sybil* is edited by Thom Braun (Harmondsworth, 1980). The standard biography is Robert Blake's *Disraeli* (London, 1966); to this may be added Charles Richmond and Paul Smith, eds., *The Self-Fashioning of Disraeli 1818–1851* (Cambridge, 1998).

Charlotte Brontë's *Jane Eyre* has been edited by Q. D. Leavis (Harmondsworth, 1966). Other modern Brontë editions are *Villette*, ed. Mark Lilly (Harmondsworth, 1979); Emily Brontë, *Wuthering Heights*, ed. Ian Jack (Oxford, 1995); and Anne Brontë, *The Tenant of Wildfell Hall*, ed. G. D. Hargreaves (Harmondsworth, 1979). Christine Alexander has edited two volumes of Charlotte Brontë's *Early Writings* (Oxford, 1987, 1991). Barbara Timm Gates, ed., *Critical Essays on Charlotte Brontë* (Boston, 1990) is highly recommended, as is Enid L. Duthie, *The Foreign Vision of Charlotte Brontë* (London, 1975). Terry Eagleton's *Myths of Power* (2nd edn., Basingstoke, 1988) is a Marxist study of the Brontës. See also the books by Bodenheimer, Meyer, Sharpe, and others listed above.

Editions of Elizabeth Gaskell's fiction include *Cousin Phillis and Other Tales*, ed. Angus Easson (Oxford, 1981); *My Lady Ludlow and Other Stories*, ed. Edgar Wright (Oxford, 1989); *North and South*, ed. Dorothy Collin (London, 1986); *Sylvia's Lovers*, ed. Andrew Sanders (Oxford, 1982); and *Wives and Daughters*, ed. Frank Gloversmith (Harmondsworth, 1969). Two critical studies are Deirdre d'Albertis, *Dissembling Fictions* (New York, 1997) and Coral Lansbury, *Elizabeth Gaskell: the Novel of Social Crisis* (London, 1975). Editions of Anthony Trollope include *An Autobiography*, ed. Michael Sadleir and Frederick Page (Oxford, 1992); *Doctor Thorne*, ed. David Skilton (Oxford, 1980); *The Warden*, ed. Robin Gilmour (London, 1986); and *The Way We Live Now*, ed. Sir Frank Kermode (London, 1994).

George Eliot's *Adam Bede* has been edited by Valentine Cunningham (Oxford, 1996); *Daniel Deronda*, ed. Barbara Hardy (Harmondsworth, 1967); *Felix Holt*, *the Radical*, ed. Fred C. Thomson (Oxford, 1988); *Middlemarch*, ed. David Carroll (Oxford, 1998); *The Mill on the Floss*, ed. Gordon S. Haight (Oxford, 1980); and *Scenes of Clerical Life*, ed. Thomas A. Noble (Oxford, 1988). Haight has also edited *A Century of George Eliot Criticism* (London, 1966), while Barbara Hardy is the editor of *Critical Essays on George Eliot* (London, 1970). More recent criticism includes Nancy Henry, *George Eliot and the British Empire* (Cambridge, 2002); Neil NcCaw, *George Eliot and Victorian Historiography* (Basingstoke, 2000); Bernard Semmel, *George Eliot and the Politics of National Inheritance* (New York, 1994); and Sally Shuttleworth, *George Eliot and Nineteenth-Century Science* (Cambridge, 1986).

Thackeray's novels have been comparatively neglected in recent years. Scholarly editions include *The Memoirs of Barry Lyndon*, ed. Andrew Sanders (Oxford, 1984) and *Vanity Fair*, ed. John Sutherland (Oxford, 1983). Geoffrey Tillotson and Donald Hawes edited *Thackeray: The Critical Heritage* (London, 1968), while John Carey's *Thackeray: Prodigal Genius* (London, 1977) is a stimulating critical study. The works of Henry James most relevant to the present book are *The Princess Casamassima*, ed. Derek Brewer (London, 1987) and *Selected Literary Criticism*, ed. Morris Shapira (London, 1963). *Clara Hopgood* by 'Mark Rutherford' is edited by Lorraine Davies (London, 1996), while Arthur Morrison's *A Child of the Jago* is edited by P. J. Keating (London, 1969). Pierre Coustillas and Colin Partridge edited *Gissing: The Critical Heritage* (London, 1972). Coustillas has also edited *Collected Articles on George Gissing* (London, 1968). Raymond Williams discusses Gissing's 'negative identification' in *Culture and Society 1780–1950* (London, 1958); see also Fredric Jameson, *The Political Unconscious* (London, 1981). Modern editions of Thomas Hardy's novels include *Jude the Obscure*, ed. P. N. Furbank (London, 1974); *A Pair of Blue Eyes*, ed. Alan Monford (Oxford, 1985); *The Return of the Native*, ed. Derwent May (London, 1974); and *The Woodlanders*, ed. David Lodge (London, 1974).

CHAPTERS 12, 13, AND 14 (i): EARLY TWENTIETH-CENTURY FICTION

The principal historical texts cited in these chapters are Sir J. R. Seeley, *The Expansion of England* (2nd edn., London, 1897); J. A. Hobson, *Imperialism* (3rd edn., London, 1938); C. R. L. Fletcher and Rudyard Kipling, *A School History of England* (Oxford, 1911); G. K. Chesterton, *A Short History of England* (London, 1917); G. M. Trevelyan, *History of England* (London, 1926); and, on the 'Whig interpretation', H. Butterfield, *The Englishman and his History* (Cambridge, 1944). Judy Giles and Tim Middleton, eds., *Writing Englishness 1900–1950* (London, 1995) is a wide-ranging 'introductory sourcebook on national identity'.

Among the numerous general studies of the English literature of the period, the following are particularly relevant: David Craig, *The Real Foundations: Literature and Social Change* (London, 1973); Jed Esty, *A Shrinking Island* (Princeton, 2004); Martin Green, *The English Novel in the Twentieth Century [The Doom of Empire]* (London, 1984); Jefferson Hunter, *Edwardian Fiction*

(Cambridge, Mass., 1982); Karen R. Lawrence, ed., *Decolonizing Tradition* (Urbana, Ill., 1992); and David Trotter, *The English Novel in History 1895–1920* (London, 1993). For a recent overview see Laura Marcus and Peter Nicholls, eds., *The Cambridge History of Twentieth-Century English Literature* (Cambridge, 2004).

Elaine Showalter discusses turn-of-the-century romances in *Sexual Anarchy* (London, 1991). Christopher Harvie's *The Centre of Things* (London, 1991) surveys political fiction from Disraeli to the present. Thomas Richards, *The Imperial Archive* (London, 1993) looks at imperialism in early twentieth-century fiction. Studies of literary representations of the aristocracy and the 'English gentleman' include Richard Gill, *Happy Rural Seat* (New Haven, 1972), on the country house; Mark Girouard, *The Return to Camelot* (New Haven, 1981); and Len Platt, *Aristocracies of Fiction* (Westport, Conn., 2001). For a background to twentieth-century uses of the Arthurian theme see Stephanie L. Barczewski, *Myth and National Identity in Nineteenth-Century Britain* (Oxford, 2000).

Ford Madox Ford's novel-sequences have been collected as *The Fifth Queen* (Oxford, 1984) and *Parade's End* (London, 1992). His biography has been written by Max Saunders as *Ford Madox Ford: A Dual Life* (2 vols., Oxford, 1996). Saunders and Richard Stang have edited Ford's *Critical Essays* (Manchester, 2002). Critical studies of Ford include Robert Green, *Ford Madox Ford: Prose and Politcs* (Cambridge, 1981); H. Robert Huntley, *The Alien Protagonist of Ford Madox Ford* (Chapel Hill, NC, 1970); and, on *Parade's End*, Andrzej Gasiorek, 'The Politics of Cultural Nostalgia', *Literature and History* 3rd series, 11: 2 (2002), 52–77. *Agenda* 27: 4–28: 1 (1989–90), a special issue on Ford, includes David Trotter on 'Hueffer's Englishness' (148–55).

Among E. M. Forster's works, *Abinger Harvest and England's Pleasant Land* have been edited by Elizabeth Heine (London, 1996) and *Where Angels Fear to Tread* by Oliver Stallybrass (London, 2001). A classic critical study is Lionel Trilling's *E. M. Forster* (2nd edn, London, 1967), while the novelist's life has been written by P. N. Furbank (2 vols., London, 1977). On Forster and the East see Mohammad Shaheen, *E. M. Forster and the Politics of Imperialism* (London, 2004).

John Galsworthy's *The Forsyte Saga* is edited by Geoffrey Harvey (Oxford, 1995).

Rudyard Kipling's *Kim* has been edited by Edward W. Said (London, 1987) and, with a copious selection of critical material, by Zohreh T. Sullivan (New York, 2002). See also Sullivan's *Narratives of Empire* (Cambridge, 1993), and Parama Roy's *Indian Traffic* (Berkeley, 1998). An earlier selection of criticism is Andrew Rutherford, ed., *Kipling's Mind and Art* (Edinburgh, 1964).

D. H. Lawrence's *Women in Love* is edited by Charles L. Ross (Harmondsworth, 1986), and by David Farmer, Lindeth Vasey, and John Worthen (Cambridge, 1987); *A Selection from Phoenix* is edited by A. A. H. Inglis (Harmondsworth, 1971). Lawrence criticism includes Colin Clarke, *River of Dissolution* (London, 1967) and Scott Sanders, *D. H. Lawrence: The World of the Major Novels* (London, 1973).

George Orwell's *Complete Works* have been edited by Peter Davison (20 vols., London, 1998). Davison has also edited a selection entitled *Orwell's England* (London, 2001), but Orwell's *Collected Essays, Journalism and Letters*, ed. Sonia Orwell and Ian Angus (4 vols., London, 1968) remains a valuable source for his essays. The fullest Orwell biography is still Bernard Crick's *George Orwell* (London, 1980). Criticism on Orwell includes Christopher Hitchens, *Orwell's Victory* (London, 2002) and Alex Zwerdling, *Orwell and the Left* (New Haven, 1974).

H. G. Wells's *Tono-Bungay* has been edited by Bryan Cheyette (New York, 1997) and by Patrick Parrinder (London, 2005). Critical works include Michael Draper's *H. G. Wells* (Basingstoke, 1987).

Virginia Woolf's *Between the Acts* has been edited by Frank Kermode (Oxford, 1992) and by Gillian Beer and Stella McNichol (London, 1992); *Jacob's Room*, ed. Sue Roe (London, 1992); *The Voyage Out*, ed. Lorna Sage (Oxford, 1992); *The Years*, ed. Hermione Lee (Oxford, 1992). Selections of Woolf's essays include *Women and Writing*, ed. Michèle Barrett (London, 1979) and *The Common Reader*, Vol. ii, ed. Andrew McNeillie (London, 2003). Her unpublished essays 'Anon' and 'The Reader' have been edited by Brenda R. Silver in *Twentieth-Century Literature* 25: 3–4 (1979), 356–441. See also Woolf's *Diary*, ed. Anne Olivier Bell and Andrew McNeillie (5 vols., London, 1984). A recent biography is Hermione Lee, *Virginia Woolf* (London, 1966). For criticism see Margaret Homans, ed., *Virginia Woolf: A Collection of Critical Essays* (Englewood Cliffs, NJ, 1993), and Robin Majumdar and Allen McLaurin, eds., *Virginia Woolf: The Critical Heritage* (London, 1975); also Gillian Beer, 'Virginia Woolf and Prehistory' in *Arguing with the Past* (London, 1989), and Rachel Bowlby, *Virginia Woolf: Feminist Destinations* (Oxford, 1988).

Chapters 13 and 14 (ii) , 15, and Epilogue: English Fiction Since 1950

Modern discussions of English national identity may be said to begin with Tom Nairn, *The Break-Up of Britain* (2nd edn., London, 1981); see also Patrick Wright's study of the 'national past' in contemporary Britain, *On Living in an Old Country* (London, 1985), and Declan Kiberd, 'Reinventing England', *Key Words* 2 (1999), 47–57, as well as the works by Ackroyd, Colls, Easthope, Kumar, and Scruton listed in the first section of this bibliography. An influential work of contemporary national historiography is Norman Davies, *The Isles* (London, 1999).

Recent studies of contemporary English fiction include the following: Steven Connor, *The English Novel in History 1950–1985* (London, 1996); Andrzej Gasiorek, *Post-War British Fiction* (London, 1995); Dominic Head, *The Cambridge Introduction to Modern British Fiction, 1950–2000* (Cambridge, 2002); Richard J. Lane, Rod Mengham and Philip Tew, eds., *Contemporary British Fiction* (London, 2003); Zachary Leader, ed., *On Modern British Fiction* (Oxford, 2002); Alan Sinfield, *Literature, Politics and Culture in Postwar Britain* (Oxford, 1989); D. J. Taylor, *After the War: The Novel and English Society since 1945* (London, 1993); Philip Tew, *The Contemporary British Novel* (London,

2004); Patricia Waugh, *The Harvest of the Sixties* (Oxford, 1995); and James Wood, 'England', in John Sturrock, ed., *The Oxford Guide to Contemporary Writing* (Oxford, 1996), 113–41. The final two volumes of the *Oxford English Literary History* cover the later twentieth century: Randall Stevenson, *The Last of England?* (Oxford, 2004), and Bruce King, *The Internationalization of English Literature* (Oxford, 2004). Volumes of essays specifically concerned with national identity are Ian A. Bell, ed., *Peripheral Visions* (Cardiff, 1995), and Tracey Hill and William Hughes, eds., *Contemporary Writing and National Identity* (Bath, 1995). Two earlier books are still well worth consulting: Bernard Bergonzi, *The Situation of the Novel* (London, 1970) and Malcolm Bradbury and David Palmer, eds., *The Contemporary English Novel* (London, 1979). A. S. Byatt's critical essays have been collected as *On Histories and Stories* (London, 2000).

Studies of multicultural English fiction include Ian Baucom, *Out of Place* (Princeton, 1999); Simon Gikandi, *Maps of Englishness* (New York, 1996); A. Robert Lee, ed., *Other Britain, Other British* (London, 1995); John McLeod, *Postcolonial London* (London, 2004); Susheila Nasta, *Home Truths* (Basingstoke, 2002); James Procter, *Dwelling Places* (Manchester, 2003); and Lars Ole Sauerberg, *Intercultural Voices in Contemporary British Literature* (Basingstoke, 2001). See also Caryl Phillips's anthology *Extravagant Strangers* (London, 1998), Salman Rushdie's essays collected in *Imaginary Homelands* (London, 1991), and Bryan Cheyette, *Constructions of 'the Jew' in English Literature and Society* (Cambridge, 1993). Israel Zangwill's *Children of the Ghetto* has been edited by Mari-Jane Rochelson (Detroit, 1998).

Jean Rhys's pre-war fiction has been collected as *The Early Novels* (London, 1984). Anthony Burgess's 'Malayan Trilogy' was reprinted as *The Long Day Wanes* (London, 1984), and Evelyn Waugh's 'final version' of his trilogy has appeared in a critical edition as *Sword of Honour*, ed. Angus Calder (London, 1999). See also Carole Angier, *Jean Rhys: Life and Work* (London, 1990), and Christopher Sykes, *Evelyn Waugh: A Biography* (2nd edn., Harmondsworth, 1977). Isabelle Joyau is the author of *Investigating Powell's 'A Dance to the Music of Time'* (Basingstoke, 1994).

Critical introductions to V. S. Naipaul's work include Landeg White, *V. S. Naipaul* (London, 1975) and, more recently, Bruce King, *V. S. Naipaul* (Basingstoke, 1993) and Fawzia Mustafa, *V. S. Naipaul* (Cambridge, 1995). See also Selwyn R. Cudjoe, *V. S. Naipaul: A Materialist Reading* (Amherst, Mass., 1988); Rob Nixon, *London Calling* (New York, 1992); and Timothy F. Weiss, *On the Margins* (Amherst, Mass., 1992).

Index

Aberdeen, Lord 178
Ackroyd, Peter 14–15, 411;
    Albion 411
Addison, Joseph 26, 63–4, 104
Aeschylus 283
Ainsworth, Harrison 143, 226;
    Rookwood 130, 143
al-Raschid, Haroun 325
Alèman, Mateo 29; *Guzman de
    Alfarache* 46
Alexander, General 369
Alexander the Great 90, 109, 124,
    130, 131
Alfred, King 214, 309
Ali, Monica, *Brick Lane* 384, 388
Allison, Archibald 153–4, 164
American War of Independence 84,
    103, 104–5, 222
Amis, Kingsley 407–8; *Golden Age of
    Science Fiction, The* 407–8; *Lucky
    Jim* 407; *Take a Girl Like You* 408
Anderson, Perry 20, 21, 22–3
Anglicans 83, 177, 182, 183–5, 202,
    250, 260, 265, 268, 421 n. 53; in
    C. Brontë 238, 240; in Eliot 272,
    273, 275, 276, 277; in Ford 354; in
    Forster 292; in Gaskell 210; in
    Gissing 286–7; in Hardy 281–2;
    in Lawrence 289; in Sterne 102; in
    Waugh 360
Anglo-Saxons, *see* Saxons
Anne, Queen 312
Apuleius, *Golden Ass, The* 123
Arabian Nights 325
Arbuthnot, John 63, 65; *History of
    John Bull, The* 26, 64–5, 77
Ariosto, Ludovico, *Orlando
    Furioso* 371
Aristophanes 92

Aristotle 91
Arnold, Matthew, *Culture and
    Anarchy* 276
Arthur, King 5, 36–7, 157, 163, 164,
    343–5, 346, 351, 361, 371, 374, 377,
    379, 403
Astell, Mary 92
Attar, Samar 78
Auden, W. H. 358–9
Austen, Jane 12, 31, 83, 94, 109, 121,
    150, 152, 174, 180, 182–202, 212,
    269, 406; *Emma* 146, 150, 163, 174,
    187, 189, 193, 195, 198–202, 241;
    'History of England, The' 83, 84,
    183, 188, 205; *Mansfield Park* 12,
    31, 33, 173, 183, 187, 188, 189, 193,
    195–8, 200, 245, 262, 438 n. 27, 438
    n. 30; *Northanger Abbey* 145–6,
    184, 185–8, 189, 190, 203, 262, 414;
    Persuasion 188, 189, 193–5; *Pride
    and Prejudice* 12, 31, 32, 164,
    184, 187, 189, 191–3, 195, 212;
    Sanditon 189, 194; *Sense and
    Sensibility* 184, 187, 189–91;
    'Watsons, The' 187–8, 189
Austen-Leigh, J. E. 189
Austrian Succession, War of 426 n. 54

Bage, Robert 181, 182;
    Hermsprong 181–2
Bagehot, Walter 11, 12, 23, 237,
    258–9; *English Constitution,
    The* 31, 32; *Physics and Politics* 24
Bakhtin, Mikhail 89, 90
Baldwin, James 394
Ballard, J. G. 320
Balzac, Honoré de 33, 217; *Illusions
    perdues* 217
Baptists 265

Barker, Ernest 21

Barnes, Julian 409–10; *England, England* 320, 409

Barrow, Isaac 120

Behn, Aphra 5, 44, 49–54, 62, 87–8, 93, 135, 425 n. 26; *Fair Jilt, The* 51; *Love-Letters* 51–4, 86, 92–3, 420 n. 37, 432 n. 25; *Oroonoko* 50–1, 82, 87–8; *Round-heads, The* 50, 56; *Rover, The* 52–3; 'Unfortunate Happy Lady, The' 51

Bellow, Saul 406

Bennett, Arnold 219, 261, 267, 288–9; *Anna of the Five Towns* 288–9; *Clayhanger* 288; *Man from the North, A* 219, 294; *Old Wives' Tale, The* 288; *Riceyman Steps* 219

Berkeley, Lady Henrietta 52

Besant, Walter 385

Bewick, Thomas 204, 439 n. 43

Bible 59, 71, 115, 227, 259, 266, 281, 283, 289; *see also* Job, Book of; Revelation, Book of; Psalms, Book of

Bildungsroman 29, 30, 217–20, 308, 328

Black Panthers 394, 395

Blackmore, Sir Richard 117, 343–4; *King Arthur* 344; *Prince Arthur* 344

Blackwood's Magazine 275

Bloomfield, Robert 146

Boccaccio, Giovanni 35, 419 n. 16

Booth, Sir George 119

'Bourne, George', *see* Sturt, George

Boy's Own Paper 232, 363

Boys of England 387

Bradbury, Malcolm 147, 353

Bradshaw, John 285

Bremond, Gabriel de 52

Britain, Battle of 295, 315

Brontë, Branwell 183, 240

Brontë, Charlotte 28, 152, 182, 183, 184, 185, 202–8, 212, 237–45, 261, 265, 266, 408; 'Ashworth' 237; 'Glass Town Saga' 240–1; *Jane Eyre* 28, 184, 202–8, 212, 238, 243, 306, 414, 439 n. 43, 439 n. 44; *Professor, The* 208, 210, 241, 243; *Shirley* 209, 210, 238–40, 241; *Villette* 208, 217, 237, 241–2, 243–5

Brontë, Emily 261–5; *Wuthering Heights* 112, 260, 261–5, 272, 408

Brooks, Peter 4

Brown, Ford Madox 352, 357, 361

Browning, Robert 366, 376–7

Bulwer-Lytton, Edward, *see* Lytton, Edward Bulwer-

Bunyan, John 29, 44, 50, 51, 54–62, 234, 258; *Grace Abounding* 59, 116; *Holy City, The* 50; *Holy War, The* 50, 57–8, 60, 62, 71, 116, 420 n. 43, 421 n. 47, 421 n. 51; *Life and Death of Mr Badman, The* 55–6; *Pilgrim's Progress, The* 35, 54, 57, 59–62, 204, 225, 328, 420 n. 42, 421 n. 51

Burgess, Anthony 337–9; *Beds in the East* 337; *Malayan Trilogy* 337–9

Burke, Edmund 19, 151, 166; *Reflections on the Revolution in France* 155

Burne-Jones, Edward 344

Burney, Frances (Fanny) 12, 54, 135, 164, 171; *Evelina* 30, 133, 135, 142, 189

Burrow, John 84

Burton, Robert, *Anatomy of Melancholy* 371

Burton, Sir Richard 325

Butterfield, Herbert 295–6

Byatt, A. S. 407, 410, 411; 'People in Paper Houses' 407

Byron, Lord 275, 318

Caesar, Julius 90, 109, 130, 131

Caligula 204

Calvino, Italo 410

Camus, Albert 410
Canning, Elizabeth 106–7
Captain Swing riots 150–1
Carleton, Mary 47
Carlyle, Thomas 154–5, 168, 253, 258, 259; *Chartism* 168; *Letters and Speeches of Oliver Cromwell* 258, 439 n. 49; *Past and Present* 168, 435 n. 26; *Sartor Resartus* 168; 'Signs of the Times' 27
Carroll, Lewis 376; *Alice's Adventures in Wonderland* 344, 350; *Through the Looking-Glass* 344, 375
Carte, Thomas 82, 83, 84
Carter, Angela 410, 411; *Bloody Chamber, The* 411
Cary, Phoebe 242
Catholics 88, 122–3, 260; Emancipation 172; in C. Brontë 243–5; in Disraeli 173, 176; in Ford 297, 355, 356, 357–9; in Forster 299; in Inchbald 262; in Kipling 324; in Larkin 399; in Richardson 108; in Sterne 102, 427 n. 59; in Waugh 360–2, 365, 367–70; Irish 49
Cavaliers 39, 41, 49, 50, 61, 84, 128, 139, 152, 206, 259; and highwaymanship 135, 138; in Addison 64; in Amis 408; in Austen 191; in Behn 53–4, 88; in Bunyan 58; in C. Brontë 205; in Defoe 89; in E. Brontë 264; in Eliot 273, 277; in Hardy 280, 282; in Irving 148–9; in Lawrence 289; in Richardson 32, 96, 97, 109; in Scott 158, 160; in Shaftesbury 126; in Smith 104; in Waugh 360, 361–2; in Wells 293
Caxton, William 36–7
Celts 36, 37, 345–6
Cervantes, Miguel de 29, 48, 162, 344; *Don Quixote* 29, 35, 47, 62, 344

Charlemagne 371
Charles Edward, Prince (the Pretender) 99, 100, 152, 160
Charles I, King 45–6, 66, 68, 83, 84, 89, 104, 116, 135, 188, 191, 205, 206
Charles II, King 46, 49–50, 52, 58, 64, 76, 103, 104, 135, 139, 152, 153, 160, 194, 279
Chartists 169, 170, 175
Chase, Richard 3
Chaucer, Geofrey 24, 29, 60
Chesney, Sir George, *Battle of Dorking, The* 293
Chesterfield, Lord 200; *Letters to his Son* 200, 209
Chesterton, G. K. 213; *Short History of England, A* 295
Churchill, Winston 369
Cicero 91
Civil Marriages Act 276
Civil War, English 33, 41, 45, 50, 59, 63, 71, 72, 83–6, 88–9, 102, 103–4, 107, 132, 135, 139, 152, 169, 173, 203, 205, 209, 241, 258, 343
Clare, John 146
Clarendon, Earl of 45; *History of the Rebellion* 84, 89
Clorana 93, 426 n. 44
Clough, Arthur Hugh 151
Coleridge, Samuel Taylor 78
Colley, Linda 6, 63
Colum, Mary 358
Commonwealth, English 47, 49, 53, 59, 72, 84, 98, 116, 135, 139, 148, 210, 258
Communists 237, 338, 346, 352, 358, 362, 368–9
Compton-Burnett, Ivy 351
Conan Doyle, Arthur, *see* Doyle, Arthur Conan
Condé, Prince of 52
Congreve, William, *Incognita* 10, 88; *Way of the World, The* 93, 425 n. 38

Conrad, Jessie 256
Conrad, Joseph 254–7, 322, 357–8, 402; *Heart of Darkness* 61, 256, 322; *Lord Jim* 21; *Secret Agent, The* 252, 254–7
Conservatives 259, 381, 395; *see also* Tories
conte philosophique 79
Cooper, Lady Diana 362
Cottington, John 135
courtship, novel of 28, 29, 30–2, 33, 55, 92, 97, 107–8, 162, 184–5, 193, 212, 262, 308, 321, 323, 348
Cowley, Jason 411
Cowley, Malcolm 310
Crabbe, George 123, 146
Crick, Bernard 316
criminal biography 46–9, 55, 59, 128–9, 129–30, 132, 134–5, 142, 430 n. 10, 432 n. 24, 432 n. 32
Cromwell, Oliver 45, 64, 72, 76, 84, 104, 109, 112, 119, 135, 160, 210, 259, 279, 285, 289, 293, 297, 318, 432 n. 24, 439 n. 49
Cromwell, Thomas 297
Crusades 155–6, 157, 176, 239, 349, 360, 362, 363, 368
Cumberland, Duke of 99

Dangerfield, Thomas 46–7; *Don Tomazo* 47–8
Darwin, Charles 287
Dashwood, Sir Francis 188
Daudet, Alphonse 78
David, Jacques-Louis 254
Davies, Norman, *Isles, The* 411–12
de Chirico, Giorgio 403
de la Mare, Walter 78
Defoe, Daniel 2, 10, 14–15, 17, 19–20, 25, 30, 35, 44, 62, 63–81, 86, 88–9, 123, 128, 137, 423 n. 28, 431 n. 14; *Captain Singleton* 49, 65, 69, 72; *Colonel Jack* 49, 65, 69, 140, 430

n. 10, 433 n. 50; *Complete English Gentleman* 66; *Complete English Tradesman, The* 63, 67; *Consolidator, The* 67; *Essay upon Projects* 66–7, 431 n. 14; *Farther Adventures of Robinson Crusoe* 70, 74–5, 76, 79, 80, 422 n. 19; *Journal of the Plague Year, A* 71–2, 88, 89; *Memoirs of a Cavalier* 66, 88–9, 128, 425 n. 28; *Moll Flanders* 47, 65, 69, 116, 137; *People of England, The* 68; *Plan of the English Commerce, The* 63; *Review* 66; *Robinson Crusoe* 19–20, 26, 65, 69–81, 115, 116, 150, 421 n. 44, 422 n. 19, 423 n. 30, 423 n. 45; *Roxana* 33, 65–6, 69, 72; *Serious Reflections of Robinson Crusoe* 69, 70, 75–6, 80, 422 n. 19; *True-Born Englishman, The* 19, 22, 67–9, 78, 422 n. 17
Dekker, Thomas 43
Deloney, Thomas 29, 41–4, 220; *Gentle Craft, The* 42–3, 220; *Jack of Newbury* 42; *Thomas of Reading* 43–4, 419 n. 19
Derby, Lord 165
Dickens, Charles 9, 27, 29, 31, 59, 149, 208, 213–31, 251, 260, 271, 318, 361, 396, 411; *Barnaby Rudge* 215, 216, 221–2, 225, 226; *Bleak House* 104, 173, 222, 223, 224, 226–7; *Child's History of England, A* 214; *David Copperfield* 214, 216, 217, 222, 223, 321; *Dombey and Son* 223, 224–5, 251; *Great Expectations* 217, 223–4, 226; *Little Dorrit* 226; *Martin Chuzzlewit* 217, 222; *Nicholas Nickleby* 217, 222–3, 225, 227; *Old Curiosity Shop,The* 222, 227; *Oliver Twist* 33, 130, 143–4, 173, 214, 215–16, 217, 222, 225, 226, 385; *Our Mutual Friend* 215, 216, 225,

228–31; *Pickwick Papers* 148, 215,
226; *Tale of Two Cities, A* 216, 226
Dictionary of National Biography 309
Dinesen, Isak 410
Disraeli, Benjamin 18, 34, 84, 121,
165–79, 181, 218, 248, 269, 273, 279,
300, 357; *Alroy* 171, 178;
Coningsby 149, 166, 168, 169, 172,
173–5, 177; *Contarini Fleming* 171,
172; *Lothair* 178; *Sybil* 149,
165–71, 172, 174, 176–7, 436 n. 49;
Tancred 166, 168, 173, 175, 176–9,
250; *Vindication of the English
Constitution, A* 165, 166–7; *Vivian
Grey* 147, 171–2; *Young Duke,
The* 171, 172, 218
Disraeli, Isaac 84, 171
Dissenters, *see* Nonconformists
Dondy, Farrukh, *Come to Mecca* 384
Doyle, Arthur Conan 4–5
Drabble, Margaret, *Ice Age, The* 2
Dryden, John 343
Dutch Rogue, The 47

Easthope, Antony 6
Edgeworth, Maria 4, 171, 180, 234;
Absentee, The 161, 241; *Castle
Rackrent* 26
Eliot, George 14, 21, 33, 151, 176, 219,
245, 259, 265–77, 278, 280, 292, 293,
300, 305, 334, 408–9; *Adam
Bede* 260, 265, 269, 272–4, 282, 408;
'Address to Working Men' 275;
Daniel Deronda 179, 185, 212, 237,
238, 246, 248–50, 251, 274, 276, 386;
Felix Holt 257, 260–1, 265, 272,
274–7, 280, 286, 288; *Impressions
of Theophrastus Such* 248, 269;
Middlemarch 90, 212, 259, 261, 265,
271, 272, 274, 275, 276–7, 409; *Mill
on the Floss, The* 147, 259, 265–8,
277, 409; 'Modern Hep! Hep! Hep!,

The' 237–8, 243; 'Natural History
of German Life, The' 271;
Romola 271; *Scenes of Clerical
Life* 269, 271, 272; *Silas
Marner* 269, 270–1, 274, 443 n. 24
Eliot, T. S. 366
Elizabeth I, Queen 112, 153, 159–60,
183, 312
empire 18, 34, 46, 47, 77–8, 104–5,
242, 249–50, 292, 295–6, 297, 303,
320, 321–40, 341, 345, 400, 410; and
Dickens 214; in Behn 88; in
Burgess 357–9; in C. Brontë 207,
240; in Defoe 75, 80; in
Disraeli 171, 175–9; in Eliot 274; in
Ford 357; in Forster 299, 301–2,
329–34, 347; in Kipling 323–9; in
Kureishi 381; in Lawrence 306; in
Naipaul 401, 402–3; in Orwell 317,
334–7; in P. Scott 339–40; in
Smith 104–5; in Thackeray 232–7;
in Woolf 309–10, 349–50;
seventeenth-century 46, 47
English Review 303
Englishness 1–2, 3–5, 15–24,
32–3, 63, 213, 241–3, 255–6, 318,
337, 380, 382, 405, 410–11; and
empire 179; in Austen 146, 186–7,
200–1; in C. Brontë 245; in
Defoe 68–9, 76–81; in
Dickens 213–14; in Disraeli 174;
in Doyle 5; in Eliot 250; in
Fielding 25–6; in Forster 251–2; in
James 251–2; in Kipling 324–5,
329; in Kureishi 381; in Orwell 315,
335, 336; in Powell 374–5; in
Sterne 102; in Thackeray 233, 236;
in the eighteenth century 6; *see also*
national character; national identity
Etherege, Sir George 64
European Union 410, 411–12
Eyre, Simon 42–3, 220

Fabian Society 307

Fairfax, Thomas 84, 104, 135, 202

fairy tale 56, 60, 61, 193, 204, 217, 230, 276, 411

Falkland, Lord 103, 104, 141, 430 n. 31

family saga 32–4, 316, 355–6, 387, 407

Ferrier, Susan, *Marriage* 180

Fiedler, Leslie 3

Fielding, Henry 17, 24–6, 27, 29, 30, 54, 84, 88, 90, 92, 93, 94, 97–101, 106, 108, 129–34, 139, 152, 171, 214, 217, 218, 269, 305, 383; *Amelia* 17, 98, 116, 117, 118–21, 122, 129, 137–8, 429 n. 36; *Enquiry into the Causes of the Late Increase of Robbers, An* 130, 133, 431 n. 14; *Grub Street Opera* 98; *History of the Present Rebellion, The* 82, 98; *Jacobite's Journal* 98; *Jonathan Wild* 116, 130, 131–2; *Joseph Andrews* 25, 30, 53, 82, 86, 90, 93, 116, 129, 130–1, 133; *Journal of a Voyage to Lisbon, A* 82; 'Serious Address' 98; *Shamela* 97, 131; *Tom Jones* 26, 30, 33, 82, 86, 90, 97–101, 104, 116, 118, 126, 129, 131, 132, 133–4, 142, 181, 218, 426 n. 53, 426 n. 54, 427 n. 56; *True Patriot, The* 98

Fielding, Sarah, *David Simple* 117–18

Filmer, Sir Robert 46, 91

First World War 292, 306, 307, 316, 333, 352, 355–9

Fitzgerald, Penelope 410

Fitzwilliam, Lord 191

Flaubert, Gustave 289, 409

Fletcher, C. R. L. 295

folk tale 9, 10–11, 41, 61, 114, 204, 217, 220–1, 224, 225, 393, 411

Ford, Ford Madox 5, 34, 242–3, 296–8, 303, 316, 342–3, 345, 347, 351–60, 361, 364, 365, 377, 379, 411; *Cinque Ports, The* 296–7; *Critical Attitude,The* 357–8; *England and the English* 296, 383; *Fifth Queen, The* 297–8; *Good Soldier, The* 243, 297, 342, 398; *Heart of the Country, The* 296; *Last Post, The* 355, 358–60; *Man Could Stand Up, A* 355, 358; *No More Parades* 342, 355, 359, 364–5; *Parade's End* 297, 342, 350, 353–60, 450 n. 26; *Some Do Not…* 354–5, 356; *Soul of London, The* 296; *Spirit of the People, The* 242–3, 295, 296, 297, 316, 357

Forster, E. M. 242, 250, 291–2, 294, 298–302, 303, 305, 306, 308, 312, 319, 320, 329–34, 336, 347, 357, 397, 446 n. 25, 449 n. 22; 'Abinger Pageant, The' 298, 302; *England's Pleasant Land* 298; *Howards End* 294, 298, 300–2, 305, 308, 313, 347, 398; *Longest Journey, The* 291–2, 294, 298–300, 308, 313; 'Notes on the English Character' 22, 268, 298; *Passage to India, A* 179, 308, 323, 329–34, 335, 336, 337, 338; *Room with a View, A* 298, 347; 'What I Believe' 291; *Where Angels Fear to Tread* 298, 299

Fouke Fitzwarine 36

Fowles, John 380, 407; *French Lieutenant's Woman, The* 407

Fox, Charles James 84

Frazer, Sir James 344

French Revolution 84, 103, 104, 165, 167, 171, 181, 182, 253

French Rogue, The 47

Frith, Mary 135

Fry, Roger 361

Galsworthy, John 301, 401; *Forsyte Saga, The* 301; *Island Pharisees, The* 301; *Man of Property, The* 301

Garibaldi, Giuseppe 311

Gascoigne, George, *Adventures of Master F. J.* 37

Gaskell, Elizabeth 151, 168, 182, 184, 185, 208–12; *Cranford* 149, 209; *Life of Charlotte Brontë* 209–10; *Mary Barton* 208, 321; *North and South* 147, 182, 183–4, 184–5, 208–12, 241, 439 n. 49; *Sylvia's Lovers* 212, 239

Gay, John, *Beggar's Opera, The* 129, 130, 132, 138

gentleman, English 126, 185, 200, 201, 242–3, 273, 336, 343

gentrification 42, 137–8, 264

Geoffrey of Monmouth 36

George IV, King 12, 163

Gibbon, Edward 283; *Decline and Fall of the Roman Empire* 309

Gilbert, Paul 16

Girouard, Mark 343, 353

Gissing, George 213, 227, 275, 286–8, 385, 386, 389, 402; *Born in Exile* 257, 286–8; *New Grub Street* 286; *Private Papers of Henry Ryecroft, The* 402; *Unclassed, The* 286

Gladstone, W. E. 285

'Glorious Revolution' (1688) 62, 84, 195, 258, 343, 357

Godwin, William 5, 83, 84, 86, 121, 140–3; *Caleb Williams* 86, 112, 116, 141–3, 433 n. 52; *History of the Commonwealth* 84; 'Of History and Romance' 86; *Political Justice* 140–1

Goebbels, Joseph 315

Goethe, J. W. von 161

Golding, William 410; *Inheritors, The* 410; *Lord of the Flies* 410; *Pincher Martin* 410

Goldsmith, Oliver 82–3, 85–6, 108, 128–9, 135, 424 n. 17; *Citizen of the World, The* 107, 129; *Deserted Village, The* 123, 146; *History of England, from the Earliest Times* 83; *History of England, in a Series of Letters* 84; *Roman History* 204; *Vicar of Wakefield, The* 86, 103, 116, 123–5, 129, 140, 430 n. 41

Gothic novel 112, 117, 122–3, 145, 152, 179, 185–6, 261, 262

Grass, Günter 410

Gray, Thomas 146

Green, Henry 351

Green, J. R. 237, 259, 273; *Short History of the English People* 259, 295, 296

Green, Martin 34, 162–3

Greene, Donald 188, 190

Greene, Graham 342

Grey of Werke, Lord 52

Gustavus Adolphus 79

Guy of Warwick 239

Haggard, H. Rider 322; *King Solomon's Mines* 179, 322; *She* 179

Hall, Virtue 106

Hampden, John 84

Hannibal 109

Hardy, Thomas 212, 261, 265, 267, 277–85, 345; *Jude the Obscure* 219–20, 277, 278, 279, 281, 283–5, 392; *Mayor of Casterbridge, The* 280; *Pair of Blue Eyes, A* 279; *Poor Man and the Lady, The* 279; *Return of the Native, The* 257, 278, 280–1, 286; *Tess of the d'Urbervilles* 112, 278, 279–80, 281–3, 284, 397; *Under the Greenwood Tree* 279; *Woodlanders, The* 280, 397

Harrison, Thomas 119

Hay, Douglas 137

Hays, Mary, *Victim of Prejudice, The* 116

Haywood, Eliza 39, 82, 93; 'Double Marriage, The' 87

Hazlitt, William 6, 13–14, 19, 29, 151, 156, 179, 215, 216; *Lectures on the English Comic Writers* 13; *Plain Speaker, The* 215; *Spirit of the Age, The* 145, 147; 'Standard Novels and Romances' 13–14, 27

Head, Richard, *English Rogue, The* 47–9; *Jackson's Recantation* 48

Heine, Heinrich 162

Henry VII, King 343

Henry VIII, King 169, 297, 411

Herbert, George 357

Herbert, Percy, *Princess Cloria, The* 45, 86, 87, 89, 93

Heywood, Thomas 11; *Famous and Remarkable History* 220

Hill, Christopher 109

Hind, James 46, 132

Hindus 393, 400

historical romance 29, 33, 42, 44, 82, 86–7, 88, 151–65, 260, 362, 406, 407, 410–11

histories of England 82–3

historiographic metafiction 407

Hitler, Adolf 366, 367

Hobbes, Thomas 46, 280, 430 n. 4; *Leviathan* 40–1, 91, 127–8

Hobson, J. A. 330, 331

Holcroft, Thomas 181, 182; *Anna St Ives* 181

Holdernesse, Earl of 191

Holtby, Winifred, *South Riding* 285

Homer 155

Hood, Robin 30, 36, 77, 125, 134, 136, 138–40, 141, 143, 148, 159, 240, 307, 433 n. 48

Hopkins, Gerard Manley 150

Horne, R. H. 164

Household Words 208

Howard, Katharine 297

Howard, Zachary 135

Hudson, W. H., *Crystal Age, A* 293–4

Hueffer, Ford Madox, *see* Ford, Ford Madox

Hume, David 82, 83, 424 n. 7; *History of Great Britain* 83, 85; 'Of National Characters' 20, 22

Hutchinson, Colonel 289, 354

Hutchinson, Lucy, *Memoirs, see* Hutchinson, Colonel

Huxley, Aldous 341; *Brave New World* 319

Huysmans, J.-K. 4

immigration 18–20, 67, 237, 240, 246–7, 254, 255, 257, 296–7, 303, 316, 341, 380–405, 406, 411, 414

immigration, novel of 28, 34, 380–405, 409, 413, 414

imperialism, *see* empire

Inchbald, Elizabeth 262; *Lovers' Vows* 262; *Simple Story, A* 262

Independents 285–6, 289

Irish Rogue, The 47

Irving, Washington 4, 147–50, 172; *Bracebridge Hall* 148–9; *Sketch Book* 147–50, 151, 174, 268

Islam, *see* Muslims

Jacobin novel 117, 140, 171, 181–2, 261

Jacobins 139, 181–2, 200, 238, 239

Jacobite Rebellion (1745) 98–101

Jacobites 82, 84, 96, 98, 99, 101, 152, 195, 343

James, Henry 2, 4, 250–4, 308, 357–8; *Ambassadors, The* 251; *Princess Casamassima, The* 251–4; *Spoils of Poynton,The* 251; *Tragic Muse, The* 251; *Turn of the Screw, The* 251

James, Louis 78

James I, King 91, 160

James II, King 88, 188, 297

Jefferies, Richard, *After London* 293
Jews 177, 186, 237, 246–50, 303,
    369, 384, 385, 386–9, 398–9; in
    Disraeli 175; in Scott 156, 158–9
Job, Book of 58, 59, 69–70, 72, 73,
    105, 108, 114–25, 208, 269–71, 281,
    284, 429 n. 23, 443 n. 24
Johnson, Captain Charles 129–30,
    134, 135
Johnson, Charles, *Caelia* 108
Johnson, Samuel 200, 233; 'Bravery of
    the English Common Soldiers,
    The' 103
Jones, Tom (highwayman) 133
Jonson, Ben 46
journey novel 29–30, 34, 321
Joyce, James 2, 3, 77, 78, 80;
    Ulysses 65, 349

Kavan, Anna 391; 'Our City' 391
Kennett, White 83, 84
Keymer, Thomas 96
Kinglake, Alexander, *Eōthen* 236, 250
Kingsley, Charles 168; *Alton
    Locke* 321
Kipling, Rudyard 2, 242, 243, 250,
    292, 295, 301, 306, 318, 321, 322–9;
    Kim 4, 28, 179, 242, 323–9, 333,
    336, 414; *Light That Failed,
    The* 323, 326, 329; *School History
    of England* 295, 322
Kirkman, Francis, *Counterfeit Lady
    Unveiled, The* 47; see also Head,
    Richard
Korshin, Paul J. 76
Kotzebue, August 262
Kumar, Krishan 17, 18, 291
Kundera, Milan 2, 410
Kureishi, Hanif 5, 380–1, 383, 388,
    395–6; *Black Album, The* 388,
    395–6; *Buddha of Suburbia,
    The* 380–1, 383; *Rainbow Sign,
    The* 381

Labour movement 285
Lamming, George 403–4; *Emigrants,
    The* 403–4; *Pleasures of Exile,
    The* 393
Langford, Paul 22
Larkin, Philip 398–9, 408; *Girl in
    Winter, A* 398–9; *Jill* 398
Lawrence, D. H. 33, 242, 261, 289–90,
    300, 303, 305–8, 319, 341, 346, 374,
    398, 404; *Lady Chatterley's
    Lover* 289, 307–8, 313, 341, 404;
    Lost Girl, The 306; *Plumed
    Serpent, The* 341; *Rainbow,
    The* 33, 305–6, 307, 308, 331, 398;
    Sons and Lovers 274, 289–90;
    Woman Who Rode Away, The 341;
    Women in Love 28, 33, 306, 307,
    308, 398
Lawrence, T. E. 345; *Seven Pillars of
    Wisdom* 345
Lazarillo de Tormes 30, 40
Lecky, W. E. H. 259
Leicester, Earl of 159
Lessing, Doris 341, 391, 410; *Grass is
    Singing, The* 337; *In Pursuit of the
    English* 391; *Memoirs of a Survivor,
    The* 391, 396
Levy, Amy 387; *Reuben Sachs* 387
Lewis, C. S. 352–3; *That Hideous
    Strength* 352–3
Lewis, Matthew, *Monk, The* 122,
    123, 262
Lewis, Percy Wyndham 341
Liberals 259, 285, 311, 330; see also
    Whigs
Lloyd George, David 307
Locke, John 46, 111; *Two Treatises of
    Government* 91
Lockman, John 83
Lovelace, Richard 104, 109
Luther, Martin 287
Lyly, John 35, 38, 40; *Euphues* 38;
    Euphues and His England 38

Lytton, Edward Bulwer- 143, 165, 166, 171, 226; *England and the English* 165; *King Arthur* 344; *Paul Clifford* 165

Mabbe, James 46
McAdam, John 142
Macaulay, Thomas Babington 84, 258, 311, 321, 424 n. 7; *History of England, The* 258, 309
McEwan, Ian 406–7, 412–13; *Atonement* 33, 406, 409
Mackenzie, Henry, *Man of Feeling, The* 103
Mackintosh, Sir James 84
Maginn, William, *Whitehall* 163
Magna Carta 19, 84, 296
Malory, Sir Thomas 35, 36–7; *Morte d'Arthur, Le* 36–7, 38, 343, 345, 346, 349, 351, 365–6, 374, 449 n. 8
Mandeville, Bernard, *Fable of the Bees, The* 126–8, 137
Manley, Delarivier 39, 82, 93
Marlborough, Duke of 102, 199
Marprelate controversy 41
marriage, *see* courtship, novel of
Martineau, Harriet 243
Marvell, Andrew 98
Marx, Karl 168
Mary Queen of Scots 112
masquerades 136, 432 n. 29
Maugham, Somerset, *Liza of Lambeth* 385
Meinecke, Friedrich 17
Meredith, George 31, 300, 302, 309; *Beauchamp's Career* 299, 300; *Ordeal of Richard Feverel, The* 302
Methodists 260, 265, 272–3, 285, 288–9
Michelet, Jules 253
Middleton, Lord 190, 438 n. 21
Mill, John Stuart 237; *Representative Government* 23–4

Milner, Lord 345
Milton, John 89, 90, 305, 318, 343, 344
Mitford, Mary Russell 149–51, 174, 184, 434 n. 12; *Belford Regis* 150; *Our Village* 150–1, 209
monarchy, English 1, 32–3, 59, 68, 86, 91, 99, 163–4, 165, 166
Monmouth, Duke of 52
Monmouth rebellion (1685) 51, 52, 99, 102, 103
More, Sir Thomas 40, 297; *Utopia* 35, 37, 40
Moretti, Franco 14
Morgan, Lady, *O'Donnel* 26; *Wild Irish Girl, The* 26, 161
Morris, William 344; *News from Nowhere* 293, 308
Morrison, Arthur 385, 386; *Child of the Jago, A* 385; *Tales of Mean Streets* 385
Mrs Dale's Diary 362
multiculturalism 233, 329, 381–2
Murdoch, Iris 347, 410; *Green Knight, The* 344, 347
Muslims 177, 250, 330, 333, 395–6, 409
Myers, F. W. H. 267

Naipaul, Shiva 405
Naipaul, V. S. 4, 5, 390, 392–3, 397, 401–5, 408; *Enigma of Arrival, The* 397, 401–5, 453 n. 41; *Guerrillas* 401, 408; *House for Mr Biswas, A* 393; *Mimic Men, The* 392–3, 396, 397, 401; *Mystic Masseur, The* 393
Napoleon 147, 155, 156, 176, 182, 195, 233, 235, 244, 322
Napoleonic Wars 182, 194, 238, 239, 310; *see also* Waterloo, Battle of
Nashe, Thomas 29, 30, 39–41, 42; *Unfortunate Traveller, The* 39–41, 51, 421 n. 44
Nasser, Gamel Abdel 409

nation-state 14, 17
national allegory 4, 26–7, 28, 33, 45,
  97, 122, 417 n. 45, 426 n. 48; in
  Addison 64; in courtship fiction 32;
  in Defoe 67, 76; in Galsworthy 301;
  in Job 116; in Powys 346; in
  Restoration drama 92; in Smith 105
national character 6, 20–4, 27,
  237, 241–3, 255, 330, 412, 414;
  Bulwer-Lytton on 165, 166; Carlyle
  on 258; Disraeli on 166, 167; in
  Austen 203; in Conrad 254; in
  Defoe 68, 77; in Dickens 213; in
  Eliot 250; in Fielding 25–6; in
  Forster 291, 294, 298; in
  Orwell 315, 316–17, 336–7; in
  P. Scott 339; in Smollett 103
national identity 5–7, 15, 20–4, 28, 33,
  34, 63, 179, 246, 250, 321, 323, 342,
  345, 380, 383, 388, 397, 405, 410–11,
  412–13, 414; and monarchy 32; in
  C. Brontë 202, 243; in Conrad 255;
  in Defoe 65; in Doyle 5; in
  Ford 357; in Forster 292; in
  James 253–4; in Kipling 328; in
  Orwell 317, 336; in Scott 159, 162;
  in Woolf 313, 348; Kureishi on 381
Nazi-Soviet pact 367
Nelson, Horatio 194, 394
Nero 204
Newgate Calendar 84, 156, 169, 170
Newgate novel 130, 132, 226
Newman, Gerald 6
Newport, Colonel Andrew 88, 425
  n. 28
Nonconformists 62, 83, 84, 238, 260,
  265, 275–6, 277, 285, 288–9, 421
  n. 53
Norman Conquest 84, 156, 169,
  170, 296
Normans 169, 296, 297; in
  Disraeli 169–71, 175; in
  Gaskell 209–10; in Eliot 248; in

Hardy 279, 280; in Scott 4, 154,
  155–9
novel-sequence 29, 33–4, 342, 347,
  350–60, 362–79

Orwell, George 213–14, 314–20,
  334–7, 381, 411, 447 n. 64; Burmese
  Days 330, 333, 334–7; Coming Up
  for Air 303, 314; Complete
  Works 316; English People,
  The 316–17, 448 n. 71; Homage
  to Catalonia 314–15; Keep the
  Aspidistra Flying 294, 314, 391;
  Lion and the Unicorn, The 22, 32,
  315–18, 337, 382; Nineteen
  Eighty-Four 314, 317–19
Owenson, Sydney, see Morgan, Lady

Page, Luke 139
Palmerston, Lord 311
Paterson, Robert 153
Paxman, Jeremy 20–1
Peacock, Thomas Love 140
Peel, Sir Robert 178
Peerage of England 188
Pembroke, Countess of 37, 38
Pepys, Samuel 11
Percy, Thomas 139
Phillips, Caryl 19, 391–2; Distant
  Shore, A 397; Extravagant
  Strangers 19; Final Passage,
  The 391–2
picaresque novel 30, 40, 46, 65
Pitt, William 236
Plato 91, 121
Plumb, J. H. 166
Popish Plot 160
Postmodernism 409, 410
Powell, Anthony 34, 342, 347, 351–3,
  370–9; Acceptance World, The 450
  n. 22; Afternoon Men 342; Books
  Do Furnish a Room 377–8; Dance
  to the Music of Time, A 350, 355,

370–9, 399; *Fisher King, The* 347, 351, 371; *From a View to a Death* 312, 342; *Hearing Secret Harmonies* 371–2, 373, 378–9; *Kindly Ones, The* 374; *Military Philosophers, The* 373, 374, 376; *Question of Upbringing, A* 372; *Soldier's Art, The* 375–6; *Temporary Kings* 378; *Valley of Bones, The* 376

Powell, Enoch 237, 395

Powys, John Cowper 345–7; *Glastonbury Romance, A* 312, 345–7

Priestley, J. B. 13, 382–3, 392, 397; *English, The* 20; *English Journey* 382–3

Pritchett, V. S. 320

Protestantism 41, 99, 108, 116, 122–3, 185, 259, 262, 297, 357, 411; in C. Brontë 243–5; in Defoe 69–76; in Disraeli 168; in Eliot 267, 443 n. 14; in Ford 298, 358, 359; in Forster 299; in S. Fielding 118; in Waugh 361–2

Proust, Marcel 374, 378

Psalms, Book of 71, 96, 115

Puritans 41, 42, 46, 49, 50, 59, 62, 76, 84, 86, 116, 148, 169, 242, 257, 258–61, 292, 424 n. 20, 425 n. 26; in Addison 64; in Amis 408; in Austen 198; in Behn 53; in Bennett 288; in Bunyan 55, 57–8; in C. Brontë 206, 243; in Conrad 247; in Defoe 65, 80, 89; in E. Brontë 262–5; in Eliot 249, 268, 270–1, 273–4, 275–6, 277; in Fielding 119; in Ford 354; in Forster 299; in Gissing 287; in Hardy 279, 280–5; in Lawrence 289–90; in Orwell 318; in Richardson 32, 93, 96–7; in Rutherford 285–6; in Scott 158,

160; in Sheridan 118; in Waugh 361; in Wells 293

Pym, John 84

Quakers 71, 72, 97, 206, 301, 423 n. 28

Rabelais, François 29, 35

racism 233, 236, 241, 334, 381, 385, 394, 397, 398, 399–401

Radcliffe, Ann 122–3, 145, 164, 185, 186; *Mysteries of Udolpho, The* 108, 116, 122, 145

Ragussis, Michael 178

Raleigh, Sir Walter 159

Raleigh, Walter 77, 80

Rapin, Paul de 83

Ratsey, Gamaliel 134, 136, 138–9

Reeve, Clara, *Old English Baron, The* 151–2

Reform Bill 235

Reformation 168, 169, 358, 411

Renan, Ernest 237

Restoration (Charles II's) 45, 46, 50, 59, 64, 71, 72, 76, 87, 88, 89, 119, 128, 148, 160, 202

Restoration comedy 93

Revelation, Book of 58, 61

Rhys, Jean 390–1, 392, 397; *After Leaving Mr Mackenzie* 390–1; *Voyage in the Dark* 391

Richard I, King 139, 154, 157

Richardson, Samuel 10, 25, 27, 30, 31, 54, 70, 88, 90, 92, 93–7, 107–16, 117, 118, 124, 130–1, 135, 164, 171, 189, 408, 426 n. 44; *Clarissa* 31, 70, 82, 93, 94, 96, 98, 106, 107–16, 117, 135, 142, 181, 420 n. 38, 428 n. 10, 428 n. 15, 428 n. 21, 429 n. 23; *Meditations* 115; *Pamela* 32, 53, 90, 93–7, 104, 107, 108, 114, 115, 131, 181, 198; *Pamela: II* 30, 82, 93, 94, 97; *Sir Charles Grandison* 82, 94, 95,

98, 108, 109, 110, 121, 122–3, 124, 129, 135, 142, 171, 185, 426 n. 48

Ritson, Joseph 139–40, 141, 433 n. 52

Roberts, Morley 286

Robsart, Amy 159

Rochester, Earl of 64, 202

Rockingham, Marquess of 188

Rogers, Captain Woodes 73

romance 9–10, 13–14, 29, 34, 35, 36, 37, 44, 47, 60, 94, 109, 117, 153, 161, 180, 214, 248, 303, 307, 314, 323, 341, 347, 350, 351, 352–3, 361, 362, 370, 371, 401, 407, 410–11, 413; and Sidney 38–9; Arthurian 36–7, 60, 61, 157, 343–5, 353, 356; Fielding on 83; Godwin on 86; Hazlitt on 13–14, 145, 151, 156, 179; imperial 179, 232, 322; metafictional 279; Richardson on 93; scientific, see science fiction; utopian 294, 308, 319; see also historical romance

Rossetti, D. G. 361

Roundheads 83, 88, 89, 139, 149, 259; in Austen 191; in Fielding 99; in Gaskell 210; in Waugh 360; see also Puritans

Rousseau, Jean-Jacques 78

Rushdie, Salman 385, 388, 404, 453 n. 43; Satanic Verses, The 384, 388

Ruskin, John 158, 361

Russell, Bertrand 2

Russell, Lord John 84

'Rutherford, Mark' 285–6; Autobiography of Mark Rutherford, The 285; Clara Hopgood 285, 286; Revolution in Tanner's Lane, The 285–6, 288

Said, Edward W. 20, 328

St Paul 281, 282, 287

Sala, George Augustus 227

Saladin 155

Salih, Tayeb 4

Salisbury, Lord 309

Salkey, Andrew, Escape to an Autumn Pavement 414

Salzman, Paul 49

Saxons 36, 37, 154, 169, 296, 297, 345, 403; in C. Brontë 239, 241; in Disraeli 169–70, 175, 176; in Gaskell 209–10; in Hardy 279; in Powys 345–6; in Scott 4, 155–9, 249

Schonhorn, Manuel 79

Schreiner, Olive 322; Story of an African Farm, The 322

science fiction 293, 319–20, 341, 391, 407

Scotch Rogue, The 47

Scott, Paul 337, 339–40; 'Raj Quartet' 337; Staying On 337, 339–40

Scott, Walter 4, 6, 10, 12, 19, 26, 77, 103, 140, 145, 147, 151–65, 173, 179, 187, 202, 214, 217, 221, 226, 239, 248, 267, 279, 296, 343, 344, 373, 377; Fortunes of Nigel, The 153, 157, 159, 160, 161–2, 221; Guy Mannering 163; Heart of Mid-Lothian, The 143, 221, 226; Ivanhoe 4, 29, 140, 145, 151, 153–9, 160, 161, 170, 175, 248, 249, 293, 435 n. 26; Kenilworth 147, 154, 157, 159–60, 161; Lady of the Lake, The 344; Life of Napoleon 183; Lives of the Novelists 25–6; Marmion 205; Old Mortality 152, 153, 160, 162; Peveril of the Peak 153, 157, 159, 160, 161–2, 221; Redgauntlet 152, 154, 160; Rob Roy 143, 152, 160, 221; Waverley 103, 152–3, 160, 161, 163, 188; Woodstock 153, 154, 157, 160, 161

Scruton, Roger 22

Second World War 311, 313–14, 352, 360, 362–70, 374, 376–7, 399, 406, 409, 410; see also Britain, Battle of

Seeley, Sir John 321–2, 340; *Expansion of England, The* 295–6, 321–2
Selkirk, Alexander 73
Selvon, Samuel 4, 393–6; *Lonely Londoners, The* 386, 393–4; *Moses Ascending* 393, 394–5; *Moses Migrating* 393, 394–5
Shaftesbury, Lord, *Characteristics* 126–7
Shakespeare, William 14, 15–17, 37, 44, 83, 134, 159, 305, 315, 318, 448 n. 71; *Hamlet* 152; *Henry V* 16–17, 239; *King Lear* 92; *Measure for Measure* 124; *Midsummer Night's Dream, A* 159; *Richard II* 15–17; *Romeo and Juliet* 92, 180; *Winter's Tale, The* 159
Shelley, Mary, *Frankenstein* 112, 145
Shelton, Thomas 47
Sheridan, Frances, *Memoirs of Miss Sidney Bidulph* 118
Sidney, Sir Philip 12, 35, 40; *Arcadia* 12, 37–9
Sir Gawain and the Green Knight 364
Smith, Alexander 134, 135, 139; *Complete History* 128, 129, 138
Smith, Anthony D. 23, 315
Smith, Charlotte 5, 83, 103–5, 164, 171, 181, 182–3, 187; *Desmond* 171; *Marchmont* 104, 116, 152, 182–3, 188; *Old Manor House, The* 103–5, 140, 181
Smith, Zadie, *White Teeth* 405
Smollett, Tobias 4, 27, 82, 83, 101–2, 152, 171, 217, 424 n. 17; *Don Quixote* 344; *Expedition of Humphry Clinker, The* 82, 116, 129, 138; *History of England* 103, 106–7; *Peregrine Pickle* 101–2, 116; *Roderick Random* 101, 116; *Sir Launcelot Greaves* 344
Snow, C. P. 351, 353; *Masters, The* 351; *Strangers and Brothers* 351

social-problem novel 117, 119, 123
Sophocles 278
Soueif, Ahdaf 408–9; *In the Eye of the Sun* 408–9
Southampton, Earl of 39
Spanish Civil War 314, 316
Spanish Succession, War of 26
Spark, Muriel 351, 410
Spectator 63–4
Spencer, Herbert 287
Spenser, Edmund 153
Squires, Mrs 106
Stalin, Joseph 367
Stanhope, Lady Hester 235–6, 248
Stendhal 217, 436 n. 40
Stephen, Leslie 77, 154, 163, 183, 275, 309, 311
Sterne, Laurence 25, 27, 102–3; *Tristram Shandy* 33, 91–2, 102–3, 427 n. 59
Stevenson, Robert Louis 13; *Great North Road, The* 143
Strafford, Earl of 188
Sturt, George, *Change in the Village* 397
Sullivan, Zohreh T. 328
Surrey, Earl of 40
Sutherland, James 78
Swados, Harvey 78
Swift, Graham 407; *Waterland* 407
Swift, Jonathan 18, 318, 418 n. 51; *Gulliver's Travels* 418 n. 51
Syal, Meera 5, 398, 399–401; *Anita and Me* 399–401
Sykes, Christopher 368

Tasso, Torquato 153
Taylor, Philip Meadows, *Confessions of a Thug* 323
Templars 156
Tennyson, Alfred 140, 151, 183–4, 343, 361, 373; *Idylls of the King, The* 343, 344, 351

Thackeray, W. M. 31, 34, 162,
217–19, 232–7, 269, 350, 396; *Barry
Lyndon* 234; *Pendennis* 217–19,
241; *Rebecca and Rowena* 159;
*Tremendous Adventures of Major
Gahagan, The* 232; *Vanity Fair* 82,
232–6, 238, 324
Thatcher, Margaret 381
Thierry, Augustin 169
Thomas à Kempis 267, 268
Thomas, Edward, *Heart of England,
The* 397
Thompson, E. P. 1
Thoreau, Henry David 402
Times, The 352
Tolkien, J. R. R. 352–3; *Lord of the
Rings, The* 352
Tolstoy, Leo 409; *War and
Peace* 362
Tories 83–4, 99, 147, 151, 164, 165,
179, 182, 183, 185, 200, 240, 295,
297, 309, 339; Disraeli on 166–7,
171; in Addison 64; in Austen 32,
187, 190, 195, 196, 197, 199; in C.
Brontë 238; in Disraeli 173, 175; in
Eliot 248, 275, 276; in Fielding 101;
in Ford 354, 359; in Gaskell 210; in
Irving 148–9; in Trollope 247, 269;
Irish 47, 129
Trevelyan, G. M. 311, 314; *History of
England* 295, 296, 311–12
Trevelyan, Sir George Otto 311
Trollope, Anthony 34, 151, 162,
246–8, 250, 268–70, 277, 350, 374;
Barchester Towers 268; *Doctor
Thorne* 269; *Framley
Parsonage* 268–9; *Warden,
The* 268, 269–70; *Way We Live
Now, The* 246–8, 248–9, 250, 304
Trotter, David 79
Turgot, Jacques 322
Turpin, Dick 130, 134, 139

Twain, Mark, *Connecticut Yankee,
A* 344; *Huckleberry Finn* 61
Tyrrell, James 91

Vansittart, Peter 22
Vaughan Williams, Ralph 304
Victoria, Queen 167, 168, 169, 177,
178–9, 295, 312, 376
Voltaire 283

Wagner, Richard 349
Wallis, Henry 254
Walpole, Horace, *Castle of Otranto,
The* 122, 152
Walpole, Sir Robert 96, 132
Warburton, William 116
Ward, Mrs Humphry, *Robert
Elsmere* 387
Warner, Marina 413–14; *Indigo* 413;
Leto Bundle, The 413–14
Wars of the Roses 37, 241
Waterloo, Battle of 175, 183, 200, 232,
233, 235, 236
Watt, Ian 10
Watts, Isaac 78
Waugh, Evelyn 5, 34, 342–3, 345, 347,
351–3, 360–70, 372–3, 377, 379;
Brideshead Revisited 360–2, 368;
Decline and Fall 342; *Handful of
Dust, A* 361; *Men at Arms* 362–4;
Officers and Gentlemen 364, 365–7;
Sword of Honour 350, 355, 362–70,
450 n. 36; *Unconditional
Surrender* 363, 364, 367–70; *Vile
Bodies* 342
Wellington, Duke of 183, 238, 240,
244–5
Wells, H. G. 218–19, 300, 303–5, 341,
401; *History of Mr Polly, The* 303;
Kipps 219; *Love and Mr
Lewisham* 219, 294; *New
Machiavelli, The* 218, 311; *Outline*

of History, The 311, 333; *Time Machine, The* 293; *Tono-Bungay* 27, 28, 32, 218–19, 300, 303–5, 308, 319, 401, 446 n. 33; *War of the Worlds, The* 293; *When the Sleeper Wakes* 319

Wells, Mrs 106, 107

Welsh, Alexander 160

Wentworth, Robert 188

Wentworth, Thomas, *see* Strafford, Earl of

Whig interpretation of history 85, 258, 295–6, 297, 311

Whigs 17–18, 52, 63, 83, 84, 126, 149, 165, 182, 200, 258, 260, 297, 425 n. 38; and aristocratic marriage 181; Disraeli on 166–7; in Addison 64; in Austen 32, 187, 188–9, 190, 191, 192–3, 194, 196, 197, 199; in C. Brontë 205–6, 238–9; in Disraeli 170, 173; in Eliot 185, 248, 275; in Fielding 101, 120–1; in Ford 354; in Thackeray 235; in Trollope 269; in Wells 304

White, T. H., *Once and Future King, The* 344, 345

White, William Hale, *see* 'Rutherford, Mark'

Whitman, Walt 66

Whitney (highwayman) 114

Whittington, Dick 5, 11, 30, 42, 43, 61, 77, 171, 216, 219–25, 227, 228, 230–1, 278, 284, 386, 390, 394, 396

Whittington, Sir William 220

Wiener, Martin J. 137

William I, King 156

William III, King (William of Orange) 47, 67, 68, 76, 79, 88, 102, 258, 350, 357, 359

Winterson, Jeanette 410

Wodehous, Emma 188

Wodehouse, P. G. 342

Wollstonecraft, Mary 121–2, 204; *Mary* 121; *Wrongs of Woman, The* 117, 121–2, 204

Wood, James 382

Woolf, Virginia 12–13, 32, 54, 295, 308–14, 347–50, 374, 412–13; *Between the Acts* 295, 309, 310–14, 319, 407; *Jacob's Room* 309; 'Mr Bennett and Mrs Brown' 412; *Mrs Dalloway* 309, 310, 447 n. 46; 'Niece of an Earl, The' 27–8, 412–13; *Night and Day* 309, 310, 347–9, 447 n. 46; *Orlando* 310; *Three Guineas* 309; *Voyage Out, The* 309–10, 351; *Waves, The* 311, 344, 348–50, 351; *Years, The* 309, 310

Wordsworth, William 215, 344, 402; *Lyrical Ballads* 285; *Prelude, The* 220, 221

Wright, Patrick 409

Wyndham, John 320

Yeats, W. B. 402

Yeazell, Ruth Bernard 135–6

Yonge, Charlotte M., *Heir of Radclyffe, The* 344

Zangwill, Israel 385–9; *Children of the Ghetto* 384, 385–9, 401; *Motso Kleis* 386

Zenobia, Queen 236

Zionism 248, 249